PATRIMOINE

LITTERAIRE

EUROPEEN

Direction de l'ouvrage

Jean-Claude POLET
(Facultés Universitaires Notre-Dame de la Paix, Namur et Université Catholique de Louvain)

Auteurs des notices

Jean-François BATTAIL (Université de Paris-Sorbonne, Paris IV) – Maria BENAGLI-CORTIGIANI (Università degli Studi di Siena) – Sándor BENE (Institut d'Études littéraires de Budapest) – † Willy BERGER (Facultés Universitaires Notre-Dame de la Paix, Namur) – István BITSKEY (Université de Debrecen) – Alain BONY (Université Lumière, Lyon 2) – Hélène BORDES (Université de Limoges) – Andrzej BOROWSKI (Université Jagellon, Cracovie) – Gaston BOUATCHIDZÉ (Université de Tbilissi et Université de Nantes) – Sophie BRIARD (Facultés Universitaires Notre-Dame de la Paix, Namur) – Michel BRIX (Facultés Universitaires Notre-Dame de la Paix, Namur) – Marie-Thérèse CASTAY (Université de Toulouse-le-Mirail) – Alain CULLIÈRE (Université de Metz) – Françoise DECROISETTE (Université de Paris 8) – Dirk DELABASTITA (Facultés Universitaires Notre-Dame de la Paix, Namur) – Maurice DELCROIX (Facultés Universitaires Notre-Dame de la Paix, Namur et Universitaire Faculteiten Sint-Ignatius te Antwerpen) – Armand DE LOECKER (Universitaire Faculteiten Sint-Ignatius te Antwerpen) – José María DÍEZ BORQUE (Universidad Complutense, Madrid) – Jacqueline DUCHÊNE (Université de Provence, Aix-Marseille I) – Roger DUCHÊNE (Université de Provence, Aix-Marseille I) – Robert ELLRODT (Université de Paris III, Sorbonne Nouvelle) – Éric EYDOUX (Université de Caen) – Marie-Madeleine FRAGONARD (Université Paul Valéry, Montpellier III) – Miguel Teijeiro FUENTES (Universidad de Extremadura, Caceres) – Anne GALLUT-FRIZEAU (Université de Toulouse-le-Mirail) – Raymond GARDETTE (Université de Paris-Sorbonne, Paris IV) – Béatrice GODLEWICZ (Bruxelles) – Olivier GOUCHET (Classes Préparatoires, Lycée Pothier, Orléans) – Alexandre GOUSSIDIS (Université Aristote de Thessalonique) – Marie-Jeanne HEGER-ETIENVRE (Université du Maine, Le Mans) – Karl HELMER (Université de Duisbourg) – Armand HIMY (Université de Paris-X Nanterre) – Robert HORVILLE (Université de Lille 3) – August KEERSMAEKERS (Universitaire Faculteiten Sint-Ignatius te Antwerpen) – Milan KOPECKÝ (Université Mazaryk de Brno) – Hanna KOWALSKA (Université Jagellon, Cracovie) – Michel LASSITHIOTAKIS (Université de Paris-Sorbonne, Paris IV) – Muriel LAZZARINI-DOSSIN (Université Catholique de Louvain) – Ernst LEONARDY (Université Catholique de Louvain) – Françoise LHOEST (Bruxelles) – Georges MAY (Yale University) – Zamfira MIHAIL (Université de Bucarest) – Yves MONTANIER (Université de Picardie – Jules Verne, Amiens) – Henk J.M. NELLEN (Koninklijke Nederlandse Akademie van Wetenschappen, Constantin Huygens) – Brendan Ó DOIBHLIN (Maynooth University College) – Jan OKÓN (Université de Cracovie) – Benito PELEGRÍN (Université de Provence, Aix-Marseille I) – Marc PETIT (Université de Tours) – Joseph PINEAU (Université d'Angers) – Delphine PIRAPREZ (Katholieke Universiteit Leuven) – Roger POOLEY (Keele University) – Karel PORTEMAN (Katholieke Universiteit Leuven) – Karl Ejby POULSEN (Fondation danoise, Paris) – Jean-Marie POUSSEUR (Université de Nantes) – Patricia RADELET-de GRAVE (Université Catholique de Louvain) – Jean-Claude ROBERTI (Université de Rennes 2 — Haute-Bretagne) – Élisabeth ROTHMUND (Université de Paris XII-Val de Marne) – Louis ROUX (Université Jean Monnet, Saint-Étienne) – Philippe ROY (Université Catholique de Louvain) – Jacques SANZ HERMIDA (Université de Salamanque) – André SEMPOUX (Université Catholique de Louvain) – Michael SIEVERNICH, s.j. (Philosophisch-Theologische Hochschule Sankt Georgen, Frankfurt-am-Main) – Anne-É. SPICA (Université de Metz) – Jerzy STARNAWSKI (Université de Lodz) – Benoît TIMMERMANS (F.N.R.S., Université Libre de Bruxelles) – Marie-France TRISTAN-BARON (Université de Paris-Sorbonne, Paris IV) – Catalina VELCULESCU (Institut d'Histoire et de Théorie littéraire « G. Calinescu », Bucarest) – Werner WATERSCHOOT (Universiteit Gent) – Nathan WEINSTOCK (Institut d'Études du Judaïsme, Bruxelles).

Conseillers scientifiques

Célina JUDA (Université Jagellon, Cracovie) – Tivadar GORILOVICS (Université de Debrecen).

Assistance scientifique

Nombre de recherches ont été menées par Isabelle PIETTE dans le cadre du projet « Patrimoine littéraire européen ». De 1994 à 1998, aux Facultés Universitaires Notre-Dame de la Paix (Namur), ce projet bénéficie d'un financement accordé par la Communauté française de Belgique dans le cadre des Actions de Recherche Concertée (A.R.C.). Le projet a aussi obtenu l'appui de l'Académie Royale Suédoise des Belles-Lettres, Histoire et Antiquités, de l'Académie Suédoise et de la Fondation Calouste Gulbenkian (Lisbonne).

Secrétariat scientifique et technique

Marie GRIBOMONT (Université Catholique de Louvain) – Françoise PICHON (Université Catholique de Louvain) – (Isabelle PIETTE (Facultés Universitaires Notre-Dame de la Paix – Namur) – Jean-Luc PIRE (Université Catholique de Louvain) – Anne-Laure VIGNAUX (Facultés Universitaires Notre-Dame de la Paix, Namur).

PATRIMOINE LITTERAIRE EUROPEEN

8

AVENEMENT DE L'EQUILIBRE EUROPEEN

1616-1720

ANTHOLOGIE EN LANGUE FRANÇAISE

SOUS LA DIRECTION DE JEAN-CLAUDE POLET

Printed in Belgium

ISSN 0779-4673

D 1997/0074/15

ISBN 2-8041-2432-0

PRÉFACE

Au cours de ce XVIIe siècle s'élabore un nouvel équilibre. Si l'Orient européen subit la dépendance, la soumission ou les difficultés de l'oppression et, de ce fait, s'estompe peu à peu dans la conscience occidentale moderne, l'Occident et le centre de l'Europe établissent des liens et des rapports de force tenaces. Guerres, tensions et résistances donnent en effet aux religions, aux confessions et aux puissances d'établir durablement leurs conflits, leurs spécificités et leurs exclusives dans les ordres politique, intellectuel et culturel. Cette situation de relative stabilité, découpée sur un fond d'hégémonie mondiale, se mesure, pour la première fois, aux dimensions d'une conscience européenne qui, au-delà de ses propres divisions et à travers elles, se conçoit comme foyer et référence de la civilisation pour l'homme universel. Certes, le siècle précédent avait envisagé la commune mesure de l'univers dans lequel l'homme avait à concevoir sa condition d'existence : les hypothèses astronomiques, les progrès technologiques, les conquêtes géographiques, l'enrichissement économique, le développement démographique et, fondamentalement, l'humanisme, en théologie, en philosophie, en art, en philologie et dans les Belles-Lettres avaient assuré, à partir des normes de la tradition antique et des supériorités du présent historique, un nouvel ordre des évidences, de nouvelles orientations thématiques pour la pensée, une nouvelle hiérarchie pour les pertinences de la vérité, une nouvelle distribution des rôles pour les arts de l'expression, une nouvelle catégorisation des genres littéraires, un nouveau goût ; enfin, la Renaissance et la Réforme avaient suscité, émergeant des béances laissées par le nouvel ordre, le retour du tragique, manifestation aiguë, dans un temps d'intense aspiration à l'Absolu, de l'inadéquation globale et ultime de l'homme et du monde.

Au long de cette époque, la conscience nouvelle de l'Europe, unifiante sinon unifiée — non certes encore unitaire —, fut fortement soutenue par une anthropologie où s'accrut l'attention au corps de l'homme et à son bien-être, par la pression, optimiste et enthousiaste, de l'esprit pratique, par le dynamisme triomphant des sciences et le développement efficace des techniques, par l'irrésistible conviction que la société des idées et des arts est réalisable et qu'elle est le bénéfice le plus nécessaire de l'idéal humaniste. Ce furent bien entendu les dynasties et les États, républiques ou monarchies, qui promurent, selon des objectifs et des modalités divers mais finalement convergents, cet équilibre multiple où des contrepoids de toute nature conspirèrent à instaurer une éthique de l'Idéal et une esthétique de la Grandeur qui fluctua, en vagues de moins en moins alternées, entre l'exaltation et le raffinement sublime du baroque, d'abord triomphant, et le faste ordonné, à la fin dominant, des sévères et sereines souverainetés classiques. Mais on aurait tort de ne pas voir — ce que montre clairement l'ensemble des faits et des textes ici rassemblés — combien fut déterminante, dans la convergence de cet ensemble disparate de facteurs d'équilibre, axés sur l'Absolu, l'influence des différents courants du protestantisme et, au sein du catholicisme contre-réformateur, les divergences, internes du moins en apparence, affichées par l'ordre, missionnaire et puissamment unificateur, des jésuites : pour la plupart, savants et idéologues, juristes et pédagogues, utopistes et mystiques, chantres de l'amour galant et explorateurs de l'imaginaire évasif, analystes des passions et architectes des labyrinthes du cœur humain, au-delà de la variété kaléidoscopique de leurs autonomies obtenues, continueront, à l'ombre idéologique d'une spiritualité religieuse rénovée et relancée, de postuler ou de prôner, par la métaphysique, la mathématique, l'utopie ou le pragmatisme d'une morale du bonheur vertueux, un mode de penser circonscrit par la notion d'unité, mode qu'ils seront impatients de voir s'actualiser dans l'unanimité des consciences éclairées — fondement de l'Idéal absolu des Lumières à venir. Ils le feront, en dépit même du mouvement réel de l'histoire qui, à l'inverse de cet Idéal, fit qu'objectivement le savoir, loin de se rassembler dans l'unité, se mit à déborder, jusqu'à les subvertir, les frontières et même les possibilités du dire des langues naturelles, savantes ou nationales, où l'unité du savoir, depuis les origines du langage, avait toujours trouvé sa source et retrouvait son foyer.

Au XVIIe siècle, le savoir d'abstraction, notamment mathématique, s'est trouvé engagé, dans une mesure toute nouvelle, et toute moderne, sur la voie de la tension paradoxale qui le tiraille encore entre la spéculation et l'application utilitaire. Il fut tout à coup promu universel régent de la nature, c'est-à-dire du monde et de tout ce qui, en l'homme, lui appartient. En effet, dès lors qu'il devint patent, parce que surabondamment démontré, que « la nature parlait le langage des mathématiques », il apparut clairement que les figures et les symboles de l'abstraction devenaient, irréversiblement, en défiance des préjugés et des insuffisances de l'esprit humain, les hauts lieux de la science autant que les fondements de la technique, et que les vérités établies par l'application aux réalités naturelles des instruments technologiquement conformes aux nécessités mathématiques devaient être considérées comme absolument et définitivement vraies. En astronomie, en physique, singulièrement en mécanique, mais aussi et de plus en plus en médecine et en sciences naturelles, les observations et les faits, les vérifications et les procédures, les opérations et les relations établies sur ces bases, bref le langage des sciences, dans ses ressources descriptives et cognitives, apprenait à se trouver hors de portée des pertinences du savoir-dire des langues naturelles, hors des subtils débats d'indétermination que les arts d'un logos non exclusivement rationnel avaient établis entre les intentions du vouloir-dire et les moyens du pouvoir-dire. Le nouveau savoir n'avait plus rien à voir avec les « je-ne-sais-quoi », tout à coup réduits et exclusivement appropriés aux relativités, à la sensibilité, et à la sagesse du cœur. Le nouveau logos mathématisé de la nature, affranchi de la poétique, de la rhétorique et de la stylistique, tout entier livré et parfaitement réduit à la logique, s'apprêtait à se donner et se donna de plus en plus sa propre langue, tout abstraite, où vouloir-dire et pouvoir-dire coïncident absolument, indépendamment de tout savoir-dire.

Dans pareille sémantique, les raffinements de l'homme de lettres ne pouvaient plus être que des effets de l'art, des artifices de l'expression, sans autres nécessités ni véracités que celles qui appartiennent aux registres propres de l'idéal esthétique ou aux genres et domaines traditionnellement établis de l'expression lyrique, de la représentation dramaturgique, de la réflexion, de la description, de la narration.

Devant cette situation proprement révolutionnaire, l'esthétique langagière du baroque paraît bien avoir été, face aux menaces de l'abstraction dominatrice et aux conséquentes dépossessions des conquêtes humanistes, une espèce de défense de l'honneur des langues, de l'homme et de leur seigneurie sur le monde, une défense tout à la fois désespérée et exubérante, pathétique et convaincante, séductrice et méprisante. Quant au classicisme, il semble s'être résolu, inspiré par une esthétique de l'ordre, de la gloire, de la concorde, du naturel, de la réserve et de l'équilibre, à un prudent compromis logique, à mi-chemin entre la coopération et la rébellion, constamment perplexe, hésitant entre l'absorption, l'intégration et la sujétion.

Jean-Claude POLET

PATRIMOINE LITTÉRAIRE EUROPÉEN

Le patrimoine européen est aussi riche que varié. Mais les grands textes des littératures de l'Europe en sont la récapitulation la plus explicite.

Au seuil du troisième millénaire de son ère, l'Europe, soucieuse d'assumer les responsabilités de sa culture, que l'histoire des deux derniers siècles a répandue dans le monde entier, se doit de procurer aux générations du nouvel âge un ensemble cohérent des valeurs qui l'illustrent et la constituent.

La présente anthologie a pour propos de présenter à tous ceux qui lisent le français une somme de textes qui réponde à cette ambition.

L'ouvrage s'organise en douze volumes : trois pour les fondations de l'édifice littéraire européen ; un pour le Moyen Âge, pour autant qu'il n'ait pas été représenté dans les volumes précédents ; trois pour la période qui va de Pétrarque (1304-1374) à la mort de Shakespeare et de Cervantès (1616) ; trois pour la période suivante, que l'on arrête à la mort de Goethe (1832) ; deux enfin pour rendre compte de l'époque qui s'achève avec la mort de Proust, en 1922.

Les trois premiers volumes décrivent les fondements littéraires de l'Europe. Le premier est consacré aux traditions juive et chrétienne ; le second aux héritages grec et latin ; le troisième aux racines celtiques et germaniques. Ils ordonnent leur matière domaine par domaine et, au sein de chacun d'eux, suivent la chronologie. Ils rassemblent, outre des textes d'antiquité certaine, des œuvres qui, au cours du Moyen Âge, ont explicité, prolongé et illustré la nature ou l'allure du dépôt primitif.

Le quatrième volume est consacré au Moyen Âge, de l'Oural à l'Atlantique, jusqu'au seuil du XIVe siècle. Il présente une matière tout à la fois très diverse — à la mesure des bouleversements incessants de ces siècles — et fourmillant de convergences — à l'image des stabilités maintenues ou des puissances nouvellement instaurées. L'ampleur et la complexité du tissu médiéval n'ont pas permis de placer les textes dans un ensemble unifié ni de les ordonner, toutes provenances confondues, selon la seule chronologie : le volume a été dédoublé, et sa matière répartie en ensembles géographiques et / ou linguistiques, organisés chronologiquement.

Les volumes 5, 6 et 7 signalent des auteurs et recueillent des œuvres qui, au-delà des tensions régionales et des perplexités intellectuelles, ont assuré la transition, la montée et le triomphe progressif de l'humanisme renaissant et de sa nouvelle vision du monde et de l'homme. En même temps que les nations de l'Europe occidentale cherchaient à imposer leur hégémonie au reste du vieux continent, au Nouveau Monde, voire à l'univers connu, les Temps Modernes intellectuels, politiques et littéraires instauraient peu à peu un nouvel ordre de valeurs éthiques et esthétiques.

Sur ces nouvelles bases se construira l'âge classique, bientôt cosmopolite, mettant peu à peu au programme de l'humanité la pratique de la raison universelle, prémisses de la civilisation planétaire. Ce nouvel ordre des principes et ces nouvelles exigences de l'expression artistique et littéraire conduiront la pensée et les lettres européennes jusqu'à Goethe, celui qui a exprimé avec le plus de vigueur le concept de littérature mondiale. Les volumes 8, 9 et 10 réunissent ainsi les hommes de lettres qui manifestent, dans les difficultés de l'accomplissement et du dépassement des états et des nationalités, les élans, les contradictions et les étapes de cette véritable révolution de l'esprit humain que fut la conscience de l'unité réelle de l'humanité universelle.

Les volumes 11 et 12, qui vont de 1832 à la mort de Proust, montrent comment s'est achevé littérairement le processus qui, avec la première guerre mondiale, devait aboutir à la Société des Nations et à la mondialisation de la culture. Les écrivains qui émergent alors le font à travers des mouvements ou des écoles — romantismes, réalismes, esthétismes, symbolismes, modernismes — et s'engouffrent, les uns après les autres, dans les béances qu'ont ouvertes, pour l'expression, les oppositions existentielles qui, de régime politique en révolution, de nation en nation, de langue en langue, d'idéologie en idéologie, faisaient s'affronter la logique des continuités historiques et le nouvel ordre international des références.

Patrimoine littéraire européen est une anthologie et, à ce titre, entend ménager au lecteur un accès direct aux textes. Direct, mais pas abrupt. L'anthologie, bouquet de fleurs *coupées*, est en effet entourée des précautions de l'histoire, qui ordonne et module continuités et ruptures, et de l'encyclopédie, qui ouvre la conscience à toutes les différences et indique à la critique les chemins érudits de l'autorité. Les textes présentés sont ainsi précédés de notices assorties d'indications bibliographiques, et pourvus d'arguments et de notes.

Anthologie du *patrimoine européen*, elle n'est ni juxtaposition ni fusion d'anthologies nationales ou régionales. Son souci est de réprésenter significativement et, par force, sélectivement, les originalités et les spécificités littéraires qui, parfois, se sont manifestées plus diversement ou plus largement qu'elle ne peut en rendre compte.

Une des originalités de l'ouvrage, c'est de donner à lire les auteurs étrangers dans des traductions choisies tout au long de l'histoire de la langue et de la littérature française, surtout du XVIe au XXe siècle. Cela afin de faire sentir les modes successifs de l'intégration française de la littérature européenne.

À côté du nom du traducteur, avant l'extrait proposé, figure une date d'édition : antérieure à celle qui est mentionnée dans le signalement donné après le texte, elle désigne la première édition de la traduction citée. Cette information historique, à laquelle on ajoutera celles que fournit, en fin de volume, le Répertoire des traducteurs, doit permettre de situer la traduction dans le cadre particulier de son effectuation et dans le cadre général de l'histoire littéraire. Parfois, des versions différentes — notées bis, ter, etc. — du même texte sont présentées à la suite l'une de l'autre afin de concrétiser les variations de style, d'époque ou de conception dans l'art de traduire.

Cette anthologie des traductions existantes est accompagnée de nombreux textes donnés pour la première fois en français dans des traductions inédites, afin de compenser les manques et de corriger les portraits déformés que le passé a pu laisser.

■

Dans les ouvrages d'histoire des différentes littératures européennes, la notion et la réalité de l'Europe restent encore le plus souvent implicites, ou même simplement virtuelles. Depuis la Réforme et, surtout, à partir de la Révolution française, les nations et les États modernes, au nom de leur consistance propre et au service de leurs prétentions universelles, se sont appropriés, avec plus ou moins d'exclusivité, tout ce que leurs affinités pouvaient espérer de racines, tout ce que leur volonté de rassembler et de s'étendre pouvait revendiquer d'héritages et de parentés. Ce qui a fait, et ce qui continue de faire que peu à peu, mais de plus en plus, sont nées autant d'histoires littéraires qu'il y a de nations ou d'États européens. Pareille division, légitime autant qu'elle est restauratrice des complexités internes et médiatrice des échanges, n'a pas évité, il s'en faut de beaucoup, la dissémination, le confinement, l'ignorance ou les emphases de la petitesse. Et les tentatives *généralistes* d'histoire de *la* littérature européenne, censément envisagée dans son unité synthétique (souvent forcée), n'ont pas échappé à la nécessité de se structurer et d'organiser leur matière selon les divisions qu'adoptent les histoires littéraires nationales pour se répartir entre elles la matière littéraire européenne.

Patrimoine littéraire européen se veut tout aussi bien au rebours de la tendance spécialisatrice qu'en dehors des excès de la synthèse. Sa nature d'anthologie érudite lui assure cette voie moyenne. La collection anthologique en effet, loin de fermer, ouvre : la logique du divers et du singulier, du fragment et de la coïncidence, qui préside à son esthétique, produit des regroupements significatifs mais arbitraires, que doit contrebalancer, non certes un conformisme d'histoire littéraire, dont trop d'anthologies sont tributaires, mais la vaste et rigoureuse maîtrise érudite de la matière. En conjoignant le choix multiple (des auteurs, des traducteurs, des extraits et des commentaires) et la nécessité savante (des collaborateurs spécialistes, des orientations bibliographiques et des notices sur les traducteurs) *Patrimoine littéraire européen* espère équilibrer les prétentions de sa fin par la solidité de ses moyens.

On sentira sans doute mieux la difficile nécessité de cet équilibre à partir du volume 5, où la logique organique de l'anthologie et la finalité directement européenne de son florilège ont été radicalisées. Radicalisation motivée par la nécessité d'en revenir, autant que possible, au-delà des ordres établis par les histoires littéraires nationales, à la diversité brute du passé européen et à ses réalités constitutives. Car c'est au XIVe siècle que les nations en Europe ont commencé à se saisir de leurs langues pour s'en faire d'irréductibles identités et de probables destinées. Les États, peu de temps après, se saisiront pareillement de la territorialité pour établir leurs frontières. Nation, État, langue, territoire seront, sur fond d'universelle émancipation, notamment religieuse, de l'individu, les grandes références dont la politique européenne des Temps Modernes alimentera ses rapports de force. C'est à partir du XIVe siècle donc, et du volume 5 de *Patrimoine littéraire européen*, que l'anthologie a choisi de constituer son ensemble, toutes langues et toutes régions confondues, selon le principe d'ordre qui, seul, résiste à tout embrigadement du sens : la chronologie.

Désormais, le sommaire des volumes n'affiche plus de sous-sections : les auteurs et les œuvres anonymes ne sont plus ordonnés, comme dans les volumes précédents, selon une chronologie interne à leur domaine linguistique, à leur provenance géographique ou à leur genre littéraire, mais bien, directement, selon la seule chronologie. Directement, ou presque. En effet, dans ce volume encore, certains regroupements par langue, par nation ou par genre se sont avérés, bien que rarement, inévitables, principalement parce que, en ce XVIIe siècle, la chronologie est loin d'être homogène, de l'Orient à l'Occident de l'Europe. Cet ordre de présentation uniquement chronologique, toutes langues, régions et genres littéraires confondus entend, de surcroît, au-delà de la découverte, proposer, parfois au risque de l'étonnement, certaines réévaluations à la perspicacité des historiens et des comparatistes.

Ce faisant, il ne s'agit pas, évidemment, de perdre le lecteur dans le flux des textes, mais bien de lui conserver tous les moyens de gouverner sa navigation. Bien qu'effacés au rang des titres et des sous-titres, les divers critères d'organisation de la matière littéraire ont été partout maintenus dans les notices et les notes, qui permettent de situer chacun des auteurs, les œuvres anonymes et les textes de l'anthologie dans leur cadre géographique, politique, social, esthétique, générique, thématique, etc. Plus particulièrement, le critère d'ordonnancement linguistique a été souligné dans la présentation de l'ouvrage, par la mention, sous chaque titre de notice, du ou des domaines linguistiques concernés, et par deux Index : l'un donne, langue par langue, la liste des auteurs repris dans le volume ; l'autre donne la liste des extraits appartenant à telle ou telle catégorie de textes.

En dépassant, sans les méconnaître, les frontières géographiques et politiques d'hier et en traversant, pour les relativiser, celles d'aujourd'hui, le principe d'ordre chronologique entend aussi faire apparaître que l'Europe, depuis le XIVe siècle déjà, sans quitter les orientations fondatrices de sa civilisation, s'engage dans le mouvement qui la conduira, depuis le Moyen Âge jusqu'à nos jours, de siècle en siècle et de crise en crise, vers l'horizon de nouvelles universalités.

■

GRAPHIES D'ÉPOQUE ET ACCENTS DU PASSÉ

S'il nous était donné de pouvoir écouter la parole et les accents des hommes qui parlèrent français dans le passé, nous aurions à tendre l'oreille pour reconnaître, sous l'usure du temps, la prononciation, l'usage, la langue qui fut la leur et qui est restée la nôtre.

Le seul moyen que nous ayons de faire pareille expérience, avant qu'on ait pu enregistrer la voix, c'est de passer par le texte et, dans le texte, par tout ce que la graphie traduit, depuis les traits de syntaxe, de morphologie, de lexique, de phonétique et de style jusqu'aux simples variations des conventions ou des rigueurs typographiques.

En respectant le plus souvent les graphies des éditions que nous avons reproduites[1], nous avons voulu donner à nos lecteurs le moyen de toucher du doigt la pa-

---

1 Les seules modifications que nous ayons apportées aux textes anciens concernent leur lisibilité : ainsi nous avons remplacé le *i* et le *u* consonnes par *j* et *v*, comme l'usage graphique s'en est imposé dès le XVIIe siècle. Dans le même esprit, nous avons donné en toutes lettres les abréviations héritées des habitudes graphiques du manuscrit médiéval.

tine du temps et d'observer concrètement, directement, objectivement, l'évolution de la langue dans son costume au cours des cinq derniers siècles.

L'orthographe, c'est en effet l'uniforme que la langue revêt pour défiler dans l'histoire. On le verra au fil des textes, l'orthographe française n'a pris le visage que nous lui connaissons que depuis un siècle et demi environ.

De 1835 à 1990, une très large stabilité s'observe. Après 1835, on ne trouve plus guère, par exemple, les graphies f*oi*blesse, conn*oî*tre, par*oî*tre, monn*oi*e, Angl*oi*s, chên*oi*e, et autres semblables, et l'on constate que les *ai* sont également substitués aux *oi* dans les indicatifs imparfaits et les conditionnels ; à cette même date, on supprime une règle qui voulait que l'*s* absorbe la consonne qui suivait l'*n* ou l'*m* d'une voyelle nasale, comme dans *longtems*, *tems*, *grans*, *choquans*, *vens*, *enfans*, *apprens*, *violens*, *amans*, *trainans*, *disans*, *brigans*, *assistens*, etc [1].

Avant 1835 et plus on remonte dans le temps, plus les graphies divergent de l'orthographe actuelle, soit parce que la langue écrite était régie par d'autres conventions que celles qui se sont imposées, soit parce qu'on n'avait pas de la même façon le souci de rendre l'écriture conforme à la syntaxe ou à la phonétique, soit encore parce que la langue elle-même, notamment sa grammaire, son lexique et sa phonétique se trouvaient dans un autre état, et par conséquent devant d'autres opportunités de correspondance graphique.

Bien qu'il y ait, dans ce volume, peu de textes aux graphies vraiment difficiles, il nous a paru nécessaire de pourvoir nos lecteurs de quelques moyens de déchiffrement qui entendent, tout simplement, sans considérations savantes, rendre une certaine transparence aux mots du passé.

Signalons d'abord que pour ce qui est de la ponctuation, des majuscules, des accents[2], des traits d'union, des coupures ou des soudures[3] et des apostrophes, nous n'avons rien modifié. Pour révélatrices qu'elles soient de la sensibilité stylistique et de la conscience linguistique, les très nombreuses variations en ces domaines n'ont jamais véritablement mis le sens en péril. Là comme ailleurs, les rigueurs graphiques du passé étaient moins grandes que celles du présent, en particulier lorsqu'il n'y avait pas de risque de confusion. Ainsi, on peut voir, quelquefois à la même page, le même mot écrit de deux manières différentes : par exemple, *Jupiter* et *Juppiter*, *boufon* et *bouffon*, *Stoïciens* et *Stoiciens*, *simulachres* et *simulacres*, *soupper* et *soupé* pour souper.

Du reste, les consonnes internes aux mots ont été, alternativement souvent, doubles ou simples. On trouvera donc : *aprendrai*, *atirante*, *atend*, *atribuant*, *acor-*

1 *s* et *z*, à la fin des mots, avalaient bien souvent la consonne précédente : *remors* (remords), *cors* (corps), *floz* (flots).

2 On rencontre ainsi : *ainé*, *mème*, *déplait*, *apres*, *cét*, *éfet*, ou des phrases comme : *Car dois-je vivre apres avoir perdu un tresor si precieux ?* ou *nôtre plus grand soin doit étre de laisser aprés nous la plus longue memoire qu'il est possible.*

3 Ainsi on trouvera : *enhaut*, *au-lieu que*, *aussi-bien que*, *non-plus que*, *parceque*, *dequoi*, *aujourdhui*, *asçavoir* pour *à savoir*, *encoreque*, *tousjours*, *ensorte que*, *toutesfois*, *autresfois*, *neantmoins*, *très-honnête*, *tresbon*, *tresrenommé*, *plateforme*, *plutôt* dans le sens de *plus tôt*, *déja*, *delà* pour *de là*, *long-temps*, *quel-cun*, *quelcun*, *toutafait*, *le quel*, *lon* (*l'on*), *d'avantage*, *au paravant*, *audevant*, *la plus part*, *aussi-tôt*, *par-tout*, *par tout*, *dés-ennuyer*, *mal-heurs*, *vrai semblable*, *r'habille*, *bien-tost*, *aussi-tost*, *dé-jà*, *puis que* pour *puisque*, *lors que* pour *lorsque*.

de, *combatre*, *quiter*, *atachant*, *ausi* (aussi), *conus*, *inconus*, *oposer*, *fraper*, *bale*, *tranquile*, *sotise*, *pourai*, *flater*, *quiter*, *faloit*, *abatre*, *aporte*, *cete*, *molement*, *molesse*, *ocupé*, *personage*, *homes* (hommes), *sufrage*, *atentivement ; acomplissez*, *coment*, *acorder*, *carfour* (carrefour), etc. ; et l'on pourra lire tout aussi bien : *abbry*, *robbe*, *aggréable*, *jettant*, *seullement*, *deffaite*, *aggresseur*, *abbattus*, *coupper*, *rappellèrent*, *argille*, *honnorable*, *proffitable*, *sapper*, *allarme*, *apperçoit*, *finallement*, *Juppiter*, *apellé*, *chuchottement*, *parolles*, *controlle*, etc. Là encore, nous n'avons rien changé : après une brève hésitation peut-être, le lecteur s'y retrouvera aisément.

Comme on le voit avec *controlle*, l'accent circonflexe viendra remplacer les lettres supprimées, souvent *s* (par exemple à l'indicatif passé simple et au subjonctif imparfait et dans les verbes en -aître, ou dans gîte), mais aussi bien *l*, comme dans contrôle ou dans pâle (*palle*), ou *m*, comme dans chôme (*chomme*), ou *a* comme dans *âge* (*aage*), ou encore *e* dans sûr (*seur*), reçû (*receu*).

Pour ce qui est des *e* muets, l'orthographe ancienne les a maintenus le plus souvent devant *u*, comme l'orthographe actuelle ne le fait plus que dans la conjugaison du verbe avoir (j'*eus*, nous *eû*mes). C'est ainsi qu'on trouve dans le passé : *feut* pour fut, *asseurée*, *veu*, *accreu*, *deuë*, *reconneu*, *esmeu* (*ému*), *meu* (*mû*), *peusse* (pusse), *pleust* (plût), *cheute* (chute). Dans le cas de *conceut*, *deceuz*, *receu*, *apperceut*, le *e* muet signale que *c* se prononce *s*, et vaut cédille. Le *e* muet s'est aussi maintenu devant *i* à l'indicatif passé simple ou au subjonctif imparfait : *meist* (mît), *feit* (fit), *veist* (vît) ou *veid* (vit), *descouvreit*.

Le tréma, pour sa part, a souligné des traits phonétiques aujourd'hui parfois disparus : *ruïné*, *réjoüissent*, *citoïens*, *fuïez*, *voïez*, *ruë*, *obeït*, *nuë*, *issuë*, *impunië*, *ouï* (oui), *inoüies*, *vûë*.

De nombreuses consonnes se sont maintenues assez longtemps au titre de l'étymologie, quelquefois douteuse, et /ou de la phonétique. C'est ainsi qu'on lit *bled* (blé), *nud*, *adventure*, *advantages*, *advise*, *vindrent*, *viste* (vite), *adjousta* ou *adïousta* (ajouta), *soubz* ou *soubs* et *dessoubz*, *doubtast*, *subject* ; *pourtraict*, *faict*, *conflict*, *lict*, *saincte*, *joinctz*, *poincts*, *nuict*, *succa*, *laict*, *droictement*, *painctes* (peintes) , *fainctes* (feintes) ; *estourbillon*, *recognut*, *congnoistre* (connaître), *desja*, *coustumier*, *estes*, *mesme*, *ceste* (cette), *monstrera*, *feste* (fête), *ancestres*, *destroict*, *vestu*, *florist*, *tost*, *Oust* (Août), *estend*, *escrit*, *accoustra*, *faschast* (fâchât) ; il *fault*, *saulx* (sauts), *faulx*, *doulx*, *hault*, *mieulx*, *veulx*, *fouldre*, *chaulde* ; *ung* (un), *loing*, *besoing*, *soing*, *tesmoing* ; *abysme*, *sçavant*, *sçavoir*, *je sçais* ; *roch*. Et l'on a longtemps écrit *cercher* pour chercher.

Des voyelles, graphiquement ou phonétiquement, ont varié dans certains mots : *éguillon*, *fantasie*, *guarir*, *vuide*, *prins*, *comprins*, *brief*, *breveté* (brièveté), *coursaires*, *arrousait*, *demourant* (demeurant), *ou* (au), *ouquel* (auquel), *rameine*, *lignaige*, *seiches* (sèches), *moron* (mouron), *povoit* (pouvait), *fresche* (fraîche), *cler* (clair), *pignoit* (peignait), *fesoient* (faisaient), *cueur* (cœur), *seur* (sœur), *meurs* (mœurs), *euvre* (œuvre), *gesant* (gisant), *nay* (né).

Pour ce qui concerne les conventions graphiques, on a varié au cours des temps : on a écrit par exemple systématiquement & pour *et* ; *y* et *i* ont été alternativement préférés sans que la référence à l'upsilon grec soit le plus souvent engagée (*icy*, *toy*, *j'ay*, *craye*, *ymaiges* (images), *ny*, *celuy*, *pourquoy*, ou *hipocrites*, *tiran*, *ï* (y) ; la graphie de la diphtongue a quelquefois été *dueil*, *vueillent* ; le *n* mouillé s'est longtemps écrit *ngn* comme dans *congnée*, ou *ign*, comme dans *montaigne*, *gaigne*, *champaigne* ; *un* ou *um* suivi d'une consonne s'est prononcé *on*, comme *immunde*, *undes* (ondes), *umbre* (ombre), *voluntiers* ; *s* et *z* sont équivalents comme terminaisons du pluriel (*vertuz*, *parcz*) et *z*, dans certains cas, est préféré à *s* à la fin des mots (*filz*, *tapiz*, *procez*) ; comme marques du pluriel, dans de nombreux cas, *s* et *z*, *s* et *x* se sont concurrencés : *pressez* (pressés), *piez* (pieds), *loix* (lois), *chargez* (chargés), *chois* (choix), *vois* (voix), *faiz* (faix), *pris* (prix), *poix* (poids).

Certaines différences tiennent à des modifications plus sensibles de la langue écrite ou de la norme linguistique. Ainsi, l'*s* et le *t* qui terminent certaines formes verbales ne se sont pas toujours imposés : *Dy* ; *je sai*, *voy*, *fay*, *adoptoy* (adoptais), *doi*, *suy*, *aperçoi*, *ry*, *fay*, *diroi* ; *il croy*. On a écrit *dient* (disent), *ent* (ont). On a aussi quelquefois écrit *se* pour *ce* ou *ses* pour *ces*. De vieux mots, de vieilles formes ou de vieilles graphies se sont abolies au cours des siècles : *sus* (sur), *ne* (ni), *si*, en début de proposition notamment (ainsi), *jà* (déjà), *onques* (jamais), *adonc* (alors), *voire* (vrai, vraiment), *outreplus* (en outre), *emmy* (au milieu de), *illecques* (là), *aucuns* (quelques), *ainçois* et *ains* (au contraire), *es* (en les), *moult* (très, beaucoup), *ferue* (frappée), *poure* (pauvre), *envoyerai* (enverrai), *vousissent* (voulussent), *failloit* (fallait), *derrogast* (dérogeât), *refferreray* (réfèrerai), *poursuyvir* (poursuivre), *assault* (assaille). Rares sont les traces dialectales, comme dans *chable* (câble), ou les changements de genre, comme *une* doute (à présent masculin) et *un* échappatoire (à présent féminin).

■

Nous avons adopté, pour les signalements, la Description bibliographique internationale normalisée des monographies (ISBD-M) publiée en 1978 par la Fédération internationale des associations des bibliothécaires et des bibliothèques. Bien loin de contrevenir aux diverses conventions et aux multiples usages établis dans les différents pays du monde selon les disciplines particulières, cette norme synthétise, concilie et ordonne toutes les mentions qui permettent d'identifier un livre.

Cette norme s'applique principalement aux publications récentes et n'envisage pas les problèmes propres à la description du livre ancien. Cependant, on a voulu ici en généraliser l'application, tout en veillant à conserver aux ouvrages antérieurs au XIXe siècle les particularités de leur page de titre.

■

SOMMAIRE

TABLE DES LANGUES

HONGROIS

Rimay (1569-1631).
Pázmány (1570-1637).
Zrínyi (1620-1664).
Bethlen (1642-1716).

ISLANDAIS

Hallgrímur Pétursson (1614-1674).

ITALIEN

Rinuccini (1562-1621).
François de Sales (1567-1622).
Sarpi (1552-1623).
Marino (1569-1625).
Basile (env. 1575 - 1632).
Campanella (1568-1639).
Cortese (env. 1570 – après 1640).
Galilée (1564-1642).
Poètes maristes.
Tesauro (1592-1675).
Bartoli (1608-1685).
Marana (1648-1693).
Madame de Sévigné (1626-1696).
Redi (1626-1698).

LATIN

Simon Stevin (1548-1620).
Jean Barclay (1582-1621).
Johannes Campanus (1572-1622).
François de Sales (1567-1622).
Szymon Szymonowicz (1558-1629).
Agrippa d'Aubigné (1552-1630).
Kepler (1571-1630).
Spee (1591-1635).
Jérémie Drexel (1581-1638).
Campanella (1568-1639).
Robert Burton (1577-1640).
Sarbievius (1595-1640).
Galilée (1564-1642).
Grotius (1583-1645).
Descartes (1596-1650).
Pavel Stránsky ze Zap (1583-1657).
Harsdörffer (1607-1658).
Cats (1577-1660).
Andreas Gryphius (1616-1664).
Comenius (1592-1670).
Tesauro (1592-1675).
Andrew Marvell (1621-1678).
Hobbes (1588-1679).
Athanase Kircher (1602-1680).
Balbinus (1621-1688).
Christian Huygens (1629-1695).
Robert Grove (1634-1696).
Racine (1639-1699).
Kochowski (1633-1700).
Olof Rudbeck (1630-1702).
Lubomirski (1641-1702).
Bossuet (1627-1704).
Locke (1632-1704).
Milescu (1636-1708).
Esprit Fléchier (1632-1710).
Leibniz (1646 -1716).
Addison (1672-1719).

NÉERLANDAIS

Bredero (1585-1618).
Simon Stevin (1548-1620).
Camphuysen (1586-1627).
Grotius (1583-1645).
Hooft (1581-1647).
Cats (1577-1660).
Vondel (1587-1679).
Zesen (1619-1689).
Christian Huygens (1629-1695).
Luyken (1649-1712).

NORVÉGIEN

Petter Dass (1647-1707).

POLONAIS

Szymon Szymonowicz (1558-1629).
Miron Costin (1633-1691).
Kochowski (1633-1700).
Pasek (env. 1638 – 1700/1701).
Lubomirski (1641-1702).

PORTUGAIS

Rodrigues Lobo (1575/1580-1623/1627).
Francisco Manuel de Melo (1608-1666).
António Vieira (1608-1697).

ROUMAIN

Miron Costin (1633-1691).
Milescu (1636-1708).
Constantin Cantacuzène (avant 1640 - 1714).

SLAVON

Littérature et alcool en Russie (2e moitié du XVIIe siècle).
Milescu (1636-1708).

SUÉDOIS

Stiernhielm (1598-1672).
Olof Rudbeck (1630-1702).

TCHÈQUE

Christophe Harant (1564-1621).
Simon Lomnicky de Budec (1552-1623).
Charles de Zerotín l'Aîné (1564-1636).
Pavel Stránsky ze Zap (1583-1657).
Comenius (1592-1670).
Kadlinsky (1613-1675).
Adam Michna d'Otradovice (env. 1600 - 1676).
Bridel (1619-1680).

TURC

Keumurdjian (1637-1695).

UKRAINIEN

Dimitri, métropolite de Rostov (1651-1709).

VIEUX RUSSE

Vie de sainte Juliane de Lazarevo (début du XVIIe sicle).
Littérature et alcool en Russie (2e moitié du XVIIe siècle).
Avvakoum (1620-1681/82).
Sabbas Grudcyn (env. 1685-1700).
Milescu (1636-1708).
Histoire de Frol Skobeev (début du XVIIIe siècle).

YIDICH

Jacob Ben Isaac Achkenazi († 1628).
Les Kurantn (1686-1687).
Une belle pièce de Pourim (1697).

TABLE DES GENRES ET DES SUJETS

Cette table renvoie aux extraits de textes, désignés par leur numéro d'ordre

MATHÉMATIQUE

MÉDECINE

MÉDITATIONS

MORALE

MYSTIQUE

NOUVELLES

PHILOSOPHIE

PHYSIQUE

POÉTIQUE

POLÉMIQUE

POLITIQUE

PRIÈRES

PSYCHOLOGIE

ROMANS

SATIRES

SCIENCES NATURELLES

SPIRITUALITÉ

TECHNOLOGIE

THÉÂTRE

THÉOLOGIE

VOYAGES

WALTER RALEGH

ANGLAIS 1554-1618

La vie aventureuse de Sir Walter Ralegh (ou Raleigh), courtisan, marin, explorateur, poète, historien et philosophe, est intimement liée aux bouleversements géopolitiques et religieux de son époque. Entre 1568 et 1570, il participe à la troisième guerre de religion, en France, où il demeure jusqu'en 1572. De 1572 à 1574, il étudie au collège Oriel, à Oxford, qu'il quitte pour les Collèges de Droit (*Inns of Court*), à Londres (1574-76). En 1577, son demi-frère, l'explorateur Humphrey Gilbert l'introduit à la Cour, où il fait la connaissance du poète George Gascoigne, de l'astrologue royal John Dee, de Richard Hakluyt l'aîné. Les années 1580 voient l'Angleterre se passionner pour les implantations à l'Ouest. Gilbert le conduit à s'intéresser à l'Irlande, au passage Nord-Ouest, à la colonisation de l'Amérique du Nord. En 1578, il commande un navire, lors de la première tentative de colonisation en Floride, lancée par Gilbert — en possession de lettres patentes autorisant l'exploitation de terres vierges, non occupées par un prince chrétien — qui échouera, dans l'Atlantique. En 1580, il est à la tête d'une compagnie de soldats, en Irlande. De retour à la cour, fin 1581, et jusqu'en 1592, il est l'un des favoris de la souveraine, qui le comble de titres et d'avantages, dont une série de monopoles. Il est l'ami de Spenser, qu'il encourage, en 1589, à publier les trois premiers Livres de *La Reine des fées*, et qui fera l'éloge de son talent de poète dans *Colin Clout est de retour* (1595). Il est alors associé à un groupe de savants, d'écrivains, d'aventuriers — le mathématicien Thomas Hariot, George Chapman, peut-être Christopher Marlowe, Adrian Gilbert, frère de Sir Humphrey et familier de la comtesse de Pembroke, sœur de Sir Philip Sidney. Même si « l'École de la Nuit » — à laquelle se réfère Biron dans la comédie de Shakespeare *Peines d'amour perdues* (1598) — n'a pas vraiment existé, Ralegh est associé à des pratiques d'occultisme et multiplie les ennemis à la Cour. Il a une réputation d'athéisme entretenue par ses rivaux, du parti d'Essex, dont le jeune comte de Southampton, futur protecteur de Shakespeare. La poésie de Ralegh, non publiée à l'époque, circule alors sous forme manuscrite. Ses poèmes, dans une sorte de prémonition de sa propre fin, s'écartent de la tentation de pétrarquiser, mais disent la vanité des ambitions humaines et une forme de détachement stoïque face aux injustices et aux malheurs du monde.

La vie du courtisan est intimement liée à celle de l'explorateur. Ralegh est cet homme d'action, pour la paix ou pour la guerre, dont rêve Sir Humphrey Gilbert lorsqu'il écrit, entre 1572 et 1576, *L'Académie de la reine Elizabeth*. Lorsque Gilbert périt au large des Açores, en 1583, Ralegh reprend le flambeau de découvreur d'empire. En 1584, il obtient du Parlement une charte concernant l'établissement d'une colonie anglaise en Amérique du Nord. La première des trois expéditions qu'il organisera en Virginie, celle de 1584 — qu'il place sous le commandement d'Arthur Barlow et de Philip Amadas — remonte la côte de la Caroline du Nord et atteint l'île de Roanoke. Les explorateurs reviennent la même année, accompagnés de deux Indiens. À la demande de Ralegh, Richard Hakluyt imprime le livre de Barlow : *Discours concernant la colonisation de l'Ouest*, véritable apologie d'un Âge d'Or retrouvé. La deuxième expédition, en 1585 — alors que la souveraine interdit à Ralegh de quitter la Cour — est placée sous le commandement de Sir Richard Granville, cousin de Ralegh, qui en célébrera le courage dans son *Rapport sur la lutte autour des îles des Açores* (1591). La première implantation anglaise en Amérique s'établit alors sur l'île de Roanoke. Le gouverneur désigné est Ralph Lane. Le mathématicien Thomas Hariot — qui a appris les rudiments de la langue des Algonquins auprès des deux Indiens ramenés par Barlow — a reçu pour mission d'étudier les mœurs indigènes. Le dessinateur et géomètre John White est chargé de tracer une cartographie du pays et d'illustrer la vie des Indiens. L'ouvrage de Thomas Hariot, *Description, brève et authentique, des terres nouvellement découvertes en Virginie*, paraît, accompagné de dessins de White, en 1588. Il est traduit en latin, en français et en allemand par Théodore de Bry. Ralegh a engagé sa fortune dans l'expédition, aidé de Sir Francis Walsingham et de Lord Burghley. La reine a fourni de la poudre et un navire, le *Tigre*, dont le nom, dès lors populaire, est allégorique d'un climat d'aventures. Shakespeare l'utilisera dans *Macbeth*, I. 3 et *La Nuit des Rois*, 5. 1. La rupture des relations diplomatiques entre l'Angleterre et l'Espagne a conduit Elizabeth à autoriser le pillage des bateaux espagnols. Une série de difficultés conduiront les colons à retourner en Angleterre, en juin 1596, à l'occasion d'un passage de Drake. Les deux navires de secours affrétés par Ralegh, le *Tigre* et le *Chevreuil* arriveront trop tard. Granville laissera quinze hommes en charge de la plantation. La troisième expédition, dès 1587, a pour but l'établissement d'une colonie permanente. Quatorze familles arrivent sur l'île de Roanoke en juillet. L'idée de la colonie, qui repose sur le partage des terres, ne sera jamais mise en œuvre. Le nouveau gouverneur, John White, est rapidement contraint d'aller chercher des renforts. Les préparatifs de la guerre navale contre l'Espagne repoussent ceux-là jusqu'en août 1590. On ne retrouvera aucune trace des colons. La diplomatie européenne aura eu raison des tentatives de colonisation américaine de Sir Walter Ralegh.

Les aléas de la politique intérieure d'Elizabeth viendront également contrecarrer les projets de l'explorateur. En 1592 la reine découvre le mariage secret de Ralegh avec une de ses dames d'honneur, Elizabeth Thockmorton. Ralegh passe quelques mois à la Tour de Londres et subit la disgrâce royale, jusqu'en 1597. Le désir de recouvrer les faveurs de la souveraine l'entraîne à écrire des mémoires sur l'influence des partisans de l'Espagne à la cour d'Angleterre et sur la Succession, ainsi qu'un long poème, sans doute composé lors de son emprisonnement à la Tour : *Livre de l'Océan à Cynthia*. Alors qu'il a perdu de sa splendeur, dans l'espoir d'une réhabilitation, l'aventurier sert le courtisan. En 1593, Ralegh explore le cours inférieur de l'Orénoque, désireux de découvrir des mines aurifères et de s'assurer la coopération des peuplades indigènes. Le scepticisme qui accueille son retour — on l'accuse d'être allé recueillir de l'or par des actes de piraterie sur les côtes de Barbarie (Afrique du Nord) — l'encourage à écrire : *Découverte du bel Empire de Guyane, immense et riche, et Reconnaissance de la grande cité d'or de Manoa, que les Espagnols dénomment El Dorado* (1596), qu'Hakluyt ajoutera à ses *Voyages* en 1598. Lawrence Keymis, qui, sur ses instructions, suit ses traces en Guyane, lui dédie sa *Relation du deuxième voyage en Guyane* (1596). L'ouvrage est précédé d'un poème de George Chapman : *De Guiana carmen epicum*, où le poète adjure la souveraine de « créer / Un monde d'or dans notre âge de fer ». Le retour en grâce de Ralegh, qui suit ce voyage, à partir de 1597, s'achève le 24 mars 1603, jour de la mort de la souveraine. Jacques Ier s'oppose, en effet, violemment au courtisan et il le fait condamner à mort, pour haute trahison et complicité avec l'Espagne, quelques mois après son avènement. L'accusateur public est le Procureur Général Sir Edward

Coke ; parmi les juges, il y a Lord Henry Howard, ennemi juré de Ralegh. Condamné à mort, l'infortuné courtisan voit sa peine commuée en emprisonnement.

Ralegh passa, dès lors, treize ans à la Tour de Londres, laquelle devint, paradoxalement, un centre d'activités littéraires et scientifiques. Le prince Henry y rendit visite à l'illustre prisonnier et les œuvres de prison de Walter Ralegh furent écrites à son intention. La rencontre entre un esprit audacieux et aventureux et un prince soucieux de renouveau politique, espoir des humanistes de toute l'Europe, prit fin le jour de la mort brusque de Henry, le 6 novembre 1612. Les traités politiques et historiques du courtisan prisonnier, qui portaient la marque de ces espoirs, déplurent au nouveau souverain. Ils furent tous publiés de façon posthume : *La Prérogative des Parlements d'Angleterre* (1628), *Conseils à son fils* (1632), *Le Prince, ou Maximes concernant l'État* (1642), à l'intention du prince Henry, *Sélection de judicieux essais et observations* (1650), *Écrits sceptiques, ou Spéculations de Sir Walter Ralegh* (1651, publiés en 1657 et ensuite sous le titre de *The Remains*), *Le Conseil Royal* 1658), publié par John Milton à partir de manuscrits. L'œuvre la plus ambitieuse fut *L'Histoire du monde* (1614), vaste fresque où Ralegh entendait décrire le rôle de la Providence divine dans l'œuvre de la création. Son affirmation selon laquelle « les jugements de Dieu sont à jamais immuables » était à la fois un avertissement aux princes temporels et une forme d'acceptation de son sort. En 1616, alors que Ralegh avait près de soixante-cinq ans, Jacques Ier le libéra afin qu'il conduisît une expédition sur l'Orénoque, à la recherche de gisements aurifères. La clémence royale était suspendue à la condition de ne jamais entrer en conflit avec l'Espagne. Les ennemis de l'explorateur ayant communiqué le secret de l'expédition aux Espagnols, l'ultime voyage vers le pays dont Ralegh n'avait cessé de rêver, fut un échec. Son fils fut tué lors d'une embuscade. À son retour, Ralegh fut arrêté, à nouveau condamné et exécuté à Westminster le 29 octobre 1618. La raison d'État jacobéenne l'avait emporté sur le rêve d'empire d'un aventurier élisabéthain.

Jean Jacquot, "L'élément platonicien dans *L'Histoire du Monde* de Sir Walter Ralegh". – In : *Mélanges d'histoire littéraire de la Renaissance* / offerts à Henri Chamard par ses collègues, ses élèves et ses amis. – Paris : Nizet, 1951. – [Pp. 347-353].

Sir Walter Ralegh écrivain : l'œuvre et les idées / Pierre Lefranc. – Paris : Armand Colin, 1968. – 733 p.

Ralegh and the British Empire / D.B. Quinn. – Harmondsworth : Pelican Books, 1973. – 220 p. – [1re édition, London : English Universities Press, 1947].

The Expansion of Elizabethan England / A.L. Rowse. – London : Cardinal, 1973. – 480 p. – [1re édition, London : Macmillan, 1955].

Sir Walter Ralegh : a Study in Elizabethan Skepticism / Ernest Albert Strathman. – New York : Octagon Books, 1973. – IX-292 p. – [1re édition, 1951].

England and the Discovery of America, 1481-1620 / D.B. Quinn. – London : George Allen & Unwin, 1973. – 492 p.

Sir Walter Ralegh : The Renaissance Man and His Roles / Stephen Jay Greenblatt. – New Haven & London : Yale University Press, 1973. – XII-209 p. – (*Yale Studies in English* ; 183).

Sir Walter Ralegh : An Annotated Bibliography / edited by Christopher M. Armitage. – Chapel Hill : University of North Carolina Press, 1988. – XIII-236 p.

RELATION DE LA GUYANE 1

J. Chabert — 1993

Les Anglais plus respectueux que les Espagnols. — « Publié en 1598, [le livre] fut intégré dès 1599 par Hakluyt à sa grande *Collection de voyages* et par Théodore de Bry à la sienne, en version latine. Il existe une traduction allemande de la même année ; en français, il a été publié partiellement en 1722 dans les *Voyages* de François Coreal. » (Argument de A. Cioranescu). Dans ce bref passage, Ralegh précise et loue la droiture des Anglais à l'égard des indigènes littéralement traumatisés par les exactions et les violences passées des Espagnols.

L'Arawak que j'avais pris comme pilote tremblait, comme ses compagnons, à l'idée que nous puissions les manger ou que nous leur fassions connaître une fin cruelle, car les Espagnols, afin que nul ne nous adressât la parole sur le chemin menant en Guyane, ou en Guyane elle-même, avaient fait accroire aux peuples de cette région que nous étions des mangeurs d'hommes, des cannibales. Mais lorsqu'après nous avoir vus, ces pauvres hommes et femmes recevaient de la nourriture et que nous donnions à chacun d'eux un de ces objets rares et étranges pour eux, ils se mirent à comprendre les desseins trompeurs des Espagnols qui, comme ils nous l'avouèrent, leur prenaient tous les jours leurs femmes et leurs filles pour satisfaire leurs désirs, surtout en faisant usage de la force. Mais je jure devant le Dieu vivant tout-puissant qu'à ma connaissance aucun de nos hommes n'a jamais connu, par violence ou de quelque autre manière, aucune de leurs femmes et pourtant nous en avons vu des centaines et nous en eûmes beaucoup en notre pouvoir et, parmi elles, certaines, très jeunes et fort bien faites, venaient vers nous en toute candeur, entièrement nues.

Rien ne nous attira plus d'amitié parmi eux que la considération que nous avions envers eux, car je n'ai jamais admis qu'un homme prît ne serait-ce qu'un ananas ou une racine de patate sans leur donner ce qu'ils en demandaient, ou qu'il se permît de toucher à leurs femmes ou à leurs filles. Cette conduite, si différente de celle des Espagnols qui les tyrannisent en toutes choses, les amena à admirer Sa Majesté, dont je leur dis que je ne faisais qu'exécuter les ordres, et à honorer notre peuple.

El Dorado / Sir Walter Raleigh ; présentation, A. Cioranescu & R. Schomburgk ; traduction J. Chabert. – Paris : Utz : Éditions Unesco, 1993. – (*Collection Unesco d'œuvres représentatives. Série européenne*). – [P. 145]. – [Reproduit avec la permission de l'Unesco © Unesco 1993 pour la traduction française].

HISTOIRE DU MONDE 2

A. Koszul — 1928

L'ambition et la mort (Conclusion). — L'œuvre s'ouvre par une longue préface et quatre chapitres sur la Création. Elle comprend l'histoire des juifs, celle de l'Égypte antique, la mythologie grecque et l'histoire romaine jusqu'à la conquête de la Macédoine (130 A.C.). Le scepticisme de l'auteur se fait sentir, comme dans ses écrits politiques, dans le jugement qu'il porte sur le pouvoir temporel. Des souverains qu'il décrit, seul Jacques Ier échappe aux critiques, mais il est très acerbe à l'encontre d'Henri VIII. L'ironie sceptique qui l'anime le conduit à opposer la lutte des hommes pour le pouvoir et la gloire à la nécessité des insondables desseins de Dieu — ainsi qu'en témoigne l'admirable apostrophe à la mort qui annonce les accents d'un John Donne et résonnent comme un testament spirituel.

Si l'on cherche pourquoi une ambition sans bornes se renouvelle et se prolonge ainsi chez des simples mortels, nous dirons encore que les rois et princes de ce monde se proposent toujours les actions, mais non les fins des grands hommes qui les ont précédés. Toujours ils se laissent ravir par l'éclat des unes, jamais ils n'ont égard à la misère des autres, jusqu'à ce qu'ils en fassent l'expérience en eux-mêmes. Ils négligent le conseil de Dieu tant qu'ils jouissent de la vie, ou seulement l'espèrent, mais ils suivent l'avis de la Mort, dès que celle-ci approche. C'est elle qui, sans dire un mot, met au cœur de l'homme toute la sagesse du monde, — laquelle Dieu, avec toutes les paroles, promesses, et menaces de sa loi, n'arrive à infuser en lui. On croit la Mort qui hait et détruit l'homme ; Dieu, qui l'a créé et qui l'aime, est toujours renvoyé à plus tard. « J'ai considéré, dit Salomon, toutes les œuvres qui sont sous le soleil ; et voici que tout est vanité et gêne de l'esprit. »[1] Mais qui le croit, que la mort ne le lui dise ? Ce fut la mort qui, ouvrant la conscience de Charles Quint, lui fit enjoindre à son fils Philippe de rendre la Navarre ; elle encore qui fit ordonner au roi François Ier de France de faire justice des meurtriers des protestants de Mérindol et de Cabrières, ce qu'il avait négligé jusque-là[2]. C'est donc la Mort seule qui peut tout soudain révéler l'homme à lui-même. Elle dit aux orgueilleux et aux insolents qu'ils ne sont que des vilains, et les humilie à l'instant, les fait pleurer, se plaindre et repentir, ou bien même haïr leur bonheur passé. Elle fait passer son compte au riche, et lui prouve qu'il n'est que mendiant nu, et qui ne peut faire état de rien que du gravier qui

1 *L'Ecclésiaste*. La vie de Salomon, I.14. (N.d.t.)

2 En 1540, l'intervention de François Ier pour faire suspendre l'arrêt du Parlement d'Aix contre les Vaudois du Lubéron, coupables d'avoir fait imprimer à Genève une Bible en français, arrive trop tard. Accusés d'hérésie, les villageois sont massacrées et vingt-deux villages, dont Mérindol et Cabrières, sont pillés et incendiés. (*Les Protestants au XVIe siècle* / Jeanine Garrisson. – Paris : Fayard, 1988).

lui emplit la bouche. Elle tient le miroir aux yeux des plus beaux, et leur y fait voir leur difformité et pourriture, et ils la reconnaissent.

Ô éloquente, ô juste, ô puissante Mort ! ceux que nul n'avait pu aviser, tu les as convaincus ; ce que nul n'osait, tu l'as fait ; ceux que l'univers flattait, tu les as, toi seule, jetés hors de l'univers et méprisés ; tu as traîné et assemblé ici tous les déploiements de grandeur, tout l'orgueil, toute la cruauté, toute l'ambition de l'homme, et tu as couvert tout cela de ces deux petits mots : *Hic jacet !*

Anthologie de la littérature anglaise. I. Des origines au XVIIIe siècle / extraits traduits des principaux poètes et prosateurs ; introduction historique et notices par A. Koszul. – Quatrième édition. – Paris : Librairie Delagrave, 1928. – [Pp. 229-230].

MAXIMES CONCERNANT L'ÉTAT 3

R. Gardette — 1995

Sophismes à l'usage du tyran rusé ou sophiste, afin qu'il maintienne son emprise sur l'État. — Parmi ses écrits de prison, les *Maximes concernant l'État* (publiées seulement en 1642) constituent les réflexions les plus désabusées et les plus ironiques de l'homme d'État emprisonné par raison d'État. Ralegh distingue deux catégories de tyrans — ceux qui n'ont besoin d'aucune aide, les tyrans « barbares et déclarés » et ceux dont le pouvoir repose sur l'exploitation du peuple ; ces derniers sont des « sophistes politiques ». Il faut entendre « politique » au sens machiavélien du terme. Les maximes du tyran sophiste, selon Ralegh, s'appliquent à la perfection à la représentation shakespearienne de Richard III.

1. Se montrer sous le jour d'un bon roi, en imprimant à son gouvernement une allure tempérée et moyenne, ainsi qu'au déroulement de sa propre vie ; à cette fin, il est nécessaire que ce tyran rusé soit un politicien hypocrite, à tout le moins un Machiavel, et aussi qu'on le considère comme tel, parce que cela conduit à le craindre davantage et à le croire, pour cette même raison, non indigne de gouverner les autres.

2. Faire montre non de sévérité mais de gravité, en ayant l'air respectable et non pas effrayant dans le discours, les gestes, les habitudes et autres formes de conduite.

3. Faire semblant de se soucier du Bien Public, et à cette fin, donner l'impression que l'on abhorre extorquer des tributs ou autres impôts, tout en en faisant une obligation, alors qu'il n'en existe aucune ; à cette fin, susciter le genre de guerre qui ne crée aucun danger vis-à-vis de l'État et puisse être facilement résolue, ou autre entreprise nécessitant des impositions, puis la poursuivre de façon à être en mesure de prolonger ses exactions et impôts aussi longtemps qu'on le souhaite. Par conséquent, employer quelques personnes dans son service public, les autres étant char-

gées de thésauriser pour son compte, ce qui est parfois la pratique des princes légitimes, comme Édouard IV dans ses guerres contre la France, lorsque, après avoir collecté une grande somme d'argent dans tout son royaume, en particulier chez les Londoniens, il traversa la mer, pour revenir sans avoir rien accompli.

4. À l'occasion, faire le compte, dans un discours public et un écrit officiel, du montant des impôts et impositions qu'on a reçus de ses sujets, afin de créer l'occasion d'apparaître comme un bon intendant, économe de surcroît, et non un voleur du Bien Public.

5. À cette fin, accorder une somme au bénéfice de bâtiments publics, ou autre ouvrage au service du bien de tous, en particulier les ports, les forts et les grandes cités du royaume, de façon à apparaître comme un bienfaiteur, et éprouver une satisfaction à enjoliver son royaume ou à lui apporter quelque bien-être.

6. Interdire les fêtes et autres réunions publiques, qui encouragent l'amitié et procurent l'occasion de s'entretenir, en groupe, de sujets d'ordre public, sous le prétexte d'économiser en vue de meilleurs usages. C'est à cette fin que la cloche du couvre-feu fut tout d'abord instituée par Guillaume le Conquérant, afin d'avertir les hommes qu'ils devaient rentrer chez eux à une heure donnée.

7. S'attacher à ce que nul ne puisse être exagérément important, mais plutôt que plusieurs soient également importants, de sorte qu'ils aient l'occasion d'éprouver de l'envie les uns envers les autres et de se combattre ; si l'on se résout à abaisser un homme de cette stature, le faire précautionneusement, et par étapes ; si l'on veut causer sa ruine complète et lui ôter la vie, lui accorder toutefois un procès légal, selon la coutume du pays ; dans le cas où il continuerait à posséder une part de pouvoir et de réputation qui justifie qu'on lui témoigne du mépris ou qu'on le tient en disgrâce, ne pas tolérer qu'il s'enfuie, parce que mépris et disgrâce sont contraires à l'honneur, auquel tiennent par dessus tout les grands esprits, lesquels sont, par conséquent, plus enclins à la vengeance, à la suite de leur disgrâce, qu'à des remerciements ou à une reconnaissance de la bienveillance du prince, après un pardon ou un congédiement : vrai chez les athées, mais non au sein de l'authentique noblesse chrétienne.

8. Désarmer ses sujets, et mettre au secret leurs armes, sous le prétexte de préserver celles-ci et de les tenir prêtes lorsque le devoir militaire l'imposera ; les utiliser alors pour armer autant d'hommes qu'on jugera compétents, mais ne les confier qu'à ceux d'entre eux dont on est sûr.

9. Faire naître, en secret, des motifs d'opposition et de conflit au sein de la noblesse, et aussi entre la noblesse et le peuple, opposer deux hommes riches entre eux de façon à ce qu'ils ne s'associent pas et que soi-même, à l'écoute des griefs et des plaintes, on puisse être au fait des secrets de chaque camp et s'assurer ainsi des motifs d'accusation à l'encontre de chacun des deux, lorsqu'il plaira de leur demander des comptes.

10. Ne fournir à aucun homme l'occasion de subir mépris ou honte, en particulier pour ce qui est des femmes, en s'attaquant à la chasteté de leur épouse ou de leur fille, ce qui entraîna la chute de nombreux tyrans et l'amélioration de leur État. Il en fut ainsi de Tarquin défait par Brutus, d'Appius par Virginus, de Pisistrate face à Harmodius, d'Alexandre Médicis, duc de Florence, d'Alissus de Plancarte, de Rodrigue roi d'Espagne, etc.

11. À cette fin, garder la modération dans ses plaisirs, ou s'y livrer en secret, de façon à ne pas être vu ; car les hommes sobres ou prudents, ou ceux qui donnent l'apparence de l'être, lorsqu'ils sont dans leur état normal, ont peu de chances d'être soumis au mépris ou de subir des conspirations.

12. Récompenser ceux qui mènent à bien une entreprise d'envergure ou digne d'admiration, ou qui lancent une action quelconque au bénéfice du Bien Public, de telle manière qu'il apparaisse qu'ils ne pourraient obtenir plus grande considération s'ils vivaient dans un État libre.

13. Que toute récompense et cause de gratitude vienne de soi, mais que tout châtiment, toute exaction ou cause d'ingratitude vienne de ses ministres publics et de ses officiers ; lorsqu'on a acquis ce qu'on attend d'eux, si l'on découvre que son peuple est mécontent, faire de ceux-là un sacrifice, afin d'apaiser ses sujets.

14. Feindre de tenir grand compte de la religion et de l'allégeance à Dieu (ce qui fut la manière des tyrans les plus iniques), car les hommes craignent moins de subir une offense de la part de ceux qu'ils croient vertueux et pieux ; ne pas essayer, serait-ce légèrement, de les offenser, car ils se croient protégés de Dieu.

15. S'entourer d'une garde, forte et sûre, composée de soldats étrangers et les lier à soi grâce à des avantages, de telle sorte que ce profit les fasse au moins dépendre de soi ainsi que de l'État sous sa forme présente, à la façon de Caligula utilisant une garde allemande, là où les nobles sont nombreux et puissants. Méthode identique chez des rois légitimes, comme c'est le cas du roi de France.

16. Faire en sorte que d'autres personnages importants soient aussi en défaut ou dans le même cas que les autres, afin que cette cause les contraigne à défendre le tyran, pour des raisons de sécurité personnelle.

17. Prendre parti et se joindre au groupe le plus fort ; si le peuple ordinaire et les rangs inférieurs sont les plus forts, se joindre à eux ; si ce sont les riches et les nobles, se joindre à eux. Car ainsi, ce groupe mû par sa propre puissance, sera toujours en mesure de l'emporter sur l'autre.

18. Contrôler ses agissements et régler sa conduite, de façon à paraître sinon bon à la perfection, du moins méchant de façon tolérable, ou bien à la fois modérément bon et méchant.

Il faut être au fait de ces règles des tyrans hypocrites, afin d'être en mesure de les rejeter et d'y faire face — et non d'être entraîné à les imiter.

Traduction inédite. — *The Works* / of Sir Walter Ralegh [...] ; now first collected, to which are prefixed the lives of the author, by Oldys and Birch [...]. – Oxford : University Press, 1829. – [Vol. VIII, pp. 24-27].

BREDERO

NÉERLANDAIS

1585-1618

Troisième enfant d'un cordonnier aisé d'Amsterdam, Gerbrand Adriaenszoon Bredero grandit dans un milieu populaire. Il apprit la peinture auprès de François Badens, un Anversois émigré, à l'esthétique italianisante. De l'œuvre plastique de Bredero, rien ne reste. Mais Bredero fut aussi membre actif de la vieille chambre de rhétorique *L'Églantier* et, par la suite, de la *Nederduytsche Academie*, fièrement ancrée dans le nouvel esprit renaissant. Il mourut en pleine activité, d'une mort prématurée vraisemblablement causée par une chute qu'il fit dans la glace en 1617.

La postérité littéraire construisit de lui une image d'amoureux éternellement malheureux et — il était resté célibataire — de joyeux noceur. Image facile, remplacée aujourd'hui par celle d'un poète plus sérieux, doué du coup d'œil féroce de qui peint les travers de l'homme et de la société, à l'oreille fine, sensible à la riche langue du peuple, jugeant, lucide et réfléchi, les caractères des hommes, la vie, la religiosité, le tout en accord avec sa devise : « La chance peut tourner ».

Bredero vécut en des temps agités : l'année de sa naissance, les troupes espagnoles reconquièrent les principales villes des Pays-Bas du sud ; la chute d'Anvers marque le début de la scission entre les Pays-Bas du sud et ceux du nord, scellée par la Trêve de douze ans (1609-1621) et définitivement reconnue par le Traité de Westphalie (1648). Cette séparation entraîne une vague d'émigration : pour des raisons religieuses, parfois aussi économiques, des foules innombrables abandonnent le sud. Anvers perd une part considérable de sa population tandis que, principalement dans les villes hollandaises, à commencer par Amsterdam, le nombre des immigrants ne cesse de croître.

À la chambre de rhétorique et à l'Académie, Bredero fit la connaissance des poètes les plus importants de son temps : H.L. Spiegel, Roemer Visscher, les filles de ce dernier, Anna et Maria (Tesselschade), P.C. Hooft, S. Coster, J. van den Vondel, etc. Le siècle d'or des lettres néerlandaises s'ouvrait...

Ses poèmes et ses chansons parurent dans des livres de chants, entre autres *Apollo of Ghesangh der Musen* (« Apollon ou le Chant des muses, 1615) ; en 1616, on publia un florilège de ses textes intitulé *Geestigh Liedt-Boecxken* (« Chansonnier spirituel », dont seule la quatrième édition (1621) est conservée. Son *Boertigh, Amoreus, en Aendachtigh Groot Lied-boeck* (« Grand chansonnier burlesque, amoureux et pieux », posthume, 1622), ne recouvre pas par ses classifications encore rhétoriques les divers textes qu'il recèle. Dans ses chants burlesques — une vingtaine —, Bredero traite du vieux thème de l'amour des vieillards pour les jeunes femmes ou des femmes âgées pour les jeunes hommes, de leurs langueurs et fatuités ; la façon dont il met en scène ses « petits récits » témoigne d'une grande maîtrise du comique. Sonnets et chants d'amour sont de tradition, mais leur mélodie simple et leur profondeur de sentiment sont souvent foncièrement personnelles ; il en va de même pour ses chants et ses sonnets spirituels où le regret, le repentir, la profonde philosophie pratique et la réflexion parlent encore directement au lecteur moderne.

Son œuvre théâtrale est très diverse, magistralement habitée des richesses, de la plasticité et de la vivacité de la langue du peuple. Bredero a porté à la scène plusieurs chapitres du roman espagnol, *Palmerin de Oliva* dans sa *Tragédie de Rodd'rick et Alphonse* (1611) et des tragicomédies comme *Griane* (1612) et *Stommen Ridder* (*Le Chevalier muet*, 1618) ; *Lucelle* (1616) est une adaptation de la *Tragicomédie en prose francoise* [1606] de Louis Le Jars. Dans ses farces, qui traitent de thèmes populaires comme la charlatanerie, les péripéties amoureuses sont d'une franche impertinence, comme dans *Van de Koe* (*La Vache*, 1612), *Symen sonder soeticheydt* (*Symon sans douceur*, 1612 ?) ou *Den Molenaer* (*Le Meunier*, 1613). Fondée sur une traduction française de *L'Eunuque* de Térence, et sur une adaptation de cette pièce par l'Anversois Corneille van Ghistele (1555), dont Bredero conspua la langue et la rhétorique, sa comédie *Moortje* (1615) est une évocation prolixe mais exquise de la vie des petits marchands d'Amsterdam et de plus d'un *miles gloriosus*.

Son *Spaenschen Brabander Ierolimo* (*Le Brabançon espagnol Jerolimo*, 1617) passe pour son chef-d'œuvre dramatique : la matière est empruntée au *Lazarillo de Tormès*, mais Bredero brosse le portrait d'une société amstellodamoise où les immigrés, comme le Brabançon, traînent leurs arrogantes étourderies et leurs ruses de pauvres, tandis que les natifs, un rien balourds, font des victimes bien peu délurées.

À mesure que s'avança le XVIIe siècle, l'œuvre de Bredero, après une période de succès, glissa progressivement dans l'ombre : elle ne convenait plus à la rigueur croissante des mœurs. Au milieu du XIXe siècle cependant, l'intérêt pour sa langue et l'authenticité de ses situations s'est ranimé ; depuis, Bredero a été reconnu comme l'un des grands du siècle d'or de la littérature néerlandaise. Ses œuvres sont à nouveau imprimées et, de 1968 à 1986, a paru, sous la direction de Garmt Stuiveling, l'édition de ses œuvres complètes, en 16 volumes.

Memoriaal van Bredero : documentaire van een dichterleven / Garmt Stuiveling. – Culemborg : Tjeenk Willink Noorduijn N.V., 1970. – 258 p.

La Littérature néerlandaise / Pierre Brachin. – Paris : Colin, 1962. – 208 p. – (*Collection Armand Colin. Section de langues et littératures* ; 362).

GRAND CHANSONNIER BURLESQUE, AMOUREUX ET PIEUX 4

M. Buysse —1969

Éloge d'Amsterdam.

À si noble sort Amstelredam est destinée
Qu'elle surpassera Rome en haute dignité,
En majesté du Conseil, en Hommes d'Armes,
En prudence guerrière, en Puissance d'argent,

Que sa gloire retentira jusques aux nuées
Et inspirera la crainte aux peuples dispersés,
Turcs et Persans, Jaunes et Mores Noirs
Imploreront le secours de son pouvoir

Et, par le change ou le troc, selon les circonstances,
Traiteront avec elle en alliés,
Nuisant et résistant pareillement,

Sous la protection de la divine Providence
Et la haute direction des États généraux,
À l'Espagnol, ennemi de notre noble Patrie.

G. Stuiveling, "Gerbrand Adriaensz Bredero, Amstelredammer [avec cinq poèmes traduits par M. Buysse]". – In : *Ons Erfdeel*, 12 (1969), nr 12, p. 90.

GRAND CHANSONNIER BURLESQUE, AMOUREUX ET PIEUX 5

M. Buysse — 1969

Solitude égale pauvreté. — Pouvoir, richesse, beauté, gloire : inanité si l'on reste seul.

Que sert de posséder terres et cités
Et ce superbe palais que vous habitez,
Plein d'objets précieux, d'une escorte princière accompagné
Si, la nuit venue, dormez seul en votre lit ?

Que sert la longue traîne des damoiselles blanches et joyeuses
Et le noble cortège des princes de haut rang,
Que sert d'être honoré de tous et salué divinement
Si, la nuit venue, dormez seul en votre lit ?

Que sert d'embaumer l'ambre et le musc à cent lieues
Et que votre enfance avec délices fût abreuvée de vin
Et qu'une jeunesse folâtre vous ait conduit
Si, la nuit venue, dormez seul en votre lit ?

Que sert de manger dans des plats de vermeil
Et d'occuper à table la place d'honneur
Et que souvent le désir vous taquine, suave et doux
Si, la nuit venue, dormez seul en votre lit ?

Que sert la beauté dont à tous les yeux vous rayonnez,
Si noble que le soleil, le soleil d'or s'incline
Et se couvre la tête d'un sang noir et pourpré
Si, la nuit venue, dormez seul en votre lit ?

Que sert d'avoir l'esprit si sage et délié
Que la terre entière s'en étonne et l'admire

Et que la gloire vous donne l'immortalité
Si, la nuit venue, dormez seul en votre lit ?

Tout plaisir mis à part, le sommeil est doux et chaud,
Je ne souhaite entre mes bras trésor plus grand que ma mie.
Fussiez-vous riche de tous les biens, le plus pauvre des hommes [serez
Si, la nuit venue, dormez seul en votre lit.

G. Stuiveling, "Gerbrand Adriaensz Bredero, Amstelredammer [avec cinq poèmes traduits par M. Buysse]". – In : *Ons Erfdeel*, 12 (1969), nr 12, p. 89.

GRAND CHANSONNIER BURLESQUE, AMOUREUX ET PIEUX 6

M. Buysse — 1969

Cantilène. — Un *carmen exclusi amatoris.* Il est nuit : l'amant solitaire chante pour l'aimée qui dort.

Les bêtes surtout reposent la nuit,
Les hommes aussi, bons et mauvais,
Et ma dame miséricordieuse
Reste silencieuse,
Mais il me faut errer seul
Et arpenter la rue ici.

Je vois voguer le nuage,
Je vois la lune pâle,
Je vois qu'il me faut rester,
Seul et mélancolique.
Ô mon amour, veux-tu m'assister
D'un reproche consolateur ?

Ô, grand et noble lis,
Noble en mon esprit,
Espoir de ma vie,
Belle amie de mes désirs,
Enfin me donneras-tu en retour
Un tendre amour ?

Pris de crainte et d'effroi,
En une lutte soutenue
De tourments et de désirs,
De toi j'attends aujourd'hui

Ma consolation, le mot qu'on implore
En de longues caresses.

Mon attente stérile
Point n'éteint mon tourment,
Tant me mépriseras-tu,
Ô nourriture de mon désir ?
Mais voyez comme, inconscient,
Je me plains tandis qu'étendue, elle repose.

Dors-tu, ô mes délices,
Tandis que je me lamente ?
Que sert donc de me plaindre
Puisque tu fais la sourde ?
J'endure et je patiente
Et te souhaite bonne nuit.

Adieu, petite princesse enfant,
Femme de mon âme,
Adieu et que tes rêves soient merveilleux,
Dors d'un sommeil suave et paisible,
Ah, que ne m'est-il possible
De trouver comme toi le repos !

G. Stuiveling, "Gerbrand Adriaensz Bredero, Amstelredammer [avec cinq poèmes traduits par M. Buysse]". – In : *Ons Erfdeel*, 12 (1969), nr 12, p. 81.

GRAND CHANSONNIER BURLESQUE, AMOUREUX ET PIEUX 7

P. Brachin — 1995

Une kermesse paysanne qui finit en lutte.

Arnaud Pierre Gysen, avec Barthel, Jacquot, et Léonard et Colas et le Couillon, ils partirent ensemble pour le village de Vinckeveen[1]. Car le vieux François donnait une oie, pour que les cavaliers la mettent à mal[2].

Arnaud Pierre Gysen portait un élégant vêtement sombre. Son chapeau de velours à ramages était fièrement planté, un peu de travers, un peu de guingois, si bien qu'il couvrait à peine la moitié du chef.

1 À une quinzaine de km au sud d'Amsterdam. (N.d.t.)

2 Distraction appréciée des paysans d'alors. On suspendait une oie, par les pattes, à une certaine hauteur, et il fallait essayer en passant au galop sous l'oie, de lui arracher la tête. (N.d.t.)

Mais Barthel et Léonard et Jacquot, Colas et le Couillon, eux, suivaient encore l'ancienne mode : ils étaient en rouge, en blanc, en vert, en gris, en bistre, en violet, en bleu. Ainsi font les paysans.

Quand la joyeuse petite troupe arriva à Vinckeveen, ils y trouvèrent Corneille et Toinot et Jean Schram et Thierry de Diemendam[1], avec Simon Sloot et Jean de Dood, et aussi Mathieu, et Bernard Bam.

Les filles de la Vecht[2], de Vinckeveen et des environs avaient superbement astiqué leur nécessaire[3]. Elles étaient toutes sur leur trente-et-un. Mais la ceinture que portait Sophie, figurez-vous qu'elle l'avait louée à la grande Victorine !

Ils se rendirent dans la salle commune. Là, on s'empiffre, on boit, on chante, on se bouscule et on danse, on jette les dés, on tente sa chance au jeu. Apportez du vin ! Pourquoi pas ? Chaque paysan était un seigneur.

Mais Barthel et Catheau, la douce et simple fille qui trime tout le jour, eux quittent ensemble la maison et s'en vont dans le foin. Que de caresses, que d'ébats ! Ah, comme c'était doux... Il me semblait ne rien y avoir de plus beau.

Le morose Arnaud fut le premier à tirer le couteau, contre Pierre Tête-Folle et Christian Soupe-au-Lait, mais Hildebrand le Tondu s'empara d'une fourche ; il récolta une balafre, et cinq ou six autres paysans avec lui.

Les filles s'enfuirent, les laissant à leur querelle. Ni pot ni chandelier, rien ne resta en place. Mais le Couillon, lui, estoqua d'un tel élan qu'une grenouille des marais[4] resta sur le carreau.

Simon attrapa le gril, le balai et les pincettes, et les jeta à la figure de d'Egbert et de Corneille. Tout volait, à travers les vitres, ailleurs aussi peut-être : pour moi, j'eus vite fait de prendre le large.

Messieurs de la noblesse et de la bourgeoisie, vous qui êtes vertueux et d'esprit rassis, évitez les fêtes rustiques : il n'en est guère de si plaisantes qu'elles ne finissent dans le sang. Et buvez un verre de vin du Rhin avec moi, ce sera aussi bon pour vous.

Traduction inédite. — *G.A. Bredero's Spaanschen Brabander, met fragmenten uit Lazarus van Tormes* / Gerbrand Adriaensz Bredero ; uitgegeven door C.F.P. Stutterheim [...]. – Culembourg : Tjeek Willink, 1974. – (*De werken van Gerbrand Adriaensz Bredero*). – [Pp. 47-49].

1 Village tout proche d'Amsterdam, à l'est. (N.d.t.)

2 Rivière au nord-est d'Utrecht. Elle passe donc non loin de Vinckeveen. (N.d.t.)

3 Ensemble de petits objets, tels que canif, clés, ciseaux, qui se portaient à la ceinture. (N.d.t.)

4 Sobriquet des habitants de cette région gorgée d'eau, où abondait la tourbe (*veen*). (N.d.t.)

LE BRABANÇON ESPAGNOL 8

P. Brachin — 1995

Anvers vue par le « Brabançon ». — Jerolimo Rodrigo, le « Brabançon espagnol » (c'est-à-dire entiché des modes espagnoles) se présente. À cause de ses dettes, il s'est enfui d'Anvers à Amsterdam, où il tranche du gentilhomme, tout en faisant de nouvelles victimes. Il parle un anversois farci de mots français.

Oui, c'est une belle ville, mais on y est bien mal attifé. En Brabant, les gens sont d'ordinaire raffinés dans leur vêtement et leur tenue, en un mot à l'espagnole. Vous diriez de petits rois ou des apparitions divines. Ô Anvers, ville impériale, grande et riche, j'ai peine à croire que le soleil éclaire ta pareille. Où trouver une telle profusion de terre grasse, une telle beauté des paysages, des églises aussi splendides, des couvents aussi dévots, des édifices aussi imposants, des murailles aussi solides, une telle multitude de plantations ? Et ces quais et ces jetées, le long desquelles les eaux majestueuses de l'Escaut coulent jusqu'au-delà du Meir[1] !

Ah, si je vous racontais mes aventures avec les fillettes de l'Ours[2], Lisette et Marion, et avec leur cousine la belle Claire, celle qui passe dans la rue en trottinant si bien — trip trap — qu'on reconnaît et qu'on admire en elle la perle de la Lepelstraat[3] et de tout le quartier de Vénus. Elles sont vraiment pleines de charme. Le gouverneur du Château raffolait d'elles. Un coureur de jupons comme lui, vous iriez loin pour en trouver. Que de fois ne leur a-t-il pas fait de cadeaux pour dormir avec elles, corsage ou tablier ! Et moi donc, comme j'étais amoureux d'Annette de Tournai et de Jeannette la gueuse ! Oh, ce sont de galantes créatures, d'avenantes princesses, elles ne le cèdent à quiconque pour la noblesse et la distinction.

Si je n'avais pas festoyé avec elles toutes, je n'aurais pas si scandaleusement fait banqueroute à Anvers. J'y serais à mon aise, j'aurais bien septante paires de manches à gigot, alors que mes créanciers ne m'ont laissé que celle-ci. J'ai aussi donné à ces dames toutes les sommes que j'avais empruntées à mes voisins d'ici. Je suis venu à Amsterdam parce que j'avais peur du bailli[4]. Je me suis dit que si les gens s'avisaient de porter plainte contre moi, il me mettrait au cachot et aux fers. J'aime mieux entendre le chant mélodieux des oiseaux que le cliquetis des chaînes dans l'odieuse puanteur d'une geôle.

1 Célèbre place d'Anvers. (N.d.t.)

2 Auberge à l'enseigne de l'Ours. (N.d.t.)

3 C'est dans cette « rue de la cuillère » que se trouvaient les maisons de passe. (N.d.t.)

4 Le bailli d'Anvers. (N.d.t.)

Quant à mes gentils voisins, le jour où ils me réclameraient leur dû, je saurai bien leur servir quelque mensonge, leur faire quelque entourloupette. Voilà déjà près d'un mois que mon escarcelle se remplit. Il ne manque pas de braves gens dans cette ville pour confier leur argent, les yeux fermés, à des tiers comme moi, qui ensuite filent à la cloche de bois. Car (ainsi que vous pouvez le lire là)[1] autre chose est de voir les gens, et autre chose de connaître leur cœur et leur nature. Le temps est venu de faire un peu l'éducation de ces rustres, de ces buses. Une bonne farce de temps en temps ne peut leur faire que du bien. Mais assez parlé : il ne s'agit pas de flâner ni de rester les bras ballants. Si je suis riche, il faut assurément que ma fortune soit bien cachée.

(*Il sort.*)

Traduction inédite. — *G.A. Bredero's Boertigh, amoreus, en aendachtig Groot-Lied-boeck* / Gerbrand Adriaensz Bredero ; uitgegeven door Garmt Stuiveling [...]. – Culembourg : Tjeek Willink, 1975. – (*De werken van Gerbrand Adriaensz Bredero*). – [Pp. 154-156].

1 Ce disant, Jerolimo désigne du doigt un écriteau posé sur la scène et où figure le proverbe cité, qui constitue la moralité de la pièce. C'était un usage hérité du théâtre des Rhétoriqueurs. (N.d.t.)

SIMON STEVIN

FRANÇAIS • LATIN • NÉERLANDAIS **1548-1620**

Né à Bruges, mort aux Pays-Bas, à La Haye, Simon Stevin fut comptable, ingénieur et précepteur de Maurice d'Orange. Abondante, son œuvre reflète ses diverses activités, toutes marquées par son esprit critique et rigoureux. Ses écrits portent notamment sur les tables d'intérêts, la disme, l'arithmétique, l'art pondéraire, l'hydrostatique, les fortifications, l'art militaire.

En statique et en hydrostatique, il propose une construction de type axiomatique, bâtie sur le modèle euclidien, qui le conduira à énoncer plusieurs principes fondamentaux de ces sciences. Il démontre, pour la première fois, la loi de décomposition des forces, dans le cas de forces perpendiculaires, en analysant le « poids » d'un corps sur un plan incliné. Il donne également la première représentation graphique, sans démonstration, des composition et décomposition des forces, dans le cas général, suivant la loi du parallélogramme. L'école des jésuites belges, menée par Grégoire de Saint-Vincent, s'opposa à sa démonstration du « poids » d'un corps sur un plan incliné qui faisait appel à l'impossibilité d'un mouvement perpétuel. Cette démonstration ne paraissait pas, comme telle, généralisable aux autres machines simples. Grégoire, quant à lui, se fondait sur la conservation de l'énergie, un scalaire qui ne dépend, en l'occurrence, que de la hauteur franchie et non du chemin parcouru, qui peut être différent suivant la machine utilisée. En hydrostatique, Stevin énonce que la pression en un point au sein d'un liquide est un scalaire indépendant de la direction. Elle ne dépend que de la hauteur de la colonne de liquide au-dessus de ce point.

Stevin fut l'un des tout premiers, avec Rheticus et Kepler, à publier une défense du système de Copernic. La partie qu'il consacre à l'astronomie dans ses *Wisconstige gedachtenissen* (*Mémoires mathématiques*, 1605-1608) prône clairement ce système.

Les œuvres de Stevin rédigées en néerlandais, publiées dès 1585, ne furent pas amplement diffusées, en raison de leur langue de rédaction mais aussi à cause de leur caractère novateur. Très tôt connues cependant du monde scientifique romain et de Galilée, elles ont attendu leur traduction française, par Girard, en 1634, pour exercer une large influence.

Par comparaison avec Kepler, et même avec Newton, Stevin paraît, qualité qu'il partage avec le seul Galilée, strictement rationnel : aucune de ses recherches ne sort de ce qui est considéré, aujourd'hui encore, comme scientifique. Kepler et Newton, comme Stevin et Galilée, entendent donner à la mécanique une base axiomatique et par là même rationnelle. Mais alors que l'on trouve chez les deux premiers des travaux d'astrologie ou d'alchimie, seuls, à leur époque, Stevin et Galilée ne font, dans l'ensemble de leur œuvre, aucune concession à des matières où s'infiltre la superstition.

The Principal Works / Simon Stevin ; edited by E.J. Dijksterhuis, D.J. Struik, A. Pannekoek and E. Crone, W.H. Schukking, R.J. Forbes, A.D. Fokker, A. Romein-Verschoor. – Amsterdam : C.V. Swets et Zeitlinger, 1955-1968. – 5 vol.

M.G.J. Minnaert, "Stevin, Simon". – In : *Dictionary of Scientific Biography* / edited by Ch. Coulston Gillispie. – New York : Charles Scribner's sons. – [Tome XIII, pp. 47-51].

E. Knobloch, "Stevin, Simon". – In : *Nouvelle Biographie Nationale.* – Bruxelles : Académie royale des Sciences, des Lettres et des Beaux-Arts de Belgique, 1994. – [Tome 3, pp. 312-319].

MÉMOIRES MATHÉMATIQUES 9

A. Girard — 1634

Argument de l'Astronomie — « Astronomie : Qui est la troisiesme partie de la Cosmographie. » Ainsi s'intitule cette partie des *Mémoires mathématiques*, dont Stevin donne ici le plan. Il annonce son intention de déterminer de deux manières différentes les trajectoires des planètes en supposant toujours la terre immobile. La première manière est pratique et se fonde uniquement sur les résultats d'observations. La deuxième est théorique, mais se heurte à des difficultés. Finalement, Stevin reprend le problème théorique en admettant que la Terre se meut. Il explique clairement, en 1605, les raisons de sa prédilection pour le système copernicien, à une époque où très rares étaient ceux qui, après Rheticus, osaient défendre cette position.

Du commencement je descriray l'Astronomie, comme si auparavant il n'en avoit esté parlé en aucune façon ; ce qui se poursuivra, & avec tel ordre & progrés, comme il semble qu'elle a augmenté de temps en temps, comprenant le tout en trois livres.

Le premier, sera de l'invention du cours des Planetes, & des estoiles fixes, par les Ephemerides observées ; le tout fondé sur la supposition que la terre est stable ou fixe ; c'est en un mot, sur l'hypothese de terre immobile.

Le second, de l'invention du cours des Planetes, par voye Mathematique, avec l'hypothese de terre immobile et de la première inegalité.

Le troisiesme, de la seconde inegalité où se trouve l'hypothese de terre mobile de Copernique.

Les Œuvres mathematiques / de Simon Stevin de Bruges, Ou sont inserées les Mémoires mathématiques [...] le tout reveu, corrigé, & augmenté par Albert Girard. – A Leyde : Chez Bonaventure et Abraham Elsevier, 1634. – [P. 183].

MÉMOIRES MATHÉMATIQUES 10

A. Girard — 1634

De l'invention du cours des Planetes, par voye Mathematique, fondée sur l'hypothese essentielle de terre mobile. — Dans ce sommaire du Livre III de l'Astronomie, Stevin montre que les deux hypothèses, Terre fixe ou Terre mobile, mènent aux mêmes conclusions. C'est-à-dire qu'elles rendent toutes deux compte des résultats d'observations donnés dans sa première partie. Nous dirions, aujourd'hui, qu'il montre que les deux hypothèses correspondent à l'observation d'un même phénomène dans deux repères différents. Stevin est obligé de se ramener à des observations géocentriques car à son époque comme à la nôtre, du moins jusqu'aux premières sondes spatiales, l'observation a toujours été faite dans un repère lié à la Terre.

Pour declarer en somme le contenu du present livre, il faut sçavoir que les planetes ont deux sortes de cours, l'un en longitude, l'autre en latitude, touchant le cours en longitude, il sera demonstré icy que par l'hypothese de terre mobile, la mesme conclusion s'entire, que par l'hypothese de terre immobile ; seulement y ayant de difference, en ce qu'on trouve estrange par l'hypothese d'immobile les choses qui ne le sont par l'autre hypothese mobile ; comme fondée sur l'essentielle ordonnance des astres ; ceste demonstration, assavoir que l'une & l'autre hypothese amene mesme conclusion, fera que ceste description sera briefve, car je ne feray aucun nouveau probleme en ceste hypothese mobile, pour trouver les cours, mais je prendray pour regle generale, que tout ce que eschet en la supputation du cours en longitude, sera resout par les problemes fondez sur l'hypothese de terre immobile, descrits és deux livres precedens ; je declareray aussi mon opinion en une particuliere proposition ; pourquoy je tiens les computations plus commodes, faites sur l'hypothese impropre, que sur le propre. Apres le cours en longitude, suivra celuy de latitude, monstrant aussi que les diverses hypotheses font mesme conclusion.

Ce contenu estant tel en general, aura cinq distinctions. La premiere de la qualité des lieux des planetes, autant qu'il semble estre necessaire à la declaration de leurs cours, par la position de terre mobile. Puis suivront trois distinctions du cours en longitude de planetes, avec position de terre mobile, assavoir la deuxiesme de la terre ; la troisiesme de la Lune ; la quatriesme de Saturne, Iupiter, Mars, Venus & Mercure ; & La derniere distinction, du cours en latitude avec mesme position de terre mobile.

Les Œuvres mathematiques / de Simon Stevin de Bruges, Ou sont inserées les Mémoires mathématiques [...] le tout reveu, corrigé, & augmenté par Albert Girard. – A Leyde : Chez Bonaventure et Abraham Elsevier, 1634. – [P. 291].

MÉMOIRES MATHÉMATIQUES 11

A. Girard — 1634

Dire des admirations sans merveille de ceux qui supposent la terre immobile (Proposition VI). — Pour effectuer le changement de repère qu'il a sous-entendu, Stevin a besoin d'un principe essentiel que nous nommons aujourd'hui le principe de relativité. À de très nombreuses reprises, ce principe est énoncé à la même époque par Galilée sous une forme littéraire, inspirée par Virgile et reprise déjà par Copernic : *Nous quittons le port, le pays et les villes s'éloignent.* Stevin utilise aussi la métaphore du bateau et la poursuit de manière magistrale. On sait que Proust, dans l'épisode des clochers de Martinville d'*À la recherche du temps perdu*, a thématisé cet effet de relativité et y a vu une des expériences fondamentales de sa psychologie esthétique.

La pluspart de ceux qui entendent & tiennent pour certain la description du cours des planetes de Ptolemée, s'esmerveillent de plusieurs proprietez qu'ils y remarquent : Premierement, que Saturne, Jupiter & Mars en l'opposition du Soleil sont tousjours au plus pres de la terre, & en conjonction au plus loing. Secondement, que leur cours en l'epicycle convient tousjours avec l'excès du cours du Soleil, sur le cours du centre de l'epicycle. Tiercement, que le contraire advient à Venus & Mercure ; car leur cours en l'epicycle n'a pas telle convenance avec le Soleil, mais que le cours de leurs centres d'epicycle y convient : Ce qu'ils tiennent pour une marque singuliere que le Soleil est le principal des planetes, & comme leur Roy, ils semblent vouloir accommoder leurs cours au sien : lesquelles choses adviennent estans fondées sur une theorie erronnée, en l'hypothese de terre immobile. Et d'autant que ceste matiere a grand rapport avec ceux qui n'estans accoustumez de naviguer, attribuent le mouvement de leur navire aux autres, comme lors qu'ils en rencontrent un, estans en bas dans le navire sans voir eau ny terre, s'esmerveillent comment un tel navire va beaucoup plus viste que le leur : Ou bien leur navire faisant un tour, disent que l'autre (lequel possible est coy,) fait un circuit à l'entour d'eux ; je prendray cecy par exemple pour declarer ceste matiere.

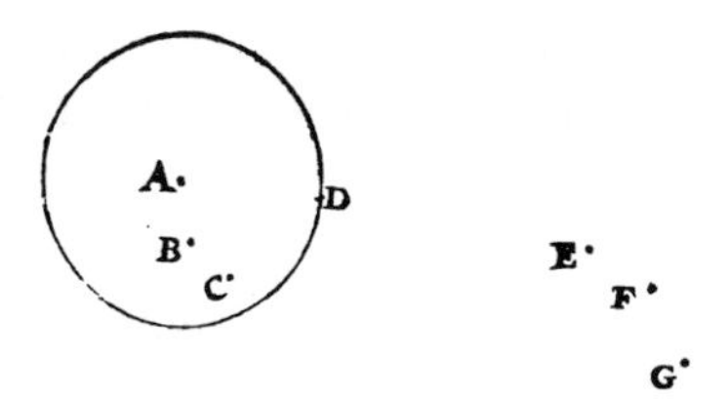

Soyent sept poincts A, B, C, D, E, F, G, sept navires en mer, A l'Admiral à l'anchre, & D circuisant continuellement en cercle, qui comprent au dedans de soy les trois navires A, B, C, & non pas E, F, G ; soit aussi quelqu'un en D, comme spectateur ; lequel, selon qu'il a esté dit cy-dessus, s'imaginera qu'il est coy, & que les autres tournent irregulierement à l'entour de luy ; ainsi que s'esmerveillant comme les mentionnez, dira qu'à chacune fois que l'un des trois navires E, F, G, vient en droite ligne par luy, vers l'Admiral, alors qu'iceluy navire est au plus pres de luy : & au plus loing, estant en droite ligne de l'autre costé de l'Admiral A, combien que leurs cours soit desreiglé : Concluant de là que chacun des trois navires tourne encor en un plus petit cercle, par le moyen duquel ils s'approchent & s'ésloignent de luy, s'esmerveillant d'abondant comment leur cours s'accorde & convient en quelque façon avec celuy de l'Admiral : Semblablement que les deux navires C, B, tiennent aussi une regle avec l'Admiral, toutefois contraire aux autres precedens, assavoir que le circuit du plus grand cercle qu'il font à l'entour de D, est égal en temps au circuit de l'Admiral, dit en outre que c'est un signe qu'ils sousmettent leurs cours à celuy de l'Admiral comme leur principal.

Ce qu'estant ainsi, & qu'un Matelot experimenté le reprenant, & luy responde qu'il s'esmerveille sans cause, veu que son navire, lequel il estime & s'imagine estre coy, est celuy qui circuit continuellement les trois A, B, C, d'où s'ensuit qu'il est autant de fois entre l'Admiral A, & l'un des trois E, F, G, que cestuy-là est plus pres de luy ; & au plus loing, lors que A est entre deux : aussi que ces navires ne tournent pas en petits cercles, & autres cours semblablement singez, qui les fait approcher & esloigner, non plus que B, C, en tels cercles convenans au cours de A, comme il estime : mais qu'on pourroit prendre pour chose contre nature, que ce qui apparoit estre tel à un non experimenté, ne soit en effect autrement.

De mesme en pourroit dire un Astronome experimenté à un apprentis ; changeant seulement les noms, au lieu de A l'Admiral soit le Soleil, & B, C, Mercure et Venus, D, la terre, E, F, G, Mars, Jupiter & Saturne, selon qu'il a esté dit cy-devant, le reprenant de ce qu'il s'esmerveille pour rien ; & ce qui s'ensuit.

Les Œuvres mathematiques / de Simon Stevin de Bruges, Ou sont inserées les Mémoires mathématiques [...] le tout reveu, corrigé, & augmenté par Albert Girard. – A Leyde : Chez Bonaventure et Abraham Elsevier, 1634. – [P. 296].

CHRISTOPHE HARANT

TCHÈQUE **1564-1621**

Christophe Harant de Polžice et Bezdružice apprend dès son plus jeune âge l'allemand et l'italien et pratique très tôt la musique. Il n'a que treize ans quand il entre au service de Ferdinand II de Tyrol et s'acquiert si bien ses faveurs qu'il l'accompagne dans son voyage en Italie. Rentré au pays en 1584, il épouse Eva Černínová de Chudenice et se fixe à Touškovo sur la Mže en Bohême occidentale, d'où neuf ans plus tard il part combattre les Turcs. Il n'en revient qu'en 1597, distingué par Rodolphe II pour sa vaillance au combat.

Après la mort de sa femme, il part pour l'Orient, en juillet 1598, en compagnie de Heřman Černín de Chudenice — futur diplomate au service des Habsbourg puis Intendant général du Royaume († 1651). Embarquant à Venise, il visite la Crète et Chypre, puis arrive à Jaffa d'où il repart pour Jérusalem. De Palestine, il passe en Égypte, mais il contracte une grave maladie qui l'atteint au point qu'à son retour en pays tchèque, son propre frère, le voyant en tenue de voyage, ne peut le reconnaître.

Il habite alors à Plzeň où l'empereur Rodolphe fait de lui son intendant royal. À sa requête, l'empereur l'anoblit. En 1604, il épouse Barbora, née Mirkovská de Stropčice, une veuve qui lui apporte la moitié du domaine de Pecka. Il jouit d'une telle considération que Daniel Adam de Veleslavín lui dédie l'un de ses ouvrages. Sa deuxième épouse meurt dès 1607 et il se remarie l'année suivante avec Salomena Hradištská de Hořovice. En 1608, à la demande de ses amis, il publie la relation de son voyage intitulée *Pèlerinage ou voyage du Royaume de Bohême jusqu'à Venise et de là, par mer, en Terre Sainte, en Terre de Judée et jusqu'en Égypte, au Mont Horeb, à Sainte-Catherine du Sinaï au désert d'Arabie,* avec son portrait et des gravures sur bois. En 1612, sa femme achète le reste du domaine de Pecka et Harant dès lors s'y fixe. Sous l'empereur Matthias de Habsbourg (1612-1619), frère de Rodolphe II, il obtient une place de conseiller à la Cour et, vers 1618, passe du catholicisme à la foi calixtine. Adepte du parti anti-Habsbourg, il est nommé en 1619 commissaire militaire de la région de Boleslav, Hradec et Kouřím (Bohême centrale). En juillet de la même année, avec le comte Henri Matthias von Thurn und Valsassina (1567-1633) — l'un des principaux acteurs de la révolte tchèque de 1618-1620 contre les Habsbourg — il fait tonner le canon contre Vienne, si fort que des boulets atteignent le château royal. Sous Frédéric le Palatin, chef de la ligue des princes protestants d'Allemagne, qui est élu roi de Bohême (1619-1620), il devient président de la Chambre tchèque.

Après le désastre de la Montagne Blanche (1620) il est arrêté. Mis à la question au Château de Prague, il est condamné à mort et décapité sur la place de la Vieille-Ville à Prague. Sa veuve passe à la foi catholique et se remarie avec Heřman Černín de Chudenice, son compagnon de voyage en Orient.

PÈLERINAGE EN TERRE SAINTE 12

Cl. et A. Brejnik — 1972

Au Caire (Volume II, chapitre XVIII).

Pas bien loin de ces échoppes nommées *Cancali*, se trouve une étroite ruelle, où nous vîmes en vente, pour servir comme esclaves, une grande quantité d'hommes et de femmes de tout âge, de toutes nationalités, parmi lesquels les Maures étaient en majorité.

La plupart d'entre eux étaient nus, quelques-uns avaient un morceau de tissu suspendu par devant. Nous vîmes des acheteurs arriver pour les acheter, examiner celui-ci, ou celle-là, les tâtant, les tendant, les pliant comme des bêtes, nous vîmes un acheteur repartir et un autre venir, et nous en vîmes d'autres qui obligeaient les esclaves à courir, à sauter, pour juger de leur agilité. Ces esclaves étaient enchaînés, ou attachés ensemble par groupes. Il y avait là de la jeunesse, de la vieillesse, du savoir, de la dignité à vendre.

Monsieur de Černín voulait à tout prix acheter un petit garçon Maure et j'eus grand'peine à l'en dissuader, en lui représentant le danger que cela nous ferait courir, ou l'amende, car nous n'avons pas le droit de le faire, et de toutes manières, on ne nous aurait pas laissé monter avec lui à bord à Alexandrie.

Nous avions aussi très envie d'acheter un cheval, mais nous n'avions pas assez d'argent pour celà et même en faisant la demande pour en obtenir l'autorisation, le transport par mer se révélait par trop difficile. Pour ce qui est du reste, les pierres précieuses, les rubis, aussi beaux que bon marché, les brocards, les porcelaines, les tapis ou autres objets des Indes, nous aurions pu en acheter à volonté, moyennant argent. Nous regrettions amèrement de ne pas en avoir.

Ayant goûté à satiété à notre promenade jusqu'au temps des vêpres, nous retournâmes à notre logement. Nous y trouvâmes le Janissaire français que nous avions invité le matin et qui nous attendait. Nous le conviâmes donc à partager notre repas. Tout en mangeant, nous parlâmes de divers sujets. Le Janissaire se mit alors à se plaindre de son destin, de sa misère, de son malheur, qui le poursuivaient depuis qu'il était devenu Turc, ayant alors abandonné la foi chrétienne, cependant que, dans son cœur, il croyait en Jésus-Christ. En pleurant, il confessa qu'il donnerait tout pour pouvoir retourner dans son pays. Mais il était marié au Caire, avait femme et enfants qu'il aimait, et qu'il n'était pas prêt à abandonner.

Il parla encore d'autres choses. D'un côté nous avions pitié de lui. D'un autre côté, nous étions dans le doute. Ne le faisait-il pas exprès, à la manière turque, pour nous faire dire quelque chose contre la croyance païenne, ce dont il nous accuserait ensuite auprès des autorités, à notre grand détriment ? D'autres que nous s'étaient ainsi fait surprendre.

Nous gardâmes à l'esprit l'adage : *Chi ti fa piú carezze che non suole, o ingannato t'ha, o ingannar te vuole,* ce qui veut dire : « qui est plus gentil que d'usage, t'a déjà trompé ou bien s'y prépare ». À ce sujet, les Espagnols disent sagement : *Del enemigo no hableras mal, mas piensa lo,* « Ne dis pas de l'ennemi ce que tu penses ». Ajoutons : « et surtout pas chez lui ». Il y avait là des traîtres et des espions, spécialisés à s'introduire dans les faveurs des marchands étrangers, en faisant les lèche-bottes, et qui les dénonçaient ensuite pour ramasser leur part de la confiscation de tous leurs biens. Les Juifs surtout s'occupaient de cela, et c'est un conseil à tout le monde de les éviter.

Pour cette raison nous ne répondîmes en rien à ses plaintes, et nous dirigeâmes la conversation sur d'autres sujets. Par exemple nous demandâmes comment il se fait que tant de gens, au Caire, paraissaient souffrir de maux d'yeux et que tant de monde y était aveugle. De fait, le Janissaire lui-même avait aussi les yeux malades. Il nous répondit que c'était la conséquence de pluies trop rares au Caire, des épaisses couches de poussière, partout dans les rues, qui en résultaient, et du fait que cette poussière était continuellement soulevée par les piétons et cavaliers qui passaient. Cette poussière, très fine et chargée de salpêtre (comme toutes les terres riveraines du Nil) vole tout le temps dans l'air, et se dépose sur les vêtements, les visages et les yeux, qu'elle corrode et abîme.

Prosper Alpin, dans son livre *De medicina Ægyptiorum,* indique que la cause en est la poussière et le sable fin surchauffés par le soleil, qui flottent dans l'air des rues comme une brume épaisse et qui dessèchent et brûlent les yeux, du fait qu'ils sont si chauds. Mais moi, j'ajoute à ces causes aussi celle de leur paresse et de leur saleté. J'ai vu moi-même des adultes, Arabes ou Égyptiens marchant dans la rue avec la figure et les yeux pleins de mouches et de moustiques, qu'ils ne chassent pas par pure paresse, ni ne portent la main vers le visage. De temps en temps seulement, comme pour faire peur aux mouches, ils beuglent dans leur langue « roch ! », la bouche grande ouverte. Mais ces insectes affamés en font peu de cas : ils ne sont pas farouches.

J'ai vu même des mères portant dans leurs bras ou sur l'épaule de petits enfants, avec les yeux couverts de mouches, à ne pas voir leurs yeux, et pourtant la mère ne chassait pas ces mouches. J'en déduis donc que c'est depuis l'enfance que l'on a des yeux infectés par les mouches et d'autres vers vénéneux qui les rongent et les infectent.

Voyage en Égypte / Christophe Harant ; traduit par Claire et Antoine Brejnik. – Le Caire : Institut Français d'Archéologie Orientale, 1972. – [Pp. 202-205].

RINUCCINI

ITALIEN **1562-1621**

Florentin, membre d'une ancienne et noble famille, Ottavio Rinuccini reçut probablement une éducation digne de son rang et fut pendant toute sa vie poète de cour.

Très tôt, il se rend célèbre grâce à ses poésies, inspirées de Pétrarque et du Tasse, dans lesquelles il reprend les mètres expérimentés par Gabriel Chiabrera (1552-1638), et fait bientôt partie de la *Camerata de' Bardi*, un groupe florentin de poètes et de musiciens réunis autour du comte Giovanni De' Bardi (1534-1612), homme de lettres et compositeur. La *Camerata*, qui avait étudié le rôle joué par le chant dans la déclamation tragique des Grecs, entendait restaurer cette récitation chantée, ce « style récitatif » que Vincent Galilée avait opposé au caractère artificiel de la polyphonie. Rinuccini fut l'un des premiers à écrire des livrets illustrant la théorie du « réciter en chantant », premiers textes de l'histoire du mélodrame faits pour être entièrement chantés, conçus comme traces poétiques discrètes, à l'opposé de l'exubérance rhétorique de la poésie mariniste. Il ouvrit la voie du mélodrame à Métastase.

Protégé par le mécène Iacopo Corsi (env. 1560-1604) et par les Médicis, Rinuccini composa des mascarades et des ballets pour les fêtes du Grand-Duché. Sa mascarade *Rinaldo e il Tasso* est jouée en 1584, à l'occasion des noces de César d'Este avec Virginie de Médicis. Pour les noces du grand duc Ferdinand Ier avec Christine de Lorraine (1589), il donne un intermède, qui deviendra son premier mélodrame, *Dafne,* mis en scène et en musique par Iacopo Peri (1561-1633). Pleine des défauts et des incertitudes d'une première tentative, cette œuvre, qui n'est pas divisée en actes et reste proche de la fable pastorale, fut plusieurs fois revue et mise en musique, notamment par Giulio Caccini (1550-1618) et Marco da Gagliano, l'auteur de la partition du drame d'Andrea Salvadori, la *Regina di Sant'Orsola*. *Euridice*, œuvre plus accomplie, aux tons élégiaques et au dénouement heureux, est représentée en 1600, sur une musique de Peri, à l'occasion des noces de Marie de Médicis et d'Henri IV. À cette occasion, Rinuccini, qui a accompagné Marie de Médicis en France, y séjourne trois ans en qualité de gentilhomme du Roi. À la cour, il organise de nombreux spectacles et écrit des poèmes sous l'influence de Ronsard et de la Pléiade.

En 1607, il est appelé à la cour des Gonzague à Mantoue où, à l'occasion du mariage de François de Gonzague avec Marguerite de Savoie (1608), il écrit *Ariane*, sa dernière œuvre importante. De la musique écrite par Monteverdi, il ne reste que l'épisode, majeur dans le livret de Rinuccini, de l'abandon d'Ariane. *Narciso*, autre mélodrame écrit en 1608, ne fut jamais représenté.

Pendant ses dernières années, Rinuccini composa des poésies religieuses, dans son style élégant et mesuré.

Li due Orfei : da Poliziano a Monteverdi / Nino Pirotta e Elena Bovoledo. – Torino : Einaudi, 1975. – XIX-472 p. – (*Saggi* ; 556).

Le Mélodrame / J.M. Thomasseau. – Paris : P.U.F., 1984, – 128 p. – (*Que sais-je ?* ; 2151).

P. Bigongiari, "Lo *stile rappresentativo* e Ottavio Rinuccini". – In : *Paradigma*, VII (1986), pp. 33-51.

Il secolo cantante : per una storia del libretto d'opera nel Seicento / P. Fabbri. – Bologna : Il Mulino, 1990. – 352 p. – (*Il Mulino/Ricerca*).

ARIANE 13

D. Boillet — 1994

Plainte d'Ariane (scène VI).

ARIANE

Ah, laissez-moi mourir,
Ah, laissez-moi mourir ;
Qui pourrait donc me procurer du réconfort
En un si cruel sort,
En un si grand martyre ?
Ah, laissez-moi mourir.

LE CHŒUR

En vain la langue d'un mortel,
En vain propose un réconfort
Là où le mal est infini.

ARIANE

Ô Thésée, mon Thésée,
Puisque je veux te dire mien, que tu es mien,
Quand bien même, ah ! cruel tu t'enfuis sous mes yeux.
Tourne-toi, mon Thésée,
Dieu, tourne-toi, Thésée !
Tourne en arrière tes regards, contemple celle
Qui a laissé patrie et royaume pour toi,
Et qui bientôt, sur cette plage,
Proie de fauves cruels, de bêtes sans pitié,
Laissera ses ossements nus.
Ô Thésée, mon Thésée,
Si tu savais, oh, dieu !
Si tu savais, hélas ! quelle souffrance endure
Cette pauvre Ariane,
Tu te repentirais, peut-être,
Et tournerais bientôt ta proue vers le rivage.
Mais sous un vent paisible,
Toi tu t'en vas, heureux, et moi, ici, je pleure ;
Athènes te prépare
Grande et joyeuse pompe, et moi je reste ici,
Proie des fauves, sur cette plage solitaire ;
Joyeux, tes vieux parents te serreront tous deux
Entre leurs bras, et moi,
Je ne vous verrai plus, ô mon père, ô ma mère.

LE CHŒUR

Hélas, mon cœur se brise.
Vers quelle triste fin faut-il te voir courir,
Beauté infortunée !

ARIANE

Où est, où est la foi
Que tu m'as tant jurée,
C'est donc ainsi que tu m'élèves
Sur le trône de tes aïeux ?
Voici donc les couronnes
Dont tu viens orner mes cheveux ?
Et voici donc les sceptres,
Les joyaux et les ors :
M'abandonner à quelque fauve
Qui me lacérera et me dévorera ?
Ah, Thésée, mon Thésée,
Laisseras-tu mourir,
Pleurant en vain, criant en vain qu'on la secoure
Cette malheureuse Ariane
Qui s'est fiée à toi, t'a donné gloire et vie ?

LE CHŒUR

Vaincue par son âpre douleur,
La malheureuse ne voit pas que vainement
Prières et soupirs s'envolent dans le vent.

ARIANE

Hélas ! il ne répond pas même !
Ô nues, ô tourbillons, ô vents,
Venez vous-mêmes l'engloutir au sein des flots.
Accourez, orques et baleines,
De ses membres impurs
Venez bientôt remplir vos abîmes profonds[1].
Ah, que dis-tu, dans ton délire ?
Que demandes-tu, malheureuse ?
Ô Thésée, mon Thésée,
Ce n'est pas moi, ce n'est pas moi,
Pas moi qui prononçai des mots aussi cruels :

---

1 Par métaphore, les ventres des grands animaux marins.

Ma souffrance a parlé, ma douleur a parlé ;
Ma langue a parlé, oui, mais certes pas mon cœur.

LE CHŒUR

Oh, véritable amour, bien digne qu'on l'admire !
Dans le malheur extrême,
Tu n'as pas de courroux, tu ne cries pas vengeance.

ARIANE

Hélas ! je laisse place encore
À mon espoir trompé ? et le feu de l'amour
Ne s'éteint pas encor sous autant de mépris ?
Viens désormais éteindre, ô mort, ma flamme indigne.
Ô ma mère, ô mon père, ô superbes demeures
De l'antique royaume où fut d'or mon berceau,
Ô mes amis, mes serviteurs (ah ! sort indigne !)
Voyez où m'a conduite une fortune impie !
Et de quelle douleur m'ont faite l'héritière
Mon amour et ma foi, la trahison d'autrui.
Telle est la fin de qui trop aime et trop se fie.

Anthologie bilingue de la poésie italienne / Préface par Danielle Boillet et Marziano Guglielminetti ; édition établie sous la direction de Danielle Boillet [...]. – Paris : Gallimard, 1994. – (*Bibliothèque de la Pléiade* ; 410). – [Pp. 827-831 et 1577 pour la note].

JEAN BARCLAY

LATIN

1582-1621

Jean Barclay naît à Pont-à-Mousson où son père, le jurisconsulte écossais Guillaume Barclay, enseigne le droit. Il fréquente le collège des jésuites de la ville et bénéficie dans le sérail universitaire de tous les soins paternels. À la fin de l'année 1601, au terme d'études brillantes, il quitte la Lorraine, sans doute poussé par sa famille qui souhaitait le voir échapper à l'emprise des jésuites.

Au cours de l'été 1603, Guillaume Barclay démissionne et part pour Paris où il retrouve son fils. Tous deux s'embarquent pour Londres, afin d'aller saluer leur souverain naturel, le roi Jacques VI d'Écosse qui vient d'accéder à la couronne d'Angleterre sous le nom de Jacques Ier. À leur retour, Guillaume Barclay s'installe à Angers dans un nouveau poste de professeur. De son côté, Jean Barclay entreprend plusieurs voyages dont on ne peut guère suivre l'itinéraire. Il semble qu'il ait eu à ce moment une certaine attirance pour la vie religieuse, mais sans cesse contrariée par les sollicitations du monde. Finalement, il regagne l'Angleterre (1605). Jacques Ier le reçoit comme gentilhomme de sa chambre et lui confie plusieurs missions diplomatiques. À ce titre, il aura l'occasion de revenir à Pont-à-Mousson (1607) et de renouer un moment avec son enfance.

Pendant dix ans, Jean Barclay mène à Londres une existence terne de courtisan, même s'il a la possibilité de relations avantageuses dans le monde des ambassades. En 1615, il part pour Rome où on lui a laissé espérer une charge plus brillante à la chancellerie pontificale. C'est dans cette ville qu'il meurt, alors qu'il venait d'être nommé camérier du pape et que sortait en librairie son *Argenis*, l'ouvrage qui devait lui assurer la réputation la plus durable.

Cette œuvre, sans cesse rééditée, universellement traduite et commentée, correspondait admirablement aux goûts du temps. Le public sensible pouvait y trouver une intrigue amoureuse à la manière des anciens romans grecs, c'est-à-dire riche en péripéties et ouverte sur de grands espaces. D'autres préféraient y déceler, sous le voile héroïque, le récit des événements qui avaient, trente ans plus tôt, favorisé l'accession des Bourbons au trône de France. D'autres enfin pouvaient se plaire à y cueillir bon nombre de sentences pédantesques sur la morale et sur la religion. Publiée à une époque où la langue latine conservait toute sa vigueur auprès d'un public choisi, l'*Argenis* reste un témoignage essentiel dans l'esthétique littéraire du XVIIe siècle.

D'une tout autre nature est l'*Euphormion*, que Barclay publia à Paris en deux parties, de 1605 à 1607. Ce premier essai romanesque, dont le succès fut également considérable, a beaucoup plus de charme que l'*Argenis* aux yeux du lecteur d'aujourd'hui. Cela tient sans doute au fait que l'auteur a puisé la matière de son livre dans sa propre vie et dans celle de son père, mais en se gardant bien de toute cohérence et de toute continuité réaliste dans la narration biographique. En fait, l'*Euphormion* est supérieur à l'*Argenis* comme sont supérieures aux romans grecs les œuvres de Pétrone et d'Apulée, plus excitantes, plus contrastées. Il ne s'agit pas de l'histoire d'une idylle tourmentée, mais des tribulations picaresques d'un jeune homme victime d'un monde cruel et insensé. C'est aussi un roman à clé dans une certaine mesure, puisque beaucoup de noms se laissent déchiffrer et que beaucoup de situations sont reconnaissables. Cependant Barclay n'a pas souhaité que le déchiffrement soit total. Il brise ici et là le jeu subtil du double sens, brouille les pistes avec rage et nous rend ainsi la lecture délicieusement difficile.

Les autres œuvres de Barclay ont fait naufrage, qu'il s'agisse de pièces de circonstance, de traités de morale ou de pamphlets dont le temps a depuis longtemps aboli la charge corrosive. Lorrain par sa naissance, écossais de nation, ayant essentiellement vécu en Angleterre et en Italie mais avec le regard presque toujours tourné vers la France, Jean Barclay est un romancier européen qui a cru bon de choisir le latin comme truchement indispensable à une audience européenne. N'était-ce pas le plus perfide des choix ?

A.-M. Desfougères, "De la réalité à l'allégorie : l'*Argenis* de Barclay". – In : *L'Image du souverain dans les lettres françaises*. – Paris : Klincksieck, 1985. – (*Actes et colloques* ; 24). – [Pp. 327-335].

A. Cullière, "Jean Barclay contre les jésuites de Pont-à-Mousson : approche de la toute première édition de l'*Euphormion*". – In : *Les Jésuites parmi les hommes aux XVI*e *et XVII*e *siècles*. – Clermont-Ferrand : Association des Publications de la Faculté des Lettres, 1988. – [Pp. 207-208].

J. Desjardins-Daude, "John Barclay ou les derniers feux de l'humanisme". – In : *Littératures classiques. Romanciers du XVII*e *siècle*, n° 15 (oct. 1991), pp. 69-83.

Fr. Bouchet, "*L'Argenis* néo-latine de John Barclay : le premier 'roman héroïque' (1621)". – In : *XVII*e *Siècle*, n° 175 (avril-juin 1992), pp. 169-187.

EUPHORMION 14

J. Bérault — 1640

Malheurs d'immigré. — Dans la première partie de l'*Euphormion*, Jean Barclay fait vivre à son héros des mésaventures qui rappellent vaguement celles qui étaient arrivées à son père lorsque, venu d'Écosse en Lorraine, il avait dû affronter beaucoup de jalousies et de tracasseries universitaires. Euphormion a abandonné sa Lusinie natale — véritable île d'Utopie — pour se retrouver dans un pays inconnu et hostile dont il découvre très vite les dures réalités. Il ne parviendra à se libérer de ses nombreux tourments que pour sombrer, à chaque fois, dans de plus grands encore.

Chacun se rioit de ma mine, & de mes façons de faire : j'en fus si surpris, que je n'eus pas l'esprit de considerer que je mangeois tousjours, & que je reparois avec trop d'avidité, le tribut que mon estomac avoit esté contraint de payer à la mer[1], que j'avois veuë un peu auparavant agitee. Cela n'estoit rien, il m'arriva un malheur beaucoup plus grand. Je reconnus que j'avois mangé à table d'hoste, que le logis où l'on m'avoit amené estoit une hostellerie, & qu'il falloit necessairement payer mon escot. Je n'avois point d'argent, ceux de nostre païs n'en portent point, cela les empescheroit de cheminer : ils ne sçavent ce que c'est de vendre les denrees, chacun se sert librement & liberalement de toutes les choses qui s'employent pour la vie. Ce procedé si extraordinaire m'estonna, je commençay

1 Par *le tribut que l'estomac est contraint de rendre à la mer*, est entendu le vomissement, qui est causé par l'agitation de la mer & du vaisseau, qui fait nager la viande : mais principalement par l'odeur de la marine, & par la frayeur que l'on a. Plutarque *en ses propos de table*. (N.d.t.)

à detester, sans que personne m'entendit, la façon de vivre lasche & abjecte de cette maudite contree. Les poissons, disois-je, vont d'un courant à l'autre, & des rivieres à la mer, sans qu'ils trouvent au passage qui leur demande tribut de ce qu'ils mangent. La nature a fait que les bestes ont par tout de la nourriture ; & bien que les hirondelles changent d'air, & qu'elles passent d'une region à l'autre, selon la diverse rencontre des saisons, les vivres toutesfois ne leur manquent point. Les hommes seront-ils d'une pire condition que les bestes ? Sera-t'il dit que les elemens les traitteront plus doucement que les hommes ne feront pas leurs semblables, & ceux avec qui ils sont obligez de converser ? si ce n'est que l'on veüille dire que de l'eau vaut davantage quand on la boit dedans un vaisseau, qu'à mesme la fontaine : & que la nature ait deu se comporter plus avantageusement envers les autres animaux, qu'envers les hommes. O la barbarie ! ô la lascheté ! les hommes sont plus cruels envers les hommes, que le lyon de l'histoire n'en usa envers Androdus[1]. Je priay la compagnie qu'elle m'excusast, d'estre entré dans un cabaret sans que j'eusse de l'argent : je dis que l'on en usoit ainsi en nostre païs, que je ne faisois que d'arriver, & qu'il ne se falloit pas estonner si je n'en sçavois, ny les mœurs, ny les coustumes : que ce que l'on approuvoit en un lieu, pouvoit n'estre pas receu en l'autre : que chaque païs avoit ses façons de faire : que tous les hommes n'estoient pas obligez de naistre en un mesme lieu : que je leur faisois tort de craindre qu'ils me traitassent rudement : qu'au recit de tout le monde, la Clemence ces dernieres annees, avoit fait en sorte que la Severité[2] avoit esté debouttee du souverain siege. Je serois encore à discourir, si chacun ne se fut esclatté de rire, & si le maistre du logis, l'homme le plus meschant, & le plus corrompu qui fut dans la ville, ne m'eût tiré par le manteau, disant par une maniere de raillerie, qu'il estoit à propos de m'en descharger, afin que je m'en retournasse plus legerement en ce païs, dont j'avois fait un tel recit, que j'en avois fait presque envie à toute la compagnie.

---

1 L'histoire du Lion d'Androdus est fort commune : elle est elegamment descrite par Aulus Gellius, au livre 5. de ses *nuicts Attiques, chap.*14. L'esclave Androdus fuyant de la maison de son maistre, se cacha dans une caverne : un Lion arrive qui luy presente le pied, où il y avoit une espine qu'Androdus luy tire, en recompence de quoy le Lion le nourrit des viandes qu'il prend. Mais sa reconnoissance envers son bien-facteur passe bien plus outre : car l'esclave & le Lion estans pris & menez à Rome, comme on en voulut faire un spectacle au peuple, il arriva que le Lion reconnut Androdus, & se mit à le caresser. (N.d.t.)

2 Par ces mots de *Clemence*, & de *Severité*, à qui l'Autheur donne des lettres capitales, il semble faire allusion à la promotion de Hippolyte Aldobrandin, Florentin, dit Clement VIII. qui fut esleu Pape l'an 1592. à l'exclusion du Cardinal de Saincte Severine, julius Antonius Sanctorius. (N.d.t.)

La Satire d'Euphormion / composée par Jean Barclay et mise nouvellement en français [par Jean Bérault]. – Paris : Jean Guignard, 1640. – [Pp. 9-12, 569-570 pour les notes].

EUPHORMION 15

J. Bérault — 1640

Séductions jésuites. — Pour la seconde partie du roman, Jean Barclay s'est servi de ses souvenirs de 1604-1605, période au cours de laquelle il a beaucoup voyagé et traversé une grave crise de conscience. Profondément marqué par l'éducation qu'il avait reçue des jésuites, il fut alors plusieurs fois tenté d'entrer dans un de leurs noviciats. Son départ définitif pour l'Angleterre semble avoir marqué le terme de ce conflit intérieur. Euphormion évolue donc sur un vaste théâtre, fait de multiples rencontres, subit des influences, éprouve de réelles passions. On le voit plus d'une fois aux prises avec Acignius — anagramme d'Ignacius et incarnation fantasmatique d'Ignace de Loyola — qui exerce sur lui sa séduction et pour lequel il éprouve autant d'attirance que de répulsion. À la fin du roman, Euphormion se retrouve une fois encore, comme par enchantement, dans la maison d'Acignius. Il y subit d'étranges sortilèges. Dans ses moments de lucidité, il cherche par tous les moyens à s'échapper.

Afin d'eviter les subtilitez d'Acignius, j'y employay moy-mesme le mensonge : je luy dis que j'avois fait vœu d'aller visiter, le plutost que faire se pourroit, un certain Temple[1] qui est au pays d'Icoleon[2], où l'on tient qu'il se fait beaucoup de miracles ; & qu'il m'estoit impossible de demeurer pour lors en la maison d'Eutychie[3], sans blesser ma conscience. A ces mots, Acignius se tenoit les costez à force de rire : vous estes, dit-il, un homme admirable : vous estes bien sçavant en matiere de devotion. Hé ! ne sçavez-vous pas que le Ciel absout les plus criminels, aussi tost qu'ils ont dessein de demeurer en cette maison ? & que les Dieux, à qui en matiere de vœus, on a manqué de parole, en sont extremement satisfaits ? Quelque fourbe que vous ayez pratiquée pour avoir moyen de venir icy, ou pour y faire venir les autres ; les gens de bien auront sujet de vous en sçavoir du gré. Je me suis trouvé souvent en des occasions, où les plus scrupuleux ont loüé les jeunes gens, qui sans avoir esgard que leurs parens en mourroient de desplaisir, ne laissoient pas d'embrasser genereusement cette heureuse façon de vivre. En suitte de ces paroles, il passa derechef son rameau moüillé dessus mon visage, & me renversa l'esprit. Le goust agreable de l'eau de la fontaine, dont j'avois beu le jour de devant, me re-

---

1 Je croy pour moy qu'il veut parler de nostre Dame de Hau, ou de Sichem, que Lipse a descrit par un livre exprés, qu'il a fait en ses vieux jours. (N.d.t.)

2 Selon les clés habituelles, ce nom désignerait les Flandres, nation égale en valeur et en courage au lion.

3 Personnification de la bonne fortune que connaît celui qui vit auprès d'Acignius, c'est-à-dire qui entre chez les jésuites.

vint ; & comme si j'eusse eu le cerveau abbreuvé des fumées du vin : je commençay à dire, que je ferois tout ce qu'il desireroit. Mais il ne fut pas plutost sorty de la chambre, qu'en m'habillant, la force de l'eau enchantée se perdit. Je repris mon jugement, & reconnus que je n'estois plus libre de mes actions. C'est pourquoy sans en dire mot, je pris une ferme resolution de garantir ma liberté de ces prestiges, par d'autres inventions.

La Satire d'Euphormion / composée par Jean Barclay et mise nouvellement en français [par Jean Bérault]. – Paris : Jean Guignard, 1640. – [Pp. 494-496, p. 645 pour la note].

ARGENIS 16

P. de Marcassus — 1623

Drame initial. — À l'*incipit* de ce roman majeur de la néo-latinité se retrouvent tous les procédés narratifs des romans de l'Antiquité, notamment des *Éthiopiques* d'Héliodore, que diverses éditions et traductions avaient remis durablement au goût du jour : début du récit *in medias res*, identité mystérieuse des jeunes héros, nobles et valeureux. En même temps, Barclay se souvient visiblement des chevaliers de l'Arioste ou du Tasse, à l'époque où Honoré d'Urfé vient de donner, sur leur modèle, avec l'*Astrée*, ses lettres de noblesse au roman épique français. La narration suit le même rythme rapide, et chaque action, ou chaque dialogue, motive l'événement immédiatement suivant : en quelques lignes, le ton est donné d'une poursuite entre personnages qui ne prendra fin que quelque 800 pages plus loin.

Avant que Rome eut subjugué l'Univers, & que l'Ocean se fut rangé sous l'obeïssance d'un Tibre : Un jour sur le rivage de Sicile, où le fleuve Gelas se descharge dans la mer, vint prendre port un navire estranger, duquel sortit un jeune gentilhomme de tres bonne façon. Ceux de sa suite, aydez par les matelots, tirerent dehors son esquipage, & ayant suspendu ses chevaux par dessous le ventre, les descendirent en la greve. Luy cependant pour n'estre pas accoustumé au travail[1] de la marine, s'estoit couché dessus le sable, taschant de se reposer, & d'appaiser en dormant une douleur de teste que luy avoit causé le branle continuel du vaisseau : Quand voicy que soudainement il s'esleve un cry tres violent qui commence de troubler son esprit en resvant[2], de quelque fascheuse representation ; puis, esclattant de plus pres, l'esveille en sursaut avec une grande frayeur. Il y avoit proche de là une forest, où, bien que le haut bois ne fust pas en abondance, & que les arbres y fussent beaucoup esloignez l'un de l'autre ; cet espace neantmoins estoit offusqué[3] de forts buissons & de hal-

1 Aux difficultés du métier de marin.
2 En le faisant rêver de quelque fâcheuse représentation.
3 Était tout recouvert.

liers espais de ronces & d'arbrisseaux, qui rendoient ce lieu tres-commode pour y dresser quelque embusche. De là sortit à l'instant une femme assez belle, mais elle avoit les yeux troublez de larmes, & toute eschevelee, comme ces pleureuses qui assistent aux funerailles, elle faisoit horreur[1] à voir. Le cheval qu'elle pressoit à force de coups en sa fuite precipitee n'alloit pas si[2] viste qu'elle eust voulu, jettant des cris & des hurlemens aussi effroyables que les furieuses de Phrygie ou de Thebes[3]. Ce jeune homme, outre son naturel enclin à secourir les affligez & l'honneur qu'il déferoit à ce sexe, fut touché de si cruelles lamentations : & commença de tirer quelque sorte de presage de ce spectacle, qui estoit le premier rencontre[4] qu'il eust fait entrant en la Sicile.

L'Argenis / de Jean Barclay ; traduction nouvelle enrichie de figures [par Pierre de Marcassus]. – A Paris : Chez Nicolas Buon, 1625. – [Pp. 1-3].

1 Au sens étymologique : elle communiquait la terreur.

2 Aussi.

3 Les Ménades, dont Euripide a laissé une frappante description dans sa pièce *Les Bacchantes*, et que reprend Ovide au Livre III des *Métamorphoses*.

4 Forme masculine archaïque au début du XVIIe siècle.

JOHANNES CAMPANUS

LATIN **1572-1622**

Jean de Vodňany fait ses études à l'université de Prague, dont il est bachelier en 1592, puis maître en 1596. Il enseigne ensuite à Hradec Králové, puis de 1598 à 1600 à Saint-Henri à Prague. De 1600 à 1603, il est directeur des écoles de Kutná Hora et, à partir de 1603, professeur au collège Charles de Prague, pour les études grecques et latines. Plusieurs fois doyen de la faculté, il fut deux fois recteur de l'université. Le combat héroïque de Campanus pour le maintien de l'université dans le camp utraquiste et sa participation à la lutte contre les Habsbourg manifestent la radicalisation de maintes divergences qui aboutiront à défaite de la Montagne Blanche, et donc à la disparition de la littérature humaniste, renaissante et réformée en pays tchèque.

Parmi les poètes humanistes tchèques écrivant en latin, c'est le plus célèbre. Auteur de poèmes épiques, lyriques et de circonstance dans le goût antique, il témoigne des tendances maniéristes de l'extrême fin du XVIe et du début du XVIIe siècle. Il composa aussi une pièce de théâtre à sujet patriotique, *Břetislav et Judita* (rédigée en 1604 mais imprimée seulement en 1614 du fait de la censure).

LE ROI, JUGE ET CHEF DE LA BOHÊME 17

Fr. Lhoest — 1994

Éloge de Charles IV. — Charles IV de Luxembourg (1316-1378), roi de Bohême en 1346 et empereur germanique en 1355 est une des gloires de Prague et de la Bohême et le symbole de son illustration.

Me voici devant vos yeux, moi, Charles IV,
Levez-vous, les Tchèques.
De mon vivant je fus votre gloire.
D'un assaut, j'ai pu mettre en déroute une armée,
défaire les Italiens, les frappant
et semant la confusion dans leurs rangs.
Deux fois je fus désarçonné ; au bord de la défaite,
je t'ai pourtant vaincue, chienne de Vérone.
Quand, ayant conquis les villes italiennes,
je les gouvernais en paix,
tant de fois l'ennemi se dressa vainement contre moi.
Sans être empereur, j'en accomplissais les exploits.
Alors, un homme me proclama : empereur tu deviendras.
Ne vous permettez pas de me mépriser
car les étrangers m'ont honoré.
Ne payez pas d'ingratitude amère mes mérites ;
Je suis le premier de vos chefs à être empereur.

Je vous ai donné les lois de l'Empire romain,
Votre gloire, sainte législation.
Je voulus tout d'abord élever à Dieu des églises
et celles qu'à mes frais j'ai bâties pour les moines slaves
attestent ce premier souci.
L'Académie Caroline vint ensuite :
elle est née de notre volonté,
s'est enrichie de notre contribution.
Cette œuvre, cette piété, ont marqué
le début de la voie vers la gloire éternelle.
La ville nouvelle de Prague atteste ma grandeur
en la personne de son fondateur
et le château porte mon nom.
Le pont et sa puissante tour exaltent ma mémoire :
C'est en vain que la Vltáva[1] s'enfle et s'indigne de son joug.
Dois-je rappeler combien mon château a fleuri de statues,
mentionner la gloire de la Bulle d'or[2] ou les vignes des coteaux ?
À vrai dire, aucun roi de Bohême n'avait réussi
comme moi à mériter le titre de Père de la Patrie.
On me reproche d'être resté dans la terre paternelle[3],
mais dans ce seul reproche, je vois un grand mérite.
J'ai eu mes raisons : j'ai gardé le royaume prospère
mais partout le démon de la guerre affaiblit les domaines conquis.
Envie, ô toi, ronge, et tu reconnaîtras que tu te casses les dents
sur ceux que l'Église et l'État magnifient pour leur succès.

Traduction inédite.

1 La Moldau.

2 En 1356, charte de l'empire germanique qui affranchit le Saint Empire de la tutelle pontificale.

3 Il ne crut pas en effet que Prague, où il fonda l'université (1347), ne fût digne de diriger l'Empire.

FRANÇOIS DE SALES

FRANÇAIS • ITALIEN • LATIN **1567-1622**

Né à Thorens (duché de Savoie), dans une vieille famille savoyarde de langue française, il reçoit chez lui l'éducation d'un jeune noble campagnard, va à l'école de La Roche-sur-Foron, au collège chappuysien d'Annecy, puis reste 10 ans à Paris (1578-1588), au collège de Clermont et à la Sorbonne, qui le modèleront à jamais. Sa formation est celle d'un humaniste, marqué par la théologie jésuite et par Génébrard, le célèbre hébraïsant (1537-1597 ; rien d'autre de cette personnalité tourmentée ne laissera chez lui de traces). S'il parle italien, le latin surtout est sa seconde langue et il a de solides notions de la pensée grecque et hébraïque ; il n'oubliera jamais sa rencontre avec le *Cantique des cantiques* et les Psaumes.

Son père souhaite pour lui une carrière de magistrat : quatre ans à Padoue (1588-1591) ajoutent à sa formation de gentilhomme celle d'un docteur *in utroque jure* ; la pensée religieuse italienne s'unit en lui à tout ce que la vie en France lui a appris. Car il veut être d'Église. Genève devenue la ville de Calvin, l'évêché catholique réfugié à Annecy, il y sera le prévôt du chapitre de Saint-Pierre et est ordonné prêtre le 18 décembre 1593. L'évêque l'envoie en mission dans le Chablais protestant que le duc de Savoie a reconquis et veut rendre au catholicisme. Mission quasi solitaire qui réussit, lentement, surtout grâce à ses sermons et aux *Controverses* qu'il écrit et distribue en feuilles. Il préfère toujours ces armes au bras séculier, malgré le duc. Devant son succès, le pape le charge de rencontrer Théodore de Bèze : trois visites qui restent assez mystérieuses et n'obtiennent aucun résultat. De même, son rôle dans l'Escalade, cet essai du duc pour prendre Genève d'assaut, en 1602, ne sera que réticence si, du moins, il le connut.

1598 : il est coadjuteur avec succession (il deviendra ainsi automatiquement évêque à la mort de Mgr de Granier, alors sur le siège de « Genève-Annecy ») ; le diocèse l'absorbe tout entier, un diocèse qui comprend la Savoie de langue française, le pays de Gex qui dépend du roi de France, et Genève où il fera quelques brèves incursions. 1602 : il passe 9 mois à Paris où l'ont envoyé le duc et l'évêque pour des raisons religieuses et politiques ; sa prédication fait courir les foules, dans les églises comme à la cour (Carême du Louvre, 1602), et il participe au renouveau religieux (Mme Acarie, Bérulle, et bien d'autres) ; il aide à préparer l'entrée du Carmel en France (1604). Sur la route du retour, il appprend la mort de son prédécesseur, et est sacré évêque, le 14 décembre, dans l'église de son village natal. La même année, à Dijon, lors du carême, il rencontre la baronne de Chantal, toute jeune veuve.

Correspondance, prédications, administration, visites pastorales l'absorbent alors sans l'empêcher d'écrire l'*Introduction à la vie dévote* (1608-1609) et le *Traité de l'amour de Dieu* (1616), qui forment un tout. Le succès du premier livre est foudroyant : la bibliographie et le relevé des traductions n'ont pu encore en être faits de façon exhaustive. 1607 : il participe avec Honoré d'Urfé, le sénateur Favre, un ami d'études, et d'autres, à la création de l'Académie florimontane. 1610 : fondation avec la baronne de Chantal de la Visitation, qui marquera le siècle. 1618-1619 : dernier voyage à Paris, comme plénipotentiaire, à propos du mariage du prince de Piémont et de Christine de France. Il s'occupe de l'expansion de la Visitation, toujours avec celle qui est devenue la Mère de Chantal, prêche partout, a d'innombrables relations religieuses, avec Vincent de Paul, à qui il confiera la Visitation parisienne, ou la Mère Angélique qui, désireuse d'entrer dans l'Ordre, se voit donner le conseil de demeurer où elle est, c'est-à-dire à Port-Royal, et d'y continuer « humblement » la réforme nécessaire.

Il semble que Louis XIII, comme auparavant Henri IV, souhaite le retenir pour le siège de Paris, mais François de Sales ne veut pas abandonner la tâche entreprise dans son diocèse. On continue à lui confier missions diplomatiques et religieuses, à lui imposer des visites officielles qui, jointes aux travaux et déplacements diocésains, aux prédications à Annecy et hors d'Annecy, à l'extension de la Visitation, à un labeur intellectuel intense, à une immense correspondance, ont raison d'une santé longtemps solide. C'est au retour d'un voyage vers Avignon, où l'ont conduit Louis XIII et le duc de Savoie alliés contre l'Espagne, qu'il meurt, à la Visitation de Lyon, de problèmes circulatoires sans doute, aggravés par une extrême fatigue.

Béatifié en 1661, canonisé en 1665, il fut proclamé docteur de l'Église en 1877. Son corps se trouve, ainsi que celui de celle qui sera sainte Chantal, dans le chœur de la basilique de la Visitation d'Annecy.

L'œuvre laissée par l'évêque est donc immense, en volume comme en importance. Aux ouvrages cités il faut ajouter la *Défense de l'Estendart de la sainte Croix* qui date de la période de controverse avec le protestantisme, d'innombrables opuscules de tous ordres, traversant sa vie entière depuis les années d'études, et surtout les *Entretiens spirituels*, enseignement familier et mystique adressé aux première visitandines : leur forme orale la plus vraisemblable est connue depuis peu. Nombre de lettres et de sermons se sont perdus.

Moliniste convaincu (la grâce de Dieu trouve son équivalent dans l'adhésion de la liberté humaine qui lui répond et lui correspond, comme le pense le jésuite Molina [1536-1600], ferme appui de l'« humanisme dévot » salésien), même si son portrait de l'homme doit beaucoup à saint Augustin et à saint Thomas, le jeune François de Sales a connu à Paris une grave crise qui le conduisit aux portes du désespoir, à propos de la prédestination surtout. Il en sortit par un acte d'« abandon » à Dieu, sur quoi il bâtira sa pensée : confiance en Dieu et en l'homme appuyé sur la grâce, acte de liberté sans cesse répété. « Dieu s'est fait homme pour que l'homme soit fait Dieu » répète, après Irénée de Lyon, l'œuvre salésienne sans se lasser, car « Dieu qui est seul n'est pourtant pas solitaire ». Rien de moins platonisant ou néo-platonisant que cette théologie, même quand le langage l'est. De l'harmonie, du beau, du juste, du vrai, du bon, l'homme est créé pour être le maître heureux, en une union existentielle où, selon la logique de l'Écriture, corps et âme ne se séparent pas, où l'état normal est d'être vivant, d'une vie qui, par la liberté, vécue dans la Rédemption, accomplit le projet de Dieu sur la création. Tout homme, dans sa variété et dans ses limites, dit l'univers ; il est le Temple, image du Temple parfait qu'est le Christ, préfiguré par le Temple de Jérusalem. L'Incarnation ainsi méditée domine et, à cause d'elle, une longue chaîne logique unit les mystères ; François de Sales suit résolument Jean Scot sur ce point : Dieu a voulu l'Incarnation de toute éternité. L'Incarnation est accomplie dans le Christ et il dépend de l'homme de l'accomplir à son tour et d'ouvrir le monde à l'Église : l'Incarnation est l'action même d'aimer. Ainsi, la Visitation (premier mystère de l'Église en marche) est liée par elle à la Passion, laquelle est toujours montrée comme unie à la Résurrection. Par là, amour de Dieu et amour du prochain sont les deux « Tables » d'un même acte. L'amour de charité n'aura pas de fin, culminant dans la transfiguration de l'homme qui est l'accomplissement de la vie divine en lui, révélée par la Transfiguration du Christ, laquelle ne fut point un miracle « ains une cessation de miracle ». Le bonheur est donc de se réaliser dans ces perspectives, le péché de raisonner si mal qu'on les refuse : « L'homme est créé pour la félicité et la félicité pour l'homme. » Aussi, dans la spiritualité née de cette lecture théologique, la « civilité » a-t-elle son importance (l'*Introduction* en est en partie un manuel), la « vie cachée » est-elle le moteur de la « vie publique » : action et contemplation ne sauraient être séparées, toute vie est prédication. Surtout, l'instant présent, cela seul du temps-créature sur quoi l'homme ait puissance, est façonné par lui selon la forme qu'éternellement il aura : la vie éternelle est déjà commencée, celle de l'union. Satan le séparateur, l'immobile, est vaincu si l'homme accepte d'être à son tour « l'Oint du Seigneur », et de marcher « tout bellement » sur le même chemin, rude et douce voie du triomphe.

On voit combien est réductrice la peinture habituelle d'un François de Sales suave et aisé, et de la fausse quiétude qu'on lui attribue : tout le monde a sa place chez lui, mais cette place, c'est celle que réservent à l'homme les Béatitudes. L'époque spirituelle ne s'y trompa pas ; même si son influence parut parfois devenir souterraine après le premier XVIIe siècle, elle imprégna toutes les époques qui le suivirent.

Les « héros » de l'*Introduction* et du *Traité*, Philothée et Théotime, survécurent à une réduction anecdotique (Philothée n'est pas la seule Mme de Charmoisy, dont les lettres que l'évêque lui adressa furent le premier noyau de l'ouvrage), réduction contre laquelle François de Sales ne cessa de lutter. Il fut entendu : en plus de la Visitation et de sa si rapide diffusion, se multiplièrent, dès le XVIIe siècle, les créations d'Ordres ou de groupements nés de sa pensée. Si bien que lorsqu'on tente aujourd'hui un arbre généalogique salésien, des origines au XXe siècle, on n'est jamais sûr qu'il soit complet. Le grand évêque de langue française de la Réforme catholique est toujours actuel ; même si la lecture par les quatre sens de l'exégèse, qui lui est habituelle, demande l'attention aiguë que certaines écoles de critique lui accordent parfois à nouveau aujourd'hui, c'est très immédiatement que plusieurs aspects de sa pensée et de sa personnalité atteignent le lecteur : la finesse de son observation, indulgente parce qu'exigeante ; la joie immuable qui l'habite raisonnablement et son goût pour le bonheur ; son idée que l'homme-image de Dieu est un homme « trinitaire » ontologiquement ; sa conviction que l'amour de Dieu pour l'homme est si grand qu'il le conduit, lui, Dieu, à l'« extase », en passant par la Passion ; l'idée du lien nécessaire de la contemplation et de l'action ; le primat de l'amour qui culmine dans la charité, où cet amour manifeste son existence agissante et ouvre à tout homme la « fine pointe » de son être, lieu de la contemplation, où s'accomplit la « justice de Dieu ». Théologie à la logique rigoureuse, d'où découle une spiritualité qu'à tort, souvent, on lui reconnaît seule. Théologie soutenue par une langue drue et concrète, où les images le disputent aux mythes poétiques et aux formules incisives.

Les Images chez saint François de Sales / H. Lemaire. – Paris : Nizet. – 1962. – 492 p.

Saint François de Sales et l'esprit salésien / Étienne-Marie Lajeunie. – Paris : Éditions du Seuil, 1962. – 192 p. – (*Microcosme. Maîtres spirituels* ; 29).

Saint François de Sales, l'homme, la pensée, l'action / Étienne-Jean Lajeunie. – Paris : Guy Victor, 1966. – 2 vol.

Œuvres. Introduction à la vie dévote, Traité de l'amour de Dieu, Entretiens spirituels / saint François de Sales ; textes édités par A. Ravier et R. Devos. – Paris : Gallimard, 1969. – 2024 p. – (*Bibliothèque de la Pléiade*).

François de Sales / René Bady. – Bruges : Desclée de Brouwer, 1970. – 141 p. – (*Les Écrivains devant Dieu* ; 25).

François de Sales et ses faussaires / A. Ravier et S. Mirot. – Annecy : Académie salésienne, 1973. – 219 p.

Ce que croyait Francois de Sales / André Ravier. – Paris : Mame, 1976. – 174 p.

Les Sermons de François de Sales / H. Bordes. – Metz : Université de Metz, 1989. – 2751 p. – [Thèse pour le doctorat d'État].

L'Unidivers salésien, saint François de Sales hier et aujourd'hui : actes du colloque international de Metz : 17-19 septembre 1992 / édités par Hélène Bordes et Jacques Hennequin. – Metz : Université de Metz, 1994. – 529 p. – (*Université de Metz. Faculté des Lettres et Sciences Humaines. Centre de recherche « Michel Baude », Littérature et spiritualité*).

INTRODUCTION À LA VIE DÉVOTE 18

Que la dévotion est convenable à toutes sortes de vocations et professions (1re Partie, chapitre III). — Comme la bouquetière Glycéra, dans la *Préface* de l'œuvre, l'être humain, dans sa diversité, compose le bouquet d'innombrables dévotions correspondant à d'innombrables vocations et « vacations ».

Dieu commanda en la creation aux plantes de porter leurs fruitz, chacune *selon son genre*[1] : ainsy commande-il aux Chrestiens, qui sont les plantes vivantes de son Eglise, qu'ilz produisent des fruitz de devotion, un chacun selon sa qualité et vacation. La devotion doit estre differemment exercee par le gentilhomme, par l'artisan, par le valet, par le prince, par la vefve, par la fille, par la mariee ; et non seulement cela, mais il faut accommoder la prattique de la devotion aux forces, aux affaires et aux devoirs de chaque particulier. Je vous prie, Philothee, seroit il a propos que l'Evesque voulust estre solitaire comme les Chartreux ? Et si les mariés ne vouloient rien amasser non plus que les Capucins, si l'artisan estoit tout le jour a l'eglise comme le religieux, et le religieux tous-jours exposé a toutes sortes de rencontres pour le service du prochain comme l'Evesque, cette devotion ne seroit elle pas ridicule, desreglee et insupportable ? Cette faute neanmoins arrive bien souvent, et le monde qui ne discerne pas, ou ne veut pas discerner, entre la devotion et l'indiscretion de ceux qui pensent estre devotz, murmure et blasme la devotion, laquelle ne peut mais de ces desordres.

---

1 Gen., I, II. (N. de l'éd.)

Non, Philothee, la devotion ne gaste rien quand elle est vraye, ains elle perfectionne tout, et lhors qu'elle se rend contraire a la legitime vacation de quelqu'un, elle est sans doute fausse. « L'abeille, » dit Aristote[1], « tire son miel des fleurs sans les interesser, » les laissant entieres et fraisches comme elle les a treuvees ; mais la vraye devotion fait encor mieux, car non seulement elle ne gaste nulle sorte de vocation ni d'affaires, ains au contraire elle les orne et embellit. Toutes sortes de pierreries jettees dedans le miel en deviennent plus esclatantes, chacune selon sa couleur, et chacun devient plus aggreable en sa vocation la conjoignant a la devotion : le soin de la famille en est rendu paisible, l'amour du mari et de la femme plus sincere, le service du prince plus fidelle, et toutes sortes d'occupations plus suaves et amiables.

C'est une erreur, ains une heresie, de vouloir bannir la vie devote de la compaignie des soldatz, de la boutique des artisans, de la cour des princes, du mesnage des gens mariés. Il est vray, Philothee, que la devotion purement contemplative, monastique et religieuse ne peut estre exercee en ces vacations la ; mais aussi, outre ces trois sortes de devotion, il y en a plusieurs autres, propres a perfectionner ceux qui vivent es estatz seculiers. Abraham, Isaac et Jacob, David, Job, Tobie, Sara, Rebecca et Judith en font foy pour l'Ancien Testament ; et quant au Nouveau, saint Joseph, Lydia et saint Crespin furent parfaittement devotz en leurs boutiques ; sainte Anne, sainte Marthe, sainte Monique, Aquila, Priscilla, en leurs mesnages ; Cornelius, saint Sebastien, saint Maurice, parmi les armes ; Constantin, Helene, saint Louys, le bienheureux Amé, saint Edouard, en leurs throsnes. Il est mesme arrivé que plusieurs ont perdu la perfection en la solitude, qui est neanmoins si desirable pour la perfection, et l'ont conservee parmi la multitude, qui semble si peu favorable a la perfection : Loth, dit saint Gregoire[2], qui fut si chaste en la ville, se souïlla en la solitude. Ou que nous soyons, nous pouvons et devons aspirer a la vie parfaitte.

Œuvres / de saint François de Sales, Évêque et prince de Genève et Docteur de l'Église ; édition complète d'après les autographes et les éditions originales, enrichie de nombreuses pièces inédites [...] publiée [...] par les soins des religieuses de la visitation du Ier Monastère d'Annecy. – Annecy : Imprimerie J. Niérat, 1893. – [T. III, pp. 19-21].

1 *De Hist. anim.*, l. V, c. XXII. (N. de l'éd.)

2 *Homil. in Ezech.*, l. I, hom. IX, § 22. (N. de l'éd.)

INTRODUCTION À LA VIE DÉVOTE 19

L'amour vrai est amitié (3e Partie, chapitre XVII). — Les relations entre Dieu et l'homme, et entre l'homme et Dieu s'expliquent par la bonté et « l'amitié ». L'homme image de Dieu a sa perfection, voulue depuis toujours, dans le Christ.

[Il] tient le premier rang entre les passions de l'ame : c'est le roy de tous les mouvemens du cœur, il convertit tout le reste a soy et nous rend telz que ce qu'il ayme[1]. Prenes donq bien garde, ma Philothee, de n'en point avoir de mauvais, car tout aussi tost vous series toute mauvaise. Or l'amitié est le plus dangereux amour de tous, parce que les autres amours peuvent estre sans communication, mays l'amitié estant totalement fondee sur icelle, on ne peut presque l'avoir avec une personne sans participer a ses qualités.

Tout amour n'est pas amitié ; car, [...] on peut aymer sans estre aimé, et lhors il y a de l'amour, mais non pas de l'amitié, d'autant que l'amitié est un amour mutuel, et s'il n'est pas mutuel ce n'est pas amitié. [...] Et ne suffit pas qu'il soit mutuel, mais il faut que les parties qui s'entr'ayment sçachent leur reciproque affection, car si elles l'ignorent elles auront de l'amour, mais non pas de l'amitié. [...] Il faut avec cela qu'il y ayt entre elles quelque sorte de communication qui soit le fondement de l'amitié.

Selon la diversité des communications l'amitié est aussi diverse, et les communications sont differentes selon la difference des biens qu'on s'entrecommunique : si ce sont des biens faux et vains, l'amitié est fausse et vaine, si ce sont des vrays biens, l'amitié est vraye ; et plus excellens seront les biens, plus excellente sera l'amitié. Car, comme le miel est plus excellent quand il se cueille es fleurons des fleurs plus exquises, ainsy l'amour fondé sur une plus exquise communication est le plus excellent [...].

Œuvres / de saint François de Sales [...]. – Annecy : Imprimerie J. Niérat, 1893. – [III, pp. 194-195].

TRAITÉ DE L'AMOUR DE DIEU 20

François de Sales écrit pour tous (Préface). — Sa pensée et ses recommandations sont souvent semblables, qu'elles soient destinées aux gens du monde ou aux visitandines, aux hommes ou aux femmes. Unité dans la diversité, c'est un de ses mots. « Dieu, comme l'imprimeur, a donné l'être à toute la diversité des créatures qui ont été, sont et seront, par un seul trait de sa toute-puissante volonté, tirant de

1 Osee, IX, 10. (N. de l'éd.)

son idée, comme de dessus une planche bien taillée, cette admirable différence de personnes et d'autres choses qui s'entresuivent ès saisons, ès âges, ès siècles, chacune en son ordre, selon qu'elles devaient être : cette souveraine unité de l'acte divin étant opposée à la confusion et au désordre, et non à la distinction ou variété, qu'elle emploie, au contraire, pour en composer la beauté, reduisant toutes les différences et diversités à la proportion, et la proportion à l'ordre, et l'ordre à l'unité du monde, qui comprend toutes choses créées tant visibles qu'invisibles ; lesquelles toutes ensemble s'appellent univers, peut-être parce que toute leur diversité se réduit en unité, comme qui dirait unidivers, c'est-à-dire unique et divers, unique avec diversité et divers avec unité. » (*Traité de l'amour de Dieu*, Livre II, chapitre 3.)

Un grand serviteur de Dieu m'advertit n'a guere que l'addresse que j'avois faite de ma parole a *Philothee*, en l'*Introduction a la Vie devote*, avoit empesché plusieurs hommes d'en faire leur proffit, d'autant qu'ilz n'estimoyent pas digne de la lecture d'un homme les advertissmens faitz pour une femme. J'admiray qu'il se treuvast des hommes qui, pour vouloir paroistre hommes, se monstrassent en effect si peu hommes ; car je te laisse a penser, mon cher Lecteur, si la devotion n'est pas egalement pour les hommes comme pour les femmes, et s'il ne faut pas lire avec pareille attention et reverence la seconde Epistre de saint Jean, addressee a la sainte dame Electa, comme la troysiesme qu'il destine a Caïus, et si mille et mille lettres ou excellens traittés des anciens Peres de l'Eglise doivent estre tenus pour inutiles aux hommes, d'autant qu'ilz sont addressés a des saintes femmes de ce tems-là. Mays outre cela, c'est l'ame qui aspire a la devotion que j'appelle *Philothee*, et les hommes ont une ame aussi bien que les femmes.

Œuvres / de saint François de Sales [...]. – Annecy : Imprimerie J. Niérat, 1894. – [IV, I, p. 12].

TRAITÉ DE L'AMOUR DE DIEU 21

L'amour, la mort (Livre XII, chapitre 13). — Toute la démarche spirituelle de Francois de Sales se résout dans un grand mouvement lyrique qui chante son christocentrisme avec des accents d'amour qui rappellent saint Augustin mais ruissellent plus particulièrement d'une force sûre, joyeuse, triomphante et universelle. C'est le sommet de toute l'œuvre salésienne, dans les derniers paragraphes du *Traité*.

[...] le mont Calvaire est le mont des amans. Tout amour qui ne prend son origine de la Passion du Sauveur est frivole et perilleux. Malheureuse est la mort sans l'amour du Sauveur ; malheureux est l'amour sans la mort du Sauveur. L'amour et la mort sont tellement meslés ensemble en la Passion du Sauveur, qu'on ne peut avoir au cœur l'un sans l'autre. Sur le Calvaire on ne peut avoir la vie sans l'amour, ni l'amour sans la mort du

Redempteur : mais hors de la, tout est ou mort eternelle, ou amour eternel, et toute la sagesse chrestienne consiste a bien choisir [...].

O amour eternel, mon ame vous requiert et vous choisit eternellement ! Hé, « venes, Saint Esprit, et enflammes nos cœurs de vostre dilection[1] ». Ou aymer ou mourir ! Mourir et aymer ! Mourir a tout autre amour pour vivre a celuy de Jesus, affin que nous ne mourions point eternellement ; ains que vivans en vostre amour eternel, o Sauveur de nos ames, nous chantions eternellement : VIVE JESUS ! J'ayme Jesus ! Vive Jesus que j'ayme ! J'ayme Jesus, qui vit et regne es siecles des siecles. Amen.

Œuvres / de saint François de Sales [...]. – Annecy : Imprimerie J. Niérat, 1894. – [V, II, pp. 346-347].

TRAITÉ DE L'AMOUR DE DIEU 22

Qu'en ces deux portions de l'ame il y a quatre differens degrés de rayson (Livre I, chapitre 12). — L'oraison est un acte, celui de l'*amen* ; l'indifférence est adhésion au projet de Dieu sur le monde et se passe dans le sanctuaire du temple qu'est l'homme, là où « l'amour égale les amants » (*Introduction à la Vie dévote*, 3e Partie, chapitre 15), là où l'homme a devant le Père l'attitude de celui qui attend tout : il est « mendiant d'esprit », il a un esprit de mendiant (Préface du *Traité de l'amour de Dieu*).

Il y avoit trois parvis au Temple de Salomon : l'un estoit pour les Gentilz et estrangers, qui voulans recourir a Dieu venoyent adorer en Hierusalem ; le second estoit pour les Israëlites, hommes et femmes (car la separation des femmes ne fut pas faite par Salomon) ; le troysiesme estoit pour les prestres et pour l'ordre Levitique ; et en fin, outre tout cela, il y avoit le Sanctuaire, ou mayson sacree, en laquelle *le seul grand Prestre avoit acces une fois l'an*[2]. Nostre rayson, ou pour mieux dire nostre ame entant qu'elle est raysonnable, est le vray temple du grand Dieu, lequel y reside plus particulierement. « Je te cherchois, » dit saint Augustin[3], « hors de moy, et » je ne te treuvois point, parce que « tu estois en moy. » En ce temple mistique, il y a aussi troys parvis, qui sont troys differens degrés de rayson : au premier nous discourons selon l'experience des sens ; au second nous discourons selon les sciences humaines ; au troisiesme nous discourons selon la foy ; et en fin, outre cela, il y a une certaine eminence et supreme pointe de la rayson et faculté spirituelle, qui n'est point conduitte

1 *Ad Missam in festo Pentec.* (N. de l'éd.)

2 Heb., IX, 7. (N. de l'éd.)

3 *Confess.*, l. X, c. XXVII. (N. de l'éd.)

par la lumiere du discours ni de la rayson, ains par une simple veüe de l'entendement et un simple sentiment de la volonté, par lesquelz l'esprit acquiesce et se sousmet a la verité et a la volonté de Dieu.

Œuvres / de saint François de Sales [...]. – Annecy : Imprimerie J. Niérat, 1894. – [IV, I, p. 67].

TRAITÉ DE L'AMOUR DE DIEU 23

L'oraison, colloque de l'amour réciproque (Livre VI, chapitre I). — Le lieu de l'amitié est l'oraison.

Nous ne prenons pas ici le mot d'orayson pour la seule priere ou « demande de quelque bien, respandue devant Dieu par les fideles, » comme saint Basile la nomme[1] ; mays comme saint Bonaventure, quand il dit[2] que l'orayson, a parler generalement, comprend tous les actes de contemplation, ou comme saint Gregoire Nissene[3], quand il enseignoit que « l'orayson est un entretien et conversation de l'ame avec Dieu ; » ou bien comme saint Chrysostome[4], quand il asseure que « l'orayson est un devis avec la divine Majesté ; » ou en fin comme saint Augustin[5] et saint Damascene[6] quand ilz disent que l'orayson est « une montee ou eslevement de l'esprit en Dieu. » Que si l'orayson est un colloque, un « devis » ou une « conversation » de l'ame avec Dieu, par icelle donq nous parlons à Dieu et Dieu reciproquement parle a nous, nous aspirons a luy et respirons en luy, et mutuellement il inspire en nous et respire sur nous.

Mays de quoy devisons-nous en l'orayson ? quel est le sujet de nostre entretien ? Theotime, on n'y parle que de Dieu ; car, de qui pourroit deviser et s'entretenir l'amour que du bienaymé ? Et pour cela, l'orayson et la theologie mystique ne sont qu'une mesme chose. [...]

Or elle s'appelle mystique parce que la conversation y est toute secrette, et ne se dit rien en icelle entre Dieu et l'ame que de cœur a cœur, par une communication incommunicable a tout autre qu'a ceux qui la font.

Œuvres / de saint François de Sales [...]. – Annecy : Imprimerie J. Niérat, 1894. – [IV, I, pp. 303-304].

1 *Homil. in Mart. Julittam*, § 3. (N. de l'éd.)
2 *Centiloq.*, Pars III, sectio XLVI. (N. de l'éd.)
3 *Oratio* I de *Orat Domin.*, circa init. (N. de l'éd.)
4 *Orationes* I et II *De Predicatione*. (N. de l'éd.)
5 *Liber de Spiritu et Anima* (*hodie* in Appendice), c. L. (N. de l'éd.)
6 *De Fide Orthod.*, l. III, c. XXIV. (N. de l'éd.)

SERMON POUR LE VENDREDI-SAINT 24

Le péché a même ôté son vrai visage à la mort. — La « mort vitale », voie de la Transfiguration par l'humilité, est celle que nous eussions connue dans le premier Paradis si l'homme n'y avait renié son statut de créature, conduisant la création a être inachevée (*Romains* VIII), et le péché à tout défigurer, jusqu'à la mort et à son nom.

En gardant [le] commandement [de Dieu au Paradis] nous ne serions point morts, quoy que nous n'eussions pas tousjours demeuré en cette vie, mais nous aurions passé d'icelle à une autre meilleure. [...] [M]ourir c'est [...] outrepasser les confins de cette vie mortelle pour aller à l'immortelle. Mais il est vray que nous ne serions point morts de cette mort corporelle dont nous mourons à cette heure, ains nous nous serions tousjours acheminés à l'autre vie [...].

Œuvres / de saint François de Sales [...]. – Annecy : Imprimerie J. Niérat, 1898. – [X, IV, p. 367].

SERMON POUR LE 4e DIMANCHE DE L'AVENT 25

« Testament » de l'évêque. — Symétrique de la dernière page du *Traité*, voici la victoire du « oui ». Spiritualité de « l'instant présent », de Nazareth ou de « la vie cachée », par elle nous sommes maîtres de la créature de Dieu qu'est le temps. À chacun de faire que l'instant présent façonne son éternité, qu'il soit un véritable instant éternel, là seulement où temps et éternité se rejoignent. Alors Noël sera la plus grande des Pâques (T. X, vol. IV, p. 412) : 25 décembre 1622, minuit. François de Sales perd connaissance peu après et meurt le 28.

[N]ostre bien consiste en ce jourd'huy[.] La vie de l'homme est ce jourd'huy auquel il vit [...]. Nostre vie consiste en ce jourd'huy, en ce moment que nous vivons, et nous ne nous en pouvons promettre ni asseurer d'autre que celuy dont nous jouissons, pour brief qu'il puisse estre. Donques, si cela est, comment osons-nous remettre l'execution et la prattique de ce que nous avons ouy qui doit servir à nostre conversion, puisque de ce moment auquel nous entendons ce qui est propre à nostre amendement depend toute nostre vie ?

Œuvres / de saint François de Sales [...]. – Annecy : Imprimerie J. Niérat, 1898. – [IX, III, p. 435].

SIMON LOMNICKÝ DE BUDEČ

TCHÈQUE **1552-1623**

Aussi appelé Ptochæus (« le mendiant »), Simon, après des études de latin et de grec, est directeur de l'école de Kardašova Řečice et y compose des hymnes catholiques. En 1581, il écrit trois pièces, versions sécularisées de « jeux » médiévaux de Pâques.

En 1584, titulaire d'un lucratif bailliage, il se retire à Ševčin où, anobli par Rodolphe II en 1594, il vit quelque trente ans, occupé à des travaux littéraires. Porté à la prose et à la poésie de thèmes moraux, il y écrit, entre autres, le *Livre des sept redoutables filets du diable* (1586), *La Vie philosophique* et, en 1588, une *Dispute* entre un prêtre et un gentilhomme sur le pouvoir du clergé et des laïcs. Suivent, en 1595, un Cantionnaire et, en 1605, un chant sur *La Mise au tombeau du Christ Seigneur*. Contre le désir charnel, il donnera *La Bourse d'or contre le péché d'avarice* (1615) et *L'orgueil de la vie ou livret pieux sur le luxe et l'orgueil.* Il rédige aussi une *Lettre envoyée à l'empereur des Turcs, ou traité dans lequel notre foi chrétienne est défendue contre les Turcs* (1604 ?).

En 1618, sa propriété brûle. Ruiné, il se rend à Prague, se compromet dans les troubles qui y règnent et meurt dans la misère.

LA BOURSE D'OR CONTRE LE PÉCHÉ D'AVARICE 26

Fr. Lhoest — 1994

Le testament de l'avare. — Une parodie versifiée de testament.

Mon domaine, mon argent, je les lègue à mes proches,
ma chope et ma bière aux buveurs,
mes manteaux, mes habits aux mites,
mon foin aux bovins, aux ovins,
aux lièvres la course et le vol aux oiseaux,
ma femme aux écrivains et escholiers,
mes dés, mes cartes, mes boules aux joueurs,
la pauvreté aux négligents et aux prodigues,
aux cerfs les bonds, aux lions la force,
aux renards la ruse, aux chiens les os,
aux commères les commérages,
aux oies et canards les cancans,
aux ours les combats et les danses,
aux voisins le chemin derrière moi,
mon corps aux serpents, batraciens, petits vers
et mon âme pécheresse aux diables.

Traduction inédite.

SARPI

ITALIEN **1552-1623**

Le Vénitien Pietro Sarpi, à l'âge de treize ans, entre chez les servites, où il est reçu sous le nom de Paolo. Il passe sa jeunesse aux études. Son premier maître de philosophie, le servite Cappella, l'intéresse à la pensée médiévale, notamment à Guillaume d'Ockham (Voir *P.L.E.* 5, pp. 294-302). Il étudie ensuite la médecine, qu'il pratiquera et en laquelle il verra un des éléments fondamentaux de la culture : il est, dès 1580, de ceux qui ont contribué à découvrir la circulation du sang. Intéressé à la physique, aux mathématiques et aux sciences naturelles, il s'ouvre aux perspectives de la science nouvelle, notamment grâce aux travaux de Galilée en mécanique. À Venise, il fréquente les frères Morosini et connaît Giordano Bruno.

Très jeune, il occupe les plus hautes charges dans son ordre : membre, en 1579, de la commission chargée d'en rédiger les nouvelles constitutions, il en est élu, en 1585, procurateur général et part à Rome, où il reste trois ans, au moment où Sixte Quint assied définitivement la Contre-Réforme.

Persuadé qu'il fallait d'abord *réformer* l'Église catholique, il resta, tout au long de sa vie, en relations avec des personnalités fidèles à cet idéal : Camillo Olivo, secrétaire du cardinal Hercule de Gonzague pendant la dernière phase du concile de Trente, qu'il avait connu à Mantoue vers 1570 ; le cardinal Charles Borromée (1538-1584), qui l'avait fait venir à Milan, en 1574 ; le jésuite Robert Bellarmin (1542-1621), neveu de Marcel II (pape en 1555), avec qui il s'était lié d'amitié à Rome, convaincu, comme son oncle, de la nécessaire *réforme* catholique ; le cardinal Giambattista Castagna, pape pour quelques jours en 1590 sous le nom d'Urbain VII, qui, opposé à Sixte Quint, avait projeté de réformer la Curie ; Martín de Azpilcueta, ou Navarro, célèbre moraliste et canoniste ; le jésuite Nicolas Alfonso de Bobadilla (1509-1590), un des premiers successeurs d'Ignace de Loyola.

Profondément déçu, à l'issue de son séjour romain, par le milieu de la Curie, Sarpi voit dans la mort d'Urbain VII (1590) la fin de son espoir de voir promu, au sommet de l'Église, le renouvellement attendu. Et il prend ses distances : ses études et son engagement au service de la République de Venise apaiseront son tourment spirituel.

La querelle de l'Interdit, qui opposa la République de Venise et le Saint-Siège à la fin de 1605, et qui se résolut en 1607 grâce à la médiation de la France, marque un tournant dans la vie de Sarpi. Élu théologien et canoniste de la République par le Sénat, il rédige des *consultes* pour le Collège, l'instance supérieure de gouvernement, sur la licéité des prétentions pontificales. Parallèlement, il écrit le *Trattato dell'Interdetto* (*Traité de l'Interdit*) et, surtout, les *Considerazioni sopra le censure* (*Considérations sur les censures de Sa Sainteté le Pape Paul V contre la Sérénissime République de Venise*) qui suscitèrent l'approbation d'une grande partie de l'opinion européenne, catholique et protestante. Dans un style sec et nerveux, organisant les arguments de façon très subtile, avec un sens très vif de son lecteur, Sarpi élevait la contestation aux questions de principe et de foi, dépassant les termes juridictionnels des prétentions pontificales, soutenant que le Pape, par son ingérence civile et pénale, prévariquait sa propre sphère d'autorité, et invitant la République à lui opposer une forte résistance. *Fra Paolo*, qui était entré en contact avec des gallicans et des calvinistes qui souhaitaient introduire la

Réforme à Venise, suggérait de plus le recours à un concile, œcuménique ou national. Exaspéré, le gouvernement de l'Église tenta d'enlever Sarpi, mais l'entreprise échoua, et *Fra Paolo* s'en tira, grièvement blessé. C'est au cours de la même période qu'il rédigea deux ouvrages d'histoire : *Istoria dell'Interdetto* (publié posthume, à Genève, en 1624, sans nom d'auteur, sous le titre d'*Historia particolare delle cose passate tra 'l Sommo Pontefice Paolo V e la Serenissima Republica di Venetia gli anni MDCV, MDCVI, MDCVII*) où il situe les événements dans un cadre européen, et *Il trattato delle materie beneficiarie* (*Traité des bénéfices*, posthume, 1624), véritable histoire de l'Église, où il la montre à ce point centrée sur sa propre affirmation qu'elle corrompt l'esprit chrétien originel. Dans ce *Traité*, Sarpi formule clairement la conviction qui émerge de ses œuvres : il est nécessaire d'éliminer la papauté afin d'ouvrir la voie à la réforme.

Entre 1606 et 1610, où il voit s'écrouler son espoir de constituer à Venise une Église *réformée*, Sarpi comprend que les problèmes religieux ne peuvent être résolus en dehors du contexte politique international. Cette conviction guidera désormais son activité. Théologien au service de la République, il soutient l'irréversibilité des principes affirmés durant la querelle de l'Interdit et travaille à réduire l'isolement neutraliste de la République et à la faire participer aux événements européens.

L'œuvre majeure de Sarpi est l'*Istoria del concilio tridentino*, entamée probablement dès le début de sa crise religieuse, afin de comprendre les maux de l'Église. Le premier Livre va jusqu'en 1545, à l'ouverture du concile ; les sept Livres restants en racontent les différentes phases. Édité en Angleterre en 1619, sans l'accord explicite de son auteur, qui y figure sous le nom de Pietro Soave Polano, l'ouvrage reflète l'évolution de Sarpi : de sa confiance initiale dans le concile, qui devait susciter le renouveau de l'Église, à ses doutes progressifs aboutissant à sa condamnation de l'autoritarisme pontifical, cause profonde de la dégénérescence catholique, et suscitant finalement son intérêt pour les autres expériences chrétiennes en Europe. Le concile de Trente aurait dû déboucher sur une réforme spirituelle de l'Église, mais — telle est le thèse de l'*Istoria* — il a rendu les discordes irréconciliables et, plutôt que de réformer, a déformé, éloignant le christianisme de l'idéal évangélique. Bien entendu, Sarpi attaque avant tout la monarchie papale, mais il n'épargne pas non plus l'épiscopat. Il attaque aussi la nation italienne, complice de cet état de choses et insensible aux appels profonds de l'Église. Expression de la passion politique de Sarpi, animée parfois par le ressentiment, cette interprétation des faits demeure cependant toujours lucide et décidée dans ses propositions de principe. Substantiellement cependant, l'*Istoria* mettait en garde la chrétienté contre l'Église : le pape et les jésuites y répondirent par l'*Istoria del concilio di Trento* (1656-57) de Sforza Pallavicino (1607-1667).

Quelques mois après sa publication, l'*Istoria* de celui que Bossuet qualifia de « protestant déguisé » était mise à l'Index, mais ses traductions, en latin, en allemand, en français, en anglais, et sa deuxième édition (1629) en assurèrent la circulation européenne. Erronée sur quelques points, polémique plus qu'historiographique, l'*Istoria* de Sarpi a le mérite d'avoir souligné les lignes profondes du drame intérieur de l'Église.

Parmi les nombreuses autres œuvres de Sarpi, on retiendra notamment le très fin récit de sa rencontre avec le prince de Condé (1623) et surtout la *Quæstio quodlibetica*, petit traité sur le problème, soulevé par une bulle de Grégoire XV (1622), de la licéité pour les catholiques italiens de travailler au service de princes protestants.

Paolo Sarpi / Giovanni Getto. – Florence : Olschki, 1967. – VI-365 p. – (*Biblioteca della Rivista di Storia e Letteratura Religiosa. Studi e testi* ; 1).

Paolo Sarpi tra Venezia e l'Europa / Gaetano Cozzi. – Turin : Einaudi, 1978. – XV-303 p. – (*Piccola Biblioteca Einaudi* ; 356).

Paolo Sarpi : between Renaissance and Enlightenment / David Wootton. – London ; New-York ; Melbourne : Cambridge University Press, 1983. – VIII-192 p.

Atti del Convegno di studio Fra Paolo Sarpi dei Servi di Maria : Venezia : 28-29-30 ottobre 1993 / a cura di Pacifico Branchesi e Corrado Pin. – Venezia : Comune-Assessorato affari istituzionali-Assessorato alla cultura : Convento S.M. dei Servi ; Bologna : Centro Studi O.S.M., [1986]. – 368 p.

Gino Benzoni, "Sarpi e/o Galilei". – In : *Non uno itinere. Studi storici offerti dagli allievi a Federico Seneca*. – Venezia : Stamperia di Venezia, 1993. – [Pp. 127-142].

Boris Ulianich, "I Gesuiti e la Compagnia di Gesù nelle opere e nel pensiero di Paolo Sarpi". – In : *I Gesuiti e Venezia. Momenti e problemi di storia veneziana della Compagnia di Gesù. Atti del Convegno di Studi (Venezia, 2-5 ottobre 1990)* / a cura di Mario Zanardi. – Venezia : Giunta regionale del Veneto ; Padova : Gregoriana, 1994. – [Pp. 233-262].

HISTOIRE DU CONCILE DE TRENTE 27

Fr. Le Courayer — 1738

Introduction (Livre I, chapitre 1).

Quoique plusieurs Historiens célèbres de notre siècle aient touché quelques particularités du Concile de Trente dans leurs Ecrits, & que *Jean Sleidan*[1] Auteur fort exact en ait décrit avec soin les causes & les motifs ; comme cependant tout ce qu'ils en ont dit joint ensemble ne suffit pas pour en faire une narration suivie & entière, je me propose d'en écrire ici l'Histoire.

A peine avois-je commencé à prendre quelque connoissance des affaires du monde, que je me sentis une extrème curiosité d'apprendre tout le détail de ce qui s'étoit passé dans ce Concile. Ainsi, après avoir lu

1 Cet Historien, qui prit le nom du lieu de sa naissance, naquit à Sleide village proche de Cologne, au commencement de 1506. & mourut de peste à Strasbourg au mois d'Octobre 1556. Peu considèrable par sa naissance, il se distingua par son mérite & ses talens. Elevé parmi les Catholiques, il se fit successivement Zuinglien & Luthérien avec la ville de Strasbourg, qui l'employa en différentes occasions, & dont il fut député au Concile de Trente. Son Histoire, dans la composition de laquelle il fut aidé par *Sturmius*, est bien écrite ; & quoique partiale pour le Parti Protestant, on y reconnoit beaucoup de fidélité. Plusieurs de nos Ecrivains ont tâché d'en décréditer l'autorité : mais comme, pour ce qui regarde les affaires d'Allemagne, on voit que tout est appuyé sur des monumens originaux, on ne peut douter qu'à cet égard du moins on ne doive compter sur sa vérité, quoique peut-être il puisse y avoir quelques fautes. *Sleidan*, dit d'Aubigné, L.i.c.i. *est un Auteur qui n'a été ni assez leu ni assez estimé en ce siècle ; duquel les labeurs sentent un esprit général, duquel les passions ne s'employent que contre le vice, duquel la diligence ne s'attache à aucune chose indigne, & de qui la grandeur ne méprise rien de convenable à l'Histoire ; loix qui m'ont donné goût de lui, & m'ont dégoûté de plusieurs autres.* Il est vrai que ce jugement peut paroître partial, comme venant d'un Protestant : mais pour peu qu'on lise *Sleidan* sans prejugé, on trouvera dans son Histoire un air de véracité, qui dément un peu l'opinion désavantageuse que s'en sont formé bien des Catholiques. (N.d.t.)

avec soin tout ce que je pus rencontrer[1] de monumens publics imprimés ou manuscrits, qui ont rapport à cette Assemblée, je me mis à rechercher tout ce que les Prélats & les autres qui y avoient assisté nous en ont laissé, & je n'épargnai ni soins ni peines pour recueillir les Mémoires, les Votes, & les Suffrages publics, ou qu'ils nous ont conservés eux-mêmes, ou que d'autres nous ont transmis, & jusqu'aux Lettres d'avis, qui se sont écrites de Trente pendant la tenue de cette Assemblée. J'ai même été assez heureux pour voir des recueils entiers de Lettres & de Notes de ceux qui ont eu une grande part dans toutes ces intrigues. Et c'est à l'aide de tous ces monumens, qui peuvent fournir une matière assez ample, que je me propose d'écrire cette Histoire.

Je raconterai donc les causes & les intrigues d'une Assemblée Ecclésiastique, qui durant le cours de vingt-deux ans a été pour diverses fins & par différens moyens recherchée & sollicitée par les uns, & arrêtée ou retardée par les autres ; & qui pendant dix-huit ans, tantôt assemblée & tantôt interrompue, mais toûjours tenue dans des vues toutes différentes, a eu enfin un succès tout contraire à l'attente de ceux qui l'avoient procurée, & à la crainte de ceux qui l'avoient traversée. Belle leçon, qui nous apprend à remettre tout entre les mains de Dieu, & à ne point reposer sur la prudence humaine.

Car, au-lieu que ce Concile avoit été désiré & sollicité par des personnes pieuses pour réunir l'Eglise qui commençoit à se diviser, il a si bien établi[2] le Schisme par l'obstination des Partis opposés, qu'il a rendu la division irréconciliable. Les Princes l'avoient demandé comme nécessaire pour la réforme de l'Ordre Ecclésiastique ; & il a causé dans l'Eglise plus de dérangement, qu'il ne s'y en étoit vu depuis la naissance

---

1 *Pallavicin*, aussi-bien que *Scipion-Henri*, reprochent souvent à notre Auteur d'avoir avancé plusieurs faits sur sa propre autorité & sans aucuns garans. Mais l'accusation paroît assez mal fondée. Car, outre qu'en différens endroits de son Histoire *Fra-Paolo* cite les Mémoires d'où il a tiré les faits qu'il avance, tels que le Journal de *Chérégat*, les Lettres du Cardinal *del Monte*, celles de *Visconti*, les Mémoires du Cardinal *da Mula*, & quantité d'autres ; on peut se convaincre & par les Lettres de *Vargas* qui ont été publiées depuis cette Histoire, & par les Mémoires de Mr. *Dupuy*, & par d'autres Actes, que la plupart des faits qu'il rapporte sont très véritables ; & que si l'on ne doit pas toûjours se reporter avec certitude sur ses rapports, c'est à l'inexactitude de ses Mémoires qu'il faut s'en prendre, sans qu'on puisse l'accuser de les avoir inventés. (N.d.t.)

2 L'Auteur de la Critique de l'Histoire de *Fra-Paolo*, p. 148. chicane sur cette expression, comme si notre Auteur eût voulu dire, que c'étoit le Concile qui eût fait naître le Schisme ; au-lieu qu'il est visible qu'il n'a prétendu faire entendre autre chose, sinon qu'il avoit servi à le fortifier. Or c'est ce qu'on ne peut raisonnablement contester, pour peu que l'on fasse attention que c'est à la multiplicité des nouvelles décisions faites à Trente, & sur lesquelles on opinoit librement auparavant, qu'est dûe la principale opposition qu'ont faite les Protestans depuis le Concile de se réunir, & la plus forte accusation qu'ils ont faite contre l'Eglise Romaine, en lui imputant d'avoir fait de nouveaux dogmes & de nouveaux articles de foi. (N.d.t.)

du christianisme.[1] Les Evêques avoient espéré d'y recouvrer l'autorité Episcopale, passée presque toute entière entre les mains des Papes ; & il la leur a fait perdre tout à fait[2], en les réduisant à une plus grande servitude. Au contraire la Cour de Rome, qui appréhendoit & éludoit la tenue de ce Concile, comme l'instrument le plus efficace pour modèrer cette puissance exorbitante, qui par différens progrès étoit montée des plus foibles degrés à un excès sans borne, y a affermi de telle sorte son empire sur la partie qui lui reste sujette, que jamais son autorité n'a été si grande & n'a jetté de si profondes racines.

On peut donc assez promptement rappeler ce Concile l'*Iliade* de notre siècle[3]. Et comme, dans l'Histoire que je me propose d'en écrire, je ne me trouve préoccupé d'aucune passion, qui puisse me déguiser la vérité, je la suivrai par-tout avec droiture, sans m'en écarter avec connoissance. Au reste, si l'on me trouve plus abondant & plus étendu dans quelques endroits de cet Ouvrage, & plus resserré dans d'autres, on doit considèrer que toutes les terres ne sont pas également fertiles ; & que tous les grains ne méritent pas d'être conservés également ; & que quelque soin d'ailleurs qu'apporte le moissonneur pour recueillir tous ceux qui sont bons, il lui échappe toûjours quelque épi, ne se faisant jamais de moisson si entière, qu'il ne reste quelque chose à glaner après.

---

1 *Pallavicin* a raison de reprocher ici à *Fra-Paolo* d'avoir excédé dans sa censure. Car pour peu qu'on juge sans partialité, on doit convenir de bonne foi, que, quelques abus qui restent à redresser, & quelques dèsordres qui règnent encore dans l'Eglise Romaine, ils sont incomparablement moins grands qu'ils n'étoient avant le Concile : si ce n'est peut-être qu'on veuille dire, qu'à la faveur de ses règlemens on peut justifier plusieurs pratiques que l'on regardoit auparavant comme autant d'abus, comme les Commandes à vie, les résignations *in favorem*, la pluralité des bénéfices, les pensions, &c. Et ce que je viens de dire du dérangement, doit aussi s'appliquer à ce que dit *Fra-Paolo* de l'autorité des Evêques & de celle du Pape. (N.d.t.)

2 Non en resserrant davantage l'exercice de leur autorité, mais en ne leur accordant qu'à titre de délégation l'exercice d'un pouvoir qui leur appartenoit essentiellement comme Evêques, & en leur ôtant toute espérance de recouvrer ce pouvoir par les concessions faites aux Papes, & qui sont devenues une sorte de droit, au-lieu qu'auparavant on pouvoit les regarder comme autant d'usurpations. C'est ce qu'a observé très judicieusement Mr. *de Thou* [...] après avoir rapporté le dessein qu'avoit *Philippe* Roi d'Espagne de resserrer l'autorité des Papes & celle des Chapitres pour augmenter celle des Evêques [...]. C'est en ce sens que *Fra-Paolo* a dit que le Concile avoit fait perdre aux Evêques toute leur autorité ; & *Pallavicin* ne l'eût pu contester, s'il n'eût pensé, comme la plupart des Ultramontains, qu'ils n'ont réellement d'autorité qu'en matière de juridiction, que celle que leur accordent les Papes. (N.d.t.)

3 *Scipion-Henri* critique fortement *Fra-Paolo*, pour avoir donné ce nom au Concile. Mais on ne voit pas à quel titre, puisque tant de raisons montrent la justesse de cette application. Peut-être que la longueur de cette Assemblée n'a été que le moindre motif de cette dénomination. (N.d.t.)

Histoire du concile de Trente, écrite en italien / par Fra-Paolo Sarpi, de l'Ordre des Servites ; et traduite de nouveau en françois, avec des notes critiques, historiques et théologiques, par Pierre-François Le Courayer, Docteur en Théologie de l'Université d'Oxford, & Chanoine régulier & ancien Bibliothécaire de l'Abbaye de Ste. Geneviève de Paris. Suivant l'*édition* d'*Amsterdam* de 1736. – A Basle : Chez Jean Brandmuller & Fils, 1738. – [Tome Ier, pp. 5-8].

HISTOIRE DU CONCILE DE TRENTE 28

Fr. Le Courayer — 1738

Discret dirigisme d'assemblée (Livre VI, II-III).

Après la Congrégation, les Légats avec leurs Confidens se mirent à former le Décret en la manière dont l'on étoit convenu.[1] Et comme pendant le tems que les Prélats étoient à Trente sans rien faire, ils avoient concerté dans les entretiens qu'ils avoient eu ensemble, les uns de proposer une chose & les autres une autre, & qui toutes tendoient à étendre l'autorité Episcopale, & à affoiblir celle du Pape ; pour couper court dès le commencement à cet inconvénient, avant que le mal eût pris racine, les Légats jurèrent qu'il faloit faire ensorte qu'il n'y eût personne qu'eux qui pût proposer les choses sur lesquelles il faloit délibèrer. La proposition étoit desagréable à faire, & prévoyant combien ils y trouveroient d'opposition, ils sentirent qu'il faloit user de beaucoup d'adresse pour la faire recevoir doucement, & sans qu'on s'en apperçût. De demander *que persone ne proposât*, la chose paroissoit trop dure et trop choquante. Ainsi on se contenta de demander, que *les Légats proposassent*, sans donner aux autres l'exclusive que virtuellement, & cela seulement sous prétexte de conserver l'ordre, & de réserver la délibèration au Concile. Le Décret fut donc formé dans cette vue, mais avec tant d'art, que jusqu'à présent même on convient qu'il faut être très attentif pour en découvrir le sens[2], & qu'il n'est pas aisé de l'entendre dès la première lecture. Je le rapporterai en Italien, aussi clairement qu'il me sera possible ; mais pour en voir l'artifice, il faut le lire en Latin.

Le 18. de Janvier, conformément à la résolution prise dans la Congrégation, il se fit une Procession de tout le Clergé de la Ville, des

---

1 C'est ici une autre méprise, puisque le Décret avait été formé dès auparavant, & qu'il fut même montré aux Espagnols, qui l'agréèrent avant l'ouverture de la Congrégation. (N.d.t.)

2 Il fut formé, non depuis la Congrégation du 15. mais auparavant. Pour ce qu'ajoute *Fra-Paolo*, qu'il fut *formé avec beaucoup d'art*, la chose est si Constante, qu'il y eut très peu de Prélats qui s'en apperçurent, & que si l'on ne savoit l'usage qu'en firent depuis les Légats, on croiroit, que la clause *Proponentibus Legatis* est plutôt une clause historique, qu'une Partie du Décret, qui devoit faire Loi. (N.d.t.)

Théologiens, & des Plélats en Mitre, qui outre les Cardinaux étoient au nombre de cent-douze[1], suivis de leurs domestiques & escortés de nombre de gens armés. Tous se rendirent de l'Eglise de S. Pierre à la Cathédrale, où le Cardinal de *Mantoue* célébra la Messe du S. Esprit, & où prêcha *Gaspar del Fosso*, Archevêque de *Reggio*. Il prit pour matière de son sermon l'autorité de l'Eglise, la Primauté du Pape, & le pouvoir des Conciles. Il y avança[2] : Que l'autorité de l'Eglise n'étoit pas moindre que celle de la Parole de Dieu : Que l'Eglise avoit substitué le Dimanche au Sabbath que Dieu lui-même avoit ordonné ; & qu'elle avoit aboli la Circoncision si étroitement recommandée par la Loi de Dieu : Que ces préceptes avoient été abolis, non par la prédication de Jésus-Christ, mais par l'autorité de l'Eglise. S'adressant ensuite aux Pères, il les exhorta à combattre constamment les Protestans, & à se tenir assurés, que comme le Saint Esprit ne peut errer, ils ne pouvoient jamais s'égarer eux-mêmes. On chanta ensuite l'Hymne *Veni Creator*, après quoi l'Evêque de *Télése* Sécrétaire du Concile lut la Bulle de Convocation rapportée ci-dessus ; & l'Archevêque de *Reggio* demanda aux Pères, *S'il leur plaisoit, que toute suspension levée, le Concile Général de Trente commençât ce jour-là, pour y traiter dans l'ordre requis, les Légats y présidans & proposans, tout ce qui paroîtroit propre au Synode, pour pacifier les controverses de Religion, corriger les abus, & rétablir la paix de l'Eglise.* Tous répondirent, *Placet*, à la réserve de *Pierre Guerrero*, Archevêque de Grenade, *François Bianco*, Evêque d'Orense, *André d'Acuesta*, Evêque de Léon, & *Antoine Colermero*, Evêque d'Alméria[3], qui s'opposèrent à ces paroles du Décret, *Proponentibus Legatis*, que je rapporte en Latin, parce que j'aurai souvent à en parler à cause des grandes contestations qu'elles occasionnèrent. Ils dirent

---

1 Le Card. *Pallavicin*, L.15.c.16 nomme 106. Archevêques ou Evêques, & 4 Abbés, ce qui ne fait en tout que 110. Mais il avoue, que quelques-uns mettent quelque différence dans le nombre. Je ne sai ce qui a obligé l'Auteur de la vie de *Barthélemi des Martyrs* à augmenter ce nombre jusqu'à 260. à moins qu'il ne veuille parler plutôt de la fin du Concile que du commencement. (N.d.t.)

2 [...] Ce sont les propres paroles de l'Archevêque de *Reggio*, qu'on voit bien que *Fra-Paolo* n'a pas altérées, quoique *Pallavicin* l'en accuse. Mais comme il n'étoit pas tout à fait aisé d'en faire l'apologie, il a paru plus court au Cardinal d'en imposer à l'Historien, que de justifier le Prédicateur. (N.d.t.)

3 *Fra-Paolo* nomme ici quatre Prélats Espagnols, qui s'opposèrent à la clause *Proponentibus Legatis* ; au-lieu que *Pallavicin* L.15.c.16. prétend qu'il n'y en eut que deux. Mais cette différence revient au fond à rien, puisque les Evêques de *Léon* & d'*Alméria*, que *Pallavicin* ne met pas entre les opposants, n'approuvèrent de son aveu le Décret que d'une manière conditionelle, qui étoit plus véritablement une opposition qu'une approbation. Car ils ne donnèrent leur *Placet*, que sous cette restriction que les Légats proposassent ce qui paroitroit digne au Concile d'être proposé ; ce qui étoit réellement soumettre les Légats au Concile. Ainsi c'est avec beaucoup de raison, que *Fra-Paolo* compte quatre opposans au Décret, & le Cardinal a eu tort de l'en reprendre comme d'une faute. (N.d.t.)

qu'ils ne pouvoient consentir à ces paroles, qui étoient nouvelles & inconnues aux autres Conciles, & qui restreignoient aux Légats la liberté de proposer ; & ils demandèrent que leur opposition fût enregistrée dans les Actes du Concile. Mais on ne leur fit point de réponse, & la session suivante fut assignée au 26. de Février. Ensuire le Promoteur du Concile requit, que tous les Notaires & les Protonotaires dressassent un ou plusieurs Actes de tout de qui s'étoit passé ; & ce fut par-là que finit la Session.

Les Légats rendirent compte au Pape de ce qui s'étoit passé, aussi bien que dans la Congrégation précédente, & le Pape en fit part au Consistoire. Plusieurs jugeoint par les difficultés qui se rencontroient dès le commencement, qu'il y avoit peu de succès à se promettre du Concile ; & que l'opposition constante des Evêques Espagnols n'étoit guères propre à concilier les disputes de Religion, quelque unis que fussent entre eux les Légats et les Prélats Italiens, & quelque dextérité qu'ils employassent pour temporiser & pour les vaincre. Le Pape loua beaucoup la prudence des Légats, qui avoient prévenu, disoit-il, la témérité des Novateurs ; & il apprit sans beaucoup de peine l'opposition des quatre Prélats Espagnols, parce qu'il avoit appréhendé d'en avoir un bien plus grand nombre de contraires. Il exhorta les Cardinaux à se réformer, en voyant la nécessité où l'on étoit de traiter avec des personnes peu respectueuses. Il donna ordre, qu'on pressât le depart des autres Evêques Italiens ; & manda aux Légats de tenir ferme pour l'exécution du Décret, sans s'en écarter d'un seul point.

Histoire du concile de Trente, écrite en italien / par Fra-Paolo Sarpi, de l'Ordre des Servites ; et traduite de nouveau en françois, avec des notes critiques, historiques et théologiques, par Pierre-François Le Courayer, Docteur en Théologie de l'Université d'Oxford, & Chanoine régulier & ancien Bibliothécaire de l'Abbaye de Ste. Geneviève de Paris. Suivant l'*édition* d'*Amsterdam* de 1736. – A Basle : Chez Jean Brandmuller & Fils, 1738. – [Tome II, pp. 146-148].

JACOB BŒHME

ALLEMAND 1575-1624

Jacob Bœhme naît à Alt-Seidenberg près de Görlitz, ville située sur la rivière Neisse qui marque aujourd'hui la frontière germano-polonaise. Berceau de l'étonnant savetier-théosophe, la Haute-Lusace est alors — comme la Bohême et la Silésie voisines — une terre féconde en communautés hétérodoxes : anabaptistes, cryptocalvinistes, hussites, frères moraves, schwenckfeldiens y sont en effet légion. Bien qu'issu d'une famille paysanne aisée, le jeune Jacob est mis en apprentissage chez un artisan, en raison sans doute de sa constitution fragile. Nous ne savons rien de ses années de formation. En 1599, Bœhme réalise son intégration dans la petite bourgeoisie de Görlitz : il devient citoyen de la ville, est reçu membre de la très honorable corporation des cordonniers, se marie et acquiert une maison. L'année 1600 voit se produire sa première illumination, instant déterminant de son existence où l'éclat « jovial » d'un vase d'étain lui révèle le mystère de l'univers. Cependant, douze années s'écoulent jusqu'à ce que Bœhme se sente capable de formuler par écrit le contenu de cette expérience spirituelle. *L'Aurore naissante*, sa première œuvre, circule à son insu avant même d'être achevée, recopiée par un proche. En 1613, le visionnaire lusacien est qualifié publiquement de « dangereux hérétique » par le premier pasteur de Görlitz ; le manuscrit de l'*Aurore* est confisqué par le conseil municipal ; Bœhme fait un bref séjour en prison et doit s'engager à ne plus écrire. Cédant aux instances de ses amis, il rompt cette promesse en 1619, date à laquelle s'ouvre pour lui une période d'intense production. En même temps que se succèdent les grands traités qui fondent sa renommée, comme le *De signatura rerum* et le *Mysterium magnum*, Bœhme entretient, à des fins édificatrices, une abondante correspondance avec ses disciples. Ces *Épîtres théosophiques* s'adressent à un réseau d'amis et de protecteurs essentiellement constitué de nobles campagnards, de médecins, d'agents de l'administration et d'artisans. En janvier 1624, Bœhme transgresse ouvertement l'interdiction des autorités en faisant imprimer, à Görlitz même, un recueil de huit petits textes d'inspiration mystique, intitulé *Le Chemin du Christ*. Le clergé luthérien continue d'exciter le peuple contre les erreurs doctrinales du théosophe et de persécuter celui-ci, jusqu'à sa mort survenue en novembre de la même année.

L'œuvre prolixe et souvent absconse de Jacob Bœhme comporte une trentaine d'ouvrages de diverses natures : traités théosophiques, opuscules mystiques, textes apologétiques et polémiques. Diffusés initialement sous forme de copies manuscrites, ces écrits ne sont pas imprimés du vivant de l'auteur, à une exception près. Quant aux titres latins, ils n'apparaîtront que tardivement, imposés par les éditeurs. Au point de départ de l'œuvre bœhmienne se situe une expérience d'ordre religieux : épouvanté par le spectacle incompréhensible du monde et craignant pour son salut, le cordonnier « mélancolique » cherche de toutes ses forces le cœur du Christ « pour [s]'y cacher du coléreux courroux de Dieu et des attaques du diable ». Lui sont alors révélés, dans un moment qu'il qualifie d'incomparable et qu'il relatera souvent, à la fois le mystère divin et la nature intime des choses. Les écrits qui s'ensuivent ne sont rien d'autre que la tentative, inlassablement répétée, de traduire par le langage l'illumination de l'année 1600. Considérée dans son ensemble, l'œuvre de Bœhme présente deux dimensions à proprement parler indissociables, l'une spéculative, l'autre mystique. Le théosophe de Görlitz ne se contente pas, en effet, de transmettre une connaissance de Dieu, de la nature et de l'homme ; il veut également communiquer une expérience religieuse unique et provoquer chez le lecteur une « renaissance » spirituelle. Les idées fondamentales de sa philosophie de la nature, à savoir l'unité cosmique, l'analogie universelle et le pandynamisme, trouvent leur aboutissement dans une mystique de l'immanence. Reléguée au second plan par le mysticisme médiéval, la nature reconquiert chez Bœhme son rôle d'intermédiaire magique entre l'homme et Dieu. Celui-ci n'est plus seulement l'Être transcendant ou le Néant divin d'un Maître Eckhart mais une réalité que l'homme a le pouvoir d'appréhender dans toute la création, laquelle constitue dans son essence véritable une manifestation tangible, une « signature » de la divinité. Penseur mystique, Bœhme se fait par ailleurs le défenseur d'une Église invisible qu'il oppose à « l'Église de pierre ». Ce christianisme intériorisé met l'accent sur l'amour et non sur la foi. L'amour représente pour Bœhme le fondement métaphysique du monde, l'assurance du retour à l'Un-Tout, la condition de toute régénération spirituelle. De cette primauté ontologique et religieuse attribuée à l'amour découle le caractère christocentrique de sa piété.

La pensée du théosophe de Görlitz a des sources fort complexes. S'y mêlent notamment deux courants : d'une part la tradition mystique du Moyen Âge, popularisée par la célèbre *Théologie germanique*, d'autre part la philosophie de la Renaissance, nourrie de néo-platonisme et d'alchimie. L'un des principaux représentants de cette philosophie est Paracelse, auquel le théosophe lusacien emprunte diverses conceptions cosmologiques et de nombreux vocables. On notera qu'existait à Görlitz, au temps de Bœhme, un cercle paracelsiste très actif.

Diffusée dans toute l'Europe et au-delà, inspirant tour à tour la religiosité collective et la création individuelle, l'œuvre de Jacob Bœhme connaît, des origines à nos jours, une extraordinaire fortune, tantôt souterraine tantôt manifeste. La première édition des écrits du théosophe paraît à Amsterdam en 1682. En Angleterre, le cercle bœhmiste des Philadelphes, partisans d'une entente interconfessionnelle, se constitue dans la seconde moitié du XVIIe siècle. À la même époque, la visionnaire française Antoinette Bourignon fait découvrir le théosophe à son entourage. Pour lire Bœhme dans le texte original et le traduire, le philosophe Louis Claude de Saint-Martin, un siècle plus tard, apprend l'allemand. C'est par l'intermédiaire de Saint-Martin que se produit en Allemagne la redécouverte du théosophe, quelque peu oublié de ses compatriotes malgré son influence prolongée sur le piétisme. Franz von Baader et Schelling admirent la profondeur métaphysique du cordonnier inspiré en qui Hegel voit « le premier philosophe allemand », tandis que Tieck, Novalis et Friedrich Schlegel s'enthousiasment pour son talent « poétique ». Au XXe siècle, l'anthroposophe Rudolf Steiner, le psychologue Carl Gustav Jung et le philosophe marxiste Ernst Bloch reconnaissent leur dette à son égard.

« Chaos étincelant » selon la formule d'Émile Boutroux, l'univers bœhmien est particulièrement représentatif des contradictions et de la profusion baroques. La puissance visionnaire et la force expressive qui s'en dégagent justifient pleinement qu'une place soit faite dans l'histoire de la littérature au *philosophus teutonicus*.

La Philosophie de Jacob Bœhme / Alexandre Koyré. – 2e édition. – Paris : J. Vrin, 1971. – XVII-525 p. – (*Bibliothèque d'histoire de la philosophie*). – [1re éd., 1929].

Jacob Bœhme / Gerhard Wehr et Pierre Deghaye ; avec des textes de Jacob Bœhme traduits par Louis Claude de Saint-Martin. – Paris : Albin Michel, 1977. – 236 p. – (*Cahiers de l'Hermétisme*).

Jacob Bœhme ou l'obscure lumière de la connaissance mystique / colloque organisé par le Centre de recherche sur l'histoire des idées de l'Université de Picardie, 1975, Chantilly. — Paris : J. Vrin, 1979. – 166 p. – (*Bibliothèque d'histoire de la philosophie*).

La Naissance de Dieu ou la doctrine de Jacob Bœhme / Pierre Deghaye. — Paris : Albin Michel, 1985. – 302 p. – (*Spiritualités vivantes. Série christianisme*).

L'AURORE NAISSANTE 29

L. Cl. de Saint-Martin — 1800

La percée de l'esprit (chapitre 19, § 8 à 17). — Jacob Bœhme décrit ici, avec force images suggestives, les conditions psychiques, le contenu et les effets de la vision de 1600 d'où est sortie sa première œuvre.

Mais lorsque j'ai trouvé que le bien et le mal étoient dans toutes choses, dans les élémens et dans les créatures, en sorte que dans ce monde les impies prospéroient comme les hommes pieux ; que les peuples barbares avoient en leur possession les meilleures contrées, et que la prospérité les suivoit plus encore que les gens vertueux.

Cela me rendit tout mélancholique, et plein de troubles ; et je ne trouvois point de consolation dans les écritures qui m'étoient cependant bien connues ; joint à ce que certainement le démon ne restoit pas oisif, et me souffloit souvent des idées payennes, sur lesquelles je veux ici garder le silence.

Mais lorsque dans cette affliction, une ardente et violente impétuosité entraîna vers Dieu mon esprit, sur lequel j'avois peu ou point du tout de connoissances, et que mon cœur entier, mon affection, toutes mes pensées et toutes mes volontés se réunirent dans l'intention de presser sans interruption l'amour et la miséricorde de Dieu et de ne pas lâcher prise qu'il ne m'eût béni, c'est-à-dire, qu'il ne m'eût éclairé par son esprit saint, en sorte que je pusse comprendre sa volonté, et me délivrer de mon trouble, alors l'esprit fit sa brèche.

Mais lorsque dans mon zèle déterminé je combattois si violemment contre Dieu et contre toutes les portes infernales, (comme si j'avois en réserve des forces toujours nouvelles) résolu d'y risquer ma vie, ce qui vraiment étoit au-dessus de ma puissance sans l'assistance de l'esprit de Dieu, alors à la suite de quelques grands assauts, mon esprit a pénétré au travers des portes infernales jusque dans la génération la plus intérieure de la divinité, et là il a été embrassé par l'amour, comme un époux embrasse sa chère épouse.

Quant à ce genre de triomphe dans l'esprit, je ne puis l'écrire ni le prononcer ; cela ne se peut figurer que comme si la vie étoit engendrée au milieu de la mort ; et cela se compare à la résurrection des morts.

Dans cette lumière mon esprit aussitôt a vu au travers de toutes choses, et a reconnu dans toutes les créatures, dans les plantes et dans l'herbe, ce qu'est Dieu, et comment il est, et ce que c'est que sa volonté. Et aussi à l'instant, dans cette lumière, ma volonté s'est portée, par une grande impulsion, à décrire l'être de Dieu.

Mais comme je ne pus pas aussi-tôt pénétrer le profond *engendrement* de Dieu dans son essence, ni le saisir dans ma raison, il s'est bien passé douze années avant que la vraie intelligence m'en fût donnée ; et il en a été de moi comme d'un jeune arbre que l'on plante en terre, qui d'abord est frais et tendre, et d'un agréable aspect, particulièrement, lorsqu'il promet d'être d'un bon rapport ; mais qui ne porte pas aussitôt des fruits ; et quoiqu'il porte des fleurs, elles tombent cependant, et il est exposé à bien des vents froids, à la gelée, à la neige, avant de pousser et de porter des fruits.

C'est ainsi qu'il en a été de mon esprit ; le premier feu n'étoit qu'une semence ; mais non pas une lumière permanente. Depuis ce tems là plusieurs vents froids ont tombé sur lui ; mais la volonté n'a pas été éteinte.

Cet arbre s'est souvent évertué aussi, pour tâcher de porter des fruits, et il s'est montré avec des fleurs ; mais les fleurs ont été retranchées de l'arbre jusqu'à ce moment, où il se trouve en production dans son premier fruit.

C'est de cette lumière que j'ai reçu mes connoissances, ma volonté, et mon impulsion ; c'est pourquoi je veux mettre mes connoissances par écrit selon le don qui m'en est accordé, et laisser Dieu agir, quand même je devrois par là irriter le monde, le démon, et les portes de l'enfer. Je ne cherche point quelles sont en cela les intentions de Dieu. Car je suis trop foible pour reconnoître son plan : et quoique l'esprit laisse apercevoir dans cette lumière quelques unes des choses qui sont à venir, cependant selon l'homme extérieur, je suis trop foible pour les saisir.

Œuvres complètes traduites en français. Tome I : L'Aurore Naissante ou la racine de la philosophie, de l'astrologie et de la théologie [...] / Jacob Böhme ; ouvrage traduit de l'allemand [...] par le philosophe inconnu [Louis Claude de Saint-Martin]. — Milan : Libreria Lombarda, 1927. – [Pp. 312-314].

LES ÉPÎTRES THÉOSOPHIQUES 30

B. Gorceix — 1980

La cinquante-huitième épître, au sieur N. N., le 8 mai 1624 (§ 5 à 13). — Six mois avant sa mort, en butte aux persécutions du clergé luthérien de Görlitz, Bœhme exhorte ses disciples à ne pas avoir peur et à mettre leur espérance dans l'avènement d'une nouvelle Réforme. La chrétienté de l'avenir — qu'il imagine en opposition absolue avec l'Église de son temps — sera une immense communauté aux dimensions de l'univers où cesseront toutes luttes religieuses.

Chers frères, l'heure est fort grave, ne succombons pas au sommeil, car voici que passe le fiancé pour inviter les hôtes à son mariage. Que celui qui entende aille lui aussi au mariage ! Celui qui refuse et qui ne vit que dans les plaisirs de la chair se repentira en effet d'avoir manqué par son sommeil le temps de la grâce.

Le monde s'émerveille de ce que Dieu puisse trouver plaisir à celui qu'ont méprisé et persécuté les docteurs de l'Écriture, sans se remettre en mémoire ce que les scribes ont fait aux prophètes, à Christ, à ses apôtres et à ses successeurs.

Ah, que cette chrétienté n'est aujourd'hui que gueule et que titre ! Le cœur est pire qu'aux temps des païens. Prenons-en conscience, ne les regardons pas, la terre contient encore de la semence et Christ n'est point uniquement une cape. Exhortons-nous, consolons-nous mutuellement, gardons patience, nous devons encore traverser une longue période d'affliction, et nous en sommes capables, car notre christianisme n'est pas seulement science, mais aussi puissance. Les querelles aujourd'hui ne concernent que science et images. La puissance, on la renie. Mais le temps de la probation viendra, où l'on verra quelles ont été leurs images et comment ils s'y sont tenus. Sans trêve, ils passent de l'une à l'autre.

Ah, leurs images ne sont que des idoles païennes, celles-là mêmes qui existaient avant qu'ils ne portassent le nom de Christ ! Les scribes et les intendants ne cherchent que profit et honneur personnels, ils ont pris le trône de Christ, alors qu'ils ne sont que des marchands d'images, en quête d'argent. À celui qui est généreux on vend une image flatteuse qui garantit sa bonne réputation, sans demander ce qu'il en est de son âme, et pourvu qu'il jouisse de son bien temporel.

Ah, nuit de ténèbres ! La chrétienté, où est-elle ? Est-elle devenue cette prostituée pleine de défauts ? Où est son amour ? S'est-elle transformée en cuivre, en acier et en fer ? Comment la reconnaître actuellement ? En quoi se différencie-t-elle des Turcs et des païens, où est son existence chrétienne ? Où est la communauté des saints, quand nous ne sommes qu'un Christ et que Christ n'est qu'un en nous tous ? Pas une branche de l'arbre de la vie chrétienne ne ressemble à l'autre, et il n'a poussé que branches sauvages et rebelles.

Ah, frères, nous qui sommes debout, laissez-nous monter la garde et sortir de Babel ! Il est temps. Même s'ils nous couvrent de leurs sarcasmes, même s'ils nous tuent, nous nous refusons d'adorer le dragon et son image, car c'est le tourment éternel qui attend les adorateurs.

Ne prêtez pas attention à ma persécution ! Et même si vous deviez subir le même sort, pensez qu'il existe une autre vie, qu'ils ne persécutent que notre ennemi propre, celui que nous haïssons. Ils ne peuvent nous dépouiller que de l'enveloppe qui entoure la croissance de l'arbre. L'arbre, lui, il est au ciel, au paradis, au fond de l'éternité, aucun diable ne peut l'exterminer. Laissez les vents de la tempête diabolique passer sur lui, notre croissance, ce sont leurs tourments et leurs attaques.

Le mouvement de la colère de Dieu a eu une conséquence : mes adversaires m'ont de nouveau permis de croître et de grandir ; ce n'est que maintenant en effet que mon talent se révèle à ma patrie. Les intentions de mon ennemi sont malignes, mais il permet à mon talent d'être connu, et nombreux sont ceux actuellement qui en éprouvent un violent désir. Malgré les calomnies de la cohorte des ignorants, nombreuses sont les âmes affamées qui y ont trouvé réconfort.

Vous assisterez encore à nombre d'événements merveilleux, car le temps est généré, le temps que m'a annoncé, voici trois ans, une vision, le temps de la Réforme. Pour la fin, je m'en remets à Dieu, j'en ignore la teneur exacte. Je vous recommande au doux amour de Jésus-Christ, à la date indiquée, J.B.

Les Épîtres théosophiques / Jacob Bœhme ; traduit et présenté par Bernard Gorceix. — Monaco : Éditions du Rocher, 1980. — [Pp. 377-378].

LE CHEMIN DU CHRIST 31

H. Heger — 1996

Mélancolie et désir de Dieu (Livre VIII, *Des quatre complexions* [1624], § 78-83). — Résumant une conception mystique médiévale, représentée notamment par Hildegarde de Bingen et selon laquelle la bile noire est une conséquence directe de la chute d'Adam, Luther précisait dans ses *Propos de table* : « Toute tristesse ou maladie est du Diable, non de Dieu ». Jacob Bœhme, quant à lui, montre comment l'homme assailli par le Démon peut échapper à l'humeur sombre placée sous le signe de Saturne et rejoindre la lumière de l'amour divin. Si la souffrance du mélancolique devient ainsi le « propylée de l'illumination » (B. Gorceix), il faut y voir l'influence d'une autre tradition, celle de la mélancolie géniale formulée dans les *Problèmes physiques* pseudo-aristotéliciens (chapitre XXX, 1) et puissamment revivifiée à partir du XVe siècle.

L'âme triste s'afflige car elle ne parvient pas à éveiller dans son cœur la joie profonde à laquelle elle aspire : elle gémit et se lamente, s'imaginant que Dieu la rejette parce qu'elle demeure insensible. Elle observe alors d'autres hommes, qui sont joyeux (et qui, pourtant, pèsent dans la balance d'un poids égal au sien pour ce qui est de la crainte de Dieu). L'âme triste croit donc que leur joie est due à une action divine mais qu'elle-même n'est pas agréable à Dieu, que Dieu la repousse bien qu'elle ne désire rien d'autre que de le sentir dans son cœur.

Avant que je n'eusse accédé à la connaissance, il en était ainsi de moi : j'étais dans un dur combat jusqu'à ce que j'eus obtenu ma noble petite couronne ; alors seulement j'appris à connaître que Dieu n'habite pas dans le cœur extérieur et charnel mais au centre de l'âme, en soi-même ; dès lors je pris conscience que de cette manière Dieu m'avait attiré à lui dans son désir, ce que je n'avais pas compris auparavant, croyant que le désir était mien et que Dieu était éloigné de nous. Par la suite, je vis cela et me réjouis de ce que Dieu est si miséricordieux ; et je le mets par écrit pour servir d'exemple aux autres afin que, si la consolation tarde, ils ne désespèrent pas, même quand l'âme, selon le psaume de David, attend le Seigneur jusqu'à la nuit, d'une veille du matin à l'autre, etc. Ps. 130, 6.

Il en a été ainsi des grands saints qui durent lutter longtemps pour la noble petite couronne de chevalerie : nul ne peut en être couronné s'il ne la recherche en combattant ; elle est certes destinée à l'âme mais elle se trouve dans le second principe ; l'âme se trouve dans le premier ; si elle veut ceindre cette couronne ici bas, elle doit combattre pour l'obtenir.

Si elle n'y parvient pas dans ce monde, elle pourra néanmoins la recevoir après cette vie, quand elle se sera dépouillée de son logis terrestre. Car le Christ dit : gardez courage ! j'ai vaincu le monde. Et de même : en moi vous avez la paix, dans le monde vous connaîtrez l'angoisse. Jean 16, 33.

En maint cœur affligé et soumis à la tentation, la précieuse petite perle est beaucoup plus proche que dans le cœur de celui qui pense l'avoir déjà trouvée ; elle se cache cependant, car là où Dieu se trouve le plus intimement Il ne veut pas la dévoiler ; et quand bien même il semblerait que Dieu ne le veuille pas, que nulle âme ne s'en effraye !

Si Dieu tient cette perle cachée, c'est pour que l'âme se mette à sa recherche et vienne frapper. Car le Christ dit : demandez et l'on vous donnera ; cherchez et vous trouverez ; frappez et l'on vous ouvrira. Matth. 7, 7. Et : mon Père céleste donnera l'Esprit Saint à ceux qui l'en prient. Luc 11, 13.

Traduction inédite.

HONORÉ D'URFÉ

FRANÇAIS **1567-1625**

Quand Honoré d'Urfé naît à Marseille, la France est déchirée, depuis 1562, par les guerres de Religion. Son enfance est néanmoins paisible : elle se déroule dans le Forez, région champêtre du Massif central dont son père est originaire et qui servira de cadre à son œuvre majeure, l'*Astrée*. Mais il n'échappe pas longtemps à l'actualité troublée. Après des études au collège de Tournon, Honoré d'Urfé, fervent catholique, s'engage dans le conflit. En 1590, il rejoint la Ligue des Guise, qui reproche à Henri III d'avoir pactisé avec les protestants. Après l'échec de son parti, il se réfugie en Savoie et se met au service du duc, auquel sa mère est apparentée. Il combat, dans son armée, contre les troupes françaises, jusqu'à la réconciliation de la France et de la Savoie, qui le rapproche d'Henri IV. Il participe alors à plusieurs campagnes militaires. Il mourra d'une pneumonie, à Villefranche-sur-Mer, au cours de la guerre engagée par la Savoie et la France contre l'Espagne et Gênes.

Entre-temps, il connaît les désillusions et les aléas de l'amour. Éperdument amoureux, à l'âge de 17 ans, de sa belle-sœur, Diane de Chateaumorand, il croit trouver le bonheur, en l'épousant, seize ans plus tard, à la suite de l'annulation du mariage de son frère, qui entre en religion. Mais, nouveau revirement de la passion, il ne s'entend pas avec sa nouvelle épouse, et ils vivent bientôt séparés.

Cette vie guerrière et romanesque lui inspirera de nombreux épisodes de l'*Astrée*. Parallèlement en effet, il se consacre à l'écriture. Après des *Poésies religieuses*, des *Épîtres morales* et un poème pastoral, *Sirèine*, il élabore l'*Astrée*. Ce roman-fleuve de plus de 5 000 pages regroupées en 5 tomes fut publié de 1607 à 1627. Laissé inachevé par Honoré d'Urfé, il fut complété par son secrétaire Baro, auteur du cinquième tome.

L'action se déroule au Ve siècle, à l'époque des druides, dans la région du Forez. La bergère Astrée et le berger Céladon s'aiment. Mais leurs familles s'opposent à leur amour. Pour égarer les soupçons, Céladon feint d'aimer Aminthe. Mais Sémire, lui-même épris d'Astrée, fait croire à la jeune fille que Céladon lui est infidèle. Elle chasse alors le jeune berger qui, désespéré, se jette dans la rivière, le Lignon. Recueilli par trois nymphes, qui tombent amoureuses de lui, il leur échappe et se réfugie auprès du druide Adamas. Comme Astrée lui a interdit de la revoir sans son consentement, il se déguise en jeune fille pour l'approcher et se lie d'amitié avec elle. Il ne peut évidemment révéler sa véritable identité et la situation semble sans issue. Heureusement, Astrée se décide à invoquer le fantôme de Céladon qu'elle croit mort. C'est alors le jeune homme bien vivant qui lui apparaît. Fâchée de ce qu'elle considère comme une supercherie, elle le chasse à nouveau, avant de se réconcilier avec lui devant la miraculeuse fontaine de la vérité d'Amour. De nombreuses intrigues secondaires viennent s'ajouter à cette aventure principale.

Honoré d'Urfé n'innove pas en développant le thème pastoral des amours contrariées. Avant lui, les Italiens avaient ouvert la voie, bientôt imités par les Espagnols, notamment par Jorge de Montemayor, avec sa très célèbre *Diane* (1559). En France même, Nicolas de Montreux avait précédé d'Urfé avec les *Bergeries de Juliette* (1585-1598).

Honoré d'Urfé prolonge la tradition : il met en scène des bergers qui parlent et agissent comme les gens de cour ; il donne dans la complication pour exprimer des sentiments alambiqués et accumule les invraisemblances. Mais l'*Astrée* est originale à plus d'un titre : imprégnée d'un sens profond de la nature, elle s'attache à peindre la psychologie des personnages. En brossant un fond historique, celui de la Gaule celtique, et en y faisant évoluer des personnages imaginaires, elle prépare ce mélange de réel et de fictif qui marquera bientôt l'écriture romanesque. Enfin, en introduisant en France le schéma des amours contrariées, elle offre au théâtre du XVIIe siècle une structure productive que les auteurs ne cesseront d'exploiter.

*L'*Astrée *d'Honoré d'Urfé* / Maurice Magendie. – Paris : Société française d'éditions littéraires et techniques, 1929. – 170 p. – (*Les grands événements littéraires*).

*Un paradis désespéré : l'amour et l'illusion dans l'*Astrée / Jacques Ehrmann. – Paris : P.U.F., 1963. – XV-122 p. – (*Institut d'Études françaises de Yale University*).

La Fiction narrative en prose au XVIIe siècle : répertoire bibliographique du genre romanesque en France : 1600-1700 / Maurice Lever ; Centre d'étude de littérature française du XVIIe et du XVIIIe siècle. – Paris : C.N.R.S., 1976. – 645 p.

Le Roman français au XVIIe siècle / Maurice Lever. – Paris : P.U.F., 1981. – 278 p. – (*Collection SUP. Littératures modernes* ; 27).

Le Roman jusqu'à la Révolution. 1. Histoire du roman en France / Henri Coulet. – 8e édition. – Paris : A. Colin, 1991. – 559 p. – (*Collection U Lettres*). – [1re édition, 1967].

ASTRÉE 32

L'art du tableau pastoral (Partie I, Livre XI). — Le druide Adamas, qui, dans le roman, exerce la double fonction de conseiller et de juge, décrit à son entourage une série d'œuvres picturales qui décorent un tombeau. Il en admire le réalisme, révélant la conception esthétique alors de mise : reflets de la réalité, les peintures doivent avoir aussi une signification symbolique. Ainsi, le troisième tableau, qui assemble le beau et le laid, montre, sur fond de paysage riant, que l'amour n'a pas d'âge.

Lors Adamas continua : Voicy vostre belle riviere de Lignon. Voyez comme elle prend une double source, l'une venant des montagnes de Cervieres, et l'autre de Chalmasel, qui viennent se joindre un peu par dessus la marchande ville de Boing[1].

Que tout ce paysage est bien faict, et les bords tortueux de ceste riviere avec ces petits aulnes qui la bornent ordinairement ! Ne cognoissez-vous point icy le bois qui confine ce grand pré, où le plus souvent les bergers paresseux paissent leurs troupeaux ? Il me semble que ceste grosse touffe d'arbres à main gauche, ce petit biais qui serpente sur le costé droit, et cette demie lune que fait la riviere en cet endroit, vous le doit bien remettre devant les yeux. Que s'il n'est à ceste heure du tout semblable, ce

1 Noms de lieux réels du Forez.

n'est que le tableau soit faux, mais c'est que quelques arbres depuis ce temps-là sont morts, et d'autres creus, que la rivière en des lieux s'est advancée, et reculée en d'autres, et toutesfois il n'y a guiere de changement.

Or regardez un peu plus bas le long de Lignon. Voicy une trouppe de brebis qui est à l'ombre, voyez comme les unes ruminent laschement[1] et les autres tiennent le nez en terre pour en tirer la fraischeur : c'est le troupeau de Damon, que vous verrez si vous tournez la veue en ça[2] dans l'eau jusques à la ceinture. Considerez comme ces jeunes arbres courbés le couvrent des rayons du soleil, et semblent presque être joyeux qu'autre qu'eux ne le voye. Et toutesfois la curiosité du soleil est si grande, qu'encores entre les diverses fueilles, il trouve passage à quelques-uns de ses rayons. Prenez garde comme ceste ombre et ceste clairté y sont bien representées. Mais certes il faut aussi advouer que ce berger ne peut estre surpassé en beauté. Considerez les traits délicats et proportionnez de son visage, sa taille droitte et longue, ce flanc arrondy, cest estomac relevé[3], et voyez s'il y a rien qui ne soit en perfection. Et encore qu'il soit un peu courbé pour mieux se servir de l'eau, et que de la main droicte il frotte le bras gauche, si est-ce qu'il ne fait action qui empesche de recognoitre sa parfaicte beauté.

Or jettez l'œil de l'autre costé du rivage, si vous ne craignez d'y voir le laid en sa perfection, comme en la sienne vous avez veu le beau, car entre ces ronces effroyables vous verrez la magicienne Mandrague contemplant le berger en son bain. La voicy vestue presque en despit de ceux qui la regardent[4], eschevelée, un bras nud, et la robbe d'un costé retroussée plus haut que le genouil. Je croy qu'elle vient de faire quelques sortileges, mais jugez icy l'effect d'une beauté.

Ceste vieille que vous voyez si ridée qu'il semble que chaque moment de sa vie ait mis un sillon en son visage, maigre, petite, toute chenue, les cheveux à moitié tondus, tout accroupie, et selon son aage plus propre pour le cercueil que pour la vie, n'a honte de s'esprendre de ce jeune berger. Si l'amour vient de la sympathie, comme on dit, je ne sçais pas bien où l'on la pourra trouver entre Damon et elle. Voyez quelle mine elle fait en son extase. Elle estend la teste, allonge le col, serre les espaules, tient les bras joints le long des costez, et les mains assemblées en son giron ; et le

---

1 Sans énergie, avec mollesse.

2 De ce côté.

3 Cette poitrine haute.

4 Sans tenir compte de ceux qui la regardent.

meilleur est que, pensant sousrire, elle fait la moue. Si est-ce que telle qu'elle est, elle ne laisse de rechercher l'amour du beau berger.

L'Astrée. Première partie / Honoré d'Urfé ; nouvelle édition publiée [...] par M. Hugues Vaganay ; préface de M. Louis Mercier. – Lyon : Pierre Masson, 1925. – [Pp. 445-446].

ASTRÉE 33

La trace de l'être aimé (Partie II, Livre V). — Astrée et son entourage découvrent sur un autel divers poèmes d'amour. L'un d'eux est de l'écriture de Céladon, ce qui suscite chez la jeune bergère qui le croyait mort réflexions et interrogations. Le texte développe alors toute la casuistique amoureuse du temps.

Cependant que Diane, pour amuser toute la compagnie, allait lisant tout haut ces vers et, ceux-ci étant finis, en prenait d'autres, dont l'autel était presque couvert, Phillis s'adressant à la bergère Astrée : « Mon Dieu, ma sœur, lui dit-elle, que je demeure étonnée des choses que je vois en ce lieu ! — Et moi, dit-elle, j'en suis tant hors de moi que je ne sais si je dors ou si je veille, et voyez cette lettre, et puis me dites, je vous supplie, si vous n'en avez jamais vu de semblables. — C'est, répondit Phillis, de l'écriture de Céladon, ou je ne suis pas Phillis. — Il n'y a point de doute, répliqua Astrée, et même je me ressouviens qu'il avait écrit ce dernier vers :

Privé de mon vrai bien, ce bien faux me soulage.

autour d'un petit portrait qu'il avait de moi, et qu'il portait au col dans une petite boîte de cuir parfumé. — Voyons, dit Phillis, ce qu'il y a dans ce papier que je tiens en la main, et que j'ai pris au pied de votre image :

SONNET

Qui ne l'admirerait ! et qui n'aimerait mieux
Errer en l'adorant plein d'amour et de crainte,
Et rendre courroucés contre soi tous les dieux,
Que n'idolâtrer point une si belle sainte ?

Mais qu'est-ce que je dis ? en effet elle est peinte.
La belle que voici, ce ne sont pas des yeux,
Comme nous les croyons, ce n'en est qu'une feinte[1]*,*
Dont nous déçoit[2] *la main du peintre ingénieux.*

1 Une fiction, une apparence.

2 Dont nous trompe.

Ce ne sont pas des yeux ? si[1] *ressens-je la plaie,*
Quoique le trait soit feint, toutefois être vraie,
Fuyons donc, puisque ainsi les coups nous en sentons.

Mais pourquoi fuirons-nous ? La fuite en est bien vaine,
Si déjà bien avant dans le cœur nous portons,
De ces yeux vrais ou faux, la blessure certaine.

Ah ! ma sœur, dit alors Astrée, n'en doutons plus, c'est bien Céladon qui a écrit ces vers, c'est bien lui sans doute, car il y a plus de trois ans qu'il les fit sur un portrait que mon père avait fait faire de moi, pour le donner à mon oncle Focion. »

À ce mot, les larmes lui revinrent aux yeux ; mais Phillis, qui craignait que ces autres bergers et bergères ne s'en aperçussent : « Ma sœur, lui dit-elle, voici un sujet de réjouissance, et non pas de tristesse. Car si Céladon a écrit ceci, comme je le crois, il est certain qu'il n'est point mort, quand vous avez pensé qu'il se soit noyé. Que si cela est, quel plus grand sujet de joie pourrions-nous recevoir ? — Ah ! ma sœur, lui dit-elle, tournant la tête de l'autre côté, et, la poussant un peu de la main, ah ! ma sœur, je vous supplie ne me tenez point ce langage, Céladon est véritablement mort par mon imprudence et je suis trop malheureuse pour ne l'avoir pas perdu. Et je vois bien maintenant que les dieux ne sont pas encore contents des larmes que j'ai versées pour lui, puisqu'ils m'ont conduite ici pour m'en donner un nouveau sujet. Mais puisqu'ils le veulent, je verserai tant de pleurs, que, si je ne puis en laver entièrement mon offense, je m'efforcerai pour le moins de le faire, et ne cesserai que je ne perde ou la vie, ou les yeux. — Je ne vous dirai pas, répliqua Phillis, que Céladon vive ; mais si ferai bien que[2], s'il a écrit ce que nous lisons, il faut que de nécessité il ne soit pas mort. — Eh quoi, dit-elle, ma sœur, n'avez-vous jamais ouï dire à nos druides que nous avons une âme qui ne meurt pas, encore que notre corps meure ? — Je l'ai bien ouï dire, répondit Phillis. — Et n'avez-vous pas bonne mémoire de ce qu'ils nous ont si souvent enseigné, qu'il faut donner des sépultures aux morts, voire même leur mettre quelque pièce d'argent dans la bouche, afin qu'ils puissent payer celui qui les passe dans le royaume de Dis[3] ? Qu'autrement ceux qui sont privés de sépulture demeurent cent ans errant le long des lieux où ils ont

1 Ainsi, pourtant.

2 Mais je vous dirai par contre que.

3 Dans l'au-delà, Dis ou *Dis pater* est Pluton, roi des Enfers.

perdu leurs corps ? Et ne savez-vous pas que celui de Céladon n'ayant pu être trouvé, est demeuré sans ce dernier office de pitié ? Que si cela est, pourquoi serait-il impossible qu'il allât errant le long de ce malheureux rivage de Lignon et que, conservant l'amitié qu'il m'a toujours portée, il eût encore pour son intention les mêmes pensées qu'autrefois il a eues ? Ah ! ma sœur, Céladon est trop véritablement mort pour mon contentement, et ce que nous en voyons, n'est que le témoignage de son amitié et de mon imprudence. — Ce que j'en dis, répondit Phillis, n'est que pour l'apparence que j'y vois, et le désir que j'en ai pour votre repos. — Je le connais bien, répliqua Astrée, mais, ma sœur, ressouvenez-vous que, si j'avais cru que Céladon fût en vie, et qu'enfin je trouvasse qu'il fût mort, il n'y aurait rien qui me pût conserver la vie ; car ce serait le perdre une seconde fois, et les dieux et mon cœur savent combien la première m'a conduite près du tombeau. — Encore vous doit-ce être du contentement, répondit Phillis, de reconnaître que la mort n'a pu effacer l'affection qu'il vous portait. — C'est, dit-elle, pour sa gloire et pour ma punition. — Mais plutôt, dit Phillis, qu'étant mort il a vu clairement et sans nuage la pure et sincère amitié que vous lui portez, et que même cette jalousie qui était cause de votre courroux, ne procédait que d'une amour très grande. Car j'ai ouï dire que, comme nos yeux voient nos corps, de même nos âmes séparées se voient et reconnaissent. » Astrée répondit : « Ce serait bien la plus grande satisfaction que je puisse recevoir ; car je ne doute nullement qu'autant que mon imprudence lui a donné de sujet d'ennui, d'autant la vue qu'il aurait de ma bonne volonté, lui donnerait du contentement. Car si je ne l'ai plus aimé que toutes les choses du monde, et si je ne continue encore en cette même affection, que jamais les dieux ne m'aiment. »

L'Astrée / Honoré d'Urfé ; textes choisis et présentés par Jean Lafond. – Paris : Gallimard, 1984. – (*Folio* ; 1523). – [Pp. 144-149, 423 pour les notes].

ASTRÉE 34

Ambiguïtés galantes (Partie III, Livre X). — Céladon se fait passer pour la druide Alexis et, ainsi déguisé, partage le lit d'Astrée.

Cependant Astrée estoit si empeschée[1] autour de sa chere Alexis, qu'elle ne luy pouvoit laisser oster une espingle sans y porter soigneuse-

1 Si occupée.

ment la main, et la druide, tant qu'il luy fut possible, luy laissa faire cet amoureux office ; mais quand il fallut oster sa robe, craignant qu'elle ne recogneust le deffaut de ses tetins, elle fit signe à Leonide qui, sçachant bien ce qu'elle vouloit dire, et s'approchant d'elle : Belle bergere, luy dit-elle, commençons de nous deshabiller, car je voy bien que vous vous amusez apres ma sœur, et elle a une coustume qu'aussi-tost qu'elle est au lict, elle s'endort : que si nous n'y sommes aussi-tost qu'elle, et que nous fassions du bruit, elle s'esveille fort aisément, et puis ne se rendort plus de toute la nuict. C'est pourquoy depeschons de nous mettre au lict, afin que nous ne l'incommodions point.

Cela fut cause qu'Astrée se retira, et donna la commodité à la druide de se deshabiller dans la ruelle du lict, et se jetter dedans sans estre veue. Les cheveux qu'elle avoit laissez croistre demeurant en sa petite caverne[1], et qui, depuis qu'elle portoit le nom d'Alexis, estoient devenus fort longs, la faisoient coiffer fort aisément, et encores qu'on la vist en cheveux, l'on n'y pouvoit prendre garde, tant elle avoit eu de soin à tresser et agencer ; mais pour le sein, il estoit impossible d'y remedier, aussi n'y avoit-il rien qu'elle craignist que ce seul defaut, qu'elle cachoit avec tant de peine qu'il estoit bien mal-aisé qu'on s'en peust prendre garde. Ayant donc bien rejoint sa chemise sur son estomac, et les manches de la chemise, de peur qu'on s'aperceust de ce qu'elle portoit au bas, elle ouvrit les rideaux du costé où se deshabilloit Astrée, et appellant Leonide : Ma sœur, luy dit-elle, vous m'obligeriez beaucoup si vous veniez vous deshabiller icy, pour m'empescher de m'endormir que vous ne soyez toutes au lit.

Leonide qui cogneut bien pourquoy elle le disoit : Je le veux, dit-elle, mais il faut donc que ces belles filles me tiennent compagnie. Et lors toutes trois s'approcherent de son lict. Leonide s'assit en un siege au chevet, et Astrée sur le lict, cependant que Diane alloit portant sur la table ce que Leonide posoit. Quant à Alexis, s'estant un peu relevée sur le lit, elle aidoit à Astrée, luy ostant tantost un nœud, et tantost une espingle, et si quelquefois sa main passoit pres de la bouche d'Astrée, elle la luy baisoit, et Alexis, feignant de ne vouloir qu'elle luy fist ceste faveur, rebaissoit incontinent le lieu où sa bouche avoit touché, si ravie de contentement que Leonide prenoit un plaisir extreme de la voir en cet excés de bon-heur.

Une grande partie du reste de la nuict se passa de cette sorte, et n'eust esté qu'elles ouyrent les oyseaux qui commençoient de se resjouyr à

1 Céladon vivait auparavant dans une grotte.

la venue du nouveau jour, mal-aisément se fussent-elles separées. Encore fust-ce avec une grande peine que Leonide fit resoudre Alexis de laisser aller Astrée qui, estant presque toute deshabillée sur le pied de son lit, laissoit quelquefois nonchalamment tomber sa chemise jusques sous le coude, quand elle relevoit le bras pour se descoiffer. Et lors, elle laissoit voir un bras blanc et poly comme de l'albastre, sur lequel ceste belle druide portoit si curieusement les yeux qu'il sembloit qu'il y avoit bien quelque chose qui luy appartinst. Mais lors que se décrochant, elle ouvroit son sein, et que son collet à moitié glissé d'un costé laissoit en partie à nud sa gorge, ô belle druide ! que Leonide vous eust bien faict un grand tort, si elle vous eust empesché de la contempler ! Jamais la neige n'esgala la blancheur du tetin, jamais pomme ne se vid plus belle dans les vergers d'amour, et jamais amour ne fit de si profondes blesseures dans le cœur de Celadon qu'à ceste fois dans celuy d'Alexis ! Combien de fois faillit-elle, cette feinte druide, de laisser le personnage de fille pour reprendre celuy de berger et combien de fois se reprit-elle de ceste outrecuidance !

L'Astrée. Troisième partie / Honoré d'Urfé ; nouvelle édition publiée [...] par M. Hugues Vaganay ; préface de M. Louis Mercier. – Lyon : Pierre Masson, 1925. – [Pp. 547-549].

MARINO

ITALIEN **1569-1625**

Le poète philosophe Jean-Baptiste Marino, dénommé en France le Cavalier Marin, est surtout connu pour avoir été le chef de file d'un nouveau courant poétique, le marinisme ou *concettismo*, caractérisé par une exaspération formelle et conceptuelle voisine du style précieux français, du cultisme espagnol et de l'euphuisme anglais. Mais chez Marino, et chez certains de ses imitateurs, l'apparente superficialité du propos et l'usage parfois outrancier de la rhétorique dissimulent souvent des positions profondément novatrices, voire subversives, dans la conception de l'art et du langage. Au carrefour des grandes traditions littéraires, philosophiques et religieuses de l'Occident, qu'elle tend à unifier en une vaste synthèse poétique, cette œuvre contribue à ouvrir l'ère d'une nouvelle anthropologie.

Originaire de Naples, comme le Tasse, qui n'était que de peu son aîné, Marino ne tarde pas à quitter sa ville pour mener une existence mouvementée à travers l'Italie, de Rome à Venise, de Ravenne à Turin (1608-1615) auprès du duc de Savoie, puis à Paris (1615-1623) auprès de Louis XIII, sur l'invitation de Marie de Médicis. Peu avant sa mort il fait un retour triomphal dans sa patrie en compagnie de son jeune ami Nicolas Poussin, dont il fut le premier à découvrir le talent. Ce contemporain de Campanella et de Galilée, mais aussi de Lope de Vega et de Cervantès, de Shakespeare et de Bacon, de Bœhme et de Kepler, familier des cours, des académies et des salons, vécut à une époque où l'effervescence des idées n'avait d'égal que le climat de répression religieuse et politique qui se faisait sentir un peu partout en Europe.

La renommée de Marino s'affirme dès 1602 avec la parution des *Rime*, complétées plus tard par la *Lira* (1614). La même année 1614 il publie les *Dicerie sacre* (*Discours sacrés*), trois méditations en prose dans le style des prédicateurs de son temps, qui témoignent de ses vastes connaissances en matière de théologie. Il avait entre-temps achevé la *Strage degli Innocenti* (le *Massacre des Innocents*), poème d'inspiration contre-réformiste qui ne devait voir le jour qu'en 1632 en édition posthume. En 1619 sort la *Galeria*, recueil de poèmes inspirés de tableaux et sculptures d'artistes contemporains, et en 1620 la *Sampogna* (la *Cornemuse*), qui rassemble des idylles pastorales et mythologiques. C'est en 1623 que paraît, simultanément à Paris et à Venise, le monumental poème mythologique de l'*Adone* (*Adonis*), honoré d'une préface de Jean Chapelain. L'ouvrage, qui devait être mis à l'Index en 1627 sous l'accusation de lascivété, est en fait une audacieuse et originale allégorie de la condition humaine.

Le sérieux du propos, chez Marino, est délibérément masqué sous le voile de la fable, ou sous celui d'une subtile et parfois mordante ironie qui laisse présager l'apparition prochaine du genre héroï-comique. Il se déguise aussi derrière la musicalité des vers, la sensualité et la théâtralité de l'inspiration, qui confèrent à cette poésie une évidente finalité hédoniste. La valorisation du Toucher comme sens de la certitude face aux illusions de la Vue rend compte toutefois d'une volonté de révolution éthique et gnoséologique non moins que d'une légitimation des plaisirs terrestres. À une époque où l'intolérance faisait rage, cette morale épicurienne culmine dans une revendication de paix universelle. Le texte joue habilement des replis de l'être et du paraître, en rapport avec le symbolisme omniprésent du miroir et du regard, et avec les effets de perspectives multiples qu'ils suscitent. La fiction et l'éphémère sont ici souverains sans que l'on en soit dupe. Si chez nombre de maristes la relativisation généralisée qui en dérive, l'universel métamorphisme et métaphorisme des mots et des choses qui transforme tout en tout entraînent souvent angoisse et pessimisme devant la fuite du temps et la mort, chez Marino ils sont encore perçus comme la preuve enthousiasmante des infinies virtualités dont s'orne le réel. La gigantesque marqueterie de l'*Adone*, où la fragmentation verbale et la digression sont poussées à leur paroxysme, s'offre comme un exemple, peut-être unique en son genre, d'anamorphose littéraire. Marino, poète de la nouveauté et de la variété, est le promoteur de la poétique de la *maraviglia*, l'« émerveillement » devant la permanente transfiguration du réel sous l'action conjuguée de la nature et de l'art. E. Tesauro, le principal théoricien de la poésie baroque italienne, allait sous peu, dans le *Cannocchiale aristotelico* (le *Télescope aristotélicien*, 1654-1670), résumer et expliciter les orientations de cette nouvelle rhétorique, qui tendait à bouleverser les codifications rigides du pétrarquisme, à dénoncer l'adhésion univoque de la parole à la réalité, à revivifier le langage et la pensée par l'usage intensif de la métaphore et du paralogisme, de l'image bancale, énigmatique, en « clair-obscur » ; ce comportement hétérodoxe devait permettre d'échapper à la « nausée du quotidien » en redonnant signification et profondeur à la vision et à la représentation du réel.

Le marinisme, par son anticonformisme foncier, bousculait trop d'idées reçues pour ne pas provoquer, du vivant même de l'auteur de l'*Adone*, autant le rejet que la fervente admiration. Sous les coups successifs de l'académisme de l'Arcadia, de l'Illuminisme et du Romantisme, Marino et ses imitateurs (à la différence de G. Chiabrera, le second luminaire de la poésie baroque italienne, pétri de formalisme vide et de maniérisme classicisant) allaient sombrer dans trois siècles d'oubli ou d'incompréhension dont seules devaient les faire resurgir en notre siècle, parés d'attraits jusque-là insoupçonnés, les nouvelles voies de la création (à commencer par le surréalisme), et de la critique (en particulier la mythocritique).

G. Pozzi, "Introduzione alle *Dicerie sacre*". – In : *Le Dicerie sacre e la Stage degli Innocenti* / G. B. Marino ; sous la direction de G. Pozzi. – Torino : Einaudi, 1960. – 630 p. – [Voir pp. 11-65].

L'Intérieur et l'extérieur : essais sur la poésie et sur le théâtre au XVIIe siècle / Jean Rousset. – Paris : José Corti, 1968. – 276 p. – [Voir pp. 73-124].

Barocco in prosa e in poesia / Giovanni Getto. – Milano : Rizzoli, 1969. – 487 p. – [Voir *Indroduzione al Marino*, pp. 11-57].

G. Pozzi, "Guida alla lettura dell'*Adone*". – In : *L'Adone* / G. B. Marino ; sous la direction de G. Pozzi. – Milano : Mondadori, 1976. – 2 vol. 1390-883 p. – [Voir vol 2, pp. 9-140].

Per Marino / Marzio Pieri. – Padova : Liviana, 1976. – 473 p.

M.-Fr. Tristan, "La mythologie comme système de représentation du monde et de la condition humaine dans l'Adone de G.B. Marino". – In : *Manierismo e letteratura : atti del Congresso internazionale di Torino ott. 1983* / sous la direction de Daniela Dalla Valle. – Torino : Albert Meynier, 1986. – [Pp. 407-424].

RIMES 35

J.-P. Cavaillé — 1992

Bombyx d'amour (*Lira*, 2e partie). — La prison d'amour tissée par l'imagination du poète est comparée au tissage du cocon par le ver à soie.

Artisan de ma propre mort
Je ressemble à ce ver ingénieux,
Qui jamais ne cesse d'aggraver ses maux.
Des feuilles chues
D'un vain espoir je me nourris,
Et j'ourdis mille fils,
De pensées, de désirs entrelacés.
Et voici que je tisse, hélas,
Tout à la fois ma geôle et mon tombeau.

Madrigaux / le Cavalier Marin ; traduit et présenté par Jean-Pierre Cavaillé. – Paris : La Différence, 1992 – (*Orphée* ; 123). – [P. 65].

RIMES 36

J.-P. Cavaillé — 1992

Pleurs (*Lira*, 2e partie). — Les pleurs de la Dame trouvent une explication paralogique puisée dans le registre des phénomènes naturels : ce sont les pleurs des amants, que le soleil de ses yeux a fait s'évaporer, et qui retombent en pluie.

Dame, il est vrai, vous pleurez,
Mais à cela nulle merveille,
Puisque ces pleurs ne sont les vôtres.
Le Soleil plutôt que vous portez
Dans le grand calme de vos cils,
Tire de nos yeux
L'humeur des pleurs,
D'une étrange façon,
Et la résout en pluie.
Ces larmes donc que vous versez,
Sont les larmes d'autrui.

Madrigaux / le Cavalier Marin ; traduit et présenté par Jean-Pierre Cavaillé. – Paris : La Différence, 1992 – (*Orphée* ; 123). – [P. 67].

RIMES 37

J.-P. Cavaillé — 1992

Dame qui coud (*Lira*, 2e partie). — La Dame devient la Parque qui file la vie du poète, tandis que son aiguille se change en flèche d'amour, et le fil rouge en filet de sang s'échappant du cœur blessé.

C'est une flèche, non une aiguille
Dont use à son ouvrage
Celle que j'adore, nouvelle Arachné d'amour :
Alors qu'elle orne et brode le beau lin,
Elle perce mon cœur, le point de mille traits.
Hélas ! ce beau fil rouge-sang
Que tire, coupe et noue,
Affine, tourne et tord
La belle main de l'aimée,
C'est le fil de ma vie.

Madrigaux / le Cavalier Marin ; traduit et présenté par Jean-Pierre Cavaillé. – Paris : La Différence, 1992 – (*Orphée* ; 123). – [P. 73].

RIMES 38

J.-P. Cavaillé — 1992

Sa dame lui tendit la coupe d'eau où elle avait bu (*Lira*, 2e partie). — Le baiser s'effectue par réceptacle interposé, en remplacement de ce réceptacle vivant qu'est la bouche de la dame.

Urne courtoise, chère,
Dévouée, les baisers mêmes
Des lèvres chéries,
Jamais cédés à ma soif,
Tu me tendis, imprimés sur tes lèvres.
Bouche avare, ingrate,
Ma brûlure trouva plus de pitié
Dans les impassibles et froids cristaux,
Qu'en tes vivants et tendres coraux.

Madrigaux / le Cavalier Marin ; traduit et présenté par Jean-Pierre Cavaillé. – Paris : La Différence, 1992 – (*Orphée* ; 123). – [P. 81].

RIMES 39

J. Rousset — 1968

Amour inconstant (*Lira*, 3e partie, v. 1-54, 127-132). — Cette chanson est une anticipation du *Convive de pierre* (*Il convitato di pietra*) de G.A. Cicognini (env. 1650), et même du *Trompeur de Séville* (*El burlador de Sevilla*) de Tirso de Molina (1630), qui vont sceller le mythe de Don Juan. Au-delà du motif de l'inconstance amoureuse, il s'agit d'une réflexion sur la fragilité des passions humaines, en même temps qu'un hymne enthousiaste à la multiplicité et à la diversité des beautés du réel.

Voulez-vous voir
un nouveau Protée d'amour
et un nouveau Caméléon ?
Tournez les yeux vers moi
qui tournoyant au gré de mes pensées
prends toutes formes et toutes couleurs.

Certes, je n'ose défendre
ma faiblesse amoureuse,
je confesse mon erreur
et je m'avoue coupable ;
mais comment en pleine course
freiner un effréné désir ?

Comment borner ou enchaîner
en un amant brûlant
un amour qui délire,
qui se meut et se plie
plus léger qu'algue et feuille
tremblant sur l'onde ou sous le vent ?

À tant d'ardeurs et de désirs
ne peut suffire un seul objet,
à tel tourment je trouve
cent et mille causes,
où que je tourne mes pas ou mes regards,
partout il faut que je soupire.

Je ne puis voir une beauté
qui ne s'empare de mon cœur,
à tout regard charmant
je m'enflamme et je brûle.
Las ! me voilà bientôt
la proie sans fin de tous les feux.

Nulles formes par mes yeux
offertes à mon âme
qui ne me soient pièges et appâts
dont s'accroissent mes amours ;
pour l'une je languis
et pour l'autre je me réduis en cendres.

La beauté la plus fraîche
et l'âge le plus mûr
m'enflamment et me piquent et me prennent ;
ici m'embrasent
la grâce et les regards,
et là les mœurs et la réserve.

En l'une m'enchante
la pure simplicité,
en l'autre je goûte
l'esprit et l'artifice,
également sensible
à la rustique, à la finaude.

Celle-ci se pare ? mais à la parure
qui donc ne se plairait ?
Cette autre se néglige,
de soi seule parée ?
naturel et pauvreté
me sont de chers trésors.

[…]

En un mot, et les unes et les autres
toutes pour moi sont belles,
toutes me font brûler ;
et même s'il m'était donné
mille âmes et mille cœurs,
serais-je un nid où nicher tant d'amours ?

L'Intérieur et l'extérieur : essais sur la poésie et sur le théâtre au XVIIe *siècle* / Jean Rousset. – Paris : José Corti, 1968. – [Pp. 79, 81].

L'ADONIS 40

Cl. Nicole — 1662

Amour dans la forge de Vulcain (I, 67, 71-74, 76-79). — Amour demande à Vulcain de lui fabriquer une flèche susceptible de blesser le cœur de Vénus.

Aussi-tost qu'il aborde, il court à la Fournaise,
Où ce Forgeur des Dieux, de sueur degoutant,
Au milieu des ardeurs du foudre & de la braise,
Fait bruire des marteaux le tonnerre éclatant :
Dans cet Antre enfumé les glorieuses armes
Dont se couvrent les Dieux dans les dures alarmes,
Brillent parmy l'horreur de ses obscuritez.

[...]

Parmy tous ces objets de respect & de crainte,
L'assidu Forgeron travaille incessamment,
De suye & de fumée il a la barbe teinte,
Et le feu dans ses yeux luit eternellement ;
Il a les mains de bronze, & leur peau se voit tendre
Sous la crasse & le cal que le travail engendre ;
Son visage est livide, & son teint sans couleur,
Son tablier est remply d'étincelles ardentes,
De restes de limure, & de cendres induantes[1],
Dont les sombres vapeurs redoublent sa chaleur.

Si-tost qu'il apperçoit ce petit Dieu volage,
Pour témoigner sa joye & son ressentiment,
Il suspend ses travaux, & quitte son ouvrage,
Et les deux bras ouverts court à luy promptement ;
Tout renfrogné qu'il est, il l'étreint, il le serre,
De ses nerveuses mains il l'enleve de terre,
Et courbant de son sein le poil tout herissé,
Pour luy faire sentir jusqu'où va sa tendresse,
Il l'approche & le baise, il le flate & le presse,
Et d'une rude étrainte il le tient enlacé.

Amour d'autre costé le caresse & l'embrasse,
Et de ses foibles mains détachant son bandeau,
Sur son front tout soüillé de charbon & de crasse,
Il coule molement ce glorieux drapeau ;
Il craint de le baiser, car sa barbe piquante

---

1 Enveloppantes (du latin *induere*).

Fait à son teint d'albastre une injure sanglante ;
Ses roses & ses lys ne la peuvent souffrir ;
Et pour mieux l'animer à venger son outrage,
Il abat la sueur qui dessus son visage
Coule de ride en ride, & qu'il ne peut tarir.

Mon Pere[1], luy dit-il, toy seul que je revere,
Qui n'as jamais trompé mes vœux, ny mes souhaits,
Si ton cœur est sensible à ce doux nom de Pere,
Et si tu sçais forger de redoutables traits,
Trempe-moy de ta main une fleche cruelle
Qui blesse sans guerir l'ame la plus rebelle,
Et qui porte des coups dangereux & mortels ;
Il y va de mes droicts, il y va de ma gloire,
Et c'est par ce secours qu'une belle victoire
Doit un nouvel éclat à mes fameux Autels.

[…]

Pour avoir quelque part dans cet illustre office,
Sous ce fumant Rocher qu'éclaire mon flambeau,
Comme Bronte & Sterops[2] j'entreray dans la lice,
Et je mettray la main à ton pesant marteau ;
Et si pour réveiller l'étincelante braise
Qui déja s'amortit au creux de ta fournaise,
Mes aisles de leur vent la peuvent ralumer,
Sers-toy de leur secours ; & s'il n'y peut suffire,
De mille malheureux qui sont sous mon Empire,
Je t'offre les soûpirs afin de l'enflamer.

Amour n'eut pas plutost expliqué ses pensées,
Que Vulcan transporté d'ardeur & de plaisir,
De cent lames d'acier par le feu repassées,
Choisit la plus solide au gré de son désir ;
Il la met dans la Forge, il l'échauffe, il l'alume,
De mille coups pressez il fait gemir l'enclume,
La lame diminuë, & l'acier se molit,
Et sous le lourd marteau qui luy fait violence,
Une gresle de feu qui petille & s'élance,
Dans cet affreux sejour étincelle & jalit.

---

1 Dans l'*Adonis*, Vulcain est le père d'Amour.

2 Deux cyclopes.

Ce petit imprudent que la fureur transporte,
Applique à ce travail & son cœur & ses yeux ;
Il enseigne à son Pere une trempe plus forte,
Que celle qu'il employe au service des Dieux :
Par un Art surprenant que son dépit invente,
Il trouve le secret d'une pointe perçante,
A qui s'opposeroient en vain les diamans ;
Et pour pousser plus loin l'effet de sa vengeance,
Sur l'acier petillant il verse d'une essence
Qu'il recueille des pleurs des malheureux Amans.

Cependant qu'il médite une cruelle guerre,
Trois Cyclopes affreux qui n'ont qu'un œil au front,
Ces Monstres enfumez qui forgent le tonnerre,
Montrent pour le servir un desir chaud & prompt ;
Sous leurs pesans marteaux qu'un bras nerveux gouverne
Ils font d'un son bruyant retentir la caverne,
De l'horrible fracas le Mont tremble & mugit ;
Et le Dieu de Lemnos répondant à leur zele,
La tenaille à la main, sur l'enclume immortelle
Polit l'or éclatant sur le fer qui rougit.

Adonis. Poëme Heroïque / du Cavalier Marin ; traduit en vers françois par le Président Nicole. – A Paris : Chez Charles de Sercy, 1662. – [Pp. 34-39].

L'ADONIS 41

H. Tuzet — 1987

Lamentations de Vénus (XVIII, 158, 177, 183-185). — Le doux-amer, le clair-obscur et la dialectique de la mort et de la vie se mêlent dans une commune inspiration où les contrastes hardis témoignent d'un classicisme décadent.

« Donc s'en iront ces yeux énamourés
Dans le sein de la Mort, susciter les amours ?
Ces blanches mains, et ces cheveux dorés,
Blanchir, dorer les horreurs des enfers ?
Ces lèvres odorantes et fleuries
Iront semer dans les tombes des fleurs ?
Donc la splendeur de ce si beau visage
Ira porter le Paradis dans les abîmes ? » [...]

« Est-ce bien toi, — dis, Adonis, — ma chère Idole ?
Ose-t-elle et peut-elle tant, la Mort superbe ?
Où de tes yeux est la clarté d'étoile ?
À quelle tragédie me réserve le ciel ?
Ô toi, jadis si doux, ores si doux-amer,
Toute mienne douceur par toi se fait amère,
Bien semblable à Myrrha[1] es-tu en toute chose,
Ô fruit amer, d'un arbre amer issu. [...]

Père puissant, toi qui, du haut trône où tu sièges
Tiens le gouvernement universel des choses,
Puisque tu m'as séparée de mon bien,
Enfreins les lois de ton destin suprême.
Pourquoi la main jalouse qui trancha
Ce beau fil, le lie-t-elle à jamais à ma vie ?
Pourquoi, par un sort dur et immuable,
Mort ne peut-elle l'Immortel rendre mortel ?

Ô pourquoi ne m'est-il accordé d'absorber,
Au sommet d'un baiser, cueillie en un soupir,
La même mort entre ces lèvres mêmes
Où gît mon âme ensevelie vivante ?
Impuissante douleur, puisque par elle
Du nœud vital l'âme ne peut se délier.
Ah trop contraire à mon plus beau désir
Cette immortalité me fait mourir. »

Avec ce peu de vie qui lui restait
Il entendait Cypris[2] se lamenter,
Et d'une voix plaintive, il voulait dire,
Ne pouvant dire plus : « Ma vie, mon âme. »
Mais l'âme prisonnière avec cette parole
Est délivrée, ouvre les ailes, prend son vol,
Et de sa bouche exsangue et sans couleur
Au lieu du mot « ma vie » sort la vie même.

Mort et résurrection d'Adonis. Étude de l'évolution d'un mythe / Hélène Tuzet. – Paris : José Corti, 1987. – [Pp. 204-206].

---

1 Mère d'Adonis, changée en arbre à myrrhe par Aphrodite.
2 Autre nom d'Aphrodite (Vénus) qui lui vient de Chypre, île qui lui était consacrée.

FRANCIS BACON

ANGLAIS **1561-1626**

Peu d'écrivains philosophes épousèrent à ce point les passions de leur temps. Temps de passions, il est vrai, que ce siècle d'Élisabeth, dont le règne naît en 1558 sur fond de guerre, religieuse autant que politique. Isolée depuis l'excommunication de Henry VIII en 1534, l'Angleterre doit forger sa nation sous les menaces conjuguées de Rome, de la France et surtout de l'Espagne (victoire sur l'Armada en 1588) ; siècle qui devait s'achever, après la succession houleuse de Jacques Ier, le fils de Marie Stuart (1603-1625), avec la révolution de 1649 et l'exécution de Charles Ier d'Angleterre.

D'Élisabeth, puis de Jacques Ier, Francis Bacon devait accompagner tout le règne. Par sa famille d'abord : son père, Nicolas, est Garde des Sceaux et sa mère, Lady Anne Cook, est la sœur de l'épouse de W. Cecil Burghley, futur Grand Trésorier de la Reine. Sur les traces de ses aînés, Francis est étudiant à Cambridge, dès 14 ans, puis de Gray's Inn, une des grandes écoles de Droit londoniennes, et, sur recommandation de son oncle, devient à 20 ans élu de la Chambre des Communes. Mais son père est mort alors qu'il accompagnait comme secrétaire l'ambassadeur Sir Paulet en France, laissant Francis, à 18 ans, sans héritage et sans appuis. On verra alors Bacon quémander charges et gratifications, s'attacher à des favoris : Essex, favori de la Reine ; puis de Villiers, favori de Jacques Ier. On le verra aussi sacrifier au pouvoir en contribuant à la condamnation d'Essex, exigée par la Reine en 1601, et à l'enrichissement de Villiers-Buckingham par de fructueuses patentes lorsqu'il aura enfin accédé, en 1617, au titre de Garde des Sceaux. Sa condamnation par les Chambres en 1621, pour corruption et prévarication dans ses fonctions de Grand Chancelier, pourrait alors accréditer cette figure honnie du politique qu'il fut en partie pour lui-même : « Mon âme a été pour moi une étrangère » écrit-il en 1605, un an avant la création de *Macbeth*.

Si Bacon dut d'abord tant quémander, c'est qu'Élisabeth l'avait écarté de ses faveurs, ne lui pardonnant pas son opposition publique, en 1593, au non-respect des prérogatives des Communes en matière d'imposition. Bacon respecta toujours strictement la souveraineté royale et sa prérogative, mais tout également les Statuts et les Lois du royaume, principes fondateurs de la nation anglaise, dût-il mécontenter tantôt le Souverain, tantôt les représentants des Communes ou les détenteurs jaloux du pouvoir judiciaire, dont le fameux juge Coke, artisan actif de la condamnation de 1621. D'abord politique, cette condamnation visait les abus de Jacques Ier et de son ministre Buckingham, et, au-delà, un exercice du pouvoir qui ne répondait plus aux exigences de la société nouvelle. À ces exigences, au contraire, Bacon savait répondre, dans ses prises de position sur les factions religieuses, sur les finances publiques, sur la puissance de la Grande-Bretagne, en véritable homme d'État, ce que durent reconnaître et la Reine Élisabeth, qui fit de lui son conseiller extraordinaire, et Jacques Ier qui le choisit finalement pour Garde des Sceaux après l'avoir promu successivement Solliciteur général (1607), Attorney général (1613) et membre de son Conseil Privé (1616).

C'est aux mêmes exigences que Bacon voulut répondre par son œuvre scientifique et philosophique : une science nouvelle pour une société nouvelle, telle était pour Bacon l'*œuvre* à accomplir. Œuvre humaniste par excellence, qui ne sépare plus les intérêts théoriques des intérêts pratiques, la connaissance du monde et le développement de la Cité. On n'omettra pas, dans cette optique un écrit « littéraire » comme les fameux *Essais* de morale et de politique dont la première version fut publiée en 1597, ou l'ouvrage non moins prisé sur *La Sagesse des Anciens* paru en 1609, qui retrouve uniment dans les fables antiques vérités allégoriques sur les hommes et sur les choses, ou encore ces textes sur les *Proverbes* de Salomon, sur *Les Couleurs du bien et du mal*, ou *La Doctrine du droit.* En effet, Bacon lui-même ne manque pas d'intégrer leurs leçons dans son grand traité *De la dignité et de l'accroissement des sciences,* version latine publiée en 1623 d'une première rédaction anglaise, *Two books of the proficience and advancement of learning divine and human*, parue en 1605.

Car les sciences et les arts, autant que la morale et la politique, appartiennent à la vie des hommes. Alors qu'un nouveau monde est en train de naître, appelant de nouvelles connaissances pour sa navigation, ses mines, ses fabriques, son commerce, comment en rester à un enseignement, utile sans doute pour apprendre à argumenter dans les Cours civiles, mais dont la logique héritée de la scolastique se montre, même après les apports des Réformateurs, impuissante à inventer vérités et œuvres ? C'est bien tout l'esprit de la science qu'il faut reprendre « dès les premiers fondements », ce qui ne peut évidemment aller sans obstacles, car les esprits ne sont nullement prêts à abandonner les chemins familiers.

Les *Deux livres* de 1605, adressés au Roi Jacques dans le but avoué d'obtenir les moyens financiers et institutionnels que réclamait l'avancement des sciences, n'eurent pas l'écho escompté. Bacon avait mêlé l'ancien et le neuf, espérant ainsi mieux faire passer ses vues. Mais, d'une part, les esprits restaient tournés vers le passé, qu'ils prenaient pour une sage antiquité alors qu'elle était en vérité une jeunesse balbutiante ou bavarde ; d'autre part, manquait l'instrument pour construire la science nouvelle, et sortir les savoirs de leur oscillation stérile entre le *balai délié* de « l'empirie » et les *dogmes arrêtés* de la doctrine, l'imagination superstitieuse en profitant pour donner libre cours à ses délires alchimiques ou astrologiques. Bacon se met alors à rédiger un certain nombre de textes critiques tels les *Cogitata et visa*, *Pensées et vues sur l'interprétation de la nature* (1607), ou la *Redargutio philosophiarum* (*Récusation des doctrines philosophiques*, 1608), mais également des textes sur des questions physiques ou astronomiques, qu'il adresse aux notables de la gent savante pour éprouver ses thèses et préparer les esprits. En même temps, il s'essaie aux premières rédactions des « vraies directives pour l'interprétation de la Nature ». Mais il lui faudra douze ans pour rédiger et publier le texte définitif du *Novum Organum*, l'œuvre majeure qui paraît à Londres en 1620.

Apporter aux hommes l'instrument nouveau qui détrônera celui qui domine toute la science depuis l'intrusion des professeurs en philosophie, le fameux *Organon* d'Aristote, telle est l'ambition clairement annoncée par le titre baconien. Il s'agit de rien de moins que de substituer aux *anticipations de la nature,* c'est-à-dire à la raison humaine qui s'impose avec témérité et précipitation à la nature, une « raison tirée des choses, selon la méthode exigée » et qui prendra nom d'*interprétation de la nature.* Pour y parvenir, il faut commencer par détruire cette raison mal édifiée, tout en préparant l'esprit à entrer dans la voie nouvelle. Ce sera l'objet du 1er Livre et de ses fameux aphorismes sur la critique des *Idoles,* critique qui ne se contente pas de dénoncer les formes innées et acquises dans lesquelles prennent corps les *anticipations*, mais qui démonte les mécanismes historiques, moraux, institutionnels et, pourrait-on dire, méthodologiques, dans lesquels la *dialectique,* cette « philosophie de professeurs » héritée des Grecs, asseoit son autorité civile et reconduit son emprise sur les esprits.

On devine alors la gageure du *Novum Organum* : inventer la science et avec elle la conception même de la méthode, dont l'ordre doit se faire ordre d'invention et non plus d'exposition. Et puisqu'il s'agit d'échapper aux *anticipations*, c'est *aux choses mêmes* qu'il faudra demander le chemin de leur vérité, ainsi que firent les inventeurs du Nouveau Monde, demandant aux forces de l'univers d'orienter l'aiguille nautique qui leur découvrait la voie à suivre. On partira donc de l'expérience, mais d'une expérience telle que la décision théorique du jugement appartienne aux choses elles-mêmes, et non aux sens, qui sont proportionnés à l'homme et non à l'Univers. L'Histoire naturelle à constituer devra donc être une histoire pour la science, en direction des axiomes scientifiques à inventer, et non une histoire qui amasse sans critique les faits dispersés. Il revient alors au Second livre du *Novum Organum* d'établir avec précision la méthode d'*induction*, grâce à laquelle seule l'expérience permettra de monter avec *certitude* et par *degrés* du particulier sensible au général formel, d'une cause limitée aux conditions de l'expérience à la cause générique prise de l'essence intime des choses, de manière à redescendre des axiomes dégagés à de nouvelles expériences. Pour y parvenir, Bacon propose ses fameuses *tables*, où la confrontation méthodique de la *présence*, de l'*absence* et des *degrés* de croissance-décroissance d'une détermination en lien avec la nature étudiée (la brillance par exemple, pour la chaleur) permet, par *exclusion* progressive, de dégager la relation affirmative nécessaire, l'axiome vrai qui sera en même temps la définition opératoire recherchée (Bacon aboutit à une définition de la chaleur par le mouvement). Et puisque le *Novum Organum* se veut *indicatif* de la voie à emprunter, le Second Livre parcourt systématiquement les *instances prérogatives,* autrement dit les lieux expérimentaux remarquables grâce auxquels pourront se construire progressivement les axiomes théoriques et les opérations pratiques.

Sa condamnation de 1621 aidant, qui l'exclut durablement des charges civiles, Bacon prend sur lui de mettre en œuvre son instrument. D'une part il complète, en vue de sa traduction latine (la langue de l'Europe savante), le texte de 1605, le désormais *De dignitate et augmentis scientiarum* (1623), véritable encyclopédie des sciences à venir, fondée sur une partition de la science en un sens nouveau, où la philosophie naturelle devient le tronc porteur des fécondes ramifications. D'autre part et surtout, il contribue lui-même à l'édification de la science future, en commençant par « le fondement de tout », l'histoire : *Histoire de Henry VII* et *Histoire des vents,* parues en 1622 ; *Histoire de la vie* et *Histoire du dense,* écrites en 1623 ; *Sylva sylvarum,* cette « forêt de forêts » d'expériences faites et à faire, dont les dix *centuries* sont publiées en 1627, deux ans après sa mort. Tel Pline au bord du Vésuve, auquel il se compara lui-même, Francis Bacon fut emporté par une congestion contractée lors d'une expérience de congélation, en un neigeux mois d'avril de la campagne londonienne.

L'œuvre entreprise fut doublement poursuivie. Ce que vont d'abord retenir les contemporains et successeurs directs de Bacon, ce fut l'appel à constituer une histoire digne de la science. Il a ainsi la reconnaissance de Descartes, Spinoza, Leibniz et Gassendi, mais plus activement, à Londres, de la Société Royale, dont les fondateurs, en 1660, se réclament très explicitement de Bacon, et qui devait compter parmi ses membres les très célèbres Boyle et Newton. C'est également de son œuvre en faveur de la Restauration des Sciences que se réclameront les créateurs de l'*Encyclopédie,* non seulement en retenant le principe d'une partition des sciences fondée sur les trois facultés de l'esprit, la mémoire, l'imagination et la raison, mais plus encore en associant les œuvres aux connaissances en une *Encyclopédie des sciences et des arts*.

Mais l'optique, au XVIIIe siècle, a changé. Bacon est moins lu pour luimême. Ses œuvres morales et politiques, notamment ses célèbres *Essays* qui connurent deux traductions en langue française dès 1619, mais également les chapitres qu'y consacrait le grand ouvrage sur le progrès des sciences (traductions en 1624, 1626, etc.), furent rapidement diffusées dans les cours européennes. Il y eut également un engouement pour les histoires : *Sylva sylvarum* (traduction en 1631), *Histoire de la vie et de la mort* (1647), *Histoire des vents* (1649). Mais il fallut attendre la Révolution pour que soit commanditée une traduction complète des œuvres de celui qui apparaissait comme un héraut du progrès des Lumières ; car Bacon, désormais, serait une Cause avant d'être une œuvre, une cause invoquée en termes passionnés et contraires, pour tout dire *théâtraux*. Sans revenir au XIXe siècle, songeons aux critiques récentes des épistémologues de la mouvance, Popper rejetant Bacon au nom d'une image caricaturale, voire contraire à ses positions les plus clairement affirmées, qu'il s'agisse de son prétendu utilitarisme, alors que Bacon réclame toujours les expériences « lumineuses » avant les « fructueuses » et proteste contre l'abandon des recherches fondamentales dans les universités ; ou qu'il s'agisse de son « empirisme », alors que le *Novum Organum* condamne autant la pratique de la fourmi qui amasse, que celle de l'araignée qui recouvre les choses du vide de sa toile.

La source de la mésentente réside sans doute, pour nous contemporains de la science moderne, dans cette voie non mathématique que Bacon propose au progrès de la science de l'univers : les mathématiques, dit-il, doivent *terminer* la physique, et non la constituer. Mais en cela précisément, l'œuvre commencée par Bacon renvoie cette science dont nous sommes les tardifs héritiers, à une origine qui interroge le sens et le devenir de notre pouvoir sur la nature. Une science pour les hommes, telle était la *Nouvelle Atlantide* que Bacon voulait léguer aux générations futures. Il le fit dans le langage de son temps, mais en une signification qui porte encore notre histoire.

The Works of Francis Bacon (vol. I à VII) ; The letters and the life of Francis Bacon (vol. VIII à XIV) / J. Spedding, R.L. Ellis and D.D. Heath. – London : Longman, 1858-1874. – 14 vol. – [Édition de référence, notices introductives et très complet commentaire biographique].

Francis Bacon : dalla magia alla scienza / Paolo Rossi. – Bari : Laterza, 1957. – 528 p. – (*Biblioteca di cultura moderna* ; 517). – [Ouvrage majeur qui a renouvelé la compréhension de F. Bacon, version anglaise en 1968].

Francis Bacon : Terminologia e fortuna nel XVII Secolo / Séminaire international de Rome (1984) ; édité par Marta Fattori. – Roma : Ateneo, 1984. – 328 p. – [Articles en italien, français et anglais].

Francis Bacon : science et méthode / actes du colloque de Nantes (1983), édités par M. Malherbe et J.M. Pousseur. – Paris : Vrin, 1985. – 207 p.

N° spécial *Bacon*. – In : *Les Études Philosophiques*, juillet-septembre 1985, pp. 289-446.

N° spécial *Bacon*. – In : *Revue Internationale de Philosophie*, n° 159, fasc. 4 (1986), pp. 355-460.

Bacon : Inventer la science / Jean-Marie Pousseur. – Paris : Belin, 1988. – 272 p. – (*Un savant, une époque*).

ESSAIS DE MORALE ET DE POLITIQUE

42

A. de Lasalle — 1800

De l'usure (XL). — *The Essayes or Counsels, Civill and Morall* fut sans aucun doute l'ouvrage le plus lu de Bacon. De sa première édition de 1597 à la treizième publiée en 1625, le texte primitif de 10 courts essais s'enrichit jusqu'à devenir un riche volume de 58 articles étoffés de références et citations. Le succès de ces textes ne tenait pas seulement à un genre prisé depuis les traductions des *Moralia* de Plutarque et des *Lettres à Lucilius* de Sénèque (en 1579 et 1581), mais aussi des *Essais* de Montaigne, parus en 1580 et traduits en 1603. Au-delà de la variété des sujets abordés, des vertus et passions privées aux petites et grandes causes civiles, la langue de Bacon, en particulier son style aphoristique si propre à marier l'écriture et le sens, fit reconnaître dans ces *Essais* un monument de la langue anglaise. Quant à l'essai sur *l'Usure*, sujet de discours passionnés au temps d'Élisabeth, il témoigne d'une objectivité politique remarquable chez un homme qui fut arrêté pour dettes...

Assez d'écrivains ingénieux se sont donné carrière contre l'usure et les usuriers ; quoi de plus odieux, disent les uns, d'allouer au diable la dîme qui est la part de Dieu ! L'usurier, disent les autres, est le plus insigne profanateur du sabbat ; il travaille même le dimanche. [...] Pour moi, tout ce que je me permettrai de dire sur ce sujet si rebattu, c'est que l'usure est une de ces concessions faites à la dureté du cœur humain et un abus qu'il faut tolérer, parce que le prêt et l'emprunt étant nécessaires à chaque instant, la plupart des hommes sont trop intéressés pour prêter sans intérêt. Quelques écrivains ont proposé de remplir le même objet, à l'aide de banques nationales, en y joignant des moyens artificieux, et par cela même suspects, pour s'assurer du véritable état de la fortune des emprunteurs ; mais peu d'entre eux nous ont procuré des lumières vraiment utiles relativement à l'usure. Il est donc nécessaire de donner une espèce de tableau de ses avantages et de ses inconvénients, afin qu'on puisse démêler le bon d'avec le mauvais et se procurer l'un en évitant l'autre ; mais surtout prenons garde, en voulant aller au mieux en ce genre, d'aller au pis.

Inconvénients de l'usure. 1° Elle diminue le nombre des marchands ; car si l'argent n'était pas gaspillé dans ce vil agiotage, où il est comme stérile, il serait employé en marchandises et fructifierait par le commerce, qui est la veine-porte du corps politique ou le canal servant à l'importation des richesses. 2° L'usure rend les marchands plus pauvres ; en effet, de même qu'un fermier ne peut faire de grandes avances à la terre ni en tirer un produit proportionnel lorsqu'il est obligé de payer une grosse rente, un marchand ne peut faire son commerce avec autant de profit et de facilité lorsqu'il est obligé d'emprunter à gros intérêts. Le troisième inconvénient, qui n'est qu'une conséquence des deux premiers, est la diminution du produit des douanes, qui a nécessairement son flux et son reflux, correspondants et proportionnels à ceux du commerce. 4° L'usure entasse et concentre tout l'argent d'un royaume ou d'une république dans les mains d'un petit nombre de particuliers ; car les gains de l'usurier étant assurés, tandis que ceux des autres (soit qu'ils commercent avec leurs propres fonds ou avec des fonds d'emprunt) sont très incertains, il est clair qu'à la fin du jeu presque tout l'argent doit rester à celui qui fournit les cartes ; et l'expérience prouve qu'un État est toujours plus florissant lorsque les fonds sont plus également distribués. 5° L'usure fait baisser le prix des terres et des autres immeubles ; car assez ordinairement l'argent est presque tout employé au commerce ou à la culture des terres ; deux genres d'emplois auxquels l'usure fait obstacle, en attirant à elle tout l'argent. 6° En détournant du travail les citoyens, elle éteint leur industrie et diminue le nombre des inventions utiles qui tendent à la perfection de tous les arts ; toutes directions que l'argent prendrait naturellement pour fructifier, s'il n'était absorbé par ce gouffre où il demeure stagnant. 7° L'usure est une sorte de vermine qui suce continuellement le plus pur sang d'une infinité de particuliers, et qui, en les épuisant, épuise à la longue l'État même.

Avantages de l'usure. 1° Quoique l'usure, à certains égards, soit nuisible au commerce, elle lui est utile à d'autres égards ; car on sait que la plus grande partie du commerce se fait par des marchands, ou encore jeunes, ou en général peu avancés, qui ont souvent besoin d'emprunter à intérêt ; en sorte que si l'usurier retirait ou retenait son argent, il en résulterait une stagnation dans le commerce.

En second lieu, si l'on ôtait aux particuliers cette commodité d'emprunter de l'argent à intérêts dans leurs pressants besoins, ils seraient bientôt réduits aux dernières extrémités et forcés de vendre à un très vil prix leurs biens, soit meubles, soit immeubles, ce qui les ferait tomber d'un mal insupportable dans un beaucoup plus grand ; car l'usure ne fait que les miner peu à peu, au lieu que, dans le cas supposé, les prompts et gros remboursements les ruineraient d'un seul coup. [...] Quant au troisième et dernier avantage de l'usure, c'est se repaître de chimères que d'espérer qu'on puisse jamais imaginer des dispositions dont l'effet soit de rendre plus fréquents les prêts sans intérêt ; et si l'on se déterminait à défendre aux prêteurs, par une loi expresse, de tirer l'intérêt de l'argent prêté, il en résulterait une infinité d'inconvénients. Ainsi, ne parlons point d'abolir l'usure, tous les États, monarchiques ou républicains, l'ayant tolérée, soit en fixant le taux de l'intérêt, soit autrement. Une telle idée doit être renvoyée à l'Utopie de Morus.

Parlons actuellement de la manière de modérer et de régler l'usure, je veux dire des moyens par lesquels on peut en éviter les inconvénients sans en perdre les avantages. Il me semble qu'en balançant judicieusement les uns avec les autres, il n'est pas impossible de s'assurer de deux avantages principaux : l'un de limer les dents de l'usure, afin que, malgré son avidité, elle morde un peu moins ; l'autre de procurer aux hommes très pécunieux des facilités et des avantages qui les invitent à prêter leur argent à des négociants, ce qui contribuerait à entretenir et à animer le commerce ; double objet qu'on ne peut remplir qu'en fixant deux taux différents pour l'intérêt de l'argent, l'un plus bas, et l'autre plus haut. Car s'il n'y avait qu'un seul taux et un peu bas, ce réglement soulagerait un peu les emprunteurs ; mais alors les marchands auraient peine à trouver de l'argent ; sans compter que la profession de commerçant étant la plus lucrative de toutes, elle peut en conséquence supporter des emprunts à un denier plus haut. Voici ce qu'il faut faire pour concilier et réunir tous les avantages : qu'il y ait, comme nous venons de le dire, deux taux, l'un pour l'usure libre et permise à tous les sujets ou citoyens sans exception ; l'autre pour l'usure permise seulement à certaines personnes et en certains lieux où il y a un grand commerce. Ainsi, que le taux de l'usure généralement permise soit réduit à cinq pour cent ; que ce taux soit rendu public par un édit et une déclaration portant que les prêts à cet intérêt sont libres pour tout le monde. En conséquence, que le prince ou la république renonce à toute amende exigée de ceux qui se contenteront de ce léger bénéfice ; par ce moyen, les emprunts seront plus faciles et ce sera un grand soulagement pour les campagnes. Ce même réglement contribuera aussi beaucoup à hausser le prix, à augmenter la valeur relative des terres ; car la rente des terres étant actuellement en Angleterre à six pour cent, elle excédera par conséquent le taux de l'intérêt fixé à cinq pour cent. L'effet de cette même disposition sera d'encourager l'industrie et tous les arts tendant à perfectionner les choses utiles ; car alors le plus grand nombre de ceux qui auront des fonds aimeront mieux les employer de cette manière, afin d'en tirer un profit supérieur à ce taux de l'intérêt, surtout ceux qui sont accoutumés à de plus grands profits. De plus, qu'on permette à des personnes désignées de prêter de l'argent à des marchands connus, mais à un intérêt plus haut que celui qui est fixé pour le plus grand nombre ; cependant que ce soit aux conditions suivantes : 1° que l'intérêt même pour le marchand soit un peu moins haut que celui qu'il payait auparavant. Moyennant cette double disposition, tous les emprunteurs, marchands ou autres, auront un soulagement ; bien entendu que ces prêts ne se feront point par le moyen d'une banque ou tout autre fonds public, que chacun au contraire reste maître de son argent ; non que je désapprouve entièrement ces banques, mais parce que le public y prend difficilement confiance. Que le prince ou la république exige quelque rétribution pour les permissions qu'on accordera, et que le surplus du bénéfice reste tout entier au prêteur. Si ce droit ne diminue que très peu son profit, il ne suffira pas pour le décourager ; car celui, par exemple, qui auparavant prêtait ordinairement à dix ou neuf pour cent se contentera de huit plutôt que d'abandonner le métier et de quitter des gains assurés pour des gains incertains. Le nombre de ceux auxquels on accordera la permission de prêter ne doit pas être limité, mais on ne l'accordera qu'aux villes où le commerce fleurit. Moyennant cette restriction, des particuliers ne pourront abuser de leur permission pour prêter l'argent d'autrui au lieu du leur, et le taux de neuf pour cent, fixé pour les personnes qui auront des permissions particulières, n'empêchera pas les prêts au taux courant de cinq pour cent, vu que personne n'aime à envoyer son argent fort loin de sa résidence ni à le mettre entre des mains inconnues.

Si on m'objecte que ce que je viens de dire autorise en quelque manière l'usure qui auparavant n'était permise qu'en certains lieux, je réponds qu'il vaut beaucoup mieux permettre une usure ouverte et déclarée que de souffrir tous les ravages que fait l'usure lorsqu'elle est secrète, par la connivence de ceux qui la font avec ceux qui en ont besoin, ou qui, obligés par état à la punir, la favorisent.

Œuvres philosophiques, morales et politiques / de François Bacon, Baron de Verulam, [...] ; traduction [par Antoine Lasalle] ; avec notices biographiques par J.A.C. Buchon. – Paris : A. Desrez, 1836. – (*Panthéon littéraire*). – [Pp. 515-518].

ESSAI D'UN TRAITÉ SUR LA JUSTICE UNIVERSELLE 43

J.B. de Vauzelles — 1824

Principes de droit (Introd., aph. 1, section Ire). — Après une première traduction en 1639, ce texte tiré du Livre VIII du *De Dignitate et Augmentis scientiarum* (1623), connut un regain d'intérêt au XIXe siècle. J.B. de Vauzelles, auteur d'un ouvrage sur la vie et les œuvres de Bacon, a publié et annoté cet *Essai sur les sources du Droit*, auquel il avait une double raison de s'intéresser. Comme éminent juriste d'abord, en tant que Conseiller à la Cour et président de la Cour de Caen, mais aussi comme fervent soutien d'une révision générale des lois, proposition en vue de laquelle précisément Bacon avait rédigé son texte. Par cette proposition, qu'il présenta dès 1593 à la Reine Élisabeth, lui rappelant une promesse faite à l'occasion du 35e anniversaire de son règne, et qu'il sollicitait encore en 1622 de Jacques Ier,

Bacon savait qu'il s'opposait aux pouvoirs en place, tant de la Cour Royale, qui ne voulait s'encombrer de lois, que des juges de la *Common Law*, satisfaits d'une jurisprudence qu'ils étaient les seuls à maîtriser.

Dans la société civile, c'est ou la force ou la loi qui prévaut. Il est pourtant telle force qui singe la loi, et telle loi qui sent la force plus que l'équité.

Il y a donc trois sources d'injustices : la force nue, la perfide piperie couverte du manteau de la loi et l'aspérité de la loi elle-même.

Le fondement du droit privé, le voici : pour celui qui commet une injustice il y a dans la chose intérêt ou plaisir, mais danger dans l'exemple. Les tiers n'ont point de part dans cet intérêt ou ce plaisir, mais prennent pour eux l'exemple.

Or c'est pour prévenir cette réciprocité d'injustice que les hommes n'hésitent pas à se réunir, d'un consentement unanime, sous l'égide des lois. Mais si, par l'effet des circonstances et de la complicité, les plus nombreux et les plus forts viennent à trouver dans une loi plus de périls que de protection, il se forme une faction qui détruit la loi, et c'est ce qui arrive souvent[1].

Quant au droit privé, il repose sous la sauvegarde du droit public. En effet, la loi garde les citoyens, le magistrat la loi[2]. Or l'autorité des magistrats dépend de la majesté du pouvoir suprême, de l'organisation politique et des lois fondamentales : aussi, que l'État soit sain de ce côté, que sa constitution soit bonne, et les lois seront religieusement observées ; autrement il y aura peu de fond à faire sur elles.

Toutefois, l'unique objet du droit public n'est pas de servir comme de gardien au droit privé et d'empêcher qu'on ne le viole : sa surveillance n'est pas purement juridique ; il embrasse aussi le culte, les armées, la discipline, les embellissements publics, enfin tout ce qui tient au bien-être du corps politique.

Car la fin que doivent se proposer les lois, le but auquel doit tendre ce qu'elles prescrivent ou sanctionnent, c'est le bonheur des citoyens. Ils seront heureux si les institutions de la religion et du culte sont sages, les mœurs bonnes ; si l'état militaire offre une protection suffisante contre les

---

1 Remède pire que le mal ! S'il arrive qu'on y ait recours, le citoyen paisible doit en attendre l'effet, comme on attend celui d'un tremblement de terre ou d'un orage. Le meilleur moyen de prévenir les révolutions, c'est de faire des lois qui protègent également tout le monde. Si, favorables au petit nombre, elles sont préjudiciables au plus grand et au plus fort, celui-ci les détruira. Il est un moyen d'amortir la violence des changements devenus inévitables ; c'est d'imiter le temps, qui innove beaucoup, mais insensiblement, sans bruit, et pour ainsi dire pas à pas [...] (cf. Bacon, *Sermones fideles*. — *De innovationibus*) (N.d.t.).

2 Le magistrat, c'est la loi parlante ; la loi, c'est le magistrat muet : *Magistratus lex est loquens, lex autem tacens magistratus.* (N.d.t.)

ennemis extérieurs, la loi contre les séditions et les injustices privées ; si le gouvernement et les magistrats sont obéis ; si la nation est riche et puissante.

Or, les lois sont les instruments et les ressorts par lesquels tout cela s'opère.

Les meilleures lois atteignent ce but, mais davantage encore s'en écartent. En effet, les lois diffèrent prodigieusement entre elles : les unes sont excellentes, d'autres ont des défauts, d'autres enfin sont tout-à-fait vicieuses.

C'est pourquoi nous allons, selon la mesure de nos faibles lumières, tracer comme *des lois des lois* à l'aide desquelles on puisse reconnaître ce qu'il y a de bon ou de mauvais dans chacune.

Mais avant d'arriver au corps même des lois particulières, nous rassemblerons en peu de mots les conditions et les qualités requises dans les lois en général.

On peut tenir une loi pour bonne, quand il y a certitude dans ce qu'elle intime, justice dans ce qu'elle prescrit, facilité dans son exécution, harmonie entre elle et l'organisation politique ; quand elle rend vertueux ceux qui lui obéissent.

Il importe tellement que la loi soit certaine, qu'elle ne saurait être juste sans cela. Si le signal donné par la trompette est incertain, qui se préparera au combat ? Si l'ordre donné par la loi est équivoque, qui se disposera à obéir ? Avant de frapper, il faut donc qu'elle avertisse ; ainsi c'est une vérité inébranlable, que la meilleure loi est celle qui laisse le moins à l'arbitraire du juge : or, ce n'est que de sa certitude qu'elle peut tenir cet avantage.

De la Justice Universelle / Francis Bacon ; traduction et notes J.B. de Vauzelles ; introduction Angèle Kremer-Marietti. – Paris : Klincksieck, 1985. – [Pp. 27-29].

NOVUM ORGANUM 44

M. Malherbe, J.M. Pousseur — 1986

Critique des idoles (Livre I, aph. 39, 41-44). — S'il fut rapidement diffusé et connu des milieux savants européens, le *Novum Organum* ne connut sa première traduction française qu'en 1800, au sein des 15 volumes de l'édition des œuvres de Bacon par Antoine Lasalle. Sans doute la technicité du second Livre devait-elle rebuter : il n'y eut, ensuite, pas d'autre traduction complète. *Aphorismes concernant l'interprétation de la Nature et le règne de l'homme*, tel était le sous-titre de l'œuvre de 1620. Différant des exposés prolixes et « méthodiques », explique Bacon, l'aphorisme doit, sous peine de ridicule, être tiré de la moelle des sciences. Extrêmement précis dans son écriture, il appelle une traduction qui en respecte les mots et les formes. Dans sa critique des *Idoles*, tenue par ses contemporains pour une pièce majeure de son œuvre, Bacon montre comment les idoles de la place publique offrent le lieu où entrent en cohésion les idoles de la raison innée (les deux premières) et cette raison acquise qui prend figure dans le théâtre des systèmes et doctrines. Ensemble elles fortifient le « pacte de l'enseignant et de l'enseigné » au sein duquel se reproduit et se reconduit la fonction civile du savoir.

De quatre genres sont les idoles qui assiègent l'esprit humain. Pour plus de clarté, nous leur avons donné des noms distincts : nous appellerons celles du premier genre les idoles de la race, celles du second les idoles de la caverne, celles du troisième les idoles de la place publique, et celles du quatrième genre les idoles du théâtre.

Les idoles de la race ont leur fondement dans la nature humaine elle-même, dans la race, dans la souche des hommes. C'est à tort en effet qu'on affirme que les sens humains sont la mesure des choses ; bien au contraire, toutes les perceptions, des sens comme de l'esprit, ont proportion à l'homme, non à l'univers. Et l'entendement humain ressemble à un miroir déformant qui, exposé aux rayons des choses, mêle sa propre nature à la nature des choses, qu'il fausse et brouille.

Les idoles de la caverne sont celles de l'homme considéré individuellement. En effet (outre les aberrations de la nature humaine, prise comme genre), chacun a une sorte de caverne, d'antre individuel qui brise et corrompt la lumière de la nature, par suite de différentes causes : la nature propre et singulière de chacun ; l'éducation et le commerce avec autrui ; la lecture des livres et l'autorité de ceux qu'on honore et admire ; ou encore les différences des impressions, selon qu'elles rencontrent une disposition prévenue et déjà affectée, ou au contraire égale et paisible, et ainsi de suite. Aussi l'esprit humain, selon sa disposition en chaque homme, est manifestement une chose variable, tout à fait troublée et presque hasardeuse. D'où cette juste observation d'Héraclite que les hommes cherchent les sciences dans leurs petits mondes et non dans le grand, qui leur est commun.

Il y a aussi les idoles qui naissent, pour ainsi dire, du rapprochement, et de l'association des hommes entre eux ; et, à cause de ce commerce et de cet échange, nous les nommons les idoles de la place publique. Car les hommes s'associent par les discours ; mais les mots qu'ils imposent se règlent sur l'appréhension du commun. De là, ces dénominations pernicieuses et impropres, qui assiègent l'entendement humain de manière si surprenante. Et les définitions, les explications, dont les doctes usent à l'occasion pour s'en prémunir et s'en dégager, ne rétablissent nullement la situation. Mais il est manifeste que les mots font violence à l'entendement, qu'ils troublent tout et qu'ils conduisent les hommes à des controverses et à des fictions innombrables et vaines.

Il y a enfin des idoles qui, propagées par les systèmes des philosophies et aussi par les règles défectueuses des démonstrations, sont venues s'implanter dans l'esprit des hommes. Nous les appelons les idoles du théâtre. Car autant de philosophies reçues ou inventées, autant, à nos yeux, de fables mises en scène et jouées, qui ont créé des mondes fictifs et théâtraux. Et nous ne parlons pas seulement des fables en vogue aujourd'hui ou des philosophes et des sectes anciennes : on peut en effet en composer et en agencer bien d'autres de la même espèce, les erreurs les plus diverses ne manquant pas d'avoir des causes presque communes. Et ce que nous disons, il faut le comprendre non seulement des philosophies prises en leur entier, mais aussi d'un grand nombre de principes et d'axiomes, appartenant aux sciences, qui tirent leur force de la tradition, de la croyance et de la négligence. Mais de ces différents genres d'idoles, il faut parler plus amplement et plus distinctement, afin d'en prémunir l'entendement humain.

Novum Organum / Francis Bacon ; introduction, traduction et notes par Michel Malherbe et Jean-Marie Pousseur. – Paris : P.U.F., 1986. – [Pp. 110-112].

LA NOUVELLE ATLANTIDE 45

M. Le Doeuff, M. Llasera — 1983

Progrès attendus. — Le texte inachevé de l'utopie de Bacon fut publié deux ans après sa mort dans un volume qui comprenait également le *Sylva sylvarum*. Longue sans doute est la distance qui sépare la liste souvent programmatique des expériences présentées par le *Sylva sylvarum*, et la description de la cité utopique de *Bensalem*, tout entière vouée aux vertus de la science et de ses inventions. Mais la seconde ne clôt pas la première, et surtout une même fin les rassemble au service du bonheur des générations futures, comme le réclament, en conclusion de l'ouvrage de 1627, les *Magnalia Naturæ, præcipue quoad usus humanos*, *Les Merveilles Naturelles, surtout celles qui servent à l'homme.*

Prolonger la vie.
Rendre, à quelque degré, la jeunesse.
Retarder le vieillissement.
Guérir des maladies réputées incurables.
Amoindrir la douleur.
Des purges plus aisées et moins répugnantes.
Augmenter la force et l'activité.

Augmenter la capacité à supporter la torture ou la douleur.
Transformer le tempérament, l'embonpoint et la maigreur.
Transformer la stature.
Transformer les traits.
Augmenter et élever le cérébral.
Métamorphose d'un corps dans un autre.
Fabriquer de nouvelles espèces.
Transplanter une espèce dans une autre.
Instruments de destruction, comme ceux de la guerre et le poison.
Rendre les esprits joyeux, et les mettre dans une bonne
[disposition.
Puissance de l'imagination sur le corps, ou sur le corps d'un
[autre.
Accélérer le temps en ce qui concerne les maturations.
Accélérer le temps en ce qui concerne les clarifications.
Accélérer la putréfaction.
Accélérer la décoction.
Accélérer la germination.
Fabriquer pour la terre des composts riches.
Forces de l'atmosphère et naissance des tempêtes[1].
Transformation radicale, comme ce qui se passe dans la
[solidification, le ramollissement, etc.
Transformer des substances acides et aqueuses en substances
[grasses et onctueuses.
Produire des aliments nouveaux à partir de substances qui ne
[sont pas actuellement utilisées.
Fabriquer de nouveaux fils pour l'habillement ; et de nouveaux
[matériaux, à l'instar du papier, du verre, etc.
Prédictions naturelles.
Illusions des sens.
De plus grands plaisirs pour les sens.
Minéraux artificiels et ciments.

La Nouvelle Atlantide, nouvelle traduction, suivie de Voyage dans la pensée baroque / Sir Francis Bacon ; traduction par Michèle Le Dœuff et Margaret Llasera. – Paris : Payot, 1983. – [Pp. 86-87].

1 En anglais : « Impressions of the air, and raising of tempests. » (N.d.t.).

CAMPHUYSEN

NÉERLANDAIS

1586-1627

Né à Gorinchem, d'un père chirurgien et d'une mère dont le père, anabaptiste, avait été exécuté pour sa foi, Dirk (Thierry) Raphaëlsz Camphuysen est tôt orphelin. D'abord apprenti chez un peintre, il n'entame ses humanités qu'à 18 ans. Mais dès 1608, il étudie la théologie à Leiden et, en 1611, est précepteur chez Gédéon van Boetselaer, seigneur de Langerack et de Nieuport. Trois ans plus tard, il est professeur dans une école latine d'Utrecht et se prépare à devenir pasteur. En 1617, nommé à Vleuten, près d'Utrecht, ses sermons, très suivis, plaident pour un christianisme pratique, sans souci des litiges théologiques. Il est pourtant bientôt mêlé aux conflits religieux et politiques. En effet, soutenus par le prince Maurice d'Orange, les Contre-Remontrants, calvinistes intransigeants, l'emportent sur les Remontrants, plus modérés, et, comme les Remontrants d'Utrecht entendent suivre les sermons de Camphuysen, ce dernier, en 1619, est interdit de parole et destitué puis, en 1620, banni.

Dès lors, pour Camphuysen et sa famille, c'est la vie errante. D'abord traducteur de textes latins, principalement des écrits sociniens, il fonde avec l'imprimeur de Harlem Pieter Arentsz une imprimerie à Norden, en Frise orientale (1620). L'entreprise est florissante grâce à l'édition de pamphlets et d'ouvrages de littérature socinienne. Deux ans plus tard, par peur de la guerre, il quitte Norden pour Harlingen en Frise et, en 1623, pour Dokkum, où il ouvre un commerce de lin. Il meurt 4 ans plus tard.

Attiré depuis toujours par les lettres, dès ses études Camphuysen les veut sérieuses et pieuses. S'avouant « poète lent et travaillant difficilement », il refuse les ornements inutiles et conteste aussi bien les clichés et le remplissage, trop fréquents chez les rhétoriciens, que le recours aux anciennes divinités, caractéristique de la Renaissance. Soucieux d'enseigner et non d'amuser, évitant le lexique vulgaire, empruntant volontiers au latin et au grec, Camphuysen veut pour ses vers une construction simple, sans schéma de rimes compliqué.

Alors que ses vers n'étaient connus que de ses amis, il décida, sur leurs instances et pour pourvoir aux besoins de sa famille, de publier les *Stichtelyke rymen* (*Poèmes édifiants*, Hoorn, 1624). Ce recueil en deux parties parut anonyme, sans nom d'imprimeur ni de lieu. Mais, au XVIIe siècle déjà, il connut plus de 30 réimpressions. Ce succès incita certains Remontrants amstellodamois à demander une version rimée des Psaumes à Camphuysen, qui se mit au travail en remettant sur le métier de précédentes tentatives. L'œuvre, imprimée à plusieurs reprises, parut posthume sous le titre de *Uytbreyding over De Psalmen des Propheten Davids. Na de Fransche dichtmate van C. Marot en T. de Bèze* (*Exposé sur les Psaumes du prophète David. Selon le mètre français de C. Marot et T. de Bèze*, Amsterdam, 1630).

Purement religieuse, l'œuvre de Camphuysen compte aussi, écrits en une prose puissante et imagée, des textes de propos théologique. Fondée sur sa difficile expérience personnelle, qu'il raconta et considéra comme un paradigme de la condition humaine, son témoignage, finalement réconfortant, fut très populaire.

Didericus Camphuysen / L.A. Rademaker. – Gouda : Koch & Knuttel, 1898. – 340 p.
Daar moet veel strijds gestreden zijn / H.G. van den Doel. – Meppel : J.A. Boom & Zoon, 1967. – 266 p.

POÈMES 46

P. Brachin — 1996

Il nous faut ici-bas mener bien des combats... — Son plus ancien poème figure dans l'*album amicorum* d'un ami (1618).

Il nous faut ici-bas mener bien des combats,
Souffrir bien des croix et bien des peines,
Il nous faut ici-bas vivre la sainteté,
Suivre la voie étroite,
Et prier sans relâche,
Aussi longtemps que nous sommes sur terre :
Alors dans l'au-delà nous connaîtrons la paix.

À quoi bon s'impatienter dans l'affliction ?
C'est s'attrister de sa tristesse.
Celui-là donc est à juste titre moqué
Et pris pour un grand fou
Qui, parce que la tristesse a un goût d'amertume,
Ne fait qu'accroître encore sa tristesse.

Traduction inédite. — *Ik hoor trompetten klinken* / H.G. van den Doel. – Leiden : A.W. Sijthoff, 1969. – (*Literaire verkenningen*). – [P. 23].

POÈMES ÉDIFIANTS 47

P. Brachin — 1996

Matin de mai. — Hymne à la nature qui refleurit. À l'inverse, l'homme est agité et insatisfait ; il rend le monde infernal pour lui-même et pour les autres.

Ah, que le Maître est sage et bon
Qui a édifié
Et maintient dans l'être
Tout ce que contemplent les yeux de l'homme ;

Qui sur les vastes contours du monde
Ne se lasse pas de veiller,

Et par de judicieuses variations
Rend la douceur plus douce encore.

Voici que l'hiver âpre et fâcheux
A disparu avec toutes ses rigueurs
Et que la terre pour cette fois
Est délivrée de ses maux.

Le temps est donc revenu
Où la nature rajeunie
Rend grâces à la bonté de son Créateur
Et se fait gloire des dons qu'Il lui prodigue.

Ce mois de mai dont la douceur va si loin
Que sa seule mémoire
Fait naître la joie dans l'esprit de l'homme
Avant même qu'il ne soit présent.

Ce mois de mai, le plus beau de l'année,
Où tout est renouveau ;
L'air est doux, le soleil brille,
La brise souffle à souhait.

La rosée, dans la nuit fraîche,
S'est répandue sur la campagne,
La nature en est tout égayée
Et déborde de reconnaissance.

La terre s'orne de fleurs,
L'abeille recueille sa cire,
L'alouette lance ses trilles
Et s'abat sur l'herbe neuve.

La fleurette est pressée de se faire bouton,
Sous l'écorce rude pointe le feuillage,
Le bétail tond avidement
Le trèfle de la prairie.

Toutes les créatures sont comblées,
Elles ne ressentent plus le tourment du désir,
Sauf l'homme dans sa folie,
Dans sa volonté perverse.

L'homme, vide des vraies vertus
Et rempli de désirs insensés,

S'entrave lui-même et entrave les autres,
Il ruine sa propre quiétude.

Cette vie qui non seulement prendra fin,
Mais qui est aussi de courte durée,
Et qui souvent tourne d'elle-même au malheur,
Il se la rend doublement pénible.

Quand on tue une bête, sa fin est rapide
Et elle ne souffre guère pour mourir :
L'homme, en proie aux mille tourments de l'âme,
Meurt, lui, plus d'une mort.

Ah, pour que l'homme connût pleinement
La joie du cœur et des sens,
Il faudrait que sans vertu il eût moins de raison
Ou qu'ayant la raison il fût plus vertueux.

Ah, puissent tous les hommes être intelligents
Et en même temps vouloir le bien !
La terre alors serait un paradis ;
Aujourd'hui, elle est surtout un enfer.

Traduction inédite. — *Stichtelijke Rijmen* / D.C. Camphuysen. – Tot Amsteldam : By Jacob Aertsz. Colom, 1628. – [Pp. 321-324].

GÓNGORA

ESPAGNOL 1561-1627

« Il a paru opportun que, dans cet hommage offert par nos jeunes artistes à Don Luis de Góngora à l'occasion du troisième centenaire de sa mort, ne manquât pas la voix — lointaine déjà — des poètes espagnols qui l'honorèrent. C'est pour cela que je me suis chargé de réunir et de présenter ce chœur divers et varié de contributions, unies seulement par la commune imitation de Góngora. » C'est ainsi que Gerardo Diego introduisait son *Antología poetica en honor a Góngora. Desde Lope de Vega a Rubén Darío*, publiée dans la *Revista de Occidente* en 1927. Pareille anthologie entendait rendre hommage à l'insigne poète cordouan, un hommage qui marquait en même temps le point de départ d'un des groupes poétiques majeurs du XXe siècle espagnol, la « Génération de 1927 », qui compta, entre autres, Damaso Alonso (qui édita et travailla l'œuvre de Góngora), Federico García Lorca, Jorge Guillén, Pedro Salinas et Vicente Aleixandre.

Don Luis de Góngora y Argote fut en effet non seulement le créateur d'une œuvre poétique d'importance, mais l'initiateur d'une théorie poétique (liée, selon Robert Jammes, à la crise socio-économique qui affecta la petite aristocratie espagnole à la fin du XVIe siècle et qui, au long des siècles, s'imposa autant à ses suiveurs qu'à ses détracteurs.

Né à Cordoue, il y commence ses études primaires et y reçoit les ordres mineurs. En 1576, il entame, sans peut-être les achever, des études de Droit à Salamanque et s'y distingue par son ironie innée et ses dons poétiques — les premiers vers conservés datent de 1580. Sa famille est aisée. Son père, Don Francisco de Argote, appartient à une famille noble de Montilla : après avoir été prébendier, juge résident et bailli, il était devenu « Juge des biens confisqués de la Sainte Inquisition à Cordoue » sans parvenir, en dépit de ses prétentions, à faire carrière à Madrid.

En 1585, Luis est « Trésorier de la Cathédrale de Cordoue », charge qu'il hérite de son oncle, Francisco de Góngora, en même temps que quelques terres. Cet oncle, qui l'intéressa à la carrière ecclésiastique, le marqua au point qu'il se fit appeler de son nom, Góngora. Délégué du chapitre cathédral à la Cour, il voyage et fréquente la classe dominante et les cercles poétiques du moment. Cependant, diverses indiscrétions à la Cour et l'envie de certains rivaux littéraires, comme Quevedo ou Lope de Vega, l'incitent, en 1611, à abandonner la vie publique et à se retirer à Cordoue, où il compose le meilleur de son œuvre : ses deux seules œuvres théâtrales, *Las Firmezas de Isabela* (*Les Fermetés d'Isabelle*) et *El Doctor Carlino* (*Le Docteur Carlino*), et ses deux œuvres poétiques maîtresses, son *Polífemo* (*La Fable de Polyphème et Galatée*) et *Las Soledades* (*Les Solitudes*). Ces œuvres lui valurent une telle renommée qu'appuyé par le comte de Villamediana, il arrive à la Cour en 1617. Ordonné prêtre, il est nommé chapelain du roi Philippe III en 1618. Par la suite, il donnera encore son *Panégyrique*, sa *Fable de Pyrame et Thisbé*, en même temps que toute une production de salon, de faible valeur littéraire.

En 1620, ses protecteurs disparaissent, notamment le duc de Lerma et Villamediana. Góngora ira dès lors à la ruine en même temps qu'à la décrépitude physique et psychique. En dépit de ses nombreuses tentatives, à fin notamment alimentaire, il ne parvient pas à publier le recueil de ses poésies et déchoit jusqu'à être mis à la porte de sa maison par huissier. En 1626, une attaque d'apoplexie lui fait perdre la mémoire. Transporté à Cordoue, il y meurt quelques mois plus tard, sans avoir pu publier ses poésies — ce fut aussi le cas de Frère Luis de Léon et de Quevedo.

Les Solitudes, dont on ne possède que le premier chant et un fragment du second, sont l'œuvre la plus remarquable de Góngora. Sa théorie et sa pratique poétiques, une révolution pour l'époque, s'y concentrent. Sa nouveauté y établit sa fécondité sans fin. Rapidement après, des suiveurs comme Rute, Almansa, Mendoza ou Diaz, et des détracteurs, comme Lope de Vega, Cascales, Quevedo ou Juan de Jáuregui, s'engagèrent dans la voie ouverte par cette œuvre entre le *cultisme*, qu'elle est censée représenter et qui s'occuperait par-dessus tout de la forme, et le *conceptisme*, dont Quevedo tiendrait la tête et qui se préoccuperait surtout du fond. Aux premiers les latinismes, les mots de signification obscure, les références classiques, la surcharge rhétorique ; aux seconds un vocabulaire et un style plus plans, moins complexes, au profit d'un contenu plus profond. Des *cultistes* aux *conceptistes*, de Góngora à Quevedo, qu'on préfère les uns ou les autres, les difficultés d'interprétation se répondent et tiennent à d'égales imprégnations littéraires, culturelles, historiques et scientifiques. Les échanges poétiques ironico-burlesques des tenants des deux tendances, à commencer par Quevedo et Góngora, en indiquent les balancements.

Góngora cultiva une grande variété de genres et de mètres — sonnets amoureux, vers satiriques, anticléricaux, religieux, romances mauresques, poèmes pastoraux, poèmes de salon, etc. — avec une maîtrise et une facilité qui dénotent des dons exceptionnels et une fécondité créatrice qui font de lui un des plus grands poètes du siècle d'or espagnol, que la première édition de ses œuvres surnomme l'« Homère espagnol ».

Estudios y ensayos gongorinos / Dámaso Alonso. – Madrid : Gregos, 1955. – 619 p. – (*Biblioteca románica hispánica 2 : Estudios y ensayos* ; 18).

Études sur l'œuvre poétique de Don Luis de Góngora y Argote / Robert Jammes. – Bordeaux : Institut d'Études ibériques et ibéro-américaines, 1967. – 701 p. – (*Bibliothèque de l'École des hautes études hispaniques* ; 40).

Sémantique et poétique à propos des Solitudes *de Góngora* / Maurice Molho. – Paris : Ducros, 1969. – 84 p.

La Fragua de las Soledades : Ensayos sobre Góngora / José Maria Micó. – Barcelona : Sirmio, 1990. – 128 p. – (*Biblioteca general* ; 9).

LES SOLITUDES 48

L.-P. Thomas —1931

La halte au repos des bouviers (I, 573-589).

Un cercle spacieux offrait un centre paisible
À de plus nombreux chemins
— Les uns de peupliers blancs, les autres d'aulnes —
Qu'une étoile n'a de rayons,
En un endroit où le printemps,
Chaussé d'avrils et vêtu de mais,

Tire des étincelles d'eau cristalline
D'une fontaine de pierre bordée de narcisses.

Ce centre servait de but ombreux
Au vacher voisin,
De terme délicieux
À celui qui venait de loin,
Au point même où, plus fatigué encore
Que le voyageur,
Venait aboutir le chemin.

Au murmure s'ébattent cristallin,
Assoiffées, les montagnardes,
Ainsi que de simples cailles
À l'appeau du tendeur qui imite leur voix
Et qui dissimule, vert,
Dans la moisson encore sans épis, le filet.

Don Luis de Góngora y Argote / Introduction, traduction et notes par Lucien-Paul Thomas. – Paris : La Renaissance du Livre, 1931. – (*Les Cent chefs-d'œuvre étrangers* ; 36). – [Pp. 135-136].

LES SOLITUDES

48 bis

R. Jammes —1991

La halte au repos des bouviers (I, 573-615)

Centre agréable était un vaste cercle[1]
De plus nombreux chemins que de rayons l'étoile,
Qu'ils soient bordés de tremble ou d'alisier :
    C'est là que le Printemps,
Chaussé d'avrils et revêtu de mais,
Tire étincelles de cristal ondeux
D'un dur silex que frangent des narcisses.
    Ce centre donc était
Borne ombreuse au vacher du voisinage

1 Quand il dit que ce « cercle » était un « centre » Góngora, une fois de plus, s'amuse. Une « mise à plat » de ce passage (vers 573-584) donnerait la transposition suivante : Un cercle spacieux servait de centre apréable à plus de chemins que n'a de rayons une étoile, chemins bordés de tremble ou d'alisier : là, le printemps, qu'avril avait « chaussé » d'herbe et que mai avait « revêtu » de fleurs, faisait jaillir des étincelles d'onde cristalline d'une source sortant d'un rocher bordé de narcisses. Ce centre agréable constituait un but ombragé pour le vacher du voisinage et un terme délicieux pour celui qui venait de loin, terme où, plus fatigué encore que le voyageur, finissait le chemin. (N.d.t.)

Et terme délectable au plus distant,
Où, plus rendu[1] que celui qui chemine,
    Concourait le chemin.
À l'harmonie s'abattent cristalline
    Altérées les bergères,
Comme innocentes cailles à l'appeau
Qui feint leur voix, et dissimule vert
Parmi le blé en herbe le filet.
Chanteuses feuilles vêt la moindre branche
Du peuplier chenu aux cheveux verts ;
Mais ni zéphirs ni rossignols ne purent
Y captiver, ne fût-ce qu'un instant,
    Le montagnard ingrat
À la fraîcheur, à l'harmonie, aux fleurs,
    Foulant du site amène
L'herbe mouillée comme le sable ardent
De la Libye, et aux serpents de perles
Par la source engendrés, plus de venin
Qu'à ceux du Pont, timide, attribuant,
Témoin son pied, témoins ses lèvres qu'il dérobe[2].
Ils passèrent[3] donc tous, et en bon ordre,
Comme on voit traverser aux équinoxes
Les océans du vent libre certaines
    Volantes non galères
    Mais plutôt grues voilières,
Tantôt croissant ou décroissant des lunes
    Avec leurs bouts distants[4],
Caractères tantôt formant ailés
Sur le papier diaphane du ciel
    Des plumes de leur vol.
Elles du temps, sous des voûtes d'ombrages

---

1 D'un chemin qui finit en un lieu donné, on dit en espagnol qu'il « meurt » à cet endroit. (N.d.t.)

2 Digne représentant d'une tradition folklorique et littéraire bien attestée, ce vieillard a horreur de l'eau, parce qu'il préfère le vin. Il faut souligner que ce « montagnard » n'est autre que l'ancien marchand qui a maudit les navigations et évoqué en termes émouvants la disparition de son fils dans un naufrage : il est fréquent que Góngora tempère ainsi par des traits pittoresques, voire comiques, ce que certains passages pouvaient avoir de trop pathétique ; ces variations de tonalité lui ont été reprochées par ses amis presque autant que par ses adversaires. (N.d.t.)

3 Il s'agit des garçons, obligés de reprendre leur lent cheminement, tandis que les filles resteront tout l'après-midi à l'ombre, près de la source. (N.d.t.)

4 La file des garçons est comparée à un vol de grues. Celles-ci se regroupent en forme de croissant (dont les pointes sont tantôt dirigées vers l'avant, tantôt vers l'arrière) ou en forme de Y et de A. (N.d.t.)

Toujours peintes à fresque[1],
Couvrent ceux que Sidon, atelier turc,
N'a jamais su imiter, verts tapis.

Anthologie bilingue de la poésie espagnole / édition établie sous la direction de Nadine Ly. – Paris : Gallimard, 1995. – (*Bibliothèque de la Pléiade* ; 419). – [Pp. 399-401 et 1129-1130 pour les notes].

LES SOLITUDES

48 ter

Ph. Jaccottet — 1984

La halte au repos des bouviers (I, 573-615)

Un cercle vaste offrait un calme centre
à plus de chemins d'aulnes, d'alisiers
que n'a de rayons une étoile,
en lieu où le Printemps
— chaussé d'avril, vêtu de mai —
tire des étincelles de cristal humide
d'un granit ourlé de narcisses.
Ce centre donc était
pour les vachers voisins borne ombragée,
pour les lointains un terme délicieux
où le chemin, plus las
encor que le cheminant, finissait.

Au cristallin concert accourent,
assoiffées, les bergères,
telles de simples cailles à l'appeau
qui feint leur voix et dissimule, vert,
en la moisson non coupée, le panneau.
Chaque rameau de peuplier peignant
ses blancs cheveux, vêt des feuilles sonores.
En lui les brises ni les rossignols
séduire ne sauraient un seul instant

1 En espagnol *pintar al fresco* signifie « peindre à fresque ». Mais *el fresco* signifie aussi la fraîcheur (*tomar el fresco* : prendre le frais). Ici Góngora joue sur les deux sens du mot *fresco* : les voûtes d'ombrages sont toujours fraîches... Jeu de mots « pestilentiel » selon Jáuregui, qui oublie la suite : les bergères s'assoient dans l'herbe et couvrent les verts tapis qu'aucun atelier turc n'a jamais su imiter. La nature est plus raffinée et plus « artificieuse » que l'art lui-même. (N.d.t.)

le montagnard[1] qui — insensible
à la fraîcheur, aux fleurs, à l'harmonie —
foule du site amène
l'herbe fraîche comme il ferait le sable ardent
de la Libye, et à tous les serpents de nacre
de la source attribue plus de venin,
effrayé, qu'à ceux de la mer,
à voir son pied et ses lèvres les fuir.

Puis tous passèrent dans cet ordre même
où l'on voit sillonner aux équinoxes
les océans de l'air libre certaines
volantes non galères,
mais voilières grues
formant croissante ou décroissante lune
leurs pôles opposés,
ou leurs plumes parfois
sur le papier diaphane du ciel
écrivant des signes ailés.

Cependant, sous des voûtes d'ombre
sans cesse repeintes de frais,
elles couvrent les tapis verts
que le métier de Sidon[2] même n'égala.

Les Solitudes / Góngora ; traduction de Philippe Jaccottet. – Genève : La Dogana, 1984. – [n.p.].

LES SOLITUDES

48 quater

R. Marteau — 1991

La halte au repos des bouviers (I, 573-615)

Centre paisible, un cercle spacieux,
à plus de chemins qu'étoile n'a de rayons,
faisait, d'alisiers, de peupliers blancs,
où la Prime Saison,
d'Avrils chaussée et de Mais vêtues,

1 Il s'agit sans doute du « civil montagnard » (v. 364) qui avait évoqué auparavant les entreprises maritimes dictées par la Convoitise. Son horreur de l'élément liquide est si grande qu'il se méfie même d'une source d'eau fraîche. (Note de Florian Rodari).

2 Le tissage, dans l'art duquel la cité phénicienne était passée maître. (Note de Florian Rodari).

tire des étincelles de cristal onduleux
d'un silex ourlé de Narcisses.
　　Et ce centre était
étape ombreuse au vacher voisin
et terme délicieux au plus lointain,
où, plus fatigué encore que le marcheur,
　　s'acheminait le chemin.
S'abattent au concert cristallin
　　les montagnères assoiffées
comme simples cailles à l'appeau
que leur imite la voix, et que verte cache
la toile en la moisson qui n'a pas épigé.
Feuilles musiques vêtent le moindre rameau
du peuplier qui peigne sa verte canitie ;
en l'arbre aucun zéphyr ni aucun rossignol
ne put séduire un bref instant
　　le montagnard, qui, ingrat envers
la fraîcheur, l'harmonie et la flore,
　　de ce lieu amène foule
l'herbe fraîche, comme si c'était le sable ardent
de la Libye, et prête à ce qu'a la fontaine
de serpents perlés plus encore de venin
qu'à ceux du Pont timide il n'attribue,
et du pied comme des lèvres les fuit[1].
Ainsi tous passèrent, et arrangés
comme aux Équinoxes on voit, sillonnant
les abysses de l'air libre, ce qui n'est
　　galères volantes
　　mais vol de grues,
tantôt accroissant, tantôt réduisant des lunes
　　par leurs distantes extrémités,
formant tantôt des caractères ailés
sur le papier diaphane du ciel
　　leurs plumes voilières.

Elles, entre temps, sur voûtes d'ombres
　　toujours à fresque peintes

1 Les espiègleries que le ruisseau faisait, formant des serpenteaux de perles, qui lui paraissaient plus venimeux que ceux du Pont. (N.d.t.)

couvrent ce qu'à Sidon les lisses turques
n'ont pas su imiter : ces tapis de verdure.

Première Solitude / Luis de Góngora ; traduit de l'espagnol et présenté par Robert Marteau. – Paris : La Différence, 1991. – (*Orphée* ; 87). – [Pp. 71-75].

LA FABLE DE POLYPHÈME ET GALATÉE 49

P. Darmangeat —1991

Nature, culture, tout cède à l'amour et à la beauté (XXI-XXIII). — Après avoir décrit le Cyclope et sa musique terrifiante, Góngora évoque la beauté de Galatée et le désespoir dans lequel sa froideur plonge ses nombreux amoureux. L'île entière brûle d'amour : paysans, bergers et chiens abandonnent les labours et les troupeaux.

Or brûle la jeunesse, et les araires
Peignent les champs qu'ils savaient labourer,
Mal dirigés, quand ils ne sont traînés
À pas lents par les bœufs, comme leur maître errants ;
Sans berger qui les siffle, les troupeaux
Ont oublié les claquements sonores
De la fronde, à moins que, tenant lieu de berger,
Le zéphyre ne siffle ou ne craque le rouvre.

Le chien, muet la nuit, et le jour, assoupi,
De colline en colline et d'ombre en ombre gît.
Le troupeau bêle, et à ce triste bêlement,
Du sein de l'ombre est né le loup nocturne.
Il se repaît ; puis, cruel, laisse humide
Du sang de l'un ce que l'autre va paître.
Amour, ranime les sifflets, ou de son maître
Suive les pas le chien dormeur et silencieux !

La fugitive nymphe, cependant, au lieu
Où dérobe un laurier son tronc même au soleil,
De ses membres neigeux dissimule autant d'herbe
Que de jasmins[1] elle offre à une source.
Tendre la plaine et tendre la réponse
D'un rossignol à l'autre, et tendrement

---

1 Les jasmins désignent, par métaphore, les membres blancs et parfumés de Galatée. Lope de Vega évoquera, à propos du corps de la nymphe, échauffé par la course, l'odeur de la menthe froissée. (N.d.t.)

Cette harmonie donne au sommeil ses yeux
Pour n'embraser de trois soleils[1] le jour.

Anthologie bilingue de la poésie espagnole / édition établie sous la direction de Nadine Ly. – Paris : Gallimard, 1995. – (*Bibliothèque de la Pléiade* ; 419). – [P. 385 et 1124 pour les notes].

LA FABLE DE POLYPHÈME ET GALATÉE 49 bis

L.-P. Thomas — 1931

Nature, culture, tout cède à l'amour et à la beauté (XXI-XXIII).

La jeunesse brûle et les charrues peignent
Les labourés où naguère elles creusaient des sillons,
Mal conduites, sinon traînées
Par des bœufs lents, comme leur maître, errants.
Sans pâtres qui les sifflent, les troupeaux
Ignorent les claquements sonores
Des frondes, si au lieu du pauvre pâtre
Le zéphyr ne siffle ou le rouvre ne grince.

Muet la nuit le chien, endormi le jour,
De tertre en tertre et d'ombre en ombre, il s'allonge ;
Le troupeau bêle ; au plaintif bêlement,
Nocturne, le loup, des ombres naît ;
Il se repaît, et cruel, il laisse humecté
Du sang de l'une ce que l'autre broute.
Rappelle, Amour, les sifflements du pâtre, ou que suivent
Leur maître le silence du chien et le sommeil !

Entre temps, la nymphe fugitive, aux lieux
Où dérobe un laurier son tronc au soleil ardent,
Donne à une source autant de jasmins
Que d'herbe cache la neige de ses membres.
Doucement se plaignent, doucement se répondent
Entre eux les rossignols, et doucement,
L'harmonie livre ses yeux au sommeil
Pour ne pas embraser le jour avec trois soleils.

---

1 Les trois soleils sont l'astre du jour et les yeux de Galatée. La Galatée de Lope de Vega a « deux vertes âmes dans deux cercles noirs » dont l'œil unique du Cyclope ne peut supporter l'éclat. (N.d.t.)

Don Luis de Góngora y Argote / Introduction, traduction et notes par Lucien-Paul Thomas. – Paris : La Renaissance du Livre, 1931. – (*Les Cent chefs-d'œuvre étrangers* ; 36). – [Pp. 103-105].

SONNETS 50

Fr. de Miomandre — 1921

À l'Escurial.

Hauts chapiteaux sacrés et dorés qui dérobez leur pourpre aux nuages, Phébus vous craint comme autant de soleils plus brillants et le ciel comme autant de géants plus cruels.

Laisse tomber tes rayons, Jupiter ; ne cache plus les tiens, soleil : ils sont les luminaires du temple qu'au plus grand martyr de l'Espagne éleva le plus grand roi de la Chrétienté.

Religieuse grandeur du monarque dont la droite royale réduit le Nouveau-Monde et prosterne l'Orient,

Que le Temps épargne cette vraie huitième merveille et que la Parque favorise les années de ce deuxième Salomon.

Vingt-quatre Sonnets / de Don Luis de Gongora y Argote ; traduits par Monsieur Francis de Miomandre. – Paris : François Bernouard, 1921. – [n. p.]

SONNETS 51

Fr. de Miomandre — 1921

Le Piège.

Cette bouche tentante qui distille entre ses perles un suc si doux qu'il en ferait oublier le nectar que Ganymède verse à Jupiter,

Amants, n'y touchez point, si vous aimez la vie ; car, entre ses lèvres rouges, caché comme un serpent sous des fleurs et armé de son dard venimeux, veille l'Amour.

Ne vous laissez point tromper par ces roses, si vives que, couvertes de rosée et parfumées, vous diriez à l'Aurore qu'elles sont tombées de son sein de pourpre.

Ce sont des pommes de Tantale et non des roses, car elles fuient celui qu'elles ont attiré, et de l'Amour alors il ne reste que le poison.

Vingt-quatre Sonnets / de Don Luis de Gongora y Argote ; traduits par Monsieur Francis de Miomandre. – Paris : François Bernouard, 1921. – [n. p.]

RODRIGUES LOBO

PORTUGAIS 1575/1580-1623/1627

Poète lyrique et épique, Francisco Rodrigues Lobo fut surtout l'un des grands maîtres de la prose classique portugaise. Bien des points de son existence demeurent obscurs et, en premier lieu, la date de sa naissance. Dans le Prologue de son ouvrage le plus connu, *La Cour au village* (*Corte na Aldeia*, 1619), il dit être né au moment où le Portugal perdait la vie, donc en 1580, lorsque Philippe II d'Espagne en devient le roi. Mais dans la dédicace de ses *Romances* (1596), il assure avoir composé ces vers à l'âge de 21 ans — ce qui le fait naître en 1575.

Rodrigues Lobo était issu d'une famille passablement fortunée, peut-être de juifs *conversos* — l'Inquisition fit un procès à son frère Miguel en 1626. Il naquit à Leiria, fit de bonnes études de droit à l'université de Coimbre, mais n'exerça aucune profession juridique et, à ce qu'il semble, vécut de ses biens, tout adonné aux lettres.

Si l'on retrouve trace de son passage à Lisbonne et à Évora, on le voit surtout à Vila Viçosa, dans le cercle formé autour des Bragance. *La Cour au village* est d'ailleurs dédiée à D. Duarte de Bragance, père du futur D. João IV, salué par l'auteur du titre de « protecteur de la langue et de la nation portugaise ». Le livre est constitué de seize dialogues, échangés entre un vieux gentilhomme, un étudiant, le curé du village, un lettré, un jeune noble et un *Doutor* (« docteur »). Comment s'exprimer dans la conversation et la correspondance, quel rôle concéder à la fortune, en quoi consiste la courtoisie et comment la cultiver, quelle différence y a-t-il entre l'amour et le désir, quelle formation donne la meilleure éducation — l'armée, l'université ou la cour ? Tels sont quelques-uns des thèmes abordés, avec abondance d'exemples et allusions aux lectures de Rodrigues Lobo. On y voit figurer Aristote, Plutarque, Cicéron, Pline, Sénèque, saint Augustin et Thomas d'Aquin. Dans tous les thèmes traités, un seul but : enseigner ce que doit être la conduite, le jugement du *discreto*, l'honnête homme, courtois, aimable, mesuré, doté d'un jugement sûr.

On a souvent dit que Rodrigues Lobo a pris pour modèle *Il Cortegiano* de Castiglione (1528, traduit en espagnol en 1534 par Juan Boscán). Il est vrai que bien des questions abordées par Castiglione et placées à la cour ducale d'Urbino, tout comme les situations offertes par Antonio de Guevara en Espagne, reviennent dans *La Cour au village*, anticipation, aussi, du *Discreto* de Baltasar Gracián. Chez ces différents auteurs, il faut chercher la peinture d'un idéal de l'Europe classique : l'homme équilibré, à l'aise dans les charges officielles et en toutes circonstances, publiques ou privées, réfléchi, aimable et mesuré, disert, pratiquant les vertus naturelles.

Rodrigues Lobo a aussi produit dans le genre pastoral un roman en trois parties, *Le Printemps* (1601), *Le Berger errant* (1608), *Le Désenchanté* (1614). L'œuvre est un classique du genre, dans la lignée des fictions bucoliques imaginées par Sannazar, Montemayor ou Gaspar Gil Polo. Au milieu d'une série d'intrigues sentimentales rédigées en vers et en prose, emboîtées les unes dans les autres et emmêlées à plaisir au point de faire perdre de vue l'intrigue initiale, le lecteur se perd et conserve de la peinture de ces amours contrariées et de ces personnages charmants et factices, une impression de mélancolie provoquée par la déception sentimentale, la séparation, l'absence, l'amour jamais comblé. Des critiques ont cru voir dans ce roman touffu un écho de la passion que Rodrigues Lobo aurait éprouvée pour la fille du marquis de Vila Real. L'hypothèse a fait long feu ; elle est venue rejoindre la tradition des amours que l'on a prêtées aux poètes bien dotés de richesses de l'esprit, mais pauvres de biens matériels, dont l'exemple le plus achevé au Portugal est Camões.

L'œuvre lyrique de Francisco Rodrigues Lobo, faite d'un volume de *Romances*, se situe dans la tradition du genre, inauguré au Portugal par Gil Vicente et Bernardim Ribeiro. Mais il n'est pas douteux que le meilleur de l'élégance, à la fois souple et vigoureuse, de son style est dans les dialogues de *La Cour au village*. Là, dans ce qui se voulait le livre de chevet de ceux qui constitueraient un jour la cour d'une monarchie portugaise restaurée, civilité, bonhomie, rondeur et finesse s'expriment sur un ton toujours juste.

Fr. Rodrigues Lobo : Estudo biográfico e Crítico / Ricardo Jorge. – Coimbra, 1920.

La Littérature portugaise / Georges Le Gentil. – Paris : Boivin, 1935. – [Pp. 83-85].

Walter J. Schneer, "Two Courtiers : Castiglione and F. Rodrigues Lobo". – In : *Comparative Literature*, vol. XIII, n° 2 (1961), pp. 138-153.

Dicionário de literature portuguesa, brasileira e galega / dirigé par Jacinto Prado Coelho. – Porto : Ed. Figueirinha, 1973. – [T. II, pp. 571-572].

Itinerário poético de Rodrigues Lobo / Maria de Lourdes Belchior. – Lisboa : Imprensa nacional-Casa da moeda, 1984. – 355 p. – (*Temas Portugueses*).

Dicionário cronológico de Autores portugueses / organizado pelo Instituto portugues do livro ; coordonacao de Eugénio Lisboa. – Lisbonne : Publ. Europa-America, 1985. – [Tome I, pp. 282-283].

LA COUR AU VILLAGE 52

A. Gallut-Frizeau — 1996

Des qualités que doit avoir un ambassadeur (Dialogue IV).

Pour exercer cette charge d'ambassadeur, on doit choisir les hommes des maisons les plus nobles du royaume ; parmi ces hommes nobles, les plus sages et ceux qui sont le plus rompus aux usages de la cour ; parmi eux, les plus vaillants et les plus généreux ; parmi les vaillants, ceux qui ont la plus belle prestance et, de tous, ceux qui sont le mieux éduqués. Toutes ces qualités sont si nécessaires à l'ambassadeur que, si l'une d'elles vient à manquer, il compromettra soit le crédit du prince qui l'envoie, soit l'affaire qu'il va traiter de la part de celui-ci.

Tout d'abord, il doit être noble, par respect pour son roi, pour son pays, pour la noblesse de ce dernier, et pour faire honneur également au prince auquel il est envoyé, car il doit représenter celui-là et vivre dans l'entourage de celui-ci. Aussi en ce royaume et dans les royaumes voisins, nous voyons entrer quotidiennement des ambassadeurs très proches par le sang des maisons royales qui les ont envoyés, et nous en voyons partir d'autres de qualité semblable.

Outre qu'il doit être noble, il doit être sage et rompu aux usages de la cour, parce qu'il semble que, plus que toutes les autres qualités, sa charge requiert de lui du jugement, de la finesse, du discernement et de la courtoisie, afin de traiter des affaires qui concernent son ambassade en cachant, en allégeant ce qui convient à son roi, et en sachant convaincre. Voilà bien, en effet, la différence entre le messager et l'ambassadeur, à savoir que le premier rapporte ce qu'on lui ordonne de dire et que l'autre dispose, ordonne et conclut ce dont on le charge ; l'un porte le message sur la langue, l'autre dans son cœur.

En plus de cela, comme l'ambassadeur est un médiateur et qu'il renoue l'amitié de deux princes, rien n'est plus important chez lui que la finesse ; de même le fait d'avoir les usages de la cour importe grandement étant donné que son principal séjour se trouve au palais royal et auprès de la personne du prince, se trouvant au contact des premiers seigneurs du royaume. Et parfois en raison de cette qualité, lorsqu'il jouit des bonnes grâces de celui auprès de qui il est envoyé et qu'il en est agréé, il vient à bout plus aisément des affaires et des causes de celui qui l'envoie.

Il doit être vaillant et généreux : vaillant pour que, dans les matières qui toucheront à la guerre, à une trêve, et à une ligue ou à une alliance avec son prince, il ne se montre pas timide, craintif ni pusillanime. Qu'il oblige plutôt par sa personne à ce qu'on le respecte et le craigne, et aussi, pour que dans les circonstances où il se proposera au seigneur auprès de qui il se trouve, il accrédite, par ses conseils et par ses actes, les armes de ses aïeux et de ses compatriotes. Et ensuite généreux, parce que par la magnificence, on conquiert davantage de cœurs et d'esprits étrangers que par n'importe quel autre mérite, pour grand qu'il soit. Étant donné que cette qualité est nécessaire à toutes les personnes nobles, et qu'elle est extrêmement prisée dans tous les emplois militaires et dans toutes les charges civiles, elle est bien plus utile encore chez un ambassadeur, pour connaître les instructions, le secret, les desseins et les précautions qui appartiennent à la charge de son ambassade, et pour influencer les ministres et les favoris entre les mains de qui est placée son affaire, ou de l'opinion desquels elle dépend.

En outre, il convient que l'ambassadeur soit un homme de belle prestance, dont la vue oblige au respect et à la vénération ; autrement, un corps chétif chez les personnes de haut rang leur ôte une grande part de ce qui leur est dû.

Enfin, il est d'une grande importance qu'un ambassadeur soit de bonnes mœurs pour conserver et accréditer par sa tempérance, sa continence et ses bonnes manières le renom et la réputation de son roi, l'honneur de sa patrie et de sa propre personne. Et cela aussi afin de ne pas diminuer et perdre par quelque excès en ses mœurs, le respect, les libertés et les privilèges dont jouissent les ambassadeurs. Il importe aussi beaucoup que les ambassadeurs soient chosis en accord avec les affaires dont ils doivent traiter ; en telle occasion, il convient qu'ils soient modestes, en telle autre il vaut mieux qu'ils se montrent arrogants ; dans tel cas ils devront être fermes et audacieux, et dans tel autre souples et dissimulés.

Traduction inédite. — *Corte na Aldeia* / Francisco Rodrigues Lobo. – Lisbonne : Ed. Sa da Costa, 1959. – [Pp. 81-83].

LA COUR AU VILLAGE 53

A. Gallut-Frizeau — 1996

L'avarice punie (Dialogue VII).

Il y avait en Italie, et dans l'une de ses villes les plus connues[1], un chef de famille honorable, de naissance extrêmement noble, riche, par héritage, de grands biens de fortune provenant de l'ancienne noblesse de ses aïeux, doté de nombre de qualités et favorisé de la nature, donnant avec une telle générosité de ce qu'il possédait qu'il avait plutôt l'air d'être le dispensateur de ses richesses que leur gardien. Dans sa jeunesse, il avait eu un fils, si actif et si habile dans les occupations du négoce, qu'en peu d'années celui-ci amassa une grande quantité d'argent qu'il conservait avec le soin extrêmement jaloux dont usent d'ordinaire ceux qui l'ont acquis à force de cupidité et de peine. Et les habitants de la cité s'étonnaient grandement de voir chez le vieillard les largesses et la libéralité d'un jeune homme, et chez son fils l'avarice et la mesquine économie d'un vieillard. Le père, voyant son fils correspondre si mal à ses penchants — il était alors moins riche, en raison de son âge, et du fait qu'il continuait à dépenser largement —, lui dit maintes fois et lui conseilla avec douceur, de veiller sur l'honneur qu'il tenait de ses ancêtres et de ne pas en déchoir pour suivre le vil parti du lucre ; d'aller employer ses richesses à la façon d'un

1 Venise, on le verra plus loin. (N.d.t.)

gentilhomme, venant en aide à la vieillesse de celui qui l'avait élevé, traitant avec honneur les jeunes frères qu'il avait, utile à ses amis et à sa parenté, bienveillant envers les pauvres, et de ne pas travailler comme un esclave à thésauriser de stériles richesses.

Mais comme parler à un mort et donner des conseils à un avare est peine perdue, les objurgations paternelles ne produisaient nul effet sur cette mauvaise nature.

Il arriva que le Sénat de cette République, en raison de la noblesse et de la belle prestance du jeune homme, du savoir, de l'habileté et de la pénétration dont il faisait preuve, le choisit, en compagnie d'autres jeunes gens, pour aller à Rome en ambassade, auprès du Souverain Pontife. Après son départ, le père, qui vit là une opportunité pour ce qu'il désirait depuis longtemps, fit faire en secret de fausses clefs au moyen desquelles il pénétra dans la chambre forte de son fils et ouvrit les coffres où était déposé ce trésor inutile. Avec la rapidité que lui imposait son désir, il s'habilla, lui, son épouse et ses enfants, à grands frais, donna une livrée à ses serviteurs, acheta de riches tapisseries et de la belle vaisselle, peupla son écurie de bons chevaux, fit l'aumône à bien des pauvres, vint au secours à l'occasion de parents et d'amis dans le besoin, enfin dépensa cet or et cet argent que son fils avait amassés au prix de longs efforts, à la manière dont il en usait du temps que ses richesses étaient florissantes. L'argent dépensé, il remplit les sacs où il se trouvait auparavant de petits cailloux et de sable et, ayant tout remis exactement dans l'ordre où son fils l'avait laissé, il referma les coffres et la pièce comme devant. Là-dessus, le fils revint de son ambassade et ses jeunes frères s'en furent l'attendre à l'entrée de la ville, richement vêtus et dans le somptueux appareil dont ils usaient alors. Quand il se vit entouré d'eux, leur frère fut dans l'embarras et, interloqué, leur demanda aussitôt d'où leur venaient des vêtements aussi riches et d'aussi beaux chevaux — à quoi ils répondirent avec une candeur innocente que leur seigneur et père vivait avec une tout autre aisance que celle qui était la sienne auparavant, et qu'ils possédaient d'autres vêtements et d'autres chevaux de plus grand prix.

Une fois entré dans la maison de son père, il ne la reconnut pas — pas plus que lui — tant elle était différente de l'état en lequel il l'avait laissée. Et comme cette transformation le troublait, il s'en alla en toute hâte là où il avait laissé son cœur[1]. Il entra dans ses appartements, ouvrit les coffres

---

1 Voir Matthieu, 6, 21 : « Car où est ton trésor, là aussi sera ton cœur. » (N.d.t.)

et, voyant que les sacs étaient pleins et comme il les avait quittés, il fut rasséréné ; la hâte avec laquelle ses compagnons l'appelaient et le Sénat l'attendait ne permettait pas une plus longue vérification. Après qu'il en eut fini avec cette obligation — dont il n'aurait jamais pensé qu'elle dût être aussi pénible — il s'enferma à loisir chez lui, ouvrit les coffres et les sacs où il se figurait que demeurait son bonheur. En voyant le sable et les cailloux qu'ils contenaient, il se mit à pousser de grands cris, à se lamenter. Là-dessus, le généreux vieillard accourut, le premier de tous, lui demandant ce qu'il avait, le pourquoi de ses plaintes, qui donc l'avait offensé.

— Malheureux que je suis, lui répondit-il, on m'a dérobé les richesses que j'avais amassées à si grand peine et durant de si longues années !

— Comment se fait-il qu'on te les ait volés, répondit son père, puisque je vois remplis ces coffres et ces sacs dont il semble que l'on ne pouvait rien tirer, ni qu'ils ne pouvaient rien contenir de plus ?

— Hélas, pauvre de moi, répliqua le fils, c'est que ce dont ils sont remplis n'est ni l'or ni l'argent que j'y avais laissés. Ils ne contiennent plus à présent que des pierres et du sable de nulle utilité.

Sans changer de visage, le noble père répondit :

— Ah mon fils, comme tu te trompais ! Quelle importance cela avait-il pour toi que ces sacs fussent remplis d'or fin ou de sable grossier, si ton avarice ne te permettait pas de faire par tes œuvres une différence entre eux ?

Les cris cessèrent mais non pas le ressentiment du fils devant semblable réponse qui me parut, à moi, bien digne d'être comptée parmi les plus célèbres du monde.

Traduction inédite. — *Corte na Aldeia* / Francisco Rodrigues Lobo. – Lisbonne : Ed. Sa da Costa, 1959. – [Pp. 136-139].

JACOB BEN ISAAC ACHKENAZI

YIDICH **† 1628**

Né à Janow près de Lublin et mort à Prague, prêcheur itinérant et, sans doute aussi, marchand de livres, il a laissé trois ouvrages : en 1585, un recueil de lois en hébreu *Racine de Jacob* (*Shoresh Yaakov*) ; dès 1615 sans doute, publiée à Lublin, une première version, perdue, de son œuvre majeure en yidich, *Sortez et regardez* (*Tseenah Ureenah*), dont la première édition conservée est de 1622, à Hanovre ; enfin, un ensemble de commentaires de la Torah, en yidich, *L'Auteur éloquent (Melits Yocher)*, édité en 1622.

À propos du Pentateuque, *Sortez et regardez* enchevêtre à la manière du Talmud divers genres littéraires : légendes, commentaires et sermons. Verset après verset, dans l'ordre des lectures hebdomadaires à la synagogue, le Pentateuque — rompant avec la norme du mot à mot — fait d'abord l'objet d'une traduction paraphrasée. Puis vient une introduction qui ajoute divers extraits d'autres livres de la Bible, notamment les Proverbes. S'ajoutent ensuite des légendes, des petites histoires. Les liens entre les portions successives du texte, même lorsque le commentaire concerne un même verset, sont souvent implicites : pour saisir les connivences et la cohérence du propos, une certaine culture talmudique et le sens des analogies sont nécessaires. Axé sur la Bible et son interprétation, ce livre caractéristique de l'ancienne littérature yidich constitue une riche encyclopédie populaire de la pensée, de l'imaginaire et de l'éthique juives de l'époque.

Sortez et regardez, titre tiré d'un verset du Cantique des Cantiques (« Sortez et regardez, filles de Sion ») pourrait sembler ne s'adresser qu'à un public féminin. En réalité, ce livre deviendra la lecture hebdomadaire de tous ceux qui, n'ayant pas accès à des études supérieures, voudront s'instruire dans la langue véhiculaire.

Soif de connaissance et admiration pour les érudits feront de *Sortez et regardez* le best-seller de la littérature yidich du XVIIe au XXe siècle (210 rééditions). Au cours de ses réimpressions successives, l'ouvrage connut, outre des aménagements linguistiques, des modifications de contenu, notamment au XVIIIe siècle où, sous l'impulsion de Moïse Mendelssohn, la *Haskala* (« instruction »), le mouvement juif des Lumières, qui considérait d'ailleurs le yidich comme une langue bâtarde, réforma nombre de passages relevant à ses yeux de la superstition, de la magie ou de la fantaisie.

SORTEZ ET REGARDEZ **54**

J. Baumgarten — 1987

Et Dieu se reposa le septième jour (Gen. 2, 2). — Jean Baumgarten s'est fondé, pour sa traduction, sur l'édition de Sulzbach de 1781 dont le contenu comporte très peu de modifications par rapport à l'édition princeps de Hanovre (1622).

Les sept jours correspondent aux sept mille ans durant lesquels le monde existera. Le premier jour, la lumière fut créée pour les mille ans d'existence d'Adam qui a reconnu son créateur. Le deuxième jour, le Saint, béni soit-Il, créa le ciel séparé des eaux. Cela correspond au deuxième millénaire lorsque Noé fut séparé des impies de son époque qui se noyèrent pendant le déluge. S'il n'est pas dit « car cela était bon » le deuxième jour, c'est à cause de ce même déluge. Le troisième jour, la terre, les arbres apparurent et les fruits poussèrent. Cela correspond au troisième millénaire durant lequel Abraham naquit. Ses enfants reçurent la Torah et les commandements qui sont comme les fruits du monde. Le quatrième jour, deux lumières furent créées, une grande et une petite. Allusion au quatrième millénaire durant lequel il y eut deux Temples qui illuminaient le peuple d'Israël. Le cinquième jour, les poissons et les oiseaux furent créés dans l'eau ; cela correspond au cinquième millénaire pendant lequel nous étions en exil, prisonniers dans un filet comme des poissons. Le sixième jour, l'homme fut créé ; référence au sixième millénaire, celui de la venue du Messie. De même qu'Adam fut créé à l'image de Dieu, de même le Messie est l'oint de Dieu. L'esprit de Dieu se tiendra au-dessus de Lui. Nous nous reposons le chabbat car, au temps du Messie, nous connaîtrons le repos. Le Midrach Rabbah dit[1] : dans la *sidra*[2], Dieu bénit le chabbat afin que nous le célébrions avec de la bonne nourriture ; s'il en est ainsi, Dieu nous rendra riches. Rabbi Chiya ben Abba dit[3] : Une fois, je fus invité par un maître de maison dans la ville de Laodicea. On nous amena une table d'argent que portaient seize hommes sur laquelle se trouvaient toutes les choses créées pendant les six jours de la création. Un enfant se tenait au milieu de la table et criait : « À Dieu, la terre et tout ce qui la remplit[4]. » Ce qui signifie : tout appartient à Dieu, le monde entier et tout ce qui s'y trouve. On criait cela afin que le maître de maison ne s'enorgueillisse ni ne se montre hautain. Je lui demandai : « Quel mérite te distingue pour avoir le privilège de posséder une aussi grande richesse ? » Il répondit qu'il était boucher et chaque fois qu'il y avait une bonne bête, il la gardait pendant toute la semaine jusqu'au chabbat. Je lui dis : « Je te crois ; c'est pour cette raison que le Saint, béni soit-Il, prodigue chance et bénédiction. Si quelqu'un honore les fêtes avec de la bonne nourriture, Dieu le récompense et le rend riche. » Dans le Midrach[5], on trouve ce conte : il était une fois, un prince qui, la veille de Yom Kippour, envoya son serviteur chez le

1 Gen. R. 11. 4. (N.d.t.)

2 Terme populaire qui désigne les sections du Pentateuque lues publiquement dans les synagogues le jour du Sabbath.

3 Chab. 119b. (N.d.t.)

4 Ps. 24 :1. (N.d.t.)

5 Chab. 119a, PRti 23. (N.d.t.)

poissonnier. Mais arrivé à la boutique, un tailleur entra, demanda un poisson, le paya douze pièces puis il l'emporta. De retour chez son maître, le serviteur se fit réprimander par le prince très en colère car il n'avait pas ramené de poisson. Le serviteur répliqua qu'un tailleur juif avait raflé tout le poisson pour douze pièces. Le prince demanda alors qu'on aille chercher le Juif qui lui dit : « Comment ne pas acheter du poisson et de la bonne nourriture ? Demain c'est le jour où le Saint, béni soit-Il, pardonne nos péchés commis durant toute l'année. Comment ne pas se réjouir ? » Le prince répondit : « Tu as raison. » Le tailleur rentra chez lui, il coupa le poisson qui contenait une perle grâce à laquelle il put acheter tous les jours de la bonne nourriture sans plus avoir besoin d'être tailleur. Rabbi Éliézer dit au nom de Rabbi Yossi : Le Saint, béni soit-Il, a sanctifié le chabbat en donnant aux aliments un bon goût ; la nourriture du chabbat a meilleur goût que celle de la semaine. Rabbi Juda ha Nassi organisa un festin pour l'empereur Antonius le jour du chabbat. Il lui donna de la nourriture froide qui avait très bon goût. Rabbi Éliézer offrit par la suite un autre festin à l'empereur pendant la semaine mais cette fois-ci la nourriture était chaude. L'empereur dit au rabbi : « Donne-moi de la nourriture froide, elle a meilleur goût.

— Cette nourriture nécessite des épices.

— N'en ai-je pas assez dans mes trésors ?

— Non, car ces épices ce sont le chabbat. Ce jour a été sanctifié par le Saint, béni soit-Il, qui lui a donné une saveur incomparable[1].

Turnus Rufus demanda :

— Pourquoi le chabbat est-il meilleur que tous les autres jours de la semaine ?

— Pourquoi es-tu plus grand que d'autres personnes ? répondit Rabbi Akiba.

— Le roi m'a fait plus grand afin que je sois honoré.

— Le Saint, béni soit-Il, veut également que le chabbat soit honoré plus que les autres jours.

— Comment prouver que le chabbat est meilleur et que Dieu l'a ordonné ?

— La preuve : la rivière Sambatyon qui charrie des pierres tous les jours, se repose le chabbat.

---

1 Chab. 119a, Gen. R. 11. 4. (N.d.t.)

— Celui qui veut mentir invente des preuves en se référant à des lieux très lointains, là où personne n'a jamais été afin de ne pas pouvoir être contredit.

— Essaye, le chabbat, de ramener un homme mort à la vie en utilisant la magie[1]. Pendant la semaine, c'est possible de faire revivre une personne défunte, mais le chabbat, il est imposible d'y arriver. »

Le roi essaya, et grâce aux pouvoirs de la magie, il réussit à faire sortir son père de la tombe. Pendant les jours de la semaine, il revenait à la vie, mais jamais le chabbat. Le dimanche après le chabbat, il arrivait de nouveau à le faire revivre. Il l'interrogea : « Cher père, depuis que tu es mort, serais-tu devenu Juif ? Tu sembles respecter le chabbat comme les Juifs. » Le père répondit : « Celui qui ne respecte pas le chabbat sur terre, il devra le respecter dans l'autre monde. » Le roi demanda s'il travaillait pendant la semaine. Le père répondit : « Nous trimons dans les enfers toute la semaine et nous nous reposons le chabbat[2]. » Certains sages disent[3] que le chabbat est sanctifié parce que tous les autres jours ont un partenaire. Dimanche va de pair avec son compagnon lundi ; mardi a un compagnon, c'est mercredi. Jeudi a également un compère, c'est vendredi ; par contre, chabbat est seul, sans associé. Rabbi Samuel ben Nahmani dit qu'on a béni le chabbat car il ne peut pas être déplacé un autre jour. Un jour de fête, on peut le bouger ; même Yom Kippour[4], on le déplace de temps en temps afin qu'il ne tombe pas un vendredi ou un dimanche. En effet, lorsque quelqu'un meurt, le corps ne doit pas rester étendu deux jours d'affilée, vendredi et samedi ou samedi et dimanche. Le chabbat, lui, n'est jamais déplacé. Le chabbat dit au Saint, béni soit-Il : « Maître de l'univers, pourquoi n'ai-je pas de compagnon ? » Il lui répondit : « Ce sera le peuple d'Israël. » Quand Israël arriva au mont Sinaï, le chabbat lui dit : « Souviens-toi du septième jour. » Ce qui signifie : souviens-toi, tu m'as promis qu'Israël reposera le septième jour, et s'unira à moi.

Le Commentaire sur la Torah / Jacob Ben Isaac Achkenazi de Janow ; introduction et traduction par Jean Baumgarten. – Lagrasse : Verdier, 1987. – (*Les Dix Paroles*). – [Pp. 49-52].

1 Allusion à la nécromancie et à l'évocation de l'esprit des morts, voir Sanh. 65b. (N.d.t.)

2 Gen. R. 11. 5. (N.d.t.)

3 Gen. R. 11. 8. (N.d.t.)

4 La fête du grand pardon.

MALHERBE

FRANÇAIS **1555-1628**

François de Malherbe naît en Normandie dans une famille protestante. Il a 7 ans lorsqu'éclatent les guerres de Religion, et 43 ans quand elles s'achèvent : toute sa vie est marquée par ce déchirement, d'autant qu'attiré par le catholicisme il rompt avec les siens et quitte sa province natale, pour se mettre au service du gouverneur de Provence, François d'Angoulême, fils naturel du roi Henri II. Après la mort de son protecteur (1586), il vit tantôt en Normandie, tantôt à Aix-en-Provence, où réside sa femme.

Dès 1575, il commence à écrire des vers et aspire à la célébrité, essayant, en vain, de s'assurer la faveur de hauts personnages, parmi lesquels Henri III et Marie de Médicis, auxquels il dédie plusieurs de ses poèmes. La consécration ne viendra qu'à partir de 1605, année où il s'installe à Paris. À 50 ans, il entame une carrière de poète de cour, devient une sorte d'écrivain officiel. Parallèlement, il s'affirme comme une autorité littéraire, bien que dès 1610 il ne soit plus guère productif.

L'œuvre poétique de Malherbe est contrastée. Dans sa première partie, son écriture est proche du baroque, éclatante d'images, mariant les contraires, attirée par les prestiges de l'arabesque. Mais, peu à peu, il s'oriente vers une manière plus simple, recherche l'équilibre, la modération, aspire à la raison et à la cohérence. Il apparaît alors comme un précurseur du classicisme, ce qui fera s'exclamer Nicolas Boileau dans son *Art poétique* (1674) : « Enfin Malherbe vint. » Malherbe exprime ses conceptions dans les annotations, souvent critiques, qu'il inscrit, en 1606, sur un exemplaire d'un livre du poète Desportes. Selon lui, une œuvre littéraire doit être logiquement pensée, reposer sur la raison, proscrire l'incohérence. L'expression ne doit laisser place à aucune ambiguïté. La langue doit être expurgée des mots rares et obscurs, archaïsmes, termes techniques, régionalismes. À ce travail de grammairien, Malherbe ajoute un travail de législateur de la poésie : il conseille, par exemple, de ne pas faire rimer des mots de la même famille, de bannir les chevilles et les remplissages inutiles, d'éviter les cacophonies, les termes impropres, les pléonasmes, les hiatus.

Le premier recueil des œuvres de Malherbe ne fut publié qu'en 1630. Auparavant, il avait fait éditer séparément plusieurs de ses poèmes, notamment dans des recueils collectifs, comme *Parnasse des plus excellents poètes de ce temps* (1607), ou *Délices de la poésie française* (1615 et 1620). D'une grande variété d'inspiration, il a écrit aussi bien des poèmes lyriques (*Consolation à M. du Périer*, 1598-1599) des poèmes religieux (*Les Larmes de saint Pierre*, 1587), politiques (*Ode à la reine sur les heureux succès de sa régence*, 1611) ou de circonstance, parfois courtisans (*Pour Alcandre au retour d'Oranthe à Fontainebleau*, 1609).

La Poésie française de 1560 à 1630 : Deuxième partie : Malherbe et son temps / Raymond Lebègue. – Paris : S.E.D.E.S., 1951. – 138 p.

La Littérature de l'âge baroque en France : Circé et le paon / Jean Rousset. – Paris : J. Corti, 1953. – 316 p.

Malherbe, technique et création poétique / René Fromilhague. – Paris : A. Colin, 1954. – 665 p.

La Doctrine de Malherbe d'après son commentaire sur Desportes / Ferdinand Brunot. – Paris : A. Colin, 1969. – XII-605 p.

Pour un Malherbe / Francis Ponge. – Nouvelle édition revue et corrigée. – Paris : Gallimard, 1977. – 335 p. – [1re édition en 1965].

Quatre poètes du XVIIe siècle : Malherbe, Tristan L'Hermite, Saint-Amand, Boileau / Roger Guichemerre. – Paris : S.E.D.E.S., 1991. – 249 p.

LES LARMES DE SAINT PIERRE 55

Le reniement de Pierre (v. 355-396). — D'écriture baroque, ce poème écrit en pleines guerres de religion, multiplie les images somptueuses et prête aux personnages des sentiments marqués par l'excès. Les 396 alexandrins sont de construction complexe : Malherbe se livre en effet à de nombreux développements secondaires et fait de fréquentes allusions aux événements de son temps. Ici, tandis que Pierre supplie le Christ de lui pardonner, le supplice se prépare et la nature en porte déjà le deuil.

[1]En ces propos[2] mourans ses complaintes se meurent,
Mais vivantes sans fin ses angoisses demeurent,
Pour le faire en langueur à jamais consumer.
Tandis la nuit s'en va, ses lumieres s'étaignent,
Et déja devant luy les campagnes se peignent
Du saffran que le jour apporte de la mer.

L'aurore d'une main, en sortant de ses portes,
Tient un vase de fleurs languissantes & mortes,
Elle verse de l'autre une cruche de pleurs,
Et, d'un voile tissu de vapeurs & d'orage,
Couvrant ses cheveux d'or, découvre en son visage
Tout ce qu'une ame sent de cruelles douleurs.

Le soleil qui dédaigne une telle carrière[3],
Puisqu'il faut qu'il déloge, éloigne sa barriere,
Mais comme un criminel qui chemine au trépas,
Montrant que dans le cœur ce voyage le fasche,
Il marche lentement, & désire qu'on sçache
Que si ce n'estoit force il ne le feroit pas.

---

1 En 1560, le poète Luigi Tansillo publia à Venise *Le Lagrime di san Pietro*, qu'il réédita en 1585 dans une version fortement augmentée. Une étude comparée de cette œuvre et des *Larmes de saint Pierre* de Malherbe a pu démontrer que Malherbe s'était inspiré des 42 stances publiées par Tansillo en 1560. Les stances imitées par Malherbe, fort librement mais parfois jusqu'au détail, se trouvent ainsi éparpillées dans les chants I, II et V de l'édition définitive de l'œuvre.

2 Saint Pierre vient de s'adresser à Jésus.

3 Un tel chemin.

Ses yeux par un dépit en ce monde regardent :
Ses chevaux tantost vont, & tantost se rétardent,
Eux-mesmes ignorans de la course qu'ils font,
Sa lumière paslit, sa couronne se cache,
Aussi n'en veut-il pas, cependant qu'on attache
A celuy qui l'a fait, des épines au front.

Au point accoustumé les oiseaux qui sommeillent,
Apprestez à chanter dans les bois se réveillent ;
Mais voyant ce matin des autres different,
Remplis d'étonnement ils ne daignent paroistre,
Et font, à qui les voit, ouvertement connoistre,
De leur peine secrette un regret apparent.

Le jour est déja grand, & la honte plus claire
De l'Apostre ennuyé[1], l'advertit de se taire,
Sa parolle se lasse, & le quitte au besoin ;
Il voit de tous costez qu'il n'est veu de personne,
Toutefois le remords que son ame luy donne,
Témoigne assez le mal qui n'a point de témoin.

Aussi l'homme qui porte une ame belle & haute,
Quand seul en une part il a fait une faute,
S'il n'a de jugement son esprit dépourveu :
Il rougit de luy-mesme, & combien qu'il ne sente
Rien que le ciel present & la terre presente,
Pense qu'en se voyant tout le monde l'a veu.

Les Œuvres / de Mre François Malherbe. – A Paris : chez Antoine de Sommaville, 1608. – [Pp. 20-22].

CONSOLATION À MONSIEUR DU PÉRIER 56

Une vie éphémère (v. 1-48). — Ce texte de 1598 reprend le genre traditionnel de la consolation, qui compatit à la douleur d'un proche et l'aide à faire son deuil. Les thèmes de circonstance y sont développés : la fuite du temps, la relativité des choses humaines. Mais ils s'y trouvent renouvelés par l'affirmation de l'amitié sincère qui liait Malherbe à du Périer, avocat au parlement d'Aix-en-Provence.

Ta douleur, du Perier, sera donc eternelle,
Et les tristes discours

1 Plongé dans un intense tourment.

Que te met en l'esprit l'amitie paternelle
L'augmenteront tousjours ?

Le malheur de ta fille au tombeau descenduë
Par un commun trépas,
Est-ce quelque dédale, où ta raison perduë
Ne se retreuve pas ?

Je sçay de quels appas son enfance estoit pleine,
Et n'ay pas entrepris,
Injurieux amy, de soulager ta peine
Avecque son mépris.

Mais elle estoit du monde, où les plus belles choses
Ont le pire destin :
Et Rose elle a vécu ce que vivent les roses,
L'espace d'un matin.

Puis quand ainsi seroit, que selon ta priere
Elle auroit obtenu
D'avoir en cheveux blancs terminé sa carriere[1],
Qu'en fust-il advenu ?

Penses-tu que plus vieille en la maison celeste,
Elle eust eu plus d'accueil ?
Ou qu'elle eust moins senty la poussiere funeste,
Et les vers du cercueil ?

Non, non, mon du Perier, aussi-tost que la Parque
Oste l'ame du corps,
L'âge s'évanouit au deçà de la barque
Et ne suit point les morts.

Tithon n'a plus les ans qui le firent Cigale :
Et Pluton aujourd'huy,
Sans égard du passé les merites égale
D'Archemore[2] & de luy.

Ne te lasse donc plus d'inutiles complaintes ;
Mais sage à l'advenir,
Aime une ombre comme ombre, & des cendres éteintes
Éteins le souvenir.

---

1 Terminé sa vie.

2 Archémore, prince mort prématurément, est considéré par Pluton, dieu des morts, de la même façon que Tithon, parvenu à un âge très avancé et transformé en cigale.

C'est bien, je le confesse, une juste coustume,
Que le cœur affligé
Par le canal des yeux vuidant son amertume,
Cherche d'estre allegé.

Mesme quand il advient que la tombe separe
Ce que nature a joint,
Celuy qui ne s'émeut a l'ame d'un Barbare,
Ou n'en a du tout point.

Mais d'estre inconsolable, & dedans sa memoire
Enfermer un ennuy,
N'est-ce pas se haïr pour acquérir la gloire
De [bien] aimer autrui ?

Les Œuvres / de Mre François Malherbe. – A Paris : chez Antoine de Sommaville, 1608. – [Pp. 213-215].

PRIÈRE POUR LE ROI ALLANT EN LIMOUSIN 57

Le bon gouvernement (v. 25-84). — Publié pour la première fois en 1607 dans le *Parnasse des plus excellents poètes de ce temps*, ce texte fait partie des nombreux poèmes politiques de Malherbe. Il l'écrivit, en 1605, à la gloire de Henri IV qui se préparait à partir pour le Limousin afin d'y rétablir l'ordre troublé par le duc de Bouillon. S'adressant à Dieu, il se sert de cette occasion pour rappeler l'horreur de la guerre civile et se féliciter de la paix retrouvée.

Un malheur inconnu glisse parmi les hommes,
Qui les rend ennemis du repos où nous sommes ;
La plupart de leurs vœux tendent au changement :
Et comme s'ils vivaient des misères publiques,
Pour les renouveler ils font tant de pratiques[1],
Que qui n'a point de peur n'a point de jugement.

En ce fâcheux état, ce qui nous réconforte,
C'est que la bonne cause est toujours la plus forte,
Et qu'un bras si puissant t'ayant pour son appui,
Quand la rébellion plus qu'une hydre féconde,
Aurait pour le combattre assemblé tout le monde,
Tout le monde assemblé s'enfuirait devant lui.

---

1 Ils agissent tellement.

Conforme donc, Seigneur, ta grâce à nos pensées.
Ôte-nous ces objets, qui des choses passées
Ramènent à nos yeux le triste souvenir :
Et comme sa valeur, maîtresse de l'orage,
À nous donner la paix a montré son courage,
Fais luire sa prudence à nous l'entretenir.

Il n'a point son espoir au nombre des armées,
Étant bien assuré que ces vaines fumées,
N'ajoutent que de l'ombre à nos obscurités.
L'aide qu'il veut avoir, c'est que tu le conseilles :
Si tu le fais, Seigneur, il fera des merveilles,
Et vaincra nos souhaits par nos prospérités.

Les fuites des méchants, tant soient-elles secrètes,
Quand il les poursuivra n'auront point de cachettes :
Aux lieux les plus profonds ils seront éclairés[1] :
Il verra sans effet leur honte se produire,
Et rendra les desseins qu'ils feront pour lui nuire,
Aussitôt confondus comme délibérés.

La rigueur de ses lois, après tant de licence,
Redonnera le cœur à la faible innocence,
Que dedans la misère on faisait envieillir :
À ceux qui l'oppressaient, il ôtera l'audace :
Et sans distinction de richesse, ou de race,
Tous de peur de la peine auront peur de faillir.

La terreur de son nom rendra nos villes fortes,
On n'en gardera plus ni les murs ni les portes,
Les veilles cesseront aux sommets de nos tours :
Le fer mieux employé cultivera la terre,
Et le peuple qui tremble aux frayeurs de la guerre,
Si ce n'est pour danser, n'aura plus de tambours.

Loin des mœurs de son siècle il bannira les vices,
L'oisive nonchalance, et les molles délices
Qui nous avaient portés jusqu'aux derniers hasards :
Les vertus reviendront de palmes couronnées,
Et ses justes faveurs aux mérites données
Feront ressusciter l'excellence des arts.

---

1 Ils seront découverts.

La foi de ses aïeux, ton amour, et ta crainte,
Dont il porte dans l'âme une éternelle empreinte,
D'actes de piété ne pourront l'assouvir :
Il étendra ta gloire autant que sa puissance :
Et n'ayant rien si cher que ton obéissance,
Où tu le fais régner il te fera servir.

Tu nous rendras alors nos douces destinées :
Nous ne reverrons plus ces fâcheuses années,
Qui pour les plus heureux n'ont produit que des pleurs :
Toute sorte de biens comblera nos familles,
La moisson de nos champs lassera les faucilles,
Et les fruits passeront la promesse des fleurs.

Œuvres / François de Malherbe ; édition Antoine Adam. – Paris : Gallimard, 1971. – (*Bibliothèque de la Pléiade* ; 231). – [Pp. 46-49].

LES HEURES DE CALISTE 58

Les souffrances de l'amour. — Publiées en 1615 dans les *Délices de la poésie française*, *Les Heures de Caliste* sont un ensemble de sonnets que Malherbe composa en 1607 pour la vicomtesse d'Auchy, qu'il aimait d'un amour non partagé. Le poète, qui y déploie tout son lyrisme et sa virtuosité, montre qu'il était passé maître dans l'art de la pointe, notation inattendue et piquante contenue dans le dernier ou les deux derniers vers.

C'est fait, belle Caliste, il n'y faut plus penser :
Il se faut affranchir des lois de votre empire ;
Leur rigueur me dégoûte, et fait que je soupire
Que ce qui s'est passé n'est à recommencer.

Plus en vous adorant je me pense avancer,
Plus votre cruauté, qui toujours devient pire,
Me défend d'arriver au bonheur où j'aspire,
Comme si vous servir était vous offenser :

Adieu donc, ô beauté, des beautés la merveille
Il faut qu'à l'avenir la raison me conseille,
Et dispose mon âme à se laisser guérir.

Vous m'étiez un trésor aussi cher que la vie :
Mais puisque votre amour ne se peut acquérir,
Comme j'en perds l'espoir, j'en veux perdre l'envie.

Œuvres / François de Malherbe ; édition Antoine Adam. – Paris : Gallimard, 1971. – (*Bibliothèque de la Pléiade* ; 231). – [P. 80].

SUR LA MORT DU FILS DE L'AUTEUR 59

La douleur d'un père. — Dans ce sonnet, écrit en 1627 et publié en 1628, Malherbe pleure son fils tué au cours d'un duel et y exprime l'intensité de sa douleur.

Que mon fils ait perdu sa dépouille mortelle,
Ce fils qui fut si brave et que j'aimai si fort,
Je ne l'impute point à l'injure du sort,
Puisque finir à l'homme est chose naturelle ;

Mais que de deux marauds la surprise infidèle[1]
Ait terminé ses jours d'une tragique mort,
En cela ma douleur n'a point de réconfort,
Et tous mes sentiments sont d'accord avec elle.

Ô mon Dieu, mon Sauveur, puisque, par la raison
Le trouble de mon âme étant sans guérison,
Le vœu de la vengeance est un vœu légitime :

Fais que de ton appui je sois fortifié :
Ta justice t'en prie ; et les auteurs du crime
Sont fils de ces bourreaux qui t'ont crucifié.

Œuvres / François de Malherbe ; édition Antoine Adam. – Paris : Gallimard, 1971. – (*Bibliothèque de la Pléiade* ; 231). – [P. 166].

1 Que l'attaque déloyale de deux êtres méprisables.

SZYMON SZYMONOWICZ

LATIN • POLONAIS **1558-1629**

Celui qui signa toutes ses œuvres, même ses poèmes en polonais, de la version grecque de son nom, Simon Simonidès et qu'Angelo Maria Durini, nonce à Varsovie, nomma le Pindare polonais, était le fils d'un conseiller municipal de Lwów. Il étudia à Cracovie et à l'étranger, notamment la médecine, et fut invité par le Chancelier Jean Zamoyski à Zamość pour s'y occuper de l'éducation de son fils et organiser l'université de cette petite ville. Savant philologue, éditeur, entre autres, de saint Épiphane, il rassembla de nombreuses éditions d'auteurs grecs et latins et d'études humanistes en une bibliothèque d'environ 1 500 volumes qu'il légua par testament à l'université de Zamość. Une centaine de volumes en existent encore, et les notes marginales de Szymonowicz ont été éditées.

Son œuvre latine est importante : *Divus Stanislaus* (1582 ou 1583), poème dont saint Stanislas de Szczepanów est le héros ; *Flagellum livoris* (1588), recueil de 19 odes à la gloire de Jean Zamoyski qui, partisan de Sigismond III Vasa, fit prisonnier, à Byczyna, l'archiduc d'Autriche Maximilien, candidat au trône de Pologne ; *Ælinopæan*, autre apologie du grand chancelier (1589). Il écrivit aussi deux drames latins, *Le Chaste Joseph* (1587) et *Penthésilée* (1618), tragédie consacrée à la reine des Amazones qui périt au cours du siège de Troie. *Joël propheta* (1593), poème d'inspiration biblique, fut dédié au pape Clément VIII, qui couronna Simonidès poète lauréat.

Le chef-d'œuvre de Simonidès en polonais sont ses *Idylles* (1614), 18 bucoliques et 2 chansons de mariage inspirées de Théocrite, à ses yeux le plus grand, de Virgile, mais aussi de Sannazar. De large postérité, elles seront imitées par Simon Zimorowic dans ses *Idylles ruthènes* (1663). Et *Les Fouaces*, par exemple, trouveront au XVIIIe siècle un François Kniaznin pour les faire passer dans une chanson très connue.

Kazimierz Kumaniecki, "La poésie latine en Pologne à l'époque de la Renaissance, 1460-1620." – In : *Bulletin de l'Association Guillaume Budé*, IVe série, n°4 (1961). – [Pp. 592-593].

Histoire de la littérature polonaise / Czeslaw Milosz. – Paris, Fayard, 1986. – [Pp. 123-126].

IDYLLES **60**

Wl. Roszczynowa — 1993

Les fouaces (XII). — Cette chanson, tout émaillée de proverbes, évoque une noce dans une gentilhommière. On y attend le jeune époux, qui arrive en retard. Partagé entre les plaisirs exclusifs de la chasse et les nécessités du mariage, il semble, distrait, impatient d'en revenir à ses activités propres. Quant à la fiancée, l'attente et la résignation, l'émotion et la crainte se partagent son cœur, et sa destinée.

Une pie jacasse sur la grille — les nouveaux invités arrivent !
La pie se trompe parfois, quelquefois elle dit la vérité.
On croit à la pie là où on aime les hôtes,

Sans dire au cuisinier de servir à la hâte le dîner ;
Ô pie ! Sais-tu parler ? Dis ! où as-tu volé ?
De quel côté as-tu vu les hôtes arriver ?
La pie jacasse sur la barrière et le cœur de la jeune fille
Se réjouit, parce qu'il sent le bien-aimé arriver.
Il arrive, ce beau jeune homme, jeune seigneur, avec sa suite.
Il vient d'une contrée lointaine, monté sur un bon cheval
Au front blanc et aux jambes blanches, harnais en or.
Jeune fille, prépare-toi pour le saluer, il entre déjà dans la porte
[cochère ;
Ils ont tous mis déjà pied à terre et toute la cour
Devient joyeuse comme le ciel à l'aurore.
Nous te saluons, jeune seigneur, désiré depuis longtemps !
Le cadeau qu'on t'a promis attend,
Il est promis par Dieu même et par cette maison.
Pour prendre la promesse, il faut monter un cheval rapide,
Et toi, tu as perdu beaucoup de temps. Nous avons longtemps
[regardé
Avant de t'apercevoir enfin ; tu dois faire un effort
Pour rattraper l'heure perdue.
Qu'en diras-tu si un autre reçoit ta promesse ?
Tu te sens trop sûr ! Est-ce à cause de ta beauté ?
Qui croit trop au beau temps, tombe sous la pluie.
Il ne faut pas s'endormir, même quand l'affaire semble être
[arrangée.
Dieu ne peut même pas t'aider, si tu ne te gardes pas seul.
La jalousie apportait de mauvaises nouvelles sur toi.
Mais la vertu ne croyait pas la jalousie.
Il est difficile de détruire la sagesse ; même quand le mauvais
[vent souffle
Comme il veut, elle ne perd pas l'espoir.
Où t'amusais-tu, mon cher jeune seigneur ?
Un cœur sensible s'évanouissait à cause de toi. Et ces beaux salons
Semblaient vides ; es-tu allé chasser les cerfs
Avec tes compagnons ? Nous prenons pour témoins ces forêts
[ombrageuses
Pour dire comment nous vous avons grondés,
En maudissant vos jeux de chasse.
On sait que Diane sévère demande de sa suite
Une obéissance rigoureuse ; mais avec la beauté

Les prévisions sont difficiles. Il y avait d'autres craintes,
Car parfois à la fin de la chasse on voit des événements fâcheux,
Alors des potins se font autour d'un animal timide.
Jusqu'à nos jours encore Vénus plaintive
Pleure son Adonis : — ô, ô, mon pauvre jeune homme,
Comme la dent du sanglier t'a blessé ! —
Et toi, notre jeune seigneur, ton nom était trop souvent sur notre
[bouche,
Car tu as passé trop de temps dans la forêt, misérable !
Cette chasse malheureuse t'a emporté si loin,
Que ta propre meute a détruit ta vie.
L'amour épouvanté remplit l'oreille
Une fois de crainte, une autre fois d'espoir.
T'amusais-tu à faire des plaisanteries ?
Ici, sans toi, le jour paraît moins clair
Et le soleil moins brillant. Comment faire la noce
Si l'ami aimable est absent ?
Chacun n'a-t-il pas le même cœur ?
La personne absente, n'occupe-t-elle plus notre pensée ?
Mais parfois l'œil est trompeur. Nous ne le pensons pas de toi.
Au contraire, de toi, nous attendons une grande consolation.
Le faucon s'envole très haut et regarde en bas,
Il n'aime qu'un arbre et une seule petite branche.
La jeunesse a un regard large et lance loin ses pensées
Et Dieu donne à la fin, à chacun, une petite partie convenable.
Celui qui en reste satisfait,
Possède tout en abondance, tout en opulence.
Calme tes pensées, mon cher jeune seigneur.
Ton cheval aux jambes blanches a très bien fait de t'avoir
[transporté jusqu'ici.
Sachant que nous t'aimons, toi et ta suite, il s'ébrouait
En entrant dans la porte cochère.
La mère et la demoiselle sortent déjà pour te saluer.
Salue-les le premier en leur tendant ta main, d'après la coutume,
Baisse ton front très bas, il faut le faire,
Et ne t'assieds pas tout de suite à la table hospitalière
Avant de recevoir ce que tu désires ; tout flotte avec le temps.
Qu'il arrive maintenant, ce qui devrait être réalisé demain !
Et toi, ma mère, ne tarde pas, fais ce que tu as voulu faire.
Rien ne peut arriver à sa bonne fin, s'il y a trop de précautions.

Mademoiselle, il est temps de défaire tes tresses,
Temps de mettre les habits convenables pour la circonstance.
Voisines bienveillantes, préparez la jeune mariée à la cérémonie !
La noce est sainte et vos préparatifs sont dignes.
Auparavant on vous a rendu le même service,
Car au temps de vos mères il y avait les mêmes mœurs.
Prêtre, viens avec ton étole ! Tu pâlis, jeune seigneur !
Vraiment les larmes coulent sur les joues de la jeune fille.
Tu t'effraies, jeune seigneur ! La crainte vient de Dieu ;
Le bonheur siège au même endroit que cette crainte.
Ne pleure pas, jeune fille, on dirait que c'est de joie.
Un autre penserait moins bien, peut-être à cause de la jalousie.
Tu n'es pas la première à quitter la tutelle maternelle !
Voudrais-tu rester chez ta mère pour toujours ?
Elle non plus, n'habita pas chez sa mère éternellement.
Et toi, tu fus élevée de la même manière par ta mère.
Vous êtes déjà un couple saint. Et nous tous, nous vous offrons
Le bonheur et vous souhaitons une bonne santé ;
Que vous viviez ensemble un beau siècle,
Et que vous ayez de bons enfants !
Les plats sont servis, mettez-vous à table tous,
Et laissez les places au milieu pour les nouveaux mariés !
Ils doivent être ensemble ; ainsi deux greffes vertes
Sont plantées ensemble dans le beau verger.
La jeune fille baisse les paupières, son cœur se fond,
Et le jeune seigneur critique la durée du repas.
Même si les cuisiniers inventent des plats recherchés,
Et s'ils versent généreusement des vins différents,
Les fouaces sont les plus importantes et on peut dire
Que sans ces gâteaux il n'y a pas de noce !
Déjà on entend le coup de canne au seuil. Déjà on sert les fouaces,
Mais avant les belles dames chantent
Et mènent une danse rapide en battant des mains.
Amusons nos yeux par cette danse et les oreilles par ces chants !
Celle qui m'a fait signe de son soulier blanc
Voulait peut-être me faire croire que j'ai accepté sa gentille
[proposition.

Traduction inédite.

IDYLLES

61

A. Lanoux — 1965

Le chant de Pietrucha (XVIII). — *Les Moissonneurs* ont la forme d'un dialogue entre deux paysannes (Oluchna et Pietrucha) et l'Intendant. Cette séquence est construite sur le violent contraste qui oppose la bonté naturelle et le rythme du soleil aux brutales exigences de productivité de l'Intendant. Les femmes maltraitées souhaitent à sa virilité dégénérée les charmes hideux d'une harpie. Le genre pastoral est ici pimenté de réalisme et de crudité.

Petit soleil, bel œil, œil du jour joli,
Tu n'as pas les habitudes de notre Intendant !
Tu te lèves à ton heure, mais c'est trop tard pour lui !
Il aimerait que tu sois debout dès la minuit !
Midi passé, tranquille, tu baisses vers l'Occident.
Il voudrait que le milieu du jour traîne jusqu'au soir !
Intendant, tu ne seras pas soleil dans le ciel !
Nous te préparons un autre cadeau :
Une fraîche fille drue, ou une belle veuve mûre.
Car il est mal de marauder chez les autres
Alors que chacun mange chez soi !

Petit soleil, bel œil, œil du jour joli,
Tu n'as pas les habitudes de notre Intendant !
Tu comptes les jours après les jours pour tisser l'année.
Lui, il voudrait que tout soit fait en une matinée !
Tu rôtis parfois, mais tu permets aussi au zéphyr
D'éventer de sa fraîcheur nos échines lassées.
Notre Intendant crie toujours : « Moissonnez ! »
Il se soucie peu que notre sueur rouille la faucille !
Intendant, tu ne seras pas soleil dans le ciel !
Oh ! nous connaissons ta faiblesse ! Mais aucune de nous
N'apaisera tes désirs, même en sachant ce que tu souhaites !
Nous sommes à ce jeu expertes, mais nous ne voulons guère.
Ton fouet siffle trop ! Aussi voilà notre prière :
Qu'elle soit lâche et molle comme la ficelle de ton fouet !

Petit soleil, bel œil, œil du jour joli,
Tu n'as pas les habitudes de notre Intendant !
Parfois des nuages passent sur ta face,
Mais les quatre vents joyeux les chassent.
Gare à qui regarde notre Intendant dans les yeux.
Son visage devient d'orage. Son front est d'un bouc furieux.

Petit soleil, bel œil, œil du jour joli,
Tu verses une rosée fraîche chaque matin

Et une autre encore quand avant nous tu t'endors ;
Pour nous, c'est la diète de l'aube au soir :
Ni pain, ni lait, ni déjeuner, ni souper.
Intendant tu ne seras pas soleil dans le ciel !
Ni fille ni veuve ne voudra t'épouser.
Nous dirons partout comme tu nous bats et ta férocité.
Mais nous t'accouplerons à la belle que tu mérites,
Une vieille édentée. Comme ce sera plaisant
De te voir, assis auprès d'elle, Intendant en majesté,
Tandis qu'elle te mignotera de ses lèvres flasques
Et te pourléchera le visage de sa bouche de crapaud,
Collant à ton cœur sans pitié son antique peau !

Petit soleil, bel œil, œil du jour joli,
Donne donc l'exemple à Monsieur l'Intendant !
Le jour, tu règnes de la splendeur de tes rayons
Mais tu laisses à la lune de gouverner la nuit.
Tout se fait ainsi dans le ciel en harmonie !
Ah ! que notre damné Intendant prenne sur toi modèle
Que Monsieur l'Intendant enfin se marie ! Ta femme est la lune
Qui glisse en fiancée d'argent parmi les étoiles.

Petit soleil, bel œil, œil du jour joli,
Enseigne à vivre à notre Intendant.
Tu montes au zénith ; les pâles étoiles s'effacent.
La lune se lève ; les pâles étoiles s'agenouillent devant sa face.
Il devrait en être ainsi au foyer. Le Maître a le pouvoir
Mais les serviteurs préfèrent plaire à la maîtresse douce.
S'il se mariait, Monsieur l'Intendant pourrait
Sur nos soins fidèles et nos travaux attentifs compter à jamais.
Les portes de la maison resteraient ouvertes
Et des chantantes veillées heureuses commencerait le temps…

Petit soleil, bel œil, œil du jour joli,
Donne donc l'exemple à notre Intendant !
Tu nous réchauffes, tu nous souris du haut du ciel,
Sans toi ce serait l'éternelle nuit et l'aurore est ton miel.
Alors, petit soleil, bel œil, œil du jour joli,
Fais que Monsieur l'Intendant nous regarde sans colère
Et nous permette enfin le repos aux portes de la nuit.

Anthologie de la poésie polonaise / Constantin Jelenski. – Paris : Éd. du Seuil, 1965. – [Pp. 66-68].

AGRIPPA D'AUBIGNÉ

FRANÇAIS • LATIN **1552-1630**

Par la violence et la diversité de ses écrits, Théodore Agrippa d'Aubigné marque l'exceptionnelle intensité de la génération littéraire contemporaine d'Henri IV. Une vie mouvementée, qui, des guerres de Charles IX aux guerres de Louis XIII, a suivi tous les bouleversements politiques, et une imagination visionnaire s'unissent dans un style ou plutôt des styles qu'on a souvent pris pour modèles de définition du maniérisme (*Le Printemps*) et du baroque (*Les Tragiques*).

Tôt marqué par le conflit religieux sous l'influence de son père (un des conjurés d'Amboise, mort au siège d'Orléans en 1562), d'Aubigné prend les armes à 16 ans et sera un fidèle compagnon d'Henri de Navarre et un militant de la Cause Réformée. Rescapé de la Saint-Barthélemy, il connaît un temps la Cour d'Henri III et sa vie culturelle raffinée avant de reprendre la lutte armée en 1576 : entreprises hardies et phases d'attente alternent jusqu'à son installation en 1589 comme gouverneur des places fortes de Maillezais et Maillé. Très critique à l'égard de la politique d'Henri IV, devenu Roi de France, auquel il reproche sa conversion au catholicisme, il milite au sein des Assemblées politiques protestantes dans les rangs des Fermes contre les Négociateurs. Après la mort d'Henri IV, hanté par l'idée d'un retour insidieux des persécutions, il prend part aux révoltes de 1615-1616 et de 1620, avec Condé et le duc de Rohan : il paie la dernière révolte d'une condamnation à mort et d'un exil à Genève, où il continue la lutte (fortification de Berne, diplomatie, écrits) et où il meurt.

Son œuvre, entreprise parmi tant de vicissitudes, a été mise au point tardivement, et remaniée jusque dans ses dernières années, comme le montrent ses manuscrits conservés aux archives de Genève (Fonds Tronchin) : il est souvent difficile de dater tel passage ou telle accusation contre la dépravation du roi. La chaleur du combat, l'actualité immédiate sont en fait l'objet d'un long travail de rumination idéologique et stylistique. La passion, et même la partialité, utilisent les ressources d'une vaste érudition. La proclamation de la vérité, historique ou religieuse, n'empêche pas, souvent, une extraordinaire mythographie personnelle.

Si l'on suit le fil de sa production, on le voit toucher à tous les genres que la modernité d'alors désigne comme très importants esthétiquement (le poème héroïque), idéologiquement (l'histoire) ou qui sont en vogue (le roman comique).

Sa première publication est anonyme : *Les Tragiques* sortent après la révolte de 1616 pour clamer le grand scandale de la décadence du Parti huguenot, et auront une seconde version augmentée à Genève en 1620. Immense poème lyrique, satirique, historique, merveilleux, ses 9 000 vers, comme l'explique l'*Avis au lecteur*, suivent une progression symphonique de thèmes et de styles. Les Livres I, II et III dépeignent les malheurs de la France en proie à la guerre (*Livre I : Misères*), et leurs causes, la dégénerescence politique de Rois impies (*II : Princes*) et d'une Justice pervertie (*III : Chambre Dorée*). Cette première partie, à la fois satirique et hantée par la mort (figures dominantes de la Mère anthropophage et des invertis de la Cour, contre Catherine de Médicis et Henri III), prépare par des allégories (débat de Fortune et Vertu, Tribunal des Vices) un changement de point de vue, donc de style. Dans une vaste fiction narrative et théâtrale, Dieu lui-même vient contempler ce « monde à l'envers », où seule une minorité représente la juste cause : les actes des martyrs (*IV : Feux*), puis les combats du Parti protestant tels que les Anges les peignent sur les voûtes du Ciel (*V : Fers*), sont racontés dans un style « moyen historial ». Les deux derniers livres tirent de l'Histoire la leçon complète : depuis la première faute de Caïn, la justice et la vengeance de Dieu ont toujours trouvé lieu de se réaliser (*VI : Vengeances*). Dans une vision ultime, où le style atteint le « tragique élevé », le texte décrit la venue du Christ vengeur et le partage des âmes entre Enfer et Paradis (*VII : Jugement*), tandis que l'énonciateur « exstatique se pasme au giron de son Dieu ». Visionnaire, « prophétique », ce texte, dont le titre rappelle les tragédies auxquelles la vie des martyrs n'est que trop semblable, révèle l'influence dominante des *Hymnes* et des *Discours* de Ronsard, mais portés à leur paroxysme, mêlant tour à tour Juvénal et Hermès Trismégiste, Lucain, la Bible, et le *Livre des Martyrs* de Jean Crespin. Imprécations, antithèses, jugements extrêmes, *Les Tragiques* veulent émouvoir, ranimer l'élan fondateur de l'Église.

Parallèlement, *L'Histoire universelle* (1618-1620) essaie plus rationnellement de dresser le bilan des guerres européennes et surtout françaises. Elle est condamnée aussitôt.

Les insolites *Aventures du Baron de Fæneste*, histoire comique, commencées en 1617, seront terminées à Genève en 1630. Elles confrontent à l'ironique Enay (« Être ») les récits d'un burlesque pseudohéros gascon, Fæneste (« Paraître »), dont les opinions sur la Cour, l'amour, la théologie, la mode, sont assaisonnées d'un accent régional qui trahit en lui le parvenu mal dégrossi. La parution du IVe livre, condamné pour obscénité par le Consistoire, est contemporaine de celle des *Petites Œuvres meslées*, toutes de poésie religieuse, dont d'admirables Méditations en prose sur les Psaumes.

Mais c'est là une part de soi montrée et officielle : les manuscrits disent les contrepoints plus engagés ou plus intimes. Des *Épigrammes* françaises et latines escortent la *Confession catholique du Sieur de Sancy*, pamphlet contre les convertis et les tares du catholicisme, quelques plus petits traités politiques et deux cents lettres sur la politique, les arts, la théologie, la famille (conversion de son fils Constant). *Le Printemps*, recueil de poésie amoureuse inspiré par Diane Salviati, dont la plus grande part date de 1573-74, a toute la violence du désespoir amoureux ; *Sa vie à ses enfants* retrace et justifie carrière, choix, fidélités, comme une sorte de double de *L'Histoire universelle*, marquée ici par les déceptions de la fin de vie.

Cette œuvre énorme et variée est pourtant d'une grande cohérence : les mêmes thèmes la parcourent : foi religieuse, conviction monarchique et critique du pouvoir réel, proclamation de la vérité contre le paraître et le mensonge, goût de la mort, appels à Dieu. Des images et des métaphores obsédantes (sang), des autocitations, un imaginaire de soi travaillent une culture riche, héritière de l'humanisme érudit et de la Bible.

Critiqué en son temps pour sa partialité, il est vite oublié, sinon pour deux clichés : rude témoin du temps d'Henri IV et grand-père de Mme de Maintenon. Les modifications historiographiques du XIXe siècle puis la réévaluation du baroque lui ont redonné une place de premier plan.

La Création poétique au XVIe siècle en France de Maurice Scève à Agrippa d'Aubigné / H. Weber. – Paris : Nizet, 1956-1962. – 2 t. en 1 vol., 774 p.

Agrippa d'Aubigné, poète des Tragiques / J. Bailbé. – Caen : Université de Caen, 1968. – XXXII-496 p.

L'Inspiration biblique dans la poésie religieuse / M. Soulié. – Paris : Klincksieck, 1977. – 548 p. – (*Bibliothèque française et romane* ; 63).

Agrippa d'Aubigné, auteur de « L'Histoire Universelle » / A. Thierry. – Lille : Université de Lille, service de reproduction des thèses, 1982. – X-750 p.

La Pensée religieuse d'Agrippa d'Aubigné et son expression / M.-M. Fragonard. – Paris : Didier-Érudition, 1986. – 2 vol., 527 p. ; 990-XI p. – (*Publications de l'atelier des thèses de Lille*).

Agrippa d'Aubigné : le Corps de Jézabel / Gisèle Mathieu-Castellani. – Paris : P.U.F., 1991. – 128 p.

Tracés, ruptures : la composition instable des Tragiques / J.R. Fanlo. – Paris : Champion, 1991.

LE PRINTEMPS 62

Hécatombe à Diane (XCIV). — Œuvre restée inconnue jusqu'à son édition par C. Read en 1874, *Le Printemps* rassemble trois groupes de textes : *Hécatombe à Diane*, 100 sonnets — sacrifice de 100 bœufs à la déesse — organisés par sous-thèmes puis, assemblées sans dessein, 48 stances et 21 odes, ces dernières plus disparates dans les tons. Il est d'usage de dater les textes de l'épisode amoureux de 1571 à 1573, voire 1576, quand d'Aubigné envisage d'épouser Diane Salviati, nièce de la Cassandre de Ronsard ; mais certains poèmes sont postérieurs à la mort de Diane. Esquissant une figure féminine de Diane-Hécate, déesse nocturne et sanguinaire, le poète porte à leur paroxysme presque expressionniste les clichés habituels de la mort d'amour.

Si vous voyiez mon cœur ainsi que mon visage,
Vous le verriez sanglant, transpercé mille fois,
Tout bruslé, crevassé, vous seriez sans ma voix
Forcée à me pleurer, et briser vostre rage.

Si ces maulx n'appaisoyent encor' vostre courage
Vous feriez, ma Diane, ainsi comme nos rois,
Voyant vostre pourtraict souffrir les mesmes loix
Que fait vostre subject qui porte vostre image.

Vous ne jettez brandon, ne dard, ne coup, ne traict,
Qui n'ait avant mon cœur percé vostre pourtraict.
C'est ainsi qu'on a veu en la guerre civile

Le prince foudroyant d'un outrageux canon
La place qui portoit ses armes et son nom,
Destruire son honneur pour ruiner sa ville.

Le Printemps / A. d'Aubigné ; édition Desonay-Gagnebin. – Genève : Droz, 1948. – [Tome I, p. 270].

LE PRINTEMPS 63

Stances (VI). — Particulièrement dans les stances, la représentation de la passion tourne au drame sado-masochiste ; le vocabulaire se modifie par l'intrusion de précisions corporelles et d'images atroces : cœur arraché, entrailles éparses, contemplation du cadavre vivant, obsessions démoniaques.

J'ouvre mon estommac, une tumbe sanglante
De maux enseveliz : pour Dieu, tourne tes yeux,
Diane, et voy au fond mon cueur party en deux
Et mes poumons gravez d'une ardeur viollente,

Voy mon sang escumeux tout noircy par la flamme,
Mes os secz de langeurs en pitoiable point
Mais considere aussi ce que tu ne vois point,
Le reste des malheurs qui sacagent mon ame.

Tu me brusle et au four de ma flame meurtriere
Tu chauffes ta froideur : tes delicates mains
Atizent mon brazier et tes yeux inhumains
Pleurent, non de pitié, mais flambantz de cholere.

A ce feu devorant de ton yre alumée
Ton œil enflé gemist, tu pleures à ma mort,
Mais ce n'est pas mon mal qui te deplaist si fort :
Rien n'attendrit tes yeux que mon aigre fumée.

Au moins après ma fin que ton ame apaisée
Bruslant le cueur, le cors, hostie à ton courroux,
Prenne sur mon esprit un suplice plus doux,
Estant d'yre en ma vie en un coup espuisée.

Le Printemps / A. d'Aubigné ; édition Desonay-Gagnebin. – Genève : Droz, 1952. – [Tome II, p. 286].

LES TRAGIQUES 64

Misères (v. 35-96). — Passant de l'écriture de Cour à l'écriture engagée des *Tragiques*, Aubigné renie l'écriture mondaine qui détourne du chemin de la vérité et de la consécration de la parole à Dieu. Il veut une poésie nouvelle, marquée par la fureur des temps.

Tout-Puissant, tout-voyant, qui du haut des hauts cieux
Fends les cœurs plus serrez par l'esclair de tes yeux,
Qui fis tout, et conneus tout ce que tu fis estre ;

Tout parfaict en ouvrant, tout parfaict en connoistre,
De qui l'œil tout courant, et tout voyant aussi,
De qui le soin sans soin prend de tout le souci,
De qui la main forma exemplaires et causes,
Qui préveus les effects dès le naistre des choses ;
Dieu, qui d'un style vif, comme il te plaist, escris
Le secret plus obscur en l'obscur des esprits :
Puisque de ton amour mon ame est eschauffee,
Jalouze de ton nom, ma poictrine embrazee
De ton feu, repurge aussi de mesmes feux
Le vice naturel de mon cœur vicieuz ;
De ce zele tres sainct rebrusle-moi encore,
Si que (tout consommé au feu qui me devore,
N'estant serf de ton ire, en ire transporté
Sans passion) je sois propre à ta vérité ;
Ailleurs qu'à te louër ne soit abandonnee
La plume que je tiens, puis que tu l'as donnee.
Je n'escris plus les feux d'un amour inconu[1],
Mais, par l'affliction plus sage devenu,
J'entreprens bien plus haut, car j'apprens à ma plume
Un autre feu, auquel la France se consume.
Ces ruisselets d'argents, que les Grecs nous feignoyent,
Où leurs poëtes vains beuvoyent et se baignoyent,
Ne courent plus ici : mais les ondes si claires
Qui eurent les sapphirs et les perles contraires
Sont rouges de nos morts ; le doux bruit de leurs flots,
Leur murmure plaisant heurte contre des os.
Telle est en escrivant ma non-commune image :
Autre fureur qu'amour reluit en mon visage ;
Sous un inique Mars, parmi les durs labeurs
Qui gastent le papier et l'ancre de sueurs,
Au lieu de Thessalie aux mignardes vallees
Nous avortons ces chants au milieu des armees,

1 D'Aubigné, quelle qu'ait été sa crise de conscience personnelle, suit à peu près l'évolution de de Bèze, composant la tragédie d'*Abraham sacrifiant*, puis la traduction des Psaumes, après les *Juveniliana* (cf. lettre-préface à l'*Abraham sacrifiant*) : « Car ce je confesse que de mon naturel j'ay tousjours pris plaisir à la poésie et ne m'en puis encore repentir : mais bien ay je regret d'avoir employé ce peu de grâce que Dieu m'a donné en cest endroict, en choses desquelles la seule souvenance me fait maintenant rougir », puis, s'attaquant aux poètes de la Pléiade : « A la vérité, il leur seroit mieux séant de chanter un cantique à Dieu que de pétrarquiser un sonnet et faire l'amoureux transy ou de contrefaire ces fureurs poétiques à l'antique pour distiller la gloire de ce monde et immortaliser ou cestuy ci ou ceste là. »

En delassant nos bras de crasse tous rouillez
Qui n'osent s'esloigner des brassards despouillez.
Le luth que j'accordois avec mes chansonnettes
Est ores estouffé de l'esclat des trompettes ;
Ici le sang n'est feint, le meurtre n'y defaut,
La mort jouë elle mesme en ce triste eschaffaut,
Le Juge criminel tourne et emplit son urne.
D'ici la botte en jambe, et non pas le cothurne,
J'appelle Melpomene en sa vive fureur,
Au lieu de l'Hippocrene esveillant cette sœur
Des tombeaux rafraischis[1], dont il faut qu'elle sorte
Eschevelée, affreuse, et bramant en la sorte
Que faict la biche apres le fan qu'elle a perdu.
Que la bouche luy saigne, et son front esperdu
Face noircir du ciel les voutes esloignees,
Qu'elle esparpille en l'air de son sang deux poignees
Quand espuisant ses flancs de redoublez sanglots
De sa voix enroüee elle bruira ces mots :
« O France desolee ! ô terre sanguinaire,
Non pas terre, mais cendre ! ô mere, si c'est mere
Que trahir ses enfans aux douceurs de son sein
Et quand on les meurtrit les serrer de sa main !
Tu leur donnes la vie, et dessous ta mammelle
S'esmeut des obstinez la sanglante querelle ;
Sur ton pis blanchissant ta race se debat,
Là le fruict de ton flanc faict le champ du combat. »

Œuvres / Agrippa d'Aubigné ; introduction [...] par Henri Weber, texte établi par Henri Weber et annoté par Henri Weber, Jacques Bailbé et Marguerite Soulié. – Paris : Gallimard, 1969. – (*Bibliothèque de la Pléiade*). – [Pp. 22-23, 906-907 pour les notes].

LES TRAGIQUES 65

Feux (v. 37-90). — La vraie Foi lui apparaît dans son rayonnement universel, qui unit à travers le temps et l'espace les croyants de la seule Église. C'est aussi une manière d'écrire l'histoire comme une vaste symphonie surnaturelle.

---

1 Melpomène, muse de la poésie tragique, n'est pas appelée par le poète depuis la source Hippocrène au pied de l'Hélicon où résident habituellement les neuf muses, mais hors des tombeaux fraîchement creusés.

Je responds : « Tu sçais bien que mentir je ne t'ose,
Mirouër de mon esprit ; tu as touché la cause
La premiere du choix, joint que ma jeun'ardeur
A de ce haut dessein espoinçonné mon cœur,
Pour au siecle donner les boutons de ces choses
Et l'envoyer ailleurs en amasser les roses.
Que si Dieu prend à gré ces premices, je veux
Quand mes fruicts seront meurs lui payer d'autres vœux,
Me livrer aux travaux de la pesante histoire[1],
Et en prose coucher les hauts faits de sa gloire :
Alors ces heureux noms sans eslite et sans choix
Luiront en mes escrits plus que les noms des Rois. »
Ayant fait cette paix avec ma conscience,
Je m'advance au labeur avec cette asseurance
Que, plus riche et moins beau j'escris fidellement
D'un style qui ne peut enrichir l'argument.
Ames dessous l'autel[2] victimes des idoles,
Je preste à vos courroux[3] le fiel de mes paroles,
En attendant le jour que l'Ange delivrant
Vous aille les portaux du paradis ouvrant.
De qui puis-je choisir l'exemple et le courage ?
Tous courages de Dieu. J'honorerai vostre aage,
Vieillards, de qui le poil a donné lustre au sang,
Et de qui le sang fut decoré du poil blanc :
Hus, Hierome de Prague, images bien cognues
Des tesmoins que Sodome[4] a trainé par les rues
Couronnez de papier, de gloire couronnés
Par le siege qui a d'or mitrés et ornés
Ceux qui n'estoyent pasteurs qu'en papier et en titres,
Et aux evesques d'or fait de papier les mitres[5].
Leurs cendres qu'on jetta au vent, en l'air, en l'eau
Profiterent bien plus que le puant monceau
Des charognes des grands que, morts, on emprisonne
Dans un marbr' ouvragé : le vent leger nous donne

---

1 D'Aubigné annonce ainsi son dessein d'écrire l'*Histoire universelle*.

2 Cf. Apoc. VI, 9 : « Et quand il eut ouvert le cinquième sceau, je vis sous l'autel les âmes de ceux qui avaient été tués pour la parole de Dieu ».

3 Au verset suivant de l'Apocalypse, les âmes appellent le Seigneur à les venger.

4 Sodome désigne Rome, siège de la Papauté qui fit brûler Jean Hus et Jérôme de Prague à Constance lors du concile en 1415 et 1416.

5 Il s'agit des mitres de papier que portaient les condamnés de l'Inquisition.

Des ces graines par tout ; l'air presqu'en toute part
Les esparpille, et l'eau à ses bords les depart.
Les pauvres de Lyon avoyent mis leur semence[1]
Sur les peuples d'Alby ; l'invincible constance
Des Albigeois, frappez de deux cent mille morts,
S'espandit par l'Europe, et en peupla ses bords.
L'Angleterre eut sa part, eut Gerard et sa bande,
Condamnez de mourir à la rigueur plus grande
De l'impiteux hyver, sans que nul cœur esmeu
Leur osast donner pain, eau, ni couvert ni feu.
Ces dix huict tous nuds, à Londres, par les ruës,
Ravirent des Anglois les esprits et les veuës,
Et chanterent ce vers jusqu'au point de mourir :
« Heureux qui pour justice a l'honneur de souffrir ! »
Ainsi la verité, par ces mains devoilee,
Dans le Septentrion estendit sa volee ;
Dieu ouvrit sa prison et en donna la clef,
La clef de liberté, à ce vieillard Wiclef[2] :
De luy fut l'ouverture aux tesmoins d'Angleterre,
Encor' plus honnoree en martyre qu'en guerre.

Œuvres / Agrippa d'Aubigné ; introduction [...] par Henri Weber, texte établi par Henri Weber et annoté par Henri Weber, Jacques Bailbé et Marguerite Soulié. – Paris : Gallimard, 1969. – (*Bibliothèque de la Pléiade*). – [Pp. 118-119, 988 pour les notes].

SA VIE À SES ENFANTS 66

De 1551 à 1562. — Au début de sa *Vie*, rédigée à la troisième personne, Aubigné inscrit les trois scènes initiales qui donnent sens à son action : la mort de sa mère, qui lui donne son nom, l'échec du complot d'Amboise qui détermine son engagement politique, la résistance aux convertisseurs qui fait de lui un héros de la Foi.

Theodore Agrippa d'Aubigné, fils de Jean d'Aubigné, Seigneur de Brie en Xaintonge[1] et de Damoiselle Catherine de l'Estang[2], nasquit en l'hostel

1 Les pauvres de Lyon, groupés autour de Valdo, à la fin du XIIe siècle, d'où le nom de Vaudois, ne reconnaissaient pas la transsubstantiation qui venait d'être définie comme dogme. L'hérésie, plus connue aujourd'hui sous le nom de catharisme, se répandit dans le sud de la France. Le nom d'Albigeois ne fut donné aux cathares que vers 1208, quand Innocent III organisa contre eux la croisade.

2 Wiclef condamné par le concile de Londres, en 1382, ne fut pas lui-même martyrisé.

Saint Maury pres de Pons l'an 1551, le 8e de febvrier[3], sa mere morte en accouchant, et avec telle extremité, que les medecins proposerent le choix de mort pour la mere, ou pour l'enfant. Il fut nommé Agrippa (comme *ægre partus*) et puis nourri en enfance hors la maison du pere, pource que Anne de Limur, sa belle mere, portoit impatiemment et la despense, et la trop exquise nourriture que le pere y employoit.

Des quatre ans acomplis le pere luy amena de Paris precepteur Jean Cottin, homme astorge et impiteux[4], qui luy enseigna les lettres Latine, Grecque et Hebraique à la fois[5] ; ceste methode suivie par Peregim, son second precepteur ; si bien qu'il lisoit aux quattre langues à six ans. Apres on luy amena Jean Morel[6] Parisien, asses renommé, qui le traita plus doucement.

En cest aage Aubigné veillant dedans son lict pour attendre son precepteur, ouit entrer dans la chambre, et puis en la ruelle de son lict, quelque personne de quy les vestements frottoyent contre les rideaux, lesquels il veit tirer aussi tost, et une femme fort blanche, qui luy ayant donné un baiser froit comme glace, se disparut. Morel arrivé le trouva ayant perdu la parole : et ce qui fit despuis croire le rapport de telle vision fut une fiebvre contiue qui luy dura quatorze jours.

A sept ans et demi il traduisit avec quelque aide de ses leçons le *Crito* de Platon[7] ; sur la promesse du pere qu'il le feroit imprimer avec l'effigie enfantine au devant du livre. A huit ans et demi le pere mena son fils à Paris, et en le passant par Amboise un jour de foire, il veit les testes de ses compagnons d'Amboise encores recognoissables sur un bout de potence[8] : et fut tellement esmeu, qu'entre sept ou huit mille personnes il s'escria, *Ils*

---

1 La thèse des origines nobles de Jean d'Aubigné ne résiste pas à un examen précis des faits. [...] ce n'est qu'au moment de son second mariage avec Anne de Limur, vers 1554, qu'il acquit le titre de Seigneur de Brie-sous-Archiac. C'est à cette date que s'effectua son passage de la roture à la « gentry ».

2 Agrippa, qui n'a jamais connu sa mère, conserva précieusement par-devers lui un Saint Basile grec « commenté de sa main ».

3 Le 8 février 1552, selon le calendrier actuel, adopté par l'Édit de Roussillon (1564) et qui ouvre l'année au 1er janvier et non plus à Pâques.

4 Impitoyable.

5 Jean Cottin, originaire de Normandie, avait résidé à Genève d'où il fut chassé en 1556. Dès 1559, on le retrouve à Rouen où il sema le désordre par ses propos apocalyptiques qui le conduiront au bûcher en 1560.

6 Jean Morel avait un frère, Jean, qui mourut martyr de sa foi le 27 février 1559 à Paris.

7 La précocité intellectuelle d'Agrippa, souvent mise en doute, n'a rien d'exceptionnel, si l'on en juge par le nombre considérable d'« enfants prodiges » qui sont signalés au XVIe siècle.

8 La conjuration d'Amboise, qui avait pour objectif de soustraire François II à l'influence des Guise, échoua le 16 mars 1560.

ont descapité la France, les Bourreaux. Puis le fils ayant picqué pres du pere pour avoir veu à son visage une esmotion non accoustumée, il luy mit la main sur la teste en disant, *Mon enfant, il ne faut pas que ta teste soit espargnée apres la mienne, pour venger ces chefs pleins d'honneur ; si tu t'y espargnes, tu auras ma malediction*. Encore que cette troupe fust de vingt chevaux, elle eut peine à se desmesler du peuple, qui s'esmeut à tels propos.

Cest escolier fut mis à Paris entre les mains de Mathieu Beroalde[1], nepveu de Vatable, tres grand personnage. Au mesme temps ou bien tost apres le Prince de Condé ayant saisi Orleans, les persequutions redoublees, les massacres et brulements qui se faisoyent à Paris ayant contrainct apres de tres grands dangers Beroalde de s'enfuir avec sa famille, il fascha bien à ce petit garçon de quitter un cabinet de livres couverts somptueusement, et autres meubles, par la beauté desquels on luy avoit osté le regret du pais ; si bien qu'estant aupres de Ville neufve Sainct George, ses pensées tirerent des larmes de ses yeux, et Beroalde le prenant par la main luy dit, *Mon ami, ne sentez vous point l'heur que ce vous est, de pouvoir des l'aage où vous estes perdre quelque chose pour celuy qui vous a tout donné ?*

De là ceste troupe de quatre hommes, trois femmes, et deux enfants, ayant recouvré une coche au Coudret, (maison du President l'Estoile[2]), ils prirent leur chemin au travers du bourg de Courance, où le Chevalier d'Achon qui avoit là cent chevaux legers les arresta prisonniers, et aussi tost les mit entre les mains d'un inquisiteur nommé Democares[3]. Aubigné ne pleura point pour la prison, mais oui-bien quand on luy osta une petite espée bien argentée et une ceinture à fers d'argent. L'inquisiteur l'interrogea à part, non sans colere de ses responces : les Capitaines qui luy voyoient un habillement de satin blanc, bandé de broderie d'argent, et quelque façon qui leur plaisoit, l'amenerent en la chambre d'Achon, où ils

---

1 Mathieu Béroalde, qui épousa en 1551 la nièce de Vatable (le célèbre professeur d'hébreu du Collège Royal), avait enseigné les lettres hébraïques au collège du Cardinal Lemoine, puis à Bordeaux et à Agen. Après un séjour en Italie, il s'établit à Paris (1555 à 1562) où il accueillit de jeunes pensionnaires [...]. La présence d'Agrippa à Paris n'excéda pas trois mois.

2 Louis de l'Estoile, Président de la Chambre des Requêtes du Parlement de Paris, le père de Pierre de l'Estoile, possédait une maison à Coudray-sur-Seine (au sud de Corbeil). Au moment de sa mort, en 1558, il confia son fils à Bérolade pour qu'il l'instruisît en la vraie « piété et crainte de Dieu ».

3 Démocharès, de son vrai nom Antoine de Mouchy, Recteur de l'Université de Paris et Inquisiteur de la Foi [...] était réputé pour sa persécution impitoyable des huguenots [...]. Selon un procédé couramment utilisé par d'Achon pour affoler ses victimes, un des soldats de la bande avait emprunté le nom terrifiant de Démocharès et jeté la panique autour de Béroalde.

luy firent voir que toute sa bande estoit condamnée au feu, et que il ne seroit pas temps de se desdire estant au suplice : il respondit que l'horreur de la Messe luy ostoit celle du feu. Or y avoit il là des violons ; et comme ils dançoyent Achon demanda une gaillarde à son prisonnier, ce que n'ayant point refusé il se faisoit aimer et admirer à la compagnee, quand l'inquisiteur avec injures à tous, le fit remener en prison. Par luy Beroalde adverti que leur procés estoit faict, se mit à taster le pouls à toute la compagnee, et les fit resoudre à la mort tres facilement. Sur le seoir en apportant à manger aux prisonniers on leur monstra le bourreau de Milly[1] qui se preparoit pour le lendemain. La porte estant fermée la compagnie se met en prieres, et deux heures apres, vint un Gentilhomme de la troupe d'Achon, qui avoit esté moine, et qui avoit lors en garde les prisonniers. Cestui-ci vint baiser à la joue Aubigné, puis se tourna vers Beroalde disant, *Il faut que je meure ou que je vous sauve tous, pour l'amour de cet enfant : tenez vous prets pour sortir quand je le vous diray : cependant donnez moy cinquante ou soixante escus pour corrompre deux hommes sans lesquels je ne puis rien*. On ne marchanda point à trouver soixante escus cachez dans des souliers. A minuit ce Gentilhomme revint accompagné de deux : et ayant dit à Beroalde, *Vous m'avez dit que le pere de ce petit homme avoit commandement à Orleans ; promettez moy de me faire bien recevoir dans les compagnies*. Cela luy estant asseuré avec honorable recompense, il fit que toute la bande se prit par la main, et luy, ayant pris celle du plus jeune, mena tout passer secrettement au pres d'un corps de garde, de là dans une grange par dessous leur coche, et puis dans des bleds, jusques au grand chemin de Montargis, où tout arriva avec grands labeurs et grands dangers.

La Duchesse de Ferrare[2] les receut avec son humanité accoutumée, mais sur tous Aubigné qu'elle fit trois jours durant asseoir sur un carreau aupres d'elle pour ouir ses jeunes discours sur le mespris de la mort.

Sa vie à ses enfants / Agrippa d'Aubigné ; édition critique préparée par Gilbert Schrenck. – Paris : Nizet, 1986. – (*Société des textes français modernes*). – [Pp. 49-57].

---

1 Jean Maillard, dit de Milly, accablait les protestants fugitifs de la même manière que le Chevalier d'Achon.

2 Renée de France, duchesse de Ferrare [...] résidait à Montargis où elle accueillait les « povres fugitifs avec leurs femmes et enfans ». [...] Son château abrita un moment jusqu'à six cents réfugiés.

KEPLER

ALLEMAND • LATIN **1571-1630**

Né à Weil der Statt dans un milieu familial sombre, d'un père mercenaire souvent absent, livré à une mère et une grand-mère qui furent toutes deux condamnées pour sorcellerie, traqué toute sa vie par les problèmes financiers, Kepler a une personnalité complexe. Les nombreuses remarques autobiographiques qui émaillent ses écrits donnent plus de corps au personnage, mais ne diminuent pas la difficulté d'en rendre compte.

L'enfant, dont l'esprit avait été frappé par la vue de la comète que sa mère lui avait fait observer en 1577, est devenu l'élève de Maestlin, un professeur qui connaît la théorie copernicienne sans pour autant l'admettre. Essayant de rendre compte de la distance qui sépare les différentes planètes, son imagination géométrique développée l'entraîne à confronter aux résultats des mesures de Tycho Brahe, les polyèdres emboîtés qu'il estime servir de support aux différentes orbites. Il remarque que, pour Mars, les résultats ne correspondent pas à une orbite circulaire et cherche la figure qui serait à la fois la plus simple et la mieux adaptée. Il envisage d'abord l'ovale, puis finalement l'ellipse. Que les corps célestes parcourent des orbites elliptiques fait l'objet de sa première loi.

Globalement fidèle à la réflexion pythagoricienne sur l'harmonie du monde, c'est-à-dire à une loi mathématique a priori, harmonique chez Pythagore, géométrique chez d'autres, Kepler confronte cependant la théorie, en l'occurrence ici celle des polygones emboîtés, aux mesures, et rejette sans remords ce qui ne concorde pas avec l'expérience, même s'il s'agit de la « forme parfaite » du cercle. Mais il entend tout de même rechercher ce qu'il y a de géométriquement plus proche, et se règle sur ce nouvel a priori. C'est ainsi qu'il en vient à compléter sa première affirmation en montrant — c'est sa deuxième loi — que les vitesses de parcours des différentes planètes ne sont pas uniformes mais qu'elles sont telles que les rayons vecteurs balaient des aires égales en des temps égaux. À l'époque où le jeune Galilée s'exerçait à critiquer le *De cœlo* (*Traité du Ciel*) d'Aristote et commençait à en refaçonner les théories, Kepler, de son côté, rompt avec deux éléments fondamentaux d'un aristotélisme encore fermement établi : il renonce au mouvement circulaire et à l'uniformité de la vitesse.

L'imagination créatrice de Kepler se montre encore à l'œuvre dans sa *Nix sexangula* où, envisageant les conséquences de la symétrie d'ordre de six des cristaux de neige, sa réflexion trace une voie entre géométrie, observation et explication physique.

À la suite de Jean Taisnier et William Gilbert, il donne aussi une explication physique du mouvement des planètes, ouvrant ainsi la voie à la gravitation newtonienne. Il estime en effet que dans le soleil réside une force magnétique qui guide les planètes : « Les planètes sont des aimants et sont déplacées par le soleil au moyen d'une force magnétique. Seul le soleil est vivant. »

Devenu mathématicien impérial, Kepler, dans son *Harmonie du Monde*, établit, grâce à ses deux lois et aux observations de Tycho Brahe, la question qu'il se posait depuis l'origine — à quelle loi obéissent les distances entre les planètes et le Soleil ? — et en propose comme norme la relation qui lie les caractéristiques d'une orbite elliptique à la période de parcours de la trajectoire.

Enraciné, comme Galilée, dans l'aristotélisme et le pythagorisme, Kepler s'est hissé à un nouvel échelon de la réflexion.

Les deux hommes ont découvert chacun une partie de la vérité qu'unifiera Newton : Kepler dit que les planètes sont portées, suivant une ellipse, par une force issue du Soleil. Galilée montre que les corps qui tombent sur terre suivent une autre conique, la parabole. Newton montrera que c'est la même attraction gravifique qui offre à nos yeux ces deux phénomènes apparemment si différents.

Les progrès scientifiques dus à Kepler ne l'ont cependant pas empêché d'établir des horoscopes et d'être un réformateur, critique et cohérent, de l'astrologie. Et ce ne fut pas que besoin d'argent. Intimement convaincu de la possible influence des astres sur le comportement humain, il est, là comme ailleurs, soucieux de la rigueur des méthodes et hostile aux charlatans. C'est que la cohérence des évidences partagées par Kepler ne participait pas encore de celles, actuelles, que son œuvre astronomique allait contribuer à établir et que son univers intellectuel demeurait tributaire d'un monde tout empreint de pythagorisme et d'aristotélisme où le symbolique, le spéculatif, voire l'imaginaire le disputaient au certain et au démonstratif. Ce qui est admirable, c'est que son esprit critique ait contribué à dégager de leur gangue de superstition les phénomènes proprement scientifiques.

O. Gingerich, "Kepler, Johannes". – In : *Dictionary of Scientific Biography*. – New York : Ch.C. Gillispie, Charles Scribner's sons. – [Tome VII, pp. 289-321].

"La ligne de partage des eaux". – In : *Les Somnambules, Essai sur l'histoire des conceptions de l'Univers* / A. Koestler ; traduction de G. Fradier. – Paris : Calmann-Lévy, 1960. – [Pp. 211-404].

Structures de pensée et objets du savoir chez Kepler / G. Simon. – Lille : Service de reproduction des thèses, Université de Lille III, 1979.

MYSTÈRE COSMOGRAPHIQUE 67

A. Segonds — 1993

Quelles raisons montrent que les hypothèses de Copernic sont raisonnables. — Ce texte de 1596 contient l'une des premières défenses du système héliocentrique.

Bien qu'il soit conforme à la piété d'examiner, dès le début de cette disputation sur la Nature, s'il n'y est rien dit de contraire aux Saintes Écritures, j'estime néanmoins inopportun de mettre en branle cette controverse ici, avant que je n'y sois contraint. Je promets cependant, en général, de ne rien dire qui fasse injure aux Saintes Écritures, et s'il advient que Copernic soit convaincu avec moi de semblable chose, de tenir [ce qu'il dit] pour nul. D'ailleurs, j'ai toujours été dans cette disposition d'esprit depuis le jour où j'ai commencé d'étudier les livres *Des Révolutions* de Copernic.

Puis donc que, dans ce domaine, aucun scrupule religieux ne m'empêchait de prêter une oreille favorable à Copernic, à condition qu'il tînt un discours raisonnable, ce qui me donna pour commencer confiance en lui ce fut le très bel accord qui existe entre tous les phénomènes célestes et les opinions de Copernic : en effet, Copernic non seulement démontrait les mouvements passés et rapportés depuis la plus haute antiquité, mais encore annonçait les mouvements à venir non pas avec une certitude absolue, bien entendu, mais en tout cas avec bien plus de certitude que Ptolémée, Alphonse[1] et tous les autres astronomes. Mais [ce qui m'a le plus] convaincu c'est que Copernic seul donne, de la manière la plus élégante, la raison de choses dont les autres astronomes nous avaient appris à être surpris, et que lui seul ôte la cause de cette surprise, qui réside dans une ignorance des causes. Cela je ne l'enseignerai jamais plus facilement à mon Lecteur qu'en l'incitant et en le convainquant de lire la *Narration* de Rheticus[2]. Car lire les livres mêmes *Des Révolutions* de Copernic n'est pas donné à tout le monde.

Le Secret du monde / Jean Kepler ; traduction et notes d'Alain Segonds à partir d'un essai initial de Louis-Paul Cousin. – Collection *Tel*. – Paris : Gallimard, 1993. – [P. 43].

ASTRONOMIE NOUVELLE 68

M. Mund-Dopchie, P. Radelet - de Grave — 1996

Que nulle forme d'orbite n'est laissée à la planète, excepté la parfaitement elliptique (4e Partie, chapitre LVIII). — Comme partout dans son œuvre, Kepler évoque, trait par trait, le développement de sa pensée. On le voit découvrir ici sa première loi, qui récuse le mouvement circulaire imposé par Aristote.

Comment, la variation étant maintenue, l'erreur demontrée et trouvée au chapitre LVI pourrait néanmoins être admise, lors d'une application maladroite de cette variation par laquelle le chemin de la Planète aurait la forme d'une bouche.

> « Par malheur Galatée, folâtre jeune fille, me
> cherche, fuit vers les saules mais désire auparavant
> être aperçue. »

C'est assurément à propos de la nature que je chante ces vers sortis de la bouche de Virgile. En effet, plus on s'approche d'elle, plus les jeux deviennent agressifs, plus elle se dérobe par de plus nombreux détours, à celui qui veut la saisir et qui est déjà sur le point de la tenir, sans jamais

1 Alphonse X le Sage, roi de Castille (1221-1284), auteur des *Tabulæ astronomicæ*, dites tables alphonsines. Voir *P.L.E.* 4b, pp. 719-727.

2 En 1540, soit trois ans avant la publication du *De revolutionibus* par Copernic, G.F. Rheticus (1514-1574) publie la *Narratio prima* dans laquelle il présente et explique le système de Copernic.

cesser d'inviter à ce qu'on la comprenne, comme si elle était charmée par mes erreurs.

Tout ce que j'ai examiné dans ce travail, pour découvrir l'hypothèse Physique dont, non seulement, découleraient des distances en accord avec les faits observés mais qui vérifient également les équations que nous fûmes obligés jusqu'ici d'emprunter à [l'hypothèse] alternative du chapitre XVI : le tentant même au moyen de cette hypothèse très vraie, par une méthode fausse, j'ai commencé à nouveau à douter fortement des choses.

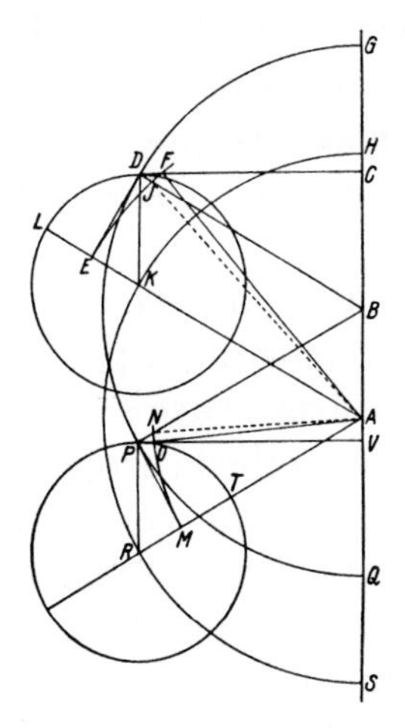

Soient tracés deux cercles égaux GD. HK. de centres B, A sur la ligne des apsides. Et soit AB l'excentricité du cercle GB. Soit d'autre part l'arc GD ou HK l'anomalie excentrique ou sa valeur en degrés par l'équivalence du chapitre III. Donc que du centre K avec la distance KD qui soit égale à AB même, soit tracé l'épicycle LDF qui coupera le cercle GD en D par l'équivalence du chapitre III[1]. *Soit menée AK prolongée jusqu'à ce qu'elle coupe l'épicyle en L de sorte que LD soit un arc égal à l'anomalie excentrique GD ou HK. Et que B soit joint à D. De plus que soient abaissées de D les perpendiculaires sur GA, LA qui soient DC, DE.* C'est pourquoi, par ce qui a été démontré au chap. LVI, AE sera sans conteste la distance exacte pour cette anomalie excentrique pour laquelle nous cherchons la perte de temps qu'elle occasionne. Et comme le sinus verse GC de cet arc, ou après multiplication, LE ôtée de GA aurait produit exactement la distance AE.

1 Le chapitre III est intitulé « De l'équivalence et de la concordance des divers points de vue et des diverses quantités hypothétiques pour déterminer le parcours d'une seule et même planète » et énonce que, quel que soit le repère dans lequel on exprime le mouvement de la planète, il faut que les résultats concordent.

J'étais persuadé par ces indices que l'autre extrémité de cette même AE ne devait pas être cherchée sur la ligne DC, ce qui était pourtant très vrai mais sur la ligne DB, au point I, comme si je menais l'arc EIF de centre A et de rayon AE qui coupe DB en I. Alors AI serait, suivant cette intuition, la distance exacte en position et en longueur, et IAG la véritable anomalie. D'autre part, il est manifeste que l'arc EIF coupe la ligne DC en un point situé plus haut, en F, et qu'ainsi les angles IAG et FAG diffèrent de la quantité IAF.

Je me suis donc trompé en remplaçant AI par AF. Je compris d'abord l'erreur par l'expérience. Car comme j'examinais la grandeur de l'aire DAG tant par toutes les distances que par l'aire DAB, j'ajustai ensuite l'angle IAG, et non FAG, à cette aire DAG évaluée en temps ; j'ai alors obtenu 5 1/2' de plus dans la partie supérieure du demi-cercle et 4' de moins que ne donnait [l'hypothèse] alternative dans l'inférieure, et ce de manière assez sûre. Les équations ne concordant pas avec la vérité, j'ai commencé une fois de plus à accuser ces très exactes distances AE et la variation LE de la Planète du crime dont la méthode erronée qui considérait I au lieu de F était coupable. Quoi de plus ? La vérité elle-même et la nature des choses étant répudiées et bannies, elles revinrent furtivement à l'intérieur par la porte de derrière, et elles furent admises par moi sous un aspect différent. À cause des variations, rejetées je le rappelle, du diamètre LE, je commençai à faire appel aux ellipses, considérant que je suivais ainsi une hypothèse estimée par moi de loin très différente des variations ; alors qu'elles coïncident parfaitement, comme il sera démontré au chapitre suivant, à moins que les erreurs de méthode que j'avais commises auparavant ne fussent corrigées en conséquence, et que F eût remplacé I comme il l'aurait fallu.

Mon argumentation fut la même que celle des chapitres XLIX, L et LVI. Le cercle du chapitre XLIII pèche par excès, l'ellipse du chapitre XLV[1] pèche par défaut. Et l'excès de l'un est égal au défaut de l'autre. Or, entre le cercle et l'ellipse rien ne s'insère, si ce n'est une autre ellipse.

---

1 Kepler essaie vainement de retrouver les positions de la planète Mars observées par Tycho Brahe au moyen de la théorie classique des cercles et des excentriques. Pour la première fois au chapitre XLV, il envisage un mouvement qui se produirait sur une orbite d'une autre forme qu'il qualifie ici pour la première fois d'ellipse. La surface qui se trouve entre une ellipse et le cercle circonscrit est une lunule dont la largeur représente la différence entre le grand diamètre de l'ellipse, qui est aussi celui du cercle, et son petit diamètre. 429 est la valeur recherchée par Kepler, parce qu'elle correspond à la différence entre les résultats théoriques obtenus dans les chapitres précédents au moyen de cercles et la valeur tirée des observations de Tycho Brahe (cf. *PLE* 7, pp. 770-773).

Donc l'ellipse est le chemin de la Planète, et la lunule retranchée du demi-cercle a la moitié de la largeur de la première, à savoir 429.

Car lorsque le chemin de la Planète est une ellipse, il est assez manifeste que I ne peut remplacer P, parce que si cela était fait, la Planète effectuerait un chemin en forme de bouche. *Soient en effet les angles GBD HAK égaux ; au-dessous les angles QBP, SAR ; et du Centre R soit décrit à nouveau l'épicycle PT égal au premier et de l'intersection P de l'épicycle avec l'excentrique, que tombent les perpendiculaires PU, PM sur BQ, AR ; et que P soit relié à B et du centre A que soit tracé l'arc MN de rayon AM, coupant PU en O ; PB en N. Si de manière analogue à ce qui précède nous remplaçons I par F, alors nous remplaçons N par O et nous penserons que AN de même qu'elle est la mesure exacte en longueur, elle l'est en position. Mais les points I, N, et leurs semblables donnent au chemin de la Planète une forme de bouche. Car les arcs GD et QP sont égaux et BD, PP, issus d'un même centre coupent la lunule retranchée. Donc les largeurs DI et PN de la lunule, prolongées vers le centre sont inégales, et DI est plus petite, PN plus grande. En effet puisque ED et MP sont égales et EDI, MPN, droits, que EI est le plus grand cercle car de rayon AE plus grand et MN le plus petit car de rayon AM plus court : PN sera toujours plus grand, DI plus petite. Donc la lunule retranchée est plus mince en haut vers D, plus large en bas vers P. Mais dans l'ellipse cette lunule est de largeur égale aux points également distants des apsides G et Q.* Il est donc visible que le chemin a la forme d'une bouche, et non d'une ellipse. Et puisque l'ellipse fournit les équations correctes, celles fournies par le chemin en forme de bouche seront erronées.

Et il n'était pas nécessaire de calculer à nouveau les équations à partir de l'ellipse. Je savais qu'elles rempliraient sûrement leur office. Je m'inquiétais seulement de savoir si les distances déduites de l'ellipse feraient l'affaire pour moi. Mais quoi qu'il arrive, une échappatoire existait pour moi, une incertitude de 200 unités sur les distances. Je ne me suis donc pas même beaucoup tracassé ici. De vrai, j'avais un scrupule incomparablement plus grand qui me hantait presque jusqu'à la folie, je ne pouvais comprendre pourquoi la Planète, qui avait une variation LE sur le diamètre LK en si grand accord avec les distances observées, optait plutôt pour un chemin elliptique comme le révélait les équations. Ô comme j'étais ridicule ! Comme si la variation sur le diamètre ne pouvait correspondre à un chemin elliptique. C'est pourquoi cette connaissance s'est imposée à moi, à savoir que la variation correspond parfaitement à une ellipse comme cela paraîtra au chapitre suivant, où il sera encore démontré par la même occasion que nulle forme d'Orbite n'est permise à une planète si ce n'est la parfaitement elliptique ; les lois dérivées des principes Physiques se combinant avec l'expérience des observations et de l'hypothèse alternative, développée dans ce chapitre.

Traduction inédite.

HARMONIE DU MONDE 69

M. Mund-Dopchie, P. Radelet - de Grave — 1996

Résumé de la doctrine astronomique nécessaire pour la contemplation des harmonies célestes (Livre V, chapitre 3). — En 1619, après avoir évoqué les deux premières lois découvertes en 1609, Kepler raconte la découverte de sa troisième loi : le carré de la période égale le rayon élevé à la puissance 3/2. Autrement dit, la planète parcourt son orbite en un temps lié à la grandeur du rayon par une formule indépendante de la planète elle-même.

Huitièmement, nous avons traité jusqu'ici des divers délais ou des arcs parcourus par une et même Planète. Maintenant, il s'agit encore de comparer entre eux les mouvements de deux Planètes. [...]

Donc à nouveau une certaine partie de mon *Mystère cosmographique*, inachevée depuis 22 ans, parce qu'elle n'était pas encore évidente, doit être délivrée et présentée ici. En effet, les intervalles exacts entre les Orbes étant déterminés par les observations de Brahe, au cours d'un travail continu de très longue haleine ; enfin, enfin, le rapport exact des Temps périodiques au rapport des Orbes, m'a regardé moi inhabile et après un long moment, il est venu ; si tu demandes à quel moment précis, elle fut conçue le 8 mars de cette année mille six cent dix-huit, mais impossible à réduire aux calculs, et pour cette raison, rejetée comme fausse ; revenue enfin le 15 mai, ayant pris une nouvelle inspiration, il emporta les ténèbres de ma Pensée grâce à la grande conformité de mon travail de dix-sept années sur les Observations Brahéennes et de cette méditation, l'une et l'autre aboutissant au même point, que je crus d'abord rêver et supposer ce qui est recherché dans les principes. Mais la chose est tout à fait certaine et exacte que le rapport qui existe entre les Temps périodiques de deux Planètes quelconques, est exactement une fois et demi le rapport des distances moyennes, c'est-à-dire de leurs Orbes.

Traduction inédite.

VIE DE SAINTE JULIANE DE LAZAREVO

VIEUX RUSSE

Début du XVIIe siècle

Exemple des changements culturels intervenus dans la société russe à la fin du XVIe et au début du XVIIe siècle, ce récit anonyme, apparenté à la littérature hagiographique, s'en distingue par de nombreux traits.

Tout d'abord, le personnage principal est une femme de la moyenne noblesse de province, mère de famille, bonne maîtresse de maison, n'ayant jamais séjourné dans un monastère. Elle entre donc mal dans le cadre traditionnel d'une sainteté féminine majoritairement constituée par des vierges-martyres et des hautes aristocrates devenues moniales.

Ensuite l'auteur. Il ne s'agit pas, comme pour la majorité des *Vies* de saints, d'un pieux moine s'efforçant de faire entrer l'existence de son maître dans les schémas très précis de la littérature hagiographique. L'auteur, autant que nous puissions le connaître, serait un des fils de la sainte, Druzina (de son nom de baptême Calistrate), *gubnoj starosta* (sorte de président élu du tribunal) de la ville de Mourom entre 1610 et 1640. Il aurait écrit la vie de sa mère dans les années 30 du XVIIe siècle.

Enfin, l'idéologie. Le récit, le nombre assez important des manuscrits (une trentaine), les études des sources montrent que, derrière la *Vie* de Juliane, se dessine une nouvelle vision de la sainteté et une autre articulation entre monachisme et vie dans le monde. Si, auparavant, la vie monastique, « l'ordre angélique » constituait sans conteste le but suprême de la vie chrétienne, amenant même les pieuses gens à en revêtir l'habit avant leur mort, la vie de couple ou de famille demeurait marquée par la facilité et une certaine défaveur. Par contre, dans ce texte, se perçoit l'amorce d'un rééquilibrage entre les deux types d'existence. Il n'est plus besoin d'être un moine ou une moniale pour être reconnu comme saint ou sainte, une femme mariée, mère d'une famille nombreuse, ancrée dans la réalité, le peut aussi.

T. A. Greenan, "Iulianya Lazarevskaya". – In : *Oxford Slavonic Papers* 15 (1982), pp. 28-45.

J. Alissandratos, "New Approaches to the Problem of Identifying the Genre of the Life of Juliana Lazarevskja". – In : *Cyrillomethodianum* 7 (1983), pp. 235-244.

T. A. Greenan, "Iouliana Lazarevkaïa, symbole d'un peuple croyant". – In : *Mille ans de christianisme russe*. – Paris : YMCA-press, 1989, pp. 177-188.

VIE DE SAINTE JULIANE DE LAZAREVO — 70

J.-Cl. Roberti — 1994

Sainteté, simplicité. — L'insistance sur la prière perpétuelle et les efforts ascétiques personnels le cèdent ici, chez cette femme vivant dans le monde, aux abnégations de l'aumône, du don de soi et du souci d'autrui. Cela mis à part, l'itinéraire de la sainteté, ses épreuves, ses revers, ses grâces, ses signes visibles et ses reliques, tout est en quelque sorte classique et conforme aux normes traditionnelles.

À l'époque du pieux tsar et grand prince Jean Vassilevitch[1] de toute la Russie, il y avait à la cour royale un homme pieux et aimant les pauvres

[1] Il s'agit de Jean ou Ivan IV dit le Terrible (1533-1584). (N.d.t.)

du nom de Justin, appelé Nedjurev, au grade d'intendant. Il avait une épouse craignant aussi Dieu et aimant les pauvres, du nom de Stéphanida, fille de Grégoire Lukin, de la ville de Mourom. Et ils vivaient tous les deux en toute piété et pureté, ayant des fils et des filles et beaucoup de richesses et une multitude de serviteurs. D'elle naquit la bienheureuse Juliane.

Lorsqu'elle eut six ans, sa mère mourut et sa grand-mère, la mère de sa mère, la veuve Nastasia, fille de Nicéphore Dubenskij, la prit chez elle dans la banlieue de Mourom et l'éleva en toute piété et pureté pendant six années. Et sa grand-mère mourut et, selon son testament, sa tante Nathalie, fille Putilov et épouse Arapov, la prit chez elle. La bienheureuse Juliane, depuis sa tendre enfance, aimait Dieu et Sa très pure Mère, respectait beaucoup sa tante et ses filles, avait en tout obéissance et humilité, et s'adonnait à la prière et au jeûne. Et pour cela elle était beaucoup critiquée par sa tante et moquée par les filles de cette dernière. Elles lui disaient : « Ô folle ! pouquoi macères-tu ta chair tellement jeune, tu y perdras ta beauté virginale ». Et elles l'obligeaient à manger et à boire ; elle se soumettait à leur volonté, et elle acceptait tout avec reconnaissance et s'écartait en silence, ayant obéissance envers tout être humain. Car elle était depuis sa jeunesse douce et silencieuse, sans arrogance ni hauteur, s'écartant du rire et de tout jeu. Si elle fut de nombreuses fois obligée par les compagnes de son âge [à assister] à leurs jeux et chants vides de sens, elle ne suivait pas leurs conseils et faisait celle qui ne comprenait pas, voulant ainsi cacher ses vertus pour Dieu. Ainsi elle s'appliquait avec un grand zèle à filer ; sa bougie ne s'éteignant pas de la nuit. Et les pauvres, les orphelins et les veuves du village, [elle] les habillait et s'occupait par des bontés de toute sorte de tous les nécessiteux et des malades si bien que tous s'étonnaient de sa sagesse et de sa piété, et la crainte de Dieu s'installait en eux. Ce village n'avait pas d'église à proximité, mais à quarante verstes. Il ne lui arriva donc pas dans son adolescence d'aller à l'église ni d'entendre les paroles divines [qui y étaient] lues, ni [celles] d'un maître enseignant le salut. Mais elle apprit les mœurs vertueuses par le bon sens[1]. Lorsqu'elle atteignit 16 ans, elle fut donnée [en mariage] à un homme riche et vertueux, du nom de Georges, appelé Osorjin, et ils furent mariés par le prêtre, du nom de Potapij, dans l'église du juste Lazare [qui était] dans le village de son mari. Ce [prêtre] leur enseigna la loi divine

---

1 Le terme peut aussi signifier le Saint-Esprit. (N.d.t.)

selon les saintes règles[1]. Elle écouta ces enseignements et ces sermons et les mit en pratique.

Son beau-père et sa belle-mère étaient encore en vie ; la voyant en âge et tout emplie de bonté et de sagesse, ils lui ordonnèrent de diriger la maison. Elle avait obéissance et humilité envers eux, en rien ne désobéissait et ne s'opposait à leurs dires, mais les vénérait et exécutait tous leurs ordres, si bien que tous en étaient étonnés. Et elle donnait réponse à tous ceux qui la tentaient en paroles et tous s'étonnaient de sa sagesse et rendaient grâce à Dieu. Tous les soirs elle priait Dieu et faisait 100 prosternations ou plus et, se levant tôt, chaque matin elle faisait de même avec son mari.

Lorsque son mari était au service du tsar, un an ou deux et même parfois trois à Astrakhan, elle, pendant ce temps, restait chaque nuit sans dormir, en prière et au travail, filant et tissant. Et ayant vendu [le produit de son travail], elle en donnait le prix aux miséreux et à la construction d'une église. Elle faisait beaucoup d'aumônes de nuit en secret, le jour elle dirigeait la maison. Elle s'occupait des veuves et des orphelins comme une vraie mère, les lavant de ses mains, les nourrissant et les abreuvant. Elle approvisionnait ses serviteurs et ses servantes de nourriture et de vêtements, leur donnant du travail selon leurs forces ; elle n'appelait personne simplement par son nom, elle ne demandait pas qu'on lui donnât de l'eau pour se laver les mains, ni qu'on lui retirât ses bottes, mais elle le faisait elle-même. Et si elle faisait des remontrances aux serviteurs et aux servantes indociles, elle les corrigeait avec douceur et humilité, prenant la faute sur elle. Elle ne calomniait personne. Elle plaçait tout son espoir en Dieu et en Sa très sainte Mère et invoquait l'aide du grand thaumaturge Nicolas, recevant son aide.

[...]

Peu de temps après, la colère divine atteignit les terres russes pour nos péchés ; il y eut une grande famine et beaucoup en moururent[2]. Elle fit beaucoup d'aumônes en secret, prenant des victuailles chez sa belle-mère sur la nourriture du matin et de midi et donnant le tout aux pauvres. Ses beaux-parents lui disaient : « Comme tu as changé ! Lorsqu'il y avait abondance de pain, on ne pouvait te forcer à prendre de la nourriture le

---

1 S'agissait-il d'une sorte de préparation au mariage ou simplement le sermon fait traditionnellement lors de la cérémonie, il est difficile de le dire. (N.d.t.)

2 Il s'agit probablement d'une disette locale. Par la suite, le texte fera mention d'une très importante famine qui fut une des raisons de la défaveur populaire de Boris. (N.d.t.)

matin et le midi ». Elle, voulant donner le change, répondait : « Lorsque je n'avais pas donné naissance à mes enfants, je n'avais pas envie de manger, et lorsque je me mis à donner naissance à des enfants, je m'affaiblis et je n'arrivai pas à me rassasier. Non seulement le jour mais la nuit, j'avais de nombreuses fois envie de manger, mais j'avais honte de te demander ». La belle-mère, entendant cela, fut heureuse et elle lui envoya de la nourriture à satiété non seulement le jour, mais aussi la nuit. Il y avait dans leur maison de tout en abondance, du pain et tous autres produits. Elle recevait la nourriture de sa belle-mère et, sans la manger, la distribuait aux affamés. Lorsque quelqu'un mourait, elle louait [des gens] pour le laver, donnait l'argent pour les funérailles et, pour l'enterrement, des pièces d'argent ; et lorsque dans les villages il n'y avait personne pour célébrer les funérailles, elle priait pour la rémission des péchés de tous.

Peu après, il y eut une grande épidémie et beaucoup moururent rapidement ; et à cause de cela beaucoup s'enfermaient dans leurs maisons et on n'y laissait pas entrer les femmes contaminées, et on ne touchait pas leurs vêtements. En secret de sa belle-mère et de son beau-père, au bain, elle lavait de ses mains nombre de contaminés, les soignait et priait Dieu de les guérir. Et si quelqu'un mourait, elle lavait de ses mains les orphelins, donnait pour les funérailles, louait [des gens] pour l'enterrement et donnait [de l'argent] pour les offices du quarantième jour[1].

[...]

Ayant ainsi vécu avec son mari de nombreuses années en grande vertu et pureté selon la loi divine, elle donna naissance à des fils et des filles. L'ennemi du bien la haïssait et s'efforça de créer des obstacles : il soulevait de fréquentes querelles parmi ses enfants et ses serviteurs. Elle les apaisait par des jugements sages et raisonnables. L'ennemi incita un de ses serviteurs à tuer son fils aîné. Ensuite on lui tua un second fils au service. Si elle fut affligée pendant quelque temps, ce n'était pas de leur mort, mais pour leurs âmes. Elle les honora par le chant[2], la prière et l'aumône. Ensuite, elle pria son mari de la laisser aller au monastère. Il ne lui permit pas, mais ils se mirent d'accord pour vivre ensemble, sans avoir de relations charnelles. Elle lui installait sa literie habituelle[3] ; elle, le soir, après de nombreuses prières, se couchait sur le poêle sans literie,

---

1 Traditionnellement des offices sont célébrés les troisième, neuvième et quarantième jours après le décès. (N.d.t.)

2 Signifiait aussi l'office, la cérémonie liturgique. (N.d.t.)

3 À l'exception des tsars ou des grands personnages de l'État, les Russes ne connaissaient pas le lit. Ils installaient draps et couvertures sur un banc, le poêle, par terre. (N.d.t.)

plaçant des morceaux de bois aux coins aigus sous son corps et des clés de fer sous les côtes. Elle dormait un peu dessus jusqu'à ce que ses serviteurs fussent endormis, ensuite elle se levait pour prier toute la nuit, jusqu'au lever du jour. Ensuite elle allait à l'église pour les matines et la liturgie, se mettait à l'ouvrage et s'occupait de la maison, donnant aux serviteurs suffisamment de nourriture et de vêtements, et à chacun du travail selon ses forces. Elle prenait soin des veuves et aidait tous les pauvres.

Ayant vécu avec son mari dix années dans la séparation de corps, celui-ci décéda. Elle l'enterra dignement et l'honora par le chant, des prières, les offices des quarante jours et par l'aumône. Et refusant encore plus tout ce qui était de ce monde, elle s'occupa de son âme ; de comment faire plaisir à Dieu, jeûnant et faisant des aumônes infinies, si bien que plusieurs fois il ne [lui] resta plus une pièce d'argent. Elle empruntait, faisait l'aumône et allait chaque jour à l'église à la liturgie. Lorsque vint l'hiver, elle emprunta de l'argent à ses enfants afin de faire faire des vêtements chauds qu'elle donnait aux pauvres. Elle-même allait pendant l'hiver sans vêtement chaud, elle mettait des bottes sur ses pieds nus ; elle mettait sous ses pieds des coques de noix et des tessons aigus à la place des semelles : ainsi elle épuisait son corps.

À cette époque, l'hiver fut si froid que la terre se crevassait sous le gel. Plusieurs fois elle n'alla pas à l'église, mais priait Dieu chez elle… Une fois le prêtre de l'église étant arrivé seul à l'église, entendit une voix venant d'une icône de la Mère de Dieu : « Va et demande à la bienveillante Juliane pourquoi elle ne vient pas à l'église ? La prière à la maison est agréable à Dieu, mais moins que la prière à l'église. Et vous, honorez-la, car elle n'a pas moins de 60 ans[1] et l'Esprit Saint repose sur elle ». Le prêtre fut dans un grand effroi, il vint immédiatement chez elle, lui demandant pardon et lui racontant sa vision. Elle écouta, craignant qu'il n'ait raconté cela à beaucoup, et dit : « Tu t'es trompé lorsque tu parles de moi ; qui suis-je sinon une pécheresse, comment serais-je digne de ce que tu dis ». Elle lui arracha le serment de ne mettre personne au courant. Elle-même alla à l'église, fit des prières [en pleurant] à chaudes larmes, embrassant l'icône de la très pure Mère de Dieu. Et à partir de là, elle fit encore plus d'exploits ascétiques pour Dieu, en allant à l'église.

[…]

1 Il s'agissait d'un âge considérable dans un pays où l'espérance de vie était de 35 ans. (N.d.t.)

Elle disait sans arrêt la prière de Jésus[1] avec son chapelet dans la main. En mangeant, en buvant ou en faisant quelque chose, elle disait sans arrêt cette prière. Lorsqu'elle se reposait, ses lèvres bougeaient, son sein faisait assaut de doxologie. On la vit de nombreuses fois en train de dormir, sa main égrenant son chapelet. Le diable s'enfuit, en criant : « Je t'ai fait beaucoup de mal, mais je t'en ferai encore d'autre dans ta vieillesse. Tu mourras de faim à force de nourrir les étrangers ». Elle fit un signe de croix sur lui et le démon disparut. Elle vint à nous très effrayée et le visage défait. Nous, la voyant si troublée, nous l'interrogeâmes et elle ne dit rien. Plus tard elle nous raconta [tout] sous le sceau du secret, nous demandant de n'en parler à personne.

Ayant vécu neuf années de veuvage, elle montra beaucoup de vertu envers tous et distribua de nombreuses propriétés en aumône. Elle ne laissait à la maison que les produits nécessaires et comptait la nourriture d'une année à l'autre ; le surplus elle le distribuait entièrement à ceux qui en avaient besoin. Sa vie dura jusqu'au tsar Boris[2]. À cette époque, il y eut une grande famine par toute la Russie. Beaucoup furent obligés de manger des viandes interdites[3] et de la chair humaine, une multitude innombrable de gens mourut de faim. Dans sa maison, il y avait une grande pauvreté de nourriture, car le blé semé ne sortait pas de terre. Ses chevaux et ses troupeaux moururent. Elle priait ses enfants et ses serviteurs de ne pas se livrer au pillage et au vol.

Elle vendit le bétail qui restait, ses robes, la vaisselle pour acheter du blé et ainsi nourrir sa maisonnée et donner suffisamment d'aumônes. Dans le dénuement elle n'abandonnait pas ses aumônes habituelles et ne laissait s'en aller personne les mains vides. Étant parvenue jusqu'au dénuement extrême, si bien qu'aucun grain de blé ne restait chez elle, elle ne s'angoissait pas mais mettait toute son espérance en Dieu.

Cette année-là, elle déménagea dans un autre village, dans les limites de Nijni-Novgorod. Il n'y avait qu'une église à deux verstes. Tenue par la vieillesse et la pauvreté, elle n'allait pas à l'église mais priait chez elle. Elle en avait pas mal de peine, mais faisait mémoire de saint Corneille, auquel la prière à la maison n'avait pas nui, ainsi que d'autres grands saints. Le dénuement augmentait dans sa maison. Elle libéra ses serviteurs afin qu'ils ne soient pas torturés par la faim. Certains promirent en

---

1 Prière d'invocation constante : « Seigneur, Jésus, Christ, Fils de Dieu, aie pitié de moi, pécheur ».

2 1598-1605. (N.d.t.)

3 Les Russes de l'époque suivaient les interdits du Lévitique, en y ajoutant certains autres. (N.d.t.)

toute bonne conscience de souffrir avec elle, d'autres s'en séparèrent. Elles les laissa partir avec sa bénédiction et sa prière, n'en ayant aucune colère. Et elle ordonna aux serviteurs qui étaient restés de rassembler de la menthe et de l'écorce d'arbre et d'en faire du pain. Elle s'en nourrissait, ainsi que ses enfants et ses serviteurs, et par sa prière il avait bon goût. Elle en donnait aussi aux miséreux et ne laissait personne s'en aller les mains vides. À cette époque, les miséreux étaient innombrables. Ses voisins leur disaient : « Pourquoi allez-vous à la maison de Juliane ? Elle-même meurt de faim ! » Ils leur disaient : « Nous faisons le tour de beaucoup de villages et recevons du bon pain, mais nous n'en avons jamais mangé de si bon que celui de cette veuve. » Beaucoup ne connaissaient même pas son nom. Ses voisins qui avaient du pain à satiété, envoyèrent demander du pain chez elle, le goûtèrent et [virent] comme il était bon. Et ils s'étonnaient, se disant : « Ses serviteurs sont habiles à cuire le pain ». Et ils ne comprenaient pas que le pain était rendu bon par sa prière. Pendant deux années, elle souffrit sans pécher des lèvres, sans s'élever contre Dieu. Le dénuement ne l'exténuait pas, mais plus que les premières années elle était joyeuse.

Lorsque s'approcha sa sainte mort, elle tomba malade le 26 et resta couchée six jours. Le jour, elle priait couchée et, la nuit, se levant, elle priait Dieu en se tenant debout toute seule, sans être soutenue par personne ; elle disait : « Dieu exige les prières spirituelles des malades ».

Le 2 janvier à l'aube, elle appela son confesseur et communia aux saints mystères. Et, assise, elle appela ses enfants et ses serviteurs et leur fit un sermon sur l'amour, la prière, l'aumône et les autres vertus. Et elle ajouta à cela : « Je voulus revêtir l'ordre angélique des moines, mais n'y réussis pas à cause de mes péchés et de ma pauvreté, parce que j'en étais indigne, étant pauvre et pécheresse ; ainsi Dieu le voulut et gloire à Son juste jugement. » Et, ayant ordonné de préparer l'encensoir et d'y mettre l'encens, et embrassant tous ceux qui étaient présents, elle donna l'adieu [le pardon] à tous, se coucha et se signa trois fois, ayant noué son chapelet autour de ses mains, et dit ses dernières paroles : « Gloire à Dieu pour tout. Seigneur, dans tes mains je remets mon esprit. Amen ! » Et tous virent autour de sa tête un cercle d'or comme on les peint sur les icônes autour de la tête des saints.

L'ayant lavée, on la mit dans une grange. La nuit, on vit une lumière et un cierge brûlant, et une bonne odeur sortait de la grange. On la mit dans un cercueil en chêne et on la transporta dans les limites de Mourom, et on l'enterra le 10 janvier 7 112 [1 604] près de l'église du juste Lazare à côté de son mari. Il y a quatre verstes de cette église à la ville.

Par la suite, on construisit au-dessus d'elle une église chauffée[1] en l'honneur de l'archistratège Michel. On plaça le poêle sur sa tombe ; la terre s'y était accumulée pendant des années. Et, le 8 août 7 123 [1 615], son fils Georges mourut. Et on se mit à creuser sa tombe dans l'église, entre le narthex et le poêle, le narthex n'ayant pas de plancher. Et l'on découvrit son cercueil intact dans la terre, en rien abîmé. On ne savait pas de qui était le cercueil, car depuis de nombreuses années personne n'avait été enterré là. Le 10 de ce même mois, on enterra son fils Georges auprès de son cercueil et on alla à la maison pour l'office. Les femmes qui étaient à l'enterrement ouvrirent le cercueil et le virent empli d'une myrrhe odoriférante. D'effroi, elles n'en parlèrent à personne sur le coup, elles ne le firent qu'après le départ des invités. Ayant entendu cela, nous nous étonnâmes et, ayant ouvert le cercueil, nous vîmes ce que les femmes avaient dit dans leur effroi. Nous puisâmes un petit flacon de cette myrrhe et nous la portâmes dans la ville de Mourom à l'église cathédrale.

Traduction inédite. — *Povest' ob Uljanii Muromskoj [Récit de Juliane de Mourom]* / édité par Kostomarov. – Saint-Pétersbourg, 1860. – [T. I, pp. 63-67]. – (*Pamajtniki starinnoj russkoj literatury* [*Monuments de la littérature russe ancienne*]).

---

1 Il y avait à l'époque deux types d'église : non chauffée utilisée l'été et chauffée pour l'hiver. La construction d'un poêle revenait très cher et, surtout, nécessitait une surveillance continuelle à cause des risques d'incendie, ces bâtiments étant en bois. (N.d.t.)

RIMAY

HONGROIS **1569-1631**

Disciple et ami de Bálint Balassi, János Rimay, qui l'assista dans son agonie, se chargea de gérer et de continuer son héritage poétique. Poète de vaste culture humaniste et de grande maîtrise technique, jusqu'à la virtuosité, il laisse une œuvre poétique qui, sans avoir l'importance et la qualité de celle de Balassi, illustre la vitalité, définitivement acquise, du genre lyrique en Hongrie.

Poète précoce, descendant d'une famille peu fortunée de noblesse moyenne, élevé dans le luthéranisme, Rimay fut mêlé dès sa jeunesse à la vie des cours seigneuriales et princières. Profondément marqué par la philosophie stoïcienne de son temps, il fut en correspondance avec Juste Lipse, dont le *De Constantia* lui inspira plus d'un poème sur le thème de la constance et de la résignation, sur la nécessité pour l'homme de maîtriser ses désirs et ses passions, de s'élever au-dessus des intrigues de cour et de chercher refuge dans l'univers consolateur des livres. S'il fut poète d'amour, il fut aussi le premier à chanter dans sa langue maternelle la *Querela Hungariæ*, cette complainte allégorique de la Hongrie subissant le joug turc, qui devint par la suite l'un des topoï de la poésie politique et patriotique hongroise. À la différence de Balassi, la guerre et la destruction des valeurs lui inspirèrent des sentiments d'appréhension, voire d'angoisse.

Puisant volontiers dans la tradition antique d'Ovide et d'Horace, comme dans celle du pétrarquisme, sa poésie, souvent fort personnelle, est chargée d'images surprenantes, de métaphores parfois énigmatiques : tantôt l'amour y est nommé « un miracle tissé d'épines », tantôt le poète parle du « poison bleu de ses péchés ».

Rimay n'eut pas que des ambitions poétiques. Tout au long de sa vie, il fut animé du désir d'entretenir des relations avec les meilleurs esprits de son temps, en Hongrie comme à l'étranger. Il eut la noble aspiration de rassembler ceux qu'il appela les « descendants de Pallas » (*proles palladias*), dont il dit avec fierté au grand Juste Lipse, auquel il avait emprunté cette expression, qu'ils se préoccupaient, dans ce pays lointain, de théorie de l'État et de problèmes de philosophie morale. Rimay tenta même de créer une société savante, ce qui fait de lui un précurseur du mouvement académique hongrois.

Összes müvei (= *Œuvres complètes*) / János Rimay ; édition critique par Sándor Eckhardt. – Budapest : Akadèmiai Kiadò, 1955. – 469 p.

T. Klaniczay, "La crise de la Renaissance et le maniérisme". – In : *Acta litteraria Academiæ Scientiarum Hungaricæ*. – Budapest, vol. XIII (1971), pp. 269-314.

I. Bitskey, "Spätrenaissance, Manierismus und Barock : Wege und Wandlungen in der ungarischen Literatur des frühen 17. Jahrhunderts". – In : *Acta litteraria Academiæ Scientiarum Hungaricæ*. – Budapest, vol. XXVI (1984), pp. 21-32.

P. Acs, "Ratio et oratio. Tipologie poetiche in János Rimay". – In : *Annali dell'Istituto Universitario Orientale di Napoli, Studi Finno-Ugrici*. – Naples, vol. I (1995), pp. 149-172.

POÈMES 71

L. Pödör, A.-M. de Backer — 1981

Plus s'écoule le temps...

Omnia post obitum fungit maiora vetustas,
Maius ab exequiis nomen in ora venit

Plus s'écoule le temps, plus les arbres grandissent,
Les branches de l'hiver en été refleurissent,
De même, dans la mort, les renoms s'accomplissent,
Hors de la nuit enfin, les clartés resplendissent.

N'attends pas de la vie ton renom ici-bas,
L'estime des mortels devançant ton trépas.
Toujours quelque jaloux te les piétinera,
Cependant fais le bien, sois bon pour ces ingrats !

Ton mérite appartient aux temps qui vont venir ;
Si tu sers un présent avare à te nourrir,
Frappe toujours au cœur, vois le but à servir,
N'aie d'espoir ici-bas, Dieu saura te bénir !

Pages choisies de la littérature hongroise des origines au milieu du XVIIIe siècle / préface et choix des textes par Tibor Klaniczay. – Budapest : Corvina Kiadò, 1981. – [P. 150].

POÈMES 72

L. Pödör, A.-M. de Backer — 1981

Le poète implore Dieu.

Viens, printemps ! Pose-toi sur le toit, hirondelle,
Il n'est de rets subtils dont je ne me démêle,
Si Dieu garde à mon front le cheveu le plus frêle,
Sur mon âme et sur moi, il étendra ses ailes.

Mais pourquoi m'éprouver s'il me protège ainsi ?
Il impose la croix à tous ses vrais amis,
Son Fils même ici-bas dut lutter sans merci
Pour la Bonne Nouvelle offerte à notre esprit.

Au terrain desséché, un peu de pluie nuit-elle ?
La neige qui l'engraisse et l'orage ou la grêle ?
De même pour notre âme est la verge du ciel,
Ainsi sur l'or plus beau, la flamme qui ruisselle.

L'ombre met en valeur le feu qui brille et danse,
Sous le faix qu'il soutient, le beau palmier s'élance.
L'épreuve, de nos corps augmente la vaillance,
De la Croix notre joie sera la récompense.

Supporte le malheur, mon âme, apprends l'espoir !
Ainsi, de ton Seigneur mérite toute gloire.
Le soleil sort, brillant, du brouillard le plus noir,
De même ton bonheur, du sombre désespoir.

Dieu de miséricorde au pouvoir éternel,
Colonne de pitié qui jamais ne chancelle,
Guéris mon cœur confit en ses peines cruelles,
Si mon hiver prend fin, que vienne l'hirondelle !

Pages choisies de la littérature hongroise des origines au milieu du XVIIIe siècle / préface et choix des textes par Tibor Klaniczay. – Budapest : Corvina Kiadò, 1981. – [Pp. 146-147].

POÈMES

73

J. Rousselot — 1981

Ô pauvre nation magyare…

Ô pauvre nation magyare, décimée,
Toi qui, l'épée au poing, conquis ta renommée,
C'est pitié de te voir ce visage fané !
Devant toi, nul chemin qui ne soit condamné !

On se rit de ton sang qu'on admirait naguère !
Ton sabre est à solder, qu'on mettait à l'enchère,
Peuple exsangue, réduit jusqu'à dégénérer !
Et si l'on dit ton nom, c'est pour s'en écœurer…

Ta jeunesse bien née, hier l'espoir du monde,
Gît, comme poulets morts, sur un fumier immonde.
L'étranger se repaît de sa graisse. Et pourtant,
N'a pour toi plus d'égards que les fils de Satan.

De partout va fondant ta forme bien-aimée.
Chaque jour un peu plus s'émiette ton armée.
La détresse en ton lit vient prendre son repos ;
Un repas misérable à présent est ton lot.

Nul n'a pitié de toi ! Pleure seule et te navre !
Qui pourrait te refaire et guider vers le havre,
S'il voit ta déchéance, il n'y prend part en rien,
Et, d'un cœur léger, sème à tous les vents ton bien.

Chichement l'on te paie ; on refuse tes offres
Et tu manques de tout : argent, bétail, étoffes.
Encor beau que barons ne détroussent les gens,
Puisque petits bandits sont pendus par les grands !

Ô Nation, ô bien-aimée, ô douce et tendre !
Toi dont je suis épris en mai comme en décembre !
Pleurons, crions vers Dieu ! Et que par ce poème
Tu puisses tout au moins savoir combien je t'aime.

Pages choisies de la littérature hongroise des origines au milieu du XVIIIe siècle / préface et choix des textes par Tibor Klaniczay. – Budapest : Corvina Kiadò, 1981. – [Pp. 149-150].

JOHN DONNE

ANGLAIS

1572-1631

Né à Londres dans une famille catholique dont plusieurs membres ont souffert pour leur foi (le plus illustre est un ancêtre par alliance, saint Thomas More), John Donne, après des études de droit et des recherches théologiques, se convertit à l'anglicanisme. Sans doute fut-il poussé aussi par l'ambition de faire carrière. Ambition déçue, car, devenu secrétaire du Garde des Sceaux, il fut congédié à la suite d'un mariage clandestin en 1601. Après des années de désœuvrement il mit sa plume au service de l'Église Établie et du roi théologien Jacques Ier qui le convainquit d'entrer dans les ordres en 1615. Prédicateur à Lincoln's Inn (1616-1621), puis Doyen de Saint-Paul, il acquit le renom « d'un second Augustin, un second Ambroise ». En février 1631, presque mourant, il prononce un dernier sermon sur la mort et la résurrection, *Death's Duel*, dont le frontispice le présente enveloppé d'un linceul.

Au tournant du siècle, en réaction contre le pétrarquisme, le pastoralisme et le platonisme, Donne, comme d'autres poètes de sa génération, notamment Ben Jonson, cultive une veine réaliste dans ses *Satires*, ses *Élégies* et ses épîtres horatiennes, mais il y ajoute le piquant du paradoxe. Dans ses poèmes lyriques, recueillis après sa mort sous le titre de *Songs and Sonnets*, s'affirme une originalité qui procède d'une alliance des contraires : ironie et passion, mise en scène dramatique d'une situation réelle et subtilité du commentaire qui en dévoile les antinomies, simplicité de la langue parlée et jeux d'esprit quintessenciés, rythmes brusques et rugueux traversés d'éclats de splendeur lyrique. Ces mêmes traits apparaissent dans un long poème héroï-comique, *Metempsychosis*, qui semble trahir en 1601 un scepticisme naturaliste, comme en deux sombres méditations, les *Anniversaries* (1611-1612), qui appellent l'âme à se détourner d'un monde d'où toute cohérence a disparu puisque la « Philosophie nouvelle (l'astronomie de Copernic et de Galilée) met tout en doute. »

Bien avant son entrée dans les ordres, en effet, une inquiétude religieuse, déjà manifeste dans la Satire IV, avait inspiré au poète ses « sonnets sacrés » de crainte et tremblement et une subtile *Litanie*. Prêtre, il composera d'admirables *Hymnes* où sa méditation est toujours orientée vers la mort, qu'il s'agisse d'un embarquement pour un voyage en mer ou de la prière adressée à Dieu lors de sa grave maladie de 1623 dont il a tenu le journal médical et spirituel dans ses *Devotions*, l'un des grands textes autobiographiques du XVIIe siècle.

L'œuvre en prose, non moins variée que l'œuvre poétique, conduit Donne des *Paradoxes et problèmes* où s'exerçait sa verve juvénile à une audacieuse justification du suicide dont la pensée le hante, *Biathanatos*, puis à une satire presque rabelaisienne des jésuites, *Ignatius his Conclave* (1611), contemporaine des très sérieux *Essays in Divinity*, enfin aux admirables *Sermons* dont l'éloquence baroque, nourrie de sa connaissance de la nature humaine et du souvenir de ses propres faiblesses, exprime ses craintes à l'approche du Jugement, mais aussi l'espérance d'une révélation passionnément désirée, celle de son identité profonde.

Quand Dryden et Samuel Johnson, pour désigner Donne et ses émules, eurent recours à une épithète que l'histoire littéraire a consacrée, ils entendaient seulement souligner leur goût pour les subtilités scolastiques. Les poètes anglais que l'on nomme « métaphysiques » seraient déclarés « baroques » sur le continent. Cependant on peut dire de la poésie de Donne ce que Jean Wahl a dit de la philosophie de Heidegger : « Nous y sentons à la fois une tendance vers une individualité extrême et une tendance vers une totalité sentie du monde. » Dans l'expression de l'amour profane, lorsqu'il abandonne le ton libertin pour s'élever au registre de la passion, l'amant vise toujours à s'emparer du monde à travers l'objet aimé. Or il ne conçoit pas l'union des âmes sans l'union des corps. Aussi la mort est-elle toujours l'horizon de l'amour, mais l'amour en triomphe dans un instant de transcendance comme en l'attente d'une résurrection. Les premiers poèmes sacrés trahissent une angoisse que l'assurance de la grâce apaise dans les *Hymnes*, où survit néanmoins un intense égotisme splendidement projeté à la fois sur le corps souffrant et sur le monde.

Les Poètes métaphysiques anglais / Robert Ellrodt. – Paris : Corti, 1960. – 460, 492, 436 p. – [Vol. I et II réédités en 1973].

John Donne : Life, Mind & Art / John Carey. – London : Faber & Faber, 1981. – 304 p.

John Donne / éd. J.-M. Benoist. – Lausanne : L'Âge d'Homme, 1983. – 328 p.

CHANSONS ET SONNETS 74

R. Ellrodt — 1962/1994

Le soleil levant. — À propos de ce poème, Coleridge écrivait : « Superbe, vigoureuse exultation, corps et âme unis au comble de leur puissance ». L'ouverture satirique, la brusquerie dramatique renforcent par contraste l'intuition que les amants composent à eux seuls un monde à l'abri du temps.

Vieil importun, soleil qui t'affaires toujours,
Oses-tu pénétrer
À travers la croisée et les rideaux tirés ?
Les saisons des amants suivent-elles ton cours ?
Magister insolent, va donc tancer
L'écolier lambin, l'apprenti grincheux :
Va-t-en dire aux veneurs que le Roi veut chasser,
Appelle à moissonner le paysan laborieux !
Notre amour, ignorant heures, jours et saisons,
Laisse le temps porter ces vulgaires haillons.

Ton éclat vénéré, que l'on dit aveuglant,
As-tu donc pu penser
Que mon œil en clignant ne le puisse éclipser
Si j'osais me priver de sa vue un instant ?
Et si ses yeux n'ont ébloui les tiens,
Regarde-nous et dis-moi donc demain
Si parfums et trésors des rivages indiens
Sont où tu les laissas, ou gisent sous ma main ?

Demande où sont les rois sur qui tu resplendis
La veille, et je dirai : « Ils sont tous en ce lit. »

Tous les États sont réunis en elle ; en moi
Tous les princes : il n'est rien d'autre.
Les monarques nous contrefont : auprès du nôtre
Leur honneur est d'emprunt, leur or, de faux aloi.
Pour toi, soleil, n'est-ce point bénéfice
Si notre monde ainsi se rétrécit ?
Vieil astre, te voilà déchargé d'un office :
Pour chauffer l'univers, chauffe-nous : il suffit.
Brille ici pour nous deux et le monde s'éclaire ;
Ton centre est sur ce lit et ces murs sont ta sphère.

Robert Ellrodt, "Regard sur l'univers des poètes métaphysiques anglais". – In : *L'Âge Nouveau*, n°113 (janvier-mars 1962), p. 123. – [Traduction revue pour la présente édition].

CHANSONS ET SONNETS 75

R. Ellrodt — 1994

Nocturne sur la Sainte-Lucie, le plus bref de tous les jours. — Quand l'aimée vient à mourir, l'amant sent avec angoisse l'être se retirer du monde et de sa personne même. La fascination du néant, exacerbée chez Donne par l'obsession même de son moi, s'exprime ici dans le langage des alchimistes.

C'est le minuit du jour au minuit de l'année :
Sept heures seulement Lucie montre sa face ;
Le soleil épuisé lâche en l'espace
Non des rayons mais de faibles fusées ;
Sous terre est descendue
Toute sève en ce monde et la terre goulue
Boit l'universel baume ; toute vie y reflue
Comme aux pieds de ce lit : pourtant ce cénotaphe
Semble riant auprès de moi, son épitaphe.

Étudiez-moi donc, vous qui devrez aimer
En ce monde à venir qu'est la saison prochaine :
Je suis toute chose défunte et vaine
Que l'alchimiste Amour ait transmuée.
Il sut, d'un art suprême,
Tirer des privations, de la maigreur extrême,
Du vide et du néant, la quintessence même ;

M'ayant détruit d'abord il me recomposa
D'absence, d'ombre et de mort, choses qui ne sont pas.

Il n'est homme ici-bas qui ne tire son bien —
Vie, âme, forme, esprit — de toutes créatures ;
L'amour est l'alambic où ma nature
Se distille de tout ce qui n'est rien.
Nos pleurs ont souvent sous leurs flots
Noyé le monde entier, nous deux ; souvent, sitôt
Surgi, l'émoi jaloux fit de nous deux chaos,
Et notre âme, souvent en extase ravie,
Abandonnant le corps, nous a laissés sans vie.

Mais la mort de l'aimée (ah ! ce mot lui fait tort !)
Fait de moi l'élixir du Néant primordial.
Je le saurais, si j'étais homme encore,
Je pourrais bien, si j'étais animal,
Choisir et convoiter,
Et, même plante ou pierre, aimer et détester ;
Tout être, oui, tout être a quelque qualité.
Si j'étais comme l'ombre un néant ordinaire,
Encore y faudrait-il bien un corps, une lumière.

Je ne suis rien qui soit : mon seul soleil est mort.
Ô vous, vivants amants pour qui ce soleil moindre
Courant au Capricorne, y cherche encore
Nouvelle ardeur pour mieux vous poindre,
Jouissez de votre été brûlant !
De sa nuit, sombre fête, elle jouit longuement ;
À l'y rejoindre il faut m'apprêter à présent,
Car cette heure est pour elle et vigile et veillée
En ce minuit profond du jour et de l'année !

Traduction inédite. — *John Donne* / éd. J.-M. Benoist. – Lausanne : L'Âge d'Homme, 1983. –[P. 23].

SONNETS SACRÉS 76

R. Ellrodt — 1993

Battez mon cœur en brèche... (XIV). — Tourmenté par le souvenir de sa jeunesse libertine, Donne attend de la grâce divine qu'une transmutation s'accomplisse ; mais il a peine à se déprendre de lui-même et, en termes audacieux, implore l'amour divin de lui faire violence.

Battez mon cœur en brèche, ô Dieu en trois personnes,
Qui jusqu'ici frappez, soufflez, brillez pour amender !
Pour me mettre debout, terrassez-moi ! Usez
De votre force : brisez, broyez, brûlez pour recréer !
Je suis votre cité, par un autre usurpée,
Et je m'efforce en vain de me rouvrir à vous,
Car votre vice-reine, qui me devrait défendre,
La raison, prisonnière, est débile ou sans foi.
Je vous aime pourtant et voudrais être aimé,
Mais à votre ennemi mon âme est fiancée :
Prononcez le divorce et défaites ce nœud,
Serrez-moi contre vous, emprisonnez-moi, car
À moins d'être asservi je ne serai point libre,
Ni jamais chaste, à moins d'être ravi par vous.

Poésies / John Donne ; présentation, traduction et notes [par] Robert Ellrodt. – [Paris :] Imprimerie nationale, 1993. – (*La Salamandre. Collection de l'Imprimerie nationale*). – [P. 376].

SONNETS SACRÉS 76 bis

P. Legouis — 1973

Bats en brèche mon cœur... (XIV).

Bats en brèche mon cœur, ô Dieu en trois personnes ;
car pour le moment ce ne sont que coups légers, douce brise,
lumière, et efforts pour amender ;
afin que je puisse me lever et me tenir debout, abats-moi, et
[tends
tes forces pour briser, balayer, brûler et me refaire à neuf.
Moi, comme une ville au pouvoir d'un usurpateur alors
qu'elle a un souverain légitime,
je m'efforce de Vous faire entrer, mais hélas ! sans résultat :
Intellect, votre vice-roi intérieur, devrait me défendre,
mais a été fait prisonnier et se révèle sans foi ou infidèle.
Pourtant je Vous aime chèrement et voudrais bien être aimé,

quoique j'aie engagé ma foi à votre ennemi.
Prononcez mon divorce, déliez ou rompez ce lien ;
prenez-moi avec Vous, emprisonnez-moi, car,
à moins que Vous ne m'asservissiez, jamais ne serai libre,
ni jamais chaste, à moins que Vous ne me violiez.

Poèmes choisis / John Donne ; traduction, introduction et notes par Pierre Legouis. – Paris : Aubier-Montaigne, 1973. – (*Collection bilingue des classiques étrangers*). – [P. 187].

POÈMES RELIGIEUX 77

R. Ellrodt — 1993

Hymne à Dieu, mon Dieu, en ma maladie. — Donne dit dans un Sermon : « Sur une carte plane, pour faire de l'Occident l'Orient, il suffit de coller la carte sur une Mappemonde et l'Ouest et l'Est alors ne font qu'un. » Fondé sur ce paradoxe, ainsi que sur la tradition qui situe la Croix à l'endroit où s'était élevé l'arbre de la connaissance et qui définit le Christ comme le Second Adam (Romains V, 19), le poème manifeste la confiance acquise en la Rédemption.

Puisque je suis au seuil de cette salle Sainte
Où, dans le Chœur de tes Élus, à tout jamais,
Il sera fait de moi ta Musique, en chemin
J'accorde l'Instrument, ici-même à la porte,
Et je songe à l'avance à mon futur office.

Tandis que par amour mes Médecins deviennent
Cosmographes, penchés sur moi qui suis leur Carte,
Sur ce lit étalé afin qu'il apparaisse
Que j'ai, par le Sud-Ouest, découvert un passage
Pour, *per fretum febris*[1], mourir en ces détroits,

J'ai joie, en ces détroits, à voir mon Occident ;
Car, bien que leurs courants n'accordent de retour,
Quel mal à mon Couchant peut m'attendre ? Est et Ouest,
Sur une Carte plane (je le suis) ne font qu'un
Et la mort touche ainsi à la Résurrection.

Le Pacifique est-il le lieu de mon repos ?
Ou l'Orient somptueux ? Ou bien *Jérusalem* ?
Anyan et *Magellan*, et *Gibraltar* aussi,
Ce ne sont que détroits, et seuls des détroits mènent
Où *Japhet* a vécu, ou bien *Cham,* ou bien *Sem.*

---

1 Par le détroit, la fièvre.

Nous situons le *Paradis* et le *Calvaire,*
La Croix du *Christ*, l'Arbre d'*Adam*, en même lieu ;
Contemple en moi, Seigneur, les deux *Adam* unis ;
Du *Premier* la sueur inonde mon visage,
Du *Dernier*, puisse le Sang environner mon âme !

Dans sa pourpre drapé, reçois-moi donc, Seigneur ;
Donne-moi par ses épines l'autre Couronne ;
Et comme à d'autres âmes j'ai prêché ta parole,
Que ceci soit mon Texte, mon Sermon pour mon âme :
C'est afin d'élever que le Seigneur abat.

Poésies / John Donne ; présentation, traduction et notes [par] Robert Ellrodt. – [Paris :] Imprimerie nationale, 1993. – (*La Salamandre. Collection de l'Imprimerie nationale*). – [Pp. 415-417].

MÉDITATIONS 78

R. Ellrodt — 1994

Dévotions (17). — Hemingway a tiré le titre de son roman *Pour qui sonne le glas* d'une phrase qui, hors de son contexte, est une simple proclamation de la solidarité humaine. Mais, dans sa méditation sur l'approche de la mort, Donne ne dépasse l'individualisme qu'en affirmant l'unité des hommes en Christ et il ne s'élève à l'universalité que pour ramener à soi l'universel.

Celui pour qui sonne ce *glas* est peut-être malade au point de ne pas savoir qu'il sonne pour lui ; et je puis me croire moi-même en bien meilleure condition que je ne le suis, alors que ceux qui m'entourent et voient mon état font sonner ce glas pour moi. L'*Église* est *Catholique, universelle*, et toutes ses Actions le sont aussi. *Tout* ce qu'elle fait appartient à *tous*. Quand elle *baptise un enfant*, cette action me concerne ; car cet enfant est ainsi rattaché à Celui qui est la *Tête* de l'Église et aussi mon *Chef*, et ainsi greffé sur ce *corps* dont je suis un *membre*. Et quand elle *ensevelit un Homme*, cette action me concerne : l'Humanité entière a un seul *Auteur* et forme un seul *volume* ; quand un Homme meurt, un *Chapitre* n'est pas *arraché* de ce *livre* mais *translaté*[1] en une *langue* meilleure, et chaque *Chapitre* doit être ainsi *translaté.* Dieu emploie divers *translateurs* ; certaines parties sont translatées par l'*âge*, d'autres par la *maladie*, certaines par la *guerre*, d'autres par la *justice*, mais la main de *Dieu* est dans toute *translation*, et sa main réunira un jour toutes nos feuilles dispersées pour

1 Ce terme, encore en usage au temps de Donne, peut seul rendre le jeu sur le double sens de *translate* : transférer et traduire. (N.d.t.)

constituer cette *Bibliothèque* où chaque *livre* sera ouvert aux yeux de chacun...

Le *Glas* sonne pour celui qui *pense* l'entendre ; et bien qu'il sonne par *intermittence*, à partir de cette *minute* que l'occasion fit naître, cet homme est uni à *Dieu*. Qui ne lève les *yeux* vers le *Soleil* quand le *Soleil* se lève ? mais qui les détourne d'une *Comète* quand elle apparaît ? Qui ne tend l'*oreille* quand une *cloche* sonne, quelle que soit l'occasion ? Mais qui peut refuser son attention à la *cloche* qui annonce le passage d'une *partie de lui-même* en un autre *monde* ? Nul Homme n'est une *île*, complète en elle-même ; chaque homme est une partie du *Continent*, une parcelle de la *grande terre* ; si une *Motte* est emportée par la *Mer*, l'Europe en est amoindrie, comme le serait un *Promontoire*, ou le serait un *Manoir* de tes amis, ou *le tien* propre. La mort de tout homme me diminue parce que je suis inclus dans le genre Humain. N'envoie donc jamais demander pour qui sonne le *glas* : il sonne pour *toi*.

Traduction inédite. — *Devotions upon Emergent occasions* / John Donne ; ed. Anthony Raspa. – Oxford : Oxford University Press, 1987. – [Pp. 86-87]

SERMONS 79

R. Ellrodt — 1994

Une autre mort. — Même en l'aspiration à la mort mystique, Donne tend à se contempler et à s'émouvoir à propos de lui-même au lieu de s'oublier et de se perdre en Dieu.

Je veux trouver une autre mort, *mortem raptus*, une mort de ravissement et d'extase, la mort que saint *Paul* a connue plus d'une fois. La mort que saint *Grégoire* a nommée *Divina contemplatio quoddam sepulchrum animæ*. La contemplation de Dieu et du Ciel est une sorte d'ensevelissement, de sépulcre et de repos pour l'âme ; et en cette mort qui est la Contemplation de tout l'avantage qui me vient de mon Sauveur, je me découvrirai moi-même enterré ainsi que tous mes péchés, enseveli dans Ses blessures, et comme un lys jaillissant au Paradis, de cette terre rouge[1] je verrai mon âme s'élever et jaillir de sa hampe, blanche et innocente, fiancée à Lui et acceptable aux yeux de son Père.

Traduction inédite. — *Sermons* / John Donne ; ed. by G.R. Potter and Evelyn Simpson. – Berkeley : University of California Press, 1955. – [Vol. II, pp. 210-211].

---

1 La terre dont fut fait Adam, dont le nom même signifiait « terre rouge » selon saint Jérôme. (N.d.t.)

BASILE

ITALIEN **Env. 1575 - 1632**

Ami d'enfance de Giulio Cesare Cortese, Giambattista Basile est, comme lui, un aventurier de la plume pris entre un académisme figé et la recherche de nouvelles expressions poétiques.

Ses premières années napolitaines ne nous sont pas connues, mais vers 1603-1604 il est mercenaire de la république de Venise et, en garnison à Candie, il fréquente l'académie des Extravagants, où il fait ses premières armes linguistiques et littéraires. Sa sœur, la chanteuse Adriana Basile, l'introduit ensuite en 1612-1613 dans les cercles culturels mantouans de Ferdinand Gonzague, où il obtient le titre de chevalier. Sa formation se fait donc au contact des deux plus grands centres culturels du nord de l'Italie. À cet apprentissage académique et courtisan se rattache sa production poétique en toscan, une mosaïque d'œuvres de commande touchant à tous les genres alors en vogue : des madrigaux et des odes (1609) à la manière de Marino, son compatriote, à la fois encensé et rejeté, une pastorale maritime, *Le avventurose disavventure* (*Les Aventureuses Mésaventures*, 1611), un drame en musique, *Venere addolorata* (*Vénus affligée*, 1612), premier livret de la scène lyrique napolitaine, jamais représenté, une idylle, *Aretusa* (1619), un récit épique, *Il guerriero amante* (*L'Amant guerrier*, 1620), et, ultime production, une adaptation des *Éthiopiques* d'Héliodore, *Il Teagene* (*Théagène*, 1630), où Basile semble vouloir se mesurer une dernière fois à Marino ou au Tasse.

Le faible succès de cette œuvre académique, pourtant ponctuellement publiée à Naples, peut avoir déterminé l'engagement de Basile aux côtés de Cortese. Du moins dans la dédicace « Aux rois des vents », qu'il écrit pour *L'Épopée des servantes* de son ami, en 1612, évoque-t-il le triste sort d'un poète dont les écrits « au vent s'en sont allés », estimant que le seul dédicataire valable est le vent, maître de l'oubli. Ses œuvres napolitaines, écrites sous l'anagramme Gian Alesio Abbattutis, *Le muse napolitane* (*Les Muses napolitaines*, 1624), neuf églogues dialoguées qui brossent autant de tableaux de la vie quotidienne à Naples saisie dans le décor sonore des auberges, des bordels et des ruelles, et *Lo cunto de li cunti* (*Le Conte des contes*), recueil de 50 contes en prose écrits vers 1625 et publiés posthumes, en 1634-1636, naissent apparemment en liaison avec la « disparition » de Cortese. Mais quelques lettres écrites en napolitain à son ami montrent qu'il avait entrepris dès 1604 un catalogue d'expressions dialectales (proverbes, métaphores, jeux de mots, etc.) utilisées ensuite dans *Les Muses...* et *Le Conte...*, avec le même esprit collectionneur que ses *Osservazioni intorno alle rime del Bembo e Della Casa* (*Observations sur les poèmes de Bembo et Della Casa*, 1616-1618), où il recense patiemment les variantes éditoriales des poèmes des théoriciens du pétrarquisme, ou que son édition des sonnets du poète pétrarquiste Galeazzo di Tarsia (1617).

Basile opère donc conjointement sur deux fronts, celui de l'académisme courtisan qu'il ne renie jamais — il est membre à Naples de l'académie très normative des Oisifs, et à la fin de sa vie, il est admis au sein de l'académie vénitienne des Incogniti —, et celui de la « contre-littérature » dialectale, dans le sillon de Cortese.

Il s'y engage cependant de façon différente. Si *Les Muses napolitaines* jettent le même regard affectueux sur la réalité napolitaine et expriment le même regret du temps passé, *Le Conte des contes* suit une voie originale en mêlant merveilleux et réalisme, pur jeu linguistique et satire cruelle. Dans cette œuvre de la mémoire, la matière populaire orale — les récits que « les vieilles racontent d'ordinaire aux petits enfants » —, que Basile a pu recueillir lorsqu'il était gouverneur de divers fiefs aux alentours de Naples, est élevée au rang de divertissement courtisan grâce à son insertion dans une structure proche des nouvellistes italiens (ce qui a valu au recueil, *a posteriori* et à tort, le titre de *Pentaméron*), et à l'étourdissante inventivité linguistique variant à l'infini les métaphores et les jeux de mots. Ce n'est pas l'œuvre d'un folkloriste, même si elle préfigure Perrault, Grimm ou Brentano, mais d'un lettré amoureux de sa ville et de sa langue, qui, unissant tradition populaire et culture savante, élève la « contre-littérature » au niveau de la grande littérature baroque.

Barocco in prosa e in poesia / Giovanni Getto. – Milano : Rizzoli, 1969. – 488 p.

A. Kitagaki, "Delle prime influenze in Europa del *Pentamerone* di G. Basile". – In : *Studi italici* [Kyoto], XXXIII (1984), pp. 129-147.

Il gran Basile / M. Petrini. – Roma : Bulzoni, 1989. – 224 p.

Fairy Tale Romance : the Grimms, Basile and Perrault / James M. McGlathery. – Chicago : University of Illinois Press, 1991. – XII-226 p.

Napoli gentile : la letteratura in "lingua napoletana" nella cultura barocca (1596-1632) / Michele Rak. – Bologna : Il Mulino, 1994. – 447 p. – (*Saggi ; 22*).

LES MUSES NAPOLITAINES — 80

Fr. Decroisette — 1996

Thalie ou la Taverne (3e églogue). — Dans les « explications de l'auteur autour des titres de ses églogues », Basile précise son double dessein : « retrouver la beauté simple de la langue napolitaine, vierge des salades mélangées semées par les Barbares et ramassées par les Toscans » et « régler les passions humaines ». Aussi, comme les Anciens, associe-t-il à chaque Muse, « fille de la Mémoire », la description mi-admirative, mi-ironique, d'un comportement humain de son temps, et un astre. À Clio revient le portrait des bravaches et autres matamores (*Li smargiasse*, Mars), à Euterpe, celui des courtisanes (*La cortisciana*, Mercure), à Melpomène celui des femmes du peuple (*Le fonnachere*, le Soleil), à Terpsichore celui des jeunes filles à marier (*La zita*, Jupiter), à Érato, celui du jeune fiancé (*Lo zovene nzoraturo*, Vénus), à Polymnie, celui du vieillard amoureux (*Lo vecchio 'nnamorato*, Saturne), à Uranie, celle du gandin (*Lo sfuorgio*, Ciel étoilé). Deux ou trois personnages populaires y dialoguent en hendécasyllabes et heptasyllabes. Basile reprendra cette forme dans le *Cunto de li cunti*, pour conclure chaque journée, avec des thèmes plus moralisants (*La coupelle*, *La teinture*, *L'étuve*, *Le grappin*). Dans la troisième églogue des *Muse*, placée sous la protection de Thalie et de la Lune, Basile brosse un tableau suggestif de la célèbre taverne de Naples, qui avait déjà inspiré Cortese, *Lo Cerriglio*.

PEPPO

Où donc, Rienzo, où donc me conduis-tu ?

RIENZO

Mais tout droit à La Taverne,
à ces Champs Élyséens
à ces Jardins Suspendus,
à cette célébrissime taverne
où l'on chante et l'on hiberne.

PEPPO

Pour quoi faire, mon ami ?

RIENZO

Pour te caler l'estomac,
pour te bien remplir la panse,
pour actionner tes mâchoires,
pour mâcher, et engloutir, et riboter :
qui envie n'a, puisse de rage crever.

PEPPO

Ah que oui, ça me convient,
car moi j'en mourais d'envie !
Mais dis-moi, que Dieu te garde,
qu'est-ce donc, cette Taverne ?
Et comment explique-t-on
que grande soit sa gloire et si petit son nom ?

RIENZO

Comment, tu n'y fus jamais ?

PEPPO

Jamais je ne l'ai vue, ni même essayée.

RIENZO

Tu me fais sortir de mes braies, ô Peppo.
Et pourtant tu es d'ici !
Comment est-ce donc possible ?
Je tombe vraiment des nues :
tu es des nôtres, et La Taverne t'est inconnue ?

PEPPO

Ne t'étonne point, Rienzo,
car je suis tout nouveau-né,
je sors à peine de ma coquille :
mon maître m'a surveillé
comme une jeune fille
et je n'ai pratiqué
que la rue du Torrent ou bien le Marché[1]
[…]

1 Dans la rue du Torrent s'écoulaient les eaux de La Bolla.

RIENZO

Écoute, ô Peppo, et ébahis-toi,
Écoute bien, et sors de tes gonds.
Imagine que tu trouves une cocagne :
l'aimant de tous les gosiers,
la poulie des jouisseurs du temps,
le grappin des paresseux,
la maison des fins plaisirs,
le port des divertissements,
où Bacchus triomphe et rit,
où Vénus se réchauffe et se divertit,
où le rire prend naissance,
où les danses balancent et le chant roucoule,
la paix s'y perche et s'endort,
le calme s'y épanouit
et le cœur s'y réjouit,
les esprits s'y réconfortent,
l'on y donne congé à tous les tourments
et la vie s'y allonge d'au moins cent ans.

PEPPO

Tu me fais délirer !

RIENZO

Tu pénètres dans une première pièce,
et tu découvres un enfer,
un enfer cher à la vue.
Heureux, ah, heureux cet homme,
qui est condamné à y passer mille ans !
La fumée est un Ixion
qui tourne et tourne cent broches
de choses appétissantes et savoureuses.
Celui qui y va dépourvu de sequins
est un Tantale tombé
au milieu du gras et mourant desséché.
Les marmitons sont autant
de reflets de Sysiphe
qui transportent aux salons
des choses pesantes à ingurgiter

et redescendent à vide.
Le tavernier est l'Aigle affamé
qui chaque jour pour renaître
se repaît du cœur de qui entre là. [...]
Dans cet enfer, une devise :
« Bien facile est la descente,
revenir sur ses pas est peine perdue ».
Il est doux d'aller à La Taverne :
« Bienvenue, Monseigneur, pour votre plaisir ? »
« Holà, vois donc ce que veut ce Chevalier ! »
Au sortir, je veux te voir !
« Faisons nos comptes et paie-moi ! ».
Ainsi La Taverne à l'Enfer se compare,
sa racine est douce, sa fleur est amère.

Traduction inédite. — *Le Muse napolitane* / Giambattista Basile ; a cura di Mario Petrini. – Bari : Laterza, 1976. – [Pp. 480-483].

LE CONTE DES CONTES 81

Fr. Decroisette — 1995

L'ourse (II, 6). — Traduit d'abord en dialecte bolonais au XVIIe siècle, en anglais et en allemand à la fin du XIXe siècle, puis en italien en 1925, par Benedetto Croce, *Le Conte des contes* n'a jamais fait l'objet de traductions intégrales en français jusqu'à ces dernières années. Le premier traducteur français fut Charlemagne Deulin, en 1878, qui privilégia six contes « à postérité » dans le but de confronter les versions européennes des contes de Perrault. C'est le cas de *Cagliuso* (*Le Chat botté*), *Soleil Lune et Thalie* (*La Belle au bois dormant*), *Les Deux Galettes* (*Les Fées*), *La Chatte des cendres* (*Cendrillon*), *Nennillo et Ninnilla* (*Le Petit Poucet*), et de *L'Ourse,* conte d'inceste, que Deulin rapproche avec raison de *Peau d'âne*. Deulin traduit avec une assez belle fidélité, mais juge bon de porter en note les phrases originales en napolitain lorsqu'il trouve le mot à mot trop obscur, alors que Basile cherche à « étonner » en régénérant les figures pétarquistes par le dialecte. Deulin gomme aussi les métaphores érotiques ou scatologiques que le Napolitain n'hésite pas à multiplier, et qui nourrissent son merveilleux d'un réalisme truculent. Les traductions partielles du *Cunto* suppriment généralement le résumé du conte et les textes de liaison tirés du récit-cadre — l'histoire de la princesse Zoza à qui une vilaine esclave mauresque dérobe son prince, et qui, pour le récupérer, lui fait venir l'envie d'entendre des histoires. Or ces textes introductifs unifient le recueil et sont indispensables à la compréhension des récits, car ils en donnent la signification morale. La présente traduction a conservé la structure d'ensemble et la littéralité des métaphores.

Le roi d'Apre Roche veut épouser sa propre fille ; elle se transforme en ourse grâce à la ruse d'une vieille femme, et s'enfuit dans la forêt. Elle tombe entre les mains d'un prince, qui la voit sous sa forme première dans le jardin où elle se peigne et tombe amoureux d'elle. Après de nombreuses aventures, il découvre qu'elle est une femme et il l'épouse.

Le récit de Popa fit rire les femmes aux larmes, et quand on parla de leur astuce, qui suffit à tromper un renard, peu s'en fallut que leurs côtes n'éclatassent sous l'effet de la bonne humeur. Il est bien vrai que les malices des femmes sont comme des petites perles enfilées par centaines sur chacun des cheveux qui ornent un chef. La fraude leur sert de mère, le mensonge de nourrice, la flatterie est leur maîtresse, la fiction leur conseiller et la tromperie leur ami ; elles tournent et retournent l'homme à leur gré. Mais ce fut à nouveau le tour d'Antonella, qui, toute ragaillardie, était prête à parler ; elle resta un moment songeuse, comme si elle passait ses idées en revue, et elle commença ainsi : « Comme disait le sage avec raison, il est impossible de filer doux devant un ordre empoisonné : il convient d'exiger avec mesure pour obtenir bon poids d'obéissance. Les ordres excessifs donnent naissance à des résistances peu mesurées, comme il arriva au roi d'Apre Roche, qui, parce qu'il demandait à sa fille une chose inconcevable, lui donna ainsi un motif pour fuir, au risque de perdre et son honneur et sa vie.

Il était une fois le roi d'Apre Roche, dont la femme était rien moins que la mère de la Beauté. Alors qu'elle était au meilleur de la course de ses ans, elle tomba du cheval de la santé et rompit le fil de sa vie. Avant qu'aux enchères de ses années ne s'éteignît la chandelle de son existence[1], elle appela son mari et lui dit : « Je sais que tu m'as aimée plus que la prunelle de tes yeux ; c'est pourquoi, dans le limon de mes années, montre-moi l'écume de ton amour, promets-moi de ne jamais te remarier que tu ne trouves une femme aussi belle que je l'ai été, sinon je te jette le maléfice des tétons pressés[2] et je te haïrai jusque dans l'autre monde ».

Lorsque le roi, qui l'aimait au moins grand comme d'ici à la terrasse, entendit cette dernière volonté, il éclata en sanglots, et ne put, pendant un long moment, émettre le moindre son. À la fin il cessa de se lamenter et lui dit : « Que la goutte me saisisse si je m'intéresse jamais à une autre épouse, que je sois frappé par une lance catalane, que je sois dépecé comme Starace[3]. Mon bel amour, oublie tout cela, n'imagine même pas que je puisse aimer une autre femme ! Tu as été la première parure de mes amours, tu emporteras avec toi les derniers lambeaux de mes désirs ». Tandis qu'il parlait ainsi, la pauvre jeune femme lâcha son dernier râle,

---

1 Pendant les enchères publiques, on allumait des petites bougies dont l'extinction signalait la dernière offre. (N.d.t.)

2 Presser ses tétons pour accompagner une malédiction lui donnait plus de pouvoir. (N.d.t.)

3 Élu du Peuple accusé de faire augmenter le prix du pain pendant une année de disette (1585). Enlevé alors qu'il se préparait à un Conseil avec le Vice-Roi, il fut assassiné et son cadavre fut traîné et dépecé dans les rues. (N.d.t.)

ses yeux se révulsèrent et elle partit les pieds devant. Quand le roi vit que sa vie s'était vidée comme Patria à l'automne[1], il ouvrit les fontaines de ses yeux, et se prit à hurler et à se démener, si bien que toute sa cour fut bientôt alertée ; et il lançait le nom de cette bonne âme, maudissait le Sort qui la lui avait ravie, s'arrachait la barbe et injuriait les étoiles qui lui avaient envoyé ce malheur.

Cependant, il décida de suivre les dictons : Douleur d'épouse, douleur de coude, ça fait très mal, mais ça ne dure pas ; et : Une dans la fosse, une autre sur la cuisse. Aussi, la Nuit n'était pas encore sortie sur la place d'armes du ciel pour passer en revue les pipistrelles, qu'il commença à faire ses comptes et dit : « Voilà que ma femme est morte, et moi je reste veuf et malheureux sans espoir de contempler autre chose que la pauvre fille qu'elle m'a laissée. C'est pourquoi il s'agit de trouver un moyen bien adapté pour me donner un petit mâle. Mais où me diriger ? Où trouverai-je une femme qui possède toutes les beautés de ma femme, puisque toutes les autres ne sont que harpies en comparaison ? Ah, c'est là que je t'attends ! Comment en trouveras-tu une autre ? Avec un bâton ? avec une clochette ? Et si la Nature avait fait Nardella[2], Paix à son âme !, puis en avait brisé le moule ? Hélas, dans quel labyrinthe, sous quel pressoir me suis-je fourré, avec cette promesse que je lui ai faite ! Mais quoi ? Je n'ai pas encore vu le loup et je détale ? Cherchons, examinons et tâchons de comprendre : est-il possible qu'il n'y ait pas une autre ânesse dans l'étable de Nardella ? Est-il possible que le monde soit perdu pour moi ? Y-a-t-il donc pénurie et disette de femmes ? En a-t-on égaré la semence ? ». Sur ce, il fit publier un ban, selon les formules habituelles, qui ordonnait que toutes les plus belles de l'univers se présentassent au palais afin qu'il évalue leur beauté, car il voulait prendre pour épouse la plus belle des belles et lui donner son royaume en dot. Le bruit s'étant répandu à travers le monde, il n'y eut pas une seule femme qui n'accourût pour tenter sa chance, pas un laideron, pour difforme qu'il fût, qui ne s'entremît, car quand on touche à la corde sensible de la beauté, pas une guenon ne s'avoue vaincue, pas une orque marine ne cède : toutes se piquent au jeu, toutes veulent gagner ! Si le miroir leur raconte la vérité, elles accusent le verre qui ne les rend pas au naturel et le tain qui a été passé de travers.

---

1 Le lac Patria près de Naples servait à la fois de réserve de chasse et de pêche. En novembre, on ouvrait les vannes par lesquelles il se remplissait de poissons. (N.d.t.)

2 Diminutif de Bernarda. (N.d.t.)

Donc, quand la cité fut remplie de femmes, le roi les fit mettre en rang, et il commença à les inspecter comme le Grand Turc quand il entre dans son Sérail pour choisir la meilleure meule sur laquelle affûter son couteau damasquiné. Il allait et venait comme un singe en perpétuel mouvement, les dévisageait et les examinait minutieusement, tantôt l'une, tantôt l'autre ; l'une avait le front tordu, l'autre le nez trop long ; l'une avait la bouche large, l'autre les lèvres épaisses ; celle-ci était trop grande, cette autre trop courtaude et disgracieuse, une autre encore était boudinée, la suivante était maigrelette, l'Espagnole ne lui plaisait pas à cause de son teint jaunâtre, la Napolitaine ne lui convenait pas à cause des échasses sur lesquelles elle se perche[1], l'Allemande lui paraissait froide et glaciale, la Française trop écervelée, la Vénitienne n'était qu'une quenouille de lin avec ses cheveux délavés[2]. À la fin des fins, pour une raison ou pour une autre, il les renvoya toutes, comme elles étaient venues. Voyant que tous ces beaux visages avaient fait chou blanc, mais toujours plus résolu à se passer l'envie qu'il avait, il finit par penser à sa fille et dit : « Pourquoi vais-je chercher midi à quatorze heures, puisque Preziosa[3], ma fille, est faite avec le même moule que sa mère ? J'ai ce beau visage chez moi, et j'en cherche un autre au bout du monde ? ». Ayant exposé ce beau raisonnement à sa fille, il récolta une invective et une semonce que je laisse au Ciel le soin de vous raconter, à quoi, furieux, il rétorqua : « Baisse le ton, ravale ta langue et résous-toi à nouer ce soir ce lien matrimonial, sinon, ton oreille sera ce qui te restera de plus grand ! ». Lorsque Preziosa entendit cela, elle se retira dans sa chambre et s'arracha les cheveux à poignées en maudissant son sort.

Le Conte des contes ou le divertissement des petits enfants / Giambattista Basile ; traduction du napolitain de Françoise Decroisette. – Strasbourg : Circé, 1995. – [Pp. 176-179, 464 et 469 pour les notes].

1 À Naples, au début du siècle, la mode était aux mules de liège munies de talons hauts, parfois démesurés, qu'on enfilait par-dessus les escarpins pour éviter de salir l'ourlet de ses jupes. (N.d.t.)

2 Les Vénitiennes faisaient blondir leurs cheveux au soleil sur les terrasses de leurs palais. (N.d.t.)

3 Précieuse. (N.d.t.)

LOPE DE VEGA

ESPAGNOL **1562-1635**

Lope de Vega, à l'instar de maints écrivains du siècle d'or espagnol, a cultivé différents genres littéraires (poésie épique, amoureuse, satirique, religieuse, roman pastoral, d'aventures dialogué, nouvelle, etc.), mais son nom est lié, fondamentalement, à la création du théâtre national. Sans prétendre dévaloriser le reste de la production littéraire du Phénix, son apport à la culture universelle a été de forger une formule théâtrale qui a synthétisé les trouvailles du théâtre antérieur et est devenue une norme pour tous les dramaturges du XVIIe siècle. Ce modèle dramaturgique a reflété et créé tout à la fois, au sein d'un public ample et pluriel, des horizons d'attente qui en ont maintenu la vigueur créative durant le Siècle d'Or, la présence, sous forme d'influence ou de refontes, dans les siècles postérieurs et le définissent, jusque de nos jours, comme le « théâtre classique » par excellence.

Lope Félix de Vega Carpio naît à Madrid, lorsque Philippe II règne encore sur un empire ; il ne sera pas confronté, de son vivant, à l'évidente décadence hispanique. Ses études sont assez disparates (la culture de Lope est un thème débattu), chez les jésuites et dans les universités d'Alcalá et de Salamanque. Mais, dès les années 1580, on voit se dessiner des traits qui seront des constantes de la vie de Lope : écrire du théâtre, servir des nobles, participer à des campagnes militaires, accumuler les aventures amoureuses, parcourir diverses villes d'Espagne (Valence, Tolède, Alba de Tormes, Séville) jusqu'à ce qu'en 1610 il s'établisse définitivement à Madrid. Ce sont les années d'un Lope jeune et vital, de ses amours avec Elena Osorio (Filis), Isabel de Urbina (Belisa), Micaela Luján (Camila, Lucinda), tout cela à côté du mariage, et qui, en certaines occasions, lui valut le châtiment et l'exil. Mais ce sont aussi les années d'un Lope père de famille qu'éprouve la mort d'un de ses fils et, surtout, celles de la fécondité créative du premier dramaturge national, qui, en 1605, avait commencé à « servir » le duc de Sessa, avec une disponibilité et des soumissions dont témoigne sa correspondance et qui marquent sa vie et son œuvre.

À partir de 1610, il vit à Madrid, où le frappe la perte de son fils, Carlos Félix, et de sa femme Juana Guardo ; ce qui n'est pas sans influence sur sa décision de devenir prêtre — en 1614 —, même si peu de temps après, il se retrouve impliqué dans des affaires de cœur avec Lucía Salcedo, Marta de Nevares (Amarilis), sans que cela ôte de sa profondeur à sa sincérité religieuse, traduite par quelques-uns de ses poèmes. Mais, plus que tout, il est le dramaturge fameux — attaqué par Góngora et les aristotéliciens — qui remplit les *corrales*, mais qui, sacrifiant aux nécessités du goût et du public de son temps, s'empêtre dans des explications qui justifient le système de son théâtre, l'*Art nouveau de faire des comédies* (1609).

Il semble que le cycle des pièces de la vieillesse de Lope est fait de mélancolie et de dépression (Rozas), marqué par des malheurs familiaux : folie et cécité d'Amarillis, mort de Lope Félix, rapt de sa fille Antonia Clara, et le sentiment que son théâtre n'a plus le succès d'avant. Sa mort survient cependant sans que l'humilité de son testament empêche un enterrement de masse, reflet d'une renommée encore très étendue à Madrid et dans toute l'Espagne.

S'il y a au XVIe siècle un pré-Lope (Weber de Kurlat, Oleza...), à la recherche de la formule de la « comédie nouvelle », la prouesse de Lope de Vega fut d'allier et de synthétiser en une seule formule les procédés dramatiques épars dans le théâtre antérieur, en en faisant non l'addition, mais un ensemble cohérent et organique, et rencontrant, à travers la disparité du public, des horizons d'attente très divers (Aubrun).

En dépit des normes classiques, la « comédie nouvelle » mélange le tragique et le comique, les nobles et les rois avec des serviteurs, dans deux intrigues enchevêtrées débouchant sur un dénouement heureux (formule à l'efficacité dramaturgique déjà éprouvée au XVIe siècle). L'action dramatique se répartit en trois actes, les intermèdes étant agrémentés de pièces brèves (*entremés, jácara, mojiganga*), le tout précédé d'un prologue, la *loa*. Dans ce théâtre fondamentalement « d'action » (Parker), une série de mécanismes visent à contrôler la réception des effets : tensions, suspensions, équivoques, causes concertées, déguisement, rigidité dans les *dramatis personæ*. Le modèle dramaturgique du théâtre de Lope, où tout se dit en vers, joue aussi de la pluralité des formes strophiques et les distribue selon les situations, la conjuguant avec la pluralité des niveaux conceptuels et stylistiques de l'action. Dans ce théâtre qui crée sa réalité par le vers, ce n'est ni la quotidienneté ni le reflet mécanique de la réalité du XVIIe siècle qui importe, mais bien « l'aventure », l'insolite, bien que dans un cadre de références identifiables (Schevill). Et cela peut aller de la donnée réelle d'un entourage concret jusqu'aux composantes d'un système de valeurs dans lequel s'intègrent les concepts d'honneur, de dignité, de loyauté, de pureté du sang, de monarchie (avec une récurrence telle qu'on pourrait être induit en erreur sur leur poids réel dans la vie des spectateurs, si l'on ne distingue pas bien ce qui, dans le spectacle, vise la diversion, le vraisemblable historique et le vraisemblable atemporel). Au milieu de toutes les autres composantes, c'est l'amour, avec ses mille variations et ses échos (platonisme, panthéisme, violence, soumission, désaccord social, dialectique honneur-vengeance), qui devient, de ce théâtre, le motif universel, créé pour la diversion, même s'il ne cesse d'atteindre d'autres objectifs.

Lope, qui créa la formule, la mit abondamment en pratique (même s'il n'a pas écrit les 1 500 comédies qu'on lui attribue, on en conserve tout de même plus de 400), avec une énorme richesse de thèmes, de motifs et de sources : hagiographie, histoire classique, histoire espagnole de toutes les époques, pastorale, peinture de mœurs, romans, textes ruraux, etc. À nos yeux, il y a une différence entre celles qui remplirent, jour après jour, les heures des *corrales* et celles qui, allant au-delà de leur siècle, sont arrivées jusqu'à nous comme des œuvres maîtresses. Ce sont soit celles qui soulignent le désaccord entre le statut social et l'amour — *Le Meilleur Maire, le roi, Fuente Ovejuna, Peribáñez et le commandeur d'Ocaña* —, soit celles qui convertissent en action « tragique » les valeurs d'évocation de la lyrique populaire — *Le Chevalier d'Olmedo* —, ou du roman — *Le Châtiment sans vengeance*, cette magistrale « tragédie moderne » dans un univers de tragicomédies, soit celles qui peignent la relation entre la vie rurale et la monarchie — *Le Paysan dans son coin* —, soit celles du plus fin jeu théâtral, *La Dame sotte, La Demoiselle de la cruche*.

Lope cultiva aussi d'autres genres littéraires. À côté des milliers de vers de son théâtre, il a laissé des recréations de la lyrique populaire, des collections poétiques amoureuses, religieuses, pastorales, historiques : *Rimes humaines* (1602), *Rimes sacrées* (1614), *Rimes humaines et sacrées de Tomé de Burguillos* (1634), sans oublier la poésie d'académie et de concours, ni le poème épique cultivé : *La Jérusalem conquise* (1608), *La Philomène* (1621), *La Dragontea* (1598), *La Gatomaquia* (1634).

Par sa prose, Lope contribua aussi à enrichir les genres narratifs. Sans y manquer ni d'inspiration ni de maîtrise technique, et malgré ses innovations, son respect de la poétique du genre et son souci de cultiver des genres distincts pèsent. Au roman pastoral déjà décadent, il ajoute *L'Arcadie* (1598), *Les Bergers de Bethléem* (1612) ; au roman byzantin, *Le Pèlerin en sa patrie* (1604). Ses meilleures contributions vont à la nouvelle, avec ses *Nouvelles à Marcia Leonarda* (1621-1624), et à la narration dialoguée, avec *La Dorotea* (1623), quintessence de ce que Lope aima par-dessus tout : convertir sa vie en littérature.

Lope de Vega y su tiempo / Carlos Vossler ; trad. par Ramon Gomez de la Serna. – Madrid : Revista de Occidente, 1933. – 369 p.

Vivir y crear de Lope de Vega / Joaquin de Entrambasaguas. – Madrid : C.S.I.C., 1946. – 571 p. – (*C.S.I.C. Publicaciones Arbor* ; 5).

Vida de Lope de Vega (1562-1635) / A. Castro y H.A. Rennert ; con notas de F. Lázaro. – Salamanca : Anaya, 1968. – 582 p. – (*Temas y estudios*).

Uso y función de la versificación dramática de Lope de Vega / Diego Marín. – Madrid : Castalia, 1968. – 120 p. – (*Estudios de hispanofila* ; 2).

Sociedad y teatro en la España de Lope de Vega / J.M. Díez Borque. – Barcelona : A. Bosch, 1978. – 298 p. – (*Ensayos*).

Lope de Vega y los origines del teatro español / AA.VV. ; ed. M. Criado. – Madrid : EDI-6, 1981. – 974 p.

El teatro en el siglo XVII / J.M. Diez Borque. – Madrid : Taurus, 1988. – 234 p.

Lope de Vega : el teatro / A. Sánchez Romeralo (ed.) – Madrid : Taurus, 1989. – 290-369 p.

J.M. Diez Borque, "Lope de Vega". – In : *Sept siècles d'auteurs espagnols*. – Kassel : Reichenberger, 1991. – [Pp. 109-114].

PERIBÁÑEZ ET LE COMMANDEUR D'OCAÑA 82

P. Dupont — 1994

Au paysan sa paysanne (Acte I). — Amoureuse et fidèle à son mari, Casilda décrit le bonheur simple où s'enracine son sentiment profond, qui résistera aux séductions et aux menées du noble don Fadrique.

INÉS : Te dit-il de petits mots d'amour ?

CASILDA : Je ne fais pas de différence entre les grands et les petits ; je sais seulement que mes sens sont follement troublés par tant d'attentions. Quand paraît l'étoile du berger, mon mari rentre des champs, désireux de dîner ; c'est d'abord mon cœur qui l'entend : j'abandonne mon ouvrage (j'ai toujours en ville des clients pour ma dentelle), et je cours lui ouvrir la porte. Il saute de sa mule, je saute dans ses bras. Devant nos embrassements, il arrive que la bête affamée s'impatiente ; en l'entendant gronder, il me dit : « Dès qu'il aura donné à manger aux bêtes, Pierre reviendra te voir, joli minois. » Pendant qu'il leur donne de la paille, il m'envoie chercher de l'orge ; je la lui apporte, il la crible et en laisse sur place la quantité voulue ; il la verse dans la mangeoire et se remet à m'embrasser : car il n'est pas de lieu si humble que l'amour ne puisse magnifier. Nous répondons alors aux appels de la marmite : l'ail et l'oignon répandent leur odeur dans toute notre cuisine et jouent avec le couvercle une villanelle qui nous invite à danser. Je pose la marmite sur une nappe bien propre ; je n'ai pas de vaisselle en argent — j'avoue que cela ne m'aurait pas déplu —, les assiettes sont en faïence de Talavera, et décorées d'œillets plus vrais que nature. Je lui garde si bien au chaud son écuelle de soupe que le seigneur de notre ville n'en mange pas de meilleure. Et, ma foi, il me rend la politesse ; car il ne peut guère avaler de bouchée sans donner les meilleurs morceaux à sa tourterelle. Il boit et m'en laisse la moitié ; je bois dans son verre[1] ; j'apporte des olives et, quand il n'y en a pas, la tendresse remplace le dessert. Le repas terminé, nous joignons les mains et rendons grâces à Dieu pour la faveur qu'il nous a faite. Puis nous allons au lit, d'où, quand l'heure approche, l'aurore est désolée de venir nous tirer.

INÉS : Petite mariée, comme tu es heureuse de ta condition ! Allons, il ne reste plus qu'à sortir de la ville.

Théâtre espagnol du XVIIe siècle / édition publiée sous la direction de Robert Marrast ; introduction générale par Jean Canavaggio [...]. – Paris : Gallimard, 1994. – (*Bibliothèque de la Pléiade* ; 407). – [Pp. 99-100].

FUENTE OVEJUNA 83

P. Dupont — 1994

Viol, puissance de néant (Acte III, scène 1). — Laurencia, enlevée et violée, que seul son fiancé a en vain défendue, rentre au village et crie son mépris indigné à la communauté des hommes qui se sont laissé abuser dans leur être, leur droit et leur honneur, réalités dont l'intégrité des femmes est le sceau.

Entre Laurencia, échevelée.

LAURENCIA : Laissez-moi entrer ; j'ai bien le droit d'assister à un conseil d'hommes ; une femme n'a pas voix au chapitre mais elle a bien le droit d'élever la voix. Me reconnaissez-vous ?

ESTEBAN : Dieu du Ciel ! N'est-ce pas ma fille ?

JUAN ROJO : Ne reconnais-tu pas Laurencia ?

LAURENCIA : Je suis si méconnaissable que vous doutez de mon identité.

ESTEBAN : Ma fille !

LAURENCIA : Ne me donne plus ce nom.

---

1 *Beber las fuerzas* [...]. On croyait donc que boire dans le verre de quelqu'un communiquait sa force, comme on dit en français que cela permet de lire dans ses pensées. (N.d.t.)

ESTEBAN : Pourquoi ? Ma chérie, pourquoi ?

LAURENCIA : Pour bien des raisons ! Et principalement parce que tu me laisses enlever par des tyrans et des traîtres sans me venger ni venir me reprendre. Je n'étais pas encore à Frondoso et tu n'avais pas à lui dire qu'étant mon mari il devait tirer vengeance de l'outrage. C'est à toi qu'il appartient de le faire ; tant que la nuit de noces n'est pas venue, ce devoir incombe au père et non au mari ; car, même si j'ai acheté un bijou, tant qu'on ne me le remet pas, il ne m'appartient pas de le garder des voleurs. Et vous tous, quand Fernán Gómez m'a enlevée sous vos yeux pour me conduire chez lui, vous avez abandonné la brebis au loup, comme des bergers couards. Combien de dagues n'ai-je pas vues levées sur ma poitrine ? Quelles monstruosités, quelles infamies, quelles insultes, quelles menaces, quelles atrocités criminelles pour faire céder ma chasteté à leurs ignobles appétits ! Mes cheveux ne le disent-ils pas ? Le sang et les bleus ne vous montrent-ils pas les coups que j'ai reçus ? Et vous prétendez être de noble race ? Et vous prétendez être des pères et des parents, vous dont le cœur ne se brise pas de douleur à la vue de mes souffrances ? Vous êtes de race ovine, et le nom de Fuente Ovejuna le dit bien[1]. Donnez-moi des armes, donnez-les moi, puisque vous, vous êtes de pierre, vous êtes de bronze, vous êtes de marbre, vous êtes des tigres !... Des tigres non, car eux poursuivent impitoyablement le chasseur qui s'empare de leurs petits et le tuent avant qu'il n'atteigne la mer et ne se lance sur les flots. Vous êtes des lièvres, vous êtes nés peureux ; vous êtes des Barbares, non des Espagnols ! Poules mouillées, vous souffrez que vos femmes soient possédées par d'autres hommes ! Portez donc la quenouille au côté ! Pourquoi ceignez-vous l'épée ? Morbleu ! je vais faire en sorte que seules des femmes fassent payer à ces tyrans et à ces traîtres le prix de l'honneur et du sang. À vous, femmelettes fileuses de laine, poltrons efféminés, elles vous lanceront des pierres. Et demain, vous aurez pour parure nos coiffes et nos jupes, nos onguents et nos fards ! Sans jugement ni proclamation, le commandeur veut faire pendre Frondoso au créneau d'une tour. Il vous traitera tous de même ; et je m'en réjouis, eunuques que vous êtes, car ainsi il n'y aura plus de femmes dans cette honorable cité et l'on verra refleurir le siècle des Amazones, éternel effroi de l'univers.

---

1 Le jeu de mots Ovejuna et *oveja*, « brebis », est évidemment plus perceptible en espagnol que dans notre transposition en français, où Ovejuna est mis en parallèle avec « ovin ». (N.d.t.)

Théâtre espagnol du XVIIe siècle / édition publiée sous la direction de Robert Marrast ; introduction générale par Jean Canavaggio [...]. – Paris : Gallimard, 1994. – (*Bibliothèque de la Pléiade* ; 407). – [Pp. 283-284].

FUENTE OVEJUNA — 83 bis

M. Damas Hinard — 1842

Viol, puissance de néant (Acte III, scène 1).

LAURENCIA. — Laissez-moi entrer. Je puis paraître dans un conseil d'hommes. S'il ne m'est pas permis d'y donner mon vote, je pourrai du moins y faire entendre ma voix. — Me reconnaissez-vous ?

ESTÉVAN. — Ciel ! n'est-ce pas ma fille ?

JUAN. — Ne reconnais-tu pas Laurencia ?

LAURENCIA. — Hélas ! je viens si différente de ce que j'étais, que je comprends bien votre hésitation.

ESTÉVAN. — Ma fille ! mon enfant !

LAURENCIA. — Ne m'appelez pas ainsi.

ESTÉVAN. — Et pourquoi, mon enfant, mon trésor ?

LAURENCIA. — Parce que vous m'avez laissé enlever par des tyrans sans me venger, ravir par des traîtres sans me recouvrer. Je n'étais pas encore à Frondoso, et par conséquent vous ne pouvez pas dire que ce soit lui que regarde sa vengeance. Mon honneur était encore le vôtre, et c'est à vous seul d'en répondre[1]. À vos yeux Fernand Gomez m'a enlevée, m'a fait conduire dans sa maison ; et vous, semblables à de lâches pasteurs, vous laissez le loup dévorant saisir au milieu de vous la faible brebis. Que de poignards ont été levés sur mon sein ! que de menaces terribles ! que de traitements atroces pour que ma chasteté se rendît à ses infâmes désirs ! Mes cheveux en désordre ne vous le disent-ils pas ? Ne voyez-vous pas la trace des coups que j'ai reçus ? Ne voyez-vous pas le sang qui coule encore de mes blessures ?... Et vous êtes des hommes nobles ! et vous êtes nos pères, nos parents ! et votre cœur ne se déchire pas de douleur à l'aspect des douleurs que j'ai subies ?... Vous n'êtes point des hommes, vous n'êtes que de timides agneaux[2]. Eh bien, donnez-nous vos armes. Puisque vous

---

1 L'original ajoute : « Jusqu'à la nuit des noces, cette obligation court pour le compte du père, et non pour celui du mari ; car si j'achète un bijou, jusqu'à ce qu'il me soit délivré, je ne puis avoir à ma charge ni les frais de garde, ni les risques à courir de la part des voleurs. » À l'exemple de M. la Beaumelle, qui avant nous avait traduit cette pièce, nous avons cru devoir supprimer cette phrase. (N.d.t.)

2 Mot à mot : « Vous êtes des brebis, comme le dit le nom de Fontovéjune (fontaine aux brebis). » (N.d.t.)

êtes insensibles comme la pierre et le bronze, puisque vous êtes aussi barbares que des tigres... Mais non, le tigre, du moins, suit le chasseur qui est venu lui ravir ses petits, et le déchire en pièces, sans lui laisser le temps de se précipiter dans les flots de la mer... Mais vous, puisque vous êtes sans courage, puisque vous êtes sans entrailles, puisque vous n'êtes pas Espagnols, puisque vous souffrez que d'autres hommes déshonorent vos femmes et vos filles, pourquoi ceignez-vous l'épée ? pourquoi portez-vous ces poignards ? Ce qu'il vous faut, c'est une quenouille !... Vive Dieu ! je m'arrangerai de telle sorte que nous seules, nous autres femmes, nous rachèterons notre déshonneur par le sang des tyrans ; et quand nous aurons obtenu la victoire, nous vous couvrirons d'outrages, et nous vous céderons nos parures, nos coiffes et nos vêtements. — Déjà, sans procès, sans jugement, le commandeur va faire pendre Frondoso à un créneau de cette tour. Le même sort vous attend tous, et moi je me réjouirai de voir cette ville dépeuplée d'hommes aussi lâches, et je m'efforcerai de ramener le siècle des Amazones, épouvante du monde !

Chefs-d'œuvres du théâtre espagnol. Fontovéjune / Lope de Vega ; traduction nouvelle, avec une introduction et des notes par M. Damas Hinard. – Paris : Charles Gosselin, 1842. – [Pp. 132-133].

FUENTE OVEJUNA

83 ter

M. La Beaumelle — 1829

Viol, puissance de néant (Acte III, scène 1).

LAURENCE. — Laissez-moi entrer. Je puis paraître dans un conseil d'hommes ; si je ne puis y donner mon vote, je puis du moins y faire entendre ma voix. Me reconnaissez-vous ?

ESTÉVAN. — Ciel ! n'est-ce pas ma fille ?

JEAN LE ROUX, *à Estévan.* — Tu méconnais Laurence ?

LAURENCE. — Je suis si différente de ce que j'étais, que vous ignorez qui je suis maintenant.

ESTÉVAN. — Ma fille !

LAURENCE. — Ne m'appelle pas ainsi.

ESTÉVAN. — Pourquoi, ma chère ?

LAURENCE. — Parce que tu me laisses enlever par des tyrans sans me venger, ravir par des traîtres sans me recouvrer. Je n'étais pas encore à Frondose, et tu ne peux dire que ce fût à lui qu'appartînt la vengeance.

Mon honneur était encore à vous, et c'était à vous d'en répondre[1]. À vos yeux Fernand Gomez m'a enlevée, m'a fait conduire dans sa maison. Comme le lâche pasteur, vous laissiez le loup saisir au milieu de vous la faible brebis. Que de poignards ont été levés sur mon sein ! que de menaces terribles ! que de traitemens atroces pour que ma chasteté se rendît à ses infâmes désirs ! Vous le voyez à mes cheveux, vous le voyez aux coups dont les empreintes subsistent encore, au sang qui coule de mes blessures. Et vous êtes des hommes nobles ! vous êtes nos pères et nos parens ! vous dont les entrailles ne se déchirent pas de douleur en songeant aux douleurs que j'ai éprouvées ! Faible troupeau d'animaux soumis[2], donnez-nous des armes. Puisque vous êtes insensibles comme des pierres, du bronze, barbares comme les tigres ; mais que dis-je ! les tigres suivent le chasseur qui vient ravir leurs petits, et l'immolent à leur vengeance, s'il n'est à temps à se précipiter dans les ondes de la mer ; puisque vous êtes des lâches et non des Espagnols[3], puisque vous abandonnez vos femmes à des ravisseurs, pourquoi vous ceindre l'épée ? des quenouilles siéront mieux à vos côtés. Vive Dieu ! je veux que les femmes seules rachètent leur honte par le sang des tyrans. Je veux que, victorieuses, elles vous couvrent d'outrages, et que demain nos coiffures et nos vêtements deviennent votre parure. Déjà, sans procès, sans jugement, le commandeur va faire pendre Frondose à un créneau de cette tour ; le même sort vous attend tous, et ce sera du moins une consolation dans mon désespoir que cette race de lâches, de femmelettes soit détruite et cesse de ternir l'honneur de Fontovéjune[4].

Chefs-d'œuvres des théâtres étrangers. Théâtre espagnol / Lope de Vega ; traduit par M. Labeaumelle. – Paris : Dufey, 1829. – [T. XV, pp. 218-220].

LE CHÂTIMENT SANS VENGEANCE — 84

R. Marrast — 1994

Dialectique amoureuse (Acte II, scène 6). — La profondeur tragique du débat et sa vraisemblance logique évitent à cette déclaration les risques de sa légèreté virtuose.

---

1 L'original ajoute : « Jusqu'à la nuit des noces, cette obligation court pour le compte du père et non pour celui du mari ; car si j'achète un bijou, jusqu'à ce qu'il me soit délivré, je ne puis être chargé ni des frais de la garde, ni des risques à courir de la part des voleurs. » (N.d.t.)

2 (*Litt.*) « Vous êtes bien des brebis, comme le dit le nom Fuente-Ovejuna. » Fontaine aux brebis. (N.d.t.)

3 Ajoutez entre autres épithètes que j'ai omises, *lièvres, barbares* et *poules mouillées*. (N.d.t.)

4 On trouve de plus dans l'espagnol : « Et qu'ainsi revienne chez nous le siècle de ces Amazones qui sont encore l'effroi du monde. » (N.d.t.)

FEDERICO : Eh bien, madame, ayant perdu toute crainte de Dieu et du duc, j'en suis venu à un si triste état, que l'impossible amour que j'éprouve me met au désespoir. *Oui, madame, je me vois sans moi, sans vous et sans Dieu : sans Dieu, car je vous adore ; sans moi, car je suis sans vous ; sans vous, car n'êtes pas mienne*[1]. Et au cas où vous n'entendriez pas cela, je ferai à ces propos un commentaire par lequel vous pourrez connaître en quoi de mes tourments vous êtes responsable. On dit bien que le non-être, madame, est le plus grand des maux, et cependant tel est l'état où je me vois par vous réduit, que pour ne m'y point voir je voudrais cesser d'être. J'ai à affronter tant de malheurs depuis que j'ai perdu mon être, que j'ai beau souhaiter ne me point voir, afin de voir si je suis qui je fus, *oui, madame, je me vois*. Je suis en un tel état que je n'ose dire que je suis moi-même et je suis à ce point égaré que je n'ai même plus souvenir que c'est à Dieu que je dois la vie que je vous donne. Nous sommes tous deux responsables du non-être que je suis à présent, puisque, à cause de vous oublieux de moi-même, je me trouve, madame, *sans moi, sans vous et sans Dieu*. Sans moi, ce n'est pas étonnant, puisqu'il n'est de vie sans vous que je demande à Celui qui me la donne ; mais sans Dieu, source de toute vie, qui peut exister sinon mon amour ? Si je m'emploie à vous adorer, quand Lui commande de ne point adorer la beauté qu'en vous je vois, il est clair que je suis *sans Dieu, car je vous adore*. Ô la grossière folie que prétendre conserver la vie en un aussi ténébreux abîme, pour un homme qui ne peut exister ni en vous, ni en Dieu, ni en lui-même ! Que pouvons-nous faire tous deux, alors que pour vous j'ai perdu Dieu, depuis que je vous tiens pour Dieu, sans Dieu, car vous vous trouvez en moi, *sans moi, car je suis sans vous* ? Pour ne vous vouloir que du bien, j'en viens à souffrir mille maux ; j'ai de l'amour, vous du dédain, au point que je puis dire : voyez avec qui et sans qui je suis ! Sans vous et sans moi je lutte dans la plus grande incertitude : sans moi, parce qu'en vous je vois que mon espoir est impossible ; *sans vous, car n'êtes pas mienne*.

CASANDRA : Comte, quand je pense à Dieu et au duc, j'avoue que je tremble, car je prévois que contre un tel transport vont se dresser à la fois le pouvoir des hommes et celui de Dieu. Mais quand je vois que l'amour a toujours eu l'indulgence du monde, je trouve ma faute moins grave, car une faute l'est d'autant moins que l'indulgence est plus grande. Bien

---

1 Cette phrase en italique traduit un quintil traditionnel, recueilli pour la première fois dans le *Cancionero general* (chansonnier général) d'Hernando del Castillo (1511) et ici textuellement repris par Lope de Vega, qui, après bien d'autres poètes, le glose tout au long de la réplique de Federico. (N.d.t.)

d'autres femmes qui se décidèrent à manquer à leur devoir m'offrent leur exemple. En effet, ceux qui se sont déterminés à y manquer n'ont jamais fait cas que de ceux qui y manquèrent, non de ceux qui se repentirent. S'il peut y avoir un remède, c'est de fuir les occasions de nous voir et de nous parler, car si nous ne nous voyons pas et ne nous parlons pas, ou notre vie s'achèvera, ou l'amour sera vaincu. Fuis-moi, car je ne sais si je pourrai te fuir, ou bien à cause de toi je me tuerai.

Théâtre espagnol du XVIIe siècle / édition publiée sous la direction de Robert Marrast ; introduction générale par Jean Canavaggio [...]. – Paris : Gallimard, 1994. – (*Bibliothèque de la Pléiade* ; 407). – [Pp. 786-788].

LE CHÂTIMENT SANS VENGEANCE — 84 bis

E. Baret — 1869

Dialectique amoureuse (Acte II, scène 6). — Voici à quoi se résume le dialogue qu'on vient de lire dans une traduction de 1869, qui n'entendait ni s'infliger ni infliger au lecteur un développement jugé par trop baroque...

FRÉDÉRIC. — Eh bien, madame, j'en suis arrivé à ce point, que je perds toute crainte de Dieu et du duc mon père, — que cet impossible amour me noie dans le désespoir. Hélas ! madame, je me vois, sans moi, sans vous, et sans Dieu : sans Dieu, parce que c'est vous que je désire ; sans moi, parce que je suis sans vous, sans vous parce que je ne vous possède pas.

CASSANDRE. — Comte, quand je pense à Dieu et au duc, je tremble, je l'avoue ; car, pour la punition d'un tel crime, je vois réunis le pouvoir de l'homme et celui de Dieu. Vainement j'essaye d'atténuer ma faute par la vue de la tolérance du monde, par l'exemple d'autres coupables. S'il peut y avoir un remède, c'est de fuir l'occasion de vous voir et de vous parler ; parce qu'en ne me voyant et ne me parlant plus, ou la vie finira, ou l'amour sera vaincu. Fuis-moi donc, car je ne sais si je pourrai te fuir moi-même, ou si je ne me donnerai pas la mort.

Œuvres dramatiques. I Drames / de Lope de Vega ; traduction de M. Eugène Baret. – Paris : Didier et Cie, 1869. – [Pp. 377-378].

LE CHÂTIMENT SANS VENGEANCE 85

R. Marrast — 1994

Honneur, président du tribunal de la raison (Acte III). — Garant de la dignité de l'être, maître légitime de toute nécessité, absolu « je ne sais quoi » de tout sens, l'honneur transcende toute autre valeur.

LE DUC : Ô Cieux, ce qu'on va voir aujourd'hui dans ma maison n'est rien de moins que votre châtiment. Dressez la divine verge de justice. Il ne s'agit pas d'une vengeance de l'outrage qui m'est fait, car l'exercer serait vous faire offense, et l'exercer sur un fils une action barbare. Ce châtiment sera uniquement le vôtre, sa modération vous en fera pardonner la rigueur. Je serai père, non mari, et la sainte justice appliquera à un péché sans vergogne un châtiment sans vengeance. Voilà ce que disposent les lois de l'honneur, qui interdisent de publier l'outrage qui m'est fait, sous peine de redoubler mon infamie. Qui châtie au su de tous fait deux fois opprobre à son honneur, car après l'avoir perdu, il en répand le bruit dans le monde. J'ai laissé l'infâme Casandra les pieds et les mains liés, recouverte d'une étoffe de soie, un bâillon sur la bouche pour ne pas entendre ses cris de frayeur. Quand je lui ai exposé mes raisons, elle s'est évanouie et m'a ainsi facilité tous ces préparatifs. Cela, la pitié humaine outragée pourrait encore le souffrir. Mais donner la mort à un fils, quel cœur ne se sentirait défaillir ? À cette seule pensée, infortuné que je suis, mon corps tremble, mon âme expire, mes yeux pleurent, mon sang meurt dans mes veines glacées, le souffle manque à ma poitrine, mon esprit m'abandonne, ma mémoire s'obscurcit, ma volonté se trouble, et comme le cours d'un ruisseau que suspend le gel d'une longue nuit, la douleur fige mes paroles entre mon cœur et mes lèvres. Amour, que prétends-tu ? Ne vois-tu pas que Dieu ordonne aux enfants d'honorer leurs père et mère, et que le comte enfreint son commandement ? Laisse-moi, Amour, châtier celui qui va contre son père au mépris des lois sacrées, car je tiens pour certain que s'il m'ôte aujourd'hui l'honneur, il pourra demain m'ôter la vie. Artaxerxès tua cinquante hommes pour un motif moins grave, et l'épée de Darius, celle de Torquatus, celle de Brutus ont exécuté sans vengeance les lois de la justice[1]. Pardon, Amour, ne m'ôte pas mon droit à exercer le châtiment,

1 Fils de Darius II qui avait engagé des luttes sanglantes pour la conquête du pouvoir, Artaxerxès II Mnémon, roi de Perse de 404 à 358 av. J.-C., était le frère de Cyrus, qui avait levé pour marcher contre son frère l'armée des dix mille mercenaires grecs dont Xénophon raconta la retraite dans l'*Anabase*. Cyrus fut blessé et achevé à la bataille de Cunaxa (401). Titus Manlius Torquatus, consul de Rome en 340, fit exécuter son propre fils parce qu'il avait livré combat sans son ordre. Quant à Lucius Junius Brutus, fondateur de la république romaine, il aurait infligé la peine capitale à ses deux fils, qui conspiraient en faveur des Tarquins ; ces derniers avaient été bannis

quand l'Honneur, présidant le tribunal de la raison, va prononcer son arrêt. Le procureur Vérité a établi l'accusation, et la culpabilité est certaine : Yeux et Oreilles en ont sous serment apporté les preuves. Les avocats Amour et Sang le défendent, mais ce n'est pas assez, car l'Infamie et la Honte plaident contre lui. C'est la loi de Dieu, pour le moins, qui est le rapporteur du procès, et la conscience du coupable est le greffier. Ainsi, Amour, à quoi bon affaiblir mon courage ? Le voici. Cieux, venez à mon aide !

*Théâtre espagnol du XVII*e *siècle* / édition publiée sous la direction de Robert Marrast ; introduction générale par Jean Canavaggio [...]. – Paris : Gallimard, 1994. – (*Bibliothèque de la Pléiade* ; 407). – [Pp. 283-284].

POÈMES RELIGIEUX 86

N. Ly — 1995

Qu'ai je donc pour qu'ainsi mon amitié... (*Rimas sacras*, sonnet XVIII). — Jésus est ici un galant repoussé par l'âme ingrate du pécheur.

Qu'ai je donc pour qu'ainsi mon amitié tu cherches ?
Quel intérêt te pousse, Jésus, quel intérêt,
Pour qu'au pas de ma porte et transi de rosée
Les nuits sombres d'hiver tu passes à attendre ?

Combien j'ai été dur et mes entrailles dures,
Car je n'ai pas ouvert ! Étrange absurdité
Que mon ingratitude et ma froideur glacée
Aient pu sécher les plaies de tes pieds sans souillure !

Que de fois j'entendis l'Ange qui me disait :
« Âme, c'est maintenant qu'il faut ouvrir ta porte,
Vois avec quel amour il s'obstine à frapper ! »

Combien de fois alors, oh beauté souveraine,
« Demain nous ouvrirons », répondais-je et toujours
Le lendemain encor que j'ouvrirais demain !

Anthologie bilingue de la poésie espagnole / Préface de Nadine Ly ; édition établie sous la direction de Nadine Ly [...]. – Paris : Gallimard, 1995. – [P. 431]. – (*Bibliothèque de la Pléiade* ; 419).

---

de Rome à la suite du viol de Lucrèce, épouse de Tarquin Collatin, par Sextus, fils de Tarquin le Superbe. (N.d.t.)

SPEE

ALLEMAND • LATIN **1591-1635**

Le jésuite Friedrich Spee von Langenfeld est entré dans l'histoire à trois titres : comme grand poète baroque, comme adversaire décidé des procès de sorcellerie et comme directeur de conscience doué d'intuition. Il vécut dans une Europe en pleine crise où les guerres de Religion, les famines et les épidémies de peste répandaient la terreur et où la recherche des boucs émissaires conduisit, bien souvent, à poursuivre de prétendues sorcières ou des « magiciens » pour les mener au bûcher.

Fils d'un bailli du prince électeur, Frédéric Spee naquit à Kaiserswerth, près de Düsseldorf. Après une enfance sans histoire, ses parents l'envoient, à l'âge de 10 ans, au collège jésuite de Cologne, le *Tricoronatum*, où il reçoit l'éducation humaniste prévue par la *Ratio studiorum* jésuite, qui lie transmission du savoir, formation de la personnalité et spiritualité. Excellent élève, il entre, à 19 ans, au noviciat de la Compagnie à Trèves. C'est là qu'il apprend à connaître la « peste des sorcières », avant une véritable épidémie de peste, qui le fait fuir à Fulda. De là, il part étudier la philosophie à Würzburg. Ensuite, selon les normes du curriculum jésuite, il est professeur dans les collèges de Speyer, Worms et Mayence. C'est de cette époque que date sa lettre au Général de l'ordre, à Rome, où il exprime le souhait d'être envoyé en Asie, « afin d'y endurer de grandes souffrances par amour pour le Crucifié ». Le Supérieur général décide cependant de le maintenir en Allemagne. Spee fait alors trois ans de théologie à Mayence, au cours desquels il découvre sa veine poétique et compose un grand nombre de cantiques, dont certains sont encore chantés aujourd'hui.

En 1622, à 31 ans, il est ordonné prêtre, à Mayence, et devient professeur et catéchiste à Paderborn. Quatre ans plus tard, il est à Speyer, où il fait sa dernière période de probation. Ensuite, après un bref séjour à Wesel, il enseigne à Cologne, dans son ancien collège. Il assiste à nouveau à des procès de sorcières, notamment à celui, fameux, de Katharina Henot. À la même époque, il commence, en allemand, un recueil de chants et de poèmes spirituels, le *Trutz-Nachtigall*. Par cette œuvre, où il cherche à annoncer, poétiquement et dans sa langue, le message chrétien, Spee entre dans la compétition où les poètes — *Nachtigall* (« rossignol ») — se mesurent — *Trutz* (« défi ») — dans les domaines linguistique, artistique et spirituel ; Martin Luther, le « rossignol de Wittemberg », est, bien entendu, du nombre des références.

Parallèlement, Spee commence à rédiger ses directives spirituelles, inspirées de son ministère auprès des femmes actives dans l'Église (les *Devotessen)*. En résulte le volumineux *Güldene Tugend-Buch* (*Livre d'or des vertus*) que, plus tard, Leibniz souhaitera « voir entre les mains de tout chrétien ». Le livre fournit un grand nombre d'indications pour la prière et la méditation et insiste, fidèle à la doctrine d'Ignace de Loyola, sur l'empathie, l'imagination, la diaconie (service au prochain) et l'aspiration mystique.

L'une et l'autre de ces œuvres ne seront publiées qu'à titre posthume, en 1649.

En 1628, Spee est envoyé, pour y promouvoir la réforme catholique, dans le comté de Peine, où il est victime d'un attentat dont, grièvement blessé à la tête, il ne se remettra jamais complètement. En 1629-1630, il enseigne la théologie morale à Paderborn puis est suspendu de ses fonctions en raison de son attitude critique face au problème des sorcières. C'est alors qu'il rédige, en latin, son ouvrage probablement le plus célèbre, la *Cautio criminalis* (*Réflexions sur les procès criminels*). Imprimé anonymement en 1631, il fait aussitôt sensation. Opposé à l'esprit de son temps, il dénonce le mécanisme des procès de sorcières, soutenant que seule la torture « crée » la sorcière. Pour lutter contre cet abus, Spee prône une justice pénale fondée sur de nouvelles bases : le droit à la défense, l'indépendance des juges, la présomption d'innocence jusqu'à preuve du contraire (*in dubio pro reo*). Lorsqu'en 1632, une deuxième édition de l'écrit polémique paraît, plus critique encore, toujours anonyme et sans *imprimatur*, le Supérieur général de la Compagnie demande que Spee soit exclu de l'ordre. Mais le Provincial alors en fonction à Cologne, Goswin Nickel, préfère l'envoyer à Trèves, pour y enseigner et y exercer un ministère pastoral. Dans la ville, sur pied de guerre, une épidémie de peste éclate parmi les soldats. Spee, qui s'est mêlé aux soignants, est contaminé et meurt à 44 ans. Oubliée pendant des siècles, sa tombe fut retrouvée dans le caveau de l'église des jésuites par Anton Arens en 1980.

Les œuvres principales de Spee forment un tryptique ; le panneau central, le *Trutz-Nachtigall*, contemplation poétique de Jésus comme notre « beau Dieu », doit servir à la louange de Dieu, tandis que les panneaux latéraux, les deux œuvres en prose, doivent pour l'une, la *Cautio criminalis*, améliorer la pratique du droit, et pour l'autre, le *Güldene Tugend-Buch*, mener à celle de la piété.

Friedrich von Spee im Licht der Wissenschaften : Beiträge und Untersuchungen / Herausgegeben von Anton Arens. – Mainz : Arenz, 1984. – 290 p. – (*Quellen und Abhandlungen zur mittelrheinischen Kirschengeschichte* ; 49).

Friedrich von Spee : Priester-Poet-Prophet / Friedrich von Spee ; Michael Sievernich. – Frankfurt : Knecht, 1986. – 144 p.

Friedrich Spee : Seelsorger und poeta doctus : die Tradition des Hohenliedes und Einflusse der ignatianischen Andacht in seinem Werk / Martina Eicheldinger. – Tübingen : Niemeyer, 1991. – X-369 p. – (*Studien zur deutschen Literatur* ; 110).

Friedrich Spee von Langenfeld : zwischen Zorn und Zärtlichkeit / Theo G.M. van Oorschot. – Göttingen : Muster-Schmidt, 1992. – 99 p. +[8 p.] planches. – (*Persönlichkeit und Geschichte* ; 140).

ROSSIGNOL AU DÉFI 87

A. Moret — 1957

Églogue ou chant pastoral. — « Sur la Croix et la résurrection du Christ, où l'un des bergers nommé Damon, chante d'abord ses intentions, que le second, Halton, interprète ensuite et applique toujours dans un sens sacré. » (Argument de Spee).

Prélude

Aujourd'hui un ruisseau jasant
Qui fuyait un bois verdoyant
Se blessait contre les cailloux
En protestant avec courroux.
Comme ceux-ci ne voulaient point
Dégager l'humide chemin,

Il les contournait, irrité,
Et sans cesser de grommeler.

À me divertir j'étais là,
Un jeune berger s'approcha
Et vint s'asseoir au bord de l'eau.
Il avait pour nom Damon.
À lui se joignirent bientôt
Lycas, Marsilas, Halton,
Qui sortirent violons et lyres
Et prés et bois se mirent à sourire.

Damon, Halton, adolescents tous deux,
Chantaient, jouaient à qui mieux mieux.
La lande en résonnait au loin,
Qui l'eût décrit comme il convient ?
Muets restaient les oiselets,
Le rossignol restait muet,
Oubliant presque leur talent,
Tant de Damon vibrait le chant.

DAMON

Quand sous les flammes du soleil
Hiver et froid ont expiré,
On salue à nouveau l'été
On va cueillir les roses rouges.
Prés et vallons, de fleurs garnis,
À nouveau mettent verts habits.
À mes agneaux je l'ai chanté,
Ils ont voulu partir aux prés.

HALTON

Quand les pécheurs qui à temps se repentent
Viennent avec leur cœur glacé
Aux pieds de Jésus se coucher
Près de ses plaies brûlantes,
Ils sont bien vite ranimés.
À nouveau luit pour eux l'été,
Le salut nous est annoncé,
Le châtiment est différé.

DAMON

Quand les oiseaux sont épuisés
D'avoir en tout sens sillonné
Le champ immense des nuages,
Ils recherchent les verts ombrages.
Sur les branches, sur les rameaux
Se reposant ils reprennent haleine,
Puis, mieux que fifre et que pipeaux,
Ils ont vite oublié leur peine.

HALTON

Lorsque l'âme s'est épuisée
À voltiger dans le monde futile,
Elle songe à se retirer
Et de la Croix cherche l'asile.
Jésus ! Jésus ! Elle supplie
Et tombe à terre, tout en pleurs,
Aux plaies du Christ elle s'appuie,
Pour y trouver le repos de son cœur.

DAMON

Puisque les chants des oiseaux ont repris,
Je veux ici conduire mes brebis.
Allons, partons au pâturage,
Allons, mon blanc troupeau, venez !
Ô quelle joie dans les champs et les prés !
Que tendres sont et l'herbe et le feuillage !
Peut-on choisir plus de félicité ?
J'ai sagement oublié la cité.

HALTON

Puisque la Croix me procure la paix,
Je cours certes sans tarder
Pour enlacer maintes fois
De mes bras l'arbre de croix.
J'entends, suaves à ravir,
Sept hymnes partout retentir,
Nul ne pourra m'en écarter,
Car ces accents sont ma félicité.

DAMON
Depuis longtemps dans les grandes cités
J'étais des rues, des pierres fatigué.
Je me sauvai, dans les prés verts j'ai fui,
Pour garder mes chères brebis.
Ô vie si pure des bergers,
Qui pourrait te louer assez ?
Toujours bien haut je te célébrerai,
Tu ne me quitteras jamais.

HALTON
Longtemps, impure Babylone,
À travers tes rues j'ai couru.
C'est bien fini, je t'abandonne,
La fuite a été mon salut.
Près de la Croix je me réfugiai,
Bien vite et j'ai baisé les plaies.
Je ne pourrais mieux vivre ailleurs,
Car je m'abreuve aux sources du bonheur.

Anthologie du lyrisme baroque en Allemagne / Introduction, textes, traductions par André Moret. – Paris : Aubier-Éditions Montaigne, 1957. – [Pp. 155-161].

RÉFLEXIONS SUR LES PROCÈS CRIMINELS 88

A.-L. Vignaux — 1996

Erreurs judiciaires et nécessité d'abolir la torture (11e et 29e questions). — Constitué de 51 questions critiques, des *dubia*, cet écrit polémique analyse systématiquement la pratique dominante des procès de sorcellerie et démontre son absurdité. Fort de son expérience personnelle de directeur de conscience de femmes soupçonnées de sorcellerie, Spee plaide en faveur de leur innocence, de l'abolition de la torture, en même temps qu'il essaie d'interpeller la conscience des responsables.

11e question : Faut-il croire que Dieu a réellement permis que même des innocents soient impliqués dans les procès de sorcières ?

Je n'ai aucun doute quant au fait que, sans cesse, des femmes innocentes sont mêlées aux coupables et condamnées en même temps qu'elles. Mes raisons sont les suivantes : [...] 3e raison. S'il m'est permis de parler en mon nom propre, j'avouerai qu'en différents endroits, j'ai accompagné jusqu'à la mort plus d'une sorcière dont, aujourd'hui encore, je doute aussi peu de l'innocence qu'à l'époque je déployai une peine et un zèle immenses pour découvrir la vérité.

Puis-je donc cacher que le désir de savoir m'a poussé, de manière presque excessive, à rechercher une certitude quelconque dans cette cause si douteuse ? Mais partout, je n'ai rien pu trouver sinon l'innocence. Comme il m'a fallu considérer que cette innocence était démontrée par un grand nombre de réflexions valables, mais que pour des raisons déterminées, je n'ai pu intervenir dans le jugement, on imaginera sans peine le sentiment dans lequel j'assistai à une mort si pitoyable. Je ne suis qu'un homme et je peux me tromper, je n'en disconviens aucunement. Mais malgré cela, après avoir si longtemps eu affaire, tant dans la confession qu'en dehors de celle-ci, à ces prisonniers, après avoir éprouvé leur nature sous tous ses aspects, demandé aide et conseil à Dieu et aux hommes, cherché des indices et des faits, après m'être expliqué, autant que le secret de la confession m'y autorisait, avec les juges eux-mêmes, après avoir mûrement réfléchi et confronté les arguments particuliers à mes propres réflexions, le seul jugement qui s'impose à moi est le suivant : on tient pour coupables des innocents.

29e question : La torture, pratique si dangereuse en elle-même, doit-elle être abolie ?

Voici ma réponse : j'ai déjà enseigné plus haut que, lorsqu'il s'agissait d'arracher l'ivraie dans les champs de l'État, il fallait absolument écarter tout ce qui, constamment, fait courir le risque d'arracher du même coup le bon grain. C'est ce que nous dit la sagesse naturelle, notre Seigneur lui-même, qui dicte les lois, et c'est ce que disent les exégètes autorisés de sa parole au sein de l'Église catholique. L'affirmation est donc incontestable.

J'ai également enseigné que, de nos jours, la question et la torture étaient régulièrement utilisées de telle manière que, dans les faits, le bon grain lui-même ne cesse d'être en danger. C'est si vrai que je pourrais prendre le risque de prêter serment sur ma conviction que les choses se passent toujours ainsi dans les faits et que bien du bon grain a été détruit.

Après que cette prémisse générale et particulière a été établie de manière irréfutable, la meilleure conclusion à laquelle on puisse parvenir est qu'il faut cesser d'employer la torture et l'abolir totalement. Ou du moins qu'il faut supprimer ou régler différemment toute situation qui fait de la torture, en général ou en particulier, une institution si dangereuse. Il n'y a pas d'autre issue. Et avant tout, je veux faire comprendre aux princes qu'il s'agit d'une obligation morale, en raison de laquelle non seulement eux-mêmes, mais aussi leurs conseillers et leurs confesseurs devront rendre des comptes au Juge Suprême s'ils s'y dérobent par le mépris ou le silence coupable. Je ne leur demande nullement de me croire. Qu'ils prennent seulement conseil chez leurs théologiens, ils verront que l'on ne doit pas jouer avec les vies humaines et que nos têtes ne sont pas des balles que l'on peut lancer autour de soi sans penser plus loin, juste pour le plaisir, comme le fait peut-être aujourd'hui le mauvais inquisiteur de plus d'un prince excellent. À la moindre rumeur, ceux-ci s'empressent de recourir aussitôt à ces tortures si dangereuses.

Traduction inédite. — *Sämtliche Schriften. Band 3* / Friedrich von Spee ; herausgegeben von Theo G.M. van Oorschot. – Bern : Franck, 1992.

LE LIVRE D'OR DES VERTUS 89

A.-L. Vignaux — 1996

Rythmes du corps, mesures de la prière. — Les indications spirituelles de cet ouvrage se rapportent aux différentes formes de la prière, de la méditation et de la louange divine. Comme le montrent les recommandations qui suivent, Spee les lie aux rythmes fondateurs de la vie du corps : la respiration et les pulsations cardiaques, mais aussi la force imaginative de l'esprit.

Plusieurs fois par jour, mets-toi devant la Croix comme il est dit et soupire, pleure tant que tu peux. Les soupirs ne doivent cependant rien dire d'autre que : « Hélas Jésus, hélas Jésus ! » ; fais-le doucement et profondément, la détresse se libérera alors peu à peu du cœur, ainsi que l'expérience l'a souvent démontré.

Fait suite la manière de louer Dieu continuellement et à tout moment.

Chacun sait que le cœur de l'homme, comme le balancier d'une horloge, bouge à chaque moment, bat jour et nuit sans relâche. Que l'on mange, boive, dorme ou veille, il ne s'arrête pas aussi longtemps que l'homme est en vie. On peut le sentir au pouls des deux poignets : car, de même que le cœur bat, toutes les artères battent, dans le corps entier.

De même, on peut en faire l'expérience sur soi-même, et pendant un petit quart d'heure, le jour ou la nuit, essayer de compter les pulsations du pouls. J'estime que, sur une journée, il y a ordinairement cinquante, soixante, soixante-dix, ou quatre-vingt mille battements environ, ce qui représente, sans nul doute, un grand nombre ; il serait bien dommage qu'autant de milliers de battements se passent ainsi, oisivement et sans utilité spirituelle.

Par conséquent, je cherche à présent le moyen de pouvoir tous les rendre utiles et de louer à tout moment Dieu à travers eux. Et bien voilà :

faisons de chacun de ces battements un signe manifeste et convenons de lui donner, entre Dieu et nous, une signification telle que chaque battement présente à Dieu et aux saints un sens et un appel pareils à ceux que ces paroles de l'ange expriment : « Saint, Saint, Saint est le Seigneur Dieu Sabaoth ! ».

Fait suite la découverte d'une manière pour louer Dieu à tout moment.

Si tu peux à présent réfléchir avec quelque concentration, tu sentiras déjà de toi-même de quoi il s'agit. Et alors, si seulement tu as la volonté et la conviction, et si tu chasses loin de toi le péché mortel (qui anéantit toute louange), alors je te dirai de commencer sans plus attendre à louer Dieu et à ne plus cesser, pour l'éternité. Si tu t'interroges encore sur la façon de faire, je vais te l'exposer plus clairement.

J'ai enseigné plus haut que si l'on songe à quelque chose ou qu'on se le représente, cette chose est aussitôt copiée dans l'imagination, puis dans l'âme, de manière tout à fait vivante ; ces copies ou ces configurations restent ineffacées aussi longtemps que l'imagination subsiste, aussi longtemps que l'âme subsiste, et celle-ci est immortelle.

Il découle de l'observation précédente qu'une louange de Dieu sincère et magnifique serait purement et simplement copiée dans ton âme, dans tous ses éléments, mots et syllabes.

Et puisqu'une telle copie ne disparaît pas mais demeure, la parole de Dieu ne disparaît pas non plus de ton âme, pas plus que l'éloge magnifique ; au contraire, la louange et l'éloge y sont présents pour toujours, dans toute leur beauté : et, nécessairement, cette louange magnifique et cet éloge qui sont dans ton âme, le Seigneur Dieu doit les avoir devant les yeux et les lire, à chaque instant, sans relâche.

Traduction inédite. — *Sämtliche Schriften. Band 2* / Friedrich Spee ; hrsg. von Theo G.M. van Oorschot. – München : Kösel, 1968. – [P. 168].

CHARLES DE ŽEROTÍN L'AÎNÉ

TCHÈQUE

1564-1636

Né à Brandýs-sur-Orlice, dans l'Est de la Bohême, il reçoit une éducation aristocratique attentive et soignée. D'abord élève de la fameuse école de l'Unité des Frères à Ivančice, il va, vers 1579, à l'université de Strasbourg pour y étudier les mathématiques, la rhétorique, le latin — qu'il maîtrisa mieux que le tchèque —, le français, l'italien et l'allemand. Continuant ses études à Bâle, il y fait la connaissance du théologien calviniste Jean-Jacques Grynæus, qui devient son ami, son confident et son correspondant. Théodore de Bèze, qui l'héberge quelques mois à Genève, à l'automne 1582, exercera également une grande influence sur Žerotín. Après Genève, il visite, en compagnie de Charles de Lichtenstein — à l'époque membre de l'Église des Frères tchèques, — et d'autres jeunes nobles, la France et l'Angleterre et revient en Moravie par la Hollande et l'Allemagne.

À son retour au pays, il apprend la mort de son père (1583). Entré en possession de de l'héritage paternel à sa majorité, en 1588, il épouse la fille d'un chaud partisan de l'Unité des Frères. Mais ses regards sont tournés vers la France, où l'accession au trône d'Henri IV fait briller pour les Huguenots, et tous les Protestants d'Europe, un formidable espoir de succès. Désireux de favoriser le roi de France, Žerotín lui prête, en 1589, une grosse somme d'argent (40 000 écus). En 1591, après la mort de sa femme, il rejoint les troupes du Roi au siège de Rouen. Au bout de dix mois, il rentre au pays, déçu et indigné : loin d'avoir rencontré des combattants ascètes de la liberté religieuse et un roi défenseur ardent de la foi calviniste, il n'a trouvé que des hommes sans idéal et de mœurs légères.

En 1593, Žerotín s'engage dans l'armée impériale et participe avec fougue à la lutte contre les Turcs. Nommé par l'empereur Rodolphe au tribunal provincial de Moravie, il participe encore à une brève expédition en Hongrie (prise d'Esztergom, été 1595), puis renonce définitivement à la chose militaire pour se consacrer aux affaires de l'État. Directeur du trésor, une charge très lourde dans un pays aux finances précaires, il s'acquiert, par ses compétences multiples, l'estime de ses compatriotes et devient l'homme le plus en vue de Moravie.

Défenseur zélé du droit des provinces contre le pouvoir central de Prague et chef de file, malgré lui, des non-catholiques de Moravie, il s'attire l'inimitié tenace des catholiques et tombe en disgrâce, en 1599 : Sigismond de Dietrichstein, vice-chambellan morave, le cite pour crime de lèse-majesté et l'accuse notamment d'avoir, contre l'interdiction d'un mandement impérial, volé au secours du roi huguenot contre les catholiques. Attrait devant la cour suprême de Prague, Žerotín excipe du fait qu'il dépend du ressort de Moravie. Le procès traîne en longueur, et est si mal mené que l'éloquent Žerotín démontre l'absence de fondement de son accusation.

À la même époque, Žerotín est accablé de malheurs : la mort de sa deuxième épouse et de son fils nouveau-né s'accompagne d'une brûlante crise spirituelle que lui vaut la doctrine de la prédestination de Calvin. Son doute sur le salut de son âme frise la démence et il n'en sort qu'après avoir lu le *De characteribus filiorum Dei* du théologien protestant Casmann, où est attesté que chaque homme doit croire qu'il est prédestiné par Dieu au salut.

En 1602, il est exclu du tribunal provincial pour avoir refusé de prêter serment à la manière des catholiques. Le cardinal-évêque František de Dietrichstein venge ainsi son frère Sigismond, et se venge lui-même d'avoir été forcé, deux ans auparavant, d'apprendre le tchèque pour siéger au tribunal provincial. Žerotín se retire alors dans son domaine, se consacre à la gestion de ses biens, à l'éducation de ses filles et à des méditations religieuses. En 1604, il se remarie.

En 1606, sous la conduite d'Étienne Bocskay, prince de Transylvanie, a lieu un soulèvement, menaçant pour la Moravie, dans la Hongrie voisine. On reproche alors à Žerotín, notamment Jiří de Hodice, de « mal agir en gâchant les dons que Dieu a mis en lui ». Žerotín répond par une vaste *Apologie* (1606), sous forme épistolaire, où il expose, dans un style vif, imagé et décapant, les raisons qui l'ont décidé à demeurer inactif ; il y critique durement la situation du pays, et fait appel à ses compatriotes, évoquant certains remèdes.

Vient alors l'heure de la révolte contre l'empereur Rodolphe. Celui-ci, hésitant à ratifier la paix avec les Turcs conclue en son nom, en 1606, par l'archiduc Matthias avec l'appui des États hongrois, autrichiens et moraves, voit Matthias se soulever contre lui. Et Žerotín gagne les Moraves à la cause de Matthias : en avril 1608, les États de Moravie mettent sur pied un gouvernement provisoire mené par Charles de Lichtenstein et Žerotín et ce dernier tente, en vain, de gagner à Matthias les États de Bohême. Pour soustraire la Moravie à Rodolphe, Žerotín choisit alors de séparer la Moravie de la Bohême (Paix de Liben, 1608). En matière religieuse, il obtient de Matthias que nul ne puisse être poursuivi en raison de ses convictions. Mais, bientôt, Matthias en revient à l'attitude traditionnellement discriminatoire des Habsbourg. En 1618, les Moraves, aidés par les Tchèques, s'insurgent contre Matthias, que Žerotín, envers et contre tout, décide cependant de soutenir.

Quand, en 1619, Thurn attaque la Moravie, les États se soulèvent et Žerotín, accusé par eux de trahison, échappe de justesse à la défenestration. Par la suite, il intercédera auprès du pouvoir impérial pour les non-catholiques, mais en vain. Les protégeant personnellement autant que possible, il hébergea quantité de prêtres expulsés de l'Unité des Frères, parmi lesquels Comenius. Bien qu'excepté de l'expulsion décrétée pour les nobles non catholiques refusant de renoncer à leur foi, Žerotín vendit une grande partie de ses propriétés, s'installa à Wroclaw, en Silésie, d'où il revint de temps en temps dans ses propriétés en Bohême et en Moravie. C'est lors d'une de ces visites qu'il mourut au château de Přerov. Sa quatrième épouse ne lui survécut que quelques mois.

APOLOGIE 90

Y. Millet — 1995

Inerties intéressées et cruelle pesanteur du pouvoir. — Cette critique aiguë dénonce l'égoïsme individuel et collectif de la structure monarchique et des trois états de l'Ancien Régime. Mais, au-delà des circonstances particulières à l'empire habsbourgeois et par-delà les vicissitudes propres au pays morave, c'est la nature du pouvoir et l'âpreté humaine qui sont visées. Le destinataire fictif de cette lettre n'est autre que le fameux général Georges de Hodice, ennemi personnel de l'auteur, à qui il donne du « Votre Grâce ». Quant à « Sa Grâce », dont il est parlé à la troisième personne, il s'agit, bien entendu, de l'empereur d'Autriche.

Comme si tout le monde ignorait, n'avait pas pleine conscience, que la concorde — pour ne rien dire de la confiance — n'est le fait ni des personnes qui siègent aux états, ni des états entre eux : les princes ne pensent qu'à être rois ; les chevaliers se veulent les égaux des princes, à la couleur près de leur sceau[1] ; les hiérarques n'ont en tête que la chasse aux hérétiques ; quant aux bourgeois, ils ne rêvent que d'exclure les nobles de leurs communautés. Tel est le cercle fermé dans lequel tournent toutes les pensées : chaque état de la société se préoccupe uniquement de ses intérêts propres. Le souci de notre culture, de notre progrès, de notre élévation — bref, celui du bien commun — ne trouve pas sa place dans ce genre de réunions. Ce sont là des vieilleries dont il faut laisser le soin à ces Messieurs de la haute Administration et aux juges provinciaux (à moins qu'on en remette la discussion à la session suivante de la Diète). C'est là que le bât blesse.

Mais ce n'est pas tout. Tous, tant qu'ils sont, vivent en proie à la peur. Non qu'ils craignent *pour* le pays. Ils ont peur *du* pays. Ils craignent pour eux, car ils commencent à comprendre ce qu'est le jeu politique et ses intrigues. Ils sont comme ces bretteurs timorés qui parent d'autant plus attentivement les coups à venir qu'ils en attendent de plus nombreux.

Les parties antérieures de notre corps, conscientes de ce que représente la tête, redoutent les horions. Les parties postérieures, elles, instruites par l'exemple, veillent à ne pas prendre d'initiative, se contentant du repentir : leur conduite s'inspire de celle du fameux renard[2] qui laissait les autres courir le risque de se noyer.

Telles sont les dispositions d'esprit, les passions de l'âme, les frayeurs et autres mauvaises manières dont nous voyons affligés nos députés. Quand donc ils viennent à la Diète, ont-ils l'intention de ne pas se séparer sans avoir fait œuvre utile, essentielle ? Non. Quand ils se réunissent, pensent-ils à prendre la résolution de s'écouter et de s'aider les uns les autres, d'examiner attentivement les besoins du pays et de méditer sur eux ? Non. Quand quelqu'un fait un exposé, y prêtent-ils attention, le pèsent-ils, le prennent-ils à cœur ? Non. Que font-ils alors ? Ils viennent pour voter les impôts, se réunissent pour bavarder entre eux et se mettre d'accord pour clore dès que possible la session.

Au fond, chacun écoute le discours de ses collègues comme un ventre creux absorbe une purge.

Et l'on voudrait que ma langue travaille pour ces gens et leurs pareils, que je paie de ma personne pour couvrir de mon manteau leurs agissements, que je les abrite de la pluie et du soleil ? Quel sage approuverait

---

1 Les seigneurs avaient le droit d'employer de la cire rouge. (N.d.t.)

2 Le renard et la cruche, fable tchèque. (N.d.t.)

alors ma conduite ? Qui pourrait me conseiller cela et se dire mon ami ? N'ai-je pas fait, moi, tout le premier, cette expérience lamentable, n'ai-je pas appris à mes dépens, n'ai-je pas cherché désespérément et... trouvé au bout du compte ce qu'il en coûte de s'intéresser à ceux qui se désintéressent de leur propre sort, de se souvenir de ceux qui ont perdu jusqu'au souvenir de ce qu'ils sont eux-mêmes ? Certes, si, je l'ai faite. Et pourtant, il existait en ce temps-là en ce pays-ci des hommes un peu plus authentiquement hommes que maintenant. Et pourtant, on ne voyait pas encore d'aussi fréquentes et d'aussi profondes mutations que celles qui se sont produites ensuite : souffrir ce que nous souffrons n'était pas encore devenu une habitude, tromper n'était pas encore devenu un métier, et l'on ne se vantait pas de ses brigandages comme maintenant.

Mais vous daignerez peut-être m'objecter : « Certes, tu as partiellement raison, mais non totalement. Tous ne sont pas aussi noirs que tu les peins ni aussi lâches que tu crois. Ils se taisent parce qu'ils n'entendent aucun discours qu'ils puissent approuver en disant *amen*. Ils restent sur le rivage parce que personne ne se propose pour leur faire passer la mer. Essaie seulement et tu les verras frémir comme une seule cotte de mailles. D'ailleurs je suis là et vous aiderai à vaincre tous les obstacles ».

Admettons qu'il en soit ainsi, d'abord en ce qui concerne les dispositions de Votre Grâce, encore que, quand j'étais empêtré dans les pires difficultés, vous n'avez pas daigné pouvoir ou vouloir consacrer une demi-journée à l'examen des trois livres venant de la Diète que je conservais à votre intention depuis six mois afin que vous y cherchiez quelque chose qui fût de nature à m'aider et à laver mon honneur. Cependant j'accepte de me lancer audacieusement sur la mer, même sans avirons, avec Votre Grâce et de Lui faire entière confiance, sachant quels trésors Dieu a déposés en Votre Grâce et les dons qui Lui ont été généreusement impartis pour le service de Ses semblables.

Quant à mes semblables, je laisse de côté l'opinion personnelle que j'ai d'eux, bien que je ne sois pas un étranger dans ce pays, ignorant les mœurs de ses habitants à un tel point que je ne sache pas qui sont mes voisins. Ils ont donc tous bu du vin de Uherské Hradiště[1], et y ont puisé des résolutions héroïques : celui-ci est un Scipion, celui-là un Hannibal, l'autre un Thémistocle, un quatrième est Solon en personne, qui, tandis que des tyrans s'étaient emparés du gouvernement de sa patrie, ne pou-

1 C'est à Uherské Hradiště que les Moraves, commandés précisément par Georges de Hodice, ont remporté sur les Hongrois une éclatante victoire. (N.d.t.)

vant revêtir lui-même la cuirasse vu son âge, l'avait exhibée et lui à côté d'elle aux portes de la ville, où il excitait la jeunesse à s'occuper vaillamment de la délivrance de leur patrie.

Mais à quoi bon continuer ? N'en voilà-t-il pas assez ? Seulement daignez tout de même apprendre jusqu'où nous sommes tombés : le droit est foulé aux pieds, nos libertés réduites à rien, les bonnes habitudes perdues, la notion d'ordre sortie des mémoires, toute organisation à l'abandon. Le livret du sire Tovačovský[1] a crevé de son enflure, les *conclusiones baronum* sont devenues lettre morte. D'un autre côté les hommes de quelque valeur ne sont plus et les étrangers nous ont envahis subrepticement, nous submergeant de toutes sortes de monstres qu'ils ont apportés dans leurs bagages : modèles nouveaux, méthodes nouvelles, directives, résolutions, tractations, brefs royaux, visas et avis.

Mais à quoi bon allonger ce catalogue ? Je caractériserai notre situation présente en lui appliquant en tous points les paroles du prophète Isaïe[2]. Pas un endroit de notre corps qui soit sain, tout n'y est que plaie, meurtrissure, blêmes et purulentes. Point de compresses, point de pansements, point de baume adoucissant. Le pays est un désert, nos villes des ruines calcinées et sous nos yeux, personne sinon des étrangers. Une bien grande misère et un bien grand besoin de secours. Mais (j'ai déjà lâché le mot à Votre Grâce) une fois la paix revenue, il restera encore un problème à régler ou plutôt deux : à quelle porte frapper et comment ? C'est le nœud de l'affaire : dénouons-le, ou plutôt, tel Alexandre, tranchons ce nœud gordien.

Or il n'est pas douteux que nous sommes tenus de chercher par priorité auprès de Sa Grâce l'empereur, et presque exclusivement auprès d'Elle en Sa qualité de seigneur du pays, de souverain qu'il est pour nous, de défenseur assermenté de notre droit, de nos libertés et de notre ordre public, l'obtention de ce que nous désirons en fait de réforme fondamentale, de redressement complet, de secours de nature à augmenter notre prospérité, car notre pays ne dispose pas d'une autonomie telle qu'il puisse se passer d'un recours à l'autorité souveraine.

---

1 Le livre de [Ctibor] Tovačovský, *La Mémoire des coutumes d'autrefois et de la façon de gouverner dans le margraviat de Moravie,* fut rédigé vers 1481 à la demande de l'évêque d'Olomouc et des anciens seigneurs moraves, afin de servir de référence sur la manière de gouverner le pays et de pratiquer la justice. Il était d'une telle importance qu'un exemplaire était conservé dans les archives (Desky zemské) de chaque province, pour que les juges de paix puissent le consulter si nécessaire. (N.d.t.)

2 Is 1, 5-6. (N.d.t.)

Malgré les rumeurs diverses qui circulent ou surgissent brusquement, je persiste à penser, au sujet de Sa Grâce, que si Elle daignait ménager à quelqu'un la faculté de l'informer sérieusement de nos affaires, la personne même de Sa Grâce ne dresserait pas d'obstacles insurmontables à la garantie d'un usage franc et libre des droits dont notre pays a toujours joui depuis l'aube des temps.

Mais combien Sa Grâce est d'un accès difficile, à quels obstacles on se heurte avant d'obtenir d'Elle audience, tout un chacun le sait. Quant à moi, j'en porte le témoignage vécu : je n'ai jamais réussi à dire quatre mots de suite personnellement à Sa Grâce elle-même des difficultés gigantesques que je rencontre à protéger mon honneur, ma vie et mon bien. J'ai multiplié les suppliques et les arguments, tenté aussi des pots-de-vin[1], bref, essayé tous les moyens d'accès : rien n'y a fait.

Si d'aventure on a la chance d'être admis auprès de Sa Grâce, une autre difficulté vous attend : il vous faut être le plus bref possible, exposer votre besoin en des termes strictement mesurés, et votre pensée en un ou deux mots. S'il s'agissait seulement de décrocher quelque prébende, un office, la rétribution d'un service rendu ou la majoration de son importance, la chose se ferait toujours d'une façon ou d'une autre, encore que difficilement. Mais dès que se trouveraient en jeu la sauvegarde du pays, l'établissement du droit, de la paix, de la concorde publics, de l'éducation de personnes aussi distinguées et aussi nombreuses que le sont nos concitoyens, à quoi pourrait-on aboutir en une ou deux minutes d'entretien, à supposer possible la contraction en une ou deux phrases de tout ce qu'il faudrait expliquer d'une situation finale issue de l'accumulation de faits, tels que des heures, des jours, des mois, des années suffiraient à peine à dresser le catalogue de nos sujets d'affliction, sans parler des moyens d'y remédier ?

Il y a plus. L'entourage occasionnel ou régulier de Sa Grâce s'est aperçu de ceci : pour Elle, tout n'est pas agréable à entendre, et, s'il s'agit d'un objet présentant quelque gravité, sa communication peut même Lui être franchement désagréable. En conséquence, les personnes qui ont éprouvé ou éprouvent le besoin absolu d'une audience se voient obligées de diminuer ou d'édulcorer leur présentation des choses dès qu'elles constatent que Sa Grâce[2] ne daigne écouter ses interlocuteurs qu'avec peine : ces

1 Par des pots-de-vin donnés aux chambellans, on pouvait parfois obtenir une audience. (N.d.t.)

2 Rodolphe II était réputé fou. (N.d.t.)

personnes passent immédiatement à un sujet[1] qu'elles savent de nature à rendre Sa grâce de nouveau bien disposée à leur égard, de manière qu'Elle les écoute.

Cela étant, où en sont nos affaires. Elles sont certes de nature à tirer de sa torpeur un interlocuteur languissant, et, pire que cela, à troubler, voire bouleverser, notre auditeur supposé bienveillant. Elles concernent, en partie, la religion[2] : et, comme Sa Grâce ne connaît rien d'autre que ce dont elle a été nourrie dès son enfance, Elle n'aime point se mêler de ce genre de questions. Il s'agit aussi de nos libertés : comme Sa Grâce daigne tenir en mains fermes Ses droits régaliens, Elle a du mal à se pencher sur ces libertés. Enfin, c'est aussi une question de personnes : comme Sa Grâce a pour habitude de ne rien hâter, Elle se débarrassera toujours de la décision en la repoussant.

Alors que faire ? En tel cas, ne vaudrait-il pas mieux tout laisser choir plutôt que d'engager quelque chose sans profit, et, la chose une fois engagée, ne pas la terminer ? Et puis, à supposer que Sa Grâce ait malgré tout l'idée d'engager l'affaire Elle-même, mais qu'Elle se ravise et la confie à quelqu'un d'autre, comme c'est son habitude, cela vaudra-t-il mieux ? Si Elle s'en remet à ses conseillers secrets, ceux-ci sont des Allemands, qui ne connaissent pas nos affaires, et nous détestent depuis toujours. Si Elle s'adresse à des conseillers tchèques, il s'agit de gens qui servent de relais à nos adversaires, sont nos rivaux dans le pays, et s'opposent à notre religion. Quel espoir pouvons-nous mettre en de pareilles gens ? Si Elle leur dit de nous écouter et de lui rendre compte de l'entrevue, quelle garantie aurons-nous de la fidélité de leur rapport ? Nous ne manquons pas d'exemples de leurs méthodes quand il s'agit d'affaires où sont engagés nos intérêts les plus urgents et les plus vitaux. Si Elle leur dit de décider eux-mêmes, quelle décision pouvons-nous attendre de gens qui vivent en marge de nous ?

Traduction inédite. — *Apologia neb Obrana k panu Jiříkovi z Hodic* / édité par Palacký. – Praha : Otto, 1834.

1 Les courtisans venaient avec des objets d'art à offrir à l'empereur. (N.d.t.)

2 Žerotín était de la confession des Frères Tchèques, l'empereur d'Autriche, catholique. (N.d.t.)

PÁZMÁNY

HONGROIS

1570-1637

À la suite de la prise de Buda (1541) et de l'occupation progressive de toute la partie centrale du pays par les Turcs, le royaume de Hongrie, encore uni aux siècles du Moyen Âge, se trouve partagé dès avant la fin du XVIe siècle en trois parties : à l'est, c'est la principauté autonome de Transylvanie, habitée par diverses ethnies, mais dont le prince est hongrois ; dans le centre, le règne du Croissant ; au nord et à l'ouest, ce qui reste du royaume, le trône étant occupé, depuis 1526, par les Habsbourg, constamment élus rois par l'aristocratie hongroise. Sur le plan religieux, le pays est non moins divisé. Si, au début, la tendance luthérienne l'emporte, principalement parmi les grands propriétaires terriens hongrois et la bourgeoisie des villes germanophones, la confession helvétique connaîtra bientôt un plus grand rayonnement en propageant les doctrines de Zwingli, de Calvin et de l'infatigable Heinrich Bullinger (1504-1575), disciple et continuateur de Zwingli à Zurich, particulièrement écouté en Hongrie. L'Église réformée ne tarde pas à mettre sur pied ses principaux foyers : temples, écoles et imprimeries. C'est l'époque où la ville de Debrecen devient, selon l'expression des contemporains, « la Rome des calvinistes ». À côté de ces deux grandes confessions, on voit apparaître, notamment en Transylvanie, les adeptes d'une pensée théologique radicale. Des théologiens antitrinitaires d'Italie partisans des idées de Michel Servet et obligés de fuir, s'y établissent et gagnent à leur cause le prince Jean Sigismond (1541-1551). L'Église unitarienne sera admise parmi les quatre confessions légalement autorisées de Transylvanie où, par ailleurs, se manifeste aussi, comme pour montrer l'étonnante variété de la Réforme dans le bassin des Carpates, la secte sabbatique.

Si le XVIIe siècle est l'âge du baroque et de la Contre-Réforme en Hongrie, le premier grand auteur de cette époque, père et modèle de la prose baroque, est assurément l'archevêque d'Esztergom Péter Pázmány, véritable chef de file de l'Église catholique de Hongrie. On lui doit un grand nombre d'œuvres en prose, au service de sa cause.

Né dans une famille protestante, mais converti au catholicisme dès l'âge de 13 ans, Pázmány fut élevé par les jésuites de Kolozsvár (Cluj, Roumanie), puis entra lui-même à la Société de Jésus. Il fit d'excellentes études à Vienne et à Rome, en particulier au *Collegio Romano*, du temps du rectorat de Robert Bellarmin, où il apprit à maîtriser la rhétorique et l'art de la controverse. De 1598 à 1607, il enseigna la théologie et la philosophie à l'Université de Graz, pour prendre une part active ensuite, aux côtés de l'archevêque d'Esztergom, à la réorganisation de l'Église catholique hongroise comme aux controverses religieuses. Nommé lui-même archevêque d'Esztergom en 1616, il témoigna d'une fidélité à toute épreuve à l'égard du roi Ferdinand II de Habsbourg dont il espérait une meilleure défense des intérêts du pays contre les Turcs. Il rejeta évidemment l'idée, chère aux protestants, de la domination turque infligée comme châtiment (*flagellum Dei*) à la fois pour les péchés des Hongrois et l'immoralité du clergé catholique. Il affirma au contraire que la ruine du pays avait eu pour cause la discorde, la rupture de l'unité confessionnelle, la diffusion des « doctrines hérétiques », et que la voie du redressement ne pouvait passer que par la restitution de l'unité des chrétiens et le renversement de la domination turque. Les dernières années de sa vie furent employées à la réalisation d'ambitieux projets pédagogiques : la création d'un séminaire à Vienne (Pazmaneum, 1623) et d'une université à Nagyszombat (Trnava, Slovaquie), en 1635.

Ses écrits de controversiste sont caractérisés par la logique de l'argumentation, la clarté de la composition et l'extraordinaire vivacité d'un style qui exploite volontiers les ressources de l'ironie et même du sarcasme, comme on peut le voir dans sa prise de bec avec le prédicateur Péter Alvinczi. Son ouvrage le plus volumineux, le *Guide conduisant à la vérité divine,* est à la fois une récapitulation des articles de foi catholiques et la réfutation des thèses protestantes. Pázmány connaissait à fond les auteurs anciens, la littérature patristique, la théologie de saint Thomas d'Aquin, les acquis de la philologie humaniste ainsi que les ouvrages des auteurs protestants. Il proclamait hautement qu'il eût pu aussi bien rédiger son ouvrage en latin pour être lu en Europe, mais qu'il préféra le destiner à sa nation. Pázmány mettait aussi ses dons au service de la dévotion. Son *Livre de prières* (1606), composé sur la commande d'une noble dame, dut sa popularité à ses qualités de style. Pour sa traduction de *L'Imitation de Jésus-Christ* de Thomas a Kempis, en 1624, il dut élaborer toute une terminologie hongroise de la vie intérieure. La traduction, disait-il en substance, ne devait pas sentir son latin, mais couler de source, « comme si le texte eût été d'emblée écrit par un Hongrois ». L'exposé le plus complet de son système moral fut donné dans son *Livre des Sermons* (1636), destiné à tous les publics pour les exhorter, en leur ouvrant des perspectives d'édification morale, à une vie vertueuse. Pázmány, dans ces sermons, fit preuve d'une profonde connaissance de l'homme et des réalités quotidiennes, en même temps que d'un don d'empathie peu commun.

Son style est, dans tous les genres par lui cultivés, riche, coloré, vif et imagé, propre à rendre sensibles jusqu'aux idées abstraites. Le parler quotidien, avec sa vivacité et ses tournures familières, ses locutions proverbiales et ses sentences lapidaires, entre chez lui dans d'harmonieuses périodes dominées par le nombre. Tout ce qu'il dit à propos du pouvoir et de l'expressivité du langage témoigne du caractère conscient de son art et désigne sa place parmi les grands prosateurs de l'Europe de son temps.

T. Klaniczay, "La naissance et le développement de la littérature baroque en Hongrie". – In : *Acta Litteraria Academiæ Scientiarum Hungaricæ* / Magyar Tudomanyos Akadèmia (ed.). – Budapest : Akadèmiai Kiadò, 1960. – [Vol. III, pp. 131-190].

I. Bitskey, "Le Baroque édifiant dans l'œuvre d'un archevêque hongrois, P. Pázmány". – In : *Le Baroque en Hongrie* / édité par T. Klaniczay et Pierre Charpentrat. – Montauban : Centre international de synthèse du baroque, 1975. – (*Baroque* ; 8). – [Vol. 8, pp. 35-47].

L. Lukács, F. Szabó, "Autour de la nomination de P. Pázmány au siège primatial d'Esztergom (1614-1616)". – In : *Monumenta antiquæ Hungariæ* / édité par Ladislaus Lukács. – Rome : Institutum historicum Societatis Jesu, 1985. – (*Monumenta historica Societatis Jesu* ; 129). – [Pp. 77-148].

I. Bitskey, "P. Pázmány : Cardinal, Statesman, Master of Hungarian Prose". – In : *The New Hungarian Quarterly*, XXIX (Spring 1988), pp. 64-71.

LE TRIOMPHE DE LA VÉRITÉ 91

É. Szilágyi, A.-M. de Backer — 1981

À chacun son miroir. — Diatribe parue en 1614 à Pozsony (Bratislava, Slovaquie), en réponse à un ouvrage polémique par ailleurs perdu du pasteur Péter Alvinczi, *Médecine et miroir de l'âme*, publié la même année à Kassa (Kosice, Slovaquie), ce texte s'empare du mot *miroir* pour s'en prendre à son adversaire et le discréditer.

Je souhaite à Péter Alvinczi que Notre Seigneur lui donne bonne conscience.

Les divers miroirs présentent des déficiences de toute espèce. Tantôt ils reflètent l'image d'une petitesse extraordinaire ou, au contraire, d'une grandeur démesurée, tantôt renvoyant des images fausses, ils altèrent et enlaidissent le beau visage pur et bien formé. Toutes ces déficiences se retrouvent dans ton « Miroir », Péter Alvinczi. Car il te renvoie l'orgueil enflé en toi sous forme d'humble simplicité d'esprit et mon image comme celle d'un homme qu'afflige je ne sais quelle hydropisie, gonflé au point de ne plus tenir dans sa peau. Il fait de toi un homme à la plume humanitaire, à la parole modérée comme il sied à un esprit plein de mansuétude, alors que j'y apparais, moi, comme la source d'un torrent de furieuses injures et d'invectives horribles. Si ton « Miroir » renvoyait l'image de la vérité en te montrant la poutre qui dépasse de ton œil, il te ferait paraître sans doute moins grande la paille dans les yeux des autres.

Dis-moi, Alvinczi, t'ai-je jamais appelé cochon, fils de putain, gibier de pilori, vicieux, malfaiteur déclaré, verrat castré ? Mal blanc ? Tricheur ? Fou à lier ? Suppôt du diable ? Or, toi, la langue insolente (comme si tu étais encore parmi les lascars de ton village), tu n'hésites pas à cracher sur moi toutes ces infamies et bien d'autres encore ; et qui plus est (Oh, fi, homme à la bouche puante !), tu appelles cela des perles ! Et pourtant, ton « Miroir » te revêt du masque de la componction chrétienne. Mais pour faire comprendre : les perles conviennent à celui qui a quelque chose à orner ; je n'ai pas besoin, moi, de tels ornements, mais toi peut-être en ferais-tu meilleur usage. Aussi donne tes chabraques emperlées à tes chiens, pares-en tes chevaux. Et par ailleurs, avant de poursuivre, je t'annonce deux choses. Premièrement : je te cède volontiers la palme du vainqueur quant aux invectives. Deuxièmement : je n'entends pas endosser la chabraque garnie de perles qui orne ta maison. Mon honnête nom d'origine est Pázmány, et non Pasman. Mais si tu tiens à me chercher querelle et à me clouer au pilori par mon nom, grand bien te fasse ! Toutefois, il te faut savoir que tu n'agis pas plus sagement que le bœuf d'Ésope[1] qui abandonna la proie pour l'ombre.

Je vois clair dans ton jeu, Péter Alvinczi. Tu n'ignores pas que rien n'est aussi difficile pour un homme bien né que de supporter les blâmes et les injures injustifiées. Rappelle-toi aussi que ce n'est pas en te réclamant de la Vérité, des Écritures saintes et de l'enseignement des saints Docteurs que tu pourras avoir raison de moi ou m'empêcher de rédiger des écrits où je dénonce votre fausseté : c'est pourquoi, telle une vile Harpie, tu veux me détourner de lutter contre toi grâce à des injures sordides, des récriminations ignobles qui ne s'appliquent guère à mon cas, comme te le dit ta propre conscience. Mais détrompe-toi. Si Dieu a supporté pour moi qu'on le nomme démoniaque, ivrogne et menteur, je te prie de croire que je suis, moi aussi, prêt à accepter toutes les invectives pour la vérité de mon Dieu ; et je me réjouis des blessures que je reçois en défendant l'honneur de mon Seigneur. Que l'on m'appelle bon ou méchant, je ne cesserai jusqu'à la mort de défendre la vérité, et ce que fit Abraham avec les mouches immondes[2] cherchant à souiller son sacrifice, je le ferai avec vous autres, mouches insolentes : je vous chasserai d'un geste de la main tout en ne cessant de remplir mes fonctions. Jamais tu n'entendras de moi promesses semblables à celles que tu fais dans ton « Miroir », à savoir qu'à l'avenir, je ne voudrai plus me salir en m'occupant de vous. Car la charité chrétienne me commande qu'aussi longtemps que vous serez souillés, je ne cesse de laver vos souillures, dans la mesure où les faibles talents que Dieu m'a concédés me permettront de le faire.

Afin de t'instruire quant au contenu de mon présent écrit : sache que je fais la sourde oreille au vain flot de tes paroles et à l'averse de tes injures baveuses. C'est à l'essence de la chose que je répondrai en bonne et due forme, en faisant griller les bottes de paille de tes mensonges avec le miroir d'acier de la vérité. Tu m'attribues par ailleurs l'ouvrage de Monseigneur Lethenyei[3]. Libre à toi. Je répondrai à l'écrit que tu as dirigé contre moi, comme si j'étais réellement l'auteur de son *Miroir calviniste.*

---

1 Le terme traduit ici par *bœuf* désigne en ancien hongrois n'importe quel animal. Pázmány fait allusion à la *bête d'Ésope,* c'est-à-dire au chien de la fable V, lequel, voyant le reflet de sa proie sur l'eau, veut s'en saisir, etc.

2 Voir Genèse 15, 11 où il s'agit en fait (suivant les traductions) de vautours ou d'oiseaux de proie.

3 Sous ce nom fut en effet publié, contre Alvinczi, un ouvrage de controverse dont l'auteur est probablement Pázmány, qui ne proteste pas contre cette attribution. Se servait-il de ce pseudonyme pour donner l'impression que les controversistes catholiques étaient en nombre ?

Pages choisies de la littérature hongroise des origines au milieu du XVIIIe siècle / préface et choix des textes par Tibor Klaniczay. – Budapest : Corvina Kiadò, 1981. – [Pp. 155-157].

GUIDE CONDUISANT À LA VÉRITÉ DIVINE 92

É. Szilágyi, A.-M. de Backer — 1981

Méditation sur les animaux créés (2e partie, chapitre I). — L'ouvrage fut imprimé en 1613 à Pozsony (Bratislava) où s'installèrent, fuyant les Turcs, l'archevêché d'Esztergom et son imprimerie. Le thème est qu'il faut voir dans les beautés de la création la puissance et la sagesse divines. L'ordre et la beauté de la nature, la hiérarchie des êtres créés inspirent des réflexions que les protestants auraient pu partager. Pázmány ne connaît pas que la Bible, son érudition éclate à la fois dans ses références aux Pères de l'Église et aux auteurs de l'Antiquité, sans parler de ses nombreux parallèles mythologiques.

Selon le Sage[1], les animaux créés seraient des pièges pour les fous, mais pour les sages, ils seraient des marches et des échelons leur permettant d'accéder à Dieu. C'est pourquoi l'homme retirera trois sortes de profits d'une méditation approfondie sur les animaux créés.

Le premier profit : la connaissance de Dieu. Voyant sur le sable la trace du pied d'Hercule, Pythagore put reconstituer à partir de cette seule empreinte l'âge de tous les autres membres du héros[2]. Appelle n'eut qu'à tracer un seul petit trait sur un tableau commencé par Protogène, et cet homme avisé en déduisit qui avait visité sa demeure[3]. De même, dans le bel agencement des parties du monde, nous pouvons, nous aussi, reconnaître clairement la providence d'un Dieu tout-puissant, à la sagesse infinie.

La grandeur de certains animaux créés nous fait comprendre l'infinité de notre Dieu ; leur parure, sa beauté ; leur force, sa puissance ; leur splendeur, sa gloire ; leur grâce, sa mansuétude qui abonde en consolations : en effet, tout ce qui provient de la source, doit s'y trouver abondamment par avance. Car nul ne peut donner à autrui ce qu'il ne possède pas lui-même ou selon sa propre nature ou, mieux encore, à un degré supérieur et plus digne. C'est pourquoi, nous dit le Sage, ceux qui, à cause de leur beauté, firent du Soleil et de la Lune des divinités, commirent grande folie, parce qu'ils auraient dû déduire de leur beauté même combien plus beau encore est Dieu qui les a créés. Saint Basile a donc grandement raison d'écrire que le monde n'est qu'un beau livre qui clame la gloire et la majesté de Dieu[4]. C'est aussi ce que répondit saint Antoine à un sage

1 Sagesse 14, 11.

2 L'histoire de Pythagore est empruntée à Aulu-Gelle, *Nuits attiques*, Livre I, chap. 1.

3 Le cas est cité d'après Pline l'Ancien, *Histoire naturelle*, Livre 37, I. 35, 10.

4 Référence, ici et plus loin, aux *Homélies* de saint Basile.

païen qui lui demandait comment il pouvait habiter sans livres dans le désert ? Le même Basile écrit ailleurs que le monde est une école dans laquelle les animaux créés nous enseignent à connaître Dieu. Car, dit-il, la beauté et la grandeur des animaux représentent devant nos yeux la force et la beauté de Dieu ; aussi, bien que nous ne puissions saisir qu'une infime partie des secrets des animaux créés, ceux que nous voyons de nos propres yeux sont de telles merveilles qu'aucun esprit, si pénétrant soit-il, ne peut s'empêcher d'admirer la sagesse divine qui se reflète en eux. Ainsi, comme au sein de la félicité céleste Dieu est le miroir des bienheureux dans lequel ceux-ci contemplent les animaux créés, nous devons regarder dans ce monde les animaux créés comme autant de miroirs qui nous font connaître la bonté, la puissance et la sagesse de Dieu, et nous élèvent, telles des marches célestes, à Sa connaissance. Car tous les animaux clament que c'est Dieu qui les a créés et qu'ils ne se sont pas faits eux-mêmes. De même que l'illustre sculpteur Phidias grava son propre visage sur la face de Minerve avec un art tellement consommé qu'on n'aurait pu l'en effacer qu'en détruisant la figure divine : ainsi Dieu laissa sur chaque animal créé l'empreinte de sa sage puissance et de sa grandeur divine de sorte que celles-ci ne pourraient en être effacées qu'au prix de la destruction de l'ensemble de la nature.

Le deuxième profit qu'on peut retirer de la connaissance des animaux créés est qu'elle nous incite à aimer Dieu et à lui rendre grâce. C'est pourquoi saint Basile dit qu'en voyant un simple brin d'herbe, nous sommes amenés à aimer Dieu en nous remémorant que Dieu a créé l'herbe verdoyant au sommet des montagnes non pour Lui-même, non pour les anges ou les bêtes privées de raison, mais afin qu'elle serve aux hommes. Car, sans ces animaux, l'homme est dépourvu de ressources puisqu'il se nourrit de leur chair, se vêt de leur peau et de leur laine, laboure la terre en recourant à leur force, leur fait porter les faix et, grâce à eux, peut même se passer de marcher. Or, ces animaux privés de raison se nourrissent d'herbes ; les herbes ne poussent point si la pluie n'arrose pas la terre ; il ne pourrait y avoir de pluie sans la vapeur d'eau qui monte de la mer et des fleuves, la terre, elle, dégage des émanations qui font naître le vent lequel, à son tour, propage les nuages sur la terre entière. Ces vapeurs et ces émanations ne s'élèveraient pas cependant sans la force du soleil et des étoiles. Aussi le firmament avec ses révolutions régulières, comme les pluies et les fleurs des champs furent-ils créés pour servir l'homme, pour son bien et pour sa consolation. C'est pourquoi ce saint Docteur demande que, lorsque nous prenons en main une belle fleur, contemplons une branche verte nous offrant son ombrage, nous élevions nos yeux vers Dieu, le glorifiant d'avoir orné de tant de beauté la fleur qui se fane afin que nos yeux puissent merveilleusement s'en repaître, de l'avoir bénie d'un si beau parfum afin qu'elle nous console par sa douce odeur ; d'avoir donné de bons fruits à saveurs diverses selon les saisons, afin qu'ils flattent notre palais.

En un mot, Dieu n'a pas agi envers nous comme nous agissons envers nos valets que nous nourrissons avec toutes sortes d'aliments indigestes les privant des douceurs et des délicatesses de la table, mais il a créé force belles choses pour en délecter nos sens. Car si nous en croyons les paroles de saint Ambroise, le parfum et la beauté des fleurs sont faits pour le plaisir des humains. Sénèque, à ce propos, nous rappelle que Dieu a créé maintes choses qui servent non pas nos besoins mais nos plaisirs. Et saint Augustin se demande quelle somme de bienfaits Dieu peut réserver à ses fidèles dans la félicité si, déjà sur terre, Il ménage tant de bénédictions à ceux qui sont voués à la perdition[1].

Ayant compris cela, gardons-nous bien de ressembler à ces animaux privés d'intelligence qui, lorsque le pâtre leur gaule des glands, accourent gloutonnement se bousculant les uns les autres du museau, sans même lever les yeux pour remercier leur maître de ses bienfaits. Et ne soyons pas non plus comme les enfants qui, lorsqu'on leur donne un beau livre avec des lettres d'or, admirent la beauté de ses lettres, sans comprendre ce qu'elles recouvrent, et sans s'efforcer de s'approprier la science profonde qui s'y trouve. Nous devons nous efforcer d'arriver à aimer Dieu à travers la beauté du monde, à lui rendre grâce de ses bienfaits ; en nous remémorant la parole du Sage : lorsque nous recevons un don de Dieu, remboursons-le à Sa Sainte Majesté par des actions de grâce. En effet, comme le remarque saint Augustin, ce serait folie que de nous laisser distraire de Dieu par des beautés qui n'existent pas sinon en Dieu.

Le troisième profit que l'on retire de l'étude du monde animal est que l'exemple des animaux nous rappelle nos charges et nos devoirs, et, par leur muet langage, ils inclinent et orientent nos mœurs vers la perfection. C'est pourquoi les Écritures saintes nous représentent soit des fourmis, soit des autours, voire des bœufs et des ânes, afin que nous apprenions d'eux comment mener à bien nos tâches. C'est pourquoi saint Basile et

---

1 Pázmány se réfère ici à la fois à la *Cité de Dieu* et aux *Confessions.* Saint Augustin est de tous les Pères de l'Église celui qu'il cite le plus souvent dans ses œuvres.

saint Ambroise disent que lorsque nous contemplons une belle fleur, nous devons la regarder non seulement à la manière des bêtes, mais en nous rappelant la fragilité de notre vie, ses jouissances brèves et éphémères. Car, de même que la belle fleur se fane, et encore qu'elle soit vêtue plus fraîchement que le roi Salomon, elle se dessèche en perdant bien vite sa beauté, de même, toi aussi, quelles que soient la force, la beauté et la gloire dont tu tires orgueil, tu seras en peu de temps, toi aussi, flétri et pourri.

Ces saints Docteurs nous enseignent ailleurs que, voyant le sarment, nous devons nous remémorer notre état : Dieu nous a plantés, comme la belle vigne protégée, entourée de petits fossés, taillée et échalassée, en nous donnant les tuteurs de sa grâce et l'exemple de ses saints, et il nous demande en échange de ne pas nous détacher du cep, de croître, de porter des grappes et, lorsque nous sommes courbés par le vigneron pour être recouverts de terre, de supporter avec joie la souffrance.

Ils nous enseignent ailleurs qu'en voyant comment les animaux privés d'intelligence pourvoient eux-mêmes à leurs besoins, nous veillions avec assiduité sur notre âme. Car nous connaîtrons damnation bien plus grande si nous nous montrons moins raisonnables que les bêtes. C'est par l'exemple des cigognes que saint Basile enseigne aux fils à respecter leurs parents ayant atteint un grand âge. En effet, les cigognes, dit-il, une fois leurs parents parvenus à un âge avancé, réchauffent leurs vieux corps par leurs propres plumes, leur apportent des aliments et les aident avec leurs ailes à s'élever dans l'air. Enfin, en voyant maintes fleurs s'ouvrir au lever du soleil et se fermer à son coucher, ou d'autres qui, ouvrant leur calice au soleil, se tournent constamment vers lui, comme si elles reconnaissaient le maître qui les nourrit, les a créées, et qu'elles souhaitent servir selon leur talent : nous aussi nous devons nous efforcer de ne pas détourner les yeux de Dieu, mais de le suivre comme la source de nos biens et de lui plaire par toutes nos actions.

Pages choisies de la littérature hongroise des origines au milieu du XVIIIe siècle / préface et choix des textes par Tibor Klaniczay. – Budapest : Corvina Kiadò, 1981. – [Pp. 157-160].

SERMONS 93

É. Szilágyi, A.-M. de Backer — 1981

Sur la tempérance. — Dans cet éloge, Pázmány entend à la fois donner des préceptes de santé et exhorter à l'obéissance aux prescriptions religieuses. Ce faisant, il emprunte à des auteurs aussi bien païens, comme Aristote ou le médecin grec Galène (129-200 ?), que chrétiens, comme Jérôme ou Cassien (350 ? - après 432).

La santé pour l'homme est comme le sel qui confère aux aliments leur saveur ; car celui qui est de santé précaire, ne prend aucun goût aux plaisirs et aux joies ; pour lui-même il n'a envie de rien. Cette santé est semblable au soleil : lorsque celui-ci ne brûle pas, tout est plongé dans l'obscurité, tout devient chétif et sans gaieté. Quelle joie, en effet, le malade peut-il éprouver dans son beau palais fraîchement construit, s'il y souffre jour et nuit, alors que l'homme pauvre bien portant dort du sommeil du juste dans son humble demeure ? À quoi bon la table mise, les mets variés, les vins choisis, si, à leur vue, le malade est pris de nausée, le docteur ne lui permettant guère autre boisson que l'eau bouillie, tandis que le gaillard bien en chair se régale de son morceau de lard qu'il arrose avec délice de son vin aigrelet ? À quoi sert au malade or ou bourse regorgeant de deniers, s'il se démène dans son lit et s'il était prêt à donner avec joie tous ses biens pour être soulagé des terribles douleurs que lui causent la goutte, les calculs du rein ou la colique ? Celui qui est tourmenté par la maladie ne pense à rien, ne jouit de rien, n'épargne rien. [...]

C'est ce qu'ont bien compris les Sages païens. Aussi Aristote louait-il fort ce qui avait été écrit sur la porte du temple d'Apollon, à savoir que le plus grand bien parmi tous les biens de ce monde est la santé. C'est à quoi songeait Plutarque en écrivant à fréquentes reprises que la santé est préférable à tous les autres biens, car, sans elle, ces derniers restent sans attraits ; bien plus, le malade est incapable d'apprécier leurs bienfaits. Aussi les hommes sages considéraient-ils que le malade ne vit pas, mais végète seulement ; celui qui vit malade, ne fait que traîner son existence, et, à en croire Jérémie, la maladie équivaut à la mort, et celui qui vit malade, meurt de multiples fois. Le malade est tout à fait désarmé, car, de même qu'au moment où l'essieu est endommagé, les roues s'arrêtent de tourner, l'altération de la santé rend l'homme impropre à servir son pays ou son prochain. De surcroît, la maladie fait souvent obstacle au service de Dieu. La preuve en est que Dieu non seulement n'avait jamais voulu pour ses sacrifices de bouvillons malades, mais n'a jamais permis non plus que des prêtres galeux, couverts de pustules et de plaies purulentes exercent des fonctions ecclésiastiques.

Le Saint-Esprit, lui, va plus loin : non seulement il dit que la santé est un cadeau de Dieu et le fruit de sa protection paternelle, la maladie étant un fléau par lequel Dieu punit nos péchés, mais, considérant les douloureux tourments de l'homme malade, sa lassitude, l'inutilité de son état grabataire, il proclame que le calme de la mort est préférable à l'amertume d'une existence confinée dans la maladie. À ce propos, les païens des temps anciens qui ne croyaient pas à la vie dans l'au-delà, ni ne pensaient que quiconque quitte sans l'autorisation de son chef les rangs de l'armée à laquelle il a été affecté, soit un lâche, même possédant force pouvoir, biens et gloire de ce monde, se tuaient pour échapper à la maladie. Suétone nous dit que, tombé malade, l'empereur Jules ne voulut point continuer à vivre. On lui rappelait sans cesse de veiller sur sa vie, mais s'en souciant peu, il n'y prit jamais garde, préférant être tué que de vivre malade. Afin d'échapper à la maladie, Atticus se laissa mourir de faim, estimant plus facile d'être son propre bourreau que de supporter la maladie. L'empereur Galère, plutôt que de vivre malade, mit fin à ses jours par le fer. Bien qu'ils aient gravement péché en agissant ainsi, ces hommes n'en démontrèrent pas moins que, sans la santé, la vie ne vaut pas la peine d'être vécue ; où il n'y a point de santé, il n'y a pas non plus de joie, ni de tranquillité dans la possession des biens.

Pour conserver ce bien, la plus belle perle des trésors de ce monde, il n'existe point de moyen plus sûr ni plus convenable que d'observer une vie saine et une tempérance qui nous préserve ou nous guérit de toutes espèces de maux. C'est ce qu'en termes clairs, nous enseigne le Saint-Esprit en nous recommandant de nous abstenir de manger avec gloutonnerie, la trop grande quantité d'aliments étant cause de maladie ; celui qui s'en abstient, prolonge sa vie. [...]

Certes, la tempérance ne peut point nous rendre immortels, l'humeur vivifiante finissant par se tarir un jour en nous, mais une grande différence existe pourtant : ceux qui meurent à la fleur de l'âge du fait des humeurs méchantes demeurées non élaborées dans leur corps, finissent leurs jours en proie à de grandes douleurs et souffrances, alors que ceux qui ont observé la tempérance, s'endorment doucement, telle la flamme d'une veilleuse dont l'huile est consumée.

Pages choisies de la littérature hongroise des origines au milieu du XVIIIe siècle / préface et choix des textes par Tibor Klaniczay. – Budapest : Corvina Kiadò, 1981. – [Pp. 160-162, 164].

BEN JONSON

ANGLAIS

1572-1637

Considéré aujourd'hui comme le plus illustre contemporain de son ami et rival Shakespeare, Benjamin Jonson lui fut probablement préféré par une grande partie du public, au XVIIe siècle.

Jonson grandit entre sa mère et son beau-père, un maître maçon de Westminster. Là, après une formation classique, trop tôt interrompue, il exerça quelque temps ce métier, puis s'engagea pour combattre les Espagnols en Flandres, où l'armée anglaise prêtait main forte aux Hollandais. Revenu en Angleterre, il devint acteur et auteur dramatique. Sa vie agitée d'artiste insouciant et débauché le mena en prison plusieurs fois, et il échappa de justesse à la peine capitale, pour avoir tué un autre acteur au cours d'un duel. Suspect aux yeux de l'État pour avoir été catholique pendant douze ans, il connut cependant des succès artistiques et commerciaux qui lui valurent l'intérêt et la considération du roi Jacques Ier. En 1598, *À chacun sa manie* (*Every Man in his Humour*) fut joué par la compagnie théâtrale de Lord Chamberlain. À partir de 1603, le roi accorda son soutien officiel à Jonson, qui commença à écrire des mascarades, genre très prisé par l'aristocratie de l'époque. Honoré de plusieurs commandes royales, il se vit attribuer une pension et, en 1616, fut gratifié du titre de Poète du Roi (*King's Poet*).

Il influença directement plusieurs poètes de la première moitié du XVIIe siècle : Richard Lovelace, Sir John Suckling, Robert Herrick, Thomas Carew et Edmund Waller, qui se baptisèrent les « fils de Ben ». La plupart d'entre eux, patriotes convaincus, prirent le parti du Roi pendant la guerre civile sous Charles Ier, orientation politique qui confirme les liens étroits que Jonson entretenait avec la Cour. La carrière de Jonson, cependant toujours digne et indépendant d'esprit, fut fortement déterminée par sa fidélité à ses nobles mécènes, alors que la renommée de Shakespeare, par exemple, reposa plus largement sur des succès populaires.

Très sûr et très fier de son talent poétique, Jonson s'estimait plus homme de lettres que simple auteur ou acteur de théâtre : ainsi, il ne fut membre d'aucune compagnie d'acteurs et ne s'engagea jamais dans une activité professionnelle autre que la littérature, contribuant ainsi à établir le concept d'écrivain professionnel. De plus, alors que Shakespeare ne s'était jamais soucié de faire publier ses œuvres, Jonson, dès 1616, procura une luxueuse édition de ses *Œuvres poétiques*, initiative sans précédent en Angleterre.

Plus fidèle que Shakespeare aux exemples et aux règles classiques (division en 5 actes, unités, etc.), son œuvre satisfit mieux les goûts du public et des critiques de son temps, de plus en plus soumis à l'influence française, surtout après la Restauration (1660) qui vit le retour de Charles II, nourri de culture française durant son exil. L'influence classique est très sensible dans ses deux seules tragédies conservées : *La Chute de Séjan* (1603) et *Catilina* (1611). Ses comédies révèlent aussi son souci d'adapter les modèles grecs et latins, Aristophane et Plaute principalement, au théâtre anglais. Jonson disait ironiquement de Shakespeare, qui s'inspirait plus que lui des traditions populaires, qu'il connaissait « un peu de latin et encore moins de grec ».

Ben Jonson est aussi l'auteur de 28 mascarades, genre de tradition médiévale originaire d'Italie. De succès considérable pendant les règnes d'Élisabeth, de Jacques Ier et de Charles Ier, la mascarade, divertissement de cour très sophistiqué et coûteux, mêlait le théâtre poétique, le chant, la musique, la danse et de somptueux costumes. Ces divers éléments émaillaient une intrigue assez mince, comprenant des aspects mythologiques ou allégoriques et nécessitant la participation des spectateurs, la pièce se terminant toujours par une danse à laquelle le public se joignait. L'accent y était mis sur le spectacle et les décors conçus par des architectes spécialisés, comme Inigo Jones.

Jonson excella dans le genre de la comédie d'humeurs, dont *À chacun sa manie* est le chef-d'œuvre. Ce sous-genre satirique met en scène des personnages qui sont sous l'emprise d'une « humeur », passion dominante ou obsession. Selon la théorie médicale de la Renaissance, en effet, la personnalité physique et psychologique est déterminée par quatre fluides ou « humeurs » : le sang, la lymphe, la colère et la mélancolie. Un dérèglement dans la répartition de ces quatre liquides perturbe le comportement.

Jonson emprunta beaucoup aux types de la comédie latine, mais son originalité réside notamment dans son utilisation de la simplification et de la caricature. Il influença les générations postérieures et jusqu'à un Dickens. Parmi ses 14 comédies, on compte *Le Rimailleur* (*The Poetaster*, 1601), *Volpone ou le renard* (1606), *L'Alchimiste* (1610) et *La Foire de la Saint-Barthélemy* (1614). Il a aussi laissé, outre une pastorale inachevée et quelques œuvres en prose, de la poésie non-dramatique puissante et élégante : chansons, odes, épigrammes, élégies, épitaphes, vers de circonstances, à l'imitation de Pindare, de Martial et surtout d'Horace.

Sur le Continent, les mérites de Jonson n'ont été reconnus que tard. Avant la seconde moitié du XIXe siècle, les mentions et les traductions françaises, par exemple (P. de la Place, 1747 et Mme de Vasse, 1784), restent très rares. Il faut attendre des savants comme Ernest Lafond, Alfred Mézières, Hippolyte Taine et Georges Duval pour que son œuvre soit étudiée et traduite. Stefan Zweig donna un sérieux élan à la renommée du dramaturge anglais par son adaptation de Volpone, en 1927, point de départ de la version française de Jules Romains (1929) qui fut ensuite filmée par M. Tourneur, en 1938.

Prédécesseurs et contemporains de Shakespeare / Alfred Mézières. – Paris : Charpentier, 1863. – XV-403 p.

L'Aventureuse Existence de Ben Jonson: poète de la Cour et des Tavernes / Byron Steel ; traduit par Jeanne Odier. – Paris : Firmin Didot, 1929. – 204 p.

André Brulé, "Panorama du Théâtre Élisabéthain en France". – In : *Le Théâtre Élisabéthain*, numéro spécial, *Cahiers du Sud*, vol. 20 (1933), pp. 242-251.

The Jonsonian Masque / Stephen Orgel. – New York : Columbia University Press, 1981. – X-216 p.

A Ben Jonson Companion / D. Heywood Brock. – Bloomington : Indiana University Press, 1983. – XII-307 p.

Ben Jonson : a Life / David Riggs. – Cambridge : Harvard University Press, 1989. – VIII-399 p.

POÈMES 94

L. Cazamian — 1946

À Celia. — Ce poème d'amour, très célèbre, est fondé presque entièrement sur cinq passages des *Épîtres* de Philostrate, paraphrasées de façon à faire oublier l'emprunt, qui n'a été découvert qu'en 1788.

Ne bois à ma santé qu'avec tes yeux,
Et je te répondrai des miens ;
Seulement laisse un baiser dans ton verre,
Je n'y chercherai pas de vin.
La soif qui naît au fond même de l'âme
Demande une boisson divine ;
Mais pouvant goûter au nectar des dieux,
Je garderai plutôt le tien.

Je t'adressai hier un bouquet de roses,
Non point tant pour te rendre hommage
Que lui donnant l'espoir qu'auprès de toi
Il ne pourrait pas se flétrir.
Tu n'as fait qu'en approcher ton haleine,
Et puis tu me l'as renvoyé ;
Et lui s'épanouit, fleurant, ma foi,
Non point son parfum, mais le tien.

Anthologie de la poésie anglaise / Choix, traduction et commentaires par Louis Cazamian. – Paris : Éditions Stock, 1946. – [P. 70].

VOLPONE 95

M. Defauconpret — 1835

Chanson pour Celia (Acte III, scène 2). — Morceau devenu classique, inspiré de la 5e ode de Catulle, ce chant de séduction aborde les grands thèmes de la pièce : l'appât du gain et la tromperie. La traduction de M. Defauconpret fut approuvée et louée par le grand comparatiste Amédée Pichot, qui voyait en elle la première pièce de Ben Jonson traduite dans son intégralité, « sans retranchement ni additions modernes », et dans une remarquable fidélité.

VOLPONE.

[Il chante.]

Viens, ma Célie, et goûtons les plaisirs de l'amour pendant qu'ils nous sont accordés. Le temps ne nous appartient pas pour toujours ; il flétrira toutes nos fleurs ; sachons donc profiter de ses dons. Le soleil qui se couche peut se lever le lendemain ; mais quand nous perdons la lumière, nous tombons dans une nuit éternelle. Pourquoi donc différer nos plaisirs ? La renommée, la réputation ne sont que des jouets. Ne pouvons-nous tromper les yeux de quelques misérables espions, fermer encore plus facilement les oreilles de celui que notre adresse a écarté ? Ce n'est pas un mal que de cueillir les fruits de l'amour ; mais révéler ces doux larcins, être vus, être surpris, c'est ce qu'on a toujours dû regarder comme un crime.

Théâtre européen : nouvelle collection des chefs-d'œuvre des théâtres allemand, anglais, espagnol, danois, français, hollandais, italien, polonais, russe, suédois, etc / avec des notices et des notes historiques, biographiques et critiques par MM. J.J. Ampère ; le baron de Barante ; Beer ; Campenon ; Philarète Chasle ; Chatelain ; L. Chodsko ; Cohen ; Defauconpret ; Delatouche ; A. de Latour ; Denis ; Émile Deschamps ; Ernest Desclozeaux ; Alexandre Dumas... – Paris : Ed. Guérin et Cie, 1835. – [*Théâtre Anglais*, première série, tome II, p. 32].

VOLPONE 96

P. Messiaen — 1948

Le renard et le vautour (Acte I, scène I). — Exposition âpre et cinglante de la cupidité humaine, Volpone (le « renard ») met en scène un Vénitien riche et avare qui fait croire à son entourage, avec l'aide de son serviteur rusé Mosca (la « mouche », un parasite), qu'il se trouve à l'article de la mort. Il persuade ses amis, aussi cupides que lui, de lui faire des dons précieux (de l'or et des bijoux), en expliquant à chacun qu'il a une chance de devenir bientôt l'unique héritier de toute cette fortune. Ici, où la poésie non rimée de Jonson est traduite en prose, Volpone reçoit la visite de l'avocat Voltore (le « vautour »). À la fin de la scène, on aperçoit le visiteur suivant, le vieux Corbaccio (le « corbeau »). On verra, plus loin dans la pièce, comment l'excès de cupidité va finalement entraîner l'échec du plan de Volpone.

VOLPONE

Affectueux Mosca ! Tout va bien ; apporte mon oreiller ; tu peux le faire entrer. (*Sort Mosca.*) Et maintenant ma toux simulée, ma phthisie, ma goutte, mon apoplexie, ma paralysie, mon angine, contribuez, par vos fonctions contraintes, à cette posture où, depuis trois ans, je fais ma vache à lait de leurs espérances. Il arrive ; je l'entends. (*Il tousse.*) Hou ! hou ! hou !

(*Rentre Mosca avec Voltore.*)

MOSCA

Vous êtes le bienvenu comme d'habitude, monsieur. Vous seul entre tous, vous êtes celui qui a droit à toute son amitié ; et vous faites sagement de l'entretenir ainsi par de matinales visites, et par d'aimables indices de vos bonnes intentions à son égard, indices qui, je le sais, ne peuvent que faire grand plaisir. — Maître, monsieur, voici le signior Voltore qui...

VOLPONE

Qu'est-ce que tu dis ?

MOSCA

Monsieur, le signior Voltore est venu ce matin vous rendre visite.

VOLPONE

Je le remercie.

MOSCA

Il vous apporte une pièce d'antique vaisselle, achetée à Saint-Marc, dont il vous fait cadeau.

VOLPONE

Il est le bienvenu. Dis-lui de revenir encore.

MOSCA

Oui.

VOLTORE

Que dit-il ?

MOSCA

Il vous remercie, et vous prie de revenir le voir.

VOLPONE

Mosca !

MOSCA

Maître !

VOLPONE

Dis-lui d'approcher ; où est-il ? Je veux lui serrer la main.

MOSCA

Voici la vaisselle, monsieur.

VOLTORE (*à Volpone*).

Comment allez-vous, monsieur ?

VOLPONE

Je vous remercie, signior Voltore. Où est la pièce de vaisselle ? Mes yeux sont mauvais.

VOLTORE

Je suis navré de vous voir en santé toujours aussi précaire...

MOSCA (*à part*).

Pas assez précaire.

VOLPONE

Vous êtes trop généreux.

VOLTORE

Non, monsieur. Plût au Ciel que je pusse vous faire cadeau de santé comme de cette vaisselle.

VOLPONE

Vous faites cadeau, monsieur, de ce que vous pouvez. Je vous remercie. Ce témoignage d'amitié ne restera pas sans réponse. Je vous en prie, venez me voir souvent.

VOLTORE

Je n'y manquerai pas, monsieur.

VOLPONE

Ne vous éloignez pas de moi.

MOSCA (*à Voltore*).

Vous entendez cela, monsieur ?

VOLPONE

J'ai encore autre chose à vous dire, et qui vous concerne.

MOSCA (*à Voltore*).

Vous êtes un heureux homme, monsieur ; vous avez de la chance.

VOLPONE

Je ne puis plus durer longtemps.

MOSCA (*à Voltore*).

Vous êtes son héritier, monsieur.

VOLTORE (*à Mosca*).

Vraiment ?

VOLPONE

Je sens que je m'en vais. (*Il tousse.*) Hou ! hou ! hou !... Je fais voile vers mon port... hou ! hou ! hou ! Je suis heureux d'être si près du but.

MOSCA

Hélas ! le pauvre monsieur !... Eh oui, nous devons tous finir...

VOLTORE

Mais, Mosca...

MOSCA

L'âge à la fin l'emporte.

VOLTORE

Je t'en prie, Mosca, écoute-moi. Suis-je pour de bon inscrit comme son héritier ?

MOSCA

Bien sûr. Monsieur, je vous en supplie, faites-moi la grâce de me compter au nombre de votre famille. Toutes mes espérances reposent sur Votre Seigneurie. Je suis perdu si le soleil levant ne se met à luire sur moi.

VOLTORE

Il luira sur toi et te chauffera, Mosca.

MOSCA

Monsieur, je suis un homme qui a rendu de bons offices à votre amitié. Voyez, c'est moi qui porte vos clés, qui veille sur vos coffres et vos cassettes, qui garde le pauvre inventaire de vos bijoux, de votre vaisselle, de votre monnaie. Je suis votre intendant, monsieur ; ici c'est moi qui prends soin de vos biens.

VOLTORE

Mais suis-je seul héritier ?

MOSCA

Héritier unique, monsieur. Confirmé ce matin même ; la cire est encore chaude, l'encre à peine sèche sur le parchemin.

VOLTORE

Quel bonheur, quel bonheur que le mien ! Et par quelle bonne chance, mon cher Mosca ?

MOSCA

Votre mérite, monsieur. Je ne connais pas de cause seconde.

VOLTORE

C'est ta modestie qui ne veut pas en connaître. Sache que nous la récompenserons.

MOSCA

Il a toujours aimé vos façons de faire, monsieur ; tout de suite elles l'ont séduit. Je lui ai souvent ouï dire combien il aimait les gens de votre haute profession, les gens qui savaient parler pour toutes les causes, même celles qui sont directement contraires, jusqu'à en avoir la voix rauque, tout en restant toujours dans la loi ; les gens qui, avec la plus vive agilité, savaient tourner et retourner les affaires, nouer des nœuds et les dénouer, donner des conseils ambigus, prendre de chaque main le séduisant or et l'empocher. De tels hommes, disaient-ils, savent tirer parti de leur humilité ; pour sa part il se croirait bienheureux d'avoir un héritier d'âme si patiente, si sage, si grave, de langue à la fois si subtile et si sonore, qui

réclame des honoraires avant de remuer ou de rester tranquille ; à tel point que chaque mot que laisse tomber Votre Seigneurie devient un sequin. (*Un autre frappe à la porte.*)
Qui va là ? Encore un qui frappe à la porte. Monsieur, je ne voudrais pas qu'on vous voie ici. Et pourtant… faites semblant d'être venu et reparti à la hâte ; j'inventerai une excuse. Gentil monsieur, quand vous nagerez dans le lard doré, quand vous serez dans le miel jusqu'aux bras et que vous aurez le menton soutenu par des vagues de graisse, pensez à votre vassal, souvenez-vous de moi. Je n'ai pas été le plus mauvais de vos clients.

VOLTORE

Mosca…

MOSCA

Quand donc, monsieur, voulez-vous qu'on vous apporte votre inventaire, ou une copie du testament ? — (*À celui qui frappe.*) J'arrive, j'arrive. — C'est moi qui vous l'apporterai, monsieur. Mais partez, partez vite, ayez l'air affairé. (*Sort Voltore.*)

VOLPONE

Ah ! mon brave Mosca, viens ici, que je t'embrasse.

MOSCA

Ne bougez pas, monsieur. Voici Corbaccio.

VOLPONE

Serre la pièce de vaisselle. Le vautour est parti, le corbeau est arrivé.

Théâtre anglais : Moyen Âge et XVIe siècle / Anonymes, Marlowe, Dekker, Heywood, Ben Jonson, Webster, Tourneur, Middleton, Beaumont et Fletcher, Massinger, Ford, Prédécesseurs et contemporains de Shakespeare ; nouvelle traduction française avec remarques et notes par Pierre Messiaen. – Bruges : Desclée De Brouwer, 1948. – [Pp. 787-790].

L'ALCHIMISTE

97

A. Mézières — 1863

Avidité, vanité (Acte II, scène 1, v. 29-88). — La pièce, qui fait la satire de la duperie et de la crédulité humaines, évoque la quête de la pierre philosophale. Un gentleman londonien, Lovewit, quitte la ville pour échapper à la peste et confie sa demeure à son maître d'hôtel, Face (l'Effronté). Le gredin profite de l'aubaine pour réunir ses complices, Dol Common et Subtle (le Rusé), un imposteur qui se dit alchimiste. Le trio met sur pied une escroquerie complexe, dont l'une des victimes est Sir Epicure Mammon, un chevalier qui rêve de transformer tous les métaux vils en or. Ce dernier tente de gagner le sceptique Surly (Revêche) à ses projets.

MAMMON

Vous êtes incrédule, monsieur. Cette nuit je changerai en or tout le métal que j'ai dans ma maison, et demain matin, de bonne heure, j'enverrai acheter à tous les plombiers et à tous les marchands d'étain leur plomb et leur étain, et je prendrai tout le cuivre de Lothbury[1].

SURLY

Quoi, pour le changer aussi !

MAMMON

Oui ; et j'achèterai le Devonshire et le pays de Cornouailles, et j'en ferai de véritables Indes[2]. Vous admirez maintenant.

SURLY

Non, par ma foi.

MAMMON

Mais, lorsque vous verrez les effets du grand œuvre dont une partie projetée sur cent de Mercure, de Vénus et de la Lune, les change en autant de parties du Soleil[3], en un millier même et jusqu'à l'infini, vous me croirez.

SURLY

Oui, lorsque je les verrai.

MAMMON

Quoi ! Pensez-vous que je vous conte des fables ? Je vous assure que celui qui possède une fois la fleur du soleil, le rubis parfait que nous appelons élixir[4], non-seulement peut faire cela, mais peut aussi, par la vertu de cet objet, accorder des honneurs, de l'amour, du respect, une longue vie ; donner à qui il veut sûreté, valeur et victoire. En vingt-huit jours, je transformerai un vieillard de quatre-vingts ans en enfant.

SURLY

Sans aucun doute ; il l'est déjà.

MAMMON

Non ; je veux dire que je lui rendrai la force de ses jeunes années, que je le renouvellerai comme un aigle, que je le mettrai en état d'avoir des fils et

---

1 Nom d'une rue de Londres où de nombreux fondeurs de cuivre avaient installé leur atelier.

2 Les Indes occidentales (les Antilles) que l'on croyait riches en or.

3 Mercure est également le nom d'un métal ; Vénus est la planète du cuivre ; la Lune, celle de l'argent. Le Soleil représente l'or.

4 La « fleur du soleil », le « rubis parfait », l'« élixir » sont autant de synonymes pour désigner la pierre philosophale.

des filles aussi grands que des géants. C'est ainsi qu'ont fait autrefois nos philosophes, les anciens patriarches, avant le déluge. En prenant seulement une fois par semaine, sur la pointe d'un canif, gros comme un grain de moutarde de cet élixir, ils devenaient aussi vigoureux que Mars et donnaient le jour à de jeunes Amours. C'est le secret de la *natura naturata*[1] contre toute espèce d'infection ; elle guérit toutes les maladies, de quelque cause qu'elles viennent : une souffrance d'un mois en un jour, celle d'une année en douze, et les autres, quelque anciennes qu'elles soient, en un mois, et cela bien mieux que toutes les doses de vos docteurs droguistes. Avec cela, je me fais fort de faire fuir la peste du royaume en trois mois. Mais vous êtes incrédule.

SURLY

En vérité, c'est mon humeur. Je n'aimerais pas à être attrapé. Votre pierre ne peut pas me transformer.

MAMMON

Entêté ! Voulez-vous en croire l'antiquité, les vieilles annales ? Je vous montrerai un livre où Moïse et sa sœur, ainsi que Salomon, ont écrit sur l'art, et un traité de la main d'Adam[2].

SURLY

Comment ?

MAMMON

Oui, sur la pierre philosophale, et en haut hollandais[3].

SURLY

Est-ce qu'Adam a écrit en haut hollandais ?

MAMMON

Il l'a fait, monsieur, et c'est ce qui prouve que c'était la langue primitive[4].

---

1 *Natura naturata* désigne la nature dotée de ses qualités natives, ici le pouvoir de protéger contre les infections et les maladies. Dans le contexte de la philosophie scolastique, *natura naturata* (telle qu'elle a été créée) s'oppose à *natura naturans* (la force créatrice de la nature, l'activité du Créateur). Cela signifierait que la pierre philosophale n'est pas du ressort du pouvoir divin.

2 L'occultisme en général et l'alchimie en particulier sont friands de reliquats censément conservés du Paradis terrestre ou secrètement issus de la tradition primordiale. Ces dépôts « initiatiques » sont « logiquement » imputés à qui était en mesure de les détenir : Adam, qui n'avait qu'à se souvenir ; Moïse, qui devait bien en avoir eu quelque révélation, par surcroît ; Salomon, dont la Sagesse absolue devait nécessairement en participer. Les apocryphes de cette encre n'ont jamais manqué.

3 La langue de rédaction de ces grimoires ne peut jamais être que d'un accès quasiment impossible.

4 Allusion aux *Origines Antwerpianæ* (1569) de Becanus, érudit flamand qui avait soutenu que le néerlandais était la langue du premier homme. Voir *Patrimoine littéraire européen* 7, pp. 848-850.

SURLY

Sur quel papier ?

MAMMON

Sur des tablettes de cèdre.

SURLY

Oh ! celui-là, à coup sûr, doit résister aux vers.

Prédécesseurs et contemporains de Shakespeare / par A. Mézières. – Paris : Charpentier, 1863. – [Pp. 311-313].

JÉRÉMIE DREXEL

LATIN

1581-1638

Le Père Drexel (ou Drechsel) offre l'exemple parfait du rôle joué par les jésuites à travers toute l'Europe, tant à la Cour qu'à la chaire et dans les Lettres, pendant la première moitié du XVIIe siècle. Né à Augsbourg, terre tridentine par excellence en cette fin du XVIe siècle, il entre au noviciat des jésuites de cette ville en 1598. Il professe les humanités à Augsbourg ; à Dilingen où il est ensuite envoyé, et où l'université connaît sa grande phase de rayonnement, il enseigne les humanités et la rhétorique. Il publie en 1605 son premier ouvrage, un recueil de poésies religieuses. À cette époque, il est choisi comme prédicateur du grand électeur Maximilien de Bavière, et vient s'installer à Munich, où il reste jusqu'à sa mort. Outre cette importante fonction, qu'il exerce pendant 23 ans, il eut en charge 17 ans durant l'instruction religieuse des frères coadjuteurs de la maison munichoise de la Compagnie. Tout au long d'une vie sans épisodes marquants, il fut apprécié bien au-delà de la Bavière pour son immense capacité de travail, malgré une santé constamment maladive — on rapporte qu'il continuait de corriger un de ses ouvrages le matin même de sa mort —, et son très vaste savoir.

Auteur prolifique d'une quantité impressionnante d'ouvrages de dévotion très largement diffusés à travers toute l'Europe, Drexel n'a de cesse d'appeler ses lecteurs à la « considération de l'éternité » et à la recherche de leur salut. Conformément aux innombrables ouvrages de piété qui furent la spécialité de la Compagnie au XVIIe siècle (l'exemple le plus célèbre est sans doute celui des *Pia Desideria* du P. Hermann Hugo, imprimés pour la première fois en 1624, et qui connaissent une extraordinaire diffusion, au point d'être traduits par Madame Guyon en 1710 et, *via* le quiétisme, d'être publiés en Allemagne ou aux États-Unis jusqu'à la fin du XIXe siècle), les livres du P. Drexel sont accompagnés de planches emblématiques, selon un schéma de méditation qui reprend les principes de la composition de lieu issue des *Exercices spirituels* d'Ignace de Loyola. Les livres d'emblèmes, en donnant à lire et à voir simultanément des figures gravées accompagnées d'un court texte, en prose ou en vers, invitent au déchiffrement sous les espèces du symbole, c'est-à-dire d'une image mentale, appelée « mystique » ou « spirituelle » selon les cas, de l'idée à laquelle texte comme image gravée renvoient, idée abstraite et insaisissable autrement que dans la matérialité de cette construction signifiante. Un véritable itinéraire de conversion peut ainsi être organisé, qui conduit l'âme, d'étape en étape marquée à chaque fois par un emblème, vers la contemplation parfaite de l'ineffable. L'effet persuasif est infaillible, renforcé par le soutien mutuel de l'image gravée et des métaphores incessantes, et le P. Drexel le manie à merveille.

Les *Considérations sur l'Éternité* (1621) rassemblent ainsi toute une série de sermons prononcés en 1620 devant la Cour de Bavière, et qui remportèrent un si vif succès qu'ils furent aussitôt assortis d'emblèmes (bien que l'on n'en possède aucune preuve dans le cas présent, on peut très vraisemblablement supposer que les premiers auditeurs du sermon aient eu déjà sous les yeux des représentations visuelles équivalentes aux emblèmes, et que leur commentaire, ici placé en tête de chaque *Consideratio*, ait servi d'*incipit* à chaque sermon) et imprimés en latin (la plus forte diffusion) comme dans la plupart des langues européennes. Ce best-seller, aux tirages considérables même à notre époque, est lu sans interruption jusqu'au XIXe siècle ; la traduction ici retenue en est le meilleur témoignage, qui d'entrée de livre invite ses lecteurs à s'inscrire dans une filiation continue de méditants depuis la parution d'un ouvrage que de nombreux ecclésiastiques recommandent toujours, même si quelques images et un style désormais ampoulé, prévient l'interprète, pourraient décourager.

Les textes sont tous construits de manière à susciter le sentiment poignant de l'absurdité vaine de l'éternité, car impossible à supputer, et de sa présence écrasante, car elle seule est certitude dernière. À la fois immensément vide et monstrueusement pleine, elle est inconcevable autrement que dans l'oxymore qui consiste à la réitérer verbalement d'autant plus que les mots ne peuvent la circonscrire. Paroles des Pères ou des théologiens, prodiges de la nature et surenchère de mathématiques : le discours du P. Drexel instaure une succession de spirales rhétoriques qui, loin de lasser le lecteur, le conduisent toujours plus avant dans le spectacle de l'impossible. La démonstration est assurée de l'omnipotence divine, jusqu'à la « fin du livre. L'éternité n'en a pas ! ».

Non seulement cet ouvrage peut tenir lieu d'emblème par excellence d'une production maintenant bien oubliée, mais qui jouait un rôle beaucoup plus important auprès des lecteurs du XVIIe siècle que les « classiques » que nous avons retenus ; mais encore, on y saisit à l'œuvre un répertoire de thèmes et de motifs stylistiques dans un usage qu'il s'agit moins de goûter esthétiquement, comme nous avons bien souvent tendance à le faire lorsque nous les rencontrons dans un texte de cette poésie dite baroque, que d'écouter, dans leur continuité persuasive et presque merveilleuse depuis leur emploi chez les Pères.

J.-M. Chatelain, "Lire pour croire : mises en texte de l'emblème et art de méditer au XVIIe siècle". – In : *Bibliothèque de l'École des Chartes*, t.150 (juillet-décembre 1992), pp. 322-351.

Ignace de Loyola. Le lieu de l'image. Le problème de la composition de lieu dans les pratiques spirituelles et artistiques jésuites de la seconde moitié du XVIe siècle / P.-A. Fabre. – Paris : Vrin, 1992. – 364 p.

Symbolique et emblématique humaniste : l'évolution et les genres/ A.-E. Spica. – Paris : Champion, 1996. – [Pp. 321-367].

CONSIDÉRATIONS SUR L'ÉTERNITÉ — 98

P. Bélet — 1869

Le sens allégorique dans l'Écriture (1re Considération, § 2). — Rien qu'à Munich, dit Mgr Bélet, 170 000 exemplaires des *Considérations* sont imprimés (en latin et en allemand) dans les années qui suivent immédiatement la 1re édition. Elles sortent en même temps de presse à Mayence, Francfort, Cologne, Anvers, Paris, Lyon..., dans toutes les langues et tous les formats (en français, pour la première fois en 1622, par A. de la Bauchère). — L'extrait qui suit souligne que l'immutabilité de l'éternité ne peut se dire que par l'incessante réitération de ses métamorphoses ; à l'inatteignable correspond l'indicible que n'épuise pas en s'épuisant la vanité du dire. Accents bien proches des *Pensées* de Pascal, qui s'enracinent dans un des thèmes prisés de la prédication de la vanité. Cette thématique et les motifs, abstraits ou concrets, qui l'illustrent sont au fondement de l'esthétique baroque.

Qu'est-ce que l'éternité ? C'est un cercle qui a pour centre *Toujours*, et pour circonférence *Nulle part* ; — que c'est un globe arrondi et de tous côtés semblable à lui-même, où il n'y a ni commencement ni fin ; — que c'est une *roue* qui tourne sans cesse, et qui continuera à tourner dans les siècles des siècles ; — que c'est une *Année* qui se renouvelle perpétuellement, et qui renaît à l'instant où elle meurt, pour renaître toujours ; — que c'est une *Fontaine perpétuelle*, dont l'eau après quelques circuits revient à elle pour couler de nouveau : revenir, et couler toujours ; une fontaine versant des eaux intarissables : eaux douces de la grâce céleste, eaux amères de la malédiction ; que c'est un *Labyrinthe* avec des allées inextricables, égarant celui qui y pénètre, sans lui laisser la possibilité d'en sortir ; — que c'est une *réunion indéfinie de spirales* tournant sans cesse sur elles-mêmes, et formant des cercles à l'infini ; — que c'est un serpent replié en cercle sur lui-même, la queue dans sa gueule, en présentant l'aspect d'une roue ; — que c'est une *Durée toujours présente*, un éternel *Aujourd'hui*, qui ne se meut ni vers la veille ni vers le lendemain : le *Siècle des siècles*, qui ne cesse point et qui reste toujours le même ; — que c'est le *Commencement* sans milieu et sans fin : commencement perpétuel, interminable, recommençant toujours ; où les bienheureux recommencent sans cesse des plaisirs nouveaux, et les réprouvés une mort qui n'arrive jamais. Ils meurent pourtant à chaque seconde, et après tant de mort ils meurent encore, et recommencent toujours une nouvelle agonie. Aussi longtemps que Dieu sera lui-même, aussi longtemps les justes seront bienheureux ; d'autre part, aussi longtemps qu'il sera Dieu, aussi longtemps les damnés seront malheureux dans l'enfer, et feront entendre ce cri lamentable : *Nous sommes tourmentés dans les flammes*, d'où jamais nous ne sortirons !...

Considérations sur l'Éternité / Mgr P. Bélet. – Paris : Walzer, 1869. – [P. 14].

CONSIDÉRATIONS SUR L'ÉTERNITÉ 99

P. Bélet — 1869

L'éternité dépasse tous les calculs et les lois de l'arithmétique (4e Considération, § 11). — Une autre forme d'évocation de l'éternité, tout aussi efficace, est celle d'une argumentation prétendument scientifique. On assiste dans ce morceau de bravoure à la mathématisation perpétuelle de ce dont l'essence est de n'être pas quantifiable. Or il s'agit bien plutôt d'opérer des démultiplications de ce qui représente déjà, métaphoriquement, des images de l'éternité : la mer, le sable, le tour de la terre... L'ensemble se résout dans la formule « Dieu qui sait tout ». Or Dieu, tout au long des *Considérations*, c'est l'éternité, qui se sait à elle seule et est donc par elle-même voilée. L'infini et l'éternel, c'est l'immensément grand et l'immensément long, un espace et un temps à valeur exponentielle pour qu'à la fois le nombre des repères soit augmenté et la perte des repères, totale.

On propose dans les écoles, au sujet de l'éternité, le problème suivant : supposez une montagne grande comme le monde, toute formée de grains de sable très petits ; supposez de plus qu'un ange en enlève un seul grain tous les mille ans : combien de cent mille années, combien de millions de millions d'années faudra-t-il jusqu'à ce qu'on voie la montagne s'abaisser un peu et décroître ? — Que le meilleur calculateur se mette lui-même à l'œuvre, qu'il en fasse le calcul et qu'il nous dise le nombre d'années qu'il faudra pour faire disparaître d'abord la moitié de la montagne, et ensuite la montagne entière. — Une montagne à faire disparaître dans ces conditions serait tout simplement à nos yeux un travail qui n'aurait pas de fin. Et cependant notre imagination se tromperait gravement en prenant pour une réalité ce qui n'est que le résultat de son impuissance ; car dans le fait, l'ange finirait par arriver au dernier grain de sable qui forme cette immense montagne. Or, l'éternité surpasse du tout au tout ce chiffre de siècles, quel qu'il puisse être, et il n'y a rien de plus certain, parce qu'il n'y a pas de proportion entre le fini et l'infini ! L'éternité ne connaît point de limites. Ainsi les damnés brûleront en enfer aussi longtemps que durerait le travail de l'ange dont nous parlons ; non seulement cela, mais bien loin de voir leurs souffrances, quand le dernier grain de sable aura été enlevé, ce n'est là que le commencement de l'éternité, qui n'a pas encore diminué d'une seule heure, et qui est encore tout entière ! Après mille ans, après cent mille, après cent millions d'années, ce n'est pas encore la fin, ni le milieu, ni le commencement même de l'éternité : la mesure de celle-ci n'est autre que Toujours ! — Un théologien de notre siècle établit sur l'étendue de l'éternité le même calcul, quoiqu'en d'autres termes, et nous allons le mettre fidèlement sous les yeux des lecteurs dans toute son étendue, car ces choses ne sauraient trop se répéter et s'expliquer. Jugez, dit-il, de la longueur de l'éternité ! Combien de temps les damnés brûleront-ils en enfer ? Pendant toute l'éternité. Qu'est-ce donc que l'éternité ? Pensez en vous-mêmes à cent mille ans ! Vous n'y êtes pas, ce n'est rien relativement à l'éternité. Allez plus loin dans votre pensée : prenez mille fois mille ans, ou mieux encore le même nombre de siècles ; vous n'avez encore rien diminué de l'éternité ! — Prenez donc mille millions d'années, ou de siècles ; l'éternité reste encore tout entière. — Prenez le nombre cube de ces mille millions ; l'éternité n'est pas commencée même. — Supposez que tous ces nombres cubes fussent encore multipliés par le chiffre énorme que formeraient toutes les gouttes d'eau qui sont dans la mer et tous les grains de sable qui sont dans le monde, vous ne toucherez pas encore au commencement même de l'éternité ; elle reste encore tout entière tant dans la félicité qu'elle communique aux élus que dans le châtiment qu'elle inflige aux réprouvés. Si Dieu disait aux réprouvés : Qu'on remplisse de sable tout l'espace qui sépare la terre du ciel empyrée, et que chaque mille ans un ange vienne en enlever un seul grain ; quand, après des millions de millions d'années, toute cette masse de sable sera enlevée, je vous accorderai votre délivrance. Ah ! quelle ne serait pas leur joie ! Ils ne se croiraient pas damnés. Or après toutes ces périodes inimaginables de temps, après ce nombre de siècles, que nul chiffre humain ne pourrait rendre, il en reste des périodes et des chiffres pareils, et à l'infini ! il y reste l'Éternité ! Et c'est ce qui fait le supplice des réprouvés et qui le fera toujours. Pensez, pécheur, que ce supplice sera le vôtre, à moins que vous ne fassiez pénitence ! Guillaume Péraldus[1], évêque de Lyon, nous présente cette même supputation d'années innombrables sous une autre forme encore. Si les damnés, dit-il, versaient chaque jour une seule larme se réunissant à celles qu'ils verseront toujours, ils finiraient par former une mer de larmes plus vaste que n'est l'océan tout entier. Car enfin, on peut déterminer par le calcul le nombre de gouttes qu'il y a dans l'océan. Dieu qui sait tout peut dire : Il y en a tant, et pas davantage. Tandis que les larmes des réprouvés dépassent tout nombre et toute mesure. Hélas ! et nous y pensons si peu ! et nous ne nous gênons nullement de pécher ! et nous affrontons toute cette éternité pour le vil plaisir d'un moment ! Mais allons encore plus loin dans notre explication.

Supposez une bande de papier d'une telle longueur qu'elle pût faire le tour de la terre, et écrivez sur toute sa longueur des 9 serrés tous les uns contre les autres ; quel serait l'arithméticien qui pourrait lire seulement une telle numération ? Quelle est la montagne capable de contenir autant de grains de sable ; quel est l'océan qui puisse contenir autant de gouttes d'eau qu'il y aurait d'unités dans un pareil nombre ?... Et cependant ce n'est pas encore l'éternité ; elle va plus loin ; elle est trop longue et trop étendue pour se laisser circonscrire dans de pareilles limites ! Jusqu'où va-t-elle donc ? — JUSQU'À L'INFINI !

Considérations sur l'éternité / Mgr P. Bélet. – Paris : Walzer, 1869. – [Pp. 93-98].

---

1 Ce personnage est inconnu. Il existe un Béraldus, qui vécut au XIIIe siècle, dans la fonction mentionnée.

RUIZ DE ALARCÓN

ESPAGNOL 1580-1639

Juan Ruiz de Alarcón naît à Mexico, mais une grande partie de sa vie se déroulera en Espagne, à Salamanque, à Séville, à Madrid, où il exercera des fonctions de juriste. Sa condition d'étranger, un défaut physique qu'il avait et une certaine aisance où il vécut ne sont pas étrangers aux moqueries et aux attaques de Lope, de Góngora, de Quevedo ou de Tirso, qui ne lui pardonnaient pas, de surcroît, de vouloir démontrer la noblesse de son lignage.

Son théâtre s'inscrit dans les formes et les thèmes caractéristiques de la comédie du siècle d'or espagnol, où, après Lope, il était difficile d'être tout à fait original. Mais il n'est pas un dramaturge secondaire ni un simple épigone. Son originalité tient au fait qu'il s'intéresse moins à la double intrigue — trait essentiel de la « comédie nouvelle » — qu'à l'analyse des caractères et des comportements et valorise ainsi les vertus personnelles, les conduites éthiques de discrétion, de mesure, de rectitude, plus que le système des valeurs idéales (lignage, honneur, beauté) établi dans la comédie. Quelques critiques y ont vu l'influence de sa condition de Mexicain, le reflet de son point de vue « extérieur » à la vie espagnole. Quoi qu'il en soit, il est vrai que certaines de ses comédies présentent des situations « inédites » : la valeur de l'individu y repose non sur le sang, mais sur la vertu, non sur les conventions du monde, mais sur les actions, préconisant une éthique proche de celle des « nouveaux chrétiens ». C'est ainsi que le qu'en-dira-t-on, velléitaire et rigide, avec ses préceptes massifs, paraît en fâcheuse posture dans des œuvres comme *Gañar amigos*, *Los pechos privilegiados* et, très explicitement, dans *L'Examen des maris*, où l'action montre que la médisance et l'envie sont, très souvent, les seuls motifs sur lesquels s'appuie l'opinion publique. Parallèlement, le protagoniste de *À quelque chose malheur est bon* s'en tient à ce qu'il estime lui-même moralement juste, secouant le joug de l'opinion publique et de l'hypocrisie, et les calomniateurs sont franchement attaqués dans *Les Murs ont des oreilles*. Tout cela justifie la place de premier ordre qu'aux yeux de certains critiques Ruiz de Alarcón occupe dans la comédie de mœurs.

Alarcón a également contribué au théâtre religieux avec *L'Antéchrist* et, chose moins fréquente, a mis la magie sur la scène dans *La Preuve des promesses* et *La Grotte de Salamanque*. En dramaturge de métier, il n'a cessé de cultiver la comédie d'action et l'intrigue pour l'intrigue, dans des comédies comme *Les Gages d'une tromperie* ou *Semblable à lui-même*. Conscient, comme d'autres dramaturges, de la facticité et des conventions techniques du métier, Alarcón, quelquefois, s'est moqué, dans son œuvre, de ses propres recettes, parfois avec une virulence particulière. Ainsi, dans plusieurs de ses comédies, il signale le caractère artificiel et théâtral du personnage du « gracieux », et aussi du dénouement convenu des noces finales ou attaque — c'est un *topos* de l'époque — le vulgaire applaudissant les comédies.

Juan Ruiz de Alarcón / Walter Poesse. – New York : Twayne, 1972. – 185 p. – (*Twayne's World Authors Series* ; 231).

Occults Arts and Doctrine in the Theater of Juan Ruiz de Alarcón / Augusta Espantoso Foley. – Genève : Droz, 1972. – IV-108 p. – (*Travaux d'humanisme et Renaissance* ; 122).

Juan Ruiz de Alarcón, semejante a sí mismo. La obra de Juan Ruiz de Alarcón en el espejo de la crítica : Una bibliografía alarconiana / Margarita Peña. – Mexico : Sociedad de Amigos de Alarcón, 1992. – 445 p.

The Political Theater of Early Seventeenth-Century Spain, with Special Reference to Juan Ruiz de Alarcón/ Cynthia Leone Halpern. – New York : Peter Lang, 1993. – 179 p.

LA VÉRITÉ SUSPECTE 100

A. Royer — 1865

Noblesse, honneur, mensonge (Acte II, scène IX). — Dans cette comédie, origine du *Menteur* de Pierre Corneille, Don Garcia est admonesté par son père sur la question de l'honneur, ennemi du mensonge.

DON GARCIA. Puisque la solitude d'Atocha[1] nous y invite, déclarez, seigneur, votre volonté.

DON BELTRAN. Vous diriez mieux mon chagrin. Êtes-vous gentilhomme, Garcia ?

DON GARCIA. Je me tiens pour votre fils.

DON BELTRAN. Et suffit-il d'être mon fils pour être gentilhomme ?

DON GARCIA. Je le pense, seigneur.

DON BELTRAN. Quelle erreur ! Celui-là seul qui agit en gentilhomme l'est. Qui donna naissance aux maisons nobles ? Les illustres actions de leurs premiers auteurs. Sans tenir compte de la naissance, des hommes humbles dont les actions furent grandes ont illustré leurs héritiers. C'est la bonne et la mauvaise conduite qui fait les mauvais et les bons. En est-il ainsi ?

DON GARCIA. Que les grandes actions donnent la noblesse, je ne le nie pas ; mais vous ne niez pas que sans elles la naissance la donne aussi.

DON BELTRAN. Si celui qui est né sans l'honneur peut l'acquérir n'est-il pas certain que par contre celui qui naquit en le possédant peut le perdre ?

DON GARCIA. Il est vrai.

DON BELTRAN. Donc si vous commettez de honteuses actions, quoique vous soyez mon fils vous cessez d'être gentilhomme ; donc si vos vices vous déshonorent publiquement, le blason paternel importe peu, les illustres ayeux ne servent pas. Comment se fait-il que la renommée vienne apporter jusqu'à mes oreilles vos mensonges et vos fourberies dont s'étonnait Salamanque ? Quel gentilhomme et quel néant ! Noble ou plébéien, si la seule accusation de mentir déshonore un homme que sera-ce donc de men-

1 Quartier de Madrid.

tir réellement et de vivre sans honneur selon les lois humaines et sans me venger de celui qui m'a dit que je mentais ? Avez-vous l'épée si longue, avez-vous la poitrine si dure que vous croyiez pouvoir vous venger quand une ville tout entière vous le dit ? Se peut-il qu'un homme ait de si viles pensées qu'il devienne l'esclave de ce vice sans plaisir et sans profit ? La jouissance retient les voluptueux ; le pouvoir de l'or domine les avares, la gourmandise les gloutons, l'oisiveté et l'appat du gain les joueurs ; la vengeance l'homicide, la gloriole et la présomption le spadassin ; le besoin guide le voleur ; tous les vices enfin portent avec eux plaisir ou profit, mais que tire-t-on du mensonge si ce n'est l'infamie et le mépris ?

DON GARCIA. Qui dit que je mens a menti.

DON BELTRAN. Ceci est encore un mensonge. Vous ne savez démentir qu'en mentant.

DON GARCIA. Si vous ne voulez pas me croire...

DON BELTRAN. Ne serais-je pas un sot de croire que vous seul dites la vérité et que toute une ville a menti ? Ce qui importe, c'est de démentir cette réputation par vos actes, de penser que vous entrez dans un autre monde, de parler peu et vrai. Songez que vous êtes sous les yeux d'un roi si saint et si parfait[1] que vos fautes ne peuvent trouver d'excuse dans les siennes ; que vous vivez ici parmi les grands, titres et chevaliers[2], que s'ils connaissent votre vice ils ne vous garderont plus de respect, que vous avez une barbe au visage, une épée au côté, que vous naquîtes noble enfin et que je suis votre père. Je n'ai plus rien à vous dire. Cette réprimande, je l'espère, suffira pour qui a de la noblesse et de l'intelligence. Et maintenant, pour que vous sachiez que je veux votre bien, apprenez que je vous ai, Garcia, préparé un beau mariage.

Théâtre / d'Alarcon ; traduit pour la première fois par Alphonse Royer. – Paris : Michel Lévy, 1865. – [Pp. 58-60].

1 Philippe III le Saint († 31 mars 1621).

2 Les trois degrés de la noblesse en Espagne.

LE TISSERAND DE SÉGOVIE 101

A. Royer — 1865

Mobilité des comparses : technique ou portrait social ? (Acte I, scène XVI).

Une cour dans la maison d'un ambassadeur.

FINÉO. Ceux qui songent à leur profit ne doivent s'occuper que de flatter le pouvoir. Vive le vainqueur, c'est un bon refrain ! Le comte, ton maître, ami, perd la tête pour Teodora. Tu le sais, c'est pourquoi je m'explique si clairement avec toi. Hier nous avons placé des espions dans la prison ; ils t'ont vu avec Pedro Alonzo et ils t'ont suivi jusqu'à la maison de l'ambassadeur ; d'où je conclus que cette maison abrite le soleil qui tient embrasé le cœur du comte. Aide-le à conquérir les bonnes grâces de Teodora. L'aube commence à luire, si tu veux nous servir, appelle-la tout de suite, je veux lui parler, Chichon, avant que personne puisse la voir ; et, pour te donner un à-compte sur la récompense qui t'attend, prends cette chaîne que le comte t'offre par ma main comme un gage d'amitié.

CHICHON. Tu as parbleu prêché avec tant de succès que j'imagine que si Calvin t'eût entendu, il eût abandonné son erreur, et l'épilogue aurait produit son effet sur un taureau ou sur un tigre, puisqu'il a fermé prudemment le discours avec une clef d'or. Je m'en rapporte à ta parole, à la valeur et au pouvoir de ton maître pour faire au mien cette déloyauté. Mais puisqu'aujourd'hui Fernando doit mourir, je le quitte pour ne pas lui être infidèle et j'entre au service du comte.

FINÉO. Et moi, au nom de mon maître, Chichon, je t'accepte, je tiens de lui des pouvoirs si amples que ce que je fais sera bien fait.

CHICHON. Frappons donc à cet appartement que tu vois ; c'est là que se tient Teodora, attendant des nouvelles de l'infortuné tisserand.

Il frappe à la porte.

Théâtre / d'Alarcon ; traduit pour la première fois par Alphonse Royer. – Paris : Michel Lévy, 1865. – [Pp. 318-319].

COMMENT SE FAIRE DES AMIS 102

H. Frenay-Cid — 1944

Amour sourcilleux, honneur abusé (Acte II, scène VIII, v. 1407-1564). — Doña Flor, qui espère se faire épouser par le marquis Don Fadrique, le favori du roi, a fait promettre à son amant, Don Fernand, de se faire discret. Mais au cours d'un tête-à-tête avec Flor, Fernand, qui se croit toujours aimé d'elle, est surpris par un inconnu, qu'il tue en duel. Poursuivi, Fernand trouve protection chez Don Fadrique. Le marquis, apprenant par les policiers que le mort n'était autre que son frère bien-aimé et que, de surcroît, c'est sa chère Flor qui était la cause du duel, tient cependant sa promesse à Fernand et le fait s'échapper. Fernand, malgré la reconnaissance qu'il voue désormais à la loyauté et à la générosité du marquis, refuse de lui dire pourquoi il se trouvait sous la fenêtre de Flor, afin de tenir, lui aussi, la promesse qu'elle lui a demandée. Sa fermeté lui suscite l'estime de son sauveur. Mais lorsque Fernand revoit Flor, elle lui reproche amèrement d'avoir, en se battant pour elle, causé un scandale qui a éloigné d'elle le marquis.

Une salle dans la demeure de don Diégo.

DONA FLOR. — Est-il possible que le Marquis ne cherche pas à me voir et ne m'écrive pas ? Est-ce qu'il se venge parce qu'il est jaloux ou bien m'abandonne-t-il parce que je l'ai offensé ? (*Paraît don Fernando.*) Qu'est-ce que cela ? Qui êtes-vous ?

DON FERNANDO. — Celui qui n'a gardé le souvenir que pour en être tourmenté.

DONA FLOR. — Mais c'est Fernand !

DON FERNANDO. — Cruelle ! tu ne me reconnaissais pas ? Et ta frivolité oubliait ma constance… Se peut-il que dans un cœur animé par un noble sang, se cachent aussi l'infidélité et le mensonge ? Pourquoi m'as-tu trompé ? Pourquoi, dans ce jour de malheur où je revenais à toi après une si dure absence, ne m'as-tu pas désabusé ? Crois-tu qu'il a été plus sage de me pousser, avec tes paroles trompeuses, dans le péril où je me suis trouvé et dans ma disgrâce actuelle ? Évidemment, tu as agi contre toute raison, tu as été ingrate, tu as été mon ennemie… Parce que tu es femme.

DONA FLOR. — Tais-toi, don Fernando. Tu te trompes si tu imagines fermer la route à mes plaintes en exprimant d'abord les tiennes… Si tu avais tenu parole, ma réputation serait toujours sans tache et notre amour connaîtrait encore des jours tranquilles. Tu m'avais juré le secret, mais à la première épreuve, tu n'hésites pas à le proclamer.

DON FERNANDO. — Je l'ai proclamé ?

DONA FLOR. — Évidemment ! Peu importe que ce soit en paroles ou en actes : est-ce que ta langue dans sa pire perfidie pouvait crier plus clairement ton amour que ne le firent ton épée assoiffée de vengeance, ta folle jalousie, ta colère sans frein ?

DON FERNANDO. — Ah, pour Dieu ! Ce que j'ai fait pour t'aider te désoblige ! Traîtresse, pour te disculper de tes fautes, tu feins d'avoir à m'en reprocher. Je me suis battu sans te trahir, j'ai mis ma vie en péril pour te garder le secret et maintenant tu renverses les faits et fausses mes intentions ! Comme je reconnais bien là ta rouerie !

DONA FLOR. — Si tu avais disparu, tu aurais évité le péril et tu n'aurais pas fait d'esclandre. Puisqu'on ne t'avait pas reconnu, que pouvais-tu perdre dans l'aventure ?

DON FERNANDO. — Tu oublies sans doute qui je suis ? J'avais promis d'être discret, mais non d'être un lâche. Un gentilhomme ne peut accepter ce qui le déshonore. Tu dis qu'on ne m'avait pas reconnu, mais moi je me connaissais et le sang de mes ancêtres a des comptes à rendre à lui-même. En outre, si toi tu le savais, quelle autre occasion voulais-tu de m'éprouver ? Existe-t-il une autre vie pour moi ? Y a-t-il plus d'honneur, plus d'estime à mériter ?

DONA FLOR. — Pour moi, tu n'avais rien à perdre si tu le faisais à mon intention.

DON FERNANDO. — On aurait su ma fuite, mais non sa raison. Les soupçons que ta frivolité suscitait, et cet homme qui te parlait à la fenêtre, ne comprends-tu pas que, moi fuyant, c'est toi qu'on aurait accusée d'accorder tes faveurs à un couard ? Admettras-tu ma justification ? Vois-tu ta honte ? Vois-tu comment de tes propres fautes sont venus tous mes chagrins ? Car si tu n'avais pas pris d'autre amant, si tu n'avais pas manqué à ta parole, ce malheur ne serait pas survenu.

DONA FLOR. — Tu dis que j'avais un autre amant ?

DON FERNANDO. — Et que tu chérissais sans doute, puisque sa jalousie barrait ma route vers ta fenêtre et que sa fureur tentait de m'arracher la vie.

DONA FLOR. — Quand un puissant se voit dédaigné, il transforme son amour en colère.

DON FERNANDO. — C'est en vain que tu t'obstines à me cacher tes fautes. Reste toujours ingrate, frivole, légère et fausse, dissimulée et perfide, changeante et tyrannique. Reste à la fois tigre et serpent, car je venais seulement pour te faire les reproches que tu mérites. Je venais te rappeler tes infamies et tes mensonges à présent que je puis les proclamer sans rompre la parole donnée. Moi, qui suis l'outragé, je reste fidèle à ma promesse et toi, tu l'oublies. Aussi, pour ne plus voir tant de faussetés indignes de qui tu es et de qui je suis, je te dis adieu pour toujours, dona Flor.

(Il s'éloigne.)

DONA FLOR. — Va-t'en, toi la cause de tous mes malheurs ! Va-t'en et fasse le ciel que l'écho de ton nom ne retombe jamais dans Séville !

DON FERNANDO. — Tu te réjouis d'en être quitte avec mon amour ! Mon nom offense tes oreilles, ma présence fatigue ta vue ? Ah, s'il en est ainsi, quand je devrais mille fois perdre la vie, éternellement je serai l'ombre qui te suivra, ruminant sa vengeance.

DONA FLOR. — Si tu te venges de la sorte, ne crains rien : je saurai comment faire...

Le Théâtre / de Ruiz de Alarcón ; introduction, traduction et notes de Frenay-Cid. – Bruxelles : Office de Publicité, 1944. – (*Collection Lebègue* ; 5e Série, n° 50). – [Pp. 36-37].

L'EXAMEN DES MARIS 103

Ph. Chasles — 1877

Une vitrine de mannequins (Acte II). — Avertie par le testament de son père — « *Avant de te marier, réfléchis* » — Inès passe en revue les fiches signalétiques de ses prétendants, que son vieil écuyer Beltran lit. Shakespeare a exploité la même situation, dans son *Marchand de Venise*.

Inès (à Bertrand, son intendant). — Où sont les mémoires de ces messieurs ?

— Dans ce secrétaire, comme vous l'avez ordonné.

— Très-bien. Au nom de la très-sainte Trinité, nous allons commencer l'examen des prétendants (*Ils s'asseient devant le secrétaire*).

— Commençons.

— Don Juan de Bivar.

— Celui-là n'en écrit pas long, ce me semble.

— Non, madame... « Je meurs si vous êtes cruelle. »

— C'est bien vieux ; et que disent nos notes sur ce personnage ?

— Jeune, bien fait, gentilhomme, né en Galicie ; six mille ducats de rente, bonne tournure, mais joueur. On dit que maintenant il vit tranquille.

— Un joueur se maudit, mais ne se corrige pas. Effacez le nom de don Juan de Bivar, et continuez.

— J'obéis... Don Juan de Guzman, noble.

— N'est-ce pas lui qui porte toujours une cravate verte, signe d'espérance ?

— Lui-même.

— Espérer toujours est le sort d'un sot : lisez encore.

— « Madame, depuis le moment crépusculaire où l'illustre courrier des mondes trace autour du globe la ceinture de ses rayons, ma pensée... »

— Pas davantage...

— « Ma pensée se tourne vers vos beautés...»

— Le style annonce l'homme. Vite, vite, biffez ce nom-là.

— Vous êtes obéie.

— En note, à la marge : « n'écouter aucune réclamation de ce monsieur. Sa maladie est incurable... » Suivez.

— Don Gomez de Tolède. La croix de Calatrava brille sur sa poitrine : il va chez les ministres. La démarche composée, le pas pressé, la cape large, le grand manteau rejeté sur l'épaule. L'air profond, toujours le chapeau sur les yeux, et un placet dans la ceinture : mûr d'âge et de bon sens.

— L'âge est de trop. Passons.

— Mais, madame, permettez-moi de vous faire observer que l'on parle de maturité et non de vieillesse.

— A un autre. En fait de mariage, ce qui est mûr est trop mûr.

— Don Hurtado de Mendoza.

— Quel homme est-ce ?

— Homme de mérite.

— Il sera vain.

— Mais pauvre.

— Il sera envieux.

— Il compte sur un grand héritage.

— Compter sur la mort est chose triste et incertaine.

— Il brigue des emplois.

— Je ne veux pas d'un mari qui tende toujours la main.

— Il sera vice-roi, dit-on.

— Pourquoi pas roi ?

— Il n'a qu'un défaut, la colère.

— Je prends un mari pour l'aimer, non pour le craindre ; biffez ce nom-là ; à un autre.

— Le comte don Guillen d'Aragon. Il est en procès pour un duché.

— Ah ! le malheureux. Un procès et un mariage, c'est trop de deux.

— Homme lettré...

— Comme un grand seigneur...

— Grand poète...

— Comme un gentilhomme.

— Il sait le grec.

— Je n'en ai que faire.

— L'effacerai-je ?

— Nous verrons : attendez l'issue du procès.

— Don Marcos de Herrera.

— Oh ! passez. Ces grands noms me font peur : don Marcos, don Pablos, don Tadeo ne me conviennent pas : effacez tout cela.

— Voici venir le comte don Juan.

— Je vous écoute.

— Andaloux, riche, sans embarras de fortune ; ses biens augmentent tous les jours : économe.

— Qualité d'usurier, non de noble. Je veux que l'on soit généreux, non prodigue, et réglé sans avarice.

— Il a eu des maîtresses.

— Sa femme sera la dernière.

— Sans exactitude.

— Il est gentilhomme.

— Mauvais payeur.

— Il est homme de cour.

— Étourdi.

— Il est Andaloux.

— Veuf.

— Veuf !... Vite, rayez ce nom. Qui a tué la première en tuera bien d'autres.

— Le comte Carlos...

— Je ne lui connais qu'un défaut...

— Lequel, senora ?

— Je ne l'aime pas.

— Faut-il l'effacer ?

— Tenons-le en réserve. Plus tard, Bertrand, nous verrons !

— Il ne reste que le marquis don Fadrique.

— Ah !... vous êtes-vous informé s'il a les défauts qu'on lui impute ?

— Oui, madame !

— Vous en êtes sûr ?

— Je le suis.

— Cette maladie chronique de la fatuité, ces habitudes évaporées ?

— Oui, madame.

— (*Elle soupire*). Rayez donc... Mais non... Attendez : que j'essaie d'abord de l'effacer de mon cœur.

— Elle s'en va, la pauvre marquise ; et dans sa précipitation elle renverse le secrétaire et tous ses papiers, et tous ses concurrents... Vos tables de la loi, ô mon honorable maîtresse, n'aboutiront pas à grand'chose ! Ah ! vous voulez un mari parfait ! Cherchez bien et trouvez-le ! »

Œuvres : La France, l'Espagne et l'Italie au XVIIe siècle / Philarète Chasles. – Paris : G. Charpentier, 1880. – [Pp. 139-142].

CAMPANELLA

ITALIEN • LATIN

1568-1639

Né à Stilo, en Calabre, d'une famille paysanne, Jean-Dominique prend le nom de Thomas quand il entre dans l'ordre dominicain en 1583. Après des études de logique et de métaphysique aristotéliciennes, il aborde et approfondit, en 1588, la pensée de Bernardin Telesio et lit, en cachette, Marsile Ficin et Érasme. Refusant alors l'aristotélisme scolastique, il devient l'épigone le plus significatif du naturalisme renaissant, qu'il enrichit d'aspects magiques et astrologiques. Dès 1589, quittant la Calabre pour Naples, il entre en contact avec le cercle de Jean-Baptiste de la Porte, qui le pousse aux études de magie et d'occultisme. La liberté de sa recherche intellectuelle lui attire d'abord la méfiance de son ordre, puis celle de l'Inquisition et du gouvernement espagnol. À Naples, il réalise, en latin, une première rédaction du *De sensu rerum et magia* (*Le Sens des choses et la magie*) et, en 1591, publie, influencé par Telesio, *Philosophia sensibus demonstrata* (*La Philosophie démontrée par les sens*).

Ces œuvres lui valent, en 1592, un premier procès où il est condamné à renoncer à ses positions et à retourner en Calabre. Au contraire, il voyage : Florence, Bologne et Padoue, où il connaît Galilée. Au début de 1594, à Padoue, il est arrêté « pour un soupçon très grave d'hérésie », conduit à Rome, torturé et obligé d'abjurer ses doctrines. Dès avant ce procès cependant, il a composé des œuvres politiques contenant ses thèses théocratiques, les *Discours aux princes d'Italie* et les *Discours universels du gouvernement ecclésiastique*. Convaincu du rôle essentiel de l'Église de Rome, il y défend les droits temporels du Pape, l'unique autorité qui puisse garantir à l'Italie, dans le conflit décisif entre monarchie absolue et États nationaux, une certaine autonomie. Déjà dans ces œuvres se fait jour l'idéal de Campanella d'un gouvernement universel, union œcuménique « dans un seul bercail et sous un seul pasteur », vision cherchant à concilier réalité et perspective eschatologique de l'histoire. Cet effort pour unir données contingentes, utopie et tension prophétique révèle implicitement son désir d'apparaître, devant l'Inquisition, comme un réformateur intérieur à la tradition. Et sa polémique contre les calvinistes et les luthériens, pendant sa détention à Rome, anticipe l'attitude future qu'il aura quand il voudra apparaître comme un collaborateur de la politique pontificale de relance catholique en Europe.

En 1594, il reçoit l'ordre péremptoire du Saint-Office de retourner en Calabre : c'est à Stilo que naît alors et que mûrit en lui l'idée d'un complot contre l'Espagne, lequel, de propos eschatologique, devait être le début d'un bouleversement général du monde, d'ailleurs astrologiquement attendu. Dénoncé en 1599, Campanella est arrêté, conduit à Naples et poursuivi à nouveau pour hérésie et sédition, toute révolte contre l'Espagne ne pouvant être que d'un hérétique.

Torturé plusieurs fois, simulant la folie, il évite la condamnation à mort mais se retrouve en prison à vie. Il n'y reste que jusqu'en 1626 et produit, au cours de cette période, outre de nombreuses poésies philosophiques, ses œuvres politiques, religieuses et métaphysiques les plus importantes : *La Cité du Soleil* et *La Monarchie d'Espagne*, en italien, *Métaphysique*, *Le Sens des choses et la magie*, *Théologie*, *Athéisme vaincu*, *Apologie de Galilée* en latin. À peine libéré, il est repris et conduit aux prisons romaines du Saint-Office, dans une captivité bientôt dorée par la faveur du Pape Urbain VIII, qui le libère définitivement en 1629. En 1634 la persécution recommence, mais Campanella se réfugie en France, à la cour de Louis XIII et de Richelieu : ces dernières années lui confèrent la renommée et la gloire, malgré la méfiance de Descartes. Il se consacre à la publication de ses œuvres et de ses poésies philosophiques et, en 1638, écrit une églogue latine en l'honneur de la naissance du Dauphin, le futur Louis XIV.

L'œuvre politique de Campanella est double : d'un côté, ses œuvres pontificales et théocratiques, de l'autre ses œuvres pro-espagnoles écrites en captivité. Certains y voient un balancement conciliateur entre le pouvoir spirituel du Pape et le bras séculier, représenté soit par l'Espagne soit, à partir de sa décadence progressive, par la France. En forte réaction contre Machiavel et ses idées politiques affranchies de l'éthique, et contre les conceptions modernes de la « raison d'État », froide et rationnelle, *La Cité du Soleil*, utopie dans la tradition de Platon et de Thomas More, entend concilier le plan de l'idéal chrétien et celui de l'histoire contingente. Les « Solaires » (la ville se trouve dans l'île de Trapolana, identifiée avec Ceylan ou Sumatra) vivent dans une république naturelle conduite par un Roi-prêtre (le Soleil ou Métaphysique) et par trois magistrats (Pon, Sin, Mor, à savoir Puissance, Sagesse, Amour). Ils vivent en régime de communauté des biens et des femmes et la génération est liée soit à des règles eugéniques soit à des principes astrologiques. Ils suivent une religion naturelle (Campanella reprend le thème patristique de l'*anima naturaliter christiana*, que la Révélation chrétienne ne fera que rendre tout à fait conscient et clair) et, dans le domaine de l'éducation, anticipent bien des aspects de la pédagogie moderne (conjonction du processus formateur et de l'expérience concrète, sélection à partir de tests d'aptitude).

La pensée philosophique de Campanella, liée au néo-platonisme florentin et aux traditions magique et astrologique, synthétise les traits essentiels du naturalisme renaissant. Marqué par Telesio, mais dépassant le sensualisme, l'animisme magique et la sympathie universelle qui en découle, Campanella récupère des données de la tradition augustinienne et anticipe des thèmes définis avec précision par Descartes. À ses yeux, l'univers apparaît comme une totalité organique et ordonnée où chaque être révèle la présence de Dieu, source et principe de vie. De plus, le fait qu'il serait impossible de sentir si ce sens n'était fondé sur un originaire « sentir de sentir » ou autoconscience lui paraît fonder les principes du savoir. La philosophie naît justement comme récupération de cette autoconscience fondamentale, cachée et voilée dans l'homme par l'expérience quotidienne dans laquelle l'âme s'aliène. Enfin, en raison de la corrélation étroite entre la pensée et la vie, les principes du savoir conduisent, comme chez saint Augustin, à la redécouverte des trois principes de l'être — puissance ou compétence (*posse*), sagesse (*nosse*), amour (*velle*) — et donc à Dieu, leur fondement absolu et infini, et aux *Posse*, *Nosse*, *Velle* de Dieu, créateur et père. Avec cela, Campanella est sûr de justifier le mélange d'ordre et de désordre, de finalité et de hasard, lequel caractérise la création dans ses parties et sa totalité. Et puisqu'il reconnaît dans l'homme une tension originaire vers Dieu (l'amour de soi-même a sa propre continuation inévitable dans l'amour de Dieu), l'auteur passe avec naturel du thème métaphysique au thème religieux.

Campanella a vécu à une époque où la Péninsule italienne s'est trouvée, après la paix de Cateau-Cambrésis (1559), sous l'hégémonie espagnole et où ont pesé sur les centres culturels de la Renaissance les soupçons de la puissante Compagnie de Jésus et du Saint-Office. Parallèlement, une révolution scientifique et philosophique se préparait, qui s'accomplira avec Galilée, la méthode expérimentale et Descartes. Dans le domaine politique, les vieux équilibres furent ébranlés : les États nationaux s'affranchirent de toute subordination à l'idéal d'une monarchie catholique absolue et au rôle politique de la papauté. Actif dans cette période de mutations, Campanella fut considéré comme un révolutionnaire dans le domaine de la foi aussi bien que dans le domaine social et politique. Aujourd'hui, l'exégèse le situe plutôt dans la ligne du prophétisme de Savonarole, et voit en lui un de ses épigones. Penseur et prédicateur, Campanella s'est posé en prophète qui, loin de renier la tradition chrétienne, a voulu la renouveler de l'intérieur par une puissante inspiration eschatologique. Fidèle, en réalité, aux principes théologiques du Moyen Âge, il a constamment invité à rénover les institutions chrétiennes, à régénérer conjointement l'Église et le monde sous l'égide politique de la papauté. Ses œuvres contre les calvinistes et les luthériens, dissidents majeurs sous ce rapport, sont l'expression de cette tension prophétique vers la réunification des peuples sous l'Église de Rome, dont il voit le renouveau par l'abandon de la tradition scolastique aristotélicienne et par la restauration de ses origines évangéliques. Dans cette perspective, Campanella apparaît plus comme un épigone de la Renaissance que comme un penseur orienté vers une nouvelle conception du monde affranchie de la tradition. Sa défense de Galilée en 1616 apparaît ainsi plus liée à une question de principe, à sa libre recherche intellectuelle, qu'à une réelle compréhension de la méthode scientifique.

Tommaso Campanella poète / Franc Ducros. – Paris : P.U.F., 1969. – 546 p. – (*Publications de la Faculté des Lettres et Sciences humaines de l'Université de Montpellier* ; 34).

D'Érasme à Campanella / Roland Crahay et Jacques Marx. – Bruxelles : Éditions de l'Université de Bruxelles, 1985. – 161 p. – (*Problèmes d'histoire du christianisme* ; 15).

La Magie spirituelle et angélique : de Ficin à Campanella / D.P. Halker (Daniel Pickering) ; traduction de l'anglais par Marc Rolland. – Paris : Albin Michel, 1988. – 246 p. – (*Bibliothèque de l'hermétisme*).

Religione, ragione e natura : ricerche su Tommaso Campanella e il tardo Rinascimento / Germana Ernst. – Milano : Angeli, 1991. – 288 p. – (*Collana di filosofia* ; 41).

LA CITÉ DU SOLEIL 104

A. Tripet — 1972

Nouvelle utopie.

L'Hospitalier. — Raconte-moi, je t'en prie, tout ce qui t'est arrivé au cours de ce périple.

Le Gênois. — Je t'ai déjà raconté mon voyage autour du monde, mon arrivée à Taprobane ; comment je fus contraint d'aborder, et comment, fuyant devant les aborigènes en furie, je m'enfonçai dans la forêt pour déboucher ensuite dans une grande plaine située exactement sous l'équateur[1].

---

1 L'île de Taprobane décrite par Ptolémée, était au XVIe siècle déjà identifiée avec Ceylan et Botero dans ses *Relazioni universali* (Rome, 1591-1596), qui est la principale source des connaissances

L'HOSPITALIER. — Et là que t'est-il advenu ?
LE GÊNOIS. — Je rencontrai sans tarder une troupe considérable d'hommes et de femmes en armes. Nombreux étaient ceux qui entendaient ma langue ; ils me conduisirent à la Cité du Soleil[1].
L'HOSPITALIER. — Dis-moi à quoi elle ressemble et comment elle est gouvernée.
LE GÊNOIS. — Au sein d'une vaste étendue découverte s'élève une colline. C'est là qu'est situé le gros de l'agglomération. Cependant son enceinte déborde largement le pied de l'éminence, ce qui donne à la ville plus de deux milles de diamètre et sept de pourtour et lui permet de contenir plus d'habitations que si elle se trouvait toute dans la plaine. Sept grands cercles qui portent le nom des sept planètes la constituent. L'accès de l'un à l'autre est assuré par quatre routes et quatre portes orientées sur les quatre aires du vent[2]. Mais tout est disposé de telle manière qu'après la

---

géographiques de notre auteur, parle clairement de « Ceylan, appelée Taprobane par les Anciens ». En plaçant à l'équateur cette île qui se situe bien plus au nord, Campanella suivait Botero, lequel déclare que « Taprobane se trouve sur la ligne équinoxiale » : c'est là une erreur que l'on retrouve constamment sur les anciennes cartes et qui amena les premiers navigateurs à confondre Taprobane avec l'équinoxiale Sumatra et conduisit même à lui donner son nom sur la troisième table d'Ortelius (1570), à la p. 37 de Mercator (1594) et sur la petite carte approximative de l'Asie figurant dans la première partie des *Relazioni* de Botero. (N.d.t.)

1 L'on a beaucoup discuté sur l'origine de ce nom. Sans doute Campanella a choisi comme symbole de sa société régénérée l'astre du jour, source de vie et de lumière, concentration du principe télésien du chaud. Il voulut que dans son titre même sa philosophie fût tenue pour solaire et que son école en présentât l'emblème ; enfin il entendit que le magistrat suprême de sa République s'appelât Soleil. Il n'empêche que peut-être il subit ici l'effet de quelque autre réminiscence ; l'on peut penser par exemple à Isaïe XIX, 18 : *erunt quinque civitates in terra Ægypti... Civitas Solis vocabitur una*, simple traduction de l'égyptien On, l'Héliopolis des Grecs, capitale du XIIIe district de basse Égypte, qu'Hérodote mentionne pour son culte du soleil (II, 61). L'on peut penser également à Diodore (II, 59) qui dit des insulaires qui reçurent Iambulos : « ils célèbrent leurs fêtes religieuses en récitant des louanges et en chantant des hymnes à leurs dieux, particulièrement au soleil, dont eux et leurs îles tirent leur nom » ; ou encore à la cité du Soleil en Arabie où Pline (*Hist. nat.*, X, 2) fait vivre le phénix ; ou à la *Solis insula* que le même auteur situe à quatre jours de navigation de l'Inde, soit dans le voisinage de Taprobane ; ou encore aux mentions fréquemment répétées chez Botero (*Relazioni*, p. 180 et 496-501) concernant le culte du soleil chez les indigènes du Mexique et du Pérou. Mais la dérivation la plus proche et la plus vraisemblable doit être celle qui procède de la rationaliste *Civitas Solis* ou *Paradisus*, où le latin était de rigueur, œuvre que le grand-duc de Toscane conçut aux alentours de 1585. Elle est signalée chez Botero (*Delle cause della grandezza delle città*, Rome, 1588, I, 2), et nous savons que Bruno en parlait à Paris avec Guillaume Cotin au début de 1586. (N.d.t.)

2 Campanella a pu trouver des modèles de cités rationnelles et symétriques chez les architectes de la Renaissance (Alberti, Filarete) ; dans le *Mondo savio e pazzo* de Anton Francesco Doni (p. 6) la cité parfaite est également « construite dans un cercle parfait à la manière d'une étoile » (l'idée de l'étoile est suggérée par le rayonnement des rues convergentes). [...] L'idée des quatre routes orientées selon les points cardinaux dérive sans doute de la description que fait Botero du temple mexicain de Vitzipuiztli (*Relazioni*, p. 498), immense construction qui « avait quatre portes tournées vers les quatre parties du monde, et chacune donnait accès à une belle route pavée longue de six milles et plus ; on montait au temple par un escalier de trente degrés et large d'autant de bras ». Enfin l'idée des sept cercles concentriques peut provenir de la description d'Ecbatane en Médie (Hérodote, I, 98) qui avait sept enceintes de murs aux créneaux polychromes, avec, au sein de la dernière, la demeure royale et les trésors. Influence plus directe sans doute, celle des pages où Botero dans ses *Relazioni* (p. 311) raconte la conquête par le Grand Mogol de Campanel, dans

prise du premier cercle l'on rencontrerait plus de difficultés au deuxième et ainsi de suite ; et il faudrait la prendre sept fois d'assaut pour la vaincre. Mais je crois que le premier cercle est lui-même imprenable tant il est large et protégé de terre, avec ses boulevards, ses tours, son artillerie et, plus avant, ses fossés[1].

La Cité du Soleil / Tommaso Campanella ; introduction, édition et notes par Luigi Firpo ; traduction française par Arnaud Tripet. – Genève : Librairie Droz, 1972. – (*Les Classiques de la pensée politique* ; 8). – [Pp. 1-4].

LA CITÉ DU SOLEIL 105

R. Crahay — 1993

Gouvernement, science et pédagogie.

L'HOSPITALIER. — Mais qui peut savoir tant de choses ? Et puis, celui qui se consacre aux sciences ne semble pas apte au pouvoir.

LE GÊNOIS. — C'est précisément l'objection que je leur ai faite, moi aussi. Ils m'ont répondu :

« En tout cas, pour ce qui est de la compétence en matière de gouvernement, nous sommes plus assurés que vous de la trouver dans un homme aussi savant, vous qui appelez au pouvoir des ignares qui sont censés être aptes à cette fonction parce qu'ils sont issus de seigneurs ou qu'ils ont été élus par le parti prépondérant. Au contraire, notre SOL, même ignorant tout du pouvoir, ne sera jamais cruel, ni criminel, ni tyrannique, du fait précisément qu'il est si savant. D'autre part, il est une chose que vous ne devez pas vous dissimuler non plus : c'est chez vous que votre argument peut s'appliquer, puisque vous tenez pour le plus savant celui qui a la plus grande connaissance de la grammaire ou de la logique d'Aristote ou d'un autre auteur. Un savoir comme le vôtre ne réclame qu'une mémoire et une application serviles, ce qui rend l'homme obtus, à force de regarder, non les choses, mais les mots qui sont dans les livres et de dégrader son esprit parmi les signes morts des choses. Dès lors, cet homme ne comprend pas

l'Inde de l'ouest, « fameuse cité qui a sept enceintes de murailles et s'élève sur une montagne sise au milieu d'une plaine ». L'écho de son propre nom dans cette lointaine cité a peut-être rendu Campanella attentif à cette source, à laquelle on peut ajouter celle, dantesque, du « noble château entouré sept fois de hautes murailles » (*Enfer,* IV, 106-107). (N.d.t.)

1 More et Mazzoni se penchent également sur le problème des fortifications de la cité idéale. (N.d.t.)

comment Dieu gouverne les êtres, ni non plus quel est le comportement normal de la nature et des peuples.

« Voilà qui ne peut arriver à notre SOL. Nul ne peut en effet assimiler tant d'arts et de sciences s'il n'est doué de l'intelligence la plus déliée et la plus apte à toutes choses. C'est donc qu'il est aussi parfaitement apte à gouverner.

« Nous voyons bien au surplus que celui qui se prévaut d'une seule science ne connaît vraiment ni celle-là ni les autres et que celui qui n'est apte qu'à une seule science, celle qu'on puise dans les livres, est inculte et obtus. Cela ne s'applique pas à des esprits agiles, experts en tout ordre de science, et par nature aptes à considérer les choses, comme l'est nécessairement notre SOL[1]. En outre, dans notre Cité, on apprend les sciences, comme tu le vois, avec une telle facilité que les élèves font ici plus de progrès en un an que chez vous en dix ou quinze. Fais donc l'expérience sur ces enfants. »

Sur ce chapitre, l'exactitude de leurs dires me stupéfia, de même que l'expérience faite sur ceux des enfants qui connaissaient aussi très bien ma langue. La règle est en effet, parmi eux, qu'il y en ait toujours trois qui sachent notre langue, trois l'arabe, trois le polonais et trois pour chacune des autres[2]. Jamais on ne leur accorde de repos, sauf un repos qui doit les rendre encore plus instruits. Pour cela, ils se rendent dans la campagne pour s'y livrer, bien entendu, à la course, pour lancer des flèches et des javelots, tirer à l'arquebuse, traquer les bêtes sauvages, apprendre à reconnaître les plantes et les pierres, s'instruire dans l'agriculture et l'élevage. Tantôt c'est le tour d'un groupe, tantôt d'un autre.

Les trois princes adjoints à SOL sont tenus de connaître seulement les métiers qui concernent leur département. Aussi n'ont-ils des métiers communs à tous qu'une connaissance sommaire, mais ils savent à fond ceux qui leur sont propres et auxquels, évidemment, l'un se consacre plus que l'autre.

---

1 Platon, *Rép.*, III, 412 c et sv., énumère les qualités des chefs, mais sans proposer une procédure concrète pour les désigner. Dans l'île d'Utopie, l'élection se fait entièrement à partir de la base : 30 familles élisent un phylarque ; dix phylarques ont à leur tête un protophylarque. Le chef suprême, appelé comme ici *princeps*, est élu au scrutin secret par les phylarques sur une liste de quatre noms proposés par les habitants des quatre quartiers de la ville. Phylarques et protophylarques sont élus pour un an et rééligibles ; le prince, à vie, sauf si on le soupçonne d'aspirer à la tyrannie : *Utopie*, p. 64-65. (N.d.t.)

2 Comme exemples, Campanella choisit, outre l'italien, deux langues dont la connaissance est peu répandue dans son pays, ce qui donne une idée des relations internationales qu'entretient la Cité du Soleil. (N.d.t.)

Ainsi, Pouvoir possède la plus grande compétence dans l'équitation, le dispositif des troupes, la castramétation, la fabrication d'armes en tout genre et de machines de guerre, l'élaboration de manœuvres, bref dans tout le domaine militaire, etc. Mais, outre cela, ces princes doivent avoir étudié préalablement la philosophie, l'histoire, la politique et les sciences naturelles. Il en va de même pour les deux autres triumvirs[1].

La Cité du soleil / Tommaso Campanella ; texte latin de l'édition de Paris, 1637 établi, traduit et commenté par Roland Crahay † ; ouvrage publié sous la responsabilité de Pierre Jodogne. – Bruxelles : Académie Royale de Belgique, 1993. – (*Classe des Lettres*). – [Pp. 95-101].

LA CITÉ DU SOLEIL 106

A. Zévaès — 1950

Amour idéal ?

Le troisième dirigeant, *Amour*, a pour mission de surveiller tout ce qui a trait à la génération, de réglementer avec attention les unions sexuelles de telle manière que la race soit aussi perfectionnée et aussi pure que possible. Les Solariens nous raillent volontiers quand ils observent tous les soins que nous apportons à l'amélioration de la race canine ou de la race chevaline et la négligence que, par contre, nous pratiquons à l'égard du développement de la race humaine.

La puériculture, la médecine, la pharmacie, les semailles, la culture des fruits, la reproduction des animaux, en un mot tout ce qui touche à l'alimentation, à l'habillement, aux rapports sexuels, voilà les attributions du magistrat *Amour*.

La Cité du soleil / Thomas Campanella ; traduite et précédée d'une introduction par Alexandre Zévaès. – Paris : Librairie Philosophique J. Vrin, 1950. – [P. 45].

---

1 Les triumvirs subordonnés au Métaphysicien doivent posséder à fond leur spécialité, avoir une connaissance sommaire des autres et être versés en outre dans des disciplines de culture générale : philosophie, histoire, politique et sciences de la nature. En italien, la liste disait *filosofi, istorici, naturalisti ed umanisti*. L'humaniste, peut-être évoquant trop les belles-lettres, a fait place au politique. (N.d.t.)

LA CITÉ DU SOLEIL

107

Fr. Villegardelle — 1840

L'agriculture.

Les Solariens sont des agriculteurs fort habiles, et ils ne laissent pas une palme de terre sans en tirer quelque produit. Ils consultent pour tous les travaux agricoles les vents et les constellations favorables. Lorsqu'il s'agit de labourer, de semer, de remuer profondément le sol, de sarcler, de faire la moisson, les vendanges et les diverses récoltes, tous les citoyens, à l'exception d'un petit nombre qui reste pour garder la ville, sortent en armes dans la campagne, au son des tambours, des trompettes, et les bannières déployées. En quelques heures les plus grands travaux sont achevés avec perfection. Ils ont inventé d'immenses chariots à voiles, qui marchent même contre le vent, au moyen de roues s'engrenant en sens contraire, d'une manière ingénieuse ; lorsqu'il ne fait pas de vent, un seul cheval suffit pour les traîner. Pendant les travaux, des cavaliers armés parcourent la plaine à tour de rôle, pour protéger ceux qui les exécutent. On n'emploie ni le fumier ni la boue pour engraisser les terres, parce que les semences souffrent de ce contact impur, et que les produits d'un sol ainsi fécondé abrègent la vie de l'homme et débilitent sa constitution, le rendant en cela semblable aux enfants nés d'une femme qui cherche, non dans une vie active, mais dans le fard, un moyen d'augmenter sa beauté. C'est pourquoi les Solariens ne *fardent* pas la terre, mais la travaillent avec soin. Ils ont des procédés secrets pour que toutes les semences qu'ils lui confient germent avec promptitude et donnent des récoltes abondantes. Ces arcanes sont consignés dans un livre qu'ils appellent *Géorgiques*. On consacre à la culture toute l'étendue de terrain nécessaire pour la nourriture des habitans ; le reste est laissé en pâturages.

Comme au temps d'Abraham et des patriarches, ils tiennent en grand honneur l'art d'élever et de perfectionner les races de chevaux, de bœufs, de moutons, de chiens et de toute espèce d'animaux domestiques ou apprivoisés, et les accouplements sont réglés de manière à obtenir de beaux élèves. La peinture conserve les images des sujets les plus remarquables. Dans les pâturages, on ne laisse pas ensemble les étalons et les juments ; c'est dans la cour intérieure des étables qu'on fait saillir les femelles au moment le plus propice, selon les lois de l'astrologie. On consulte pour chaque espèce son signe particulier : pour le cheval, le sagittaire ; pour les races bovine et ovine, le taureau et le bélier. L'influence des Pléiades s'exerce sur les troupeaux de poules, d'oies, de canards. Les femmes se plaisent à les mener paître près de la ville : là sont des enclos où elles se renferment et où elles s'occupent à faire le fromage, le beurre et les autres préparations de laitage. Elles élèvent une grande quantité de chapons, etc. Un livre intitulé *Bucoliques* leur enseigne tout ce qui concerne l'art pastoral.

La Cité du soleil, ou idée d'une république philosophique / par F.-Th. Campanella ; traduite du latin par Villegardelle. – Paris : Alphonse Levavasseur, 1840. – [Pp. 118-121].

OPITZ

ALLEMAND 1597-1639

Martin Opitz, dont la vie fut fortement marquée par les turbulences de la guerre de Trente Ans, est le premier des grands hommes de lettres silésiens dont l'influence sur la littérature allemande de son siècle fut déterminante. Né d'une famille bourgeoise aisée de confession évangélique, ce fonctionnaire et diplomate proche des positions calvinistes mit ses talents au service tantôt de maîtres et de princes protestants, tantôt de la cause impériale et catholique. En 1625, l'empereur Ferdinand II le consacra *poeta laureatus* et l'anoblit deux ans plus tard (« Opitz von Boberfeld »). À partir de 1635, Opitz résida en Pologne et ne foula plus le sol de l'Empire. Il mourut de la peste à Danzig.

En Allemagne — *Le Livre du courtisan* de Castiglione a fait école —, Opitz est un des premiers à incarner le nouveau type d'écrivain, homme de cour et diplomate, nourri des traditions savantes de l'humanisme, homme du monde connaissant de nombreux pays d'Europe (Pays-Bas, France, Danemark, Pologne, Transylvanie) par ses voyages. Et dans l'histoire de la littérature allemande, Opitz apparaît comme l'artisan d'une des réformes les plus importantes. Son *Livre de la Poésie allemande* (*Buch von der Deutschen Poeterey*, 1624) en est le document théorique fondateur ; sa production littéraire et ses traductions en constituent l'autre volet. Fidèle à la tradition humaniste, Opitz accorde beaucoup d'attention aux antiques monuments de la littérature « nationale » ; en 1639 encore, il publie sous le titre *Rhythmus de Sancto Annone*, un texte des environs de 1050 en moyen haut-allemand. Dans le même esprit « national », l'œuvre de jeunesse *Aristarchus sive de contemptu Linguæ Teutonicæ* (1617) affirme que l'allemand égale par sa valeur les langues des nations romanes. Cependant, au début du XVIIe siècle, la littérature allemande accuse un retard important par rapport à celle de ses voisins italien, espagnol, français, anglais et néerlandais, retard que veut combler Opitz en rattachant la littérature de sa « nation » aux courants qui traversent la littérature européenne depuis le *De vulgari eloquentia* de Dante et culminent dans l'esthétique de la Renaissance. La littérature nouvelle sera érudite et s'adressera à un public érudit et empreint de culture classique. À l'exception du domaine de la poésie spirituelle, elle reniera l'héritage populaire encore vivant dans la culture allemande du XVIe siècle.

Ce renouveau, dans l'esprit de la Renaissance ou d'un « classicisme pré-baroque » (R. Alewyn), engage un processus irréversible. Dans sa *Prosodia germanica* — tel est le titre latin de son *Art Poétique* — Opitz prône l'imitation des Anciens relus par les Modernes. Pour la théorie esthétique, ce seront Aristote, Horace et Quintilien interprétés par Jules César Scaliger — dont Opitz empruntera le plan pour son exposé — et Ronsard. Il y sera question de la théorie de la tragédie (dont les protagonistes doivent être des personnages de haute naissance, contrairement à ceux de la comédie). Dans le genre lyrique, l'usage du sonnet, de l'épigramme et de l'ode (dont l'ode pindarique « libre ») est recommandé. Mais la réforme la plus fondamentale et la plus durable concerne la métrique. Au lieu de compter les syllabes du vers, comme le faisaient encore les maîtres chanteurs, Opitz se réfère aux mètres antiques, en remplaçant toutefois une syllabe longue par une syllabe tonique et une brève par une atone. Il est le premier à exiger une stricte correspondance entre l'accent métrique et l'accent

« naturel » du mot. Toutefois, il n'admet que des mètres dissyllabiques, c'est-à-dire iambes (brève / longue : ◡ –) et trochées (longue / brève : – ◡). Malgré l'autorité d'Opitz, le dactyle (longue / brève / brève : – ◡ ◡) sera cependant largement répandu dès les années 1640. Grâce à Opitz l'alexandrin (constitué en allemand par une suite de 6 iambes) deviendra le vers prédominant pendant plus d'un siècle.

Pour parachever sa réforme, Opitz propose une série d'œuvres-modèles dans les genres représentatifs. Quand il s'en sent capable, il les compose lui-même. Autrement, en un temps où la différence entre création, paraphrase et traduction n'est pas aussi nettement définie qu'aujourd'hui, il donne des traductions ou des adaptations d'œuvres antiques (notamment Anacréon, Horace, Virgile) ou contemporaines (notamment Daniel Heinsius, le *Bloemhof van de Nederlantsche Ieugd* (1608), Ronsard et la Pléiade) : ainsi en est-il de quelque 150 pièces de son premier recueil de poèmes (1624).

Une édition de ses poèmes profanes (*Weltliche Poemata*) paraît en deux parties en 1644. En 1638 Opitz avait déjà édité ses poèmes spirituels (*Geistliche Poemata*), qui contiennent entre autres une paraphrase des *Lamentations* de Jérémie (d'après la version latine qu'en avait donnée Hugo Grotius), du *Cantique des cantiques* et du prophète Jonas, ainsi qu'une traduction complète du livre des psaumes en rimes allemandes, faite à partir de traductions latines et françaises. Cette littérature religieuse sert moins ses buts de réforme poétique ; le poète y exprime surtout ses convictions religieuses et sa sympathie pour le calvinisme.

Opitz est également l'auteur de la première pastorale en langue allemande, *Pastorale de la nymphe d'Hercinié*, églogue en prose entrecoupée de nombreux poèmes et composée sur le modèle des *colloquia familiaria*. Pour offrir des modèles de grandes formes épiques et dramatiques, Opitz traduisit le livret de Rinuccini pour *Daphné*, l'opéra de Peri que Heinrich Schütz recomposa en 1627, *Les Troyennes* de Sénèque (1629) et l'*Argenis* de Barclay (1638). La comédie et le roman picaresque furent les seuls genres pour lesquels il ne proposa pas de modèles.

Hermann Palm, "Martin Opitz". – In : *Beiträge zur Geschichte der deutschen Literatur des XVI. und XVII. Jahrhunderts*. – Leipzig, 1977. – [Pp. 129-260]. – [1re éd. Breslau, 1877].

Martin Opitz / Marian Szyrocki. – 2e édition augmentée. – München : Beck, 1974. – 150 p. – (*Sammlung Beck*).

Weltliche Poemata / Martin Opitz ; Erich Trunz. – Tübingen : Niemeyer, 1975. – [Pp. 3-112].

Opitz und seine Welt : Festschrift für George Schultz-Behrend zum 12. Februar 1988 / Herausgegeben von Barbara Becker-Cantarino und Jörg-Ulrich Fechner. – Amsterdam ; Atlanta : Rodopi, 1990. – 591 p. – (*Chloe Beihefte zum Daphnis*, Bd. 10).

Begriffsbilder : Studien zur literarischen Allegorie zwischen Opitz und Schiller / Peter-André Alt. – Tübingen : Niemeyer, 1995. – 682 p.

POÈMES MONDAINS

108

M. Petit — 1977

La chanson de la fièvre.

Or comme étaient couchés
Deux amants dans la fièvre,
Il dit : « Pour toi je suis
Prêt à donner mon cœur,
Pour toi je suis prêt à souffrir
Même si mon âme me quitte. »

Il était flamme chaude,
Il perdait la parole,
La fièvre grandissant
Son cœur battait à peine ;
Sentit pourtant, dans sa douleur,
Joie et plaisir d'être près d'elle.

Elle ferma les yeux
Quand la mort le frappa,
Sa tête secouée
D'un dernier soubresaut ;
Cœur en arrêt, veines rompues,
L'esprit s'envola de son corps.

Elle dit : « Mon amour
Je nage où tu me portes.
— Et moi, dit-il, mon âme,
Prends-la, je te la donne. »
Ainsi est-il mort dans son sein,
L'ayant conquis et mérité.

Anthologie bilingue de la poésie allemande / édition établie par Jean-Pierre Lefebvre. – Paris : Gallimard, 1993. – (*Bibliothèque de la Pléiade* ; 401). – [Pp. 127-129].

POÈMES MONDAINS 109

A. Moret — 1977

Cieux, air et brise.

Cieux, air et brise et collines ombreuses,
Bosquets et vous, buissons, et toi, pampre divin,
Sources fraîches donnant leurs ondes généreuses,
Déserts que le soleil de flamme toujours brûle,

Moissons d'or où poudroie le cristal des rosées,
Et vous, antres moussus et roches crevassées,
Champs que de tendres fleurs parent de leur éclat,
Et vous, rochers où j'ai cueilli mes plus beaux vers,
Puisque à Flavie je dois, pour la première fois,
Offrir mes vœux du soir et que pourtant mon cœur
Et mon esprit craintifs tremblent et se dérobent,

Je vous en prie, cieux, brise, air, coteaux, bois, bosquets,
Pampres, sources, déserts, moissons, antres, rocs, champs,
Et vous rochers, parlez, ô parlez-lui pour moi !

Anthologie bilingue de la poésie allemande / édition établie par Jean-Pierre Lefebvre. – Paris : Gallimard, 1993. – (*Bibliothèque de la Pléiade* ; 401). – [Pp. 129-131].

DE LA POÉSIE ALLEMANDE 110

M. Petit — 1977

Plaidoyer pour les poètes.

On voit à la lumière de ce qui précède avec quelle sottise agissent ceux qui se plaisent à rabaisser la poésie à dieu sait quel niveau d'insignifiance, et s'ils ne lui font pas de reproches, du moins ne l'estiment pas particulièrement ; qui par ailleurs avancent qu'on trouvera peu ou pas d'intérêt à confier aux poètes des charges publiques, sous prétexte que ceux-ci, s'adonnant à leur douce folie, et à leurs voluptés tranquilles, ignorent d'autres arts et sciences plus utiles et plus honorables. Ils vont même jusqu'à traiter quelqu'un de « poète » pour le désigner au mépris. C'est ainsi que les imbéciles appelèrent Érasme de Rotterdam. Reproche auquel Érasme répliqua en disant qu'il ne s'estimait pas digne d'une telle louange, jugeant qu'un poète moyen valait mieux que dix philosophes à la manque. D'autre part, ce genre d'individus ont toujours à la bouche mille détails croustillants touchant à la vie des poètes, à leurs mensonges ou à leurs écrits scandaleux ; d'où ils déduisent que nul ne peut être un bon poète s'il n'est en même temps un vaurien. Quelle réponse opposer à un jugement aussi futile ? Qu'ils méditent seulement sur l'exemple de Solon, de Pythagore, de Socrate, de Cicéron et d'autres que le nom d'*écrivain* n'a pas déshonorés. Combien d'autres gens pourrais-je citer qui ont appliqué tout leur zèle à cet art (si tant est qu'on puisse l'appeler un *art*) et se sont en même temps attiré une louange impérissable parce qu'ils se sont consacrés au bien public ? Aussi bouffonne est cette autre opinion selon laquelle la poésie ne consisterait qu'en elle-même : tant il est vrai qu'elle contient en elle toutes les sciences. Apulée appelle Homère *un homme qui sait beaucoup et qui a beaucoup appris* ; Tertullien (*De anima*) *un père des arts libéraux*. Platon (lequel pouvait, en tant qu'auteur tragique, mettre au défi ses confrères) réunissait en lui, comme dit Proclus, les qualités socratique et pythagoricienne ; il avait appris chez Théodore de Cyrène la géométrie, chez les prêtres égyptiens l'astronomie, bref il connaissait tout en son temps. On comprend dès lors pourquoi nos Muses sont représentées dansant en rond, les mains unies ; pourquoi les Grecs les ont appelées *mousai*, par analogie avec *homousai*, indiquant par là le lien et l'affinité de tous les arts entre eux. Si les vers ne sont faits que de mots vides (ce qui, à vrai dire, est aussi peu plausible que l'existence d'un corps sans âme), qu'est-ce donc qu'ont écrit [...] Parménide et Empédocle sur la nature des choses, Servilius et Héliodore cités par Galien sur la médecine ? Ou bien encore, qui peut nier qu'il y ait en Virgile un bon agronome, en Lucrèce un excellent physicien [...], en Lucain un historiographe [...] et en chacun d'eux un philosophe d'importance, sous prétexte qu'ils ne sont que poètes ? À moins, bien sûr, de feindre de croire que Théocrite a gardé les moutons et qu'Hésiode suivait la charrue. Avouons cependant aussi que ne sont pas exempts d'avoir contribué au rabaissement de la poésie tous ceux qui persistent à se vouloir poètes [...] et cachent sous le laurier leur inculture comme Jules César sa calvitie. Quand je pense aux tas de poètes qui ont surgi depuis qu'on a remis en honneur l'étude des langues grecque et latine, je me demande comment nous, les Allemands, faisons pour témoigner une si grande patience devant tout ce noble papier que souillent des rimes sans rime ni raison. Contraindre les mots et les syllabes dans les limites de certaines lois, *écrire des vers*, c'est bien le moins qu'il faille chercher en poésie. Le poète doit être *euphantasiôtos*, c'est-à-dire doué d'idées et d'inventions ingénieuses. Il faut qu'il ait une grande âme intrépide, qu'il puisse imaginer des choses sublimes, que son discours aussi conquière du caractère et sache s'élever au-dessus de la terre. D'autres encore ne nuisent pas moins au bon renom de la poésie, qui se précipitent sur toute occasion qui leur est fournie de composer des vers de circonstance. [...] Car un poète n'écrit pas quand il veut, mais quand il peut, et quand l'anime ce mouvement de l'esprit qu'Ovide et d'autres voyaient venir du ciel.

Poètes baroques allemands / traduits et présentés par Marc Petit. – Paris : Maspéro, 1977. – (*Action poétique*). – [Pp. 191-192].

ROBERT BURTON

ANGLAIS • LATIN 1577-1640

Le nom de cet homme de lettres est associé à une institution, l'université d'Oxford, et à une œuvre majeure, *L'Anatomie de la mélancolie*. Bien qu'il soit aussi l'auteur d'une comédie latine dans le style de Ben Jonson (*Philosophaster*, 1606, jouée à Christ Church en 1618) et de quelques poèmes également en latin, Burton consacra la plus grande partie de sa vie (qu'il définit lui-même comme « silencieuse, sédentaire et solitaire ») à son unique chef-d'œuvre, publié pour la première fois en 1621, puis réédité à plusieurs reprises (1628, 1632 et 1638) en versions remaniées et complétées. À sa mort, il laissa l'ébauche d'une édition encore plus complète, dont deux versions posthumes témoignent, en 1651 et 1652.

Né dans le comté de Leicester, au sein de l'aristocratie rurale, il entre au collège de Brasenose, à Oxford, en 1593, et, en 1599, est élu étudiant à Christ Church, « le collège le plus florissant d'Europe », où il restera jusqu'à sa mort. Il ne se maria pas, ne chercha et n'obtint ni succès ni gloire, ne voyagea que *in Map or Card* et vécut parmi les livres, ceux de la bibliothèque du collège et de la *Bodleian library*, alors récente. Devenu pasteur de St. Thomas d'Oxford en 1616, il bénéficia du mécénat de Lord Berkeley.

L'Anatomie de la mélancolie fut publiée sous le pseudonyme de Démocrite Junior, allusion au célèbre philosophe atomiste (460-370 A.C.) qui aurait consacré ses dernières années à l'étude des causes et du traitement de cette maladie. L'ouvrage ébauche une étude psychologique des états d'âme appelés à l'époque « mélancolie », un sentiment que l'existence solitaire de Burton dut connaître. Cette humeur, répandue et même cultivée à la fin du règne d'Élisabeth et sous celui de Jacques Ier, répondait aux désillusions que valait la pénurie de postes, à la Cour et dans l'administration, à la masse croissante des jeunes gens trop instruits et trop peu fortunés. Plusieurs personnages de Shakespeare souffrent aussi de ce « mal du siècle » : Jacques (*Comme il vous plaira*), Malvolio (*Le Soir des Rois ou ce que vous voudrez*) et surtout Hamlet.

L'auteur aborde le sujet avec un humour, une bienveillance et un sens commun inattendus de la part d'un intellectuel vivant en reclus. On peut même se demander parfois si Burton traite de la mélancolie avec tout le sérieux qui sied à un éminent savant. En effet, après une introduction dans laquelle il affirme que tous les hommes sont sujets à la mélancolie, une « maladie innée », Burton tente, dans une première Partie, d'en donner une définition, d'en examiner les causes et d'en identifier les symptômes. Il y cherche ensuite remède, puis, dans une troisième et dernière Partie, se penche plus particulièrement sur les mélancolies de l'amour et de la religion. Son analyse couvre toutes les dimensions de l'existence humaine, y compris le bien-être physique et mental, les forces sociales et politiques qui agissent sur les individus ainsi que l'influence des astres.

L'Anatomie de la mélancolie constitue un véritable tour de force intellectuel, qui ne néglige aucune source d'information : les classiques grecs et latins, la Bible, les Pères de l'Église, les écoles arabe et européenne, et quelque 1 250 auteurs cités. Cette véritable somme, qui résume l'état des connaissances au temps de Jacques Ier, n'évite pas une certaine confusion, par son érudition sans frein, son approche digressive et associative, et la pléthore des citations latines. Cette profusion désordonnée est peut-être cependant voulue, afin de signifier la complexité de l'esprit et du cœur humains, défi à toute classification ou analyse systématique.

Reflet de la pensée critique et laïcisée de la Renaissance, l'œuvre de Robert Burton manifeste une attitude qui se retrouve dans d'autres traités comme *The Advancement of Learning* de Francis Bacon, *Circulation of the Blood* de Gabriel Harvey, *Leviathan* de Thomas Hobbes, *Pseudodoxia Epidemica* et *Religio Medici* de Sir Thomas Browne. Relativement connu au XVIIe siècle, le livre de Burton perdit son audience au cours du XVIIIe siècle. Il fut néanmoins apprécié par Samuel Johnson et Laurence Sterne, puis, plus tard, par des romantiques tels que Charles Lamb, S.T. Coleridge, Robert Southey, John Keats et Lord Byron, qui y trouvèrent une mine d'idées, d'expressions, d'images et d'anecdotes.

Robert Burton (1577-1640) et L'Anatomie de la mélancolie / Jean-Robert Simon. – Paris : Didier, 1964. – 531 p. – (*Études anglaises* ; 19).

The Library of Robert Burton / Nicolas K. Kiessling. – Oxford : Oxford Bibliographical Society, 1988. – XLI-433 p. – (*Oxford Bibliographical Society Publications* ; 22).

The Legacy of 'Democritus junior' Robert Burton : An exhibition to commemorate the 350th anniversary of the death of Robert Burton (1577-1640) / Nicolas K. Kiessling. – Oxford : Bodleian Library, 1990. – X-123 p.

L'ANATOMIE DE LA MÉLANCOLIE 111

L. Évrard — 1992

Considérations sur le mariage, l'usure, les monopoles et la guerre (Introduction). — Dans une longue introduction, Démocrite Junior définit son entreprise au lecteur. Ici, il explique le projet, utopique et plein de fantaisie, d'une République poétique dans laquelle la vie sociale, mieux organisée, éliminerait la mélancolie de la vie civique. — Le traducteur, qui a travaillé sur l'édition posthume de 1652 à la Bibliothèque Nationale, « a vieilli son style (c'était pour répondre à une commande de la revue *Le Débat*), mais sans jamais s'imaginer qu'il pourrait le mettre à l'égal des vénérables modèles ».

Nul homme ne se mariera avant d'avoir vingt-cinq ans, nulle femme avant d'en avoir vingt[1], *si l'on n'y a autrement dispensé*[2]. Que si l'un vient à mourir, l'autre parti ne fera noces avant six mois écoulés ; et, pource que maintes familles sont contraintes de vivre en chicheté, épuisées et ruinées par de grands douaires, du tout point n'en sera donné[3], ou très petits, et

1 Aristote opine autrement : un homme à 25 ans, une femme à 20. *Politique*. (Note de l'auteur). — Plutarque n'énonce pas d'âge précis pour le mariage selon Lycurgue ; mais il oppose le Lacédémonien, partisan du mariage des filles adultes, au Romain Numa Pompilius, qui les laissait épouser à douze ans (« Comparaison », VIII). Chez Platon, l'âge du mariage est de seize à vingt ans pour les filles, de trente à trente-cinq ans pour les hommes (*Les Lois*, VI, 785b ; cf. aussi IV, 721 b-c). Chez Aristote : dix-huit ans pour les filles, environ trente-sept ans pour les mâles ; il faut quelque vingt ans de différence d'âge (*La Politique*, II, 6). Burton a donc mal écrit ses chiffres, du moins dans [sa] note. [...] (N.d.t.)

2 Ce fut jadis la loi de Lycurgue, c'est aujourd'hui celle des Chinois ; voyez Plutarque, Riccius, Hemmingius, Arnisæus, Nevisanus et autres sur cette question. (Note de l'auteur).

3 Chez les Lacédémonieux, les vierges faisaient noces sans dot. Boterus, livre 3, chap. 9. (Note de l'auteur.)

iceux estimés et tauxés par les inspecteurs : celles qui sont laides auront plus grande portion ; belles, n'en auront du tout point, ou très petite, laquelle toutefois n'excédera pas un tel taux que ces inspecteurs jugeront approprié[1]. Et quand une fois ils arriveront à ces années-là, pauvreté ne devra empêcher le mariage à pas un homme, ni nul autre égard ou respect ; mais tout sera plus tôt imposé qu'empêché, excepté[2] qu'ils soient démembrés, ou grièvement difformés, infirmes, ou affligés de quelque énorme maladie héréditaire, soit en corps ou en esprit[3] : en pareil cas, sur grande peine ou amende pécuniaire, homme ou femme ne se marieront[4] ; l'on prendra d'autres mesures pour les contenter. Que s'il y a grande serre et surabondance de peuple, on le mettra au large en plantant des colonies[5].

Nul ne portera d'armes en aucune ville[6]. On gardera le même habit et cettui-là propre à chacuns métiers, par lequel ils seront distingués. Le *luxe funéral* sera retranché, cette dépense intempestive modérée[7], et maintes autres. Courretiers, preneurs de gages, usuriers mordants[8] je n'admettrai ; toutefois, pource que *hic cum hominibus non cum diis agitur*[9], nous conversons ici avec des hommes, non avec des dieux, et eu égard à la dureté des cœurs humains, je tolérerai une certaine manière d'usure. Si nous étions honnêtes, je le confesse (*si probi essemus*), nous n'en devrions point avoir d'emploi ; mais, puisqu'ainsi est, nous devons par nécessaire l'admettre. Combien que les maîtres de divinité y contredisent et résistent pour la plupart,

---

1 Chez les Vénitiens, n'a pas si longtemps, la loi disposait et engardait que nul patricien ne mît un dot à mieux de 1 500 couronnes. (Note de l'auteur).

2 S'il souffre d'une maladie qui se répand facilement dans la lignée, afin que la race des humains ne soit par honteuse contagion lésés, qu'on le châtre en sa jeunesse : que semblables femmes soient empêchées et tenues à l'écart de la charnelle compagnie des hommes etc. Hector Boëthius, *Historia...*, livre 1, sur les mœurs des anciens Écossais. (Note de l'auteur).

3 Les plus beaux jeunes gens besogneront à l'œuvre des enfants. Platon, *de legibris*, 5. (Note de l'auteur).

4 Les Saxons excluent les muets, aveugles, lépreux et autres telles personnes de tout héritage, de même façon que nous faisons des fous. (Note de l'auteur).

5 Comme anciennement les Romains, et les Espagnols aujourd'hui, etc. (N.d.t.)

6 Riccius, *De Sinarum expedit.*, livre 11, chap. 5. De même les Espagnols contraignent les Maures de déposer les armes. Ainsi est en la plus part des villes italiennes. (Note de l'auteur).

7 De même Platon, *de legibus*, 12. Il fut de tout temps immodéré. Voyez Guil. Stuckius, *Antiq. convival.*, livre 1, chap. 26. (Note de l'auteur).

8 [L']auteur se met en devoir d'examiner ce qu'est l'usure. Parmi les Grecs et les Romains, il évoque Aristote et Cicéron ; mais c'est une notion hébraïque qui l'intéresse particulièrement, une notion dont nous savons que Bucer, entre autres, a déjà parlé : *Nerschek*, en latin *morsus*, « morsure ». Est « mordu, comme d'un serpent ou d'un aspic », c'est-à-dire lésé, celui qui est contraint de rendre cent pour les cent qu'il a empruntés, mais par-dessus cela quelque chose de plus, soit peu ou prou. C'est pourquoi Chrysostome appelle justement une telle usure morsure venimeuse d'aspic. [...] (N.d.t.)

9 Platon, *de legibus*, 9. (Note de l'auteur).

(Notre langue a dit non, mais c'est bruit de parole)

les politiques doivent fermer les yeux sur l'usure. Si est-ce qu'aucuns grands docteurs l'approuvent, Calvin, Bucer[1], Zanchius[2], Pierre Martyr[3], pource qu'elle est permise de tant de grands juristes, décrets des empereurs, statuts et ordonnances des princes, coutumes des républiques, approbations des églises, &c. Partant j'en baillerai congé, mais non pas à des personnes privées, non pas à quiconque voudra ; aux orphelins seulement, aux filles, aux veuves, ou à ceux qui, à raison de leur âge, sexe, éducation, ignorance de tout art et négoce, autrement ne savent comment l'employer ; et iceux, ainsi approuvés, ne devront l'affermer à part, mais porter leurs deniers à la banque commune[4] qui sera ainsi octroyée en chacune ville comme à Gênes, Genève, Nuremberg, Venise, et à 5, 6, 7, non pas plus de 8 pour cent[5], comme bon semblera aux inspecteurs, ou *préfets du trésor*. Et de même que ne sera licite d'usurer à chacun qui voudra, de même ne sera licite à tous de prendre l'argent à intérêt — non pas aux prodigues et dépensiers, mais aux marchands, aux jeunes artisans, et à ceux qui sont dans le besoin, ou savent la manière d'honnêtement l'employer[6], desquels la nécessité, cause et condition lesdits inspecteurs approuveront.

---

1 Bucer a rejoint Luther en 1518 — en ces années où l'on se demandait si le commerce d'argent était licite ou illicite. C'était environ le temps où naissaient les premières sociétés commerciales et où la banque, inventée en Italie, se transplantait en Allemagne. Alors Luther foudroyait sur les banquiers Fugger et condamnait l'usure. Dans le même temps, en 1514-1515, un Johannes Eck soutenait que le prêt reste permis tant que l'intérêt ne monte pas à plus de 5% (Maurice Gravier, *Luther et l'opinion publique*, Paris, 1942, p. 144). (N.d.t.)

2 Un commentaire de l'épître aux Éphésiens se lit dans ses *Opera theologica*, Genève, 1616, tome II, sixième partie. Il touche deux mentions de l'avarice ou amour de l'argent : *amor nummi ; philargyria* (l'un des huit vices principaux ou péchés capitaux selon Cassien). (N.d.t.)

3 Pietro Martire Vermigli (1500-1562), Florentin, lettré, entré dans l'ordre de Saint-Augustin, rencontra la Réforme à Naples, puis à Lucques. *Visitator* de son ordre, il y combattit le luxe et l'impureté. En 1542, cité à comparaître par ceux mêmes qu'il avait châtiés, il se réfugia à Zurich. Il enseigna l'exégèse et la théologie à Strasbourg, où il se lia avec Bucer ; à Oxford sous Édouard VI, où son influence fut grande sur les « puritains » ; enfin à Zurich : Simler allait être son éditeur et son biographe. (N.d.t.)

4 Comme les Lombards outre mers (toutefois avec quelque réformation), mont de piété, ou banque de charité (comme Malynes l'appelle, *Lex Mercatoria*, chap. 33, 2e partie), qui prêtent de l'argent sous gages raisonnables, ou par cas d'aventure qui acceptent de l'argent pour préserver des vies d'hommes. (Note de l'auteur).

5 Cette proportion augmentera l'entrecours de la marchandise, fera enchérir et emméliorer la terre, ainsi qu'il [Malynes] l'a prouvé en son judicieux traité de l'usure, exhibé au Parlement l'an 1621. (Note de l'auteur).

6 Zanchius, commentaire sur le chapitre 4 de l'Épître aux Éphésiens, déclare en somme l'usure chose très équitable et consente avec la charité chrétienne, pourvu qu'on ne soit exigeur, &c. et que tous ne donnent à intérêt, ains seulement ceux qui ont des biens en pécune, et qui, à raison de l'âge, du sexe, de l'ignorance de tout métier, ne les peuvent employer. Et qu'il ne soit prêté à tous, mais aux marchands et à ceux qui les dépenseront honnêtement, &c. (Note de l'auteur).

Je ne veux point de monopoles privés, qui font enrichir un seul homme et réduisent une multitude en mendicité : il y aura multiplicité d'offices, de suppléances par députés[1] ; poids et mesures les mêmes partout, et iceux rectifiés par le *primum mobile*, et le mouvement du soleil ; soixante milles pour un degré du méridien, selon l'observation ; 1 000 pas géométriques pour un mille, cinq pieds pour un pas, douze pouces pour un pied, &c., et partant des mesures connues, c'est affaire aisée que de rectifier les poids, &c., faire compte et addition de tout par algèbre et jauger les corps solides par stéréométrie.

J'abomine les guerres, si ne sont faites *pour le salut du peuple*, en urgente circonstance,

Nous haïssons l'autour, qui tous jours vit en armes.

Les guerres offensives ne permettrai, excepté que la cause en soit très juste[2] : car je magnifie hautement ce dit de Hannibal à Scipion, chez Tite-Live[3] : *C'eût été chose bénie pour vous et pour nous, si Dieu eût mis en l'esprit de nos prédécesseurs d'être contents, vous de l'Italie, nous de l'Afrique. Car ni la Sicile ni la Sardaigne ne valent tant de dépenses et tant de peines, tant de flottes et d'armées, ou tant de vies de fameux capitaines. Tout doit être tenté paravant* : que l'on essaie d'abord les moyens honnêtes.

Tranquille force accomplira
Que violente ne pourra[4].

Je veux que l'on procède en toute modération ; mais (entendez-moi bien !) mon général est Fabius, non pas Minutius ; *en effet, qui s'appuie sur sagesse et conseil, il nuit plus aux ennemis qu'un autre qui, sans raisonnement d'intelligence, se confie à la force*[5] : et en ces telles guerres se faut abstenir autant qu'est possible des dépeuplements, incendies de bourgs, massacres d'enfants, &c[6]. Pour des guerres défensives, j'aurai des forces prêtes au moindre alarme, par terre et par mer, une armée navale apprêtée, des soldats *en haleine et sous les armes, et, ce que veut Bonfinius*[7]

1 De même chez les Perses anciennement. Lisez Brisonius. (Note de l'auteur).

2 De même Platon, *de legibus*. (Note de l'auteur).

3 Tite-Live, Livre 30. (Note de l'auteur).

4 Claudien. (Note de l'auteur).

5 Thucydide. (Note de l'auteur).

6 De la dépopulation des campagnes, des incendies et autres telles immanités se faut abstenir. Platon. (Note de l'auteur).

7 Antonio Bonfini (1427-1502), natif d'Ascoli, était lecteur de Béatrix d'Aragon ; quand elle épousa Mathias Corvin, roi de Hongrie, il devint l'historiographe du souverain : *Rerum ungaricum decades tres*, Bâle, 1543 ; édition complète en 1660. (N.d.t.)

chez ses Hongrois, une verge de fer[1], et la pécune, qui est *nerf de la guerre*, constamment prête et à main, et un revenu public suffisant, un tiers, comme dans la vieille Rome[2] et en Égypte, réservé pour la république ; afin d'éviter ces lourdes taxes et impositions, autant que pour défrayer cette charge des guerres, comme toutes autres défalcations publiques, dépenses, émoluments, pensions, réparations, chastes ébattements, festins, offrandes et donations, récompenses, et divertissements. Toutes choses de cette nature surtout je ferai faire de mûre et longue délibération[3] : *que rien*[4] *témérairement, rien avecque relâche et timidité ne soit fait. Or me voici, apprentif, à mon jusques-où* : à poursuivre de parler du reste, il faudrait un volume. *Levons la main de la tablette !* J'ai été très fastidieux sur ce sujet ; de mon gré, je pouvais ici plus au long deviser ; mais en ces détroits où je suis enclos, ce ne me sera permis.

Des républiques et des villes, je vais descendre aux familles, qui pâtissent comme le reste de maintes corrosions et molesties, et sont aussi souvent malcontentes. Un corps politique et un corps économique ont un grand cousinage ensemble.

L'Utopie ou la République poétique de Robert Burton [...] extraite de son Anatomy of Melancholy / de Robert Burton alias Démocrite Junior ; traduite par Louis Évrard ; préface de Jean Starobinski. – Paris : Éditions Obsidiane et L'Âge d'Homme, 1992. – (*Acedia*). – [Pp. 33-37].

1 *Hungar. dec.*, I, Livre 9. (Note de l'auteur).

2 Sesellius, *de rep. Gal.*, Livre 2. Il est fort inglorieux, quand une chose arrive à l'impourvue, de dire : Je ne l'eusse point cru ; surtout s'il avait été possible de se prémunir contre cette affaire. Tite-Live, livre 1. Dion, livre 2. Diodore Sicilien, livre 2. (Note de l'auteur).

3 *Peragit tranquilla potestas, Quod violenta nequit.* Claudien. (Note de l'auteur).

4 Qu'il ne faut ni craindre, ni provoquer la guerre. Pline, *Panégyrique à Trajan* [§ 16]. (Note de l'auteur).

CORTESE

ITALIEN

Env. 1570 – après 1640

La première moitié du XVIIe siècle est, en Italie, marquée par les réactions régionales contre l'impérialisme d'un toscan littéraire figé. À Naples, où le gouvernement des vice-rois a imposé la langue espagnole dans divers secteurs de la vie sociale et culturelle, naît une contre-littérature dialectale dont le fondateur est Giulio Cesare Cortese.

Né à Naples aux alentours de 1570, Cortese appartient à une famille bourgeoise aisée, dont la situation économique se dégrade vers 1590. Après des études de droit, il mène une vie aventureuse évoquée dans certaines de ses œuvres : l'Espagne, vers 1597, où il découvre la littérature picaresque ; puis Florence et la cour de Ferdinand Ier de Médicis, en 1601 et 1608, où il suit les travaux de l'Académie de la Crusca. Mais dans le contexte napolitain dominé par le clientélisme littéraire du Comte de Lemos, que Cortese dénonce à plusieurs reprises, son désir de sauvegarder une tradition linguistique dialectale apparaît bien différent de la codification de l'Académie florentine. Son exploration des modes poétiques courtisans se limite à quelques poésies en l'honneur des noces médicéennes de 1608, ou pour son ami Giambattista Basile. Le reste est strictement dialectal. Dès 1604, il met en chantier sa *Vaiasseide* (*L'Épopée des servantes*), publiée intégralement en 1612, emblématique de toute sa production. Il y peint les rites quotidiens des servantes napolitaines en révolte contre leurs maîtres, dans les moments marquants de leur vie amoureuse : fiançailles, mariage, nuit de noces, accouchement, disputes. Cortese ne cherche pas un comique satirique dans la ligne des caricatures héroï-comiques contemporaines, comme *La Secchia rapita* (*Le Seau volé*, 1624) de Tassoni, mais il prône un contre-héroïsme, un héroïsme simple et brutal, celui des petits, qui, porté par le napolitain, sert d'élément régénérateur aux *topoi* éculés de la littérature cultivée. Il en va de même pour sa seconde épopée, *Micco Passaro 'nnamurato* (*Les Amours de Micco Passaro*, 1619), qui met en scène un bravache amoureux, très théâtral et relevant des modes de la commedia dell'arte et des farces *cavaiole* (genre théâtral populaire, typiquement napolitain de la fin du XVe siècle, dont les protagonistes ridicules sont les habitants de Cava, près de Salerne). Cortese s'approprie ainsi tous les genres cultivés qu'il juge pervertis par les modes courtisans : la pastorale, avec *La Rosa*, publiée en 1621 ; le roman, avec *Li travagliuse ammure de Ciullo e Perna* (*Les Amours tourmentées de Ciullo et Perna*, 1621), sur le modèle de Cervantès (*Les Travaux de Persilès et Sigismonde*), récit, peut-être autobiographique, du voyage formateur d'un jeune amoureux soumis aux aléas de la fortune ; la « galerie » allégorique, avec *Le Voyage du Parnasse* (1621), fantastique promenade dans le royaume d'Apollon où Cortese prend la défense de la littérature dialectale, en glorifiant l'entrée au Parnasse d'un « homme du Port », quartier populaire de Naples.

Sa dernière œuvre, *Lo Cerriglio 'ncantato* (*La Taverne enchantée,* 1628), troisième épopée populaire très symbolique, où la taverne assaillie par une armée de bravaches est une métaphore déclarée du Royaume, ne renouvelle guère son écriture. Elle témoigne de l'impasse où Cortese se serait alors trouvé, et conduit à interpréter sa « disparition » de la vie culturelle napolitaine en 1627, non comme une mort physique — non attestée —, mais comme une mort littéraire.

Comme plus tard Rimbaud, Cortese semble en effet avoir choisi brusquement de faire taire sa plume. Si plusieurs textes indiquent vers 1627 qu'il « n'était plus là » — la préface de la traduction du *Pastor fido* (*Le Berger fidèle*) de Giovan Battista Guarini en napolitain par D. Basile en 1628, ou celle des *Muses napolitaines* de Giambattista Basile —, des actes notariés le signalent en vie au moins jusqu'en 1640. Peut-être Cortese s'organisa-t-il une carrière souterraine en tant que Felippo Sgruttendio di Scafato, auteur d'un recueil de poésies burlesques, *La Tiorba a taccone* (*Le Théorbe à chevillier*, 1646), qui prendrait ses racines dans une œuvre inconnue de notre auteur, *Lo Calascione*, « en projet » autour de 1621. Que Cortese ait participé ou non à cette mystérieuse création, il n'en reste pas moins que le passage du colachon (deux cordes) au théorbe (dix cordes) atteste métaphoriquement de la vitalité de la contre-littérature dialectale jusque très avant dans le XVIIe siècle.

P. Fasano, « La Questione Sgruttendio ». – In : *Giornale storico della letteratura italiana*, CXLVIII (1971), pp. 49-81.

S.S. Nigro, « Ritratto di Giulio Cesare Cortese ». – In : *Annali della facoltà di lettere e filosofia dell'università di Bari*, XVI (1973), pp. 3-61.

M. Rak, « La tradizione letteraria popolare dialettale napoletana tra la conquista spagnola e le rivoluzioni del 1647-1648 ». – In : *Storia di Napoli*. – Napoli : Edizioni scientifiche italiane, 1974. – [IV, t. II, pp. 575-747].

A. Asor Rosa e S.S. Nigro, « I poeti giocosi dell'età barocca ». – In : *Letteratura italiana*, 31 (1975), pp. 83-106.

Enrico Malato, « Le poesie in lingua di Giulio Cesare Cortese ». – In : *Filologia e critica*, 16 (1991), pp. 231-244.

Les Rhétoriques de la pointe : Baltasar Gracián et le conceptisme en Europe / Mercedes Blanco. – Paris : Champion, 1992. – 707 p.

Storia del teatro napoletano / Vittorio Viviani ; presentazione di Roberto De Simone. – 2e édition. – Napoli : Guida, 1992. – 866 p.

L'ÉPOPÉE DES SERVANTES

112

Fr. Decroisette — 1996

Les rites de l'accouchement (II, strophes 1-7). — Premier poème héroï-comique de Cortese, *La Vaiasseide* est composée de cinq chants écrits en octaves de vers hendécasyllabes. Les deux premiers chants concernent les amours de la servante Renza, qui depuis plus d'un an est courtisée par Mineco, garçon d'auberge. La mère de Renza, Cecca, obtient enfin de son patron que sa fille puisse se marier. Le premier chant raconte les rites du mariage et de la nuit de noces. Quand commence le second chant, Renza est enceinte. Mineco, impatient, attend la naissance. Les œuvres de Cortese n'ont presque jamais été traduites, ni en italien, ni en français.

Renza fut dorlotée comme une princesse,
et au bout du mois elle se trouva enceinte ;
chacun lui disait : « Les dieux soient avec toi,
que tu sois mère d'un comte ou d'un marquis ! »
Pour Mineco, chaque heure valait mille ans,

et il ne voyait pas arriver le mois
où Renza ferait un fils ou une fille
avec qui jouer à la chaise à porteur.

Vint l'instant d'accoucher, et peu s'en fallut
que la créature ne mourût au sortir ;
mais la matrone éleva ainsi la voix :
« Pousse, ma fille, pousse, car point ne dure
cette amertume, la douceur reviendra.
Pousse, mon bijou, calme donc ton esprit,
accroche-toi, tiens, souffle dans cette ampoule »[1].

Elle enfanta donc, et sortit de danger
quand l'heure eut sonné, et fit une pouponne
qui semblait une vessie pleine de vent,
laquelle, dès sa sortie, fit son caca ;
et Menechiello, tout joyeux et content
dit : « Viens dans les bras de papa, mon agnelle,
car qui doit se pondre une descendance,
doit commencer par une marmousette ».

La matrone dit alors : « Allez, compère,
je la pose à terre[2], toi, ensuite prends-la.
Mais avant laisse-moi m'en occuper
car elle prendra froid, la jolie poupette ».
Sur quoi, elle saisit le fil pour lier
le cordon, ainsi que les petits ciseaux,
et quand elle l'eut lié, elle le coupa
à l'endroit qui lui parut le meilleur.

Et avec le sang qui du cordon jaillit
elle oignit le visage pour que la petite
eût ensuite les joues couleur de rose :
c'est pourquoi on en voit qui les ont si rouges !
Et puis elle l'étendit sur le grand lit,
enveloppa ses bras, ses jambes et ses cuisses ;
elle lui trancha le filet de la langue
et y déposa le sucre et la cannelle[3].

---

1 Une pratique qui rendait les poussées plus fortes et plus efficaces. (N.d.t.)

2 Dérivé d'un rite païen qui voulait que l'on pose le nouveau-né à terre pour s'assurer qu'il aurait de la voix. (N.d.t.)

3 Cette opération devait prévenir le bégaiement. (N.d.t.)

Puis elle répandit un peu de sel pilé
dans la fente du sexe[1], en parlant ainsi :
« Tiens, car ainsi tu seras plus savoureuse
quand un mari tu auras à tes côtés »,
et puis elle mit à sa place le linge ;
quand enfin elle eut mouché le petit nez,
elle noua la couverture et les langes
si bien que l'enfant paraissait un pilon.

Puis elle pila la marjolaine et les faînes,
la rue, la menthe, le camphre et les chardons,
et une herbe amère dont ne sais le nom,
que l'on place dans la bouche des enfants.
Elle dit : « Tenez, si elle vous est chère,
donnez-lui à boire le jus de ce mélange,
ainsi elle n'aura jamais mal de ventre,
et elle poussera comme belle fleur ».

Traduction inédite. — *La Vaiasseide... con gli argomenti e alcune prose* / di C.A. Abbattutis. – Napoli : De Bonis, 1666. – [Vol. 3, pp. 27-29].

LES AMOURS DE MICCO PASSARO — 113

Fr. Decroisette — 1996

Lamentations d'amantes abandonnées (III, strophes 1-5). — Également écrite en octaves de vers hendécasyllabes, l'épopée des amours de Micco Passaro, qui délaisse sa fiancée Nora pour une autre servante, Grannizza, se déroule en dix chants. Le protagoniste semble avoir été inspiré par un personnage réel qui prit part à une répression de bandes armées dans la région des Abruzzes. Au troisième chant, les femmes des bandits, abandonnées par leurs galants, évoquent les sacrifices qu'elles ont consentis pour les sauver de la potence.

Le soleil était mort et la terre mettait
les habits de deuil de la nuit, et le ciel
pour ses funérailles transformait en torches
et en petites chandelles ses étoiles ;
déjà on entendait les loups concerter
leurs cris, et les grenouilles et les hibous,
et la malheureuse sœur de sang du soleil
pleurait sa rosée au-dessus de la terre ;

---

1 Au sel était attribué un pouvoir magique capable de repousser les esprits malins, et assurant donc la fertilité future de la femme. (N.d.t.)

lorsque, ayant fait taire leurs chants, Micco
et ses compagnons s'étaient mis sur leurs pieds ;
mais ils ne purent guère allonger un pas,
car le Corvara[1] les avait tous saoulés.
aussi tous ensemble allèrent-ils se coucher,
tous comme ils étaient, bottés et habillés,
avec, qui les amis et qui les parents,
et qui s'imposant dans ces cantonnements.

Mais les donzelles qui s'étaient rassemblées
autour de Cianna, elles, ne dormaient pas.
Qui sur une caisse, qui sur une chaise,
pensait, muette, le visage défait,
lorsque Cianna se mit à parler ainsi :
« Voulons-nous jouer à la bête à deux dos ?
Que vous semble-t-il donc de ces vilains tours
que nous ont trafiqués ces maudits ruffians ?

Avez-vous vu Mase ? Y eut-il jamais
dans ce bas monde semblable chiennerie ?
Voyez, grâce à moi, il ne fut point pendu,
Voyez, grâce à moi, il est en liberté :
Toutes vous savez ce que j'ai dépensé,
quand les choses, là, furent cambriolées,
oui, les boutiques, dans la rue Catalane[2],
et qu'il fut au trou pendant une semaine.

Et si ce greffier, celui que vous savez,
n'avait pas sur moi promené ses regards,
si, outre que je lui graissai bien la patte,
je ne l'avais pas autrement contenté...
Eh bien, ce grossier, ce goujat, ce vilain,
(maudite soit l'heure où je le rencontrai)
ne pourrait pas, là, me laisser de côté,
car il serait tombé, un chanvre autour du cou.»

Traduction inédite. — *Micco Passaro 'nnamurato* / Giulio Cesare Cortese. – Napoli : De Bonis, 1666. – [Vol. 1, pp. 21-22].

1 Un vin de la région. (N.d.t.)

2 Rue de Naples, dans le quartier du Port. (N.d.t.)

LES AMOURS TOURMENTÉES DE CIULLO ET PERNA **114**

Fr. Decroisette — 1996

Rêves amoureux (Livre III). — Dans ce roman en prose en huit livres, Cortese semble avoir utilisé certaines de ses expériences personnelles, particulièrement celles vécues à la cour de Toscane, où le héros, Ciullo, fils d'un riche marchand napolitain, retrouve après de longues pérégrinations sa bien-aimée Perna. Cortese mêle la tradition des romans grecs et des romans baroques, et s'éloigne des thématiques populaires pour créer un climat où les détails de la vie napolitaine se mêlent à des envolées théâtrales et à des éléments magiques. À Gênes, où il a abordé par hasard après avoir essuyé une tempête et échappé aux pirates, Ciullo s'est enflammé pour la jolie Perna. Les deux nouveaux amants s'endorment difficilement et ils rêvent.

Le silence et l'obscurité de la nuit aidaient le pauvre Ciullo à rassembler dans son esprit les pensées qui le tourmentaient, si bien que toute la nuit, il ne fit que tourner et se retourner, avec grande angoisse, sur son lit de repos, comme une broche que l'on tourne sur le feu, et il inonda les draps de ses larmes ; la couche d'un poulain que l'on conduit chez le boucher n'est pas, croyez-le bien, plus cruelle que ne fut pour lui ce lit, car à être ainsi enflammé, l'âme rivée à toute force à la cause de ses tourments, avec le vent de ses soupirs il attisait le feu, le feu rôtissait le cœur, le cœur en se convulsant martelait l'âme, l'âme hachait menu le corps, de sorte que le malheureux sentait déjà son souffle prendre la poudre d'escampette ; mais comme la parole ôte une partie de la peine, et que celui qui souffre exhale de grandes phrases, il commença à gémir de cette manière : « Ô, puisses-tu être occis, fils d'un boiteux[1], faux aveugle, qu'est-ce qui te prends de démolir ce cœur, pour te construire ta maison ? Ne devais-tu pas aller loger dans le fondouk du Cetrangolo[2], plutôt que dans mon corps, à moi qui vraiment n'ai jamais été ton ami, mais aurais voulu t'assassiner ? Mais que dis-je, pauvre de moi ? Voilà bien la cause qui t'a poussé à vouloir me tourmenter de la bonne manière, et je le mérite, car je devais d'abord m'accorder avec toi, je n'aurais pas été obligé d'avaler tes pilules, et elles ne me sembleraient pas si amères. Mais d'un autre côté, pourquoi me lamenté-je de toi, alors que sans tes vertus je n'aurais jamais su quelle est la véritable beauté, la véritable douceur, comme je l'ai fait en voyant les beautés et en entendant les paroles de celle que tu m'as donnée comme maîtresse ? Et bien que le grand désir que j'ai de l'avoir toujours avec moi, en chair et en os, fait que comme je ne peux l'avoir je me défais comme de l'eau près du feu, toi, tu n'y es pour rien, tu n'as fait que ton office et ce qu'il te revenait de faire. Hélas, où suis-je ? Avec qui parlé-je ? À qui puis-

---

1 Il s'agit de Vulcain, père d'Amour. (N.d.t.)

2 Un quartier mal famé de Naples au XVIIe siècle. (N.d.t.)

je m'en prendre ? Quoi ? Amour ? Je délire ! Mais Amour, c'est toi, ma Perle[1] précieuse, et toi seule, en te donnant toi-même à moi, peux être mon archibonne fortune [...].

À la fin des fins, [Perna] s'endormit comme Ciullo, car, vous pouvez vous retenir un peu, vous vous tournez, et vous vous retournez, et pour finir le sommeil s'en vient, et les savants disent avec raison qu'il est le frère de sang de la mort, car il ne pardonne à personne. Ce sommeil semble même plus fort que la mort, car la Mort, dis-je, la Mort vient une seule fois à la fin de la vie, alors que le sommeil revient toutes les vingt-quatre heures, à la tombée du jour. Et bien qu'Amour rabaisse son orgueil en faisant que les amoureux s'endorment très tard, et se calment un moment, malgré tout lorsqu'ils dorment ils souffrent et travaillent, et vous allez voir si ce n'est pas la vérité. Perna rêva qu'elle voyait dans sa maison une belle jeune femme, entourée d'une poignée de mignonnes ailées, et la jeune femme la prenait par la main, et elle lui disait : « Veux-tu venir avec moi ? » Il lui sembla que ce n'était pas quelque fille qui lui disait un mensonge, comme certaines péronnelles sans cervelle, et sans penser plus avant, elle partit, et l'autre l'emmena dans un très beau palais, qui ressemblait à une serre de verre, ou à une fournaise de feu, où il y avait une autre troupe de ces fillettes qui volaient comme des oiseaux, et d'autres personnes de l'un et l'autre sexe, très joyeuses et festives, et quand elle fut entrée dans la seconde pièce, elle trouva un beau jeune homme ailé, mais plus beau et plus resplendissant que les autres, qui était assis sur un siège royal, pareil à un roi couronné, à qui la jeune femme dit : « mon cher fils, si tu m'aimes, fais en sorte que cette jeune fille (et elle montra Perna) ait ce qu'elle attend », et lui, avec un visage tout souriant, fit sortir Ciullo d'une chambre, et lui dit : « Tu sais, Ciullo, que tu es mon esclave comme le veulent les lois de mon royaume, et que les esclaves sont obligés de faire ce que veut leur maître ; aussi je te condamne à aller avec cette vierge, et que tu fasses tout ce qu'elle voudra tout au long de sa vie ». Ciullo répondit avec joie, il prit Perna par la main, comme le lui dit la jeune femme, en remerciant l'un et l'autre d'une si grande faveur, si bien qu'il semblait qu'il voulait les embrasser, quand tout à coup sortirent d'une pièce voisine un vieux et une vieille, qui se jetèrent sur Ciullo pour lui enlever Perna. Et lui, pour ne pas laisser échapper sa bonne fortune, il tirait Perna, et Perna était tirée par les deux vieillards, et tandis que l'un et les autres la

---

1 Jeu de mot sur Perna, la « perle » en napolitain. (N.d.t.)

tiraient, il lui sembla qu'ils l'écartelaient, comme il arriva à celle dont parlent Pausanias ou Plutarque[1], et alors qu'elle voulait crier de douleur, elle se réveilla plus morte que vive, ne comprenant pas ce que signifiait ce rêve. Dans le même temps, celui que les Poètes appellent Morphée, qui prend plaisir à retourner le cerveau de celui qui dort, avait transporté Ciullo dans un jardin magnifique où il y avait des haies de citronniers et de pastèques vertes et fraîches, qui étaient un spectacle éblouissant à voir, dont les plates-bandes de terre fraîche étaient semées de roquettes, moutardes, cerfeuils et poivres, et les arbres qui formaient les allées étaient des noyers, des noisetiers, des châtaigniers, des pins et des pistachiers, et les pergolas étaient toutes de raisins grecs et de morillons, les fontaines étaient d'huile, et de vin, et tandis que Ciullo s'émerveillait devant ces beautés jardinières, descendit devant lui un enfant ailé, qui lui donna une branche d'arbre, une petite chose d'une telle beauté qu'il n'en avait jamais vu de pareille au monde.

Traduction inédite. — *Li travagliuse ammure de Ciullo e Perna* / Giulio Cesare Cortese. – Napoli : Novello de Bonis, 1666. – [Vol. 4, pp. 18-19 et 21-23].

1 Dans Pausanias, histoire d'Hyrnéthium (*Description de la Grèce*, Corinthie, ch. 28). Dans Plutarque, histoire d'Aristoclée (*Histoires d'amour*, I, 772 c). (N.d.t.)

SARBIEVIUS

LATIN **1595-1640**

Poète et théoricien de la poésie baroque, Mathias Casimir Sarbiewski (Sarbievius) est le dernier et le plus célèbre des poètes polonais écrivant en latin.

Né au château de Sarbiewo près de Plonsk, il est le deuxième fils d'une noble famille qui compte parmi ses membres illustres saint Stanislas Kostka (1550-1568). Destiné à une carrière ecclésiastique, après des études au collège des jésuites de Pultusk, il entre, en 1612, dans leur noviciat de Vilnius. Après sa philosophie, à Braniewo, en 1616 et 1617, il est professeur de poésie à Kroze, en Zmudz, puis, en 1619-1620, à Polock. Dès cette époque, il commence à composer des épigrammes élogieuses. On compte aussi, parmi ses premières œuvres, un traité sur l'art de la pointe, le *De acuto et arguto* (1619). En 1620, Sarbiewski fait sa théologie à Vilnius ; au printemps 1622, il compose un cycle d'hymnes consacrées à la Vierge, à l'occasion du pèlerinage lituanien d'action de grâces à Trok, à la suite de la victoire remportée à Chocim sur les Turcs.

De 1622 à 1624, il étudie la théologie à Rome, à cette époque la seconde patrie catholique des Polonais. Séjour capital, où il rencontre le jeune Jacob Balde, autre poète jésuite néo-latin, et où sa maîtrise de l'expression latine s'accomplit. Sa réelle piété s'y parfait aussi. Arrivé dans la Ville Éternelle l'année où le cardinal Barberini accède au pontificat sous le nom d'Urbain VIII, il est bien vite remarqué par ce fin lettré, dont il s'attache la vive amitié. Ce nouveau Mécène fait de Sarbiewski son Horace : le jésuite renouvelle, au sein de la littérature néo-latine, le travail d'invention qu'avait consenti 1 700 ans plus tôt l'auteur des *Odes*. En 1623, il offre un *Aureum seculum* à Urbain VIII, soulignant symboliquement combien l'élection du pontife inaugure un nouvel âge d'or. Le Polonais est alors adjoint aux P. Strada, Galuzzi et Petruzzi qu'Urbain VIII avait chargés de corriger les hymnes du Bréviaire et, avant Santeul en France, il achève de donner, sinon au « latin d'église », du moins à l'hymnique paléochrétienne, ses modernes lettres de noblesse artistique. De même qu'il poétise à l'antique la langue de Théologie, de même il christianise les formes et les thèmes horatiens, alors d'une pertinente actualité. En 1625, il fait imprimer son premier livre d'*Odes* : le poète inspiré est tout entier au service du Dieu chrétien. Les autres livres des *Odes*, ainsi que ses *Épodes*, composées auparavant, amplifient ce principe de composition ; le lyrisme de Sarbiewski se manifeste *ad majorem Dei gloriam*, même lorsqu'à la manière d'Horace, il évoque très simplement quelque anecdote personnelle.

Revenu dans son pays pénétré d'Antiquité autant que d'esprit religieux, Sarbiewski professe la rhétorique à Polock en 1626 et 1627 avant d'y être nommé professeur de philosophie et de théologie, une fois obtenus les doctorats en ces matières à l'Académie de Vilnius (1632 et 1636). Ses talents d'orateur sacré le font remarquer très vite par la cour et, dès 1635, il est à Varsovie prédicateur du roi Ladislas IV. Bien qu'il eût préféré se retirer dans un couvent, et malade à partir de 1637, il ne quitte plus guère le roi, à Varsovie comme dans ses déplacements, aux eaux de Bade ou à la chasse en Masovie. C'est au cours d'un de ces voyages qu'il meurt, prématurément.

L'Horace polonais, surnom que Sarbiewski se voit décerner de son vivant, eut la chance, jusqu'au XIXe siècle, d'être imprimé par les maisons les plus renommées d'Europe : 60 éditions de ses œuvres furent publiées, principalement à Cologne, Anvers, Leyde, Paris et Venise. Son œuvre accompagne la poésie religieuse d'un Gryphius ou d'un Angelus Silesius et, dès 1646, *The Odes of Casimir* — son second prénom suffisait à l'identifier — paraissent à Londres, traduites par G. Hils ; traduit aussi par Henry Vaughan, Sarbiewski influença notablement les « poètes métaphysiques » et le baroque anglais du XVIIe siècle.

Traduit en allemand, notamment par Johann G. Herder, dans la seconde moitié du XVIIIe siècle seulement, il est cependant très présent, en Allemagne, dans les études latines et restera abondamment publié, à l'usage des écoles, au XIXe siècle.

En France, il est question, dans le *Mercure de Trévoux* d'octobre 1755, d'une traduction complète de la poésie de Sarbievius : elle ne sera jamais réalisée. Mais en 1799 l'abbé Jean-Marie-Louis Coupé donne, en prose, un nombre important des odes de Sarbiewski. En 1808, Joseph Brunel, d'Arles, traduit, encore en prose, diverses odes et épigrammes. En 1878, à Paris, le Polonais Ignace Ledochowski ajoute à une courte monographie sur Sarbiewski quelques pièces traduites qui ne sont, en fait, que la reproduction, à peine modifiée, des traductions de Coupé.

J. Starnawski, "Quelques pages de l'histoire de la réception de Mathias Casimirus Sarbiewski aux XVIIe et XVIIIe siècles". – In : *Roczniki Humanistyczne = Annales des Sciences Humaines*, 26/3 (1978), pp. 87-100.

A. Thill, "M.C. Sarbiewski, l'Horace polonais. Deux aspects de son lyrisme". – In : *Revue des Études latines*, 70 (1992), pp. 228-242.

ODES

115

A.-E. Spica — 1995

Aux princes de l'Europe, pour les exhorter à reprendre sur les Turcs l'empire d'Orient (I, 12). — En donnant une voix nouvelle au latin, Sarbiewski ouvrit une voie nouvelle à son siècle. Devançant Byron, l'Horace polonais invite avec fougue les monarques de l'Europe entière à marcher contre les Ottomans pour libérer la Grèce. La dette de l'Occident est trop grande en effet pour que soit abandonnée à son sort sa mère spirituelle, même si les moyens de conviction sont bien matériels. Modulant les toponymes, le poème évoque avec insistance un pays mythique, propre aux rêveries de retrouvailles.

Ne perdons pas tout le siècle à rester sans bouger. Debout, citoyens, debout, Dardaniens[1], rendez un empire triomphant aux Grecs captifs. Courez à vos navires, tendez les toiles sur les mâts, battez les flots de vos rames : allez, mes amis[2], allez, le destin vous appelle : vos voiles se gonflent avec vos cœurs. Certains réclament l'argent qui finance les ba-

1 En qualifiant ainsi ses interlocuteurs, Sarbiewski en fait des membres responsables de la Grèce antique, abolissant d'un coup les siècles d'intervalle, et un pouvoir temporel qui ne serait rien hors de la filiation antique. (N.d.t.)

2 Sarbiewski emploie le terme de « Quirites », qui désigne les citoyens de la Rome républicaine, parce qu'il se trouve à Rome pour composer cette pièce. Parce que ce contexte n'est plus perceptible, on le traduit volontairement par un terme plus neutre. (N.d.t.)

tailles, nerf indispensable aux révolutions ? Or est-il une terre plus riche en métal précieux qu'Orique[1] enclose dans ses montagnes ? Par le fer, mes amis, si vous le voulez, nous irons acheter l'or qui s'y cache. Qui a su emporter les trésors des villes puissantes à coups de boulets de plomb s'est procuré de grandes prises à faibles frais. Et on ne se donnera d'or, on ne conquerra les richesses de Tyr ou de Chypre qu'au fil d'une épée rougie au sang de la bataille : l'or tombera en pluie du nuage des blessures, quand les armées thraces auront fini de résister et quand les Scythes se retireront ; les guerres foudroieront du tonnerre répété de leurs canons les forteresses et les réduiront en amas fumants, les feux précipiteront à terre les murailles ; les places fortes consentiront à ce qu'on les prenne en abattant leurs tours, et l'on emportera malgré leurs gémissements toutes les richesses et toutes les troupes, liées par cent chaînes. Désormais les Bactres redoutent pour leurs trésors qui leur pèsent, ainsi que la riche Aulis[2], les pourpres de Cythère, et les splendeurs de Mycènes et de Tyr ; au pays des Parthes, la blondeur étincelante de l'or se met à pâlir. La Crète aux superbes coraux blanchit, elle a presque perdu ses couleurs ; et Phtie[3], et Chypre sa voisine, pleurent sur leur rives opulentes. Qui ne se laisserait toucher par la beauté des collines ondoyantes, par l'aspect agréable des sous-bois, ou par l'onde mobile qui baigne les rives de Cynosura[4] ? Les forêts du Tempe l'apaiseront, celui qui les aura conquises à grands flots de sang, ou le Pélion escarpé, ou Samos, quand la bataille la lui aura offerte, ou la forêt du Crage[5] verdoyant, ou celle du Pangée, doucement ombragée de chênes épais, ou le vert Gnide, et il ne dédaignera pas non plus la haute Didyme, ni Olène[6] couronnée de saules épais, ni l'ombreuse Trikka. Ce n'est pas l'onde du Cydnos[7], ce n'est pas le Mélès transparent, ni le sinueux fleuve de Lydie[8] au cours pur, ce n'est pas le doux cristal du Lycormas[9], ni l'Arase aux eaux glacées qui apaiseront celui qui aspire seulement à se reposer auprès d'un courant tranquille, quand

---

1 Ville d'Épire. (N.d.t.)

2 Petit port de Béotie, où eut lieu le sacrifice d'Iphigénie pour permettre à la flotte des Achéens d'aller conquérir Troie. Tous les noms géographiques qui suivent ont été célébrés par les différents lyriques latins, d'Horace à Stace, dont Sarbiewski synthétise ici la tradition. (N.d.t.)

3 Ville de Thessalie, d'où Achille est originaire. (N.d.t.)

4 Ville d'Arcadie. (N.d.t.)

5 Montagne et promontoire de Lydie. (N.d.t.)

6 Ville d'Achaïe où Zeus fut nourri par la chèvre Amalthée. (N.d.t.)

7 Fleuve de Cilicie. (N.d.t.)

8 Il s'agit du Méandre. (N.d.t.)

9 Rivière d'Étolie. (N.d.t.)

une chaude poussière lèche les visages et les cheveux tout fumants du carnage et des combats. Il y en a qui s'efforcent de conduire Liber[1] qui procure le doux oubli après avoir vidé force coupes ? Lesbos, ou la Crète aux nombreux vignobles, les rivages de Paphos et de Chypre l'appellent à prendre le fer. Et Rhodes se garde de le refuser, non plus que Naxos tout entière occupée du sévère Cécube[2] : Trachis la fameuse et les dernières citadelles d'Amathonte[3] accepteront les coups qui les ensanglanteront, tout comme Edon[4], située presque dans le ciel, sur ses rochers, ou l'Aracynthe[5] son époux aux aulnes couverts de vigne. Certains aiment leur riche vaisselle et le coin du feu, d'autres, leurs immenses troupeaux ? Celui-ci entend hennir dans ses enclos, et ses cours d'eau font entendre un chant plus mélodieux que celui d'Orphée ? Pleuron[6] l'hospitalière réclame ses génisses, ainsi que les collines de Chléones[7], et Trézène attentive aux troupeaux, aux vallées ombreuses, ou les buissons de la forêt calydonienne[8], ou encore Gortyne[9] que parcourent en bondissant les troupeaux à leur retour, quand la rosée du crépuscule envahit les champs. Si certains ornent leur seuil d'un marbre veiné de vert, posent des portails de pierre, et se font faire des plafonds ou des pavements mosaïqués, Carystos[10] et Salamine réclament à bon droit qu'ils prennent les armes. Pour eux, l'Attique errera longuement à travers ses montagnes pour descendre sur un toit presque phrygien, et un portique se fera voir dans une cour alors remarquable.

Traduction inédite. — *Mathiæ Casimiri Sarbiewskie S.J. poloni poemata omnia. Editio omnium, quæ adhuc prodierant, longe plenissima* / Édition T. Wall. – Starvies : typis et sumptibus collegii S.J., 1892. – [Pp. 24-27].

1 Un des noms de Bacchus. (N.d.t.)

2 Le Cécube est un des vins fameux de l'Antiquité, si souvent chanté par Horace, mais sa culture se situe dans le Latium. (N.d.t.)

3 Ville de Chypre. (N.d.t.)

4 Ville de Thrace. (N.d.t.)

5 Mont d'Étolie. (N.d.t.)

6 Ville d'Étolie. (N.d.t.)

7 Ville d'Argolide. (N.d.t.)

8 Calydon est une ville d'Étolie. (N.d.t.)

9 Ville de Crète. (N.d.t.)

10 Ville d'Eubée. (N.d.t.)

ODES 116

J. Brunel — 1808

À son luth (II, 3). — Écrite à son retour de Rome, au printemps 1625 (éditée à Anvers en 1632), cette ode, parmi les plus connues de Sarbiewski, sera traduite plusieurs fois en diverses langues, entre autres par S.T. Coleridge, en 1796. Elle retient l'attention par la nouvelle approche de l'isolement, dans l'esprit néoplatonicien, liée au sujet de la solitude et du bonheur éphémère.

Fille harmonieuse du buis[1], ô ma lyre ! tu resteras suspendue aux branches d'un haut peuplier, tandis que l'air est riant, et qu'un léger zéphyr agite mollement les tranquilles feuilles des arbres.

En te sentant le jouet de la douce haleine, du doux sifflement de l'Eurus[2], je me plais à m'étendre, à me coucher négligemment sur l'herbe verdoyante de la côte.

Mais, hélas ! quels nuages couvrent tout à coup le ciel, et en troublent la sérénité ? Avec quel fracas tombe la pluie ? Levons-nous ; ah ! que nos courtes joies s'écoulent toujours rapidement.

Parnasse latin moderne ou choix des meilleurs morceaux des Poètes latins qui se sont le plus distingués depuis la renaissance des lettres jusqu'à nos jours [...] / par J. Brunel, d'Arles. – A Lyon : Chez Yvernault et Cabin, 1808. – [Tome second, pp. 273-275].

ODES 117

J.M.L. Coupé — 1799

Sur les tombeaux des rois (II, 27). — Dans cette ode *Ad Claudium Rufum* (nom et prénom fictifs), est présente l'idée, de tonalité stoïcienne et très répandue à l'époque baroque, de la fuite du temps et de la vanité du monde, mais elle est développée d'une manière originale à travers l'image des ruines, livre de sagesse pour le poète. On peut y voir les prémices de la poésie romantique des tombeaux.

Ce n'est ni le sel de Démocrite, ni la trop sublime morale du Portique de Cécrops qui occupe ma pensée. Je ne suis pas entraîné par l'éloquence de l'école de Panétius, ni par les savantes rêveries de Pythagore. Les Pyramides de Memphis m'inspirent des méditations bien plus profondes. J'y vois les larmes de la gloire terrassée, j'y vois les plus illustres monarques et leurs cendres devenues les vils jouets des zéphirs. Avec eux et sur les mêmes bûchers fument encore leurs royaumes dans un morne silence ; et ce silence me parle. Je trouve à côté de ces orgueilleux tombeaux la dé-

---

1 Luth de diverses pièces de buis liées ensemble. (N.d.t.)

2 Nom du vent d'est.

pouille mortelle du grand Pompée exposée aux injures de l'air ; et ce héros vertueux qui n'est pas honoré d'une larme, abandonné sur ce rivage désert, est plus éloquent, plus instructif pour moi que tous les philosophes du monde. Je n'ai plus besoin de pâlir sur les plus beaux génies de la Grèce, lorsque dans les antiques sépultures je ne saurais faire un pas sans marcher sur les titres, les grandeurs, la gloire, les rois, les Césars.

Les Soirées littéraires ou Mélanges de Traductions nouvelles des plus beaux morceaux de l'Antiquité ; de Pièces instructives et amusantes [...] / par J.M.L. Coupé. – A Paris : De l'imprimerie de F. Honnert, 1799. – [Tome XIV, pp. 162-163].

ODES 118

J.M.L. Coupé — 1799

À mes amis belges (III, 29). — Relativement longue (31 strophes), cette ode, sur le thème de l'amitié, répondait aux *Epicitharissima*, vers de félicitations de 14 poètes, principalement des jésuites belges, joints au recueil *Lyricum libri...* publié en 1632 à Anvers. Sarbiewski construit son sujet autour du motif mythologique de Pégase et celui du vol au-dessus de la terre comme expression de la transmission des pensées qui unissent les gens au-delà des frontières. L'œuvre ne se borne pas à illustrer l'époque, ou à exprimer des amitiés qui se sont créées lors du séjour à Rome : elle reflète aussi l'ambiance intellectuelle qui animait le milieu culturel et scientifique du Collège Germanique.

Je n'ai pas une médiocre envie de pénétrer dans la Belgique. O Grâces aimables, conduisez-moi dans cet heureux climat, amenez-moi le cheval ailé du Permesse[1] et décorez ses ailes des guirlandes de fleurs... Comme il relève sa tête altière à la voix de ces aimables Déesses, comme il est fier de recevoir un frein de roses de leurs belles mains, et avec quelle ardeur il attend qu'elles lui attachent la bulle d'or au cou ! Ah ! je vais fendre les nues avec plus d'agilité que Bellérophon... Rien ne m'arrête, j'ai déjà parcouru des contrées immenses, j'ai franchi les torrens de l'Elbe, du Rhin, de la Moselle ; je vois la brillante cité d'Anvers et l'Escaut son glorieux dominateur.

Je vous salue, ô le plus ancien de mes amis, savant *Bollandus*[2]. Ce n'est pas avec un embrassement froid que je presse votre sein vertueux. J'aime à rester sur votre visage vénérable ; à contempler vos yeux, véritable image d'une ame si pure, d'une ame où habite la sagesse. *Habbéque*[3]

1 Fleuve de Béotie prenant sa source à l'Hélicon, consacré à Apollon et aux Muses.

2 Jean Bollandus (1596-1665), un des initiateurs de la Société des Bollandistes, qui s'attela dès 1643 à la publication des *Acta Sanctorum*.

3 Gaspar Maximilien Van Hebbeke (1580-1637), poète lyrique et théologien.

favori des Muses m'arrache de vos bras, Habbéque dont la lyre est digne de célébrer les Dieux, et qui me permettra, en m'appuyant sur son sein, d'y puiser le charme des beaux vers à leur source... Mais quel autre arrive à moi avec l'empressement d'une amitié si flatteuse ? Ah ! c'est vous *Tolénare*[1] : je vous reconnois à la candeur de votre front, à la sensibilité de vos yeux, à votre ame qui paroît toujours récemment sortie des mains de la Divinité. O mon père, permettez-moi d'entendre de votre bouche cette éloquence onctueuse et pénétrante comme une pluie d'or..... Venez aussi, mon cher *Hortensianus*[2], dont le génie a le cours d'un fleuve majestueux ; et vous, bon *Diérix*[3] dont l'ame est si communicative, si aimante. Arrivez tous cinq dans mes bras, *Hoschius*[4], *Mortier, Wallius, Libens, Hésius*, afin que je puisse vous couronner ensemble autour de mon cœur dans la tendresse égale que j'ai pour vous.

O mortels, dignes des premiers âges du monde et qui en portez toutes les vertus dans votre sein, quelle douce sérénité dans vos traits, quelle grâce dans la pourpre que ma présence excite sur vos visages, quelle candeur qui décèle votre ame, quelle majesté touchante qui annonce vos mœurs !

On dit que c'est ici, dans cette heureuse Belgique, que Deucalion échappé à l'Océan qui avoit submergé le monde, vint jetter ses pierres les plus pures. Vos preux ancêtres sortis de ces pierres privilégiées conservèrent plus longtemps que tous les autres la bonne foi originelle. Mais l'ambition des rois est venue les troubler depuis. Rejettez sur eux ces guerres civiles qu'ils vous apportent. O lions belgiques, rappelez vos forces et votre magnanimité première ; et quand votre Mars vous aura rendu la paix, le règne d'Apollon renaîtra parmi vous, votre Athènes reprendra sa gloire antique, et vous rétablirez le temple de la bonne Foi et des Muses, dont votre savant du Puy[5] deviendra le prêtre[6].

---

1 Jean de Tollenaer (1582-1643), poète, théologien et prédicateur, auteur d'un recueil de sermons (1635).

2 Jacques Hortensius (Dujardin, 1586-1633), originaire de Lille, auteur de *Elegiarum sacrarum libri tres* (1636, 1639).

3 Luc Diericx (1593-1639), théologien.

4 Sidronius Hosschius (De Hossche, 1596-1653), auteur des *Elegiarum libri sex* (1656), très célèbres jusqu'en 1795.

5 Dupuy (1574-1646), historien et philologue, élève de Juste Lipse, seul non-jésuite dans le groupe des amis belges.

6 Dans cette traduction, les trois dernières strophes ont été omises, où était mentionné Guillaume Boelmans (1603-1638), auteur d'une tragi-comédie *Eustachius* qui souhaite l'amélioration de la situation en Belgique.

Les Soirées littéraires ou Mélanges de Traductions nouvelles des plus beaux morceaux de l'Antiquité ; de Pièces instructives et amusantes [...] / par J.M.L. Coupé. – A Paris : De l'imprimerie de F. Honnert, 1799. – [Tome XIV, pp. 163-165].

ÉPIGRAMMES 119

J. Brunel — 1808

Agrippine à Néron son fils (57). — Sarbiewski prisait l'épigramme « à pointe », à la forme plus rhétorique que poétique, intellectuelle, concise, s'appuyant sur le concetto. Lui-même théoricien de la pointe, mêlé aux débats romains sur le sujet, il en proposa une définition : « La pointe est un discours dans lequel se rencontrent quelque chose de discordant et quelque chose de concordant » dont il résulte, dans l'énoncé verbal, une concordance discordante ou une discordance concordante. C'est dans ce cadre énonciatif que sont ici confrontés Néron et Agrippine à partir des stéréotypes de la mère allaitant son enfant et le portant dans son sein.

Tu branles ton glaive, où l'adresses-tu ? En menaces-tu mon sein ou ma gorge ? Ah ! que ton aveugle fureur arrête une arme barbare ! Mon fils, je t'ai nourri de ces mamelles ; je t'ai porté dans ce sein. Peut-être ces deux parties de mon corps seront dignes de pardon. Je me trompe ; après t'avoir si malheureusement donné et conservé le jour, l'une et l'autre méritent la mort : frappe-les, César, toutes les deux.

Parnasse latin moderne ou choix des meilleurs morceaux des Poètes latins qui se sont le plus distingués depuis la renaissance des lettres jusqu'à nos jours [...] / par J. Brunel, d'Arles. – A Lyon : Chez Yvernault et Cabin, 1808. – [Tome second, p. 275].

SYLVILUDIA 120

A.-E. Spica — 1995

À la rosée : danse paysanne, quand Ladislas partait le matin à la chasse dans sa campagne de Soleczniki (II). — Cette série de jolies petites « fantaisies champêtres » — c'est ainsi que l'on pourrait traduire *Sylviludia poetica* — a été composée au moment où Sarbiewski accompagnait Ladislas IV à la chasse. On mesure dans cette composition tout le travail de renouvellement de la poésie antique effectué par le jésuite, dans une métrique raffinée, à faire pâlir l'auteur de la *Lettre aux Pisons*.

I — Douces rosées matinales, en tombant du ciel serein vous constellez les souples pétales des fleurs aux mille couleurs ; vous faites verdoyer la vaste mer des prés et semez de gemmes les conques des corolles fleuries.

II — Éveilleuses matinales du jardin, odorantes goutelettes de Flore, vous apaisez la soif des prés de vos petites urnes d'argent, muette pluie d'Aurore resplendissante, perles exsudées du ciel.

III — Lait brillant de la blonde déesse du Matin, qu'elle fait glisser de son sein doré dans la tendre bouche des fleurs, vous exhalez votre parfum quand le giron de cette mère nourrit tout alentour les roses aux lèvres colorées.

IV — Petites étoiles de la nuit qui se retire, gouttes de rosée, rosées du ciel, étoiles des champs, étoiles de rosée, larmes des fleurs en bouton, quand, humides, les funérailles de la nuit qui s'éteint se dissolvent, et prennent le deuil.

V — Les bêtes sauvages qui regagnent leur tanière, en laissant derrière elles la marque incertaine de leurs pas, vous les dévoilez en conservant le sillon certain de leur passage, rosées. Avec ces traces assurées, vous conduisez les chasseurs à la bête qui se cache, paisibles rosées du matin.

Traduction inédite. — *Mathiæ Casimiri Sarbiewskie S.J. poloni poemata omnia. Editio omnium, quæ adhuc prodierant, longe plenissima* / Édition T. Wall. – Starvies : typis et sumptibus collegii S.J., 1892. – [P. 256].

GALILÉE

ITALIEN • LATIN

1564-1642

Fils du musicien Vincent Galilée (env. 1520-1591), Galileo Galilei naît à Pise. En 1581, il s'y inscrit à l'Université et suit les cours de médecine, de philosophie et de mathématiques. Ses intérêts scientifiques sont déjà focalisés : astronomie et mécanique, où il fera ses principales découvertes quand, au-delà de la cosmologie aristotélicienne, il considérera que le mouvement est le centre de toute science physique.

Confronté aux difficultés financières de sa famille, il quitte l'Université, rentre à Florence, y étudie seul les œuvres d'Archimède et invente la balance hydrostatique, qu'il décrit dans une œuvre du même nom (1586). En 1589, il est lecteur de mathématiques à Pise et commence, en privé, à réfuter Aristote et à s'occuper de mécanique. De cette période datent ses expériences sur la chute des corps (du haut de la Tour de Pise) et sa découverte de l'isochronisme des oscillations du pendule. En 1592, il obtient la chaire de mathématiques à Padoue, où il restera jusqu'en 1610. Années d'intense activité où ses découvertes astronomiques et ses études sur le mouvement préparent la révolution de la science moderne de la nature, où les mathématiques pourront déterminer aussi bien les phénomènes terrestres que célestes, unifiant ainsi ce qui d'abord était considéré comme qualitativement distinct (la terre et le ciel) et libérant la nature de tout jugement de valeur fondé sur des explications ultimes.

À la première étape de ses découvertes appartient — outre le *Traité de fortification*, le *Traité de la sphère*, ou *Cosmographie* (de conception ptolémaïque) et le *De motu accelerato*, sur la dynamique —, l'important traité sur la statique, *Les Mécaniques*, traduit en français, en 1634, par le Père Mersenne, qui résumera ensuite le *Dialogue sur les plus grands systèmes*. Ces études introduisent une nouvelle conception du mouvement et conduiront à l'intuition du principe d'inertie, dont Descartes donnera la théorie. Dans ces traités apparaît aussi l'évidence nécessaire — épistémologie et méthodologie toutes modernes — qui veut que science et technique sont continues, comme la main, l'instrument et la pensée, comme l'expérience, la raison et la théorie. Cette évidence nouvelle fonde largement la pratique de Galilée. En 1604, suite à l'apparition d'une *Nova*, il soutient une polémique avec les péripatéticiens partisans de l'incorruptibilité, de l'impassibilité et de l'inaltérabilité des cieux au nom de l'unicité de l'univers ; en 1606, il publie *Les Opérations du compas géométrique et militaire*, un instrument de précision scientifique ; en 1609-1610, il perfectionne sa lunette ou « télescope », instrument à la puissance nouvelle, qui explore le ciel ; à la fin de 1609 et en 1610, Galilée découvre la structure de la voie lactée, la résolution des nébuleuses d'Orion et des Pléiades, les reliefs et les mers de la Lune et les quatre premiers satellites de Jupiter, appelés *Medicea siderea* en l'honneur du grand-duc de Toscane. Refusées par les péripatéticiens, les découvertes de Galilée, qui font sortir les arts et les techniques de leurs fonctions exclusivement empiriques et symboliques, suscitent l'enthousiasme de Kepler et, plus largement, du public éclairé.

À partir de 1610, Galilée revient à Florence où il est nommé mathématicien extraordinaire à Pise et philosophe du Sérénissime grand-duc Cosme II, sans obligation de résidence. Jusqu'en 1632, il y passe des années de relative tranquillité, se consacrant tout entier à ses recherches et à l'observation astronomique : *Sidereus nuncius* paraît en 1610, où il fait part de ses découvertes : Saturne « à trois corps », les phases de Vénus et les taches solaires. Cette dernière découverte fait l'objet, en 1612, de l'*Histoire et démonstrations sur les taches solaires et leurs accidents* où il démontre la rotation du soleil sur lui-même et adhère clairement au système copernicien, tandis que se propagent déjà les premières accusations d'hérésie, l'héliocentrisme étant alors jugé incompatible avec la doctrine chrétienne.

Cependant, Galilée défend avec ténacité la nouvelle conception astronomique dans quatre célèbres *Lettres coperniciennes* écrites de 1613 à 1615, adressées notamment à B. Castelli et à la grande-duchesse Christine de Lorraine. Il y revendique la totale autonomie de la science à l'égard de la religion, dès lors que l'une est de l'ordre du fait quand l'autre est de l'ordre du sens, et qu'elles usent différemment du langage : celui de la Bible est métaphorique et, pour être compréhensible au peuple, emploie les mots de tous les jours, tandis que celui de la science est descriptif, technique et rationnel. C'est ainsi que les textes sacrés ne peuvent fonder des hypothèses scientifiques. Cela n'empêche évidemment pas que la science est un discours vrai sur la réalité : Galilée, convaincu que le système de Copernic est vrai, refusera le conseil du cardinal Bellarmin de le considérer comme une simple hypothèse mathématique. Ce réalisme scientifique absolu, fondement de la science moderne, affranchit la nature de tout symbolisme religieux : considérée comme un *quantum*, elle peut être représentée et explorée mathématiquement. À la fin de 1615, Galilée se rend à Rome pour défendre ses positions, mais l'année suivante la Congrégation du Saint-Office condamne la théorie copernicienne et ordonne au savant de garder le silence. C'est à Florence qu'en 1623, il écrit le *Saggiatore* sur le phénomène des comètes (cinq ans avant avaient paru trois comètes et le jésuite Grassi avait donné une interprétation du phénomène en accord avec la théorie ptolémaïque). La même année, le cardinal Barberini devient pontife sous le nom d'Urbain VIII. Homme cultivé et éclairé, il a déjà révélé sa sympathie pour Galilée : ce dernier espère alors pouvoir sortir du silence et reprendre sa défense de Copernic. Ainsi, en 1632, il publie son œuvre la plus célèbre, *Dialogue sur les deux plus grands systèmes du monde, ptolémaïque et copernicien*, dialogue à trois entre le défenseur du système copernicien, Salviati, le défenseur du système ptolémaïque, Simplice, et un homme « de bon sens », Sagredo. La structure dialogique du texte, sa fine ironie, son humour, sa rigueur scientifique et l'élégance de son exposition ne lui épargnent pas les foudres du Saint-Office. En 1633, alors qu'il est vieux et malade, Galilée est convoqué à Rome où un procès le contraint à l'abjuration et le condamne à la prison à vie, peine commuée en isolement dans sa villa d'Arcetri. Pendant les dernières années de sa vie, presque aveugle, il poursuit ses études, entouré de ses disciples, et publie à Léida ses recherches sur le mouvement dans ce qui reste son œuvre majeure : *Discours et démonstrations mathématiques sur les deux nouvelles sciences concernant la mécanique* (1638). Ce dialogue affirme la base mathématique d'un savoir scientifique qui a pour fondement l'expérience empirique. Ainsi, la physique n'est plus connaissance de la nature en tant que connaissance de l'essence des choses, elle est la découverte des lois ou des rapports constants entre les phénomènes. Le discours scientifique devient donc public et vérifiable ; corollairement, le physicien, le mathématicien n'est pas moins philosophe que ceux qui, sous ce nom, entendaient rendre raison de l'essence des choses.

Philosophie et sciences de la nature s'identifient, dès lors que celle-ci, selon une image chère au platonisme de la Renaissance, est un « livre » écrit en caractères mathématiques, accessibles à tous, dont la lecture est objective puisque la nature, liée au principe de la causalité mécanique, est immuable et que, dans le domaine de la détermination mathématique, notre connaissance est aussi absolue qu'est absolument belle la simple et claire perfection de la nature. La limite de la pensée humaine par rapport à la pensée divine ne concerne dès lors que l'étendue du savoir, non son intensité.

La philosophie de la nature de Galilée dérive d'un ensemble d'éléments puisés dans le platonisme de la Renaissance, dans l'atomisme et dans la partie la plus profonde de la pensée de Giordano Bruno.

Personnalité éclectique, héritier de la Renaissance, Galilée associait à son intérêt pour l'observation empirique et pour les mathématiques théoriques et appliquées, la passion de la musique et une extrême sensibilité esthétique et littéraire qui explique que ses œuvres, loin d'être des traités arides, conjoignent rigueur scientifique et expression raffinée.

Galilée hérétique / Pietro Redondi ; traduction de Monique Aymard. – 1re édition italienne, 1983. – Paris : Gallimard, 1985. – 447 p. – (*Bibliothèque des histoires*).

Galilée / Stillman Drake ; traduit par Jean-Paul Scheidecker. – Arles : Actes-Sud, 1987. – 144 p.

L'Affaire Galilée / J.-P. Longchamp. – Paris : Éditions du Cerf, 1988. – 126 p. – (*Bref* ; 10).

LETTRES

121

P.-H. Michel — 1966

À Don Benedetto Castelli (Florence, 21 décembre 1613). — Distinction capitale des moyens, des finalités et des pertinences du discours de la science et de la foi.

Certaines choses que vous avez dites [...] ont été pour moi l'occasion de considérer à nouveau, d'un point de vue général, l'appel à l'Écriture Sainte dans les disputes de philosophie naturelle, et plus particulièrement le passage de Josué proposé en contradiction de la mobilité de la Terre et de la stabilité du Soleil [...].

[...] c'est [...] très sagement qu'il a été accordé et établi par Votre Paternité que jamais l'Écriture Sainte ne peut mentir ou errer, mais que ses décrets sont d'une vérité absolue et inviolable. J'aurais seulement ajouté que si l'Écriture ne peut errer, certains de ses interprètes et commentateurs le peuvent, et de plusieurs façons, dont une des plus communes et des plus graves serait de s'en tenir toujours au sens littéral, d'où l'on risquerait de tirer non seulement des contradictions mais des hérésies, voire des blasphèmes ; on serait en effet nécessairement conduit à donner à Dieu des pieds, des mains, des yeux, à lui attribuer des affections corporelles et humaines, des sentiments tels que la colère, le repentir, la haine et même parfois l'oubli des choses passées et l'ignorance des futures. En conséquence : de même que dans l'Écriture on trouve nombre de propositions qui, si l'on s'arrête au pur et simple sens des mots, semblent éloignées du vrai, mais sont présentées de la sorte pour s'adapter à la faible intelligence du vulgaire, de même, à l'intention des rares personnes qui méritent d'être séparées de la plèbe, il faut que de sages interprètes dégagent les significations véritables et fassent voir pour quelles raisons particulières elles ont été ainsi exprimées.

Étant donné donc que l'Écriture, en de nombreux passages, non seulement se prête à des interprétations éloignées du sens apparent des termes mais les exige, il me semble que dans tout débat sur des questions naturelles, on ne devrait l'alléguer qu'en dernière instance. En effet, l'Écriture Sainte et la nature procédant pareillement du Verbe divin, celle-là en tant que révélation du Saint Esprit et celle-ci en tant que très fidèle exécutrice des ordres de Dieu ; étant d'autre part accordé que l'Écriture Sainte, pour s'adapter à l'intelligence universelle, dit souvent des choses qui, à première vue et quant au sens des mots, sont très éloignées de la vérité absolue, tandis qu'au contraire la nature — inexorable, immuable, indifférente à ce que le secret de ses raisons et de ses modes d'action soient ou ne soient pas à la portée de la compréhension des hommes — ne transgresse jamais les limites des lois qui lui sont imposées ; il apparaît que, des effets naturels, ce que l'expérience sensible nous fait voir ou ce qu'une démonstration nécessaire nous oblige à conclure, ne doit absolument pas être révoqué en doute au nom de tel passage de l'Écriture qui, pris à la lettre, semblerait dire autre chose, puisque chaque mot de l'Écriture Sainte n'est pas déterminé par des contraintes aussi rigoureuses que chaque effet de la nature. Bien plus, si l'Écriture, dans le seul souci de s'accommoder à la capacité des peuples rudes et incultes, ne s'est pas fait faute de voiler ses dogmes les plus essentiels, attribuant à Dieu même des caractères tout à fait étrangers et contraires à son essence, qui oserait soutenir et affirmer que, laissant de côté ce même souci quand elle parle, fût-ce incidemment, de la Terre, du Soleil ou de quelque autre créature, elle ait choisi de s'en tenir en toute rigueur au sens étroit et littéral des mots ? Et surtout pour dire, au sujet des créatures qui n'ont rien de commun avec l'intention première des livres saints, des choses telles que leur vérité nue et découverte eût tôt fait de contrarier cette première intention en rendant le vulgaire plus rétif aux conseils des articles concernant son salut ?

Ceci posé et, de plus, étant évident que deux vérités ne peuvent se contredire, le devoir des interprètes sagaces est de se donner pour tâche de montrer que les véritables significations des textes sacrés s'accordent aux conclusions naturelles, aussitôt que nous ont rendus sûrs et certains le témoignage manifeste des sens ou d'irréfutables démonstrations. Je dirai plus : les Écritures, encore qu'inspirées par l'Esprit Saint, admettant en bien des passages, pour les raisons que j'ai alléguées, des interprétations éloignées de leur sens littéral, et nous-mêmes ne pouvant affirmer en toute certitude que leurs interprètes parlent tous sous l'inspiration divine, j'estimerais prudent de ne permettre à personne d'engager les sentences de l'Écriture et de les obliger en quelque sorte à garantir la vérité de telle conclusion naturelle dont il pourrait arriver que nos sens ou des démonstrations indubitables nous prouvent un jour le contraire[1]. Et qui prétendra assigner une limite aux génies humains ? Qui osera affirmer que tout ce qui est connaissable au monde est déjà connu ? Aux articles relatifs au salut et au fondement de la foi, assez solides pour qu'il n'y ait aucun danger qu'on puisse dresser contre eux une doctrine valable et efficace, il serait donc, sans doute, de bon conseil de n'en point ajouter d'autres sans nécessité. Et s'il en est ainsi, dans quel désordre ne se jetterait-on pas en les ajoutant à la requête de personnes dont nous ignorons si une vertu céleste les inspire et dont en outre nous voyons clairement qu'elles sont tout à fait dénuées de l'intelligence qui serait indispensable, je ne dis pas pour réfuter, mais pour comprendre les démonstrations par lesquelles procèdent les sciences les plus subtiles pour confirmer leurs conclusions ?

Je croirai volontiers que l'autorité des lettres sacrées n'eut pas d'autre intention que d'enseigner aux hommes les articles et les propositions qui, nécessaires à leur salut et dépassant toute raison humaine, ne pouvaient être enseignés et rendus croyables sinon par la bouche même de l'Esprit Saint. Mais que Dieu qui nous a doué de sens, de raison et d'intellect ait voulu que nous négligions d'en faire usage, qu'il ait voulu nous donner un autre moyen de connaître ce que nous pouvons atteindre par eux, je ne pense pas qu'il soit nécessaire de le croire, et surtout dans ces sciences dont l'Écriture ne nous offre que d'infimes parcelles dispersées çà et là, ce qui est justement le cas de l'astronomie, dont il est si peu question dans

---

1 Dans une célèbre lettre de 1615 à Madame Christine de Lorraine, grande-duchesse de Toscane, Galilée revient sur la question et cite saint Augustin « traitant de conclusions naturelles concernant les corps célestes » : « Pour le moment, nous contentant d'observer une pieuse réserve, nous devons, sur ce sujet obscur, ne rien croire à la légère, dans la crainte que, plus tard, nous ne rejetions, par amour de notre erreur, ce que la vérité pourrait découvrir qui ne serait point contraire aux saints livres de l'Ancien et du Nouveau Testament » (*De Genesi ad litteram*, II., 18). (Traduction François Russo. In : *Galilée : aspects de sa vie et de son œuvre* / Centre international de synthèse. Section d'Histoire des Sciences. – Paris : P.U.F., 1968. – [P. 332]).

les livres saints que les planètes ne s'y trouvent même pas nommées. Si les premiers auteurs sacrés avaient eu la pensée d'enseigner au peuple l'ordre et le mouvement des corps célestes, ils n'en auraient pas traité si brièvement, car ce qu'ils en disent n'est rien en comparaison des innombrables, des très hautes, des très admirables vérités que cette science enferme.

Que Votre Paternité considère avec quel désordre, si je ne m'abuse, procèdent, quand ils disputent de questions naturelles qui ne sont pas directement *de fide*, ceux qui mettent aussitôt en avant des passages de l'Écriture trop souvent mal compris par eux.

Dialogues. Lettres choisies / Galilée ; traduction de Paul-Henri Michel. – Paris : Hermann, 1966. – (*Histoire de la pensée* ; XIV). – [Pp. 385-388].

LES MÉCANIQUES 122

M. Mersenne — 1634

Dans lequel on void la Preface qui monstre l'utilité des Machines (chapitre I). — Temps et force font la mécanique, dans des équilibres d'efficacité dont les utilités démonstratives et pratiques stimuleront bientôt, avec l'idée du progrès, les inventions technologiques, caractéristique majeure de la modernité.

Avant que d'entreprendre la speculation des instrumens de la Mechanique, il faut remarquer en general les commoditez, & les profits que l'on en peut tirer, afin que les artisans ne croyent pas qu'ils puissent servir aux opérations dont ils ne sont pas capables, & que l'on puisse lever de grands fardeaux avec peu de force : car la nature ne peut être trompée, ni ceder à ses droits : & nulle resistence ne peut estre surmontée que par une plus grande force, comme je feray voir apres : & consequemment les Machines ne peuvent servir à lever de plus grands fardeaux que ceux qu'une force égale peut lever sans l'aide d'aucun instrument : c'est pourquoy il faut expliquer les vrayes utilitez des Machines, afin que l'on ne travaille pas en vain, & que l'estude que l'on fera réussisse heureusement.

Il faut donc icy considerer 4 choses, à sçavoir le fardeau que l'on veut transporter d'un lieu à un autre ; la force qui le doit mouvoir ; la distance par laquelle se fait le mouvement ; & le temps dudit mouvement, parce qu'il sert pour en déterminer la vistesse, puisqu'elle est d'autant plus grande que le corps mobile, ou le fardeau, passe par une plus grande distance en mesme temps : de sorte que si l'on suppose telle résistence, telle force, & telle distance déterminée que l'on voudra, il n'y a nul doute que la force requise conduira le fardeau à la distance donnée, quoy que ladite force soit très-petite, pourveu que l'on divise le fardeau en tant de parties que la force en puisse mouvoir une, car elle les transportera toutes les unes après les autres ; d'où il s'ensuit que la moindre force du monde peut transporter tel poids que l'on voudra.

Mais l'on ne peut dire à la fin du transport, que l'on ayt remué un grand fardeau avec peu de force, puisqu'elle a toujours esté égale à chaque partie du fardeau ; de manière que l'on ne gaigne rien avec les instrumens, d'autant que si l'on applique une petite force à un grand fardeau, il faut beaucoup de temps, & que si l'on veut le transporter en peu de temps, il faut une grande force. D'où l'on peut conclure qu'il est impossible qu'une petite force transporte un grand poids dans moins de temps qu'une plus grande force.

Neantmoins les Machines sont utiles pour mouvoir de grands fardeaux tout d'un coup sans les diviser, parce que l'on a souvent beaucoup de temps, & peu de force ; c'est pourquoy la longueur du temps recompense le peu de force. Mais celuy-là se tromperoit qui voudroit abreger le temps en n'usant que d'une petite force, & montreroit qu'il n'entend pas la nature des Machines, ny la raison de leurs effets.

La seconde utilité des instrumens consiste en ce qu'on les applique à des lieux dont on ne pourroit tirer, ou transporter les fardeaux, & beaucoup de choses, sans leur ayde, comme l'on expérimente aux puits, dont on tire de l'eau avec une corde attachée aux poulies, ou aux arbres des roues, par le moyen desquelles on en tire une quantité, dans un certain temps, avec une force limitée, sans qu'il soit possible d'en tirer une plus grande quantité avec une force égale, & en mesme temps. Aussi les pompes qui vuident le fond des Navires, n'ont elles pas esté inventées pour puiser, & tirer une plus grande quantité d'eau dans le mesme temps, & par la mesme force dont on use en puisant avec un seau, mais parce qu'il est inutile à cet effet, d'autant qu'il ne peut puiser l'eau sans s'enfoncer dedans, car il faudroit le coucher au fond pour puiser obliquement le peu d'eau qui reste : ce qui ne peut arriver quand on le descend avec un chorde, qui le porte perpendiculairement ; mais la pompe tire l'eau jusques à la dernière goute.

La 3. utilité des Machines est tres-grande, parce que l'on évite les grans frais & le coult en usant d'une force inanimée, ou sans raison, qui fait les mesmes choses que la force des hommes animée, & conduite par le jugement, comme il arrive lorsque l'on fait meudre les moulins avec l'eau des estangs, ou des fleuves, ou avec un cheval qui supplée la force de 5 ou

6 hommes. Et parceque le cheval a une grande force, & qu'il manque de discours, l'on supplée le raisonnement nécessaire par le moyen des roues & des autres Machines qui sont ébranlées par la force du cheval, & qui remplissent & transportent le vaisseau d'un lieu à l'autre, & qui le vuident suivant le dessein de l'Ingenieur. Or il faut conclure de tout ce discours que l'on ne peut rien gaigner en force que l'on ne le perde en temps, & que la plus grande utilité des Machines consiste à épargner la dépence, comme j'ay monstré, & consequemment que ceux qui travaillent à suppléer la force & le temps tout ensemble, ne méritent nullement d'avoir du temps, puisqu'ils l'employent si mal, comme l'on verra à la suitte de ce traité.

Les Mechaniques / de Galilée, mathématicien & ingénieur du duc de Florence, avec plusieurs additions rares, & nouvelles, utiles aux Architectes, Ingénieurs, Fonteniers, Philosophes, & Artisans ; traduites de l'italien par le P. Marin Mersenne ; édition critique par Bernard Rochot. – Paris : P.U.F., 1966. – (*Le Mouvement des idées au XVII*^e^ *siècle* ; 4). – [Pp. 23-25].

DIALOGUE SUR LES DEUX GRANDS SYSTÈMES DU MONDE 123

R. Fréreux, Fr. de Gandt — 1992

La lune, en vérité (Première journée).

SAGREDO : Je vous en prie, puisque nous y sommes, expédions les affaires de la Lune, pour ne pas avoir à refaire un si long chemin.

SALVIATI : Comme vous le voudrez. Pour commencer par les choses les plus générales, je crois que le globe lunaire est très différent du globe terrestre, bien qu'il y ait des ressemblances entre eux : c'est de celles-ci que je vais parler avant de passer aux différences.

La Lune a même forme que la Terre, c'est certain, indubitablement elle est sphérique ; cette conclusion s'impose quand on voit son disque parfaitement circulaire et la façon dont elle reçoit la lumière du Soleil : si sa surface était plane, on la verrait en un instant toute couverte de cette lumière et en un instant toute dépouillée de lumière ; on ne verrait pas, comme c'est le cas, la lumière disparaître d'abord des parties qui regardent vers le Soleil puis des parties suivantes : c'est au moment de l'opposition, et pas avant, que la totalité du disque apparent est éclairé ; tout l'opposé arriverait si sa surface visible était concave : l'éclairement commencerait alors par les parties opposées au Soleil.

Deuxièmement, comme la Terre, elle est par elle-même obscure et opaque, ce qui lui permet de recevoir et de renvoyer la lumière du Soleil : elle ne pourrait le faire autrement.

Troisièmement, je soutiens que sa matière est très dense et très solide, autant que celle de la Terre ; la raison en est très claire : sur sa plus grande partie, sa surface est inégale et, grâce au télescope, on y observe beaucoup de bosses et de creux ; beaucoup de ces bosses ressemblent en tout point à nos montagnes les plus abruptes et escarpées. On en observe qui s'étendent sur des centaines de milles ; d'autres sont en groupes plus ramassés ; il y a aussi de nombreux rochers séparés et solitaires, aux pentes très raides et abruptes ; le cas le plus fréquent est celui de certaines levées [*argini*] (j'utilise ce mot, car je n'en vois pas de plus approprié) très saillantes, qui enclosent et circonscrivent des plaines de différentes grandeurs, et ont des formes diverses, la plupart circulaires cependant ; beaucoup ont en leur milieu une montagne fort abrupte, et quelques-unes de ces plaines, les plus grandes, sont remplies d'une matière plutôt obscure, comme celle des grandes taches qu'on voit à l'œil nu ; le nombre des très petites, presque toutes circulaires, est très important.

Quatrièmement, de même que la surface de notre globe se divise en deux grandes parties, la terrestre et l'aquatique, de même sur le disque lunaire on distingue nettement de grandes zones qui brillent plus et d'autres moins. Leur aspect me laisse à penser que celui de la Terre y ressemblerait beaucoup si, de la Lune ou d'une distance semblable, quelqu'un la voyait éclairée par le Soleil : la surface de la mer paraîtrait plus obscure, celle de la Terre plus claire.

Cinquièmement, tout comme de la Terre on voit la Lune éclairée tantôt en totalité, tantôt à moitié seulement, tantôt plus ou moins (elle a alors la forme d'un croissant), et qu'à d'autres moments elle est totalement invisible, parce que alors, elle est sous les rayons du Soleil et que la partie qui regarde vers la Terre est totalement dans les ténèbres ; de même, avec la même période précisément et les mêmes changements de forme, verrait-on de la Lune la face de la Terre éclairée par le Soleil.

Sixièmement...

SAGREDO : Doucement, signor Salviati. Que les différentes formes d'éclairement de la Terre, pour quelqu'un qui serait sur la Lune, doivent en tout point ressembler à ce que nous observons sur la Lune, je le comprends fort bien ; mais je ne suis pas convaincu qu'on doive constater la même période : ce que l'éclairement du Soleil fait en un mois sur la surface de la Lune, il le fait en vingt-quatre heures sur la surface de la Terre.

SALVIATI : C'est vrai, il y a une différence dans la façon dont le Soleil éclaire les deux corps et fait briller toute leur surface : sur la Terre il y faut un jour naturel, et un mois sur la Lune ; mais les changements des formes sous lesquelles on verrait de la Lune les parties illuminées de la surface terrestre ne dépendent pas seulement de cette différence, mais aussi des relations changeantes entre la Lune et le Soleil : si, par exemple, la Lune suivait exactement le mouvement du Soleil et était toujours sur la ligne qui joint le Soleil et la Terre, donc toujours en ce qu'on appelle conjonction, alors elle verrait toujours l'hémisphère de la Terre qui regarde vers le Soleil et le verrait donc perpétuellement éclairé en totalité ; si au contraire elle demeurait toujours en opposition avec le Soleil, elle ne verrait jamais la Terre, car c'est la partie ténébreuse, donc invisible, qui serait continuellement tournée vers elle ; et quand la Lune est à la quadrature du Soleil, une moitié de l'hémisphère terrestre étant exposée à la vue de la Lune, celle qui est du côté du Soleil est éclairée, l'autre, à l'opposé du Soleil, est obscure : la partie éclairée de la Terre se présenterait donc à la Lune sous la forme d'un demi-cercle.

SAGREDO : Je comprends très bien ; je saisis fort bien aussi que la Lune, s'écartant de l'opposition avec le Soleil, où elle ne voyait rien d'éclairé sur la surface de la Terre, pour se rapprocher du Soleil jour après jour, en vient à découvrir peu à peu certaines parties éclairées de la Terre, qu'elle voit alors sous forme d'un fin croissant puisque la Terre est ronde ; jour après jour, la Lune, en son mouvement, se rapproche encore plus du Soleil : elle découvre une partie de plus en plus grande de l'hémisphère terrestre éclairé ; à la quadrature, elle ne découvre exactement la moitié (d'elle on en voit autant alors) ; continuant à se rapprocher de la conjonction, elle découvre des parties de surface éclairée de plus en plus grandes ; finalement, à la conjonction, elle voit tout l'hémisphère éclairé. Bref je comprends très bien que, pour celui qui de la Lune verrait la Terre, il se passerait la même chose, mais dans l'ordre inverse, que ce qui se passe pour les habitants de la Terre qui voient les variations de la Lune ; quand la Lune pour nous est pleine, donc en opposition avec le Soleil, il verrait la Terre en conjonction avec le Soleil, donc totalement obscure et invisible ; au contraire, ce qui est pour nous la conjonction de la Lune et du Soleil — c'est-à-dire la nouvelle lune [*Luna silente*], alors invisible — serait pour lui l'opposition de la Terre et du Soleil, le moment pour ainsi dire de la pleine terre, quand elle est totalement éclairée ; enfin, autant à un moment donné nous voyons de surface éclairée sur la Lune, autant de la Lune au même moment on verrait de surface obscure sur la Terre ; autant pour nous il y a de Lune sans lumière, autant, de la Lune, il y a de Terre éclairée ; ce n'est qu'aux quadratures qu'on voit un demi-cercle éclairé de Lune et qu'on verrait donc aussi un demi-cercle éclairé de Terre. Il n'y a qu'une différence, me semble-t-il, entre ces opérations réciproques : dans la simple hypothèse [*dato e non concesso*] où il y aurait quelqu'un sur la Lune pour regarder la Terre, en raison du mouvement de la Lune autour de la Terre en vingt-quatre ou vingt-cinq heures, il devrait voir chaque jour toute la surface de la Terre ; mais nous, nous ne voyons jamais plus de la moitié de la Lune, parce qu'elle ne tourne pas sur elle-même, comme elle le devrait pour pouvoir se montrer à nous tout entière.

SALVIATI : À moins que ce ne soit le contraire, je veux dire à moins que ce ne soit à cause de sa rotation sur elle-même que nous n'en voyons jamais l'autre moitié ; il devrait en être ainsi si la Lune avait un épicycle[1]. Mais pourquoi négligez-vous une autre différence, contrepartie de celle que vous avez remarquée ?

SAGREDO : Laquelle ? Aucune autre ne me vient à l'esprit.

SALVIATI : Celle-ci : la Terre, vous l'aviez bien noté, ne voit que la moitié de la Lune, alors que de la Lune on voit toute la Terre ; mais inversement, toute la Terre voit la Lune, alors que la moitié de la Lune seulement voit la Terre ; les habitants, si j'ose dire, de l'hémisphère supérieur de la Lune, celui qui nous est invisible, sont privés de la vue de la Terre, ce sont là peut-être les Antichtones[2].

Mais voici que me revient en mémoire un phénomène particulier, récemment observé sur la Lune par notre Académicien, d'où découlent avec nécessité deux conséquences : l'une, c'est qu'on voit un peu plus de la moitié de la Lune ; l'autre, c'est que la Lune tourne exactement autour du centre de la Terre. Voici le phénomène et l'observation.

Si la Lune a une correspondance et une sympathie naturelle avec la Terre, vers laquelle elle regarde par une de ses parties bien déterminée, il faut que la ligne droite qui unit leurs centres passe toujours par le même point de la surface de la Lune ; celui qui la regarderait du centre de la Terre verrait donc toujours le même disque de la Lune, exactement délimité par une même circonférence ; mais, pour quelqu'un qui est à la surface de la Terre, le rayon qui va de son œil au centre du globe lunaire ne

---

1 Rappelons que l'épicycle d'un corps céleste est l'orbite circulaire qu'il parcourt autour d'un centre qui lui-même se déplace circulairement autour de la Terre (cf. la définition qu'en donne Galilée dans sa *Lettre à Piero Dini*, Ed. naz., t. V, p. 298). (N.d.t.)

2 Antichtones, ou Antiterriens, par référence à une hypothèse des pythagoriciens, selon lesquels il existerait une planète (l'Antiterre) constamment invisible pour nous parce qu'elle serait toujours cachée de l'autre côté de la Lune. Cf. Aristote, *De Cælo*, II, 13, et Simplicius, *Commentaire in De Cælo*, 511. (N.d.t.)

passerait pas par le même point de sa surface que la ligne qui va du centre de la Terre au centre de la Lune — sauf dans le cas particulier où il se trouve à la verticale ; mais quand la Lune est à l'est ou à l'ouest, le point d'incidence du rayon visuel se situe au-dessus de celui de la ligne qui joint les centres ; il y a donc une partie de l'hémisphère lunaire, sur le bord supérieur de la circonférence, qui se découvre, et il y a une partie égale, sur le bord inférieur de la circonférence, qui se cache ; je dis « se découvre » et « se cache » par rapport à l'hémisphère qu'on verrait du centre exact de la Terre ; comme la partie de la circonférence de la Lune qui se trouve au-dessus à son lever se trouve au-dessous à son coucher, on ne peut manquer de remarquer la différence d'aspect entre les parties supérieure et inférieure ; tantôt on découvrira certaines taches ou d'autres choses remarquables en ces parties, tantôt elles seront cachées. On devrait observer aussi une semblable variation aux extrémités, boréale et australe, du même disque, suivant que la Lune se trouve en tel ou tel ventre de son dragon[1] ; en effet, quand elle est au nord, certaines de ses parties du nord sont cachées et l'on découvre des parties du sud, et inversement.

Dialogue sur les deux grands systèmes du monde / Galileo Galilei ; traduit de l'italien par René Fréreux ; avec le concours de François de Gandt. – Paris : Éditions du Seuil, 1992. – [Pp. 94-97].

1 Le cercle que parcourt la Lune autour de la Terre coupe l'écliptique en deux points, « et ce cercle constitue avec l'écliptique le dragon de la Lune » : les deux figures constituées par les demi-cercles de l'écliptique et de la rotation de la Lune « sont comme deux serpents, plus larges du côté du ventre, plus étroits à l'extrémité » (cf. Galilée, *Traité de la Sphère*, Ed. naz., t. II, p. 245). (N.d.t.)

QUEVEDO

ESPAGNOL

1580-1645

Né à Madrid dans une famille liée à la Cour (son père fut secrétaire de la reine Anne-Marie, épouse de Philippe II, et sa mère, dame d'honneur de la reine), Francisco de Quevedo Villegas étudie, vers 1600, les lettres, le français, l'italien et les langues classiques, d'abord sous la direction des jésuites, puis à l'université d'Alcalá de Henares où il obtient un diplôme d'Arts et de Philosophie. À Valladolid, où la cour de Philippe III s'est installée à partir de 1601, il étudie la théologie et, de retour à Madrid en 1609, reçoit les ordres mineurs. De cette époque date son inimitié, aussi froide que tenace, pour Luis de Góngora, qu'il blessera de quelques vers des plus cassants : « Celui-ci au jargon quitta le nom / Car au vu de sa manière cyclopéenne d'écrire / Les gens l'ont rebaptisé "jargongora". / Clerc, enfin, de si pure dévotion / Qu'au lieu de prier, il s'adonnait à la divination. / […] Il s'en fut du côté de Satan, savant et pelé / Voyez si Satan en est heureux ! » Début d'une longue suite d'oppositions avec ses contemporains (Alarcón, Juan Pérez de Montalbán ou encore le fameux maître d'armes Luis Pacheco de Narváez, qui le dénonça auprès de l'Inquisition).

Son peu de fortune le confine d'abord dans ses propriétés de Torre de Juan Abad (Ciudad Real) où il termine son *Héraclite chrétien* et les *Larmes castillanes de Jérémie*. Mais sa prédilection pour la vie de cour l'attire dans l'entourage du duc d'Osuna, qu'il accompagne en Sicile en 1614. Secrétaire des Finances en 1617, il reçoit, pour services rendus, l'habit de l'ordre de Saint-Jacques. La révocation du duc d'Osuna le reconduit dans ses terres, où il retourne encore en 1622, sur ordre de Philippe IV, après avoir été emprisonné à Uclès, puis libéré grâce au duc d'Olivarès, dédicataire de sa *Lettre satirique*, une composition lyrique qui lui inspirera *Comment doit être le favori du roi*, une comédie sur l'attitude politique et l'humeur de qui prétend conserver cette faveur.

Tempérament polémique et anticonformiste, Quevedo s'oppose alors avec virulence à la promotion de sainte Thérèse de Jésus au rang de seconde sainte patronne de l'Espagne, après saint Jacques. À nouveau relégué, en 1628, dans ses terres, il écrit son célèbre *Mémorial pour le patronage de saint Jacques* ainsi qu'un poème dépréciant sainte Thérèse. Après l'intervention du pape Urbain VIII en faveur de saint Jacques, fin 1628, Quevedo rentre à la Cour, est pressenti pour occuper d'importantes charges publiques mais s'y refuse. Il accepte cependant, en 1632, le titre honorifique de Secrétaire du Roi. En 1634, il épouse une veuve mère de trois enfants mais s'en sépare quatre mois plus tard, et définitivement en 1636. En décembre 1639, il est arrêté et emprisonné au Couvent royal de Saint-Marc, à León, accusé par le duc d'Olivarès, dont il a critiqué le gouvernement, de travailler à la solde du roi de France. Après cinq ans de détention, il réintègre la Cour, mais y reste peu, vu le délabrement de sa santé. L'année suivante, il meurt au couvent de Saint-Dominique.

Affligé de deux pieds bots, complexé, intransigeant, revêche et féroce, cet homme courageux et cultivé, sans cesse soucieux de l'Espagne, se servit de sa plume aussi bien comme d'une arme que comme d'un pinceau. Son œuvre embrasse tous les genres et y a laissé des chefs-d'œuvre : discours, traités, dialogues, sermons, satires, biographies, œuvres dramatiques, compositions lyriques et un roman.

Ses écrits poétiques furent partiellement rassemblés après sa mort par son ami González de Salas dans un volume intitulé *Le Parnasse espagnol, mont à deux cimes, avec les cinq muses castillanes.* À la mort de González de Salas (1648), le neveu de Quevedo, Pedro Aldrete y Villegas, acheva le travail avec *Les Trois Dernières Muses castillanes, seconde cime du Parnasse espagnol* (1670). Mais l'ami et le neveu aménagèrent quelquefois les textes...

Fortement marquée par une conception de l'amour lié à la mort, sa poésie, dans ses divers registres, métaphysique, burlesque, amoureux ou érotique, tend à fustiger. Quevedo s'en prend aux vices et défauts de l'humanité, à l'ambition, à l'avarice, à la flatterie, à l'hypocrisie, à l'envie, à l'injustice. Considéré comme le plus grand satirique de la littérature espagnole, il ironise à plaisir sur la société de son temps et les différents types qui la composent, juges, médecins, apothicaires, gens d'arme, clergé, sans oublier les favoris, les cocus, les vieilles entremetteuses, les courtisanes, etc.

En prose également, la satire domine. *Les Songes* présentent une série de tableaux de mœurs, émaillés de commentaires malicieux sur la société décadente. D'autres traités, philosophiques, religieux, moraux ou sociaux illustrent encore cette veine : *Le Berceau et la tombe* (1634), *Le Discours de tous les diables, ou l'enfer amélioré* (1638), *La Fortune du sexe et la dernière heure de chacun* (1650).

Dans ses traités politico-religieux, *La Vie de saint Paul* (1643-1644), *La Vie de Marco Bruto* (1644) ou *La Politique de Dieu, le gouvernement du Christ et la tyrannie de Satan* (1626-1655), Quevedo se situe dans la tradition des portraits exemplaires de l'humanité. Au-delà de l'intention doctrinale, cependant, apparaît constamment la critique de la monarchie et de la société contemporaine.

L'œuvre en prose comporte un roman picaresque, de date incertaine, *La Vie du Buscón appelé Don Pablos.* Conjuguant art de la narration et satire sociale, servi par une plume incisive et corrosive, ce récit offre une galerie de caricatures, sorties tout droit de l'univers baroque : un clerc poète, un maître avare, un pseudo-noble arrogant, un fou passionné d'escrime. L'histoire est présentée au travers du regard aussi pénétrant qu'irrévérencieux d'un picaro sans foi ni loi, qui montre l'humanité dans ce qu'elle a de plus vil. Mis à l'école d'une mère sorcière et entremetteuse et d'un père barbier et voleur, Pablos reçoit la meilleure éducation dont puisse bénéficier une jeunesse désordonnée, qui le conduira à s'exiler en Amérique après avoir commis un meurtre. Le roman, qui se termine sur la promesse d'une seconde partie, jamais écrite, connut un succès retentissant et ne tarda pas à être traduit en français (1633) sous le titre de *Histoire de Grand Taquin* — une seconde traduction française paraîtra, à Paris, en 1843, sous le titre de *Histoire de Don Pablo de Segovie, surnommé l'aventurier Buscón*, par Germond de Lavigne ; suivront aussitôt des traductions en italien (1634), en néerlandais (1642 et 1699) et en anglais (1657).

Héritage et création: recherches sur l'humanisme de Quevedo / Michèle Gendreau. – Lille : Atelier de reproduction des thèses ; Paris : H. Champion, 1977. – VI-492 p. – [Thèse, Paris IV, 1975].

Francisco de Quevedo / M. Durán. – Madrid : EDAF, 1978. – 351 p. – (*Escritores de todos los tiempos* ; 2).

Le Paradoxe dans la Vida de Marco Bruto de Quevedo / M. Roig Miranda. – Paris : E.N.S.J.F., 1980. – XVIII-178 p. – (*Collection de l'École normale supérieure de jeunes filles* ; 14).

Quevedo y los franceses / Antonio López Ruiz. – Almería : Cajal, 1980. – 48 p. – (*Coll. Tele-Historieta*).

E. Cros, "La version définitive du *Buscón* : réexamen de la question à la lumière de la génétique textuelle". – In : *Imprévue*, 1 (1986), pp. 29-43.

SONNETS 124

J. Camp — 1929

Hier s'en est allé, demain n'est pas venu... — Dans ce sonnet métaphysique, sur l'œuvre cruelle du temps, la vie ne semble qu'un lassant intermède entre langes et linceul.

Ho de la vie ! Eh quoi ! personne ne répond ?
Mes jours se sont usés aux crocs de la fortune.
La gloire et l'insuccès dans leur ronde importune
ont dévoré mon âge et dégarni mon front.

Sans savoir où, voici que les biens de ce monde
Ont disparu : santé, jeunesse, tout a fui.
Sans qu'on ait vu jamais couler chaque seconde,
Le soleil de la mort, pâle et limpide, a lui.

Tout est vain. Hier n'est plus, demain n'est pas encore.
Aujourd'hui réunit sa chute à son aurore.
Passé, présent, futur, me voici las et seul.

Hier, aujourd'hui, demain me laissent en partage
Les langes du berceau, la toile du linceul...
Crois-moi : c'est le plus clair de tout notre héritage.

Quevedo, homme du diable, homme de Dieu / René Bouvier. – Paris : Champion 1929. – [T. 2, p. 363].

SONNETS 125

P. Darmangeat — 1963

Décrépitude de la patrie. — Pressentiment que se hâte le destin final d'un Empire qui s'écroule.

J'ai regardé les murs de ma patrie
naguère forts et aujourd'hui croulants ;
ils sont ruinés par la course des ans
qui a rendu leur vaillance caduque.

J'ai vu les champs : le soleil y buvait
les ruisselets délivrés de leurs glaces ;
et les troupeaux se plaignaient aux montagnes
dont l'ombre au jour déroba sa lumière.

Je suis entré dans ma maison : souillée,
d'une demeure elle était le débris ;
et mon bâton ne me soutenait plus.

Mon épée même était vaincue par l'âge,
et je n'ai rien trouvé sur quoi poser les yeux
qui de la mort ne me fît souvenir.

La Poésie espagnole : anthologie des origines à nos jours / préface, choix et notices par Pierre Darmangeat. – Paris : Marabout-Seghers, 1963. – (*Collection Melior* ; 26). – [P. 203].

SONNETS 126

Cl. Esteban — 1992

L'amour constant au-delà du Léthé. — Traditionnel — il doit à Properce, Camoens et Herrera — autant qu'original, ce sonnet atteste qu'au-delà de la mort et de l'oubli persiste la passion amoureuse.

Voiler pourra mes yeux l'ombre dernière
Qu'un jour m'apportera le jour si blanc,
Et délier cette âme encore mienne
L'heure flatteuse au fil impatient ;

Mais non sur cette rive-ci de la rivière
Ne laissera le souvenir, où il brûla :
Ma flamme peut nager parmi l'eau froide
Et manquer de respect à la sévère loi.

Âme, à qui tout un Dieu a servi de prison,
Veines, qui à tel feu avez donné vos sucs,
Moelle, qui glorieuse avez brûlé,

Vous laisserez le corps, non le souci ;
Vous serez cendre, mais sensible encore ;
Poussière aussi, mais poussière amoureuse.

Monuments de la mort : trente et un sonnets / de Francisco de Quevedo ; traduits de l'espagnol par Claude Esteban. – Paris : Deyrolle éditeur, 1992. – [P. 27].

SONNETS

127

S. et C. Pradal — 1988

Mort, lumière de la vie.

Le voici donc, effrayant, formidable,
Ce dernier jour qui sonne dans le cœur,
Et voici l'heure ultime qui s'approche
Froide et noire, pleine d'effroi et d'ombres.

Si c'est l'heureux sommeil, la paix sereine
Que, vêtue de chagrins, la mort envoie,
Son dédain montre aussi sa courtoisie :
C'est plus une caresse qu'une peine.

Que prétend cette peur désaccordée
De celle qui, pieusement, délivre
L'esprit dans ses misères ligoté ?

Vienne la mort pour préparer mon bien ;
Qu'elle ait ma gratitude, non ma crainte ;
Et que, tranchant mes jours, elle ordonne ma vie.

L'Ombre dernière : dix sonnets / Quevedo ; trad. Sophie et Carlos Pradal. – Pin-Balma : Sables, 1988. – [P. 29].

LA VIE DU BUSCÓN APPELÉ DON PABLOS

128

J.-H. Rosny — 1902

Un vivant mascaron de la misère (Chapitre 3). — Pablos accompagne son maître Don Diego Coronel à la maison du *Professeur* Cabra, où ils éprouveront la faim la plus atroce, due à l'avarice du licencié, dont suit la description. Maîtrise du langage et sens de l'humour maintiennent le *Buscón* — « celui qui cherche », le « fureteur », voire l'« escroc », le « voleur » — dans l'ambiguïté entre ce que Pablos croit être et ce qu'il est réellement.

C'était un clerc sarbacane, tout en longueur, une tête petite et des cheveux roux (je n'aurai pas à en dire davantage pour qui connaît le proverbe : ni chien ni chat de cette couleur), les yeux si bien enfouis dans l'occiput qu'ils paraissaient regarder au travers de grands paniers de vendange, étaient assez profonds et obscurs pour servir de boutique à des marchands. Le nez se trouvait entre Rome et la France, car il était tout rongé d'une humeur froide, mais qui ne provenait pas du vice, parce que le vice coûte de l'argent. La barbe était décolorée par la crainte de la bouche voisine, qui semblait menacer de la dévorer par pure faim. Il lui manquait on ne sait combien de dents ; je pense qu'on les avait bannies comme fainéantes et vagabondes. Son cou était long comme celui d'une autruche, avec une pomme si tombante qu'elle semblait s'en aller, contrainte par la nécessité, à la recherche de quelque nourriture. Ses bras étaient secs, chacune de ses mains pareille à une poignée de sarments. Vu par la moitié la plus basse du corps, on eut dit une fourchette ou un compas, avec ses deux jambes longues et maigres. Sa démarche était lente ; s'il s'animait, ses os sonnaient comme des cliquettes de Saint-Lazare. Il avait la voix étique et la barbe longue, car il ne la coupait jamais pour ne rien dépenser ; il disait qu'il avait tellement la nausée quand il sentait les mains du barbier sur sa figure, qu'il aurait préféré se laisser tuer que de permettre une telle chose. C'était un jeune domestique appartenant aux pensionnaires qui lui coupait les cheveux. Il portait les jours de soleil un bonnet rongé par les rats, avec mille chatières et des garnitures de graisse ; il était fait d'une matière qui avait été du drap avec un fond de crasse.

La soutane, suivant les dires de quelques-uns, était miraculeuse, parce qu'on ne savait de quelle couleur elle était. Les uns, la voyant tellement privée de poils, la tenaient pour du cuir de grenouille ; les autres disaient qu'elle était une illusion ; de près, elle paraissait noire, de loin, bleue. Il la portait sans ceinture, et elle n'avait ni col, ni poignets. Il semblait, avec ses longs cheveux et cette soutane misérable et trop courte, un laquais de la mort. Chacun de ses souliers aurait pu être le tombeau d'un Philistin. Et son appartement ! on n'y trouvait pas une araignée.

Il poursuivait les rats, de crainte qu'ils ne rongeassent quelques croûtes de pain qu'il gardait ; le lit était à même le parquet et il dormait toujours sur un même côté pour ne pas user les draps ; enfin, il était archipauvre, le prototype de la misère.

Don Pablo de Ségovie (El gran Tacano) / Francisco de Quevedo ; roman traduit par J.-H. Rosny. – Paris : Éditions de la Revue blanche, [1902]. – [Pp. 21-24].

VISIONS 129

La Geneste — 1637

Être, état de mourir (Songe VI, de l'Enfer). — Au cours d'une promenade, le narrateur arrive à la croisée de deux chemins, l'un étroit, abrupt et encombré de ronces, l'autre plus large, où circulent nombre de cavaliers et de carrosses emportant de belles personnes. Il suit ces derniers et rencontre une troupe de gens qui se lamentent.

Qui sont ceux-cy, demanday-je ? & un d'entr'eux me respondit, ce sont les affligez de morts subites. Vous en avez menti impudent, respect de Monsieur qui l'entend, luy repart un Diable (je fus fort estonné de cette civilité) personne ne meurt subitement : la mort n'use point de surprise, ou ne manque jamais d'advertissement. Comment est-ce que vous vous plaignez d'estre mort subitement, si dés-que vous nasquistes vous commençastes la carriere de la vie, ayant tousjours la mort avec vous ; Qu'est-ce que l'on void au monde de plus ordinaire que des morts & des enterremens ? Dequoy entend-on le plus parler dans les chaires des Predicateurs, & que lit-on le plus dedans les bons livres que la fragilité de la vie, & la certitude de la mort ? Premierement la personne s'avance tous les jours devers son tombeau, les vestemens s'usent, les maisons se démolissent de vieillesse, les maladies d'autruy & de soy-mesme frappent à toute heure aux portes des vivans & les advertissent qu'il faut déloger. Le sommeil represente si nayvement la mort en l'homme vivant, & la vie ne se maintient que par la mort des autres animaux ; Et parmy tout cela, vous estes si imposteurs & si menteurs, que de dire que vous estes morts subitement ! non, non, changez de langage, dites desormais que vous estes des gens incredules, qui estes morts sans penser que vous peussiez mourir, ainsi, outre que vous n'ignoriez pas, que la mort marche fort doucement, & qu'elle attaque la plus grande jeunesse aussi tost que la decrepitude, & qu'en une mesme heure, soit à bien soit à mal faire, elle paroist ou mere ou marastre.

Les Visions augmentées de l'*Enfer Reformé*, ou *Sedition Infernalle* / de dom Francisco de Quevedo Villegas, chevalier de l'Ordre S. Jacques ; traduictes d'Espagnol par le Sieur de la Geneste. – À Paris : Chez Pierre Billaine, 1637. – [Pp. 239-241].

LES SONGES 130

La Geneste — 1637

Y a-t-il des pauvres en enfer ? (Songe I, l'Algoüazil démoniaque). — Le narrateur, mis en présence, dans une sacristie, d'un « algoüazil endiablé » s'amuse des réponses malicieuses du « diable » et prend goût à l'interroger sur l'enfer. Il lui demande ici s'il y a beaucoup de pauvres en Enfer.

Qu'est-ce que de pauvres dit le Demon. On appelle pauvre, luy respondis-je, celuy qui n'a rien de ce que possede le monde. Comment entens-tu cela, dit-il, comment voudrois-tu que celuy qui ne tient rien du monde fust condamné, puis qu'on ne se damne que pour tenir du monde ?

Ceux donc que tu dis ne sont point enrolez dans nos livres, & ne t'en estonne pas, car tout manque aux pauvres & les diables mesmes leur faillent au besoin. Il est vray que vous estes plustost diables les uns aux autres, que les diables ne le sont envers vous : Y a-t'il rien qui soit plus diable qu'un flateur, qu'un envieux, qu'un faux amy, qu'une mauvaise compagnie, qu'un fils, qu'un frere ou un parent, qui n'épie que vostre mort pour avoir vostre bien, qui fait semblant de vous plaindre quand vous estes malade, & qui toutefois voudroit que vous fussiez desja à tous les Diables. Tout cela manque au pauvre, on ne le flatte point, on ne l'envie point, il n'a point d'amy, ny bon, ny mauvais, personne ne l'accompagne, ses enfans, ses freres, ses parens ne desirent point sa mort pour posseder sa chevance : bref ce sont des gens qui vivent bien, & qui meurent encore mieux : il y en a qui se plaisent en cette façon de vivre, qu'ils ne voudroient pas changer leur condition à celle des Roys, parce qu'ils ont la liberté d'aller par tout où ils veulent en temps de paix ou de guerre, francs de toutes charges, impositions & servitudes publiques, libres & excemps de toutes corrections & censures civiles, hors de Cour, de procez & de toute juridiction & enfin totalement inviolables, ainsi que Ss. & sacrez. Au surplus, ils n'ont point soucy du lendemain observans en cela le commandement de Dieu, ils mesnagent fort bien le temps, & sçavent habilement apprecier les journees en se representant que la mort tient en son pouvoir tout ce qui est passé, gouverne ce qui est present, & pretend de posseder tout ce qui est à venir. Mais on dit que quand le diable presche, le monde approche de sa fin.

Les Visions augmentées de l'*Enfer Reformé*, ou *Sedition Infernalle* / de dom Francisco de Quevedo Villegas, chevalier de l'Ordre S. Jacques ; traduictes d'Espagnol par le Sieur de la Geneste. – À Paris : Chez Pierre Billaine, 1637. – [Pp. 25-27].

GROTIUS

LATIN • NÉERLANDAIS

1583-1645

Qui rêve de gloire doit bien employer son temps. C'est, sans doute, ce qu'a bien compris Hugo de Groot qui, tout jeune, prit pour devise : « le temps s'enfuit » (*hora ruit*). Enfant prodige pressé de devenir érudit, le temps le poussa au travail acharné, mode de vie qui lui apporta, à côté de grandes déceptions, une renommée internationale que peu de savants de son temps obtinrent.

Très mouvementée, sa vie se divise en trois parties. À la période hollandaise, jusqu'en 1618, succède, après un intermède (Grotius est prisonnier politique de 1618 à 1621), la période de l'exil. Un second intermède — un séjour en Hollande et dans les États allemands, de 1631 à 1634 — conduit à la dernière période : celle de la carrière diplomatique au service de la Suède (1634-1645).

Issu d'une famille patricienne de Delft, il étudie à l'université de Leyde, est promu docteur *in utroque jure* à Orléans (1594-1598), s'installe comme avocat (1599-1607), est avocat général du fisc près la cour de Hollande (1607-1614), devient diplomate (une mission en Angleterre en 1613) puis avocat-conseil de la ville de Rotterdam (1613-1618). Entre temps, il se fait connaître comme poète, historien, philologue et théologien, et se marie, le 17 juillet 1608, avec Maria van Reigersberch, une robuste Zélandaise. Celle-ci lui donnera, en plus d'une fille, trois fils dont aucun, au grand chagrin de leur père, ne devint savant.

Ses premiers travaux sont principalement des éditions d'auteurs classiques, des drames bibliques en latin, des poésies latines, en partie réunies dans les *Poemata collecta* (1617). En sa qualité d'historien-antiquaire des États de Hollande, il s'est attelé à des études historiques (*De antiquitate*, 1610 ; *Annales et historiæ*, publiées à titre posthume en 1657). À cela s'ajoute son célèbre *Mare liberum* (1609), un plaidoyer pour la libre navigation maritime.

Pendant sa période hollandaise, Grotius s'engage, de plus en plus, dans la défense de la jeune République et pour son indépendance. Puis, après avoir pris le ton dans *Meletius* (1611), non publié, Grotius se manifeste, à partir de 1613 surtout, comme auteur d'écrits politico-religieux (*Ordinum pietas*, 1613 ; *De satisfactione*, 1617 ; *De imperio*, publié après sa mort en 1647) où il appuie la théorie politique du maître de la province de Hollande, le « grand pensionnaire », Johan van Oldenbarnevelt. Afin de protéger les remontrants, celui-ci avait choisi, en se rendant odieux à la plupart des ministres, de diriger fermement l'Église réformée du pays. Mais sa conduite des affaires lui valut de nombreuses oppositions et suscita une alliance de puissants adversaires qui l'évincèrent en 1618 et écartèrent Grotius, son fidèle recours. Si Oldenbarnevelt y laissa sa tête, Grotius fut condamné à la détention à vie. Incarcéré dans une prison de l'État, à Loevestein où on lui ménage, avec beaucoup d'humanité, la possibilité de poursuivre ses études érudites, il finit par s'évader, le 22 mars 1621, en s'enfermant dans une malle à livres.

Pour l'évadé, établi à Paris, commence une nouvelle vie. Accueilli par les érudits, il travaille avec ferveur à ses plus beaux livres : notamment *La Justification* (*Verantwoordingh*, 1622), une défense, sous forme de controverse, de Oldenbarnevelt, des traductions métriques de la poésie grecque en latin (*Stobæus*, 1623 ; *Excerpta* ; 1626), une œuvre capitale sur le droit de la guerre et de la paix (*De jure belli ac pacis*, 1625), un vade mecum non dogmatique pour les croyants chrétiens (*De veritate*, 1627) et une *Introduction au droit hollandais* (1631), un répertoire du droit privé.

Le *De jure belli ac pacis*, élabore un système de normes fondées sur le droit naturel, universel, rationnel et religieusement neutre, destiné à régler les rapports entre les États souverains, à humaniser les conflits et à garantir un ordre international. Complément à cette étude politico-juridique, un très vaste commentaire de la Bible, écrit en secret, sortit de sa plume, émergeant de sa conviction qu'il avait à vouer son érudition à Dieu pour indiquer la voie vers la paix religieuse. Il était convaincu en effet qu'à ne pas trouver de base dogmatique commune pour l'unification des diverses Églises, les risques de conflit en seraient augmentés et qu'il deviendrait difficile d'établir une paix durable en Europe. Cette base dogmatique commune, Grotius la découvrit dans la foi chrétienne des premiers siècles. Dès lors, loin des controverses dogmatiques de son temps, son exégèse, éclairée par sa grande connaissance des sources classiques et chrétiennes primitives, tenta d'expliquer la Bible en la replaçant dans son contexte historique.

Après avoir constaté, à l'occasion d'un bref séjour en Hollande (1631-1632), que son retour dans l'honneur n'est pas envisageable, il se retire à Hambourg. Durant l'hiver 1634-1635, il accepte, après de longues hésitations, la charge d'ambassadeur de Suède à la cour de France et rentre à Paris. Bien que dévoué aux intérêts de la Suède et soucieux de ses devoirs de diplomate, il en vient vite à faire passer en premier son combat pour l'unité des Églises. À côté de nombreux et courts traités polémiques contre ses nombreux adversaires, il donne des annotations de l'Ancien et du Nouveau Testament (*Annotationes*, 1641, 1646, 1650 ; *Annotata*, 1644), publie un drame biblique (*Sophompaneas*, 1635), étudie les origines des peuples d'Amérique (*De origine*, 1642-1643) et reste actif en tant qu'historien et philologue.

Si le combat de Grotius pour l'unité des Églises n'eut pas de résultats directs, sa voix fit entendre, de manière décisive, des préoccupations capitales de paix politique et religieuse. De plus, il a nourri de son grand sens de l'ordre, de sa prodigieuse érudition et de sa fine sensibilité linguistique l'idéal auquel avaient tendu, avant lui, de nombreux humanistes chrétiens : l'intégration des cultures classique et chrétienne, gage et source pour l'humanité d'un système de valeurs menant à un monde meilleur vivant dans la paix. Si l'activité scientifique de Grotius est demeurée dans les cadres traditionnels et classiques, ses études exégétiques et juridiques ébauchent le processus de sécularisation qui, plus tard, débouchera sur la philosophie des Lumières.

Bibliographie des écrits imprimés de Hugo Grotius / J. ter Meulen et P.J.J. Diermanse. – 's Gravenhage : Nijhoff, 1950. – XXIV-708 p.

Grotius et la doctrine de la guerre juste / P. Haggenmacher. – Paris : P.U.F., 1983. – XXIV-682 p. – (*Publications de l'Institut Universitaire des hautes études internationales, Genève*).

Hugo de Groot (1583-1645). De loopbaan van een geleerd staatsman / H.J.M. Nellen. – Weesp : Heureka, 1985. – 128 p. – (*Erflaters*).

Defensio fidei catholicæ de satisfactione Christi adversus Faustum Socinum Senensem / Hugo Grotius (1583-1645) ; edidit E. Rabbie. – Assen : Van Gorcum, 1990. – XVI-559 p. – (*Opera theologica* / Hugo Grotius ; 1).

Dichtwerken / Hugo Grotius ; edidit B.L. Meulenbroek et alii – Assen : Van Gorcum, 1970-1992. – 4 vol.

Briefwisseling / Hugo Grotius ; edidit P.C. Molhuysen et alii – 's Gravenhage : Nijhoff, 1928-1993. – 14 vol. – (*Rijks Geschiedkundige Publicatiën, Grote serie*).

Hugo Grotius Theologian : essays in honour of G.H.M. Posthumus Meyjes / Edited by H.J.M. Nellen, E. Rabbie. – Leiden : Brill, 1994 – XIV-275 p. – (*Studies in the History of Christian Thought* ; 55).

LE DROIT DE LA GUERRE ET DE LA PAIX 131

J. Barbeyrac — 1724

Qu'on n'a nul droit de prendre les armes pour faire embrasser la religion chrétienne à ceux qui ne la veulent pas recevoir ; Mais qu'on peut légitimement déclarer la guerre à ceux qui maltraitent les chrétiens uniquement à cause de leur religion ; Que ceux qui expliquent mal la loi de Dieu ne doivent pas être punis ou attaqués pour un tel sujet (Livre II, chapitre XX, § XLVIII-L). — En 1625, Grotius publia son œuvre capitale, le *De jure belli ac pacis*, dans lequel il attire l'attention sur la nécessité de la tolérance.

QUE dirons-nous des Guerres entreprises pour obliger quelques Peuples à embrasser le Christianisme ? Je n'examine pas maintenant, si on propose cette sainte Religion telle qu'elle est, & de la maniére qu'on doit. Supposons que cela soit : je dis, qu'il y a ici deux choses à remarquer.

La prémiere est, que la vérité de la Religion Chrétienne, considérée entant qu'elle ajoûte bien des choses à la Religion naturelle & primitive, ne peut pas être prouvée par des raisons purement naturelles. Elle est fondée sur l'histoire de la resurrection de Nôtre Seigneur JÉSUS-CHRIST, comme aussi sur l'histoire de ses miracles, & de ceux de ses Apôtres. Or c'est-là une chose de fait, qui a été à la vérité prouvée autrefois par des témoignages incontestables, mais qui l'a été autrefois ; de sorte qu'il s'agit d'une question de fait, & d'un fait très-ancien. Cela rend la doctrine de l'Evangile d'autant[1] plus difficile à persuader entiérement à ceux qui n'en avoient jamais entendu parler ; à moins qu'il ne survienne quelques secours intérieurs de DIEU. Et comme ces secours ne sont accordez à personne en recompense de quelque œuvre qui le mérite ; les raisons pour lesquelles DIEU les réfuse à quelques-uns, ou les leur accorde moins libéralement, ne sont pas injustes à la vérité, mais nous sont inconnuës la plûpart du tems, & par conséquent ne rendent pas ces gens-là punissables devant les Hommes. [...]

L'autre chose qu'il y a ici à remarquer, c'est que l'Auteur même de la Loi nouvelle, Nôtre Seigneur JÉSUS-CHRIST, a voulu certainement que personne ne fût[2] contraint à recevoir sa Loi par les peines de cette Vie, ou par

1 Outre la force des préjugez de l'Education, & de l'attachement que chacun a pour les principes de Religion, dont il a été une fois imbu. (N.d.t.)

2 Cette matiere est traitée par GREGOIRE *de Nazianze*, Orat. *Quum adsumtus est a Patre* ; & par BÉDE, Lib. I. Cap. XXVI. ISIDORE dit, que *Sisebut*, Roi des *Wisigoths* en *Espagne*, voulant faire embrasser aux *Juifs* le Christianisme, s'y prit d'une maniére à témoigner qu'il avoit à la vérité du

la crainte de ces sortes de peines ; comme il paroît par plusieurs passages du Nouveau Testament[1]. [...]

En vain objecteroit-on, que, dans la Parabole des Nôces, il est ordonné de *contraindre* quelques personnes *à entrer*[2]. Car comme, dans la Parabole, le mot de *contraindre* ne signifie autre chose qu'une invitation[3] pressante ; il faut l'entendre de même dans l'explication morale : & c'est aussi en ce sens que le terme de l'Original[4], & un autre de même signification sont pris ailleurs[5]. PROCOPE nous apprend, dans son *Histoire Secréte*[6], que l'Empereur *Justinien* aiant usé de violence & de menaces, pour faire embrasser le Christianisme aux *Samaritains*, il en fut blâmé par les personnes sages : & il ajoûte, qu'il naquit de là plusieurs inconvéniens, dont on peut voir le détail dans sa narration.

MAIS, d'autre côté, ceux qui punissent quelcun, à cause qu'il enseigne ou qu'il professe le Christianisme, agissent certainement contre la Raison. Car il n'y a rien dans la Religion Chrétienne (je la considére ici en elle-même, & sans le mêlange des erreurs qu'on peut y ajoûter) il n'y a rien, dis-je, dans cette sainte Doctrine, qui nuise à la Société Humaine ; ou plûtôt il n'y a rien qui ne tende à l'avantage commun des Hommes. La chose parle d'elle-même ; & ceux d'une autre Religion sont contraints de l'avouer. [...]

On dit, que toute nouveauté est à craindre, sur tout lors que ceux qui suivent les nouveautez s'assemblent. Mais ce n'est-là qu'une vaine excuse. Quelque nouvelle que soit une Doctrine, on n'a rien à en appréhender, lors qu'elle tend à inspirer toute sorte de Vertu, & à faire rendre aux Supérieurs l'obéïssance qui leur est duë. Des Assemblées de gens de bien, & qui ne cherchent à se cacher, que quand on les y force, ne doivent pas non plus être suspectes. On peut appliquer ici avec raison, ce que l'Empereur *Au-*

---

zéle, mais un zéle mal éclairé, puis qu'il emploia les voies de la force, au lieu de celle de la persuasion, la seule convenable & légitime [...]. D'autres Rois d'Espagne, postérieurs à *Sisebut*, sont blâmez pour le même sujet, par JÉRÔME OSORIO, & par MARIANA [...]. (Note de Grotius).

1 *Matthieu* 13 : 29, *Luc* 9 : 54v, *Jean* 6 : 67, *Romains* 8 : 15, *Hébreux* 2 : 15. (Note de Grotius).

2 *Luc* 14 : 23. (Note de Grotius).

3 St. CYPRIEN, faisant allusion à ce passage, dit, qu'après l'ascension de Nôtre Seigneur JÉSUS-CHRIST, les Apôtres devoient, par ordre de leur Maître & de DIEU, aller par tout le monde, pour ramener les Hommes des tenebres de l'Erreur à la lumiére de la Vérité, en leur annonçant l'Evangile ; ce qu'ils firent, malgré les tourmens & les supplices auxquels ils furent exposez, & par lesquels ils prouvérent d'une maniére incontestable la divinité de leur mission [...]. (N.d.t.)

4 *Matthieu* 14 : 22, *Marc* 6 : 45, *Galates* 2 : 14. (Note de Grotius).

5 *Luc* 24 : 29. (Note de Grotius).

6 Procopius, *Historia arcana* 11. (N.d.t.)

guste disoit, au rapport de PHILON[1], des Assemblées des *Juifs*, que ce n'étoient pas des *Bacchanales*, ou des attroupemens faits pour troubler la paix publique, mais des Ecôles de Vertu.

Quand on maltraite de telles gens, on se rend soi-même digne d'être justement puni, c'est le sentiment de THOMAS *d'Aquin*[2] [...].

POUR ce qui est des *Chrétiens*, qui persécutent eux-mêmes & condamnent à des supplices barbares, des gens qui reconnoissent pour vraie la Loi de JÉSUS-CHRIST, mais qui doutent, ou qui errent, en matiére de certains points, sur lesquels il n'y a rien de décidé dans cette Loi, ou à l'égard desquels le sens de la Loi paroît ambigu, & a été diversement expliqué par les anciens *Chrétiens*[3], c'est une souveraine injustice, comme il paroît & par ce que nous avons déja dit, & par l'exemple des anciens *Juifs*. Car ceux-ci, quoi qu'ils eussent une Loi, dont la violation soûmettoit les contrevenans aux peines de cette Vie, ne punirent jamais néanmoins les *Sadducéens*, qui rejettoient le dogme de la Résurrection, très-véritable sans contredit, mais qui n'étoit proposé dans la Loi de *Moïse* que d'une maniére obscure, & sous l'enveloppe de certaines paroles ou de certaines choses symboliques.

Mais, dira-t-on, n'y a-t-il pas des Erreurs grossiéres, & dont on peut aisément être convaincu devant des Juges équitables, par l'autorité de l'Ecriture Sainte, ou par le consentement des Anciens ? Ici encore il faut penser, combien il est difficile de déraciner des opinions dont on a été long tems prévenu, & combien l'attachement que chacun a pour son Parti diminuë la liberté du Jugement. *Il n'y a point de gale si incurable*, selon la pensée de GALIEN[4]. *Il est plus facile de se défaire de toute autre habitude, pour si forte qu'elle soit, que de celle des opinions auxquelles on a été attaché* ; c'est ce que dit très-bien ORIGÉNE[5]. Ajoûtez à cela, que le degré de la faute de ceux qui errent est proportionné au degré des lumiéres qu'ils ont

---

1 Philon, *In legatione* § 40 ; *De sacrificantibus* § 12. [...] Il fait voir ailleurs, quelle grande différence il y a entre les Synagogues, & les Mystéres du Paganisme : *Lib. de Sacrificantib.* (pag. 856, & *seqq.*) Le passage mérite d'être lû. [...]. (Note de Grotius).

2 Thomas d'Aquin, *Summa theologica* 2, 2, 108. (Note de Grotius).

3 On peut voir plusieurs Livres de divers Auteurs, faits à la fin du Siécle passé, & dans celui-ci, sur la matiére de la *Tolérance* ; dans lesquels les Persécuteurs sont accablez & de preuves directes de la derniére évidence, & de réponses sans replique. Tout le monde connoît ces Ouvrages, publiez en diverses Langues, sur tout en François & en Anglois. Joignez-y les *Observations* de MATTHIAS BERNEGGER, publiées à *Strasbourg*, en 1669. Obs. XV. (N.d.t.)

4 Galenus, *De natur. facult.* 1. (N.d.t.)

5 Origenes, *Contra Celsum* 1, 52. [...] S. CHRYSOSTÔME dit aussi, qu'il n'y a rien de si difficile, que de se résoudre à changer, en matiére de Religion [...]. (Note de Grotius).

reçuës, & à d'autres dispositions intérieures, qu'il n'est pas possible aux Hommes de penétrer.

St. AUGUSTIN[1] ne regarde comme *Hérétiques* que ceux qui, pour quelque intérêt temporel & sur tout pour s'aquérir de la gloire & pour s'ériger en Chefs de Secte, inventent ou suivent des opinions fausses & nouvelles.

Le Droit de la guerre et de la paix / par Hugues Grotius ; nouvelle traduction par Jean Barbeyrac [...] ; avec les Notes de l'Auteur même, qui n'avoient point encore paru en François ; & de nouvelles Notes du Traducteur. – A Amsterdam : Chez Pierre de Coup, 1724. – [Tome II, pp. 626-630].

DE LA VÉRITÉ 132

É. de Courcelles — 1636

Conclusion addressée aux Chrestiens, qui à l'occasion de ce qui a esté dit ci dessus sont advertis de leur devoir (Livre 6, § 11). — Cette apologie concise de la foi chrétienne est l'adaptation latine d'un poème didactique écrit pendant la captivité de Loevestein, la *Démonstration de la vraie religion* (*Bewijs van den waren Godsdienst*). Le *De veritate* exerça une influence durable, notamment par son caractère non dogmatique. Cf. *Hugo de Groot als apologeet van de christelijke godsdienst : een onderzoek van zijn geschrift De veritate religionis christianæ (1640)* / J.-P. Heering. – 's Gravenhage : Pasmans, 1992. – IX-274 p. – (*Rijksuniversiteit te Leiden*). Dès 1636 parut à Amsterdam une traduction française composée par le remontrant Étienne de Courcelles. Après avoir, dans les chapitres précédents, défendu la chrétienté contre le paganisme et le judaïsme, l'auteur critique l'islam, notamment en énumérant les « absurdités » relevées dans ses écrits fondateurs et termine par un appel aux autres chrétiens.

Ceste derniere dispute estant achevée s'ensuit la conclusion qui est addressée non point aux estrangers de la foi, mais à tous Chrestiens de quelque secte & profession qu'ils soyent, monstrant sommairement l'usage de ce qui a esté dit jusqu'ici, qui est de faire le bien & fuir le mal. Premierement qu'ils eslevent leurs mains pures à ce Dieu, qui a fait toutes choses de rien, visibles & invisibles, avec une certaine asseurance qu'il a soin de nous, veu qu'un passereau mesmes ne tombe pas en terre sans sa permission[2], & qu'ils ne craignent point ceux qui peuvent seulement nuire au corps par dessus celui qui a un pouvoir esgal sur le corps & sur l'ame. Qu'ils mettent leur fiance non seulement en Dieu le pere, mais aussi en Jesus, veu qu'il n'y a point d'autre nom en terre qui nous sauve ; Et qu'ils le doivent faire s'ils croyent que ceux-là ne vivront pas eternellement, qui

1 Augustinus, *De utilitate credendi*, c.1. [...] Ces paroles sont insérées dans le DROIT CANONIQUE, *Caus.* XXIV. *Quaest.* III (*Cap.* XXVIII). Il distingue ensuite entre un *Hérétique*, & une personne qui se laisse éblouïr aux raisons des Hérétiques [...]. Dans le CODE JUSTINIEN, l'*Hérésie* est définie, une folle opiniâtreté [...]. Lib. I Tit. I. *De Summa Trinit.* &c. Leg. II *princ.* (Note de Grotius).

2 *Matthieu* 10 : 29. (N.d.t.)

appellent cestui-là Pere & cestui-ci Seigneur, mais ceux qui conforment leur vie à leur volonté.

Puis apres ils sont exhortés à conserver soigneusement ceste sainte doctrine de Christ comme un tres-precieux thresor, & que pour cest effet ils lisent souvent les saintes Escritures, par lesquelles nul ne peut estre deceu, sinon celui qui se sera premierement deceu soi-mesme ; d'autant que ceux qui les ont escrites ont esté si fideles & pleins du S. Esprit, qu'ils n'ont point voulu nous cacher aucune partie de la verité necessaire, ou la couvrir de quelque nuage d'obscurité, mais qu'il faut apporter un esprit disposé à obeïr, & qu'ainsi rien ne nous sera caché de ce que nous devons croire, esperer ou faire ; que par ce moyen cest esprit qui nous est donné pour nous servir d'arre[1] de nostre felicité future sera entretenu & rallumé en nous.

Puis apres ils sont destournés de l'imitation des Payens, premierement au service des faux dieux, qui ne sont autre chose que des noms vains dont se servent les esprits malins pour nous destourner du service du vrai Dieu ; partant que si nous participons à leurs sacrifices que le sacrifice de Christ ne nous peut estre profitable. Secondement en la façon licencieuse de vivre qui n'a autre loi que celle qui est dictée par sa convoitise ; d'où il faut que les Chrestiens soyent entierement esloignés ; qui ne doivent pas seulement valoir mieux que les Payens, mais aussi que les Docteurs des Juifs & les Pharisiens, dont la justice qui consiste en certaines actions exterieures ne suffit point pour entrer au royaume celeste. Que maintenant la circoncision faite de main n'est d'aucune valeur, mais l'autre interieure du cœur, l'observation des commandemens de Dieu, la nouvelle creature[2], une fiance efficacieuse en dilection[3], à laquelle on recognoit les vrais Israëlites, les Juifs mystiques, c'est à dire qui s'addonnent à louër Dieu. Que la difference des viandes, les nouvelles lunes, les Sabbats, les jours de feste[4] sont ombres des choses qui se trouvent en Christ & es Chrestiens.

A l'occasion du Mahometisme je donne ces advertissemens, qu'il a esté predit par le Seigneur Jesus, que quelques uns viendroyent apres lui qui diroyent faussement qu'ils sont envoyés de Dieu[5], mais encor qu'un Ange

---

1 *Ephesiens* 1 : 14, *2 Corinthiens* 1 : 22 et 5 : 5. (N.d.t.)

2 Cf. *Galates* 6 : 15. (N.d.t.)

3 *Galates* 5 : 6. (N.d.t.)

4 Cf. *Colossiens* 2 : 16. (N.d.t.)

5 *Jean* 5 : 43, *2 Thessaloniciens* 2 : 9, *Matthieu* 7 : 15, etc. (N.d.t.)

vinst du ciel[1], qu'il ne faudroit point recevoir d'autre doctrine que celle de Christ approuvée par de si grands tesmoignages ; veu que Dieu a bien parlé autresfois en plusieurs & diverses manieres aux saints qui estoyent alors, mais que finalement il nous a voulu parler par son fils qui est le Seigneur de toutes choses, la splendeur de la gloire paternelle, l'image engravée de sa substance, par lequel ont esté creées les choses qui ont esté ou qui seront, qui conduit & soustient toutes choses par sa puissance, & ayant fait l'expiation de nos pechés, a esté eslevé à la dextre de Dieu, & a obtenu une dignité qui est au dessus de celle des Anges : & partant qu'on ne peut rien attendre de plus magnifique que cest auteur de nostre loi. A mesme occasion aussi il leur est ramenteu[2] que les armes qui sont donnees aux soldats de Christ, ne sont point semblables à celles sur lesquelles Mahomet s'appuye, mais propres à l'esprit, pour destruire les forteresses qui s'eslevent à l'encontre de la cognoissance de Dieu ; que pour bouclier nous avons la fiance qui repousse les dards enflammés du diable ; pour cuirasse la justice, ou droiture de vie, pour casque qui couvre ce qui est de plus foible, l'esperance du salut eternel ; & que pour espée Dieu nous a donné des paroles qui penetrent jusqu'au dedans de l'ame.

Apres ces choses s'ensuit une exhortation à concorde mutuelle, laquelle Christ en s'en allant a si serieusement recommandé aux siens ; qu'il n'y doit pas avoir entre nous plusieurs docteurs, mais un seul à savoir Jesus Christ ; que tous les Chrestiens ont esté baptizés en un mesme nom, partant qu'il n'y doit point avoir de sectes entreux & de divisions ; & afin que finalement on y apporte quelque remede sont proposées ces paroles de l'Apostre[3], qu'il faut estre sage à sobrieté, selon la mesure de cognoissance que Dieu a departie à chacun ; que s'il y en a quelques uns qui n'entendent pas bien toutes choses qu'il faut supporter leur imbecillité, afin qu'ils se joignent paisiblement avec nous & sans querelles. S'il y en a qui surpassent les autres en cognoissance, qu'il est raisonnable qu'ils les devancent aussi en charité ; mais qu'il faut attendre ceux qui ont un autre sentiment en quelque partie, jusqu'à tant que Dieu leur manifeste aussi la verité cachée ; cependant qu'il faut retenir ce dont on est d'accord & l'accomplir par œuvre. Que maintenant on cognoist en partie, que le temps viendra auquel nous cognoistrons parfaitement toutes choses. Tous particuliers aussi sont priés de ne retenir point inutilement le talent qui leur a esté commis,

1 *Galates* 1 : 8. (N.d.t.)

2 Ramentevoir : rappeler au souvenir.

3 Par ex. *Romains* 12 : 3 et 16. (N.d.t.)

mais au contraire d'employer tout leur travail pour en gagner d'autres à Christ ; en quoi il faut se servir non seulement de bons & salutaires propos, mais aussi de l'exemple d'une sainte vie, afin que par la bonté des serviteurs on juge de la bonté du maistre, & par la pureté des actions de la pureté de la religion.

Finalement retournant à mes compatriotes par lesquels j'avois commencé[1], je les prie que s'il y a ici quelque chose de bon, ils en rendent graces à Dieu ; & si quelque chose leur desplaist, qu'ils ayent esgard tant à la commune condition des hommes sujets à plusieurs erreurs, qu'aussi au lieu & au temps auquel cest œuvre, pour vrai dire, a plustost esté legerement esbauché, que poli & achevé selon mon desir.

Traicté de la verité de la religion chrestienne / par Hugues Grotius ; traduit du Latin de l'aucteur. – A Amsterdam : Chez Jean Blaeu, 1636. – [Pp. 186-191].

ANNALES ET HISTOIRES 133

N. Lhéritier — 1662

Les querelles religieuses pendant la Trêve : Differens entre Gomarus et Arminius sur quelques articles de religion ; on les entend en une conference ordonnée par les Estats (*Histoires*, Livre 17). — Les *Annales*, qui vont de 1559 à 1588, et les *Histoires*, de 1588 à 1609, sont écrites dans le goût de Tacite. Elles traitent de la résistance des Pays-Bas à l'Espagne. Une première version était prête en 1612, mais Grotius reprit et améliora son œuvre tout au long de sa vie. Elle parut finalement à titre posthume en 1657. La première traduction réalisée en français est attribuée à Nicolas Lhéritier.

Ce fut aussi durant la presente année [1608], que la surseance d'armes ayant à peine esté accordée[2], la Republique Confederée vid éclorre les semences d'un mal assez à craindre, & qui ne demeura caché, dans ses commencemens, que pour accroistre ses forces peu à peu & éclatter à l'impourveu. Dans l'Université de Leyden deux hommes excellens en sçavoir, l'un nommé Gomarus, & l'autre Arminius, enseignoient la Theologie ; & ce premier soûtenoit que Dieu avoit arresté, par une ordonnance eternelle, quels hommes devoient estre sauvez, & quels autres devoient se perdre, que cet arrest attiroit les uns dans le chemin de la pieté, & empeschoit, apres les y avoir attirez, qu'ils ne s'en égarassent, tandis qu'il laissoit les autres embourbez, s'il faut ainsi dire, soit dans le vice commun à

1 Allusion à l'adresse au peuple hollandais, en tête du poème *Bewijs van den waren Godsdienst.*

2 Après qu'une trêve provisoire eut été conclue le 12 avril 1607, commencèrent, au cours de l'année 1608, des négociations qui conduisirent à l'établissement, en avril 1609, de la Trêve de Douze ans avec l'Espagne (1609-1621).

toute la nature humaine, soit dans leurs propres crimes. Arminius disoit au contraire, que comme Dieu estoit un juge tres-juste, il estoit un Pere tres-bon. Qu'il faisoit ce discernement entre les coupables, que ceux qui se repentoient de leurs fautes mettant leur confiance en Jesus Christ, obtenoient leur grace & la vie, au lieu que les rebelles recevoient leur chastiment. Que c'estoit une chose extremement agreable à Dieu, que tous se remissent dans le bon chemin, & que l'ayant retrouvé, ils ne le quittassent jamais, que neantmoins il n'y avoit point de necessité qui forçast ny les uns ny les autres. Dans les attaintes que ces deux Professeurs s'entredonnoient, Arminius accusoit l'autre d'attribuer à Dieu la cause du peché des hommes ; & soûtenoit que ce Docteur par le moyen d'une espece de destinée qu'il vouloit introduire, rendoit nos ames comme immobiles : & Gomarus reciproquement blâmoit celuy-cy, d'inspirer dans l'esprit humain une arrogance encore plus grande que celle où les Romanistes l'avoient desja jetté ; & de ne vouloir pas que ceux qui possedoient la plus grande de toutes les richesses, c'est à dire, une ame bien née, en demeurassent redevables à Dieu seul.

Ceux qui considereront bien les anciens autheurs, trouveront que le sentiment des premiers Chrestiens attribuoit à l'homme une certaine puissance libre, tant pour recevoir la doctrine que pour la conserver ; d'où ils inferoient l'equité des recompenses & des supplices. Neantmoins ils ne laissoient pas de r'apporter toutes choses à la bonté de Dieu ; & de croire que non seulement c'estoit par elle que les semences du salut parvenoient jusqu'à nous, mais que davantage, nous avions incessamment besoin de son assistance particuliere dans nos dangers. Saint Augustin avoit aussi esté de cette opinion ; mais depuis qu'il eut eu prise avec Pelage & ses sectateurs, s'estant laissé emporter à la chaleur de cette dispute, il ne voulut plus admettre le nom de la liberté qu'en la faisant dependre de quelques arrests eternels qui sembloient destruire sa puissance : toutefois cet autre sentiment plus ancien & moins raffiné se conserva chez les Grecs & dans l'Asie : mais dans les païs de l'Occident la haute reputation de S. Augustin attira beaucoup de monde à la suitte de ses opinions, se trouvant neantmoins dans la France & ailleurs des personnes qui ne les approuvoient pas.

En ces derniers siecles, comme il n'y avoit point de maistre dans les écoles qui fust si universellement suivy que S. Augustin, s'estant formé plusieurs disputes entre les Religieux des deux regles que l'on nomme de S. François & de S. Dominique, pour sçavoir quel estoit le veritable sens de cet autheur, & par quelle addresse on pourroit accorder dans ses écrits beaucoup de choses qui sembloient se contredire : les plus doctes d'entre les Jesuites travaillerent avec une subtilité assez exacte à denouër toutes ces difficultez ; mais pour cette cause ayant esté accusez à Rome, ils n'eviterent qu'à peine leur condemnation. Cependant Luther chef des Protestans, sorty d'un monastere où l'on suivoit les sentimens de S. Augustin ainsi que sa regle, s'estant servy d'une partie des écrits de son maistre, commença à détruire le nom de la liberté que S. Augustin n'avoit pas encore aboly : mais cette entreprise sembla si insupportable à Erasme, qu'encore qu'il eust approuvé, ou pour le moins laissé passer sous le silence, toutes les autres opinions de Luther, il se banda contre celle-cy. Et la force de ses raisons toucha tellement l'esprit de Philippe Melanchthon, associé de Luther, que non content d'avoir changé ce que son colleg[u]e avoit escrit sur cette matiere, il persuada aussi aux Lutheriens, &, comme quelques uns croyent, à Luther mesme, de se deffaire de ces sentimens rigoureux qui ne vouloient rien accorder à la liberté ; quoy qu'à dire le vray, ces gens icy en se declarant contre elle, fussent plus-tost ennemis du nom que de la chose mesme.

Bien-tost apres, Calvin chef d'une autre secte de Protestans, s'estant rendu partisan des premiers dogmes que Luther avoit debitez sur ce sujet de la liberté, les appuya par de nouveaux argumens, ausquels il adjousta cette proposition, où S. Augustin n'avoit jamais touché, que la foy veritable & salutaire estoit une chose que l'on conservoit tousjours, sans la pouvoir perdre depuis qu'on l'avoit une fois acquise ; & qu'ainsi ceux qui sentoient cette foy gravée dans leurs cœurs, estoient desja assurez en cette vie de leur beatitude pour l'autre : toutefois il ne nioit pas que cependant ils ne fussent capables de tomber dans toutes sortes de fautes, quelques enormes qu'elles pûssent estre.

La rigueur de ces dogmes de Calvin fut augmentée à Geneve par Beze ; & en Alemagne par Zanchius, Ursin, & Piscator, qui s'emportoient quelquefois jusqu'à enseigner que la necessité mesme de pecher procedoit de la cause premiere ; quoy que tous les precedens Docteurs eussent soigneusement evité cette proposition. Aussi donna-t-elle un ample sujet aux Lutheriens d'accuser les Calvinistes : outre que le point de l'Eucharistie fit naistre encore plusieurs disputes entre les partisans de ces deux sectes.

Lors que les Confederez[1] commencerent à changer de Religion, quoy qu'ils ne fussent pas bien d'accord ensemble touchant les articles de leur

---

1 C'est-à-dire les Provinces-Unies révoltées contre l'Espagne.

croyance ; neantmoins comme ils n'avoient pas du temps de reste pour disputer de ces matieres, les uns & les autres s'entre-souffroient aisément sous d'egales conditions : mais depuis que plusieurs jeunes gens, qui apres avoir fait leurs études sous les Docteurs de Geneve, de Heidelberg, & de Nassau, estoient employez à la direction des Eglises Confederées, commencerent à composer un nombre considerable, ils creurent avoir une occasion favorable de changer en loix les leçons qui leur avoient esté données ; & dans ce dessein ils vouloient que tous ceux qui feroient profession d'un sentiment contraire au leur, demeurassent exclus de l'impetration des charges Ecclesiastiques, & mesme privez de celles qu'ils possederoient desja. [...] Et ce fut en suitte de tout cecy que les deux Professeurs dont j'ay desja parlé, Gomarus & Arminius, entreprirent dans l'Université mesme de Leyden, d'establir chacun de sa part ses propres opinions, & de destruire celles de son adversaire.

Cependant la dissension des Maistres se rendoit contagieuse dans l'esprit de leurs Escoliers ; & les Ministres de la Hollande estoient desja conviez de prendre party : c'est pourquoy les Estats voulant prevenir les consequences de ce nouveau mal, donnerent ordre aux Juges de la Cour Souveraine d'entendre parler ces deux Professeurs[1]. Mais enfin apres une longue dispute, on ne trouva point de meilleur expedient que de supprimer les memoires de tout ce qui s'estoit passé dans leur conference : ce qui n'empescha pas que les opinions de l'un & de l'autre n'augmentassent leur credit, chacune de son costé ; & presque tous les Magistrats embrasserent celle d'Arminius comme la plus populaire : au lieu que les Ministres & les autres gens de Religion s'attacherent à celle de Gomarus, comme à la plus universellement receuë.

Ce different en causa un autre ; sur ce que les Arminiens pretendoient que le jugement des affaires de Religion faisoit partie du gouvernement politique, les Gomaristes, au contraire, soûtenant que les matieres de Religion ne se devoient agiter que dans les assemblées Ecclesiastiques.

Annales et Histoires des troubles du Pays-Bas / par Hugo Grotius. – A Amsterdam : Jean Blaeu, 1662. – [Pp. 656-659].

---

1 Vers la fin du mois de mai 1608, Arminius et Gomarus exposèrent leurs démêlés devant les membres du Conseil Supérieur, l'instance judiciaire la plus élevée des provinces de Hollande et de Zélande.

HOOFT

NÉERLANDAIS **1581-1647**

Très digne du jeu de mot de ses contemporains — *hooft* signifie « tête », « chef » en néerlandais —, Pieter Corneliszoon Hooft fut, plus que tout autre, le « chef de file » du profond renouveau des lettres néerlandaises en son temps. Ce renouveau, il ne se contenta pas de le traduire par et dans ses œuvres : il s'employa à l'introduire, en bon élève de Spiegel, et avec l'aide de quelques-uns, comme Coster et Bredero, au sein de *L'Églantier*, chambre de rhétorique amstellodamoise qu'il mit sur la voie de l'esthétique moderne et de son nouveau langage des formes, associant de surcroît la poésie à de hautes conceptions morales et sociales.

La carrière de ce fils de bourgmestre d'Amsterdam, doué et aristocrate dans l'âme, semble marquée par la chance, bien qu'il eut à traverser, pendant son enfance, dans sa famille, les malheurs de la maladie et de la mort. À 17 ans à peine cependant, sa première pièce de théâtre, *Achille et Polyxène*, un plaidoyer néo-stoïcien pour le détachement source de bonheur, est représentée à la chambre de rhétorique.

Il entreprend alors un voyage d'études commerciales, en France, notamment à La Rochelle, et en Italie, principalement à Venise et à Florence, dont le produit, finalement, sera surtout littéraire. La célèbre *Rijmbrief* que le jeune homme écrit de Florence aux membres de la chambre de rhétorique traduit autant son enthousiasme pour la culture et la littérature italiennes que sa foi en l'avenir des lettres dans sa patrie.

En 1609, Hooft, qui est encore allé étudier à Leiden, est nommé bailli de Muiden et du Gooiland, l'autorité civile et judiciaire la plus haute du lieu. Premier citoyen non noble à revêtir cette charge, il l'assume avec énergie, intégrité et tolérance, loin des querelles politiques et religieuses. Sa demeure de fonction, le Muiderslot est fréquentée, l'été, par des amis musiciens et poètes parmi lesquels Constantin Huygens, Barlaeus et Tesselschade. L'histoire littéraire a traduit ces réunions galantes et distrayantes par le concept, un rien trop générique, de *Muiderkring* (« Cercle de Muiden »). Toujours très actif à la chambre d'Amsterdam, Hooft contribue à la transformer en *Nederduytsche Academie* (1617), une espèce d'école publique supérieure où le théâtre jouait le rôle déterminant d'école de citoyenneté. À partir de 1618 cependant, il s'oriente de plus en plus vers l'historiographie, dont Tacite est à ses yeux le modèle. Il mourra à La Haye où il était allé assister aux funérailles du Prince Frédéric-Henri.

Le lyrisme poétique qui empreint les sonnets et les chants amoureux qu'il écrit durant les années qui suivent son voyage en Italie tranche sur la production néerlandaise de l'époque : dans les formes d'un pétrarquisme virtuose jamais banal, il coule, dans une langue jusque là inouïe, une matière parfois très autobiographique qu'il réussit à enraciner dans les traditions propres de la chanson populaire. Très courus, ces textes circulèrent bientôt, paraissant notamment dans les *Chansonniers*, très prisés de la jeunesse dorée d'Amsterdam. Hooft lui-même trouvait qu'ils y avaient leur place. En 1611 déjà, il les avait rassemblés, anonymes, dans les *Emblemata amatoria*, un recueil de poésies et de chansons d'amour légendant une série de trente emblèmes. Cette assise sociale de la poésie lyrique de Hooft est trop peu souvent soulignée.

Poète tourné vers la société, Hooft considère le théâtre comme de la vraie littérature et défendra ardemment cet art dans un plaidoyer, sans doute destiné aux gouvernants d'Amsterdam, pour la *Dignité de la poésie* (*Waerdicheit der Poësie*, entre 1610 et 1615). Son théâtre de jeunesse, *Achille et Polyxène* comme *Thésée et Ariane*, est tout empreint de philosophie morale stoïcienne. Sa très italienne pastorale de cour *Granida* (1604-1605), quant à elle, médite sur la relation entre l'érotisme et l'amour, dont l'équilibre harmonieux est la clé du bonheur. En 1613, paraît *Geeraerdt van Velzen*, une tragédie qui, plus que n'importe quel écrit théorique, fut déterminante pour le développement du genre en néerlandais. Miroir de la politique, son intrigue tourne autour du meurtre d'un tyran médiéval : la pièce prévient des dangers de la guerre civile, qui menace, et défend les valeurs du respect, du droit et de la paix. Mise en garde contre la passion et la soif de vengeance, le drame prend surtout sa dimension d'actualité à la fin, quand la crue allégorique de la *Vecht*) désigne éloquemment la croissance et l'essor futur d'Amsterdam éclairée par ces principes. Expression des idées de Hooft, sa deuxième pièce politique, *Baeto* (1616, éditée en 1626) met en scène un souverain pacifique qui préfère l'exil à la guerre civile. Afin de couvrir les frais consentis par la chambre pour cette tragédie, qui ne fut pas représentée, Hooft écrivit aussitôt une adaptation, tout amstellodamoise, de l'*Aulularia* de Plaute, le *Warenar* (1617), une des meilleures comédies du XVIIe siècle en néerlandais, où il se montre l'égal de Bredero.

L'ouvrage majeur de Hooft reste cependant les *Neederlandsche Historien* (*Histoires des Pays-Bas*), qui rapportent l'Insurrection néerlandaise. Les vingt premiers Livres (1642) couvrent les années qui vont de l'abdication de Charles-Quint (1555) à l'assassinat de Guillaume le Taciturne (1584). Les sept derniers Livres, publiés posthumes (1654), portent sur la période 1584-1587. Assises sur une intense recherche historique, d'écriture volontiers dramatique, en une prose à la fois solennelle et lapidaire à la manière de Tacite, les *Histoorien* ne veulent pas seulement, *sine ira et studio*, rendre compte de l'honorable lutte contre l'Espagne, mais donner des leçons de politique : elles impliquent en effet constamment la référence à l'unité et à la liberté nationale. Hooft avait offert les prémices de cet *opus magnum*, notamment dans *Hendrik de Groote* (*Henri le Grand*, commencé en 1618, paru en 1626), une biographie d'Henri IV de France, à ses yeux le modèle du souverain idéal. En cet honneur, Louis XIII le fit chevalier de l'Ordre de Saint-Michel, en 1639.

Pierre Brachin, "Hooftiana". – In : *Études germaniques* XXIII (1968), pp. 507-513.

Pierre Brachin, "Le Cercle de Muiden et la culture française". – In : *Faits et valeurs*. – La Haye : M. Nijhoff, 1975, pp. 99-131.

BATO OU L'ORIGINE DES HOLLANDAIS — 134

J. Cohen — 1827

Haineuse malice, efficace (Acte III, scène 2). — « Penta, princesse finlandaise, épouse en secondes noces Katmeer, roi des Cattes, que l'on appelle maintenant les Hessois. Elle essaie, à plusieurs reprises, mais inutilement, à inspirer au roi de la haine et de la méfianec contre le prince Bato, son fils du premier lit, et contre sa bru Rycheldin. N'y pouvant réussir, elle cherche à les faire mourir. Cependant, en butte aux soupçons de tout le monde, elle propose un accomodement et fixe un jour pour jurer le maintien de la paix devant l'autel du feu. La nuit qui précède ce jour, elle demande conseil aux esprits infernaux, car elle était magicienne, sur les moyens de parvenir à son but. Elle apprend d'eux à préparer une espèce de feu, qui peut rester caché pendant quelques heures dans les vêtemens, et s'enflammant ensuite, donner la mort à tous ceux qui s'en approchent. Le moment étant arrivé de jurer le renouvellement de l'amitié, Penta, dans la vue de donner à la mort de Bato et de Rycheldin l'apparence d'un châtiment divin, commence par prononcer elle-même le serment suivant : *Je vous jure à compter de ce moment, une amitié véritable, et si ma bouche trahit mon cœur, puissent les feux du ciel et de l'enfer me consumer !* Les jeunes princes sont obligés de répéter ce serment après elle. Elle envoie ensuite le feu magique à Rycheldin, dans une toque ornée d'un voile, et à Bato dans un chapeau à plumet, en les priant de vouloir bien l'un et l'autre se parer de ses présens en se rendant à une fête qui doit se donner à sept heures du soir en son honneur. Le hasard fait que Bato, animé par la chasse, revient si tard au palais que déjà le feu avait pris aux cheveux de Rycheldin, qui meurt ; et le chapeau, qui avait été posé sur une table, s'enflamme au même instant de lui-même ; ce qui fait naître les soupçons du prince. La magicienne, instruite de cet événement, fait dire au roi que Rycheldin a été consumée par le feu du ciel, comme parjure, et que Bato se propose de prendre les armes contre son père. Katmeer, poussé par sa femme, donne des ordres pour faire arrêter son fils. Bato, se voyant découvert, et ne voulant pas aller en prison, se défend et repousse les gardes du roi jusque dans le palais. Considérant ensuite qu'il était devenu indispensable que l'un des deux cédât à l'autre, il choisit l'exil de préférene au trône, et se rend sur-le-champ, suivi d'une grande partie de la noblesse et des citoyens, jusqu'aux frontières du pays. Arrivé en ce lieu et s'étant arrêté pour se reposer, Rycheldin lui apparaît en songe, et lui montre le chemin d'un pays inhabité où il peut s'établir, et qui s'appelle maintenant la Hollande. Ayant donc traversé la frontière du pays des Cattes, ceux qui l'ont suivi le saluent comme leur roi, et il leur donne le nom de Bataves d'après le sien. La tragédie commence vers minuit et se termine dans les vingt-quatre heures. » (Argument de Jean Cohen).

RYCHELDIN

Juste ciel ! ma chevelure brûle.

CIVILIS[1]

Jeunes filles, apportez de l'eau, de l'eau.

BATO

Comment ?

LUDEWIC

Versez promptement de la cruche.

BATO

Éloignez-vous.

RYCHELDIN

Hélas !

CIVILIS

Elle se meurt.

BATO

Arrêtez. Que personne ne se souille du sacrilège d'un autre, ou ne s'oppose à la volonté du ciel. Il nous apprend le crime qu'elle a commis ; que ce crime reçoive son juste châtiment. Son malheur vient d'en-haut. En voulant troubler la justice des dieux, on perdrait à la fois ses peines et leur faveur. O raison trop aveugle ! où avais-je placé ma confiance ? O perfide

1 Prince de sang royal.

cœur humain ! que tu es plein de ruses, d'obscurs réduits et de lieux cachés où tu dérobes au jour tes mauvaises inclinations que tu ne sais point surmonter ! Ma chère Rycheldin, je veux dire celle qui me fut chère, car je ne l'aimais point telle qu'elle était, mais telle qu'elle me paraissait, a été pendant tant d'années un modèle de vertu ! Je m'imaginais qu'aucun mouvement de son cœur ne m'était inconnu. Maintenant le ciel, par un seul coup, l'accuse, la condamne et la punit. Que désormais personne ne croie aveuglément à la foi des hommes ou des femmes. Je défendais sans le savoir un être impie. Si elle avait coulé une vie sans tache, et si son âme n'avait jamais recélé des pensées perfides, elle n'aurait pas péri du trépas d'un parjure.

CIVILIS

Elle a cessé de vivre.

LUDEWIC

Hélas ! il n'y a plus d'espoir.

CIVILIS

Voyez ; le plumet brûle aussi, et personne ne l'a allumé.

LUDEWIC

Que veulent dire ces prodiges ?

CIVILIS

O dieux ! n'anéantissez pas d'un seul coup toute la race royale. Que votre vengeance s'arrête.

BATO

Les traits acérés de la foudre en veulent-ils aussi à ma tête ? O dieux ! quand vous ai-je trompés pour que vous me menaciez ainsi ? Le cœur de l'homme est-il si ténébreux que je ne puisse voir dans le mien les pensées criminelles qui s'y cachent ? Ou bien, en jurant ne me suis-je pas assez tenu en garde contre de coupables idées, qui maintenant offensent les dieux. Si j'ai tort, que les flammes du ciel me consument : c'est moi et non mon chapeau que leur fureur doit atteindre. Mais que dis-je ? ma conscience ne m'induit point en erreur. C'était contre moi que les coups étaient dirigés. Est-ce ainsi que l'on détruit les êtres vertueux ? Non, je découvre la fraude. Dons meurtriers ! tant que la reine me témoignait de l'inimitié, je contredisais avec zèle ce que l'on répandait en secret sur son compte ; aujourd'hui ses faveurs empoisonnées me font tout soupçonner des ruses finlandaises. L'esprit ne saurait plus se persuader le bien quand il éprouve l'excès du mal. Le soleil, depuis qu'il paraît dans l'orient, jusqu'à ce qu'il se couche dans les flots, éclaire-t-il une infortune égale à la mienne ? Depuis tant de siècles que cet astre parcourt l'étendue des cieux, le jour a-t-il jamais été souillé d'un crime pareil ? Voilà, voilà celle qui n'a jamais connu la ruse, et qui maintenant succombe sous les traits perfides d'une haine cachée. La vertu innocente, sincère et pure, est frappée dans la fleur de la jeunesse par les coups d'une infernale trahison. Elle voyait croître sous ses yeux l'espoir du royaume qui naguère encore puisait la vie dans son sein. O soins aveugles ! ô espérance trompeuse ! méritais-tu, miroir de fidélité, de ne pas voir le moment où ce fils notre commune joie, se rendrait digne, par ses actions vertueuses, de l'attachement que lui témoigne le peuple des Cattes, qui l'a reçu comme un don que le ciel lui faisait ? Et, par une cruauté du sort qui s'unit à l'enfer et le sert mieux encore qu'il ne l'avait désiré, car la magicienne s'était contentée d'infliger une douleur momentanée, le trépas m'est refusé ; j'ai été épargné afin de souffrir des peines plus cruelles, afin de prêter moi-même des secours à ces artifices impies, afin que je devinsse infidèle par un trop grand amour pour la fidélité. Cruel en dépit de mon cœur et barbare malgré moi-même, j'étais condamné à délaisser dans le monde cette vertu sublime pour laquelle j'aurais dû être toujours prêt à sacrifier ma vie. O fortune ! sont-ce là de tes jeux ? L'amertume la plus amère est-elle pour toi la douceur la plus douce ? Trésor que j'ai perdu, j'ai donc eu la cruauté d'insulter à tes traits flétris, et de calomnier ton cœur qui ne s'est jamais écarté du chemin de la vertu ! Je découvre trop tard le vrai coupable, et j'avais avec trop de promptitude soupçonné l'innocent. Désormais le monde entier retentira de cette horrible histoire, et chacun me nommera comme une des causes de ton malheur. On dira que j'étais un être sanguinaire que l'aspect de l'infortune n'a jamais su toucher. Que faut-il maintenant que je fasse ? Invoquerai-je les dieux pour qu'ils contemplent ce spectacle, ou bien leur dirai-je de détourner les yeux de cet objet affreux ? Et toi, ma tendre amie, si l'âme séparée du corps conserve quelque chose de commun avec nous, et si elle daigne baisser les yeux sur la terre et s'intéresser aux ferventes prières des hommes, je te supplie de me pardonner le crime impie que je n'ai commis que par excès de piété. J'avais pris les fureurs de l'enfer pour le juste châtiment du ciel Si les miracles nous trompent, à quoi devons-nous nous fier ?

LUDEWIC

Seigneur, qu'est devenu votre courage ? Devez-vous vous livrer ainsi à des regrets inutiles ?

BATO

Le ciel m'impose des regrets qui ne finiront jamais.

CIVILIS

Dans les grands dangers, les circonstances exigent des précautions de la part des personnes pieuses.

BATO

Les précautions sont pour ceux qui craignent ou qui espèrent. Je n'en ai plus à prendre.

Chefs-d'œuvre des théâtres étrangers, allemand, anglais, chinois, danois, espagnol, hollandais, indien, italien, polonais, portugais, russe, suédois / Traduits en français. – A Paris : chez Rapilly, 1827. – [Tome 18 : *Théâtre Hollandais*, tome 1, pp. 42-47].

LETTRES 135

P. Brachin — 1975

Préciosité à Muiden. — Le 1er août 1633, Hooft adresse un billet à la poétesse Tesselschade, lui signalant qu'elle a oublié ses mules à Muiden. Ce petit mot illustre l'atmosphère de préciosité et d'afféteries taquines où se côtoyaient les visiteurs artistes du château.

Vous avez, Mademoiselle, oublié ici vos mules, c'est une vilaine distraction. Car il eût mieux valu oublier vos pieds et ce qui y est fixé. Le plancher, je pense, a voulu vous retenir, et vous lui avez échappé, tout comme Corisca[1] déjoua le satyre en lui laissant sa perruque. Et assurément les carreaux et les parquets sont tout tristes de n'être plus caressés par la douceur de vos petits pas. Cependant cette étourderie nous fait espérer que nous trouverons encore quelque autre dépouille ; peut-être avez-vous oublié votre cœur en quelque coin ? Mais nous avons beau chercher, il n'y est point, ou alors il faudrait qu'il fût invisible. Aussi bien, s'il était seulement oublié, et non pas laissé sciemment, la trouvaille serait de moindre valeur.

Pierre Brachin, "Le Cercle de Muiden et la culture française". – In : *Faits et valeurs*. – La Haye : M. Nijhoff, 1975. – [P. 106].

1 Dans le *Pastor Fido* de Guarini. (N.d.t.)

HISTOIRES DES PAYS-BAS

136

P. Brachin — 1970

La prise de La Brielle. — Dans l'histoire des Pays-Bas, le 1er avril 1572 est une date majuscule. Ce jour-là, au nom du Prince d'Orange, les portes de la petite ville fortifiée de La Brielle (*Den Briel*) s'ouvrirent devant Lumey et ses quelque six cents Gueux de mer, chassés d'Angleterre par la reine Elizabeth, croisant, sans plan précis, le long des côtes de Hollande et de Zélande. Lorsque le duc d'Albe reçut la nouvelle, il dit : *no es nada* (« ce n'est rien »). Ce fut cependant le véritable commencement de la guerre d'indépendance des Pays-Bas.

Le 1er Avril, vers deux heures de l'après-midi, deux navires arrivent, suivis de vingt-quatre autres, s'engagent hardiment dans l'estuaire et amènent devant la jetée de La Brielle. Les habitants [...] furent extrêmement étonnés de voir une telle foule de vaisseaux marchands : car ils les prenaient pour tels, n'imaginant pas le moins du monde que les Gueux de mer apportaient là dans leurs voiles une aussi rude et aussi longue guerre. Le premier qui se douta de quelque chose fut un passeur nommé Jan Pieterszoon Koppestock ; il s'en ouvrit à quelques personnes qu'il avait à son bord pour les transporter à La Brielle ; lesquelles, saisies de crainte, se firent reconduire à leur point de départ. Lui, ensuite, s'en va aborder la flotte et demande à parler à Treslong. Celui-ci s'étant montré, il lui souhaite la bienvenue ; Treslong le mène auprès du Comte[1], disant que cet homme est tout indiqué pour la réalisation de leur dessein. On l'invite donc à aller porter un message dans la ville. Koppestock, avec la sérénité de qui ne risque pas lourd, accepte la mission. En guise de lettres de créance, il emporte la chevalière de Treslong, que l'on connaissait bien à La Brielle car son père y avait été bailli. Une fois débarqué, il se dirige vers la porte, qui s'ouvre devant lui, puis vers l'hôtel-de-ville. Chacun se demandait, intrigué, ce qu'il pouvait bien apporter, et en cours de route force paroles lui furent jetées à la tête, qui respiraient les unes la faveur, les autres la défiance. Trouvant les autorités rassemblées, il leur expose « comment l'Amiral, ainsi que Treslong et les autres officiers du Prince[2], avaient exigé de lui qu'il vînt prier la municipalité de leur dépêcher deux plénipotentiaires, auxquels il ne serait fait aucun mal. Car ceux qui l'avaient envoyé, déclaraient être là pour les délivrer du denier-dix[3] et les protéger contre la tyrannie du duc d'Albe et des Espagnols ». Ce disant, il leur montre l'anneau garant de sa mission. On lui demande s'ils étaient

---

1 Guillaume de la Marck.

2 Guillaume d'Orange. (N.d.t.)

3 Impôt de 10%.

nombreux. Et lui, plus par étourderie que par astuce, de répondre : « Ils sont bien cinq mille ». Cela fit frissonner tout le monde et pencher la balance : on enverrait des plénipotentiaires. Mais ce frisson s'accompagnait d'une telle perplexité que nul ne voulait se mettre sur les rangs. Deux personnes finirent cependant par suivre l'homme pour savoir ce que le Comte avait à proposer. Celui-ci réclame la ville au nom du Prince, lieutenant du Roi[1], leur donne deux heures de réflexion et les laisse repartir. Là-dessus, la consternation ne fait que croître ; c'est un grand branle-bas, les gens plient bagage et s'enfuient, qui en voiture, qui à cheval, par la porte du Midi. Les soldats, débarqués entre-temps et arrivés pour une part devant les portes, demandaient à ceux qui regardaient par-dessus les murs si on allait leur ouvrir ou s'il leur faudrait entrer par leurs propres moyens. La municipalité tardait à répondre ; puis, constatant la disparition de presque tous ceux qui avaient quelque chose à perdre, et chez d'autres de la sympathie pour les intrus, elle décampe à son tour. Le délai une fois expiré, et de peur qu'à l'intérieur on ne se fortifie et ne se dispose à la défense, le Comte marche sur la ville en deux détachements. L'un, conduit par Treslong en direction de la porte du Midi, y rencontra l'intendant Johan Van Duyvenvoorde, qui s'apprêtait à prendre le large. Les soldats voulaient lui faire un mauvais parti, mais Treslong intervint, et le persuada de rester. L'autre détachement, sous les ordres de Roobol, rassemble devant la porte du Nord poix, brindilles, paille et autres matières aisément inflammables, y met le feu, puis enfonce la porte à l'aide d'un bout de mât. Avant neuf heures ils étaient maîtres de la ville. Le Comte entra par cette porte. Treslong par l'autre, avec environ deux cent cinquante hommes en tout : des Wallons de Liège d'une part, gens éveillés mais turbulents, et d'autre part des Néerlandais émigrés.

Anthologie de la prose néerlandaise. Pays-Bas I. Historiens et essayistes / Pierre Brachin. – Paris : Aubier ; Bruxelles : Asedi, 1970. – [Pp. 5-9].

1 Jusqu'en 1581, le roi d'Espagne continua à être théoriquement reconnu comme souverain par les insurgés, et Guillaume d'Orange agissait soi-disant comme son représentant. (N.d.t.)

TROÏLOS

GREC

Env. 1590 - après 1648

Né à Réthymnon, en Crète, dans une famille bourgeoise d'origine italienne, fils de Georges Troïlos, qui était sans doute avocat et avait pris part, aux côtés des Vénitiens, à la bataille de Lépante (1571), Jean André Troïlos occupa diverses charges (notaire, chancelier, officier de la garde civile- dans l'administration vénitienne de l'île. Notable respecté, il quitta la Crète, peut-être dès 1642, sans doute lorsque sa ville natale tomba aux mains des Turcs, en 1646, et s'installa alors à Venise. C'est là que parut, en 1647, son œuvre unique, la tragédie *Le Roi Rodolinos*. On ignore la date et le lieu de la mort de Troïlos : les derniers documents qui attestent sa présence à Venise sont de 1648.

Rodolinos met en scène Trosilos, roi de Perse, qui aime Arétousa, la fille du roi de Carthage. Mais le souverain africain s'oppose à leur mariage, parce que Trosilos a autrefois tué son fils unique, au cours d'une guerre que se livraient les deux royaumes. Pour contourner ce refus, Trosilos imagine un stratagème : son ami Rodolinos, roi de Memphis, ira demander pour son compte la main de la princesse, qu'il lui remettra à son retour. Rodolinos accepte par amitié, mais tombe amoureux d'Arétousa au cours du voyage qui les ramène de Carthage en Égypte. Il s'unit à elle, qui partage ses sentiments et le considère comme son époux. Rodolinos ne peut dès lors que trahir son ami en épousant Arétousa, ou livrer celle-ci au meurtrier de son frère, qu'elle ne saurait accepter pour mari. Un conseiller croit trouver une solution à ce dilemme : on donnera pour femme à Trosilos la princesse Rhododaphné, sœur de Rodolinos. Mais cet arrangement se révèle impossible : Aretousa, qui se croit trahie par son amant, s'empoisonne ; Rodolinos, que cette mort plonge dans le désespoir, retourne son épée contre lui. Privé de son ami et de la femme qu'il aime, Trosilos se suicide lui aussi, tandis que Rododaphné succombe à l'émotion. Tous les héros disparaissent : ne survivent à cette hécatombe que la reine mère éplorée et quelques personnages secondaires.

Composée un demi-siècle environ après l'*Érophile* de Hortatsis et sans doute antérieure de presque autant à l'anonyme *Zénon*, l'œuvre de Troïlos est la deuxième en date des tragédies et la plus longue des pièces du théâtre crétois de la Renaissance. Inspirée directement de *Il Re Torrismondo* (1587) du Tasse, elle n'imite pas servilement son modèle, qu'elle modifie sur plusieurs points. Troïlos a en effet supprimé dix scènes et en a introduit onze de son cru, transporté le lieu de l'action — la Scandinavie chez le Tasse — dans le monde méditerranéen, écarté le thème de l'inceste entre frère et sœur, ajouté le personnage de Rhododaphné et le suicide de Trosilos, composé enfin un prologue et introduit des chœurs originaux, dont trois sont des sonnets. Ni traduction, ni adaptation, mais œuvre nouvelle, *Rodolinos* vaut plus par ses qualités poétiques et lyriques que par sa construction dramatique : la longueur de l'exposition, les nombreux monologues, la lenteur des dialogues en rendent la représentation malaisée. Dans sa « Dédicace au lecteur », l'auteur lui-même semble du reste avouer qu'il destinait sa pièce à la lecture plutôt qu'à la scène. Éditée une seule fois, elle ne paraît pas avoir été jouée au XVIIe siècle.

À bien des égards, *Rodolinos* s'éloigne des conceptions renaissantes de la tragédie. L'omniprésence de la mort, et en particulier de la mort d'êtres jeunes, l'importance que revêtent les thèmes obsédants de la faute, de la culpabilité et du remords, la primauté accordée à la réflexion sur l'action sont autant de traits qui rattachent l'œuvre de Troïlos au monde du drame baroque.

La Renaissance crétoise, XVIe et XVIIe siècles. 1. La littérature / Alexandre Embiricos. – Paris : Les Belles Lettres, 1960. – (*Collection de l'Institut d'études byzantines et néohelléniques de l'Université de Paris* ; 19). – [Pp. 156-164].

M.I. Manoussacas, "Documents vénitiens inédits (1618-1639) concernant Jean André Troïlos, auteur de *Rodolinos*". – In : *Thesaurismata* 2 (1963), pp. 63-77. – [En grec].

Rodolinos, tragédie de Jean André Troïlos (17e siècle) / éd. M. Aposkiti. – Athènes : Stigmi, 1987. – [Introduction, en grec, pp. 15-41].

I. Mavromatis, "Du nouveau sur l'auteur de *Rodolinos*, Jean André Troïlos". – In : *Ariadni* 5 (1989), pp. 297-306. – [En grec].

W. Puchner, "Rodolinos". – In : *Literature and society in Renaissance Crete* / edited by D. Holton. – Cambridge : University of Cambridge, 1991. – [Pp. 148-154].

RODOLINOS 137

M. Lassithiotakis — 1996

Les cauchemars d'Arétousa (Acte I, scène 2). — Arétousa confie à Sophronie, sa nourrice, ses angoisses nocturnes et ses sombres pressentiments.

SOPHRONIE

Quelle affaire nouvelle et secrète, ma reine,
t'a réveillée, pour que tu quittes ta demeure
de grand matin, plus tôt que tous les autres jours ?
Et pourquoi cette hâte, où se marque un tracas ?
Quels sont ces signes que je vois sur ton visage
d'une crainte et aussi d'un désir douloureux ?
Comme un tourment nouveau se lit sur tous tes traits :
ton cœur est torturé, il n'est pas en repos.
Ta servante t'implore, ta fidèle nourrice,
de ne lui point cacher ce qui te fait souffrir.

ARÉTOUSA

Ma très chère nourrice, ma mère, j'en conviens,
tu dois connaître mes pensées les plus secrètes :
à ton autorité, à ta grande sagesse
je dois me fier, si je veux prendre ton conseil.
Il est vrai, tu l'as dit et je ne le nie point,
que je désire et vis dans la crainte et l'effroi.
Je connais mon désir, mais l'objet de ma crainte
me reste obscur, et j'ai peine à le voir.

Je crains des ombres, je crains des rêves, et tant d'autres présages
que ma langue et mon cœur hésitent à te dire,
et à quoi je vois bien que le ciel, les étoiles,
le destin, l'Avenir cruel me sont contraires.
Quelque chose m'effraie de mauvais et de sombre,
un souci qui jamais ne quitte mon esprit,
qui la nuit me réveille et tout le jour m'empêche
de dormir, qui torture mon cœur et l'obsède.
Et quand je dors un peu, que mes yeux las se ferment,
des visions d'horreur viennent me terrifier.
Lors je vois mon ami parti mener la guerre,
au péril de sa vie, contre un roi étranger ;
et lors il me paraît que des murs et des marbres
suinte du sang, que nos palais menacent ruine ;
et lors qu'une ombre immense et terrible et rageuse,
me poursuit, maniant une sanglante épée,
et m'oblige à entrer dans une grotte obscure
dont la porte aussitôt se referme sur moi.
Mais ce matin, comme jamais, un rêve sombre
est venu m'éveiller quelque temps avant l'aube :
le vieil Agathostrate, conseiller de mon père,
qui est mort, ce me semble, il y a bien douze ans,
était venu dans ce pays en toute hâte,
sur un bateau, pour sans attendre m'emmener.
Il portait une lettre où mon père disait
qu'à un prince très riche il m'avait mariée :
je ne pouvais désobéir, car il voulait
que nous fussions auprès de lui dans ses vieux jours.
Et pour preuve qu'il disait vrai, il m'envoyait
son sceptre et sa couronne, pour que je rentre vite.
Alors, le cœur brisé et le visage en pleurs
à l'idée de quitter mon ami, j'embarquais.
Mais avant le départ, Rodolin vint me voir
et ce fut un grand deuil dans toute la cité.
D'abord, d'un geste vif, il mit son sceptre en pièces,
puis il monta à bord, voulut que les pilotes
hissent des voiles noires, laissent le gouvernail,
renoncent à chanter, et pleurent sans relâche ;
eux, qui voulaient partir, larguèrent les amarres,
et c'est alors que la douleur me réveilla.

Aussi ai-je grand peur du sommeil, du repos,
car je crains cette guerre que me font, nourrice,
mes songes de la nuit : ne t'étonne donc pas
de me voir me lever et marcher dès l'aurore.
Hélas ! comme tu vois, ma bien-aimée nourrice,
mon état est pareil à celui du malade
qui est toute la nuit secoué de frissons
et qui voit au matin ce froid devenir fièvre :
dès avant que mes froides peurs de la nuit passent,
mon cœur est embrasé d'une flamme sans fin.

Traduction inédite. — *Rodolinos, tragédie de Jean André Troïlos (17e siècle)* / éditée par M. Aposkiti. – Athènes : Stigmi, 1987. – [Pp. 75-77].

RODOLINOS

138

M. Lassithiotakis — 1996

Sagesse ! (Chœur de l'acte III). — Un des trois sonnets entonnés par le chœur chante la souveraineté de la Sagesse et la Gloire de sa lumière.

Dans les cieux la Sagesse est seule souveraine,
à sa lumière elle soumet les créatures ;
la nature elle aussi lui est assujettie
et l'Avenir, son serviteur, lui obéit.

Cette lumière de tout bien est l'origine,
lumière intense et qui ne connaît point de soir,
lumière qui sait rendre immortelle la vie,
lumière que jalouse même le soleil.

D'elle émane une gloire qui n'est point trompeuse,
et ceux qui dans le sens de ses rayons cheminent
ne connaissent jamais la crainte du destin.

Quant à ceux qui n'ont pas le désir de ces grâces,
et qui vivent dans des ténèbres d'ignorance,
ils trébuchent et sont plongés dans les abîmes.

Traduction inédite. — *Rodolinos, tragédie de Jean André Troïlos (17e siècle)* / éd. M. Aposkiti. – Athènes : Stigmi, 1987. – [P. 126].

TIRSO DE MOLINA

ESPAGNOL

1579 ? - 1648

Objet de difficiles recherches, la date de naissance de Gabriel José López y Téllez — Tirso de Molina (Thyrse du Moulin) fut le pseudonyme de ce moine chaussé de l'Ordre de Notre-Dame de la Merci — oscille, dans la critique, entre 1579 et 1581. Et l'on ne sait, de même, presque rien de sa famille ni de sa formation intellectuelle : en ces matières, les connaissances sont construites sur des hypothèses tirées du contenu de ses œuvres plus que sur des données historiques concrètes. Quoi qu'il en soit, ce qui est sûr, c'est qu'il vit le jour à Madrid et qu'il devait appartenir à une famille originaire de la Seigneurie de Molina, en Aragon, et en liens avec la principauté de Catalogne. Il est probable qu'après des études primaires, il ait accompli ses humanités au collège impérial de la Compagnie de Jésus.

Le 20 janvier 1600, il entre au couvent madrilène de la Merci et, un an plus tard, fait sa profession religieuse dans le couvent que cet ordre possédait à Guadalajara. Après sa profession, comme il était requis de tout frère qui voulait être ordonné, il va à Salamanque obtenir un baccalauréat ès Arts (1601-1603), puis à Tolède étudier la théologie (1603-1607). En 1608, il est ordonné prêtre, va étudier l'Écriture sainte à Alcalà (1608-1610) et se déplace dans diverses villes castillanes, comme Ségovie ou Soria, et dans les Asturies. À partir de 1610, il réside à Madrid. La plupart des critiques estiment qu'il avait déjà, peu auparavant, commencé sa carrière de dramaturge.

En 1611, il achève *Los tres maridos burlados* (*Les Trois maris trompés*), et retourne à Tolède où il compose *La Villana de la Sagra*. Un an plus tard, le 19 septembre 1612, il signe un contrat avec Juan Acacio, un agent littéraire, qui convient de la vente de trois de ses comédies : *El saber guardar su hacienda*, *Cómo han de ser los amigos*, et *Sixte V*. En juin 1616, après avoir passé deux ans à Ségovie, il entreprend, en compagnie de cinq autres confrères de la Merci, un voyage à Saint-Domingue pour y réformer le couvent que son ordre y possédait. En 1618, devenu définiteur général de son ordre pour la Province de Saint-Domingue, il est convoqué, pour l'élection du Supérieur général, au chapitre général à Guadalajara. Il retourne alors à Tolède, puis à Ségovie où il enseigne pendant deux ans la théologie (1618-1620). Cette charge d'enseignement, et sa mission à Saint-Domingue, lui avaient, dans son ordre, ouvert la voie au bénéfice ecclésiastique.

Revenu à Madrid, il commence à devenir célèbre pour ses comédies. En 1624, sont imprimées ses *Cigarrales de Toledo* (*Les Cigales de Tolède*), des nouvelles à la manière italienne. En 1625 cependant, toute gloire s'accompagnant de l'envie, le Conseil de réforme, créé pour lutter contre les excès et les vices, prononça l'exil de Tirso, dont les comédies profanes étaient jugées scandaleuses et de mauvais exemple et le condamna à vivre dans un des monastères les plus reculés de son ordre, avec interdiction, sous peine d'excommunication majeure, de faire encore des comédies ou tout autre genre de vers profanes. Cette condamnation ne fut pas exécutée. Écarté quelque temps à Cordoue et à Séville, il est nommé, en 1626, commandeur du couvent de la Merci de Trujillo (Cáceres), patrie de Pizarre. Au cours de cette période, il dut entrer en relations avec la famille du conquistador, ce qui expliquerait la dédicace à cette famille de la trilogie *Amazonas en las Indias*, *La lealtad contra la envidia* et *Todo es dar en una cosa*. De retour à Tolède, Tirso semble montrer son repentir : il ne crée plus de comédies profanes et se consacre à la littérature dévote. Il écrit un recueil de nouvelles pieuses, *Deleitar aprovechando* (*L'Utile et l'agréable*) et, nommé entre-temps chroniqueur général de l'ordre, se charge de compiler l'*Histoire générale de l'Ordre de Notre-Dame de la Merci*, ce qui lui vaut près de dix ans de recherches historiques. Tout au long de cette période, il réside à Madrid et conjoint son travail de chroniqueur à la publication de ses comédies. Ainsi en paraissent les troisième, quatrième et cinquième tomes, en même temps qu'en est réédité le deuxième.

Le soulèvement catalan de 1640, qui empêcha le retour du Supérieur provincial, motiva un nouvel exil de Tirso de Molina, causé par son inimitié avec le vicaire général, le Frère Marcos Salmerón. Cette fois, ce fut Cuenca qui accueillit sa retraite. Durant ces années, entrecoupées de séjours plus ou moins longs à Tolède et Soria, il fait imprimer une de ses comédies inédites, *La firmeza en la hermosura* (Valence, 1646). En 1648, réintégré dans ses fonctions de définiteur provincial de Castille, il meurt sur la route de Madrid, à Almazán (Soria).

Au terme d'une vie pleine de tracas, Tirso de Molina laisse à la postérité quelque cent œuvres, manuscrites et imprimées : des comédies profanes ou hagiographiques, des intermèdes, des actes sacramentels, des poèmes dramatiques et des lettres sur des thèmes variés. Une de ses comédies édifiantes, *El Burlador de Sevilla y convidado de piedra*, est à l'origine du mythe de Don Juan.

Catálogo bibliográfico y biográfico del Teatro Antiguo Español (Desde su orígenes hasta mediados del siglo XVIII) / Cayetano Alberto de la Barrera y Leirado. – Madrid : Imprenta y Estereotipa de M. Rivadeneyra, 1860. – [Pp. 382-390].

Homenaje a Tirso. – In : *Revista Estudios*, Madrid, 1981.

LE DAMNÉ POUR MANQUE DE FOI

139

A. Royer — 1863

Bonheur d'ermite (Ire journée, scène I). — Paulo et Pédrisco, son domestique, sont comme le Don Quichotte et le Sancho de la vie érémitique : ils vivent dans deux cavernes contiguës depuis dix ans. Le premier nous est présenté tout plein de son idéal et tout accordé au décor de la pastorale spirituelle.

Une forêt. Deux cavernes entre deux rochers escarpés.

PAULO, *vêtu en ermite*. — Ô mon heureuse retraite ! solitude paisible et délicieuse, qui, par le chaud et le froid, me donnez un logis dans cette forêt ombreuse, dont l'hôte est l'herbe verte ou le pâle genêt ! À ce moment où l'aube humectant les émeraudes de ces feuilles, salue le soleil qui se lève dans les halliers, écartant de ses mains, pleines de pure lumière, les ombres de la nuit, je sors de cette caverne que surmontent des pyramides de rochers dont le sommet touche les nuées errantes. Je sors pour contempler ce ciel, tapis d'azur que foulent des pieds divins ! Qui donc, ô céleste voile, pourrait entr'ouvrir ces taffetas lumineux pour voir... Ah ! pitié pour moi ! Je deviens fou. Mais puisque c'est impossible et que je suis certain, Seigneur, que vous me voyez de ce trône de lumière inaccessible, au pied duquel sont les anges qui vous servent, plus beaux que la lumière du soleil, je veux vous rendre mille grâces pour les bienfaits que vous m'accordez sans que je les aie mérités. — Quand donc ai-je été digne d'être par vous retiré du tumulte du monde, qui est le seuil de la porte de l'enfer ? Quand donc, divin Seigneur, mon indignité pourra-t-elle vous remercier de m'avoir mis dans le chemin qui me fera jouir de votre vue si je ne l'abandonne pas ? Et après cette victoire me donner tant de gloire dans ces forêts ! Ici les petits oiseaux qui chantent leurs amoureuses chansons dans les joncs et le thym me font souvenir de vous et je dis : Si la terre donne cette gloire, quelle sera donc la gloire que donne le ciel ? Là ces petits ruisseaux, fragments de cristal au milieu des prés verts, me tiennent éveillé et me font souvenir de vous. C'est une grande joie que verse dans mon âme leur sonore accent ! Ici des fleurs champêtres aromatisent le vent fugitif et habillent cette plaine de mille couleurs. Sa beauté fait mon admiration ; il semble qu'elle soit tapissée d'une étoffe d'Afrique. Pour ces dons et pour ces joies, sois béni mille fois, Dieu immense, toi qui m'offres tant de biens ! Ici je pense te servir, puisque j'ai laissé le monde pour mon bonheur ; ici je pense te suivre sans que jamais aucune folie humaine, à qui le monde pourrait ouvrir la porte, me fasse dévier. Je veux, Seigneur divin, vous prier humblement à genoux de me maintenir toujours dans ce pieux chemin. Souvenez-vous que vous avez fait l'homme d'un vil limon facile à briser.

Il entre dans l'une des grottes.

Théâtre / de Tirso de Molina ; traduit pour la première fois de l'espagnol en français par Alphonse Royer. – Paris : Michel Lévy, 1863. – [Pp. 297-298].

LE DAMNÉ POUR MANQUE DE FOI — 140

A. Royer — 1863

Illusion, quand tu nous tiens ! (Ire journée, scène IV). — Paulo se réveille d'un songe où, au jugement dernier, il a assisté à la damnation de son âme. En dépit de sa foi, il est rempli d'angoisse et de doute. C'est le moment que choisit le démon, déguisé en ange, pour le tenter.

Le démon apparaît sur le sommet d'un rocher.

Le DÉMON, *invisible pour Paulo.* — Depuis dix ans je persécute ce moine dans le désert, lui rappelant ses souvenirs et ses pensées d'autrefois, et je l'ai toujours trouvé ferme et résistant comme un rocher. Aujourd'hui il chancelle dans sa foi, car ce qu'il a fait aujourd'hui est douter dans sa foi ; la foi enseignant au chrétien que l'amour de Dieu et les bonnes œuvres le conduisent, à sa mort, dans le sein de Dieu. Celui-ci, quoiqu'il ait vécu comme un saint, doute de la foi, puisque dans son incertitude il consulte Dieu lui-même. Il a péché aussi par orgueil : le cas est certain. Personne ne le sait comme moi, puisque je souffre à cause de mon orgueil. Il a encore offensé Dieu en ne se confiant pas en lui. La cause a été un songe ; mettre un songe en balance avec la foi en Dieu, n'est-ce pas un péché manifeste ? Aussi le Juge droit et suprême m'a-t-il permis de le tenter de nouveau. Qu'il sache donc soutenir bravement les assauts que je vais lui livrer, puisqu'il a su manquer de foi et pécher par orgueil à mon exemple. Il faut qu'il efface la faute de la demande qu'il a adressée à Dieu, et moi je prépare ma nouvelle embûche à propos de cette demande. Je vais prendre la forme d'un ange et je lui répondrai des choses qui lui coûteront sa damnation si je puis.

Il se métamorphose en ange et devient visible.

PAULO. Mon Dieu, je vous supplie. Me sauverai-je ? Jouirai-je de votre gloire ? J'attends que vous me répondiez.

LE DÉMON. Dieu, Paulo, t'a entendu et il a vu tes larmes.

PAULO. Comme j'ai peur ! Sa vue m'aveugle !

LE DÉMON. Dieu m'a ordonné de dissiper ton doute et cette illusion, œuvre de ton ennemi. Pars pour Naples, et à la porte qu'on appelle la porte de Mer, et par laquelle tu entreras, pour ton bonheur ou pour ton malheur, tu verras (écoute-moi avec attention), tu verras un homme...

PAULO. Quelle joie tu me donnes avec tes paroles !...

LE DÉMON. Que l'on nomme Enrico, fils du noble Anaréto. Tu le reconnaîtras à ce signalement : c'est un gentilhomme haut de taille et à l'air fier. Je ne t'en dis pas davantage ; à peine arrivé, tu le verras.

PAULO. Que lui demanderai-je ?

LE DÉMON. Tu n'as qu'une chose à faire.

PAULO. Qu'ai-je à faire ?

LE DÉMON. Le regarder et te taire, remarquant ses paroles et ses actions.

PAULO. Tu jettes dans mon cœur chimères et confusions. N'ai-je à faire que cela ?

LE DÉMON. Dieu veut que tu l'études, parce que tu dois avoir le même sort que lui. *(Il disparaît.)*

PAULO. Ô mystère souverain ! Que sera cet Enrico ? Je meurs du désir de le voir. Que je suis content et joyeux ! Ce doit être un homme divin ; il n'y a pas à en douter.

Théâtre / de Tirso de Molina ; traduit pour la première fois de l'espagnol en français par Alphonse Royer. – Paris : Michel Lévy, 1863. – [Pp. 301-303].

LE DAMNÉ POUR MANQUE DE FOI 141

A. Royer — 1863

La conversion infernale (Ire journée, scène XIII). — Paulo et Pédrisco partent à la recherche d'Enrico, qui s'avère être un assassin et un voleur. Désespéré, convaincu de sa damnation certaine, Paulo décide de changer de vie.

PAULO. Coulez, mes larmes, coulez sans vergogne ! Quel triste événement !

PÉDRISCO. Qu'avez-vous, père ?

PAULO. Ah ! frère, je suis affligé et malheureux ! Ce méchant homme que j'ai vu est Enrico !

PÉDRISCO. Comment cela se peut-il ?

PAULO. Le signalement que m'a donné l'ange est le sien.

PÉDRISCO. Est-ce bien sûr ?

PAULO. Oui, frère, puisqu'il m'a dit qu'il était fils d'Anaréto, et cet homme l'a dit aussi.

PÉDRISCO. Mais celui-ci brûle déjà dans les flammes de l'enfer.

PAULO. Malheur ! C'est ma seule crainte. L'ange de Dieu m'a dit que si cet homme va en enfer, j'irai comme lui, et que j'irai au ciel s'il y va. Mais comment irait-il au ciel, mon frère, quand nous voyons en lui tant de méchanceté, tant de vols avérés, tant de cruauté, de méfaits et de viles pensées ?

PÉDRISCO. Qui pourrait douter de cela ? Il ira en enfer comme le traître Judas.

PAULO. Grand Seigneur ! Seigneur éternel ! Pourquoi m'avez-vous châtié par cet immense châtiment ? Il y a dix ans, Seigneur, que je vis dans le désert, mangeant d'amères racines, buvant une eau saumâtre, dans le seul but, Seigneur, juge miséricordieux, sage et droit, de me faire pardonner mes péchés. Comme je vois tout changé ! L'enfer m'attend. Il me semble déjà que ses flammes dévorantes embrasent mon corps. Ah ! quelle rigueur !

PÉDRISCO. Soyez patient.

PAULO. Quelle patience ou quelle résignation peut avoir celui qui sait qu'il est réservé pour l'enfer ? Ô enfer ! obscure profondeur qui renferme l'éternel tourment et qui doit durer ce que durera Dieu ! Ô ciel ! et cela ne finira jamais ! Les âmes brûleront éternellement ! éternellement ! hélas !

PÉDRISCO, *à part*. Je tremble rien que de l'entendre. (*Haut.*) Père, retournons à la montagne.

PAULO. Oui, j'y veux retourner, mais non pour faire pénitence, car cela ne doit m'être d'aucun profit. Dieu m'a dit que si cet homme allait au ciel, j'irais aussi, et que s'il allait à l'abîme, je l'y suivrais. Puisqu'il en est ainsi, je veux vivre comme lui ; Seigneur, pardonnez-moi cette audace ; puisque je dois avoir sa fin, je dois agir comme il agit. Il n'est pas juste que je fasse pénitence sur la terre, qu'il vive à son gré dans les villes, et que tous deux nous ayons la même fin.

PÉDRISCO. C'est une sage résolution. Vous avez bien parlé, mon père.

PAULO. Il y a des brigands dans la montagne. Je veux être brigand, afin de ressembler à Enrico, puisque nous devons finir de même. Je veux être aussi méchant que lui, pire si je le peux. Puisque tous deux nous sommes damnés, il faut nous venger dans ce monde avant d'aller où nous devons aller. Ah ! Seigneur, qui l'aurait pensé ?

PÉDRISCO. Allons, et pendons nos vêtements à ces arbres. Habillez-vous en gentilhomme.

PAULO. Je le ferai. Je veux que l'on tremble devant l'homme juste qui fut condamné à l'enfer. Je dois être un coup de tonnerre sur le monde.

PÉDRISCO. Mais que ferons-nous sans argent ?

PAULO. J'en arracherais au démon si j'étais certain d'en avoir.

PÉDRISCO. Partons toujours.

PAULO. Seigneur, pardonne si je me venge injustement ! Tu m'as déjà condamné. Ta parole, assurément, ne peut retourner en arrière. Donc, puisqu'il en est ainsi, je veux mener une bonne vie sur la terre, puisqu'une si triste fin m'attend. Je suivrai les pas d'Enrico.

PÉDRISCO. J'ai bien peur de voyager en croupe avec vous si vous allez en enfer.

Théâtre / de Tirso de Molina ; traduit pour la première fois de l'espagnol en français par Alphonse Royer. – Paris : Michel Lévy, 1863. – [Pp. 320-322].

LE DAMNÉ POUR MANQUE DE FOI 142

A. Royer — 1863

L'Enfer, persévérance du désespoir (IIe journée, scène XXI). — Conséquence de la nouvelle vie que mène Paulo, il est poursuivi par un juge et divers paysans qui obtiennent qu'il soit exécuté. En ce moment critique, il cherche à savoir par Pédrisco quelle fut la fin d'Enrico, lui aussi condamné à mort. Mais le fait qu'il apprenne qu'Enrico, finalement repenti, sauva son âme, ne suffit pas à le faire changer d'attitude et il meurt sans demander pardon.

LE JUGE. Si le capitaine de la bande a échappé, c'est grâce à votre négligence.

UN PAYSAN. Je l'ai vu tomber, dans sa fuite, percé de mille flèches tirées du haut de ces rochers.

LE JUGE, *montrant Pédrisco.* Prenez cet homme !

PÉDRISCO, *à part.* Ah ! pauvre Pédrisco ! Cette fois on va te faire jeûner !

AUTRE PAYSAN, *signalant Galvan.* Celui-là est le valet de Paulo et le complice de son crime.

GALVAN. Tu mens comme un vilain ; je le fus seulement d'Enrico.

PÉDRISCO. Et moi... *(Bas à Galvan.)* Petit Galvan, mon frère, ne me dénonce pas, pour l'amour de Dieu !

LE JUGE, *à Galvan.* Si tu veux nous dire où est caché le capitaine, que nous cherchons, je te donnerai la liberté. Parle.

PÉDRISCO. Vous le cherchez vainement quand il est mort.

LE JUGE. Comment, mort ?

PÉDRISCO. Je l'ai trouvé, seigneur, percé de plusieurs flèches et dards, agonisant dans ce lieu même.

LE JUGE. Et où est-il ?

PÉDRISCO. Je l'ai couvert de ces branches. *(On écarte les branches, et l'on voit Paulo entouré de flammes.)* Mais quelle est cette vision ?

PAULO. Si vous cherchez Paulo, vous pouvez le voir le corps enveloppé de flammes. Je n'attribue à personne la faute des tourments que je souffre ; c'est moi qui en suis le seul auteur, puisque j'ai consommé ma perte. Je demandai à Dieu de me révéler la fin qui m'attendait au dernier jour de ma vie ; je l'offensai, la chose est claire, et comme l'ennemi des âmes vit l'offense, il m'incita en me poursuivant de ses ruses. Il prit la forme d'un ange et me trompa. Si j'avais été sage, je me serais tiré de ses embûches. Mais je perdis la foi dans la pitié de Dieu, qui aujourd'hui me juge et me dit : « Descends, maudit de mon père, au centre des obscurs abîmes où tu dois subir ta peine. » Que mes parents soient maudits pour m'avoir engendré ! Et que je sois aussi maudit, puisque j'ai perdu la foi !

(Il s'engloutit dans la terre, d'où sortent des flammes.)

LE JUGE. Ce sont les mystères du Seigneur.

GALVAN. Pauvre Paulo !

PÉDRISCO. Heureux Enrico, qui jouit de Dieu !

LE JUGE. Pour que cet exemple vous profite, je ne vous punirai pas ; je vous donne à tous deux la liberté.

PÉDRISCO. Vivez un nombre infini d'années ! Frère Galvan, puisque nous voilà libres, que penses-tu faire dorénavant ?

GALVAN. Devenir un saint.

PÉDRISCO. Je crois que tu ne feras pas beaucoup de miracles.

GALVAN. Espoir en Dieu !

PÉDRISCO. Ami, que celui qui perd la foi ait cet exemple toujours présent.

LE JUGE. Allons à Naples raconter cet événement.

PÉDRISCO, *au public*. Quoique ce fait soit bien ardu et difficile à croire, comme le cas est véritable, que les curieux consultent Belarmino[1] ; sinon ils trouveront le fait plus développé dans la *Vie des Pères*. C'est ainsi que finit *Celui qui manque de foi*, ou *la Peine et la gloire échangées*. Que le ciel vous garde mille années !

Théâtre / de Tirso de Molina ; traduit pour la première fois de l'espagnol en français par Alphonse Royer. – Paris : Michel Lévy, 1863. – [Pp. 368-370].

L'ABUSEUR DE SÉVILLE

143

P. Guenoun — 1962

Innocence surprise (Ire journée, v. 584-636). — La parodie, efficace, de l'esthétique et du style cultistes des églogues de pêcheurs se double ici des euphémismes ironiques d'un séducteur impénitent.

DON JUAN. Où suis-je ?

THISBÉ. Vous pouvez bien le voir : dans les bras d'une femme.

DON JUAN. Je vis en vous, si dans la mer je me mourais. Déjà s'est effacée toute la crainte que j'ai eue de me noyer, puisque du sombre enfer marin, je sors vers votre ciel clair. Un épouvantable ouragan fit naufrager mon navire, pour me jeter à ces pieds qui me donnent refuge et port. Et

---

1 Robert Bellarmin (1542-1621), le cardinal jésuite, célèbre pour ses œuvres de défense du catholicisme romain et ses controverses avec les protestants.

dans votre divine aurore, je renais, sans qu'il y ait de quoi s'étonner, puisque, vous le voyez, d'aimer à mer il ne s'en faut que d'un seul son.

THISBÉ. Vous avez bien du souffle pour quelqu'un qui sans souffle arriva, et au sortir d'un tel tourment, vous offrez beaucoup de plaisir. Mais si la mer est torture et si ses ondes sont cruelles, c'est la tension des cordes qui, je pense, vous contraint à parler. Sans nul doute avez-vous puisé dans les flots ce dernier discours, et s'il a montré tant de sel, c'est que la mer est d'eau salée. Vous exprimez beaucoup quand vous ne dites rien, et mort vous arrivâtes, mais, à ce qu'il paraît, nullement insensible. Plaise à Dieu que vous ne mentiez pas ! Vous paraissez un cheval grec que la mer rejette à mes pieds, car vous vîntes composé d'eau et vos entrailles sont de feu. Et si mouillé vous embrasez, séché, que ne ferez-vous point ? Vous promettez beaucoup de flamme. Plaise à Dieu que vous ne mentiez pas !

DON JUAN. Ah ! plût à Dieu, bergère, que dans les flots je me noyasse, afin que sage je périsse et non pas que fou de vous je mourusse ! Car la mer eût pu m'engloutir au sein de ses vagues d'argent, par la tempête déchaînées, mais n'aurait point su m'embraser. Vous tenez beaucoup du soleil, puisque le soleil vous permet que par votre seule apparence, de neige étant, vous enflammiez.

THISBÉ. Pour tout glacé que vous soyez, vous avez en vous tant de feu qu'à ma flamme vous vous brûlez. Plaise à Dieu que vous ne mentiez pas !

L'Abuseur de Séville (El burlador de Sevilla) / Tirso de Molina ; édition critique, traduction, introduction et notes par Pierre Guenoun. – Paris : Aubier-Éditions Montaigne, 1962. – [Pp. 103-105].

DESCARTES

FRANÇAIS • LATIN

1596-1650

La vie, les écrits et la philosophie de René Descartes ne sont pas aussi sévères et froids que ce que la postérité retient généralement du « cartésianisme » (de *Cartesius*, c'est-à-dire Descartes en latin). On considère habituellement Descartes comme le philosophe des idées claires et distinctes, ou du dualisme entre l'âme et le corps. Mais s'il a effectivement conçu clairement la distinction des substances pensante et étendue, Descartes n'a jamais nié l'interaction de l'une avec l'autre, ni le fait que cette interaction, et bien d'autres réalités tout aussi riches, ne peuvent s'approcher par le seul entendement : leur appréhension requiert tout autant, reconnaît Descartes, une sensibilité, une imagination ou une force d'âme que ne dispensent pas nécessairement les livres ou la culture.

C'est pourquoi ce fils d'un conseiller du Parlement de Rennes, né en Touraine en 1596, choisit à 22 ans de se détourner de la carrière de conseiller parlementaire à laquelle le destinaient son père, ses études au collège jésuite de La Flèche et sa licence en droit à Poitiers (1616). Jugeant, comme il l'écrira plus tard dans son *Discours de la méthode*, que « ni l'honneur, ni le gain que [les sciences] promettent n'étaient suffisants pour [le] convier à les apprendre », il se résout à « ne chercher plus d'autre science que celle qui se pourrait trouver en [lui]-même, ou bien dans le grand livre du monde ». Il se rend alors aux Pays-Bas et s'engage dans l'armée de Maurice de Nassau, tant pour satisfaire son goût des voyages que pour y suivre les cours et exercices pratiques qui y étaient dispensés. À Breda, il rencontre le physicien hollandais Isaac Beeckman, à qui il offrira son premier traité, un *Abrégé de Musique* (*Compendium Musicæ*) qui défend déjà l'idée d'une correspondance entre l'ordre mathématique des sonorités et la sensibilité du sujet qui les perçoit, c'est-à-dire l'idée qu'il existe une certaine « proportion » entre l'ordre des choses et celui de la pensée.

Jusqu'à l'âge de 33 ans, Descartes voyage beaucoup, rencontre les savants de son siècle, tout en poursuivant ses recherches d'optique, de mathématique et de physique. À Paris, où il séjourne entre 1625 et 1627, il rencontre le Père Mersenne, l'écrivain Guez de Balzac, le mathématicien Mydorge, le Père Gibieuf de l'Oratoire. Mais il se retire aussi à la campagne et y rédige, probablement en 1628, ses *Règles pour la direction de l'esprit* (*Regulæ ad Directionem Ingenii*). Cet ouvrage inachevé ne sera publié qu'en 1701, mais des copies circuleront bien avant et passeront entre les mains de grands esprits comme Clerselier, Arnauld et Nicole, Leibniz et peut-être Malebranche. Descartes n'y expose pas encore sa métaphysique ou les résultats de ses recherches physico-mathématiques, mais les règles méthodologiques qu'il prescrit annoncent déjà certaines orientations : encore une fois, il insiste sur l'importance de disposer par *ordre* nos connaissances, et sur le fait que cet ordre participe d'une rationalité mathématique (*mathesis universalis*). Le chercheur doit procéder comme l'algébriste, c'est-à-dire mettre en relation l'inconnu avec le connu, diviser le complexe pour le réduire au plus simple, mais en s'aidant pour cela de tous les instruments que l'industrie humaine met à sa disposition (l'imagination, les sens, les symboles), et en choisissant celui qui lui convient le mieux parmi toutes les sortes d'ordre, infiniment nombreux, qu'il peut concevoir.

En 1629, Descartes s'installe en Hollande. Il y restera vingt ans, changeant souvent de résidence pour préserver sa tranquillité. Il y écrit d'abord un traité *Du monde* qui défend la thèse de la mobilité de la terre, mais dont il ajournera la publication suite à l'affaire Galilée. Ce n'est qu'en 1637 qu'il prend le risque d'offrir au public un premier livre : le *Discours de la méthode pour bien conduire sa raison, et chercher la vérité dans les sciences. Plus la Dioptrique, les Météores, la Géométrie qui sont des essais de cette méthode.* On considère que ce discours constitue le véritable point de départ de la philosophie moderne. Mais encore faut-il bien voir en quoi consiste son originalité : Descartes ne se distingue réellement ni par l'usage du français en philosophie (Du Vair, Juste Lipse, Montaigne, saint François de Sales l'avaient déjà employé), ni par sa critique de la tradition scolastique ou sa volonté d'unifier la science et la philosophie (malgré leurs profondes divergences, Ramus, Galilée, Bacon partagent ce point de vue). En revanche, il relie pour la première fois des vérités métaphysiques, morales et scientifiques par un fil nouveau : l'itinéraire d'un *Je*, ou d'un *Moi*. Le *Discours de la méthode* ne narre en effet rien d'autre que l'histoire d'un *ego*, celui de Descartes, qui s'est résolu, par une sorte de contrat moral passé avec lui-même, à rechercher les règles, puis les idées, qui lui permettraient de « parvenir à la connaissance de toutes les choses dont [son] esprit serait capable ». Descartes raconte ainsi comment son itinéraire propre l'a amené à se donner quatre règles méthodologiques (ne se fier qu'à l'évidence, diviser la difficulté, la recomposer, dénombrer ses éléments), à se construire une morale par provision (basée sur la mesure, la résolution et l'adaptation), puis à découvrir le rôle fondamental de la substance pensante (sujet et objet du *cogito*), de Dieu et de la substance étendue, pour enfin parvenir à comprendre l'ordre des choses. Mais le *Discours de la méthode* n'est pas un traité destiné à enseigner des règles ou des vérités universelles : il vise plutôt à rendre compte d'un parcours individuel. Non pas « enseigner ici la méthode que chacun doit suivre pour bien conduire sa raison, mais seulement faire voir en quelle sorte j'ai tâché de conduire la mienne ». C'est pourquoi les essais qui suivent et illustrent ce discours ne présentent pas un caractère totalement achevé : l'explication des phénomènes naturels atmosphériques pour les *Météores,* les lois de la réfraction pour la *Dioptrique*, la résolution des équations sur une base aussi bien graphique qu'algébrique pour la *Géométrie*, indiquent surtout des directions de recherche à approfondir, même si, en mathématiques par exemple, Descartes fonde véritablement ici ce qu'on appellera plus tard la géométrie analytique.

Mais Descartes éprouve le besoin d'ancrer plus profondément encore ses recherches physiques et mathématiques dans la métaphysique. En 1641, il publie ses *Meditationes de Prima Philosophia*, accompagnées d'objections de différentes écoles philosophiques et des réponses de Descartes à ses contradicteurs « très doctes », à savoir Johan de Kater, théologien des Pays-Bas, le Père Mersenne, Thomas Hobbes, Antoine Arnauld et Pierre Gassendi. La traduction française par le duc de Luynes et Clerselier, revue et corrigée par Descartes, paraîtra en 1647 sous le titre de *Méditations touchant la philosophie première dans lesquelles on prouve clairement l'existence de Dieu et la distinction réelle entre l'âme et le corps de l'homme* (en abrégé : *Méditations métaphysiques*). Dans la première méditation, Descartes passe au crible du doute toutes les choses qui l'entourent, et fait l'hypothèse que même les vérités mathématiques pourraient être faussées par l'œuvre d'un malin génie qui emploierait toute son industrie à nous tromper. La seconde méditation présente l'expérience de notre propre pensée comme le seul fait, la seule vérité capable de résister au doute, et donc de nous assurer de notre existence à ce stade : je pense, donc je suis (*cogito ergo sum*). De son existence comme substance pensante, Descartes déduit, dans la troisième méditation, l'existence de Dieu, à la fois comme cause de sa propre existence, et comme cause de l'idée de perfection qu'il a en lui. La quatrième méditation montre alors que, l'existence de Dieu étant acquise, on peut désormais étendre nos certitudes sans plus craindre d'être trompé par un malin génie, car la bonté et la toute-puissance de Dieu interdisent l'existence de ce dernier. Cependant l'existence des choses matérielles ne constitue nullement une propriété nécessaire de l'idée qu'on en a, contrairement à l'idée de Dieu : matière et pensée subsistent donc indépendamment l'une de l'autre. C'est en cela que consiste le dualisme cartésien des substances (cinquième méditation). Par conséquent, la sixième méditation explique que nous ne pouvons être assurés de l'existence des réalités matérielles que par l'action qu'elles exercent sur nous sous forme de sensations ou de passions. Le dualisme des substances n'empêche donc pas leur interaction, et c'est parce que l'homme est un composé d'âme et de corps qu'il peut connaître la nature, mais aussi s'y égarer, ou se tromper.

En 1644, Descartes réunit en un seul traité (*Principia Philosophiæ*, publiés en français en 1647 sous le titre *Principes de la Philosophie*), non plus seulement les bases métaphysiques de son système, mais aussi leurs prolongements physiques, astronomiques, etc. Après avoir à nouveau exposé, sous une forme plus synthétique, les fondements de sa métaphysique, il développe dans une seconde partie les lois générales de sa physique, consacre une troisième section à ses conceptions astronomiques, et termine par une quatrième partie sur la nature de la terre, de l'eau, du feu, de la lumière, de la pesanteur, etc.

Mais Descartes ne se détourne pas pour autant des affaires du monde et de la morale. Depuis 1643, il entretient une correspondance régulière avec la princesse Élisabeth de Bohême qui le prie de préciser ses conceptions sur l'interaction entre l'âme et le corps. Six ans plus tard, il accepte l'invitation de la reine Christine de Suède, qui attend elle aussi d'être éclairée sur les affaires morales. Descartes publie alors en 1649 son dernier livre, consacré aux *Passions de l'âme*. La première partie traite des rapports entre l'âme et le corps, tandis que les deux parties suivantes examinent les contenus de conscience associés aux passions, et la manière dont ces contenus peuvent nous aider à tirer profit de nos passions. Au sommet de toutes les passions, Descartes place la générosité, qu'il définit comme le juste sentiment, ou l'exacte réflexion, que chacun peut avoir de sa puissance ou de sa liberté dans le monde.

Il meurt de pneumonie à Stockholm en 1650, laissant plusieurs ouvrages qui ne seront publiés qu'après sa mort, tels les *Regulæ ad directionem ingenii* déjà citées, les traités du *Monde* et de *L'Homme*, la *Recherche de la vérité par la lumière naturelle*, les *Notæ in Programma*, la *Description du corps humain*, ou la *Formation du fœtus*.

La Découverte métaphysique de l'homme chez Descartes / Ferdinand Alquié. – Paris : Presses Universitaires de France, 1950. – 384 p. – (*Bibliothèque de Philosophie contemporaine. Histoire de la Philosophie et philosophie générale*).

L'Œuvre de Descartes / Geneviève Rodis-Lewis. – Paris : Vrin, 1971. – 2 vol. – (*À la recherche de la vérité*). – [Volume 2 : notes bibliographiques, historiques et critiques].

La Philosophie première de Descartes : le temps et la cohérence métaphysique / Jean Marie Beyssade. – Paris : Flammarion, 1979. – XIII-381 p. – (*Nouvelle bibliothèque scientifique*).

Descartes / Geneviève Rodis-Lewis. – Paris : Librairie générale française, 1984. – 669 p. – (*Le Livre de Poche* ; 5003 / *Textes et Débats* ; 7).
Sur le prisme métaphysique de Descartes : constitution et limites de l'onto-théo-logie dans la pensée cartésienne / Jean-Luc Marion. – Paris : Presses Universitaires de France, 1986. – VI-384 p. – (*Épiméthée, essai philosophique*).

RÈGLES POUR LA DIRECTION DE L'ESPRIT 144

J. Brunschwig — 1963

Recréer l'évidence (Règle X).

Pour que l'esprit gagne en sagacité, on doit lui donner de l'exercice en lui faisant chercher ce que les autres ont déjà trouvé, et en lui faisant examiner méthodiquement toutes les techniques humaines, même les plus insignifiantes, mais de préférence celles qui manifestent ou présupposent un ordre.

J'ai l'esprit ainsi fait, je l'avoue, que j'ai toujours considéré comme la plus grande volupté de l'étude, non point d'écouter les raisonnements d'autrui, mais de les découvrir moi-même par mes propres ressources ; cela seul m'ayant attiré, jeune encore, vers l'étude des sciences, chaque fois qu'un livre promettait par son titre une nouvelle découverte, je n'en poursuivais pas la lecture avant d'essayer si par hasard je ne pourrais aboutir à quelque résultat du même ordre grâce à la sagacité qui m'est propre, et je prenais grand soin de ne pas me gâcher par une lecture précipitée ce plaisir innocent. Cela me réussit si souvent que je finis par me rendre compte que ce n'était plus, comme d'ordinaire chez les autres, par des enquêtes errantes et aveugles, faisant appel au hasard plus qu'à la méthode, que je parvenais à la vérité, mais qu'une longue expérience m'avait permis d'apercevoir certaines règles, qui ne sont pas d'un faible secours à ce dessein, et dont je me servis ensuite pour en découvrir plusieurs autres. C'est ainsi que j'ai laborieusement édifié l'ensemble de la présente méthode, et je me suis persuadé que j'avais observé dès le début, de toutes la manières d'étudier, la plus utile sans contredit.

Mais comme tous les esprits ne sont pas également doués de nature pour faire des découvertes par leurs propres forces, la présente proposition enseigne qu'il ne faut pas nous préoccuper d'emblée de choses tant soit peu difficiles et ardues, et qu'il faut d'abord examiner les techniques les plus insignifiantes et les plus simples, et de préférence celles où règne davantage un ordre, comme celles des artisans qui tissent des toiles et des tapis, ou celles des femmes qui piquent à l'aiguille, ou tricotent des fils pour en faire des tissus de structures infiniment variées ; comme également tous les jeux mathématiques, tout ce qui touche à l'arithmétique, et autres choses de ce genre : c'est merveille comme tous ces exercices développent l'esprit, pourvu seulement que nous n'en recevions pas d'autrui la solution, mais que nous la trouvions nous-mêmes. Comme en effet rien n'y reste caché, et qu'ils s'ajustent parfaitement à la capacité de la connaissance humaine, ils nous présentent de la façon la plus distincte des types d'ordre en nombre infini, tous différents les uns des autres, et cependant tous réguliers ; or c'est à les observer minutieusement que se réduit presque toute la sagacité humaine.

Œuvres philosophiques / Descartes ; textes établis, présentés et annotés par Ferdinand Alquié. – Paris : Éditions Garnier, 1967. – [Tome I, pp. 126-127].

DISCOURS DE LA MÉTHODE 145

Principales règles de la méthode (II).

J'avais un peu étudié, étant plus jeune, entre les parties de la philosophie, à la logique, et entre les mathématiques, à l'analyse des géomètres et à l'algèbre, trois arts ou sciences qui semblaient devoir contribuer quelque chose à mon dessein. Mais, en les examinant, je pris garde que, pour la logique, ses syllogismes et la plupart de ses autres instructions servent plutôt à expliquer à autrui les choses qu'on sait ou même, comme l'art de Lulle[1], à parler, sans jugement, de celles qu'on ignore, qu'à les apprendre. Et bien qu'elle contienne, en effet, beaucoup de préceptes très vrais et très bons, il y en a toutefois tant d'autres, mêlés parmi, qui sont ou nuisibles ou superflus, qu'il est presque aussi malaisé de les en séparer, que de tirer une Diane ou une Minerve hors d'un bloc de marbre qui n'est point encore ébauché. Puis, pour l'analyse des anciens et l'algèbre des modernes, outre qu'elles ne s'étendent qu'à des matières fort abstraites, et qui ne semblent d'aucun usage, la première est toujours si astreinte à la considération des figures, qu'elle ne peut exercer l'entendement sans fatiguer beaucoup l'imagination ; et on s'est tellement assujetti, en la der-

---

1 Voir *P.L.E.* 4b, pp. 728-740.

nière, à certaines règles et à certains chiffres, qu'on en a fait un art confus et obscur, qui embarrasse l'esprit, au lieu d'une science qui le cultive. Ce qui fut cause que je pensai qu'il fallait chercher quelque autre méthode, qui, comprenant les avantages de ces trois, fût exempte de leurs défauts. Et comme la multitude des lois fournit souvent des excuses aux vices, en sorte qu'un État est bien mieux réglé lorsque, n'en ayant que fort peu, elles y sont fort étroitement observées ; ainsi au lieu de ce grand nombre de préceptes dont la logique est composée, je crus que j'aurais assez des quatre suivants, pourvu que je prisse une ferme et constante résolution de ne manquer pas une seule fois à les observer.

Le premier était de ne recevoir jamais aucune chose pour vraie, que je ne la connusse évidemment être telle : c'est-à-dire, d'éviter soigneusement la précipitation et la prévention ; et de ne comprendre rien de plus en mes jugements, que ce qui se présenterait si clairement et si distinctement à mon esprit, que je n'eusse aucune occasion de le mettre en doute.

Le second, de diviser chacune des difficultés que j'examinerais, en autant de parcelles qu'il se pourrait, et qu'il serait requis pour les mieux résoudre.

Le troisième, de conduire par ordre mes pensées, en commençant par les objets les plus simples et les plus aisés à connaître, pour monter peu à peu, comme par degrés, jusques à la connaissance des plus composés ; et supposant même de l'ordre entre ceux qui ne se précèdent point naturellement les uns et les autres.

Et le dernier, de faire partout des dénombrements si entiers, et des revues si générales, que je fusse assuré de ne rien omettre.

Ces longues chaînes de raisons, toutes simples et faciles, dont les géomètres ont coutume de se servir, pour parvenir à leurs plus difficiles démonstrations, m'avaient donné occasion de m'imaginer que toutes les choses, qui peuvent tomber sous la connaissance des hommes, s'entre-suivent en même façon et que, pourvu seulement qu'on s'abstienne d'en recevoir aucune pour vraie qui ne le soit, et qu'on garde toujours l'ordre qu'il faut pour les déduire les unes des autres, il n'y en peut avoir de si éloignées auxquelles enfin on ne parvienne, ni de si cachée qu'on ne découvre.

Œuvres philosophiques / Descartes ; textes établis, présentés et annotés par Ferdinand Alquié. – Paris : Éditions Garnier, 1967. – [Tome I, pp. 584-587].

MÉDITATIONS MÉTAPHYSIQUES 146

Duc de Luynes, R. Descartes — 1647

De la nature de l'esprit humain ; et qu'il est plus aisé à connaître que le corps (Méditation seconde).

Je suppose donc que toutes les choses que je vois sont fausses ; je me persuade que rien n'a jamais été de tout ce que ma mémoire remplie de mensonges me représente ; je pense n'avoir aucun sens ; je crois que le corps, la figure, l'étendue, le mouvement et le lieu ne sont que des fictions de mon esprit. Qu'est-ce donc qui pourra être estimé véritable ? Peut-être rien autre chose, sinon qu'il n'y a rien au monde de certain.

Mais que sais-je s'il n'y a point quelque autre chose différente de celles que je viens de juger incertaines, de laquelle on ne puisse avoir le moindre doute ? N'y a-t-il point quelque Dieu, ou quelque autre puissance, qui me met en l'esprit ces pensées ? Cela n'est pas nécessaire ; car peut-être que je suis capable de les produire de moi-même. Moi donc à tout le moins ne suis-je pas quelque chose ? Mais j'ai déjà nié que j'eusse aucun sens ni aucun corps. J'hésite néanmoins, car que s'ensuit-il de là ? Suis-je tellement dépendant du corps et des sens, que je ne puisse être sans eux ? Mais je me suis persuadé qu'il n'y avait rien du tout dans le monde, qu'il n'y avait aucun ciel, aucune terre, aucuns esprits, ni aucun corps ; ne me suis-je donc pas aussi persuadé que je n'étais point ? Non certes, j'étais sans doute, si je me suis persuadé, ou seulement si j'ai pensé quelque chose. Mais il y a un je ne sais quel trompeur très puissant et très rusé, qui emploie toute son industrie à me tromper toujours. Il n'y a donc point de doute que je suis, s'il me trompe ; et qu'il me trompe tant qu'il voudra, il ne saurait jamais faire que je ne sois rien, tant que je penserai être quelque chose. De sorte qu'après y avoir bien pensé, et avoir soigneusement examiné toutes choses, enfin il faut conclure, et tenir pour constant que cette proposition : *Je suis, j'existe*, est nécessairement vraie, toutes les fois que je la prononce, ou que je la conçois en mon esprit.

Œuvres philosophiques / Descartes ; textes établis, présentés et annotés par Ferdinand Alquié. – Paris : Éditions Garnier, 1967. – [Tome II, pp. 415-416].

PRINCIPES DE LA PHILOSOPHIE 147

Cl. Picot, R. Descartes — 1647

Nova et vetera (IV, § 200, 204).

Que ce traité ne contient aussi aucuns principes qui n'aient été reçus de tout temps de tout le monde ; en sorte que cette philosophie n'est pas nouvelle, mais la plus ancienne et la plus commune qui puisse être.

Mais je désire aussi qu'on remarque que, bien que j'aie ici tâché de rendre raison de toutes les choses matérielles, je ne m'y suis néanmoins servi d'aucun principe qui n'ait été reçu et approuvé par Aristote et par tous les autres philosophes qui ont jamais été au monde ; en sorte que cette philosophie n'est point nouvelle, mais la plus ancienne et la plus vulgaire qui puisse être. Car je n'ai rien du tout considéré que la figure, le mouvement et la grandeur de chaque corps, ni examiné aucune autre chose que ce que les lois des mécaniques, dont la vérité peut être prouvée par une infinité d'expériences, enseignent devoir suivre de ce que des corps qui ont diverses grandeurs, ou figures, ou mouvements, se rencontrent ensemble. Mais personne n'a jamais douté qu'il n'y eût des corps dans le monde qui ont diverses grandeurs et figures, et se meuvent diversement, selon les diverses façons qu'ils se rencontrent, et même qui quelquefois se divisent, au moyen de quoi ils changent de figure et de grandeur. Nous expérimentons la vérité de cela tous les jours, non par le moyen d'un seul sens, mais par le moyen de plusieurs, à savoir de l'attouchement, de la vue et de l'ouïe ; notre imagination en reçoit des idées très distinctes, et notre entendement le conçoit très clairement. Ce qui ne se peut dire d'aucune des autres choses qui tombent sous nos sens, comme sont les couleurs, les odeurs, les sons et semblables : car chacune de ces choses ne touche qu'un seul de nos sens, et n'imprime en notre imagination qu'une idée de soi qui est fort confuse, et enfin ne fait point connaître à notre entendement ce qu'elle est.

[...]

Que, touchant les choses que nos sens n'aperçoivent point, il suffit d'expliquer comment elles peuvent être ; et que c'est tout ce qu'Aristote a tâché de faire.

On répliquera encore à ceci que, bien que j'aie peut-être imaginé des causes qui pourraient produire des effets semblables à ceux que nous voyons, nous ne devons pas pour cela conclure que ceux que nous voyons sont produits par elles. Parce que, comme un horloger industrieux peut faire deux montres qui marquent les heures en même façon, et entre lesquelles il n'y ait aucune différence en ce qui paraît à l'extérieur, qui n'aient toutefois rien de semblable en la composition de leurs roues : ainsi il est certain que Dieu a une infinité de divers moyens, par chacun desquels il peut avoir fait que toutes les choses de ce monde paraissent telles que maintenant elles paraissent, sans qu'il soit possible à l'esprit humain de connaître lequel de tous ces moyens il a voulu employer à les faire. Ce que je ne fais aucune difficulté d'accorder. Et je croirai avoir assez fait, si les causes que j'ai expliquées sont telles que tous les effets qu'elles peuvent produire se trouvent semblables à ceux que nous voyons dans le monde, sans m'enquérir si c'est par elles ou par d'autres qu'ils sont produits. Même je crois qu'il est aussi utile pour la vie, de connaître des causes ainsi imaginées, que si on avait la connaissance des vraies : car la médecine, les mécaniques, et généralement tous les arts à quoi la connaissance de la physique peut servir, n'ont pour fin que d'appliquer tellement quelques corps sensibles les uns aux autres, que, par la suite des causes naturelles, quelques effets sensibles soient produits ; ce que nous ferons tout aussi bien, en considérant la suite de quelques causes ainsi imaginées, bien que fausses, que si elles étaient les vraies, puisque cette suite est supposée semblable, en ce qui regarde les effets sensibles. Et afin qu'on ne pense pas qu'Aristote ait jamais prétendu de faire quelque chose de plus que cela, il dit lui-même, au commencement du septième chapitre du premier livre de ses *Météores*, que « pour ce qui est des choses qui ne sont pas manifestes aux sens, il pense les démontrer suffisamment, et autant qu'on peut désirer avec raison, s'il fait seulement voir qu'elles peuvent être telles qu'il les explique ».

Œuvres philosophiques / Descartes ; textes établis, présentés et annotés par Ferdinand Alquié. – Paris : Éditions Garnier, 1973. – [Tome III, pp. 515-516 ; 521-522].

PRINCIPES DE LA PHILOSOPHIE 148

Cl. Picot, R. Descartes — 1647

Dieu et le mouvement (36). — Dans ce texte de 1644, Descartes énonce deux principes fondamentaux : le principe d'inertie et le principe de conservation de la quantité de mouvement, dont il se servira pour établir les lois des chocs. Si l'énoncé du principe d'inertie est irréprochable, celui de la conservation de la quantité de mouvement ne tient pas compte du caractère vectoriel de la vitesse, c'est-à-dire de sa direction dans l'espace. À cette dernière loi, qu'il améliorera, Christian Huygens, qui fut élève de Descartes, adjoindra le principe de la conservation de l'énergie, également découvert par Leibniz. Malebranche, pour sa part, qualifiera l'idée de conservation de « Principe métaphysique ».

Que Dieu est la première cause du mouvement, et qu'il en conserve toujours une égale quantité en l'univers.

Apres avoir examiné la nature du mouvement, il faut que nous en considerions la cause, & pource qu'elle peut estre prise en deux façons, nous commencerons par la premiere & plus universelle, qui produit generalement tous les mouvemens qui sont au monde ; nous considererons par apres l'autre..., qui fait que chaque partie de la matiere en acquert, qu'elle n'avoit pas auparavant. Pour ce qui est de la *premiere*, il me semble qu'il est évident qu'il n'y en a point d'autre que Dieu, qui *de sa Toute-puissance* a creé la matiere avec le mouvement & le repos, & qui conserve maintenant en l'univers, par son concours ordinaire, autant de mouvement & de repos qu'il y en a mis en le creant. Car, bien que le mouvement ne soit qu'une *façon* en la matiere qui est meuë, elle en a pourtant une certaine quantité... qui n'augmente & ne diminuë jamais..., encore qu'il y en ait tantost plus & tantost moins en quelques unes de ses parties. C'est pourquoy, lors qu'une partie de la matiere se meut deux fois plus vite qu'une autre, & que cette autre est deux fois plus grande que la premiere, nous devons penser qu'il y a tout autant de mouvement dans la plus petite que dans la plus grande ; & que toutesfois & quantes que le mouvement d'une partie diminuë, celui de quelque autre partie... augmente à proportion. Nous connoisons aussi que c'est une perfection en Dieu, non seulement de ce qu'il est immuable en sa nature, mais encore de ce qu'il agit d'une façon qu'il ne change jamais : tellement qu'outre les changemens que nous voyons... *dans le monde*, & ceux que nous croyons, parce que Dieu les a revelez, & que nous sçavons... arriver *ou estre arrivez en la nature*, sans aucun changement de la part du Createur, nous ne devons point en supposer d'autres en ses ouvrages, de peur de luy attribuer de l'inconstance. D'où il suit que..., puis qu'il a meu en plusieurs façons differentes les parties de la matiere, lors qu'il les a creées, & qu'il les maintient toutes en la mesme façon & avec les mesmes loix qu'il leur a fait observer en leur creation, il conserve incessamment en cette matiere une égale quantité de mouvement.

Œuvres / de Descartes ; publiées par Charles Adam & Paul Tannery. – Paris : Léopold Cerf, 1904. – [T. IX, pp. 83-84].

PRINCIPES DE LA PHILOSOPHIE 149

Cl. Picot, R. Descartes — 1647

Le principe d'inertie (37, 39). — L'ensemble de ces énoncés sera repris dans la première loi du mouvement de Newton.

La premiere loy de la nature : Que chaque chose demeure en l'estat qu'elle est, pendant que rien ne le change...

De cela aussi que Dieu n'est point sujet à changer, & *qu'il agit tous-jours de mesme sorte,* nous pouvons parvenir à la connoissance de certaines regles, *que je nomme* les loix de la nature, & qui sont les causes secondes... des divers mouvemens que nous remarquons en tous les corps ; *ce qui les rend ici fort considerables.* La premiere est que chaque chose en particulier... continuë d'estre en mesme estat autant qu'il se peut, & que jamais elle ne le change que par *la rencontre des autres.* Ainsi *nous voyons tous les jours* lors que quelque partie de cette matiere est quarrée,... qu'elle demeure tous-jours quarrée, s'il n'arrive rien d'ailleurs qui change sa figure ; & que, si elle est en repos,... elle ne commence point à se mouvoir de soi-mesme. Mais lors qu'elle a *commencé une fois* de se mouvoir, nous n'avons aussi aucune raison de penser qu'elle doive jamais cesser de se mouvoir de mesme force..., pendant qu'elle ne rencontre rien qui retarde ou qui arreste son mouvement. De façon que, si un corps *a commencé une fois* de se mouvoir, nous devons conclure qu'il continuë par apres de se mouvoir, & *que jamais il ne s'arreste* de soy-mesme. Mais, pource que nous habitons une terre dont la constitution est telle que tous les mouvemens qui se font aupres de *nous* cessent en peu de temps, & souvent par des raisons qui sont cachées à nos sens, nous avons jugé, dés le commencement de nostre vie, que les mouvemens qui cessent ainsi par des raisons qui nous sont inconnuës, s'arrestent d'eux-mesmes, & nous avons encore à present beaucoup d'inclination à croire le semblable de tous les autres qui sont au monde, à sçavoir que naturellement ils cessent d'eux-mesmes, & qu'ils tendent au repos, pource qu'il nous semble que nous en avons fait l'experience en plusieurs rencontres. Et toutefois ce n'est qu'un *faux prejugé,* qui repugne manifestement aux loix de la nature ; car le repos est contraire au mouvement, & rien ne se porte par *l'instinct de* sa nature à son contraire, ou à la destruction de soy-mesme.

La 2. loi de la nature : Que tout corps qui se meut, tend à continuer son mouvement en ligne droite.

La seconde loy que je remarque en la nature, est que chaque partie de la matiere, en son particulier, ne tend jamais à continuer de se mouvoir suivant des lignes courbes, mais suivant des lignes droites, bien que plusieurs de ces parties soient souvent contraintes de se détourner, pource qu'elles en rencontrent d'autres en leur chemin, & que..., lors qu'un corps se meut, il se fait tous-jours un cercle ou anneau de toute la matiere qui est meuë ensemble. Cette regle, comme la precedente, depend de ce que Dieu est immuable, & qu'il conserve le mouvement en la matiere par une operation tres-simple ; car il ne le conserve pas comme il a pû estre quelque temps auparavant, mais comme il est precisement au mesme instant qu'il le conserve. Et bien qu'il soit vray que le mouvement ne se fait pas en un instant, neantmoins il est evident que tout corps qui se meut..., est determiné a se mouvoir... suivant une ligne droite, & non pas suivant une *circulaire*... : car, lors que la pierre A tourne dans la fronde EA suivant le cercle ABF, en l'instant qu'elle est au point A, elle est determinée à se mouvoir vers quelque costé, à sçavoir vers C, suivant la ligne droite AC, si on suppose que c'est celle-là qui *touche* le cercle. Mais on ne sçauroit feindre qu'elle soit determinée à se mouvoir *circulairement,* pource qu'encore quelle soit venuë d'L vers A suivant une ligne courbe, nous ne concevons point qu'il y ait aucune partie de cette courbure en cette pierre, lors qu'elle est au point A ; & nous en sommes asseurez par l'experience, pource que cette pierre avance tout droit vers C, lors qu'elle sort de la fronde, & ne tend en aucune façon à se mouvoir vers B. Ce qui nous fait voir *manifestement,* que tout corps qui est meu en rond, tend sans cesse à s'esloigner du cercle qu'il decrit. Et nous le pouvons mesme sentir de la main, pendant que nous faisons tourner cette pierre dans cette fronde ; *car elle tire & fait tendre la corde pour s'esloigner directement de nostre main.* Cette consideration *est de telle importance,* & servira en tant d'endroits cyapres, que nous devons la remarquer soigneusement icy ; & je l'expliqueray encore plus au long, lors qu'il en sera temps.

Œuvres / de Descartes ; publiées par Charles Adam & Paul Tannery. – Paris : Léopold Cerf, 1904. – [T. IX, pp. 84-86].

LES PASSIONS DE L'ÂME 150

En quoi consiste la générosité ; qu'elle empêche qu'on ne méprise les autres (art. 153-154).

Ainsi je crois que la vraie générosité, qui fait qu'un homme s'estime au plus haut point qu'il se peut légitimement estimer, consiste seulement partie en ce qu'il connaît qu'il n'y a rien qui véritablement lui appartienne que cette libre disposition de ses volontés, ni pourquoi il doive être loué ou blâmé sinon pour ce qu'il en use bien ou mal, et partie en ce qu'il sent en soi-même une ferme et constante résolution d'en bien user, c'est-à-dire de ne manquer jamais de volonté pour entreprendre et exécuter toutes les choses qu'il jugera être les meilleures. Ce qui est suivre parfaitement la vertu.

Ceux qui ont cette connaissance et ce sentiment d'eux-mêmes se persuadent facilement que chacun des autres hommes les peut aussi avoir de soi, parce qu'il n'y a rien en cela qui dépende d'autrui. C'est pourquoi ils ne méprisent jamais personne ; et, bien qu'ils voient souvent que les autres commettent des fautes qui font paraître leur faiblesse, ils sont toutefois plus enclins à les excuser qu'à les blâmer, et à croire que c'est plutôt par manque de connaissance que par manque de bonne volonté qu'ils les commettent. Et, comme ils ne pensent point être de beaucoup inférieurs à ceux qui ont plus de bien ou d'honneurs, ou même qui ont plus d'esprit, plus de savoir, plus de beauté, ou généralement qui les surpassent en quelques autres perfections, aussi ne s'estiment-ils point beaucoup au-dessus de ceux qu'ils surpassent, à cause que toutes ces choses leur semblent être fort peu considérables, à comparaison de la bonne volonté, pour laquelle seule ils s'estiment, et laquelle ils supposent aussi être ou du moins pouvoir être en chacun des autres hommes.

Œuvres philosophiques / Descartes ; textes établis, présentés et annotés par Ferdinand Alquié. – Paris : Éditions Garnier, 1973. – [Tome III, pp. 1067-1068].

POÈTES MARINISTES

ITALIEN

Si l'*Adone* (*Adonis*) de Jean-Baptiste Marino, le chef de file du *concettismo* italien, est resté pour ainsi dire sans émule en dépit de l'immense succès remporté par cet ouvrage du vivant de l'auteur, il en alla différemment pour la *Lira* (1614), qui eut d'innombrables imitateurs, même hors des frontières de l'Italie. La poésie mariniste, aussi foisonnante que variée, a souvent exacerbé et déformé les tendances propres à la poésie marinienne. Mais les libertés prises par ces poètes à l'égard de leur modèle sont à l'image de l'anticonformisme de Marino lui-même, et situent leurs auteurs dans la continuité d'une tradition poétique vivante où la gravité, voire le tragique du propos se mêle à un esprit ludique et à une sensualité imprégnée de grâce intimiste.

On rencontre dans leurs écrits les inévitables variations sur la phénoménologie de l'amour, sur la célébration émerveillée de toutes les formes du réel, sur la méditation religieuse. L'héritage du pétrarquisme est ici doublement filtré par l'expérience du Tasse et par celle de Marino pour produire un courant hybride certes, mais d'une prodigieuse richesse d'inspiration, où la spontanéité des sentiments l'emporte souvent sur l'intellectualisme initial du projet poétique. Cette poésie se caractérise, ici et là, par cette atmosphère d'opulence raffinée, cette miniaturisation du discours, ce goût du détail anecdotique mais aussi de la pointe ingénieuse, de la « trouvaille », qui étaient déjà perceptibles dans la *Lira* marinienne.

À travers un délicat travail d'orfèvrerie poétique, les émules du Cavalier Marin (C. Achillini, G. Preti, A. Bruni, G. Battista, G. L. Sempronio, G. Lubrano, B. Morando, B. Dotti, etc.) donnent droit de cité aux récentes découvertes scientifiques, aux techniques nouvelles, et jusqu'aux plus humbles, voire aux plus repoussantes réalités de la vie quotidienne. Mais c'est là un réalisme délibérément factice, comme est factice la psychologie des personnages mis en scène. Tout est prétexte à une réflexion symbolique, tout repose sur des artifices rhétoriques qui contraignent le lecteur à tourner son regard vers des arrière-plans éthiques et philosophiques parfois vertigineux, loin des garde-fous du dogme et de la raison.

Si ces poètes n'ont pas atteint les sommets du classicisme, ils ont néanmoins échappé, dans la majorité des cas, aux codifications stériles en offrant parfois de belles fleurs de rhétorique, et en concevant la création poétique comme une exploration toujours recommencée de la réalité. La nouveauté et l'« émerveillement » (la *maraviglia* de Marino) restent le mot d'ordre, mais sont vécus comme l'apprentissage d'un regard nouveau porté sur le déjà vu. Le mouvement mariniste, bien que profondément hétérogène, se présente uniformément comme une réflexion narcissique et sans lendemain de la culture occidentale à un moment d'extrême mûrissement de son histoire.

L'Intérieur et l'extérieur. Essais sur la poésie et sur le théâtre au XVIIe siècle / Jean Rousset. – Paris : José Corti, 1968. – 276 p. – [Voir "Marinistes italiens et français", pp. 73-124].

Barocco in prosa e in poesia / Giovanni Getto. – Milano : Rizzoli, 1969. – 487 p. – [Voir *Lirici marinisti*, pp. 59-122).

GUIDO CASONI (1561-1642) 151

J. Rousset — 1968

La Luciole. — Casoni, trévisan, fut membre de l'Académie vénitienne des *Incogniti*. Ce poème est extrait du recueil des *Odes* (Venise, 1602). L'observation de la luciole est le prétexte d'une évocation où dominent les jeux d'ombre et de lumière, et où s'expriment simultanément le goût de la miniature et celui de l'hyperbole.

Luciole charmante,
tes jeux et tes tours
font à l'ombre un collier
de cercles lumineux.
Torche spirituelle,
rubis volant, étoile fugitive,

Tu dores les ténèbres
de tes vols de lumière.
Tes rougeurs sont carmin,
tes rayons glacés sont or,
et tu es ici-bas
une gemme vivante et vagabonde.

Des ombres tu es la parure,
tu es l'éclair et la peinture,
tu es le faste et la pourpre et la merveille
ô terrestre étoile du soir ;
aussi croyons-nous voir
à ton éclipse la nuit, à ton feu le soleil.

Promeneuse des ténèbres,
passant du noir au clair,
et comme un ciel errant
donnant lumière et ombre,
tu voles sans plumage,
nouvel aurige de ténèbre et de jour.

Torche solitaire
dont le vol est de feu,
sourire de l'ombre,
de tes fils d'or
tu brodes l'air,
sillage doré d'étoile filante.

De tes tendres croisières
tu vas sillonnant l'air,

nouveau navire vivant
portant pour cargaison
les pourpres de l'aurore,
mettant tes feux en poupe et ton ombre à la proue.

Petit flambeau des champs,
étincelle des jardins,
que tu allumes tes feux
ou qu'obscure tu portes
tes étoiles éteintes,
tu es à toi-même l'orient et le couchant.

Lumière mêlée d'ombre,
petit soleil nocturne,
belle nuit étoilée,
éclair obscur et luisant,
et noire et lumineuse
tu fais que notre nuit brille à l'égal du jour.

Tantôt tu fuis et t'évanouis
couronnée de tes rayons d'or ;
tantôt tu poursuis ma Délie[1]
de tes vols irradiés ;
alors, contemplant mon Soleil,
je vois à ta lumière le soleil parmi l'ombre.

L'Intérieur et l'extérieur / Jean Rousset. – Paris : José Corti, 1968. – [Pp. 95-97].

GIACOMO LUBRANO (1619-1692) 152

J. Rousset — 1968

Mirage en Sicile. Apparences changeantes réverbérées dans l'air par un mélange d'ombre et de lumière (vers 51-60, 81-100, 111-130). — Extrait de l'ode allégorique *Fata Morgana* (350 vers) dédiée par l'auteur, jésuite et prédicateur napolitain, au futur Clément IX, le poème est tiré des *Scintille poetiche o poesie sacre e morali* (Naples, 1690), publiées sous l'anagramme de Paolo Brinacio. La poésie se fait visionnaire, la fiction et l'imagination deviennent réalité, tandis que prédomine le sens de l'illusion et de l'éphémère.

Maître des mouvements
le pinceau de Nature ébauche en teintes changeantes
des lointains de terres indistinctes ;

---

1 La Dame aimée.

il colore des tremblements de terre
d'où s'élèvent en dansant des Thèbes égyptiennes.
Cette plaine aérienne pavée de nuages,
n'est-ce pas le cirque délirant de l'ancienne Rome ?
Déjà je vois, ressuscitées,
des troupes de gladiateurs se heurtant à mort. [...]

Tourne-toi et regarde, voiles déployées,
ces flottes illusoires.
Les flots d'argent bouillonnent
dans un halètement de tempête ;
sur les poupes enchantées
navigue, pilote et corsaire, le vent.
Sur les plaines liquides glissent vagabondes
des Cyclades d'ombres mêlées d'éclairs ;
et au cœur de la tornade
Argo prend pour rames des étoiles nouvelles.

Les yeux éblouis
j'ai vu surgir des pyramides qui retombent,
des arcades de palais dorés,
des ruines terrifiantes
sur des bases en péril
dont les pierres orgueilleuses ont fait naufrage.
Prodigieuse magie ; de formes innombrables
un souffle informe, Protée des éléments,
dresse des palais héroïques
et incurve en amphithéâtres ses propres vertiges. [...]

Les angles d'incidence
font les perspectives de ces tours.
La lumière en se brisant
ressuscite des Hectors
parés pour la guerre,
et dans ce lac d'eau morte fait déborder un Gange.
Où se reflète le soleil, l'air s'obscurcit
et fuyant son être se métamorphose.
Regardez bien ce nuage,
il se fait en lui des créations inouïes.

Mais quel nouveau déploiement
de chars triomphaux défile dans les airs ?

Voici que dansent les marécages ;
la moindre vague scintille
d'une lumière inconstante,
ouvrant et refermant une mine de gemmes.
Où donc est passée la fête ? Il n'apparaît que pour disparaître,
cet illusoire tournoi de fantômes ;
lubies des sens,
les fantasmes meurent à peine entrevus.

L'Intérieur et l'extérieur / Jean Rousset. – Paris : José Corti, 1968. – [Pp. 99-101].

BARTOLOMEO DOTTI (1649-1713) 153

J. Rousset — 1968

L'horloge dans le miroir. — Originaire de Brescia en Lombardie, Dotti fut surtout connu pour ses satires, publiées posthumes à Amsterdam en 1790. Réfugié à Venise, il combattit contre les Turcs. Le présent sonnet est extrait des *Rime* (Venise, 1689). Dans ce sonnet destiné au comte Carlo de' Dottori, les épousailles du temps et de l'espace plongent le poète dans une méditation sur la fragilité et la vanité de toute chose. Mais derrrière l'angoisse se dissimule toutefois une conscience désabusée et sereine.

Sur l'éclatant miroir l'aiguille d'or
marque pour moi des heures lumineuses ;
mais jusqu'à quand ces heures de cristal
me seront-elles des heures sereines ?

L'aiguille sur la glace vire et me montre
en cette vie une danse sur les eaux,
et si glissante qu'il n'est point d'heure
où la noyade ne suive le faux pas.

J'apprends ici comme s'enfuit le temps
qui va glissant sur cette glace,
et de quelles griffes il s'accroche au miroir.

Miroir de vérité ! De tes conseils
la haute sagesse, ô Charles, en lui se reflète :
tu veux que dans le temps je me mire.

L'Intérieur et l'extérieur / Jean Rousset. – Paris : José Corti, 1968. – [P. 91].

LITTÉRATURE GAÉLIQUE

GAÉLIQUE

XVIIe – début du XVIIIe siècle

Cette littérature reflète la situation culturelle de l'Irlande, soumise à l'écrasante pression colonisatrice de l'Angleterre. Les Tudors, décidés à s'assurer un accès direct à l'Atlantique, avaient achevé la conquête du pays en réduisant, en 1603, les derniers princes indépendants de l'Ulster. À la guerre succéda bientôt, sur des terres confisquées et vidées, autant que possible, de leurs occupants, la stratégie de la *plantation* de colons dévoués à l'Angleterre. Walter Raleigh fit de même en Virginie, et Champlain au Canada.

La résistance fut acharnée. L'effort pour imposer la monarchie anglaise et la Réforme finit même par créer un sentiment national aigu autour de deux pôles : la culture gaélique et le catholicisme. La guerre, de colonisation et de religion, reprit de 1641 à 1653 et de 1689 à 1691, suivie à chaque fois de confiscations et de mesures qui condamnèrent les Irlandais du XVIIIe siècle au servage sur leurs propres terres.

Leur aristocratie liquidée ou exilée dans les pays catholiques d'Europe, leur clergé proscrit, tout enseignement, toute organisation culturelle ou sociale furent exclus pour les Irlandais non anglicisés, sinon dans la clandestinité. En effet, la culture gaélique s'appuyait traditionnellement sur l'aristocratie terrienne qui entretenait les castes d'érudits, d'historiographes, de légistes, de poètes et de médecins. Anéanti par les confiscations, ce système social, économique et juridique entraîna toute la culture dans sa chute.

Ce qui resta de littérature gaélique, notamment la poésie, continua de chanter, mais dès lors sur le ton de la nostalgie, de la révolte, du sérieux ou de l'ironie amère, l'insistante *absence* de ce passé savant, mythologique, héroïque, historique, poétique, pour lors idéalisé, et s'employa à stigmatiser, par une satire désormais sans véritable prise, les parvenus de toute sorte, colons anglophones dominants et paysans gaéliques sortis du rang.

Nourrie de sa mythologie propre (les Gaëls n'ont jamais senti le besoin d'adopter les mythes grecs et latins), la littérature épique et lyrique continua de cultiver le héros *Fionn*, ses compagnons les *Fianna* et tout le système de valeurs que véhiculait cette tradition autochtone, équivalente, mais sans aucune couleur d'exotisme, à ce que l'étrange *matière de Bretagne* proposait à l'imaginaire de l'Europe occidentale. Les virtuosités de la métrique savante, syllabique, anciennement enseignées dans les écoles, furent oubliées. Une nouvelle versification, accentuée, la remplaça : d'une musicalité riche et variée, facile à déclamer, elle voisina progressivement avec la chanson populaire.

Par-delà la survie des légendes populaires, la menace qui pesait sur leur monde suscita chez les Irlandais un nouveau genre poétique, l'*aisling* (vision), qui connut un succès presque aussi durable que l'occupation anglaise (on en composera encore au XIXe siècle) : le poète y est visité par une jeune femme féerique qui le réconforte en lui prédisant la défaite des envahisseurs et le rétablissement des Gaëls.

En même temps, dans la première moitié du XVIIe siècle, s'ébaucha ce qu'on pourrait appeler la résistance intellectuelle. Les émigrés fondèrent dans les pays catholiques du continent un réseau de « collèges irlandais » qui allait de Lisbonne à Prague, mais dont la grande majorité était concentrée en Flandre et en France, à Douai, à Louvain, à Anvers, à Paris, à Bordeaux, à Toulouse. De là sortirent les rares universitaires irlandais, clercs pour la plupart, ordonnateurs de la contre-propagande, soucieux d'histoire et de littérature d'édification. Ils ne cédaient pas tous au désespoir et rentraient quelquefois dans leur patrie à des moments de paix relative. C'est dans leurs écrits que s'est forgée la prose gaélique moderne, toute pénétrée, dans ses origines, des enthousiasmes de l'âge baroque.

Établie *à l'intérieur* de ce fonds culturel propre, sans possibilité d'éprouver la pertinence du concept politique de l'état-nation, dont le modèle faisait norme par ailleurs en Europe, la conscience irlandaise, sur bien des points, continua de vivre dans l'enceinte d'un Moyen Âge délabré, sans bourgeoisie urbaine, sans université, sans accès, sauf exception, à l'imprimerie.

Sur le plan religieux, à peine touchée par le ferment de la Renaissance, la culture gaélique passa directement à l'âge de la Contre-Réforme, isolée dans cette Europe du Nord devenue largement protestante et dépourvue d'à peu près tous les moyens qu'avait prônés le Concile de Trente pour contrer le Protestantisme. Aucune iconographie religieuse, par exemple, ne fut possible, l'Église catholique étant condamnée à la clandestinité.

La plupart des textes gaéliques de cette période, notamment les poèmes, ne sont conservés qu'en manuscrits, anonymes, difficiles à dater. De leurs auteurs, on ne sait, bien souvent, rien d'autre que ce que disent leurs textes.

Gaelic Literature Surveyed / A. De Blácam. – 2e édition. – Dublin : Talbot Press, 1973. – 422 p.

MUIRIS MAC GEARAILT 154

Br. Ó Doibhlin — 1994

Prière d'un marin. — Mac Gearailt (1570 ? – 1630 ?) écrivit ce poème, paraît-il, vers 1602, au moment d'assurer le passage en Espagne de Dónall Ó Súilleabháin, Seigneur de Béara (sud-ouest de l'Irlande), après la prise par les Anglais de son château-fort de Dún Baoi. Jeune noble, sans doute assez remuant, Muiris Mac Gearailt connaissait l'Espagne et la France et n'était pas étranger à la vie mouvementée des loups de mer. À part quelques indications dans les poèmes qui lui sont attribués par la tradition manuscrite, on ne sait rien de certain de sa vie.

Bénis cette barque, ô gentil Christ,
bénis les airs, les flots, la terre ferme ;
que tes anges en leurs phalanges soient près de nous
et devant nous comme un bouclier inébranlable.

Calme le rugissement de l'âpre tempête,
apaise les froides mers houleuses ;
tempère la furie de la saison nouvelle
pendant que nous traversons l'océan.

Grande est ma tristesse à tourner le dos
à Erin ; mais elle m'est devenue cause de chagrin,
cette terre où chassaient les héros d'antan,
où ils vivaient heureux aux bords des clairs cours d'eaux ensoleillés.

Lance-moi sain et sauf à la mer,
ô Dieu ; ne me laisse pas sans compas

sous le rude orage, sur l'onde immense ;
accorde-moi vent favorable, temps calme et doux.

Il est solide pourtant, mon vaisseau aux lignes pures,
à la coque élégante et ample,
un navire bien gréé qui bondit sur les flots,
noble et gracieux du nid de pie jusqu'aux amarres.

Il ne connaît faiblesse aucune sous le choc des armes,
ni désarroi quand souffle sur lui la bourrasque,
sûr navigateur parmi les crêtes des vagues farouches,
comme si chaque bleu ravin n'était qu'eaux croupissantes.

Sillonnant les profondeurs de la vague déferlante
ou courant un bord devant la plus légère des brises,
il s'élance pour distancer la flotte ennemie,
poussé par sa fureur guerrière.

Son long flanc svelte caracole dans toute sa force,
crachant venin comme ferait un dragon féroce,
ses voiles bigarrées et ses flammes de soie au vent,
tandis que l'or du soleil s'attarde sur plat-bord et gréement.

Coque à tête de serpent, âpre comme un griffon,
hérissée de lances sous sa crinière de voiles ;
côte lisse et élancée dans sa colère lancinante
qui projette des averses de boulets rouges par dessus ses bords.

Escorte-nous, ô Roi des mondes,
sois des nôtres et de tous nos équipages ;
fais-nous passer indemnes sur houle et vagues
sous les cimes qui surplombent nos côtes et à travers les mers.

Bénis cette barque qui voyage sur l'abîme saumâtre,
orgueilleuse sous sa chevelure de gréement, radieuse, souveraine ;
bien charpentée des rambardes aux nervures résonnantes,
prête dans sa joie généreuse à prodiguer le secours ou la mort.

J'implore Jésus, le Fils unique qui souffrit la passion,
que mon vaisseau ne soit jamais défait, ni l'équipe des miens ;
qu'un vent favorable gonfle ses voiles et que le flot le transporte
des côtes de Dún Baoi jusqu'à La Corogne en Espagne.

Traduction inédite. — *Poems of Muiris Mac Gearailt* / Nicholas Williams. – Dublin : An Clóchomhar, 1979. – [Pp. 33-34].

AODH MAC AINGIL 155

Br. Ó Doibhlin — 1992

Miroir du sacrement de pénitence. — Le thème de la pénitence revient souvent sous la plume des écrivains catholiques de l'époque, à cause des disputes avec les Réformateurs au sujet de la justification. Écrivant en 1618, l'auteur, Aodh Mac Aingil, Franciscain Définiteur général de son Ordre, fondateur de collèges irlandais à Louvain et à Rome, traite son sujet dans une langue fluide, voisine de l'expression populaire, telle que la prônait le Concile de Trente. Dans ce passage, il joue habilement sur la notion de tradition, ce qui lui permet d'insister, par différence avec les innovations de la Réforme, sur la continuité de la foi catholique, tout en faisant appel à l'orgueil national.

Si nous devions scruter les diverses régions et pays de l'Europe, [...] où trouverions-nous l'égal de l'ascétisme que pratiquaient les saints de notre propre pays ? Où trouverions-nous prière comme leur prière, jeûne comme leur jeûne, ou charité comme leur charité ?

Lisons les vies des saints italiens, ou espagnols, ou français, ou allemands, et comparons-les soigneusement avec nos propres saints, et nous verrons qu'ils sont loin de les égaler en la rigueur de leur discipline, la mortification de leur chair, en leur compréhension de la nécessité de réparer.

Pour ce qui est du jeûne, la nourriture ordinaire de nos saints n'était-elle pas un pain mêlé de sable avec du cresson ou autre verdure ? Leur boisson coutumière n'était-elle pas l'eau des sources, et ce maigre repas, n'est-ce pas qu'ils le prenaient une fois par jour et cela à la fin de la journée ; et ne lisons-nous pas à leur sujet qu'ils passaient des jours entiers sans ce pauvre réconfort même ? Ne se faisaient-ils pas de trous au milieu de sinistres rochers une demeure sans toiture pour les abriter, ne portaient-ils pas haire et cilice comme chemises à même leur peau, ne voyageaient-ils pas à pied sans bottes ni souliers à l'imitation de Jésus et des apôtres ; et quand leur corps était à bout de forces après leur dur labeur, ne l'abreuvaient-ils pas de coups de fouet ? C'était par le moyen de ces bonnes œuvres qu'ils domptaient le corps et ses turbulents désirs, en le soumettant à l'empire de l'esprit, comme faisait l'apôtre Paul. C'était de la sorte qu'ils évitèrent les peines du purgatoire elles-mêmes, et qu'ils payèrent une bonne partie de la rançon de ceux de leurs descendants spirituels qui suivent la voie de la pénitence et apprennent les leçons de la réparation.

La prière, c'est ce qui occupait, jour et nuit, nos plus grands saints, quand ils ne s'adonnaient pas à l'instruction des fidèles. La flamme d'amour qui embrasait leur cœur ne permettait aucune interruption à la louange du grand Dieu faiseur de miracles ; elle ne leur permettait pas de se contenter du commerce des créatures, mais les poussait vers la célébration et la conversation intime avec leur Créateur, aussi bien par l'oraison intérieure que par les gestes extérieurs, parfois scrutant en esprit les mystères du Seigneur, parfois chantant les poésies de David, ces psaumes qui sont comme une anthologie des louanges du grand Roi du ciel.

Ils étaient érudits dans la compréhension de l'Évangile et de l'Ancien Testament, non par le travail des maîtres d'ici-bas mais par l'inspiration du Dieu de Gloire, qui déversa sur eux ce flot de grâce et les mit à même de pénétrer sans labeur le sens de sa loi, sans pour autant se détourner de leur constante prière. Et l'on peut bien voir à la lecture de leurs vies qu'ils dépassaient les saints de l'Europe par leur sainte et docte simplicité.

Il existe de multiples témoignages au sujet de ce que j'affirme touchant l'importance de la prière, de l'abstinence et de la mortification de la chair dans la vie de nos deux saints les plus illustres, Columba et Brigitte, et en particulier dans celle de notre patron principal, Patrick. Qui peut le faire n'a qu'à lire leurs vies.

Patrick, premier prophète et saint patron de notre peuple, avait coutume de diviser la nuit en trois parties, comme nous raconte sa *Vie*. Durant la première partie, il se prosternait deux cents fois et récitait deux fois cinquante psaumes à la louange du Dieu Créateur. Dans la deuxième partie, il s'immergeait dans des sources d'eau froide pour réciter la troisième cinquantaine de ce florilège des louanges de Dieu, le psautier de David. Il en consacrait la troisième partie à son corps et au sommeil ; pourtant ce n'était pas sur un lit de bourre ou de duvet qu'il dormait, mais en mettant une dalle sous sa tête, une dalle à mi-corps, une dalle sous ses pieds.

Il nous a laissé le signe de son ascétisme, l'évidence de son œuvre de réparation, en marquant du sceau de sa prière constante [les lieux de pèlerinage] de Loch Dearg, de Dun, de Cruach Phadraig, de Sabhall, et maints autres endroits qu'il serait trop long d'énumérer ici. Nous avons de nos propres yeux vu ces sources où il priait, ces pierres sur lesquelles il dormait, le lit pénitentiel où il intercédait auprès du seul vrai Dieu pour qu'il accorde grâce et miséricorde à son peuple. J'implore ce même Dieu, de par le service que lui a rendu ce grand saint, pour que nous voyons prêcher de nouveau et sans interdiction l'enseignement de nos saints parmi notre peuple, afin qu'il suive l'exemple qui lui a été laissé.

Il ne fait pas de doute que ce qui poussait Patrick dans ce sens, c'était son désir d'épargner à ses enfants les peines éternelles de l'enfer et l'âpre feu du purgatoire. C'est pour cette raison qu'il établit les rondes pénitentielles et les pèlerinages fameux sur la montagne de Cruach, à Dun, à

Sabhall et ailleurs. C'est aussi ce qui lui inspira de demander à Dieu un purgatoire particulier et d'obtenir qu'il fût situé ici-bas, à Loch Dearg, afin de permettre à lui-même et à ses enfants d'échapper au purgatoire de l'au-delà, privilège que nous ne lisons nulle part avoir jamais été accordé à aucun saint ou sainte jusque là ou depuis[1].

Hélas ! Hélas ! présentement la tyrannie d'une foi faussée nous interdit de faire ces marches pénitentielles que nous léguèrent nos saints patrons afin de réparer nos fautes de notre vivant, et d'éviter ainsi les peines du royaume de l'au-delà.

Hélas ! Mille fois hélas ! nous sommes frappés par cette atroce malédiction qui, avec la permission de Dieu, nous interdit ces écoles d'expiation, ces amènes lieux de pénitence, et qui fera que des milliers d'entre nous connaîtront les flots ardents de l'enfer et du purgatoire. Pas de doute que nos péchés nous sont un pesant fardeau depuis que nous est interdite la fréquentation du site sacré de Loch Dearg. Ô Dieu glorieux, mainte âme d'Irlandais se trouve aujourd'hui dans les fers du diable à cause des fers qui nous obstruent l'accès de ce lac béni, de cette habitation des anges. Ô Dieu, maint cœur reste endurci dans ses péchés par manque de cette eau de pénitence qui coulait autrefois à flots dans ce doux et céleste lieu. Ô Dieu, combien d'âmes souffrent sans répit en enfer ou en purgatoire par manque de cette eau lustrale que nous dénient les confectionneurs de la foi perverse. Ô Dieu, combien sont ceux qui vivent dans l'inconscience, ignorant la voie du salut, qui retrouveraient dans ce lieu la bonne conscience de leur âme.

Je suis convaincu que Dieu accordera à notre saint patriarche Patrick le privilège de déverser un flot de grâces dans les cœurs de tous ceux qui se rendent dans cette île bénie pour pleurer et expier leurs fautes, et j'estime que personne n'a jamais accompli ce voyage pénitentiel sans ressentir dans son for intérieur cette mutation du mal au bien, du péché à la pénitence, du vice à la vertu. Ô Dieu de gloire, nous te supplions en l'honneur de notre patron qui obtint de toi ce lac sacré afin de laver les péchés de son peuple, que ta grâce ouvre notre chemin vers lui, et qu'elle retire tous ceux qui y font obstacle des ténèbres de l'incroyance où ils se trou-

---

1 Allusion au célèbre lieu de pèlerinage fondé, d'après la légende, par le patron de l'Irlande. Situé sur un îlot au milieu d'un lac parmi les landes austères du nord-ouest du pays, le lieu saint promettait des visions des peines de l'Enfer et du Purgatoire aux pèlerins médiévaux. Encore très fréquentée de nos jours, l'île accueille chaque été plusieurs milliers de personnes qui viennent y passer trois jours en prières, jeûnes et veilles dans ce qu'on appelle toujours « le Purgatoire de saint Patrick ». (N.d.t.)

vent, en les rapprochant de la lumière de cette foi chrétienne que tu nous as enseignée par le truchement de ce grand apôtre qui le premier prêcha parmi nous ton Évangile en le confirmant par merveilles et miracles. [...]

Contemple, ô chrétien à qui Dieu a donné la grâce de la pénitence, contemple les vies des saints en général, et vois comme ils expiaient leurs péchés ici-bas de peur des peines de l'au-delà. Contemple plus assidûment les saints de ton propre pays, et avec une assiduité toute particulière notre patron principal, Patrick, duquel nous avons reçu l'alphabet de la foi et les prémices de l'Évangile, et tu verras comment ils passèrent le temps de leur pénitence à pratiquer ces trois œuvres d'expiation, jeûne, prière et aumône ; et puisque ce sont eux tes maîtres dans l'art de sauver ton âme, suis leur exemple dans ces bonnes œuvres et ne remets pas ton œuvre d'expiation inaccomplie jusqu'à ton arrivée dans l'au-delà. [...]

Comprends bien aussi d'après tout ce que nous avons dit qu'il ne faut pas suivre la voie empruntée par le pseudo-clergé de la fausse foi en ce qui concerne l'expiation des péchés. Ce sont les ennemis jurés du sacrement de la pénitence, et ils ne veulent pas entendre parler d'expiation. Eux, ils ont choisi la voie spacieuse de la concupiscence et ils ont fui l'étroit sentier qui nous relie à Dieu et qui nous guide et nous reconduit chez nous au ciel. Compare et mets côte à côte la vie de ce pseudo-clergé et la vie des saints serviteurs de Dieu dont j'ai parlé, et tu verras à l'évidence lequel des deux marche dans les pas du Christ et des apôtres. Tu verras ceux-là emprunter la large voie des désirs charnels qui conduit en enfer, et ceux-ci suivre l'étroite sente de l'ascétisme qui mène à la vie éternelle. Et puisque tu as leur croyance en horreur, aie horreur aussi de leur façon de vivre, dans la mesure où elle s'oppose à la vie des saints et des apôtres. Puisque c'est de Patrick que tu as reçu la foi du Christ, que sa vie et celles des saints qui lui ont succédé soient un miroir devant toi pour te rendre semblable à eux en quelque mesure.

Comprends en outre, à la suite de cet entretien, que si le clergé de la nouvelle foi est dans la bonne voie, alors Patrick, Brigitte et Columba, et tous les saints de notre pays, ne sont que des nigauds, comme d'ailleurs tous les saints dont nous avons parlé qui pratiquèrent la mortification de leur chair. Niais donc les vierges, les confesseurs, les martyrs, les apôtres, les évangélistes ! Pas seulement cela : niaise aussi Marie, la Mère de Dieu, et niais le Christ notre Sauveur ! Ou bien ce clergé-là est fourvoyé ! Car tout l'exemple du Christ et des saints en paroles et en fait s'oppose à ce que fait et enseigne ce nouveau clergé. Les saints cherchaient à maîtriser la chair, en la réduisant à l'obédience de l'esprit selon l'enseignement du Christ tel qu'il est énoncé par Paul. Le nouveau clergé cède aux désirs de la chair et au luxe de façon à la préférer au spirituel. Maigre nourriture et longs jeûnes, telle était la pratique des saints clercs d'autrefois ; notre nouveau clergé ne demande que mets délicats, banquets et beuveries. Dans des chemises de cilice et sans autre compagne que la pierre dure nos saints clercs prenaient leur repos ; lits moelleux, abandons en bras de femmes, voilà la coutume du nouveau clergé. Les saints clercs engendraient une progéniture spirituelle ; le faux clergé se dévoue aux enfants de la chair. Le chant des psaumes et les louanges du Seigneur étaient jour et nuit la musique des saints clercs ; la musique de ce clergé de mauvais augure n'est autre que le piaillement de leurs mégères et de leurs gosses. Satisfaction sans offenses l'œuvre de nos clercs bien-aimés ; offenses sans satisfaction l'œuvre de ce clergé étranger. Les clercs du temps de notre liberté faisaient de la charité au service de Dieu ; ce clergé corrompu ne fait qu'opprimer les pauvres. Nos saints clercs offraient le sacrifice de l'Agneau de Dieu dans la messe ; ce clergé servile n'a que le souper infâme du grossier Calvin. Notre ancien clergé enseignait l'Évangile de Jésus par la grâce du ciel et avec maints miracles ; ce nouveau clergé inculque la doctrine dégradante de Luther et les erreurs de Calvin avec la plus mauvaise grâce et en s'appuyant sur la force des puissances de ce monde. [...]

Par conséquent, s'ils sont dans la voie qui mène au ciel, Patrick n'était qu'un falot radoteur, ou bien un trompeur fourbe, et il nous a attirés à lui à cause de son ignorance ou par moyen de ses déceptions, et toutes les merveilles qu'il a accomplies n'étaient que duperies.

Qu'il croie ainsi, celui qui veut être membre du diable ; pour ma part, je me range du côté de Patrick, convaincu qu'il n'était ni ignare ni fourbe, mais homme d'érudition, de grande sagesse et de sainte simplicité. Tandis que je suis prêt à jurer que c'est ce nouveau clergé qui radote et que c'est de leur côté que se trouve la fourberie.

Traduction inédite. — *Scathán Shacraimini na hAithri (=Miroir du sacrement de Pénitence)* / edited by Cainneach Ó Maonaigh. – Dublin : Institute of Advanced Studies, 1952. – [Pp. 185-191].

SÉATHRÚN CÉITINN 156

Br. Ó Doibhlin — 1992

Fondements de l'Histoire d'Irlande. — Ce passage est extrait de la préface à l'*Histoire d'Irlande* de Séathrún Céitinn. Sorti du Collège des Irlandais de Bordeaux et docteur de l'Université, Céitinn entend contrer la propagande des colonisateurs. Il mène son projet à bien dans la clandestinité, en se lançant sur les routes de l'Irlande pour consulter, comme il nous dit, les grandes collections historiques, conservées par ce qui survivait des familles d'historiographes traditionnelles. En abandonnant la méthode annalistique, Céitinn crée un exemple impressionnant de l'historiographie de son temps, imbu d'un nouveau sens critique et de l'importance de l'évidence documentaire, comme un Rosweyde, un Bacon, un La Popelinière. Terminée vers 1633, copiée et recopiée d'un bout du pays à l'autre pendant les deux cents ans où l'imprimerie fut interdite à la langue gaélique, plusieurs fois traduite en anglais, l'œuvre deviendra un texte de base du nationalisme irlandais naissant.

Quiconque se propose de retracer et de suivre l'histoire et la tradition ancienne d'un pays doit déterminer et exposer la méthode la plus apte à révéler le véritable état de ce pays et la condition de la population qui l'habite ; et puisque j'ai entrepris de présenter les fondements d'une connaissance de l'histoire d'Irlande, j'ai jugé bon dès le début de me plaindre de l'injustice et de l'oppression dont elle a été victime sous la loi du nombre. Je me plains en particulier de la discrimination que l'on pratique contre ses habitants autochtones, qu'il s'agisse des descendants des envahisseurs normands, qui possèdent leurs terres là depuis quatre cents ans, ou des originaires Gaëls, qui sont entrés en possession des leurs depuis bientôt trois mille ans. Car il n'y a pas d'historien qui traite du pays qui ne cesse de faire des reproches et de lancer des insultes aux deux communautés.

Que soient pris à témoin les rapports faits par Cambrensis, Stanihurst, Hanmer, Camden, Barckly, Moryson, Davies, Campion[1], et tous les autres propagandistes de nos derniers envahisseurs, de sorte qu'on pourrait presque dire que, dès qu'ils écrivent au sujet des Irlandais, ils se comportent en bousiers. Car le bousier, dès qu'il montre son nez en été, a l'habitude de tournoyer en voltigeant, sans prêter attention aux fleurs délicates des prairies, fussent-elles toutes roses ou lys, ni à la floraison des vergers, et ne cesse de se démener et de s'affairer qu'il ne tombe sur de la bouse de vache ou du crottin de cheval, pour aller s'y vautrer. Il en va de même avec la bande que nous venons de nommer. Ils ne se sont pas appli-

---

1 Céitinn dresse la liste des propagandistes qui avaient essayé de justifier l'invasion et la colonisation de l'Irlande en représentant les Irlandais comme des barbares et des sous-hommes. Giraldus Cambrensis (1146-1220) fut secrétaire de Jean Sans Terre. Richard Stanyhurst (1547-1618) était du cercle littéraire de Sir Philip Sidney en Angleterre. Sir John Davies (1569-1626), légiste et poète anglais, fut président du Parlement colonial d'Irlande en 1615. Hanmer, Camden, Barckly, Moryson furent des chroniqueurs et propagandistes au service des Tudors. (N.d.t.)

qués à mettre en lumière les vertus et les bonnes qualités des Irlandais, soit de souche normande, soit de souche gaélique, en traitant par exemple de leur courage ou de leur piété, des nombreux monastères qu'ils fondèrent ou des terres dont ils ont doté le culte ; des privilèges dont ils munirent les érudits du pays ou du respect qu'ils montrèrent à l'égard des prélats et des ecclésiastiques ; de la protection accordée aux poètes ou de l'entretien des pauvres et des orphelins ; de leur largesse envers les hommes de lettres et les quémandeurs ; ou de leur hospitalité sans borne envers leurs hôtes, d'un tel degré que l'on ne peut dire en vérité qu'il ait jamais existé en Europe de peuple qui les dépasse en générosité et en libéralité, eu égard à leurs moyens. En témoignent les assemblées littéraires qu'ils convoquaient — coutume inconnue aux autres peuples d'Europe —, où le devoir d'hospitalité était ressenti à tel point qu'ils ne se contentaient pas de donner à ceux qui demandaient, mais invitaient tout un chacun afin de combler tout homme de lettres de cadeaux et de subsides. Pourtant, rien de tout cela ne paraît dans les chroniques de nos envahisseurs actuels, qui s'attachent au contraire à dénicher quelque mauvaise habitude chez les gens de basse condition ou parmi d'humbles vieilles, tout en négligeant soigneusement l'admirable mode de vie de nos personnes de qualité. [...]

Il n'est pas opportun de poursuivre la réfutation par le détail de ce qu'écrivent ces étrangers nouvellement arrivés, bien qu'ils truffent leurs histoires d'assertions dont il serait aisé de démontrer les erreurs, car la majeure partie de leurs insultes ne reposent sur aucune autorité, mais répètent plutôt les calomnies de faux témoins hostiles à l'Irlande et ne sachant rien de son histoire. [...]

J'espère, par conséquent, que tout lecteur impartial fera confiance à ma démonstration plutôt qu'aux inventions de ces critiques. J'ai vu et j'ai pu comprendre les grandes collections historiques du pays, tandis qu'eux ne les ont pas vues, et même s'ils les avaient vues, ils n'auraient pas pu les lire et les comprendre. Ce n'est ni par amour ou par haine d'un groupe plutôt que d'un autre, ni à l'instigation de qui que ce soit, ni dans l'espoir d'aucun profit que j'entreprends d'écrire cette histoire d'Irlande, mais parce que j'estimais peu juste qu'un pays aussi illustre, que des habitants de souches aussi nobles puissent tomber dans l'oubli, sans renommée et sans que leur soit accordée dans l'histoire la place qui leur revient.

Traduction inédite. — *Foras Feasa an Eirinn (=History of Ireland)* / edited by D. Comyn & P. Dinneen. – London : Irish Texts Society, 1902-1914. – [T. I, pp. 2-7].

CAHAOIR Ó MAOLUA 157

Br. Ó Doibhlin — 1996

Vision à Rome. — Écrit vraisemblablement vers 1650 par un ecclésiastique réfugié à Rome (l'attribution traditionnelle à Cahaoir Ó Maolua n'est pas certaine), ce poème a créé la forme poétique de l'*aisling* ou vision, genre très répandu jusqu'à l'échec de la dernière invasion Stuart de 1745. Une figure féminine venue de l'au-delà — plus tard allégorie de la nation — se lamente sur le triste destin de l'Irlande ou apporte un message d'espérance. Ici, la dame n'est pas encore devenue allégorique, et la vision ne s'offre pas au poète dans le décor d'un beau paysage irlandais, ce qui deviendra classique au XVIIIe siècle. Pourtant la description de la belle émissaire revêt déjà des traits qui deviendront traditionnels.

Je relate une vision, vision nullement mensongère.
Je l'ai de mes propres yeux vue, clairement vue ;
de mes propres oreilles je l'ai entendue.
Je ne la cacherai point, je la proclame et la proclamerai.

Un Jour que je me trouvais tout seul
à Rome sur la colline dorée de Céphas,
tout pénétré de chagrin près le tombeau des Gaëls illustres,
étendu sur la pierre à verser des larmes,
cette pierre sous laquelle gisent les princes généreux
dont l'amour inspire ma complainte,
Ó Néill le Grand, comte de Tir Eoghain,
et Ó Dónaill le noble, le valeureux.
Au moment où je pensais accorder une trêve à mes pleurs,
j'aperçois tout d'un coup sur la crête du mont
une demoiselle pudique à la gorge blanche
qui surpassait Vénus et Minerve
par sa beauté de forme et de figure.
Ses sourcils délicats étaient finement tracés ;
l'or brillait dans sa chevelure,
neige et flamme se disputaient dans les traits de son visage.
Elle m'aborde sur le champ
et d'une voix plus mélodieuse que cordes
me demande de lui céder la place sur le tombeau des héros.
Longtemps elle a pleuré comme si son cœur devait se déchirer.
Enfin après qu'elle eut fini de sangloter,
elle poussa un cri qu'il fit peine d'entendre,
un cri qui tirerait des larmes d'une assemblée de sages,
qui ferait soupirer jusqu'aux pierres de la terre.
Gémissant elle étend les bras,
et levant ses yeux désespérés vers les nues,
elle s'adresse au Roi des cieux,
dans des accents pleins de reproche.

« Grand Dieu, veux-tu bien m'écouter ?
puisque c'est toi qui sais toutes choses,
permets-moi de te poser une petite question,
laquelle pourtant ne laisse pas de préoccuper les savants.
Je me trouve confuse par mon manque d'érudition,
car s'il est vrai que tous ont hérité également
de ce péché originel commis par le premier homme,
Adam notre père qui par Ève fut dupé,
pourquoi donc en inflige-t-on le châtiment
à un peuple plus qu'un autre ?
Pourquoi le monstre d'injustice reste-t-il impuni,
tandis que le juste encourt la punition ?
Pourquoi laisse-t-on intact le buisson infect et rabougri,
pendant que l'arbre fruitier est secoué et ravagé ?
Pourquoi voyons-nous l'innocent pauvre pendu,
quand l'engeance du mal jouit des richesses de ce monde ?
Pour quelle raison les hérétiques ne sont-ils pas défaits,
puisqu'ils s'acharnent sans cesse sur les fidèles ?
Pourquoi les suppôts de Luther ne sont-ils pas abattus,
pendant que la famille du Christ est poursuivie jusqu'à la mort ?
Pourquoi les agneaux déchirés n'inspirent-ils pas la pitié,
quand les loups ne cessent pas de harceler le troupeau ?
Au nom de quelle justice l'Irlande est-elle abattue,
sans qu'on prête l'oreille à son râle ?
De quel crime les Gaëls sont-ils reconnus coupables,
ce peuple qui refuse de s'incliner devant les idoles de ce monde ?
Car depuis que le saint homme Patrick est venu
prêcher la foi dans l'île de nos aïeux,
aucune défaite, aucune tempête ni présage,
joug étranger ou oppression des pires,
n'a pu extirper la foi du cœur de ces Gaëls.
Ô Christ, ce n'est que vérité !
Qu'exiges-tu de nous ? Veux-tu m'écouter ? [...]

Puisque tu me vois angoissée, à l'abandon, en tourmente,
ô Fils du Tout-puissant, je te pose de nouveau une question.
Qu'en est-il de la prophétie de notre saint Patrick,
des oracles de saint Bearchán et du doux Seanán,
de Ciarán, l'abbé vénéré de Cluain,
de saint Colomba, ce noble au visage épanoui,

de saint Colmán qui ne se nourrissait que de verdures,
de tous ceux qui ont parlé en prophètes dans notre pays ? [...]

Pourtant et malgré tout, je n'abandonne pas mon espérance,
je ne suis pas sans garder un certain courage.
Dieu est plus fort enfin que ces bandes au parler anglais [...]
J'implore mon Dieu, si seulement il veut me tendre l'oreille,
j'implore Jésus qui est témoin de tout ce que j'ai raconté
et le Saint-Esprit, tous les trois d'une même ferveur ; —
J'implore notre Mère Marie et Patrick notre saint apôtre,
Colomba le bien-aimé et Brigitte la rayonnante,
qu'ils soudent l'unité des Gaëls
de sorte qu'ils accomplissent ce seul exploit,
l'expulsion des étrangers et la libération de Banba, notre patrie. »

Ce disant, cette ambassadrice de l'au-delà,
leste et vive comme elle m'est d'abord apparue,
battant des mains d'un mouvement subit,
disparaît en trombe vers les nuages
et me laisse seul étendu sur la dalle,
sans voix, sans forces, sans ardeur,
couché sur la tombe des plus illustres des Gaëls.

Envoi

Adieu donc à cette dame rencontrée hier au tombeau de Ó Néill,
et qui pleurait du fond de son cœur les chefs des Gaëls.
Elle a bien pu laisser mon âme ébranlée et lasse,
mais je l'acclame et j'applaudis à tout ce que j'ai entendu d'elle.

Traduction inédite. — *Five Seventeeth-Century Political Poems* / edited by Cécile Ó Rahilly. – Dublin : Institute of Advanced Studies, 1952. – [Pp. 17-32].

PIARAS FEIRITÉIR 158

Br. Ó Doibhlin — 1992

Dépose tes armes, ô fleur des femmes. — Ce poète de 1600-1653 chante l'amour, tout court, dans la pure tradition ancestrale.

Dépose tes armes, ô fleur des femmes,
à moins que tu ne cherches à nous blesser tous à mort ;
si tu ne les déposes pas, tes armes,
je te place sous caution de par le roi.

Laisse donc ces armes de côté,
cache d'abord ta chevelure bouclée,
ne découvre plus cette gorge blanche
qui à aucun homme ne fait quartier.

Veux-tu bien croire, madame,
que nulle part tu n'as tué, nord ni sud ?
Je te répète qu'un regard de tes doux yeux
est plus assassin que dague ou hache.

Tu peux bien te dire que ton genou n'a pas de point aigu,
que ta paume n'est rien de moins que douce et molle ;
pour blesser un homme, tu peux m'en croire,
tu n'as besoin ni de lance ni de poignard.

Garde qu'on ne voie cette poitrine plus blanche que chaux,
ni ton flanc soyeux non plus ;
pour l'amour du Christ que personne ne voie
ce sein qui luit comme buis en fleur.

Garde qu'on ne voie ces yeux gris bleus,
si tu veux qu'on te pardonne tous ceux que tu as mis à mort ;
pour le salut de ton âme, n'ouvre même pas la bouche
de peur qu'on ne voie ces dents qui éblouissent.

Assez de tes coups mortels,
crois-tu ne pas être d'argile comme nous ?
Dame, qui est près de m'achever,
dépose tes armes, je t'en supplie.

Traduction inédite. — *Poems of the Dispossessed* / S.O. Tuama & T. Kinsella. – Dublin : Dolmen Press, 1981. – [P. 96].

PADRAIGÍN HAICÉAD 159

Br. Ó Doibhlin — 1992

Quatrain. — En un beau chiasme, le poète (1600-1654) exilé dit sa double vie, sa double vue.

Éveillé, en France je suis,
en Érin sitôt endormi ;
j'en pris la veille en grippe
— le rêve nourrit mon insomnie.

Traduction inédite. — *Poems of the Dispossessed* / S.O. Tuama & T. Kinsella. – Dublin : Dolmen Press, 1981. – [P. 94].

CHRONIQUE DE LA PÉTAUDIÈRE DU CLAN THOMAS 160

Br. Ó Doibhlin — 1992

Satire des traîtres et des collaborateurs. — Ce récit, qui se présente comme une histoire travestie du salut de l'Irlande et explique l'origine du « clan Thomas », celui des collaborateurs de l'occupant anglais, offre, dans l'écriture, bien des similitudes avec les énumérations et qualifications rabelaisiennes. Le mélange de démonologie chrétienne et de burlesque mythologie celtique donne au panorama historique qui s'ensuit une tonalité ironiquement révérentielle dont l'intention vindicative apparaîtra clairement quand les épisodes rapportés décriront, de manière de plus en plus transparente, l'instauration, en 1632, du Parlement de tutelle qui « vendit » l'Irlande à l'Angleterre.

Il advint une fois qu'une guerre se déclara parmi les dieux infernaux pour déterminer lesquels d'entre eux devraient habiter le territoire d'entre le Styx et l'Achéron. Et les peuples d'en bas se rassemblèrent sur le rivage du Styx, sous le haut commandement de leurs chefs Belzébuth, Abiron[1] et Satan. Et bataille entre eux fut livrée, sanglante et saignante, dans laquelle furent défaits Belzébuth et ses partisans, d'où vint qu'ils furent exilés, par verdict général, un peu partout dans les divers pays de la planète, de façon qu'ils gâchent et gaspillent les fruits de la terre, au dam de toutes les races humaines qui l'habitent.

Ces engeances démoniaques s'éparpillèrent aux quatre coins du monde avec l'intention d'y produire une dévastation générale. Or ce Belzébuth avait un fils qui s'appelait Dragonpeste, qui engendra un fils nommé Lobus Longuebraguette, qui engendra à son tour un fils dont le nom était Peau Pourrie. Cette succession-là ravagea la gent d'Irlande jusqu'au règne du grand roi Laeire, fils de Niall-aux-Neuf-Otages[2]. Le roi Laeire avait un laboureur-chef, suffisant et saligaud, du nom de Bladorn le Breneux, fils de Malabar. Ce Bladorn avait une fille, Bestia, qui fut mariée au susdit Peau Pourrie, et de cet accouplement est issue une progéniture nombreuse, dont un fils qui surpassa toute la race de laquelle il était sorti par sa nature détestable et sa conduite démesurée. C'était Thomas le Gros, fils contrefait et acariâtre de Peau Pourrie.

C'était à l'époque et au moment où saint Patrick apparut en Irlande, accompagné de maints sages, pour semer le bon grain de la foi et de la religion parmi les populations païennes qui alors habitaient le pays. Patrick réunit sur-le-champ tous les savants et les saints d'Irlande dans un seul lieu, et le résultat de leurs délibérations fut que les multiples races démo-

---

1 Nom de démon, mais emprunté au Livre des Nombres (chapitre 16) où Abiron est un des trois chefs qui se révoltèrent contre Moïse. (N.d.t.)

2 Roi d'Irlande demi-mythique, ancêtre éponyme de la dynastie des Ó Néill et dont le fils, Laeire, est présenté ici comme contemporain de saint Patrick, en 432. (N.d.t.)

niaques seraient chassées du pays. On se mit alors, par proclamation, à les expulser de toutes leurs demeures pour les rassembler sur le sommet de Cruach Phadraig, d'où saint Patrick les exila dans les tréfonds du Lac des Démons, à la seule exception de Thomas. Et voici la raison pour laquelle Thomas ne se trouva pas confiné avec eux : c'était que, du côté de sa mère, il était issu de la race charnelle des hommes, et de l'engeance des démons du côté de son père seulement.

Il reste que saint Patrick fut informé que Thomas avait été placé chez son grand-père, le dit Bladorn, et Thomas fut conduit auprès de Patrick, duquel il reçut la foi, mais seulement avec la plus grande difficulté. Car il faut dire qu'il n'aurait pas facilement accueilli cette foi, même si le Christ lui-même avait été son maître, vu qu'il était à peu près impossible d'inculquer les mystères de la théologie à cette nature démoniaque qu'il tenait de son père. Chose qui est évidente dans sa descendance, car on n'arrive à leur enseigner ni catéchisme, ni l'ordre de se confesser, ni commandements et sacrements, ni prières et bénédicité.

Patrick leur imposa donc les tabous et les legs suivants : don d'ineptie et bouches baveuses, de poltronnerie et sottise ; don de braillements et bagarres, de vantardise et veulerie. Fut ordonné aussi que leur nourriture et leurs aliments seraient : têtes de vaches tendineuses et pieds de porc pourris ; que leur pain et condiment seraient : pain d'orge fruste et demi-cuit, pâtées de gruau gâché assaisonnées de beurre infect rempli de poils de chèvre et de moutons et criblé de trous bleuâtres. Ainsi de même fut ordonné qu'ils auraient comme musique : braillements et gloussements de marmaille et de vieilles harpies et glapissements de chiots et de cabots, accompagnés de caquetage de poules, grognements de porcs et bêlements de chevreaux ; qu'ils useraient leurs forces et passeraient leur vie à trimer, à labourer et à moissonner, afin d'entretenir les gens de qualité dans toutes les régions du pays ; et enfin que celui qui serait bon pour eux et les protégerait, ils le tiendraient en peu d'estime, tandis que celui qui les rosserait et blâmerait, il serait leur préféré de toute la race humaine, comme dit le poète :

> *Rustica gens est optima flens et pessima gaudens* ;
> *unguentem pungit, pungentem rusticus ungit*[1].

Thomas le Gros eut pour descendance, pendant les règnes des rois d'Irlande, maints patriarches et leurs horribles lignées, car il eut vingt-

---

1 « La gent paysanne est au mieux quand elle pleure, au pire dans la joie ; le rustaud accable celui qui le soigne, soigne celui qui l'accable. » (N.d.t.)

quatre fils de sa femme Orla, la fille de Bernard le Boueux, frère de Bladorn. Et Thomas dispersa sa descendance dans toutes les provinces d'Irlande, en inventant pour eux des noms de famille extraordinaires.

Dans l'Ulster il expédia Malachie Ó Crinière, Brian la brute Ó Souillon, Laurent Sans-Souliers, et Patrick Petfoireux. Dans la belle province du Connacht il envoya Gilbert Pieds-plats, Jourdain le gourde Ó Culnoir, Richard le méchant Ó Pet-en-graisse et Jean le sale Ó Vieuxcon. Dans la noble province du Leinster il envoya Morgan Grandes-Fesses, Denis le rouspéteur Ó Bilenoire, Jérémie le dur Ó Démonface et Hugues le boiteux Ó Queue-entre-jambes. Et dans la fière province du Munster furent envoyés ceux qui restaient, c'est-à-dire Corneille le crachouilleur Ó Duvet, Carl l'osseux Ó Cataplasme, Magnus le poltron Ó Maladroit, Denis le fruste Ó Grincement et Timothée le grossier Ó Lourdequeue. [...]

Le clan Thomas, descendance de Thomas le Gros, se maintint ainsi jusqu'à ces derniers temps et à l'avènement d'Ó Neill[1]. Il advint alors, en raison de la longue durée de la guerre, que la population d'une grande partie de l'Irlande devint très réduite en nombre, particulièrement les hommes, de sorte que bien des nobles familles disparurent. Sur ces entrefaites, le clan Thomas se mit à teindre ses vêtements en bleu et en rouge, ayant passé la période précédente à prospérer par vols, voies de fait et viols. Et puisque les habitants s'étaient faits rares, ils commencèrent à prendre possession des fermes et à rechercher des alliances qu'il n'était ni juste ni bon qu'ils fissent. Ils devinrent de la sorte des chefs de village, firent monter les prix au détriment des gens de qualité, et se mirent en tête de porter les couleurs à la dernière mode et des costumes de la coupe la plus élégante.

Or, quand le roi Jacques[2] monta sur le trône, il résulta de sa bonté et de sa bienveillance que l'Irlande jouit pendant tout son règne d'une longue période de paix et de stabilité. Le clan Thomas en profita pour envoyer ses enfants à l'école et les faire entrer dans le clergé ; et pas un d'entre eux n'était content si ses fils n'étudiaient pas la rhétorique et la philosophie naturelle, si ses filles n'apprenaient pas à broder la soie et à s'exercer aux travaux d'aiguille, si bien que le prix des terres monta et que les profits du clan Thomas baissèrent.

---

1 Aodh Ó Néill, dernier prince indépendant de l'Irlande, contraint à s'exiler en 1607. (N.d.t.)

2 Jacques Stuart, Jacques VII d'Écosse, monté sur le trône d'Angleterre sous le nom de Jacques Ier en 1603. (N.d.t.)

Les membres du clan Thomas inventèrent donc le projet suivant. Ils envoyèrent des messagers pour inviter de bouche à oreille le clan Thomas en un seul lieu, à savoir le sommet de la colline de Cros I Fhloinn, entre Duiche Chlainne Muiris et Ciarrai, quinze jours avant la Saint-Michel, en l'an du Seigneur 1632. Et une fois réunis, ils se mirent d'accord pour organiser un parlement sur cette même colline. [...]

Adoncques, comme nous avons dit, ils se rassemblèrent dans le Kerry, sous l'autorité de leurs chefs, Jean le flatulent, Brian Grosse-panse, Jérémie le maussade, Denis le renfrogné, Thomas Trompette, Corneille le chamailleur, qui sortirent de toutes les vallées, rochers et coins reculés du pays. De même vinrent se joindre à eux du fin fond de l'ouest des bandes innombrables désireuses de siéger au parlement, et tous prirent leur place : calotte crasseuse sur la tête, grandes oreilles, cou hâlé, bouche bée, nez crochu, grimace tordue, portant sur leurs épaules tombantes et leurs membres osseux, chemise noire sanglée d'un large ceinturon. Et pas un n'acceptait les commandements ni de Dieu ni des hommes.

Traduction inédite. — *Pairlement Chloinne Tomáis* / edited & translated by N.J.A. Williams. – Dublin : Institute of Advanced Studies, 1981. – [Pp. 1-24].

ANONYME 161

Br. Ó Doibhlin — 1996

« *Tendresse dangereuse autant qu'importune* ». — Poème lyrique et dramatique, mis dans la bouche de l'épouse de Aodh Ó Ruaire, seigneur de Beiful. Obsédée par le souvenir d'un soupirant, Tomás Mac Coisteala, elle en appelle à son époux pour la sauver des arts subtils de cet amant, poète et soldat valeureux, dont l'image la hante pendant que lui gagne de nouveaux lauriers sur le champ de bataille. Il se présente à son imagination enfiévrée dans les métamorphoses classiques des amants venus de l'au-delà dans l'ancienne littérature gaélique. Le poème s'adresse d'abord au mari, ensuite à l'amant, et présente de façon poignante le conflit entre la fidélité et les flots de passion qui risquent de tout emporter. Ce type de poème, aristocratique, appartient à une tradition qui remonte très loin, où l'intensité de la passion s'exprime à travers un personnage ou une circonstance dramatique. Il ne s'agit pas nécessairement ici d'une situation historique.

Vois toi-même, mon époux, ce travail de sape,
Ô toi, seigneur issu d'un sang altier,
noble rejeton d'une noble lignée,
vois bien ce que trame contre toi Thomas, ton rival.

Dépêche-toi de me garantir,
si t'importe toujours notre foi jurée.
Seigneur spectral d'un pays de mythe, il me talonne ;
sournois, il me sollicite, et c'est tout à tes dépens.

Époux, mon ami, seul espoir de ma plainte,
si tu peux craindre la perte de la femme que je suis,
beau scion d'une souche superbe, viens-moi en aide,
fais entendre ta voix face à celui dont je connais trop bien le nom.

C'est lui que je vois à mes trousses, lui qui m'assaille,
celui qui est passé maître en l'art de séduire.
Même s'il devait jurer sur sa foi sacrée,
ne présume pas qu'il ne saurait me déshonorer.

Crois-le si tu veux ; ce n'est pas mon avis
qu'il ne soit pas capable de forcer mon aveu,
poète qu'il est, honnête homme, voleur d'affections aussi,
ce lion ravisseur qui sonde trop bien ma résolution.

Mille fois il se lance pour me suborner ;
j'y reconnais Thomas malgré ses formes fantasques ;
essayant sans trêve de donner le change,
il vient vers moi sous des déguisements d'enchanteur.

Mille fois encore il revient près de moi,
plongeant d'en-haut de son vol de faucon,
arrachant ma reddition à la barbe de tous,
ô monstre, malgré tout bien-aimé de moi.

Figure d'homme, mœurs de garce,
mille fois il revient à l'assaut,
fort de sortilèges charmeurs, de vers secrets,
pour m'entraîner loin de toi, loin de moi.

Sous forme d'être humain il vient ;
il vient aussi en guise spectrale ;
il vient à ses heures comme viendrait fantôme.
Comment veux-tu que je ne le suive ?

Tandis qu'il guerroie dans le nord lointain
je partage, moi, ses triomphes aussi ;
qu'il couche avec quelque fille captive,
c'est moi encore qu'il gratifie.

Souvent, débonnaire, il me rend visite, ô mon ami,
pareil à toi en figure et forme ;
doux, tranquille, redoutable, irrésistible,
il me hante, héritier lui aussi d'un nom illustre.

Mais quand il se présente sous son aspect propre
mon bon sens en reste égaré ;
mon affection largue ses amarres,
et prend le large, et je ne lui trace plus sa route.

À moins que tu ne possèdes quelque force d'âme
qui me tienne ferme en ma détresse,
ô mon ami, mon bien-aimé,
mon brave époux, je suis perdue.

Je ne peux plus flotter entre vous deux.
Puisque l'amitié que je te porte, mon époux,
se serre en moi comme oiseau en cage de fer,
sera-ce donc toi, Thomas, qui désormais m'obsède ?

Si avantage il y a à te le demander,
laisse-nous en paix, seigneur généreux ;
honnête homme que tu es, ô mon amour,
ne fais pas perdre la face à mon mari.

Thomas chéri, mon désarroi et mon extase,
gage d'amour que tu es, par moi pris en otage,
laisse-moi, je ne veux point trahir ;
poursuis plutôt tes conquêtes faciles.

Je ne suis pas de ces femmes candides
que tu débauches dans ton effronterie ;
ton charme pour moi n'est pas infaillible,
subtil pourtant comme brume de jour d'été.

Ne fais pas foi aux bruits qui courent, je ne suis pas une femme [légère ;
jeune fille encore, j'ai convolé en justes noces ;
voilà déjà longtemps que je le connaissais, mon promis ;
inutile donc de me lorgner comme tu fais.

Ton travesti d'enchanteur ne t'est d'aucun profit ;
je perce à jour tout de suite tes mille astuces ;
rapace, veux-tu me laisser mon honneur,
va-t-en ! brigand, voleur de notre paix.

Ne compte pas sur moi pour assouvir ton désir,
détrousseur de grand chemin, trompeur de femmes ;
ne m'égare pas non plus par ton grand mérite ;
lance-toi plutôt là-bas sur des remparts ennemis.

Beau seigneur, le nonchalant, le sans-souci,
rameau fleuri d'un bois parfumé,
sache que rien, amour ni riche dot ni grande alliance,
ne saurait m'arracher aux bras d'un mari aimé.

Alors, puisque tu n'auras pas mon accord,
retourne donc au métier paternel ;
va ajouter gloire au sang royal du nord,
poète à la fois et héros digne des mythes d'antan...

Ô tisonneur des braises de l'amour,
ô voix envoûteuse de la gent féminine,
étai et renfort de mainte ligne de bataille,
tout en étant à toi, je ne passe pas aux aveux.

Et pourtant, Thomas, malgré mes reproches,
quand il ne reste plus rien à dire au bout du compte,
mon cœur ne cesse pas de me souffler
que, si je dois aimer, c'est toi que j'aimerai.

Désormais je te dis adieu le cœur plein ;
il est grand temps que tu me laisses pour toujours ;
ô mon amour, pas de promesses mensongères,
ne condamne pas mon brave mari aux affres de la jalousie.

Cette rupture ne me promet que de la douleur,
bien que mon mari me couve de ses tendres yeux.
Vite ! Laisse-moi ! Quelle peine ! Quel tracas !
Las ! Hélas ! Que jamais plus je ne sente sur moi ton regard.

Traduction inédite. — *Dánta Grá. An Anthology of Irish Love Poetry (A.D. 1350-1750)* / edited by Thomas F. Ó Rahilly. – Cork : Cork University Press, 1926. – [Pp. 55-59].

PAVEL STRÁNSKÝ ZE ZAP

LATIN • TCHÈQUE **1583-1657**

Au début du XVIIe siècle, dans le Royaume de Bohême, les durables antagonismes politiques, religieux et culturels se cristallisent : oppositions entre la bourgeoisie et la noblesse, entre la majorité protestante et la minorité catholique, entre les tenants de la Réforme et de la Renaissance, et ceux de la Contre-Réforme et du baroque naissant. Ils atteignent leur paroxysme le 23 mai 1618, lorsqu'une centaine de protestants représentants de la noblesse et des villes font irruption au Château de Prague et défenestrent deux légats royaux, représentants du camp des Habsbourg. À la suite de la défenestration de Prague, les États Généraux élisent roi de Bohême l'électeur Palatin Frédéric V. Mais, le 8 novembre 1620, à la bataille de la Montagne Blanche près de Prague, les Habsbourg reconquièrent le pouvoir et c'est bientôt la restauration de la prédominance catholique, des structures seigneuriales, et, en art, le triomphe du style baroque. En 1627-1628, d'abord pour la Bohême, puis pour la Moravie, entre en vigueur le nouveau règlement des États, qui force l'élite protestante à l'exil, en Pologne, en Allemagne et ailleurs, où elle s'efforce, tournée vers le passé, de cultiver la littérature de la Réforme et de l'humanisme. Parmi les nombreux écrits religieux, polémiques et historiques produits par les émigrés, seuls ceux de Paul Stránský de Zap dépassent une problématique strictement nationale.

Ce disciple de Comenius, bachelier et maître ès arts de l'université de Prague qui travaille, à partir de 1608, notamment dans des écoles privées de Prague, laisse, manuscrites, des observations pénétrantes sur les mutuelles implications des situations religieuse et nationale du milieu protestant tchèque : *Plainte adressée à un Tchèque indolent, contre les nations étrangères qui, en Bohême, se bousculent dans les églises* (1618). C'est une défense véhémente de la langue et de la nation tchèques.

En exil, Stránský compose ou termine quelques écrits en latin. Trois d'entre eux sont publiés à Leyde chez Elsevier (1634 et 1643) : *Respublica Bojema, Respublica Germanica* et *Respublica Hungarica*, dont le premier est un long exposé sur l'État tchèque avant la bataille de la Montagne Blanche (1618).

LA RÉPUBLIQUE DE BOHÊME **162**

P. Pietquin — 1996

Typologie des Bohémiens (chapitre IV, 5).

En même temps qu'il est accablé de défauts, notre peuple se distingue par ses vertus. On aurait peine à croire en effet qu'il se trouve une quantité quelconque d'hommes parmi lesquels tous seraient ou absolument mauvais, ou absolument bons, et qui mériteraient tous d'égale façon ou d'être valorisés, ou d'être critiqués. Différents historiens ont relevé différents défauts chez les Bohémiens. L'empereur Frédéric Ier dit qu'ils sont sauvages ; Frisingensis, Helmoldus, Silvius[1] et Bartolinus disent qu'à la guerre, ce sont des pillards et des adversaires farouches ; Thurocius[2] les dit enragés ; Bonsinius dit qu'ils supportent mal la faim, la soif, la sueur et la crasse des armées ; l'auteur anonyme de la Chronique dite « de la Cour du Roi » dit qu'ils sont avides de nouveauté et qu'ils ont des goûts versatiles pour s'habiller et se coiffer. Presque tous disent que ce sont des ivrognes. Crometus les désigne comme un peuple vantard ; le baron Hassenstein[3], comme un peuple toujours plus avide de guerre que de paix. S'il est vrai que ces défauts étaient déjà si développés aux siècles passés, encore relativement privilégiés, que pensons-nous qu'ils écriraient, s'ils ressuscitaient, ces auteurs dont le jugement n'est pas complètement arbitraire, au vu de l'accroissement non négligeable que ces défauts ont connu à notre époque plus que dépravée ? En attendant, rien cependant ne nous interdit de réaliser que les peuples qui nous ont appris ces défauts sont ceux-là mêmes d'où sont issus les auteurs qui nous ont critiqués de la sorte. Les Germains avouent qu'il est dans leur nature d'être agités, de se soulever et — récrimination qu'ils font sans vergogne — de trahir et de tuer leurs rois. Bebelius, récriminateur malveillant, nous qualifie d'apostats et de peuple rebelle, et n'hésite pas à faire retentir ses trompettes guerrières pour inciter les princes Germains à nous anéantir.

Quant aux vertus que l'on reconnaît aux Bohémiens, ce sont : chez Helmoldus, l'hospitalité et la bravoure dans les mêlées guerrières ; chez Dubravius[4], la grandeur d'âme et la confiance en soi ; chez Silvius, le respect scrupuleux des traités conclus. Pour Bonsinius, ils sont de la lignée de Mars et nés naturellement pour la guerre. Pour Bilejovius[5], ils sont d'un naturel paisible et bienveillant, et ne savent donner prise au mécontentement. Certes, on ne peut nullement cacher que notre vieux poète satirique Nithardus trouverait, sinon davantage, du moins autant à nous reprocher que n'a trouvé à vanter chez nous le poète italien Hieronymus

---

1 Æneas Sylvius Piccolomini (1415-1464), pape en 1458 sous le nom de Pie II, avait donné une *Historia Bohemiæ* (1458).

2 Stanislas Thurzo, humaniste slovaque, fut, comme évêque d'Olomouc, le prédécesseur de Jan Dubravius.

3 Bohuslaw Hassenstein, baron de Lobkowitz (1460-1510), poète humaniste tchèque, catholique convaincu, fut en correspondance avec nombre d'humanistes européens. Dédaignant la langue tchèque, il n'écrivit qu'en latin. Chateaubriand le mentionne dans ses *Mémoires d'outre-tombe.*

4 Auteur d'une *Historia Regni Bohemiæ* (1552), inspirée d'un sincère patriotisme, qui supplanta la chronique d'Æneas Sylvius Piccolomini.

5 Bilejovius (1480-1555) auteur d'une *Chronique de Bohême* marquée par le parti pris calixtin.

Balbus[1], laudateur de la Bohême et de nos grands personnages, dans l'hypothèse où le destin voudrait leur permettre de revenir à la vie. Il ne ment pas, en effet, le poète qui dit : *Les Bohémiens respectent leurs engagements.* Pas moins d'à-propos chez cet autre : *Farouches Bohémiens, nation nullement méprisable...* Et encore chez ce peintre qui, dit-on, alors qu'il avait fait des portraits d'hommes et de femmes de chaque pays en costume traditionnel, avait représenté le Bohémien, et lui seulement, tout nu, avec un tas de pièces de tissu à ses pieds, en disant que, comme son modèle se plaisait à changer sans cesse de vêtements, il lui laissait la liberté de s'habiller selon ses goûts et selon ses désirs. Et enfin chez le censeur, qui a lancé ce dicton contre nous :

La sauvage Bohême
se conduit comme le singe :
elle reproduit ce qu'elle a vu faire,
et renonce à ses anciennes pratiques.

Traduction inédite. — *Respublica Bojema* / a M. Paulo Stransky... – Lugduni Batavorum : Ex Officina Elzeviriana, anno 1643. – [Pp. 162-165].

1 Poète et humaniste italien du début du XVIe siècle, Jérôme Balbus, qui connaissait Prague, reproche dans un de ses poèmes à Hassenstein d'être prévenu contre son propre pays.

GRACIÁN

ESPAGNOL **1601-1658**

Baltasar Gracián y Morales entre à 18 ans dans la Compagnie de Jésus, où il sera professeur de philosophie, de lettres, d'Écriture sainte et de théologie morale (casuistique). Malgé ses aspirations, il vivra pratiquement confiné dans sa chère mais étroite province natale d'Aragon, sauf de brefs séjours ailleurs et deux courtes échappées à Madrid, à la Cour.

Jésuite, il est donc professeur, prédicateur, confesseur, un maître dans l'art de la parole pédagogique, publique, confidentielle : persuasive, éloquente, insinuante, toujours adaptée à l'auditoire ou à l'interlocuteur, toujours mûrie, polie et affûtée dans le sens de la plus grande efficacité. L'œuvre de Gracián illustre d'une manière exemplaire le raffinement rhétorique, casuistique et psychologique de la culture jésuite de l'époque baroque, une interrogation éthique et esthétique aiguë sur un Verbe qu'il ne cesse de sonder, une Écriture qu'il ne cesse de questionner, un Livre qu'il ne cesse de tisser dans une impressionnante anticipation de notre modernité.

Il est remarqué par un aristocrate érudit dont le fastueux palais est fréquenté par les plus grands personnages européens, qui l'encourage à écrire et à publier ses premières œuvres.

D'abord, *El Héroe* (*Le Héros*, 1637), opuscule d'une extrême concision où, en quelque 20 pages, dans une langue d'une complexité hautaine, le jésuite trace le modèle idéal du Prince chrétien auquel il propose « une raison d'état » de soi-même qui a assimilé les leçons de Machiavel. L'ouvrage, qui connaît le succès, est immédiatement imité, avec maladresse, en France. Dès la première ligne de ce premier livre, dans sa note « Au Lecteur », Gracián lui adresse ce vœu qui sera constant dans ses premiers ouvrages : « Que je te désire singulier ! », cherchant un dialogue privilégié avec un interlocuteur exceptionnel.

Plus bref encore, une quinzaine de pages, *El Político don Fernando* (*Le Politique don Ferdinand*, 1640) où ce héros de la politique est incarné par l'Aragonais Ferdinand le Catholique (déjà modèle de Machiavel) et que Gracián, non sans insolence, propose comme exemple passé aux rois présents et à venir. Distinguant entre mauvaise et bonne raison d'État (mise au service du catholicisme) Gracián donne ainsi à la « direction d'intention » des casuistes jésuites une application politique exemplaire et redoutable.

Chapelain et confesseur du vice-roi d'Aragon et de Navarre, le Père Baltasar le suit à Madrid où il prêche avec grand succès. Malgré la disgrâce du vice-roi, compromis dans les mouvements séparatistes de 1640 qui voient la sécession du Portugal et le soulèvement de la Catalogne, il lui conserve une belle fidélité. C'est à Madrid que le jésuite aragonais publie en 1642 *Arte de Ingenio* (*Art de l'esprit*), le seul de ses ouvrages qu'il remaniera cinq ans plus tard.

Prenant le relais du *Courtisan* de Castiglione, *El Discreto* (*L'Honnête Homme*, 1646) impose pour deux siècles en Europe ce nouvel idéal dans les salons mondains, avec un éloge de l'apparence et de l'ostentation symbolisés par le paon, brillant renversement ontologique et moral de la hiérarchie platonicienne de l'être et du paraître.

En 1647, *Oráculo Manual y Arte de Prudencia..., etc.* (*Oracle manuel et art de la prudence...*) recueille, condense ou amplifie en 300 aphorismes les théories morales et politiques de ses précédents ouvrages dans une visée plus universelle qui ne s'adresse plus seulement au Héros, au

Prince, au Mondain, à l'homme de cour mais à l'homme tout court : c'est le manuel de poche, d'un cynisme tranquille et objectif, d'un froid utilitarisme, du carriériste aspirant à la réussite sociale par le jeu des apparences dans le théâtre du monde ; c'est la grande politique démocratisée dans les actes de chaque jour, le bréviaire d'un Machiavel de la vie quotidienne. Rempart contre le vulgaire, ascèse de l'intelligence, le style, volontairement obscur par un laconisme extrême et semé de jeux de mots, est le premier exercice spiritituel d'un lecteur qui voudrait faire partie d'une élite non plus sociale mais du mérite, d'une aristocratie de la volonté, du savoir, du savoir-faire, du succès. La morale chrétienne n'y est peut-être plus que le luxe décoratif et facultatif de la réussite ; sans lui être contradictoire, elle n'en est plus la condition nécessaire.

Passé en Italie et en France, ce manuel de poche va connaître une diffusion extraordinaire : à la mode dans le salon janséniste de Madame de Sablé fréquenté par les beaux esprits, dont Esprit, Méré, Pascal, certaines de ses maximes vont être traduites par la Marquise, adaptées par La Rochefoucauld. Traduit en français en 1684 par Amelot de la Houssaie sous le titre réducteur de *L'Homme de cour* et dans un style classique qui prétend corriger les outrances « baroques » de l'original, il sera traduit dans toutes les langues européennes, dont le russe, le suédois, le hongrois et le latin, faisant de Gracián l'auteur espagnol le plus traduit avec Cervantès. Schopenhauer le traduira et Nietzsche admirera ce jésuite dont le Héros, à la religion près, a quelque chose de son Surhomme.

En 1648, Gracián publie une version très augmentée de *Arte de Ingenio*, *Agudeza y Arte de Ingenio* (*Acuité et art de l'esprit*), dans la filiation de ses traités pratiques destinés à acquérir un « art », cette fois littéraire, qui conduise au succès par des recettes éprouvées et méditées. Longtemps incompris et méprisé, cet ouvrage est au cœur de la philosophie gracianesque du langage et de l'écriture, reflet de sa production antérieure et réflexion sur sa production à venir. Le livre est autant une rhétorique qu'une poétique du style « conceptiste », le premier traité sur l'écriture baroque par un théoricien contemporain, qui est aussi un de ses plus grands praticiens.

Dans ce traité, le fonctionnement de l'esprit est analysé à partir d'exemples tirés de différents moments de l'histoire : Latins du « Siècle espagnol de Rome » (Sénèque, Lucain, Martial), auteurs de la Seconde Sophistique, Pères de l'Église, rhétoriqueurs du XVe siècle, enfin auteurs tout contemporains et audacieusement modernes comme Góngora, son poète préféré. Dans une intuition fulgurante, Gracián y analyse le « mot d'esprit » (*agudeza, concepto*, ou encore *acumen*, *wit*, *witz*) et préfigure les travaux de Jean-Paul et de Freud. Mais il asservit la gratuité du jeu à l'efficacité persuasive du trait d'esprit, dans une théorie implicite de la figure argumentée.

En 1650, abandonnant son transparent pseudonyme de Lorenzo Gracián, le jésuite publie la première partie de son vaste roman *El Criticón* (*Le Criticon*, « Somme de critiques »), allégorie philosophique de la vie humaine divisée en quatre saisons recoupant les âges de la vie. Critile et Andrénio, la Raison et l'Instinct, font le voyage de la vie en déjouant les pièges du chemin, dénonçant impitoyablement l'« état du Siècle », condamnant toutes les valeurs à la « grotte du Néant ». Schopenhauer tenait ce livre pour le plus grand roman allégorique du monde. Alarmée par l'audace du livre et de ce jésuite qui, émancipé de son protecteur, en infraction avec les vœux d'obéissance et de pauvreté, s'édite seul en refusant de se soumettre à la censure ecclésiastique et perçoit des bénéfices d'auteur, la Compagnie de Jésus (en pleine tourmente janséniste) lui impose un silence qu'il ne respecte pas en récidivant avec la

Seconde Partie (1652), qui lui vaut une sévère sanction. En 1657, après une publication religieuse de circonstance, *El Comulgatorio* (*L'Art de communier*), dûment conforme, signée de son vrai prénom et soumise enfin à l'autorisation, le rebelle persiste et publie, la même année, la dernière partie de son roman, bouclant ainsi parfaitement son œuvre : « Ce fut une erreur que de commencer ce livre, mais c'en serait une plus grande que de ne pas l'achever », avoue-t-il dans la préface.

Soumis à une réprimande publique, il meurt quelques mois après avoir fini son « livre de vie ».

Art et figures de l'esprit / Baltasar Gracián ; traduction, notes et essai préliminaire par B. Pelegrín. – Paris : Éditions du Seuil, 1983. – 368 p. – [Notes et essai : 90 et 56 pages].

Le Fil perdu du « Criticón » : Objectif Port-Royal. Allégorie et composition conceptiste / Benito Pelegrín. – Université de Provence : Aix-en-Provence, 1984. – 301 p.

Éthique et esthétique du baroque : l'espace jésuitique de Baltasar Gracián / Benito Pelegrín. – Arles : Actes-Sud, 1985. – 231 p.

Baltasar Gracián : dal Barocco al Postmoderno / Actes du Colloque du même titre, édités par Luigi Russo. – Palermo : Centro Internazionale d'Estetica Palermo, 1987. – 123 p. – (*Æsthetica Pre-Print* ; 18).

El mundo de Gracián / Actes du Colloque international de 1988. – Berlin : Colloquium Verlag, 1991. – 314 p.

Baltasar Gracián. – Barcelona, 1993. – 223 pages. – (*Documentos Anthropos* ; 5).

Suplementos Antropos n° 37 (1993). – 224 p. – [Avec une bibliographie de 20 p.].

LE HÉROS 163

B. Pelegrín — 1996

Que le Héros rende son fonds insondable (Principe premier).

Voici la première règle dans l'art des entendus : mesurer le terrain avec son artifice. Grande ruse que de s'offrir à la connaissance mais non à la compréhension ; que de nourrir l'attente, sans la rassasier jamais complètement. Que le beaucoup promette davantage et que la plus belle action en laisse toujours espérer de plus grandes.

Que l'homme averti ne permette à personne de lui sonder le fonds s'il veut être respecté de tous. Un fleuve est formidable tant qu'on ne lui a pas trouvé de gué et l'on respecte un homme tant qu'on n'a pas trouvé de limite à sa capacité car une profondeur ignorée mais présumée conserve toujours, par la crainte, le crédit.

C'est à juste titre que l'on appelle conquête la découverte, car réussir à découvrir fait aussitôt un maître de l'esclave. Si celui qui comprend domine, celui qui se cèle ne cède jamais.

Que l'homme avisé rivalise d'adresse avec la curiosité du rival appliqué à le percer car elle redouble souvent au début d'une partie.

L'homme habile au jeu de la barre ne réussit jamais du premier coup ; il s'engage chaque fois plus et fait chaque fois mieux.

Ce sont atouts d'Être Infini que de monter très haut la mise avec des réserves d'infinité. Cette première règle de grandeur conseille, sinon d'être infini, du moins de le paraître, ce qui n'est pas une subtilité commune.

En ce sens, on ne marchandera pas ses éloges au piquant paradoxe du sage de Mitylène : « La partie vaut mieux que le tout car une moitié en montre et l'autre en réserve est plus qu'un tout déclaré. »

Maître en cet art comme dans tous les autres, ce fut bien ce grand roi, Premier du Nouveau Monde et dernier d'Aragon, sinon le *non plus ultra* de ses héroïques rois[1].

Ce catholique monarque tenait toujours en haleine les autres souverains plus par les qualités de son esprit, qui brillait chaque jour à nouveau, que par les nouvelles couronnes qu'il ceignait.

Mieux, ce centre des rayons de la prudence, grand restaurateur de la monarchie gothique, réussit même à éblouir son héroïque épouse, puis les intrigants de la cour, subtils à scruter le nouveau roi, se rongeant pour lui sonder le fonds, attentifs à mesurer sa valeur.

Mais avec quelle adresse Ferdinand s'ouvrait et se fermait à eux ! Avec quel art il s'offrait et se refusait ! Et, finalement, il l'emporta sur eux.

Ô, toi, candidat à la gloire ! Toi qui aspires à la grandeur, écoute bien le conseil : que tous te connaissent, que personne ne te comprenne, car, par cette ruse, le peu paraîtra beaucoup, le beaucoup, infini et l'infini, bien plus.

Œuvres complètes / Baltasar Gracián ; traduit par Benito Pelegrín. – Paris : Seuil, [à paraître].

L'HOMME DE COUR 164

B. Pelegrín — 1978

Discrétion, dissimulation, hypocrisie (98-99, 125-126). — Ces traductions tentent de recréer le style baroque conceptiste de Gracián.

Masquer ses volontés. Les passions sont les brèches de l'âme. Le savoir le plus utile est l'art de dissimuler. Qui montre son jeu risque de perdre. Que l'attention du masque rivalise avec l'intention que l'on a de le démas-

1 Il s'agit de Ferdinand le Catholique, époux d'Isabelle. (N.d.t.)

quer : à œil de lynx, sépia et demie. Cachez vos goûts, de crainte qu'on ne les prévienne, soit en les contrariant, soit en les flattant.

Apparence et réalité. Les choses ne passent pas pour ce qu'elles sont, mais pour ce qu'elles paraissent ; rares sont ceux qui regardent à l'intérieur des choses, et nombreux ceux qui se satisfont des apparences. Il ne suffit pas d'avoir raison avec un visage qui a tort.

N'être point livre de comptes[1]. C'est annoncer que l'on n'est pas très propre que de patauger dans la fange d'autrui. Certains voudraient, avec les taches des autres, tâcher de cacher, sinon laver, les leurs ; ou du moins ils s'en consolent, consolation de fous. Ils ont toujours la bouche qui pue, indice que c'est l'égout par où débouchent les immondices de la rue. Dans ces cloaques, qui plus fouille, plus se souille. Il y a peu de gens qui échappent à quelque vice d'origine, soit de droite, soit de gauche ; on ne connaît pas bien les fautes de ceux qui nous sont mal connus. Que l'homme attentif se garde bien de dresser un registre d'infamies, car c'est se dresser en détestable censeur qui, pour être sans vice, n'en est pas moins sans cœur.

N'est pas fautif qui fait la faute mais celui qui, une fois faite, ne la sait pas farder. On doit cacher ses affections et encore plus ses imperfections. L'erreur est humaine, à cette différence près : que les sages démentent celles qu'ils ont faites tandis que les sots commentent celles qu'ils feront. Le crédit consiste plus dans le secret que dans le fait[2] et si vous êtes lubrique, ne soyez pas rubrique[3]. Les fautes des grands hommes se remarquent plus, car ce sont des éclipses de leur rayonnement. Même à la règle absolue de l'amitié on doit faire l'exception de ne lui pas confier ses défauts ; et même à sa chemise, l'on ne doit dire sa guise[4]. Mais on peut se valoir ici de cette autre règle de vie, qui est savoir oublier.

Manuel de poche d'hier pour hommes politiques d'aujourd'hui et quelques autres (=Oráculo Manual y Arte de prudencia...) / Baltasar Gracián ; traduction, introduction et notes de Benito Pelegrín. – Éditions-libres Hallier, 1978. – [Pp. 74, 88, 98-99]. – [Traduction revue].

---

1 Allusion au redoutable *Livre vert* d'Aragon sur lequel étaient inscrits les noms des descendants des juifs convertis. (N.d.t.)

2 Cf. *Tartuffe* : « Le scandale du monde est ce qui fait l'offense ». (N.d.t.)

3 *Rubrique* : encre rouge réservée pour souligner le texte. Nous l'employons dans le sens de « indiscret » que nous légitimons par les acceptions personnelles que Gracián donne aux mots les plus courants dans le but de les faire jouer entre eux. (N.d.t.)

4 Schopenhauer, *Aphorismes*, p. 143 : « On devrait se refuser jusqu'à ce soulagement de cœur que l'on éprouve parfois à se parler à voix haute à soi-même. » (N.d.t.)

LE CRITICON 165

B. Pelegrín — 1993

Critile, naufragé, rencontre Andrénio qui lui fait le récit prodigieux de sa vie (Première Partie [*Du printemps de l'enfance à l'été de la jeunesse*], Crisis 1).

Les deux Mondes s'étaient déjà prosternés aux pieds de leur universel monarque, le catholique Philippe[1] et sa royale et réelle couronne était l'orbe le plus grand que décrit le soleil d'un hémisphère à l'autre, cercle brillant au centre cristallin duquel se love, bien sertie, une petite île, soit perle de la mer, soit émeraude de la terre. Une auguste impératrice lui donna son nom pour qu'elle le fût des îles, couronne de l'Océan. L'île de Sainte-Hélène sert donc, escale et échelle d'un monde à l'autre, de repos à la portative[2] Europe et fut toujours un havre de salut, maintenu de la divine Providence au milieu des immenses mers, pour les catholiques flottes vers les Indes Orientales.

Vie. Luttant contre les vagues, affrontant le souffle des vents et encore plus les affronts et soufflets de sa fortune, mal soutenu d'une planche, c'est là qu'espérait un port un naufragé, monstre de la nature et du sort, cygne par son chef déjà chenu et plus par son chant ténu, car, entre les fatals confins de la vie et de la mort, il s'exclamait ainsi :

« Ô vie, tu n'aurais pas dû commencer ! Mais puisque tu as commencé, tu ne devrais jamais finir ! Il n'est rien en ce monde de plus désiré ni de plus fragile que toi ; te perdre une seule fois, c'est te perdre pour toujours : je t'estime désormais perdue. Ô marâtre nature ! La conscience que tu refuses à l'homme à sa naissance, tu ne la lui rends qu'à l'heure de sa mort afin qu'il ignore le bonheur qu'il reçoit mais sente bien le malheur qu'il redoute !

Ô, tyran mille fois du genre humain l'homme qui, le premier, avec une scandaleuse témérité, confia sa vie à un frêle esquif sur l'inconstance de l'onde ! On dit qu'il eut un cœur d'airain, mais moi je dis un cœur d'erreurs. C'est en vain que la sage Providence sépara les nations par des monts et des mers si l'audace des hommes a trouvé des ponts pour n'y infiltrer que leur malice. Tout ce qu'inventa l'industrie humaine s'est avéré pernicieux et fatal pour l'humanité et fait son malheur ». [...]

---

1 Il s'agit de Philippe IV. « Catholique » signifie « universel ». À la monarchie terrestre, l'Espagne joint la monarchie religieuse, doublement universelle. (N.d.t.)

2 Portative car elle se transporte comme la belle Europe enlevée et transportée sur son dos par Jupiter métamorphosé en taureau. (N.d.t.)

Conscience. « Je ne sais [dit Andrénio] qui je suis, ni qui m'a donné l'être, ni pourquoi il m'a été donné. Que de fois, et sans voix encore, me le suis-je demandé, aussi ignorant que curieux ! Mais si l'interrogation naît de l'ignorance, je pouvais mal me répondre à moi-même ! Je me révoltais parfois contre moi pour voir si, par ma volonté, je n'arriverais pas à m'élever au-dessus de moi-même : je me dédoublais, encore pas bien singulier, pour voir si, dépassant mon ignorance, je pourrais satisfaire à mes désirs.

Toi, Critile, tu me demandes qui je suis et moi, je désire l'apprendre de toi. Tu es le premier homme que j'aie vu jusqu'ici et, en toi, je retrouve mon vivant portrait mieux que dans le miroir muet d'une source que souvent ma curiosité sollicitait et qu'applaudissait mon ignorance. Mais si tu désires connaître les événements matériels de ma vie, je te les vais conter, ce sera plus prodigieux que prolixe.

La première fois que j'eus conscience de moi, j'étais renfermé dans les entrailles de cette montagne. [...] Là, ma première nourriture me fut administrée par une de ces créatures que tu appelles bêtes et que, moi, j'appelais mère, persuadé qu'elle m'avait donné le jour et l'être, je l'avoue à ma honte. [...]

Lumière de la raison. Mais, parvenu à un certain degré d'âge et de raison, je fus soudain saisi d'un si extraordinaire désir de connaissance, d'un tel éclair de lumière et d'entendement que, faisant retour sur moi, je commençai à faire réflexion sur réflexion au sujet de mon être :

« Qu'est-ce que cela ? me disais-je. Suis-je ou ne suis-je pas ? Mais, puisque je vis, puisque je connais et je sens, je suis donc. Mais si je suis, qui suis-je ? Qui m'a donné l'être, et pourquoi ? Si c'est pour être enfermé ici, ce serait un grand malheur ! »

Le Criticon / Baltasar Gracián ; anthologie présentée et traduite de l'espagnol par Benito Pelegrín. – Nantes : Le Passeur-Cecofop, 1993. – [Pp. 35-40].

LE CRITICON 166

B. Pelegrín — 1993

Le Cabinet de l'Honnête Homme (Deuxième partie [*Judicieuse et civile philosophie dans l'automne de l'âge viril*], Crisis IV). — Si, dans le jeu de la réalité et des apparences, seules les apparences comptent, c'est que la réalité elle-même n'est qu'illusion. Et c'est ici que la dimension spirituelle, radicale, paraît : seule, au-delà de toute apparence de réalité, comme au-delà de toute réalité des apparences, demeure en ce lieu où la conscience humaine hésite entre l'être et le néant, une vérité qui ne saurait être du monde de la mort et du rien, mais qui, paradoxalement, est cependant et dont le nom est connu, lieu de toute subsistance : Jésus.

Monde enchanté.

— Que veux-tu dire par illusion ? demanda Andrénio. Le trésor que nous voyons ne serait-il pas vrai ?

— En aucune manière : il n'est qu'illusion.

— Ce qui reluit, n'est-ce point de l'or ?

— De l'ordure, pour moi.

— Ces pierreries ?

— J'en ris.

— Mais ne sont-ce point là des tas de réaux ?

— Tous faux.

— Mais ce que je palpe, ne sont-ce point des doublons ?

— Oui, car doubles et fourbes.

— Et toute cette pompe ?

— Trompe.

— Ce faste ?

— Néfaste car au bout du compte, il sombre dans le néant. Pour que vous compreniez bien que tout n'est qu'apparence, retenez bien qu'il suffit d'ouvrir la bouche et de dire « Ciel !... » ou « Seigneur, protège-moi ! » pour qu'aussitôt toute cette pompe s'estompe et s'évanouisse, réduite en charbon et même en cendre.

Et il en fut ainsi. Quelqu'un s'écria : « Jésus ! » en poussant le dernier soupir et tout ce faste, ce mensonge, se dissipa comme un songe. Les hommes, éveillés des rêves d'or, regardant leurs mains, les trouvèrent vides : du pompeux théâtre, il restait l'âtre, la cendre ; du simulacre, il restait l'âcre. Ce fut un spectacle bien horrible que de voir que ceux qui étaient prisés comme des rois, soulevaient la risée devant leur désarroi ; les monarques traînant leur pourpre, les reines et les dames en traîne, les seigneurs en costumes aux brocarts brodés, qui l'avaient cru, se retrouvaient nus et crus, brocardés, sans être crus de quiconque, pour n'avoir pas su, pas compris, et se trouvaient pris, et bien attrapés. Faute d'y voir, ils tombaient de leurs trônes d'ivoire dans la tombe la plus noire. De leurs bijoux, il ne restait que l'écho de la rime au singulier : chou, hibou, et surtout, le trou. Les brocarts devinrent brocards, le satin, dédain, la soie, effroi, les pierres fines, les opales, furent dalle tombale, les rivières de diamants, flots de larmes, les cheveux frisés, hérissés, les bonnes odeurs, puanteur et les parfums, fumée. Tout cet enchantement finit en chant et en répons funèbre et les écrins de la vie en creux de la mort.

Le Criticon / Baltasar Gracián ; anthologie présentée et traduite de l'espagnol par Benito Pelegrín. – Nantes : Le Passeur-Cecofop, 1993. – [Pp. 118-119].

LE CRITICON 167

B. Pelegrín — 1993

La grotte du néant (Troisième Partie [*Dans l'hiver de la vieillesse*], Crisis VIII).

[Le Vain dit à Andrénio horrifié :]

— Trouves-tu des morts plus morts qu'eux ? [...] Considère que ce sont eux qui, pour ne s'être pas tués à la tâche durant leur vie, s'enterrent vivants et viennent eux-mêmes se coucher dans les sépulcres de l'oisiveté, dans les tombes de ceux qui tombent de fatigue, dans les urnes de la faiblesse, en sorte qu'ils restent ensevelis dans la poussière de l'éternel oubli.

— Quel est donc ce seigneur qui gît dans ce tombeau ou tombereau de la puante luxure ?

— Quelqu'un qui ne sera jamais que ce qu'il a été jusqu'à ce jour. De cet autre, on a appris qu'il était mort avant de savoir qu'il était en vie : sa mort a été comme l'annonce de sa naissance. Voyez ce prince : le seul bruit qu'il ait fait de sa vie c'est son premier cri en venant au monde. [...]

Ces paresseux sépulcres étaient pleins non de morts vivants mais de vivants morts et non simplement d'aînés d'illustres maisons mais de successeurs de réserve, seconds, troisièmes, quatrièmes et cadets qui ne s'étaient distingués ni en valeur ni en savoir, ni sur les champs de bataille ni dans les universités.[...]

[***Grotte du néant***] Après s'être promenés au milieu de cette immense compagnie de l'oisiveté, cette campagne du divertissement et libre champ des vices, ils arrivèrent en vue d'une ténébreuse grotte, funeste bouche d'une horrible caverne fendue au pied d'une superbe montagne, dans le plus humble de son flanc, antipode du château érigé de l'estimation honorable, son contraire en tout car, s'il s'élevait jusqu'à se couronner d'étoiles, elle s'abîmait au point de s'ensevelir dans les gouffres de l'oubli ; là, tout n'était que tension vers le ciel, ici, qu'étendue vers le sol, car il y a des goûts pour tout, et plus dégoût que bon ragoût. Entre l'un et l'autre, il y avait toute la distance qui se trouve entre un extrême de hauteur et un autre d'avilissement.

L'entrée de la grotte ressortait d'autant plus qu'elle était obscure et ténébreuse et que son manque d'éclat la rendait plus notable. [...] Et pourtant, elle avait beau être horrible et écœurante, un monde de choses s'y embouchait : les voitures à trois attelages, à l'aise, les carrosses tirés par six mules, des chaises à porteurs traînant le pas, des litières et des traîneaux traînards, mais aucun char triomphal.

Andrénio regardait ce spectacle, guère moins qu'étourdi, mais Critile, requis par sa coutumière mais en rien ordinaire curiosité, demanda quelle manière de grotte c'était là. Ici, l'Honorable, tirant un grand soupir du plus profond de son chagrin, s'écria :

— Ô préoccupations et occupations des hommes ! Oh, que le néant est beaucoup ! Tu sauras ô Critile, que c'est l'aussi connue que peu célébrée grotte, sépulture de tant de vivants ! C'est là le terme des trois parts du monde, c'est, ne t'en scandalise pas, la Grotte du Néant.

— Comment, du Néant ? répliqua Andrénio. J'y vois se déverser le grand courant du siècle, le torrent du monde, des villes populeuses, de grandes cours, des royaumes entiers !

— Eh bien ! Sache qu'après que sont entrées toutes les choses que tu dis, la grotte reste vide.

— Eh ! Mais regarde tout ceux qui y pénètrent !

— Pourtant tu n'y trouveras aucun être.

— Que deviennent-ils ?

— Ce qu'ils sont devenus.

— Comment finissent-ils ?

— Comme ils ont commencé : ils ne furent rien, ils ne firent rien, il n'en reste rien.

Le Criticon / Baltasar Gracián ; anthologie présentée et traduite de l'espagnol par Benito Pelegrín. – Nantes : Le Passeur-Cecofop, 1993. – [Pp. 143-145].

HARSDÖRFFER

ALLEMAND • LATIN **1607-1658**

Longtemps considéré comme un compilateur sans créativité, Harsdörffer dut attendre les années 1920 pour voir son statut d'auteur proprement baroque reconnu par la critique.

Issu d'une famille patricienne de Nuremberg possédant de vastes propriétés en Franconie, notamment le château de Fischbach, Georg Philipp Harsdörffer fut formé dans la maison parternelle et au collège de la ville, avant d'entrer, à l'âge de 16 ans, à l'université de Nuremberg (Altdorf). Le mathématicien Daniel G. Schwenter dut avoir une influence particulière sur le jeune homme qui, plus tard, éditera les travaux de son maître (*Mathematisch-Philosophische Erquickstuden*) en les augmentant de volumes personnels. Avec Christoph Fürer, un ami de Nuremberg, il s'inscrit, trois ans après, à la prestigieuse université de Strasbourg, où il gagne l'estime de Matthias Bernegger, historien, philologue et mathématicien à qui l'on doit, entre autres, une traduction latine du *Dialogue* de Galilée *sur les deux grands systèmes du monde* et qui pratiquait une pédagogie, alors peu répandue, consistant à susciter questions et critiques. Étudiant, Harsdörffer suit des cours de droit, de philosophie, de philologie et de mathématiques mais n'obtient probablement pas de grade académique. Après Strasbourg, Harsdörffer et Fürer font un voyage d'étude de cinq ans qui les conduit en France, aux Pays-Bas, en Angleterre, en Italie et en Suisse. Harsdörffer apprend les langues de ces pays, en particulier le français, dont il acquiert la pleine maîtrise.

À partir de 1635, il travaille comme assesseur au tribunal de Nuremberg ; en 1655, il est élu membre du Conseil « interne », lequel avait sous son autorité la « ville libre impériale ». Mort à Nuremberg, il est enterré au cimetière Saint-Jean.

L'œuvre de Harsdörffer comprend plus de 60 titres et sa correspondance montre qu'il fut en contact avec les principaux intellectuels de son temps. Quatre écrits précoces en latin (1641-1642), en faveur de la paix (*Germania deplorata* et *Gallia deplorata*), mettent en garde contre le danger turc (*Peristromata Turcica*) et exhortent les dirigeants d'Europe à s'allier contre lui (*Aulæa Romana*). En 1642, il entre à la *Fruchtbringende Gesellschaft* (« Société fructueuse ») où, célèbre pour ses jeux de langage, il est surnommé « le joueur ». À Nuremberg, il fonde, avec Johann Klaj et Sigmund von Birken, l'« Ordre floral de la Pegnitz », un cercle littéraire qui cultive le genre plaisant et virtuose de la poésie pastorale, comme dans ses *Gesprächspiele* (« Jeux de conversation »). La poésie galante des bergers de la Pegnitz, telle qu'elle s'exprime dans *Pegnesisches Schäfergedicht* et dans *Fortsetzung der Pegnitz Schäferey* (édités avec von Birken et Klaj en 1644-1645) oppose le *locus amœnus* de la paix au monde sauvage de la guerre.

Ce sont les *Frauenzimmer-Gesprechspiele* (« Jeux de conversation de dames »), parus en 8 tomes entre 1641 et 1649, et intitulés *Gesprechspiele* à partir du tome 3, qui valurent la notoriété à Harsdörffer. Trois dames et trois messieurs y conversent sur tous les sujets imaginables. Le propos sous-jacent y est que le jeu pratiqué dans la langue, conçue comme image potentielle du monde, permet d'accéder aux connaissances fondamentales, car le jeu est la loi de la Création. Celui qui joue s'insère dans l'ordre voulu par Dieu et le réintègre. Mieux et plus profondément que ne le feraient les sciences, quelles qu'elles soient, les jeux de conversation pénètrent le monde, rétablissent l'ordre perturbé et engendrent la paix. Au nombre des grands maux qui accablent l'Allemagne à l'époque de la guerre de Trente Ans, Harsdörffer compte celui qui consiste à négliger la langue et à tolérer les mélanges qui menacent sa pureté. L'Allemagne, à ses yeux, a perdu unité et conscience de soi pour devenir le théâtre des affrontements européens, le pays de la détresse et de la peur. La confusion linguistique de Babylone y règne à nouveau et Harsdörffer a pour projet de restaurer la paix en travaillant sur la langue.

Dans *Specimen Philologiæ Germaniæ* (1646), Harsdörffer s'oppose aux théories linguistiques de Schottelius, selon lesquelles la langue d'Adam est la langue correcte et celle qu'il faut rétablir. Il est également l'auteur d'un dictionnaire qui rassemble et explique les radicaux allemands, en donne les dérivations et en illustre l'usage au moyen de proverbes. Dans le même domaine, il laisse aussi l'instrument appelé *Fünffachen Denckrings des Teutschen Sprache*, cinq disques superposés et mobiles qui permettent, selon Harsdörffer, de fabriquer tous les mots allemands possibles, en conformité avec les règles. Le *Nürnberger Trichter* (« Entonnoir de Nuremberg ») reste aujourd'hui encore le symbole d'une science de l'enseignement qui repose sur la mécanique et l'arrangement. *L'Entonnoir poétique* quant à lui (3 tomes, 1647-1653), élabore un art poétique en concordance avec les règles et les possibilités de la langue allemande, sans recours aux modèles latins et sans érudition superflue. Plus prosaïquement, le *Teutsche Secretarius* (« Secrétaire allemand ») visait, à l'intention des étudiants et des futurs secrétaires, à améliorer l'usage courant de l'allemand dans le monde des affaires.

Ce que les sons sont à la langue, estime Harsdörffer, les chiffres le sont aux mathématiques. Langue et mathématiques ne sont d'ailleurs que deux représentations d'un même monde. Tout comme les jeux de conversation, les tomes 2 et 3 des *Mathematisch-Philosophischen Erquickstunden* (« Heures de rafraîchissement mathématico-philosophiques », 1651-1653) relatent la Création, de manière ludique, utile et agréable. Les mathématiques aident à connaître le monde ; la richesse vient du travail de leurs mains. À travers elles, l'homme gagne l'intelligence et la sagesse dans l'observation. Semblables aux objets du monde qui participent à la Création dans le jeu de Dieu, les disciplines particulières, symbolisées sur la page de titre du deuxième volume par une ronde d'enfants, se rejoignent sans cesse dans ce travail. Elles ne sont pas des sciences isolées mais les différents domaines d'étude d'une cosmogonie générale.

Harsdörffer pense que le plus beau livre de ce monde est le monde lui-même, que l'homme est sa plus belle part, et que le plus beau chapitre est celui qui traite de ses actions. Les sciences, prises de manière abstraite, avec leurs dogmes et leurs lois, sont étudiées et exemplifiées dans la *Geschichtschreibung* (« Historiographie »). Le monde est un théâtre où non seulement les hommes d'État mais aussi les nobles, les bourgeois et les paysans agissent comme des personnes privées. L'au-delà doit tirer de leurs actes la leçon d'une vie vertueuse.

Les récits historiques d'Harsdörffer, par exemple *Der Grosse Schauplatz Jämerlicher Mord-Geschichte* (« Le Grand Théâtre d'une pitoyable histoire de meurtre ») eurent un succès immédiat.

En outre, Harsdörffer eut recours à bien d'autres genres ou supports littéraires pour servir son travail de « pacificateur » : du tableau de mœurs au récit édifiant, en passant par les paraboles, les poèmes didactiques, et même les jeux de cartes.

Weltordnung und Bildung : Versuch einer kosmologischen Grundlegung barocken Erziehungsdenkens bei Georg Philipp Harsdörffer / Karl Helmer. – Frankfurt am Main ; Bern : Peter Lang, 1982. 249 p. – (*Paideia. Studien zur sytematischen Pädagogik* ; 7).

Georg Philipp Harsdörffer (1607-1658) : Poétique et Poésie / Jean-Daniel Krebs. – Bern ; Frankfurt am Main ; Las Vegas : Peter Lang, 1983. – 2 vol.

Irmgard Böttcher, "Der Nürnberger Georg Philipp Harsdörffer". – In : *Deutsche Dichter des 17. Jahrhunderts. Ihr Leben und Werk* / Herausgegeben von Harald Steinhagen und Benno von Wiese. – Berlin : Erich Schmidt, 1984. – [Pp. 289-346].

Georg Philipp Harsdörffer : ein deutscher Dichter und europäischer Gelehrter / Herausgegeben von Italo Michele Battafranco. – Bern ; Berlin ; Frankfurt am Main ; New York ; Paris ; Wien : Peter Lang, 1991. – 396 p. – (*IRIS. Ricerche di cultura europea. Forschungen zur europäischer Kultur* ; 1).

JEUX DE CONVERSATION DE DAMES 168

A.-L. Vignaux — 1996

Au lecteur des jeux de conversation. — Les jeux de conversation illustrent par des exemples l'exploration ludique du monde au moyen du langage.

En aucun cas, je n'ai eu l'intention d'expliquer tout dans le détail ni, bien que cela eût été très facile de prendre mille détours : au contraire, je n'ai voulu donner que des instructions et montrer la marche à suivre pour lancer des conversations amicales et fructueuses dans les cercles où l'on apprécie l'honneur et la vertu et pour les faire fructifier, en fonction des possibilités propres à chacun. Avec, en mémoire, l'idée que les bonnes conversations entretiennent et exercent les bonnes mœurs tout comme les mauvaises gâtent celles-ci. Tu me diras qu'un tel passe-temps est trop difficile pour la gent féminine allemande, inhabituel et ennuyeux : je te demanderai de ne pas juger les choses trop intellectuellement, mais, plutôt, de considérer ceci : de tous temps, on a loué des femmes supérieures, célèbres pour leur vertu et, de nos jours encore, il s'en trouve en tous lieux : singulièrement, aux Pays-Bas, les demoiselles Maria Schurmanns et Anna Römers, parmi bien d'autres, sont connues pour leur grande expérience dans toutes les langues et les arts libéraux ; chez nous aussi, elles sont nombreuses à ne trouver leur bonheur que dans les livres traduits à partir d'autres langues. Alors que la plupart des jeux de conversation abordent des sciences diverses leur accès n'est pourtant interdit à personne et je regrette surtout que les jeunes gens, faute d'un exercice intellectuel louable, n'y soient pas amenés. Je veux d'ailleurs espérer que grâce à la lecture ou à la pratique des jeux de conversations qui suivent, les jeunes gens pourront être stimulés, éveillés au plaisir de bien des sciences, et incités à une parfaite courtoisie. Si toutefois, cher lecteur, rien de tout cela ne devait te convenir, tu pourras sans peine imaginer autre chose et, peut-être, mieux, à ma suite...

Traduction inédite. — *Frauenzimmer-Gesprechspiele so bey Ehr-und Tugendliebenden Gesellschaften mit nutzlicher Ergetzlichkeit beliebet und geübet werden mögen* / George Philipp Harsdörffer. – Neudruck. – Tübingen : Max Niemeyer, 1968. – [T.I, pp. 17 et svtes].

LE GRAND THÉÂTRE : HISTOIRES PLAISANTES ET INSTRUCTIVES 169

A.-L. Vignaux — 1996

Représentation du monde. — Les histoires du théâtre parlent des actions publiques et privées des nobles, des bourgeois et des paysans sur le théâtre du monde ; elles incitent à faire le bien et préviennent du mal.

Le plus beau livre au monde est le monde lui-même. La plus belle partie de ce livre est l'homme dont on a dit, non sans raison, qu'il était un petit monde et le plus beau chapitre du livre en question est celui qui a coutume de traiter des actions et de la conduite humaines.

La contemplation des créatures excellentes du Tout-Puissant est pareille à une chaîne qui, en quelque sorte, nous relie, vulgaires humains, à la toute-puissance du Dieu suprême et nous exhorte à une louange reconnaissante de ses bienfaits. Aucune créature n'est apte à cette contemplation si ce n'est l'homme qui, à l'origine, fut créé à l'image de Dieu et, après qu'il se fut privé de celle-ci, conserva la conscience qui, à côté de la liberté de sa volonté et de ses œuvres permet de distinguer le bien du mal, de faire l'un et d'éviter l'autre ; devant les yeux, il a, pour ainsi dire, la malédiction et la bénédiction formant une masse indistincte et c'est de son libre choix que dépend le fait d'aborder et de mener une vie qui satisfait Dieu ou Satan. Ce libre-arbitre de l'homme est la racine vitale de la vertu et du péché qui donnera des fruits mûrs ou prématurés, bons ou mauvais. D'autres créatures suivent leur instinct naturel, conservent leur cours ordinaire comme les étoiles poursuivent leur croissance, comme les fleurs et les herbes ont coutume de se nourrir et de se multiplier comme les animaux : mais seul l'homme a reçu une âme immortelle qu'il peut, par ses actions bonnes ou mauvaises, mener à la vie éternelle ou à la mort éternelle, par delà ces futilités dont aucune autre créature n'est l'esclave.

Depuis les origines du monde, de telles actions sont observées chez l'homme ou enregistrées pour servir d'avertissement. Les sciences principales s'y sont appliquées, entre autres par des commandements et la parole de Dieu nous donne les préceptes d'un conduite chrétienne. Le droit nous montre la façon d'appliquer aux mêmes situations données les mêmes jugements et les mêmes lois. La médecine nous apprend à entretenir la santé physique et, si on l'a perdue, à la récupérer.

Ce que ces sciences principales règlent avec des lois et des dogmes, l'historiographie le fait avec des exemples et des illustrations, c'est pourquoi on lui donne les noms de miroir des bonnes et des mauvaises mœurs, lumière de la vérité, règle de conduite de la vie humaine, tandis que ce monde est appelé théâtre car s'y produisent non seulement les rois, les princes et les seigneurs, comme dans les tragédies, mais aussi les nobles, les bourgeois et les paysans, comme dans les comédies, jusqu'au jour où la mort retire leur déguisement à ces personnes souvent transformées.

Tout ceci éclaire sans doute ce qu'en envisage le titre du présent ouvrage ; à savoir présenter les histoires de particuliers qui, comme presque tout le monde, ont vécu quelque événement remarquable d'où la postérité tirerait volontiers un enseignement ou un avertissement.

***Traduction inédite.** — Der Grosse Schauplatz, Lust und lehreicher Geschichte. Das erste hundert […] Zuschrifft* / Georg Philipp Harsdörffer. – Hamburg : Johann Naumann, 1651. – [P. a iiij].

POÈME DES BERGERS DE LA PEGNITZ 170

M. Petit — 1977

Les saisons. — Il s'agit ici d'une poésie systématique conçue selon le principe de l'Entonnoir dans la poétique de Harsdörffer : par accumulation d'images et de métaphores, le poème devient une « peinture parlante ». *Kl.* et *St.* sont les initiales des deux surnoms Strefon (Harsdörffer) et Klajus (Klaj, 1616-1656, un des virtuoses du cercle des Bergezrs de la Pegnitz) qui ordonnent les voix de la poésie.

1. Printemps

Kl. Le soleil monte au ciel princesse[1] des planètes
St. Engendre en même temps et saison et poète
Kl. Flore, enfant du printemps qu'offrir à la fiancée
Des fleurs de ce lieu-ci qu'on marie aujourd'hui
St. Souffle le doux vent d'ouest la clé de ces champs-ci[2]
Kl. Le clair écho résonne à travers les vallées

1 « Princesse », parce que *die Sonne* est féminin (tandis que *der Mond*, « la lune », est masculin). (N.d.t.)

2 Allusion au nom allemand de la primevère (*Schlüsselblume*) et à celui des dédicataires de l'ouvrage, les époux Schlüsselfelder. (N.d.t.)

Se marie à la brise *St.* Prenez de votre main
La tulipe où nature épouse l'artifice
Emblème des jardins *Kl.* Elle est tachée de sang
St. Ponctuée *Kl.* Bleu de ciel *St.* Guillochée
Kl. Tailladée
St. Sa robe est jaune-rouge *Kl.* De flamme
St. Chamarrée
Kl. Pour autant de raisons parée pour cette fête

2. Été

St. Le soleil monte au ciel c'est le cœur des planètes
Kl. Le peuple des poètes va-t-il rougir, se taire ?
St. Cérès, fille d'été qu'offrir à la fiancée
Couronne de ce temps qu'on marie aujourd'hui ?
Kl. La brise, la brise froide comme elle rafraîchit
Qui autrement se plaît à étouffer les feux
St. Prenez de cette main la splendeur du lys blanc
Aux yeux de l'éternel égal à Salomon
Kl. Il fleurit comme un sceptre à haute tige. *St.* Glorieux
Kl. Argenté *St.* Bleu-nuage *Kl.* Or jaune
St. Blanc-lait *Kl.* Strié
St. Son cœur est de safran *Kl.* Rayonné
St. Rouge-feu
Kl. Il adoucit le mal des yeux *St.* Chasse l'angoisse

3. Automne

Kl. Le soleil redescend qui est l'œil des planètes
St. Il atténue sa force enchante les poètes
Kl. Bacchus, homme aux raisins viens donc cher invité
St. Délivre le fiancé du poids des soucis blêmes
Kl. Le givre, bague glacée, mûrit feuillage et grappes
St. Pour le jour de la fête volons le cep de vigne
Kl. Prenez de cette main le sang du cellier terre
Qui empêche la peine et ranime le cœur
St. La lampée de bon vin *Kl.* Le doux réveille-joie
St. Plaisant *Kl.* Ami-des-vers *St.* Cordial
Kl. Découvre-sens

Kl. La pierre à aiguiser de notre art est saphir
St. Lait pour les hommes vieux *Kl*. Arme de la jeunesse

4. Hiver

Kl. Le soleil redescend c'est le roi des planètes
St. Assis autour du feu les poètes inventent
Kl. Sylvain, homme des bois vite, des rameaux secs
St. Mais non déjà l'amour enflamme les fiancés
Kl. Quand le vent du nord hurle et que rien ne réchauffe
Flambe l'ardeur d'amour quand vous vous étreignez
St. Prenez de cette main pauvre le romarin
Kl. Et pour fêter les noces le flambeau lourd de sève
Kl. Et le bois résineux pour conduire les hôtes
St. Brille le romarin couronne des atours
Kl. Allons, vite du feu les invités s'en vont

Poètes baroques allemands / Marc Petit. – Paris : François Maspéro, 1977. – (*Action poétique*). – [Pp. 129].

MORGAN LLWYD

GALLOIS **1619-1659**

Au XVIIe siècle, la littérature galloise subit une rupture majeure. Jusque-là liée au contexte aristocratique dans lequel elle était née, elle avait été essentiellement poésie de louange, à la virtuosité tant phonétique que métaphorique, même si, avec la fin de l'indépendance, à la fin du XIIIe siècle, la thématique s'était diversifiée.

Pareille production raffinée ne put survivre aux troubles extrêmes que connut l'Angleterre du XVIIe siècle, à laquelle le Pays de Galles avait été rattaché. Après la Guerre civile entre Royalistes et Parlementaires, entre Anglicans et Puritains, le triomphe de Cromwell acheva d'anéantir la tradition aristocratique et, en faisant souffler le vent de la théocratie, livra les lettres galloises aux thèmes religieux, jusqu'à la fin du XIXe siècle.

La figure de Morgan Llwyd illustre cette évolution. Issu de la famille du poète traditionnel Huw Llwyd, Morgan est lui-même un fin lettré, versé dans les règles de la prosodie ancestrale. Mais il participe à la Guerre Civile comme aumônier dans l'armée parlementaire, et fait ensuite partie des contrôleurs nommés par le gouvernement de Cromwell pour remplacer le clergé, jugé trop anglican, par des pasteurs au puritanisme avéré.

Son intolérance religieuse partage le sentiment de bien des Puritains de Cromwell, convaincus de vivre les temps eschatologiques où les forces du bien (eux-mêmes) affrontent celles du mal (l'Église anglicane) juste avant le retour du Christ, retour que rendaient probable les annonces du millénium pour le milieu du XVIIe siècle. Cette conviction de l'imminence de la fin des temps est à l'origine de la vocation littéraire de Morgan LLwyd. Comme l'indique le frontispice de *Llyfr y Tri Aderyn* (*Livre des trois oiseaux*, 1653), c'est pour avertir et convertir ses compatriotes gallois avant qu'il ne soit trop tard qu'il écrit ce livre, tout comme il s'emploie à traduire Boehme dans leur langue. Avec Boehme il dénonce la nature égocentrique de l'homme et s'attache à souligner la primauté de la vie intérieure, la présence du Christ dans le cœur de l'homme et non dans une quelconque institution ecclésiale.

Llyfr y Tri Aderyn, l'œuvre la plus célèbre de Morgan Llwyd, est un dialogue entre trois oiseaux allégoriques : le corbeau qui, relâché par Noé, a quitté l'arche et n'y est pas retourné, la colombe qui est revenue porteuse d'un rameau vert d'olivier, et l'aigle, le roi des oiseaux. L'allégorie est en partie inspirée de Bœhme : le corbeau représente ceux qui, telle l'Église anglicane, ont préféré le monde à l'arche de l'enseignement du Christ. La colombe, identifiable au Saint-Esprit, représente le comportement puritain parfait, tandis que l'aigle est le disciple de bonne volonté soucieux de s'instruire auprès de la colombe. Le dialogue est en deux parties : une première où le corbeau polémique avec l'aigle et la colombe, une deuxième où l'aigle et la colombe, dans un propos nettement dogmatique, développent, par exemple, la nécessité pour l'homme de vaincre sa nature selon la chair afin d'accéder à l'Homme Nouveau selon l'esprit, ou évoquent le sens ésotérique de l'arche.

Ce texte à la pensée substantielle et aux métaphores originales est écrit dans une prose dont les riches sonorités rappellent le *cynghanedd* traditionnel.

Morgan Llwyd / M. Wynn Thomas. – Cardiff : University of Wales Press, 1984. – 85 p. – (*Writers of Wales series*).

LIVRE DES TROIS OISEAUX 171

M.-Th. Castay — 1994

Noé m'a rejeté. — Le mystère de la Prédestination ne trouve ici qu'une première explication. Son peu de clarté semble préserver le secret d'un accès réservé.

CORBEAU Noé m'a rejeté et je n'ai cure de mes actes si je dois être frappé de bannissement.

AIGLE Ce n'est pas lui qui t'a rejeté, mais toi qui l'as rejeté et t'es enfui. Il est amour et son vouloir est bon et il n'est point de ténèbres en lui. Prompt à pardonner le pire, lent à la colère, il trouve sa délectation dans la patience.

CORBEAU Mais il en est pour dire qu'il en a rejeté beaucoup et choisi certains dès avant leur naissance.

AIGLE Ceci dépasse mon savoir. Il se peut que la colombe ait la connaissance de ce mystère. Colombe, que dis-tu ?

COLOMBE Il est malaisé de dire, il est malaisé de comprendre la nature de cette profondeur chez Noé, mais je vais vous en conter les premiers rudiments. Il est dans l'éternité une trinité, trinité de volonté, d'amour et de force, dans laquelle chaque élément coexiste éternellement aux deux autres et les trois se nourrissent et s'engendrent sans cesse mutuellement. N'était le bon plaisir de l'amour de nourrir la volonté originelle à brûler comme un feu ardent, nul ne serait perdu. N'était une telle collaboration entre les trois, ni homme, ni ange, ni bête n'auraient été créés. Certains ont été conçus de toute éternité dans l'amour par l'action de la volonté qui les emporte et les dissémine à la manière d'étincelles et les tempère dans l'eau de la béatitude qu'est l'arche. Cette trinité n'a pas d'autre racine que l'amour lui-même, où toute haine est absente. Mais l'action de l'industrieuse volonté consiste à donner corps à tout ce qui l'habite et à rejeter (comme l'arbre ses feuilles ou l'homme ses crachats) ce qui ne s'accorde pas à son esprit. Voyez ! les corbeaux ne connaissent rien au pincement de cette corde à la harpe céleste. Mais toi, aigle, comprends-le et les colombes le comprendront peu à peu. Là se trouvent en effet le fondement de la matière et la source de toute chose. Là se trouve la charpente du monde visible. Là se trouve l'élan éternel qui est cause de chaque mouvement dans l'ensemble de la création. Mais les oiseaux, bien que posés sur les branches, ne pensent pas au rôle essentiel des racines pour les arbres. La volonté originelle est la racine de tout (à la manière dont le silex fait jaillir l'étincelle) et elle est éternellement dirigée vers le cœur du fils dans lequel elle apaise son ardeur dans l'amour. Mais il est de nombreuses étincelles qui ne désirent pas refroidir ainsi, qui s'envolent avec Lucifer au mépris de la lumière et de la quiétude éternelles, et conservent la fièvre de leur élan sans jamais trouver de repos, faute d'être allées le chercher en dehors d'elles-mêmes. La volonté a la capacité de donner l'impulsion, mais elle n'a pas la capacité de revenir en arrière, comme le corbeau avec quelque justesse l'a dit tantôt. Pour cette raison, beaucoup se rejettent et en blâme Noé. Et bien que le cœur de ce dernier désire les accueillir, leur propre cœur embrasé les maintient captifs en leur royaume. Mais, oh aigle, si tu n'oublies pas de m'interroger plus à loisir sur ce point, quand nous serons seuls et en paix, je te montrerai plus longuement la source de tous ces mystères. Mais, pour l'instant, poursuis ta conversation avec le corbeau.

Traduction inédite. — *Llyfr y Tri Aderyn* / Morgan Llwyd ; edited by M. Wynn Thomas. - Cardiff : University of Wales Press, 1988. - [Pp. 17-19].

LIVRE DES TROIS OISEAUX 172

M.-Th. Castay — 1994

Conscience et volonté propre. — C'est seulement après qu'on a subordonné le libre vouloir à la conscience que Dieu parle.

CORBEAU Profondes et secrètes sont les affaires de l'État. Le commun des oiseaux ne saurait les comprendre.

AIGLE Mais toi, les comprends-tu ?

CORBEAU Non, pas vraiment. Et de même, il n'est personne au royaume d'Angleterre ni dans la ville de Londres qui comprenne ce qui lui arrive. Ce qui est fait aujourd'hui est mystérieusement défait demain et je ne vois rien qui s'accomplisse selon les projets de l'homme, mais il est une autre roue qui tourne au-dessus du sens commun. Les fétus de paille se rassemblent et l'ouragan tout à coup les disperse. L'araignée met longtemps à tisser son piège et voilà que l'enfant détruit le tout en un instant d'un simple coup de balai. Pour autant que je voie, les hommes sont comme des fours à chaux, ou bien encore ils sont semblables à des enfants qui bâtissent de petites cabanes sur la berge de la rivière et le flot monte tout à coup et balaie tout. Il est une force agissant au milieu des hommes d'aujourd'hui qui autrefois n'y était pas. Un esprit étrange est à l'œuvre bien que personne ne sache le voir. Je te dis cela contre ma volonté propre mais selon ma conscience.

AIGLE Comment peux-tu faire cela ?

CORBEAU Nombreux sont ceux qui parlent contre leur conscience et suivent leur volonté propre, mais il en est qui discourent contre leur volonté propre et suivent leur conscience. Je suis semblable à eux aujourd'hui, bien que cela me soit fort peu coutumier.

AIGLE De quelle nature est l'antagonisme entre conscience et volonté propre ?

CORBEAU La conscience dit : « Tu devrais agir ainsi » et le vouloir dit : « Je veux agir ainsi » et nous sommes trop prompts à suivre notre vouloir et à ignorer notre conscience.

AIGLE Mais selon toi, qu'est-ce que la conscience ?

CORBEAU Un témoin intérieur, un phare pour les oiseaux, une lumière pour l'homme, une voix à notre recherche, le faucon de Noé, un secrétaire zélé, un ami éternel, un interminable festin pour d'aucuns et un ver qui ne meurt pour d'autres. Mais je n'aime pas discourir trop longtemps sur la conscience.

AIGLE Pourquoi donc ?

CORBEAU Parce qu'il ne me sied pas de la suivre. Si je suivais ma conscience je chercherais à imiter la colombe et je ne puis supporter cette idée.

AIGLE C'est bon. Tu as assez parlé et tu en as trop dit contre toi-même. Je vois que les corbeaux sont en guerre contre leur conscience comme ils le sont contre les colombes.

CORBEAU As-tu la capacité de me diviser contre moi-même et de disposer ma conscience contre ma volonté propre ?

AIGLE Mais, d'après ce que tu dis, c'est déjà ce qui se passe en toi. Mais dis-moi, lequel des deux, de ta conscience ou de ta volonté propre, est le plus durable ?

CORBEAU — Ma conscience malheureusement ; car je ne suis pas près d'obtenir ce que je désire et je crains que je l'obtiendrai encore moins quand ma conscience se lèvera pour me juger.

AIGLE — Alors, mon conseil sera de te dire de rechercher ce qui est le plus durable et d'éviter l'éphémère. Car, pour aussi douce qu'elle soit, une chose n'a point de valeur si elle ne dure qu'un instant.

Traduction inédite. — *Llyfr y Tri Aderyn* / Morgan Llwyd ; edited by M. Wynn Thomas. – Cardiff : University of Wales Press, 1988. – [Pp. 23-25].

LIVRE DES TROIS OISEAUX 173

M.-Th. Castay — 1994

Signification mystique de l'Arche. — L'analogie sonde l'allégorie et ordonne le sens ésotérique.

AIGLE — Mais pour toi, la signification mystique de l'Arche, quelle estelle ?

COLOMBE — L'Emmanuel. Le Sauveur. Comme tout être vivant se compose d'un esprit, d'une âme et d'un corps, il y avait trois pièces dans d'Arche. Il y avait une place pour chaque créature de chaque espèce, car il est Lui le premier né de toute créature. N'était qu'il s'est établi une demeure dans la chair de l'homme et qu'il a enduré un déluge d'épreuves, aucune chair ne serait sauvée et ni homme ni bête n'auraient de souffle vital. Loin de cette Arche s'enfuient tous les oiseaux du mal, comme jadis tombèrent les anges dans l'océan (qui symbolise l'esprit de la nature) pour se nourrir des carcasses des morts qui sont les âmes des pauvres pécheurs.

AIGLE — Que représente la porte ouverte au flanc de l'Arche ?

COLOMBE — La blessure au cœur de l'Agneau sur la croix, dont il sortit du sang et de l'eau pour laver et réjouir l'humanité et cette blessure est encore ouverte pour le pire des humains.

AIGLE — Mais il y avait dans l'Arche un amoncellement de nourriture pour assurer la subsistance de tous les animaux.

COLOMBE — De même il y a, dans l'Emmanuel, une nourriture non seulement pour les pécheurs et les saints, mais aussi pour les anges du Paradis. Oui, il y a en lui une manne pour toute créature. S'il en était autrement, il n'y aurait de vie pour personne. Parce qu'en lui, dit Paul, est maintenue toute chose[1] comme dans l'Arche se trouvait toute vie.

AIGLE Comment peut-on être sauvé par lui ?

COLOMBE En s'élevant avec lui au-dessus des vagues du désir et des raisons de la chair.

AIGLE Mais beaucoup disent que c'est par le baptême que l'homme est sauvé, et de nos jours on parle beaucoup de baptême.

COLOMBE Il est un baptême par la souffrance (c'est la persécution) ; il est aussi un baptême par l'eau ; c'est celui qu'effectuait jadis le Baptiste et qui a pris fin comme l'étoile du matin. Il est aussi un baptême par le feu de l'esprit faiseur de miracles. Mais le grand baptême est le baptême du Christ, c'est cela l'eau céleste de la seconde naissance. Sans celui-ci, il n'est point de salut pour l'homme. C'est cela que symbolisait l'Arche sur les eaux du déluge. Et de même qu'une partie de l'Arche se trouvait au-dessus des flots et l'autre au-dessous, de même le Messie a souffert dans sa chair et a été justifié en esprit, et sa descendance à travers lui. Et de même que l'Arche a été élevée au-dessus des collines et des animaux et des damnés, de même les saints sur terre ont leur place au Paradis, dans les cieux avec les fidèles Éphésiens.

Traduction inédite. — *Llyfr y Tri Aderyn* / Morgan Llwyd ; edited by M. Wynn Thomas. – Cardiff : University of Wales Press, 1988. – [Pp. 42-44].

LIVRE DES TROIS OISEAUX 174

M.-Th. Castay — 1994

Renoncer à la chair. — Cette exégèse de la chair et de l'esprit est tout entière dans la ligne de l'Épître de Paul aux Romains (ch. VIII) et aux Galates (ch. V).

AIGLE Qu'est-ce, à ton avis, que cette chair dont nous parlons, car nombreux sont ceux qui emploient des mots dont ils ignorent le sens ?

COLOMBE La chair c'est tout ce qui existe sous le soleil et n'appartient pas à l'intériorité de l'homme. La chair, c'est tout ce qui est éphémère, tout ce qui n'est pas éternel. La chair, c'est l'humaine sagesse ; la chair ce sont les plaisirs du monde. La

1 Épître aux Colossiens, I, 17 « Et il est, lui, par devant tout ; tout est maintenu en lui. » (N.d.t.)

chair, c'est le divertissement des jeunes et des vieux. La chair, c'est la nourriture et la progéniture de l'homme. La chair, c'est le temps et tout ce qui s'achève en lui. La chair, ce sont les penchants et mystères de l'homme. La chair, ce sont les oraisons et sermons de beaucoup. La chair, c'est l'honneur des grands et la superbe des petits. La chair, c'est tout ce que l'homme selon la nature peut voir, entendre, acquérir et conserver. Comme l'herbe est toute chair. Vois comme elle se dessèche et ne dure pas plus d'un instant. Le souffle de l'Emmanuel passe sur la fleur des champs et sur les plantes du jardin qui tombent en poussière sous tes doigts. On donne à la chair le nom de « vieil homme » parce qu'elle est habile à tricher, difficile à oublier, facile à méconnaître et familière à l'homme : elle est comme un père pour lui. On lui donne le nom de « chair » car elle est pour l'homme comme un vêtement, elle lui est chère et proche, elle est une partie de lui, elle croît en lui et se putréfie avec lui. Cette chair est ennemie de Dieu et poison de l'homme : elle est livrée de l'Enfer, idole de la bête, amie du pécheur, refuge de l'hypocrite, piège de l'araignée, trafiquant des âmes, demeure des damnés et fumure des diables. Malheur, malheur, malheur à ceux qui vivent selon la chair. Ils ne peuvent ni plaire à Dieu[1] ni être sauvés, à moins qu'ils ne se convertissent.

AIGLE Qui sont ceux qui dans la chair vivent selon la chair ?

COLOMBE Si je devais les énumérer tous, j'énumérerais la majeure partie des habitants de la terre : les princes orgueilleux, les prêtres qui ne disent rien, ceux qui parlent à tort et à travers, les auditeurs assoupis, les sermonneurs creux, les supérieurs tyranniques, les locataires malhonnêtes, les jeunes écervelés, les vieux superstitieux, les juges injustes, les enquêteurs partiaux, les hommes de loi retors, les riches pingres, les pauvres hypocrites, le petit peuple ignorant, les lettrés vaniteux, les soldats abrutis, les collecteurs d'impôts sans scrupules, les aubergistes grossiers, les veneurs paresseux, les maris brutaux, les femmes rétives, les enfants indisciplinés, les saintes nitouches, les voleurs sournois, les meurtriers (comble de l'abomination), ceux qui se querellent sans retenue, ceux qui se bagarrent avec sauvagerie, ceux qui se livrent à la bestialité de l'adultère, tous les adorateurs de

1 Romains VIII, 8 : « Sous l'empire de la chair on ne peut plaire à Dieu ». (N.d.t.)

la lettre et ceux qui leur ressemblent — dont j'ai parlé plus haut et contre lesquels je porte à nouveau témoignage — ceux-là n'hériteront pas du Royaume de Dieu[1]. Ceux-là se complaisent dans la chair et ne reconnaissent pas les voies de l'esprit de vie. Ils étaient morts, ils sont morts et ils continueront tous d'être morts, à moins que Dieu n'en appelle certains.

AIGLE Que doit faire l'homme pour sortir de la chair et aller à l'Esprit Saint, pour sortir de lui-même et vivre en Dieu ?

COLOMBE Beaucoup ont ce désir et pour un temps recherchent à tâtons cette voie en s'efforçant de redresser les rameaux tortueux de leur nature, mais la force de la nature, pareille à la marée, finit par les submerger. Et à terme ils seront jugés. Au soir viendra le Jour du Jugement. Bougre, rouvre et jour seront difficiles à distinguer les uns des autres, mais si quelqu'un désire renoncer à lui-même, suivre l'Agneau dans la régénération, persister dans cette voie jusqu'au bout et être sauvé, qu'il n'éteigne pas la braise de sa conscience : mais qu'il souffle dessus pour en faire grandir la flamme, qu'il suive la lumière de Dieu et l'étoile du matin qui est en lui, et le soleil se lèvera et brillera sur lui de tout son éclat.

Traduction inédite. — *Llyfr y Tri Aderyn* / Morgan Llwyd ; edited by M. Wynn Thomas. – Cardiff : University of Wales Press, 1988. – [Pp. 62-64].

LIVRE DES TROIS OISEAUX 175

M.-Th. Castay — 1994

Éloge de l'esprit. — Dans la continuité logique de la dialectique de la chair et de l'esprit, il est précisé que l'émergence de l'esprit est indissociable du repentir.

AIGLE Bien que tu dises que Dieu est bon, j'ai du mal à croire qu'il n'éprouve pas de la colère à mon égard.

---

1 1 Corinthiens VI, 9-10 : « Ne savez-vous donc pas que les injustes n'hériteront pas du royaume de Dieu ? Ne vous y trompez pas ! ni les débauchés, ni les idolâtres, ni les adultères, ni les pédérastes de tout genre, ni les voleurs, ni les calomniateurs, ni les filous n'hériteront du royaume de Dieu ».

Galates V, 19-21 : « On les connaît les œuvres de la chair : libertinage, impureté, débauche, idolâtrie, magie, haines, discorde, jalousie, emportements, rivalités, dissensions, factions, envie, beuveries, ripaille et autres choses semblables ; leurs auteurs, je vous en préviens, comme je l'ai déjà dit, n'hériteront pas du royaume de Dieu ». (N.d.t.)

COLOMBE En vérité, c'est contre ta chair qu'est dirigée sa colère. Tu dois le laisser détruire ta chair de peur que ta chair ne détruise ton esprit, mais à l'égard de ton esprit, il n'est qu'amour. Le soleil connaît-il des zones d'ombres et la perfection des défauts ? Dieu t'a-t-il déjà fait souffrir ? N'est-ce pas de lui que t'est venu tout bien ? N'est-ce pas lui qui est maintes fois venu à ton secours dans le danger ? N'a-t-il pas été longtemps patient à ton égard, bien que tu lui aies constamment craché ton péché au visage ? N'est-ce pas lui qui t'a donné le monde et ses habitants et son fils et sa Bible et de nombreux témoignages d'amour ? Et toi, après tout cela, tu penses qu'il est un maître sévère ? Il ne recherche en toi rien d'autre que ce qui sert à ton propre bien. Rappelle-toi ce que disait la femme de Manoah[1] : « Si Dieu avait eu l'intention de nous faire mourir, il n'aurait pas tant fait pour nous ». Ce n'est pas le moment de perdre confiance. Vois, le jour se lève dans la lumière, les saints crient alleluia, les pécheurs se réveillent, les animaux féroces s'enfuient vers leur tanière, les fleurs s'épanouissent et le grand été approche. Lève-toi, toi aussi, sans crainte. Le Seigneur te montra sa faveur lorsqu'il ordonna que tu vives ce moment. Tu ne sais pas à quelle grande tâche, Dieu, dans son amour, te destine dans ta génération. La vérité est que c'est le Diable qui mit en toi les pensées mauvaises qu'il a lui-même à l'égard de Dieu car il te hait. Mais souviens-toi que Dieu se charge non de la nature des anges mais de la nature des hommes[2], de la descendance d'Abraham et non de la descendance de Lucifer. Que ton cœur s'écrie : « Par la puissance du Christ, tout au long de ma vie, je louerai Dieu. Même s'il me tue, je m'attacherai à ses pas ». Et si, telle une boule de feu, une pensée diabolique pénètre dans ton esprit, rejette-la aussitôt et renvoie-la vers son père, et alors ce n'est pas à toi mais à l'ennemi qu'appartiendront tes mauvaises pensées. On ne saurait mieux comparer Satan qu'à un jars : résiste-lui de tout ton cœur et il

---

1 Juges XIII, 23 : « Sa femme lui dit : 'Si le Seigneur désirait nous faire mourir, il n'aurait accepté de notre main ni holocauste ni offrande ; il ne nous aurait pas fait voir tout cela et il ne nous aurait pas, à l'instant, communiqué pareilles instructions'.» (N.d.t.)

2 Hébreux II, 16 : « Car ce n'est pas à des anges qu'il vient en aide, mais à la descendance d'Abraham ». (N.d.t.)

s'enfuira loin de toi[1]. Tout ce que tu dois faire se résume en ces quelques mots : louer Dieu et haïr tes propres pensées car il est le bien et tu n'es rien d'autre que le repaire du malin. Agis ainsi jusqu'à ce que ton amour de Dieu soit suffisamment profond et ta haine de toi-même implacable comme il se doit.

Traduction inédite. — *Llyfr y Tri Aderyn* / Morgan Llwyd ; edited by M. Wynn Thomas. – Cardiff : University of Wales Press, 1988. – [Pp. 84-86].

1 Épître de Jacques IV, 7 : « Soumettez-vous donc à Dieu ; mais résistez au diable et il fuira loin de vous ». (N.d.t.)

NÉOPHYTE RODINOS

GREC **1576-1659**

Né dans la région de Paphos, à Chypre, Néophyte est le fils de Salomon Rodinos, qui prit une part active, en 1570-1571, à la défense de l'île contre l'assaillant ottoman et qui, écrivain et peintre lui-même, semble avoir composé une chronique de la guerre de Chypre.

Moine sinaïte, Néophyte fut l'élève de quelques-uns des humanistes grecs les plus renommés de son temps : Léon Eustratios, Jason Sozomène, chypriote d'origine comme lui, et surtout Maxime Margounios, qu'il accompagna en Italie, dont il demeura le disciple dévoué jusqu'à sa mort (1602) et dont il publia, cette même année, le *Bref traité sur les conciles* (Cf. *P.L.E.*7, pp. 774-776). C'est probablement lors de son premier séjour en Italie, peut-être à Venise, que Rodinos se convertit au catholicisme, conversion qui explique et commande la suite de sa carrière. Élève, de 1607 environ à 1610, du Collège grec Saint-Athanase de Rome, où il approfondit ses connaissances en grec ancien, en latin et en logique, il poursuit ensuite, jusque vers 1616, des études de philosophie et de théologie à l'Université de Salamanque, où il enseigne par ailleurs le grec ancien. En Pologne, où il séjourne quatre ans (1616-1620), il est ordonné prêtre par un évêque uniate ruthène, avant de parcourir l'Orient grec, puis d'enseigner, jusqu'en 1625, en Sicile. En janvier 1628, la Congrégation romaine pour la Propagation de la Foi lui confie sa première mission en Épire. Après un nouveau séjour en Italie, à Rome, puis en Apulie (1629-1633), il se partage entre l'Épire (1633-1636, 1640-1643, 1648), Naples, où il fut un temps professeur de grec à l'Université et curé de la paroisse grecque, puis Otrante et Zante. Il rentre vers 1656 à Chypre, où il meurt.

À partir de sa conversion, Rodinos met tout son talent d'écrivain, de traducteur, de prédicateur et de polémiste au service de la Congrégation pour la Propagation de la Foi, sur les presses de laquelle sont imprimés la plupart de ses ouvrages publiés. Composés presque tous en grec vulgaire, ils relèvent pour l'essentiel de la littérature religieuse.

Sa première œuvre éditée, un *Compendium des sacrements* (Rome, 1628 et 1633), contient à la fois un exposé sur les sacrements et un manuel de théologie pastorale. Dans son traité *De la confession* (Rome, 1630 et 1671), Rodinos résume la doctrine catholique sur la hiérarchie des péchés, les modalités et la fréquence de la confession et les catégories de pénitents. Cette même année 1630, paraît sa *Panoplie spirituelle*, sorte de vademecum qui aborde tour à tour, en les vulgarisant, diverses questions de théologie, de morale, de liturgie et de pastorale. Après la publication de ses *Exercices spirituels*(Rome, 1641 et 1671), Rodinos se consacre à la composition des deux ouvrages où il mit le plus de lui-même, et qui parurent l'un et l'autre l'année même de sa mort. Dans la *Réponse à la lettre de Jean, curé de Paramythia en Épire*, opuscule antirrhétique qui défend les positions romaines sur la primauté du pape, la procession du Saint-Esprit et la communion, il évoque longuement l'activité de prosélyte qui fut la sienne lors de ses missions répétées dans l'Orient grec. Tout différent tant par sa forme que par sa visée, vraisemblablement rédigé dans les toutes dernières années de sa vie, le recueil de biographies intitulé *Des héros, hommes de guerre, philosophes, saints et autres personnages illustres de l'île de Chypre* consacre une brève notice à chacun des Chypriotes qui, depuis Zénon de Citium jusqu'au propre père de Rodinos, ont contribué au prestige de son île natale.

Outre des *Homélies sur le Magnificat* (Rome, 1636), Rodinos a laissé plusieurs recueils de sermons, qui demeurent, pour l'essentiel, inédits. De son intense activité de traducteur témoignent enfin non seulement les *Soliloques* de saint Augustin qu'il publia à Rome en 1637, et qui connurent une seconde édition en 1671, mais également ses adaptations en grec vulgaire, inédites ou perdues, de l'*Imitation de Jésus-Christ*, du *Traité de l'amour de Dieu* de saint François de Sales, du *Martyrologe romain*, du *Martyre de saint Ignace*, de la *Vie de sainte Catherine* et de la *Vie de sainte Théodora.*

Bibliographie hellénique ou description raisonnée des ouvrages publiés par des Grecs au XVIIe siècle / Émile Legrand. – Paris : Picard 1895. – [Tome 3, pp. 289-302].

A. Brunello, "Neofito Rodinò, missionario e scrittore ecclesiastico greco del secolo XVII". – In : *Bollettino della Badia Greca di Grottaferrata*, 5 (1951), pp. 148-171, 201-219.

Le Collège Grec de Rome et ses élèves (1576-1700) : contribution à l'étude de la politique culturelle du Vatican / Zacharias N. Tsirpanlis. – Thessaloniki : Patriarchikon idhrima paterikon meleton, 1980. – 935 p. – (*Analekta Vlatadhon* ; 32). – [Pp. 400-403, n°230]. – [En grec].

DES HÉROS ... DE L'ÎLE DE CHYPRE 176

M. Lassithiotakis — 1996

La patrie et la foi (Prologue). — Piété et amour de la patrie sont indissociables aux yeux de l'auteur : l'histoire, la religion et la morale justifient la rédaction d'un recueil de « Vies des hommes illustres » qui est sans précédent dans la littérature grecque vulgaire.

L'homme a dans sa vie, me semble-t-il, deux devoirs qui passent tous les autres : aimer, honorer et défendre sa foi et sa patrie. Sa foi, parce que c'est cette foi, qu'il conserve au moment où il quitte ce monde, qui lui permet d'espérer une récompense et une rétribution à la mesure de la place qu'elle aura occupée dans sa vie.

Quant à la patrie, chacun a le devoir de l'aimer, de l'honorer et de combattre pour elle, car, conformément à cet antique précepte qui prescrit et recommande de « prendre les armes pour sa patrie », c'est la loi morale, autant que le droit naturel, qui imposent de défendre son pays, qu'il soit grand et illustre, ou humble, pauvre et inconnu de presque tous.

Je doute qu'il existe une région ou un état plus petit, aride, infertile, rocheux, ou, comme dit le poète, « rocailleux », que l'île d'Ithaque, où naquit et grandit ce fameux Ulysse aux inépuisables ressources et aux mille tours, qui désirait si fort revoir sa patrie après tant d'errances en terre étrangère, qu'il dédaigna l'immortalité que la célèbre et légendaire déesse avait promis de lui conférer, préférant, comme il le dit lui-même, « voir la fumée s'élever au-dessus de son pays », qu'un feu brûler en terre étrangère. « Rien de plus doux que la patrie », proclame le mélodieux Homère. On ne peut, dit-il, trouver rien de plus cher, de plus divin, de plus respectable que la patrie. C'est pourquoi tous donneraient pour elle et leur vie et la totalité de leurs biens.

C'est pour elle que sont menées tant de guerres, soufferts tant d'exils, perpétrés tant de crimes parmi les hommes. Et c'est celui qui se montre le plus courageux et vaillant dans ces guerres, c'est celui-là qui, vivant ou mort, est le plus célébré et loué par ses compatriotes, dans des panégyriques ou des oraisons funèbres. On célèbre et on admire partout bien des choses, mais rien n'est célébré et honoré comme la patrie. Et tout le monde désire laisser quelque legs éternel par quoi il puisse honorer sa patrie : les uns construisent un édifice magnifique, d'autres accomplissent un exploit militaire, d'autres encore s'illustrent par leur science ou par quelque autre mérite, qui glorifie leur patrie. Tous désirent « être les meilleurs et surpasser les autres », dans le seul but d'honorer leur patrie, d'être honorés par elle et de se faire une réputation de patriotes.

Les Athéniens, dans le décret qu'ils rendirent en l'honneur de Zénon, et qu'ils dédièrent à « Zénon le philosophe », auraient dû faire figurer aussi le nom de sa patrie, c'est-à-dire Citium. Le philosophe aurait ainsi rappelé aux Athéniens que ce qui lui valait cet éloge, c'était sa patrie, et qu'il n'était donc pas juste qu'elle n'eût point sa part de cet honneur. C'est pour cette raison que les écrivains font d'ordinaire suivre leur nom de celui de leur patrie : Thucydide l'Athénien, Hérodote d'Halicarnasse et bien d'autres encore.

C'est un fait : nombreux sont les hommes qui ont renié la foi que leur avaient transmise leurs pères, qui en ont embrassé une autre, et l'ont si bien adoptée qu'ils ont préféré la conserver jusqu'à leur mort plutôt que de l'abandonner pour revenir à celle de leurs ancêtres.

Mais on peut bien changer sans cesse de croyance, pensant chaque fois en adopter une meilleure : on ne pourra jamais abandonner sa patrie pour une autre, la renier, la haïr, souffrir qu'on la dénigre ; et celui qui en a été exilé ou l'a quittée, c'est celui-là justement qui en dit le plus de bien, et désire le plus, tel Ulysse, y retourner.

Aussi ne doit-on pas croire Libanios le sophiste, lorsqu'il affirme que « n'est pas une patrie le pays qui ne sait ce qu'il possède ». Car notre pays, qu'il sache ou ignore ce qu'il possède, demeure notre patrie, et notre chère terre nourricière. Tout de même qu'un père chérit ses enfants et ne vouera jamais à d'autres que les siens, fussent-ils meilleurs, la même affection, et que des enfants n'aimeront jamais un autre père plus que le leur, ainsi chaque homme chérit-il sa patrie plus que tous les autres pays, si vastes, opulents, peuplés et prospères puissent-ils être. Il lui plaît certes que le sien soit, par sa prospérité et son renom, l'égal des autres, mais aimer ceux-ci plus que le sien propre, non, cela, jamais il ne le fera, sauf à se montrer égoïste, ingrat, et traître à la nature.

Et il me semble que c'est justement parce que les hommes sont si fort attachés à leur patrie, que le pays d'origine a été désigné de ce nom de « patrie », dérivé d'un vocable que l'on doit aimer par-dessus tous les autres, le mot « père ». La patrie, c'est donc le lieu où l'on est né et où l'on a été élevé, le lieu où l'on a vu pour la première fois la plus belle des réalités sensibles qu'ait créées la nature, à savoir le soleil, le lieu à partir duquel on a découvert tant d'autres pays, et accédé au savoir, à l'instruction, à tout ce qui peut orner l'âme de l'homme.

Les hommes, dit un sage, aiment leur patrie aussi bien jeunes que vieux. En réalité, ils la chérissent plus lorsqu'ils sont devenus vieux et raisonnables que dans leur jeunesse, parce que c'est à cet âge que s'accroît l'amour de la patrie : tout homme souhaite et désire finir ses jours dans sa patrie, mourir là où il a commencé de vivre, livrer son corps à la terre qui l'a nourri, être inhumé dans le tombeau de ses pères.

Puisque donc tout homme aime sa patrie et désire, par un moyen ou par un autre, rendre hommage, autant qu'il le peut, à sa terre nourricière, en laissant après lui quelque œuvre propre à l'illustrer et à lui rendre honneur, j'ai voulu moi aussi ne pas déroger à ce bon principe, et réaliser un ouvrage qui témoigne de l'amour et de la reconnaissance que j'éprouve pour ce pays où je suis né, où j'ai grandi, où j'ai vu pour la première fois la douce lumière du jour.

Mais, comme la pauvreté, cette compagne avec qui je partage ma vie, me prive de tout autre moyen de manifester cet amour, j'ai résolu de composer une collection, ou recueil, des savants ou saints hommes que cette île vouée au Christ a donnés au monde, qu'ils soient anciens ou modernes, païens ou chrétiens : en rappelant le souvenir et la gloire de ceux qui ne sont plus, nous donnerons ainsi leur vertu en exemple aux hommes à venir.

Pour modeste qu'elle soit, cette entreprise n'en est pas moins, à mon humble avis, bien plus louable que la construction de pyramides, de châteaux, de théâtres ou d'autres édifices toujours sujets aux tremblements de terre, aux dévastations et à tous les outrages du temps, et qui ne sont connus que de ceux qui les habitent ou demeurent alentour, tandis que le livre, de quelque genre qu'il relève, a des ailes, et, tel l'oiseau, parcourt le monde, d'Orient en Occident. Impérissable, il résiste à l'épreuve du temps qui, s'il ruine toute chose, ne peut, comme le dit Isocrate qui aimait Chypre, « le faire tomber dans l'oubli ».

Traduction inédite. — *Neophytos Rodinos. Kypriakè dèmotikè pezographia : logoi, dokimia, synaxaria* / G. Valétas. – Athènes : Pigi, 1979. – [Pp. 159-162].

RÉPONSE À LA LETTRE DE JEAN, CURÉ DE PARAMYTHIA EN ÉPIRE 177

M. Lassithiotakis — 1996

Inculture des moines et du peuple. — En proposant d'instruire bénévolement un clergé ignorant, Rodinos entend faire œuvre de patriote autant que de missionnaire : c'est l'inculture qui maintient les Grecs dans la servitude. Mais la résistance, l'indifférence et la jalousie mesquine de certains moines le contraignent à renoncer à son noble projet.

Sache donc, savant homme, que ces derniers temps, me trouvant en congé de l'école que la Sacrée Congrégation, qui veille à affermir la foi des chrétiens, a bien voulu me permettre de tenir dans la région, je me suis rendu dans plusieurs monastères des alentours où l'on me connaît et où l'on sait que je donne des leçons sans rétribution aucune, que j'y ai longuement parlé aux pères, et qu'à grand renfort de citations de l'Écriture, des saints Pères de l'Église, des docteurs, j'ai multiplié les arguments pour leur montrer qu'ils étaient en grand besoin d'instruction, et que chaque couvent devrait donc envoyer un ou deux frères, qui acquerraient ainsi les rudiments de science qui leur sont tout à fait nécessaires, en particulier pour administrer les sacrements.

Comment te décrire, Révérend, leur réaction ? Ils cédaient à mes raisons tant qu'ils me voyaient là, en face d'eux. Mais bien vite la jalousie les divisait, et partout l'on entendait : « Pourquoi un tel s'instruirait-il et moi pas ? Pourquoi un tel étudierait-il tandis que moi je travaille ? ». Et vis-à-vis de leur supérieur, ce manque total d'obéissance que tu déplores d'ailleurs toi-même, Révérend, dans ta lettre.

Dieu leur a envoyé un professeur qui est en mesure de les instruire sans se faire payer, et non seulement ils refusent d'apprendre, mais empêchent aussi les autres de le faire. Ils ne fréquentent pas l'école, et s'opposent à ce que les autres la fréquentent. Il leur faudrait chercher un maître, s'ils n'en avaient point. Ils en ont un à leur disposition, et ne lui font pas honneur. Ce serait l'occasion de leur dire, en empruntant à Pythagore une sentence célèbre : « Malheureux ceux qui ont le bien à portée de main, et restent aveugles et sourds ».

À la science et à l'étude, ils préfèrent ainsi les travaux improductifs de la vigne, des champs, du labour, et j'ai bien peur qu'ainsi ils ne « perdent tout le bénéfice de leurs efforts », selon la parole du Prophète. Si ces travaux sont eux aussi nécessaires, alors il faut les accomplir, mais « sans délaisser les autres tâches ». Quelle misère ! il n'est pas un couvent où l'on trouve un homme instruit auquel les fidèles puissent se confesser selon la règle de l'Église. Et se confesseraient-ils à un tel homme que ce serait sans dévotion, sans réelle possibilité de rémission des péchés, puisque, s'ils avouent le mal qu'ils ont fait, ils refusent de se corriger.

[...]

Ces travers, ce sont eux, excellent prêtre Jean, qui nous ont conduits à cet état d'intolérable asservissement qui, m'écris-tu, te cause, non sans raison, à toi comme à tant d'autres, un chagrin inconsolable. Ce sont eux qui expliquent que le mal s'aggrave chaque jour un peu plus. Ce sont eux qui ont réduit en pièces et piétiné la vigne — je veux dire notre Église — que la main droite de Dieu avait plantée. L'inculture est comme un loup féroce, et je ne connais pas de bête plus sauvage.

[...]

Quant à moi, lorsque je rentrai, jeune encore, de la docte et prospère Italie, mes études à peine achevées, je me rendis, animé d'un tel projet, dans un monastère : j'étais ardemment désireux de répandre la connaissance et de fonder une école où les maîtres se succéderaient sans interruption, car je pensais que le manque de professeurs était cause de tant d'ignorance. Je leur exposai donc mon projet, leur expliquai que j'étais tout disposé à enseigner, et que c'était là l'objet de ma venue. Je leur demandai de me confier deux ou trois jeunes gens comme élèves : en huit ou dix années, je les aurais formés dans les lettres et dans les sciences. Bien des jeunes, et quelques hiéromoines désiraient bien, les malheureux, s'instruire, et commencèrent même de le faire, mais leurs supérieurs, des hommes incultes, s'opposèrent à ce progrès. Et comme je voyais bien que je prêchais dans le désert, je pris congé, me bornant à répéter ces mots qu'on peut lire dans l'*Apocalypse* : « et l'impur vivra encore dans l'impureté ».

Traduction inédite. — *Neophytos Rodinos. Kypriakè dèmotikè pezographia : logoi, dokimia, synaxaria* / G. Valétas. – Athènes : Pigi, 1979. – [Pp. 142-145].

CATS

FRANÇAIS • LATIN • NÉERLANDAIS **1577-1660**

Aucun poète, dans la République des Provinces-Unies, n'a été plus imprimé ni plus lu : ses œuvres ont atteint des tirages exceptionnels pour le XVIIe siècle et ont été, jusqu'au XIXe, la bible de nombreux foyers. Et cependant, aucun auteur de l'histoire de la littérature néerlandaise n'a été plus vilipendé, pour lui-même et comme homme d'État. Aujourd'hui, la critique, rassérénée, considère son œuvre à tout le moins pour son importance historique et culturelle et a cessé de regarder ce haut fonctionnaire du siècle d'or comme un être aimant l'argent mais lâche devant Dieu, facile faiseur de poésie ronronnante, remplie d'obsessions sexuelles refoulées et mélangées à de pieuses banalités, pour voir en lui le poète savant, habile comme personne à adapter les nouveaux genres européens au ton populaire et réaliste, aux attentes pédagogiques, sociales et religieuses des calvinistes bien-pensants défenseurs de la République.

La vie de Jacob Cats est bien connue, surtout depuis 1636, où il devient Grand-Pensionnaire de Hollande, la plus haute charge de la République. Il se racontera beaucoup aussi, après sa retraite, en 1651-1652, dans ses œuvres de vieillesse, de propos édifiant, notamment dans son autobiographie en vers, parue posthume en 1670, *Twee en tachtig-jarig leven* (*Quatre-vingt-deux ans de vie*). Là alternent le récit parfois coloré de ses jeunes années et de sa carrière, les considérations angoissées, les interrogations sur sa prédestination, sur la mort proche : les crispations typiquement calvinistes de Cats y acquièrent une dimension intérieure.

Né dans une famille aisée de Brouwershaven (Zélande), il eut, élevé sévèrement par sa belle-mère, une enfance plutôt malheureuse, mais reçut une instruction très soignée. Après le lycée classique de Zierkzee, il arrive, à 14 ans, à l'Université de Leiden, où il étudie le grec et le droit, qu'il poursuit à Orléans, où il soutient une thèse de droit romain (1598), apprend à connaître les femmes, et assez de français pour écrire ensuite des vers en cette langue, vers inférieurs cependant à ses productions en néerlandais et en latin. Jeune juriste avide d'argent, il voyage en Angleterre, se spécialise, à Middelbourg dans les affaires de piraterie et, en 1605, épouse à Amsterdam une femme pieuse et dominatrice, Élisabeth van Valkenburg († 1631). Devenu membre, en 1607, de la commune réformée de Middelbourg, Cats abandonne sa carrière d'avocat et, à partir de 1611, à la faveur de la Trêve de Douze ans avec l'Espagne, se risque à la lucrative entreprise de construire les digues de Zélande. C'est alors aussi qu'il commence à écrire des poèmes. La reprise de la guerre l'amène en Hollande où, de 1623 à 1636, il est Pensionnaire de Dordrecht, la capitale, où il écrit son œuvre la plus célèbre : le volumineux *Houwelick* (*Situation de l'état de mariage*, 1625). Entre-temps, il se lance dans l'assèchement de terres en Angleterre, mais l'entreprise tourne mal. Veuf, ses fonctions de Grand-Pensionnaire, à La Haye, où, contrairement à ses prédécesseurs, il se montre docile à l'égard du gouverneur Frédéric-Henri († 1647), lui paraissent « un fastidieux fardeau ». Conduit à la retraite par les troubles politiques qui régnèrent sous l'ambitieux Guillaume II, il est envoyé, malgré son grand âge, une dernière fois à Londres (1651-1652), où il tente, sans succès, d'empêcher la première guerre entre la Hollande et l'Angleterre. Cats se retire alors dans sa propriété de Zorgvliet, à Schéveningue, aujourd'hui résidence officielle du premier ministre néerlandais. Il y écrit nombre d'œuvres pieuses et édifiantes, fort influencées par le puritanisme anglais.

L'immense succès de Cats tient notamment à son style limpide, très didactique, combinant érudition, intentions moralisatrices, plaisanteries emblématiques, art de raconter et conseils de vie pratique ; il ne tient pas moins aux remarquables illustrations du zélandais Adrien van de Venne.

Dans son *Silenus Alcibiadis sive Proteus* (1618), recueil de poèmes en néerlandais, en latin et en français, intitulé ensuite *Sinne-en minnebeelden* (*Sentences et images d'amour*), une des œuvres majeures de la littérature emblématique européenne, il transpose l'emblématique amoureuse et libre, propre notamment à Heinsius et à Hooft, dans des livres de vie richement étoffés, où un même emblème bénéfice parfois d'un triple commentaire : amoureux pour les jeunes, socio-politique pour les adultes et religieux pour les personnes âgées. On perçoit un projet similaire dans le charmant recueil de proverbes emblématiques, aux gravures exceptionnelles, le *Miroir du temps ancien et nouveau* (*Spiegel venden ouden ende nieuwen tijdt,* 1632).

Houwelick (Situation de l'état de mariage), organisé selon les états de la vie de la femme (vierge, maîtresse, fiancée, épouse, mère et veuve), présente, en s'inspirant notamment du juriste français Tiraqueau, la morale du mariage telle que la conçoit la nouvelle société bourgeoise hollandaise, bientôt politiquement dominante. La famille n'y est plus seulement envisagée d'un point de vue éthique et religieux, mais selon la conviction que le mariage doit être la pierre angulaire de la République. L'image de la femme au foyer qui y est proposée fut de profonde influence et se fait sentir jusque de nos jours. 50 000 exemplaires de *Houwelick* circulaient déjà lorsque parut, en 1655, l'œuvre poétique de Cats. Les histoires de mariage rimées, qui constituent *Trou-ringh* (*L'Anneau de mariage*, 1637), remarquable interprétation narrative de la casuistique matrimoniale, seront traduites en latin en 1643 par Caspar Barlæus. À la fin de sa longue vie, Cats donne encore *Hof-gedachten* (*Pensées champêtres*, 1653) et *Invallende gedachten op voorvallende gelegentheden* (*Pensées surgies en circonstances spéciales*, 1654), prolongement poétique aux *Occasional meditations* du puritain anglais Joseph Hall. Dans ces deux recueils, la reconnaissance objective des analogies, sur lesquelles repose l'emblématique, est remplacée par des considérations subjectivement colorées et pieuses, parentes de l'esprit de la « Réforme proche », mouvement où le calvinisme dogmatique hollandais évolua vers une praxis piétiste.

Bien des recueils de Cats furent traduits à diverses reprises, surtout en allemand et en anglais, jusqu'à l'époque victorienne, mais aussi en français, en danois, etc. Parmi ses nombreux épigones, un seul, le jésuite brabançon Adrien Poirters, l'a dépassé, non par l'érudition ou la culture, mais par la truculence et l'éloquence.

Un poète néerlandais : Cats, sa vie et ses œuvres / G. Derudder. – Calais : Imprimerie des Orphelins, 1898. – 478 p.

J.-C. Margolin, "L'inspiration érasmienne de Jacob Cats". – In : *Handelingen nationale Erasmusherdenking*. – Bruxelles, 1970, pp. 113-151.

LES JEUX D'ENFANTS 178

M. Feutry — 1764

Vanités. — Dès l'enfance, la dialectique du sens de la vie, et les choix qu'elle propose, tout est donné.

O vous ! mortels sérieusement appliqués a de graves riens ! Enfans ridés de tous les Etats, venez contempler ces jeux innocens & instructifs. Ils renferment des leçons utiles à la vie & composent un petit monde dont le notre n'est qu'une image grossie par le Télescope de la Vanité. Prenez celui de la Raison, & vous percerez les abymes du cœur de l'homme. Vous pourrez vous reconnoître alors à ces Jeux Enfantins, que vous regardiez comme futiles, pitoyables ou risibles.

[...] Regardez cet autre [enfant] non moins insensé ; il quitte la prairie aux mugissemens aigus d'un taureau qu'on égorge dans la ferme prochaine qui appartient à ses Parens. Ce n'est pas le desir de profiter de l'abondance, que ce sacrifice nécessaire va porter dans la maison, qui le fait agir ; il ne songe ni à l'utilité de cet approvisionnement, ni à la graisse de cet animal, qui doit l'éclairer, ni à sa chair qui le nourrira ; encore moins pense-t-il à la peau destinée à sa chaussure ; tout son empressement, son ardeur, ne tendent qu'à demander la vessie qu'il obtient, & que soudain il remplit de vent. Transporté d'allegresse par sa grosseur, par sa légéreté, & par sa résonance, il la fait bondir cent fois : mais que cette joye dure peu ! ce balon qu'il croioit devoir faire sa félicité, tombe bientôt sur quelque pointe qui dans l'instant le perce. Le vent s'échape, cette grosseur factice s'évanouit, & ne laisse qu'un peau flétrie & dégoûtante. L'Enfant pleure & revient tristement raconter son infortune à ses camarades qui l'en consolent par des éclats de rire.

Hommes vains ! quel est le bût de vos démarches ? une mince *gloriole* ; une vapeur legere ; un misérable vent. Vous ne pensez ni aux biens solides, ni à la véritable gloire. Sans vertus, sans mœurs & sans talens, vous coulez, au sein même de la dissipation, des jours filés par l'ennui, & agités par les remords. Vous vous croyez presque des dieux, si de vils adulateurs font fumer à vos pieds un encens offert par la seule cupidité. Un revers arrive ; le balon de cette prétendue félicité se desenfle ; s'affaisse, & ne vous laisse que des regrets cuisans & superflus, que l'abandon & le mépris de ces mêmes flatteurs vous rendent encore plus amers.

Les Jeux d'enfants / poëme tiré du néerlandais [de Jacob Cats] par M. Feutry. – A La Haye ; et se trouve à Paris : Chez Durand neveu, 1764. – [Pp. 10-14].

LES JEUX D'ENFANTS 179

M. Feutry — 1764

Contentez-vous de votre sort. — La sagesse consiste à mesurer les désirs aux moyens de leur concrétisation. Stagnation et médiocrité sont cependant les dangers de cette modération. Et le cynisme peut s'y cacher quand l'admonestation vient de qui ne saurait se contenter que du meilleur.

Quel est cet Enfant isolé dans l'un des angles de ce vaste tapis de verdure ? Soyez attentifs à son maintien. Ses yeux annoncent le contentement ; ses gestes marquent la joye ; voyez avec quelle application il pince un nerf tendu sur une espece de monocorde qu'il a lui-même fabriqué, & dont il croit jouer mélodieusement. Il s'écoute, s'admire, se complait & s'applaudit. Plus satisfait de la sorte de Mélopée que cet instrument informe produit à son oreille que des accords enharmoniques du sublime *Rameau*, il jouit du suprême bonheur. Aucun des plaisirs de ses camarades ne le touche ; il est insensible à leurs jeux ; il se suffit à lui-même.

Bornez vos desirs, contentez-vous de ce que vous possedez, ne souhaitez rien audelà de votre sphere & vous serez heureux. Si vous trouvez autant de goût dans les mets de *Strabon* que dans ceux de *Lucullus*, qu'avez-vous besoin de richesses ? si votre chalumeau vous amuse, pourquoi regretter avec douleur de ne pouvoir entendre les chef-d'œuvres du divin *Pergolese* ?

Les Jeux d'enfants / poëme tiré du néerlandais [de Jacob Cats] par M. Feutry. – A La Haye ; et se trouve à Paris : Chez Durand neveu, 1764. – [Pp. 23-25].

LES JEUX D'ENFANTS 180

M. Feutry — 1764

Le moment favorable. — Danser à la corde fut un jeu, nouveau, tout emblématique de l'esprit d'époque, où une réflexion approfondie, aux très larges conséquences pour l'imaginaire, se fit, de l'astronomie à la mécanique. Il s'agissait de configurer la conscience afin qu'elle pût entrer dans le temps, en prendre la mesure et le rythme, et saisir l'instant, à tout moment, comme l'absolu du sens digne de requérir toute l'attention et de susciter le constant éveil à l'événement matériel.

Ce nouveau Jeu mérite attention. Deux adolescents tiennent, à la distance de vingt pas, une corde un peu lâche qu'ils font tourner à leur gré. Un troisiéme doit passer entre eux sans la toucher, ou, mieux encore, danser au milieu, sans que cette corde mobile, qui passe au dessus de sa tête, & sous ses pieds, l'effleure en aucune façon, sans quoi il perd la partie, & prend à son tour la place de ceux qui agitent le petit cable. Etudiez le mouvement de cet Ecolier, voyez comment il épie le moment d'entrer, & quand la courbe sera au point le plus favorable à son dessein. Il part ni trop tôt, ni trop tard, ni trop lentement, ni trop vite ; mais dans l'instant précis. Il saute alors avec autant de gayeté que de satisfaction, & il fatigue ses camarades qui envient son adresse & ses plaisirs.

Que signifie ce Jeu ? Manquez l'heure, la minutte, l'occasion, la fortune vous échape : vous perdez le fruit de vos soins, & rarement cet instant se retrouve.

Les Jeux d'enfants / poëme tiré du néerlandais [de Jacob Cats] par M. Feutry. – A La Haye ; et se trouve à Paris : Chez Durand Neveu, 1764. – [Pp. 26-27].

SENTENCES ET IMAGES D'AMOUR 181

Emblème 29. — En reprenant l'image du coq sur les tours de l'église Saint-Pierre de Middelbourg, les trois quatrains, écrits en français, en néerlandais et en latin par Cats lui-même, montrent comment, en partant du spectacle de deux amoureux qui dansent, la méditation aboutit à trois formules de sens, adaptées à trois niveaux de pertinence philosophique, morale et religieuse.

Ou que spire, me tire
Las malheureus amant ! comme une gyrouette
Tu tournes ça & la, voluble & sans arreste :
Bien que te soit escheu un bien facheux humeur,
Encor faut il former a l'advenant ton cœur.

Changer propos est du vray sage
En temps & lieu le droit usage.
A tous les accidens le sage cœur se trousse,
Allons, amys, allons, ou que le ciel nous pousse :
D'opiniastre cœur n'est de facheux tourment,
On peut changer d'advys & demeurer constant.

Psalm. 73, 28. Quant a moi, d'approcher de Dieu c'est mon bien.
C'est en vain que cerchons repos par mer, par terre ;
Nos passions, helas ! nous font par tout la guerre ;
Du monde les plaisirs sont touts trempez en fiel,
C'est doncq le seul plaisir se conformer au ciel.

Proteus, ofte minne-beelden verandert in sinne-beelden / Jacob Cats. – Rotterdam : Pieter van Waesberge, 1627.

SCARRON

FRANÇAIS **1610-1660**

Né à Paris, Paul Scarron est le fils d'un conseiller au Parlement qui le destine au clergé. Mais attiré par la philosophie libertine, il connaît une jeunesse dissipée, fréquente le salon de Marion Delorme, jeune femme d'une grande beauté dont les aventures galantes défraient alors la chronique. Brillant et élégant, c'est un habitué des théâtres parisiens. Cette vie ne l'empêche pas de répondre aux souhaits de son père, à une époque où une carrière ecclésiastique n'est pas incompatible avec les plaisirs. Bientôt au service de l'évêque du Mans, Charles de Beaumanoir, qu'il accompagne à Rome en 1635, il devient chanoine l'année suivante, mais n'en consent pas, pour autant, à s'assagir.

En 1640, un événement tragique vient profondément modifier la vie de Scarron. Il est atteint d'une mystérieuse maladie qui, de jeune homme élégant et séduisant, le transforme en un être difforme et paralysé. Stoïque, il prend le parti d'en rire et d'en faire rire. C'est alors qu'il se consacre à la littérature, qui lui permet d'oublier sa déchéance physique.

Durant les événements de la Fronde (1648-1652), il s'oppose à Mazarin et songe un moment à s'exiler en Amérique. Mais le cardinal lui pardonne et, durant ses dernières années, il connaît les adoucissements de la vie mondaine, à la suite de son mariage, en 1652, avec la petite-fille d'Agrippa d'Aubigné, la future Madame de Maintenon. Il est alors le centre d'intérêt des réceptions de sa femme, apprécié pour ses bons mots et pour sa verve intarissable. C'est à ses côtés qu'il meurt, à l'âge de cinquante ans.

La production de Scarron, importante et variée, englobe poésie, roman, théâtre. Un point commun la marque, le burlesque, où il est passé maître. Il excelle dans l'exploitation bouffonne des contradictions humaines. Il les met en évidence dans l'expression qu'il utilise, en jouant sur les oppositions entre le fond et la forme et en traitant des sujets réputés sublimes de façon prosaïque. À cette opposition centrale viennent s'ajouter de nombreuses autres oppositions qui caractérisent le burlesque. Scarron montre ainsi les écarts qui séparent les apparences et la réalité, les paroles et les actes, ou encore les efforts mis en œuvre et les résultats obtenus.

L'œuvre poétique de Scarron — ses *Œuvres burlesques* (1643-1648) et surtout le *Virgile travesti* (1648-1652) — est profondément marquée par cette écriture : ce long poème en huit Livres déguise l'*Énéide*, en y transformant les héros sublimes en bourgeois grotesques, tout préoccupés de choses matérielles. Le *Roman comique* (1651-1657), l'ouvrage le plus connu de Scarron, s'inscrit dans la même perspective. L'auteur y prend le contrepied du roman idéaliste. Il y décrit la réalité quotidienne à travers la vie d'une troupe de théâtre comique, dans laquelle se sont engagés Le Destin et L'Étoile, persécutés dans leur amour. À cette intrigue principale s'ajoutent des actions secondaires, histoires de l'entourage des jeunes amoureux, et des récits que narrent les acteurs du roman. Le mélange du présent et du passé ajoute encore à la complexité de cette structure.

L'influence espagnole, déjà visible dans le *Roman comique*, apparaît plus nettement encore dans le théâtre de Scarron. Il y construit des personnages hauts en couleur et crée notamment le valet Jodelet, trivial, goulu et poltron (*Jodelet, ou le Maître valet*, 1643 ; *Jodelet duelliste*, 1645 ; *Dom Japhet d'Arménie*, 1647 ; *La Fausse apparence*, 1657). La *comedia* espagnole s'y trouve dotée d'un contenu burlesque ; des effets de contraste décapants y font triompher la démystification.

Scarron satirique / Lester Koritz. – Paris : Klincksieck, 1977. – 247 p.
Le Roman comique de Scarron / Charles Dédeyan. – Paris : S.E.D.E.S., 1983. – 365 p.
Burlesque et formes parodiques dans la littérature et les arts / Actes du colloque de l'Université du Maine réunis par Isabelle Landy-Houillon... – Paris : Biblio 17 ; Scottle : Papers on French Seventeeth Century Literature, 1987. – 662 p. – (*Biblio 17* ; 33).

DOM JAPHET D'ARMÉNIE 182

Un ton parodique (Acte II, scène 2). — Cette pièce met en scène Dom Japhet d'Arménie, le bouffon de Charles Quint que son maître a enrichi et anobli. Une intrigue amoureuse sert de prétexte à la pièce. Dom Alphonse, pour rejoindre Léonore qu'il aime, s'est mis au service de Dom Japhet, également amoureux de la jeune fille. Par ailleurs, Elvire, la sœur de Dom Alphonse, aime Dom Alvare. Tous les obstacles seront finalement surmontés et les deux mariages conclus. Ici, le paysan Jean Vincent, en présence de Dom Japhet, du gentilhomme Rodrigue, du bailli et des deux serviteurs Foucaral et Marine, conte, en une parodie de récit, comment il a jadis recueilli Léonore, la nièce du commandeur.

DOM JAPHET, *à Léonore.*

Adorable beauté, qui d'une seule œillade
Avez d'un homme sain fait un homme malade,
Puisque le Commandeur peut disposer de vous,
Jetez les yeux sur moi, vous verrez votre époux.

DOM ALPHONSE, *à part.*

Dieu m'en veuille garder !

FOUCARAL

Et vous, belle Marine,
Dom Foucaral peut-il, en vertu de sa mine,
D'un esprit sans pareil, et d'un corps sans égal,
Multiplier par vous le nom de Foucaral ?

MARINE

Le nom de Foucaral ? qui, moi ? laquais immonde.
Assez de Foucarals sans moi sont dans le monde.

DOM JAPHET

Vous m'aimerez bien fort ?

LÉONORE

Plus qu'on ne peut penser.

FOUCARAL, *à Marine.*

Ton bel œil m'a blessé.

MARINE

Va te faire panser.

LE BAILLI

Mais, notre ami Vincent, où l'aviez-vous trouvée ?

JEAN VINCENT

Je vous dirai comment la chose est arrivée.
À la cour de Madrid, où m'avait appelé
Un malheureux procès pour un cheval volé,
Une vieille duègne, un jour dans une église,
Me demanda mon nom. Avec grande franchise,
Je lui dis que j'étais un laboureur d'Orgas,
Appelé Jean Vincent. La vieille parlant bas :
« Trouvez-vous, vers le soir, en tel lieu, me dit-elle ;
C'est pour votre profit, si vous êtes fidèle. »
À ce mot de profit, jugez si je manquai
De me trouver au lieu qu'on m'avait indiqué !
Je n'y manquai donc pas. La vieille gouvernante
S'y trouva devant moi, plus que moi diligente :
Elle mit dans mes mains un beau petit enfant
Qui n'avait pas un jour ; et de plus, de l'argent.
L'enfant était paré d'une chaîne massive.
Je ne refusai rien, et la duègne craintive,
M'ayant recommandé le secret, s'en alla.
L'enfant est justement la dame que voilà :
Je crois, par son moyen, que ma fortune est faite,
Comme on me l'a promis, la chose étant secrète.
Or, la chaîne, messieurs, n'était pas de laiton :
Elle était d'or ducat[1] du poids d'un quarteron[2].
Ma femme…

DOM JAPHET

Taisez-vous : il ne m'importe guère
Si votre chaîne était ou pesante ou légère.

(À Rodrigue)

---

1 En or pur, comme l'est la pièce appelée ducat.

2 Le quart d'une livre.

Cavalier, vous direz au seigneur Commandeur
Que le noble Japhet est fort son serviteur,
Et qu'il se réjouit que son nom soit Tolède ;
Qu'en noblesse ici-bas le roi même me cède,
Car je suis dom Japhet, de Noé petit-fils :
D'Arménie est mon nom, par un ordre préfix,
Qu'avant sa mort laissa ce fameux patriarche,
Parce qu'en Arménie un mont reçut son arche.
Dites-lui que je puis avec lui m'allier,
Puisque sa nièce et moi sommes à marier,
Qu'à cause de mon deuil[1] il serait peu honnête
Que j'allasse chez lui sitôt troubler la fête,
Et que, par bienséance, il le faudra laisser
Quelque temps tout son soûl sa nièce caresser.
Dites-lui que j'irai le trouver en personne ;
Et malheur pour Orgas, puisque je l'abandonne !
Partez.

Molière et la comédie en France au XVIIe siècle / Robert Horville. – Paris : Nathan, 1983. – (*Intertextes*). – [Pp. 205-207].

VIRGILE TRAVESTI 183

Petits côtés d'une fuite épique (Livre II, v. 2772-2830). — Publiée durant les événements de la Fronde, cette parodie de l'*Énéide* s'inscrit dans le mouvement de contestation esthétique burlesque. Énée, après avoir échappé à l'incendie de Troie, a trouvé refuge chez Didon, à qui il conte cet événement tragique. Ici, il décrit la panique générale qui accompagna sa fuite et celle des siens.

A tout cela point de remede,
Sinon gagner viste les champs,
Et laisser faire ces meschans.
Quoy que j'eusse l'échine forte,
Mon bon pere à la chevre morte[2]
Ne pût sur mon dos s'ajuster,
Ny je n'eusse pû le porter :
Par bon heur, je vis une hotte,
Mon pere dedans on fagotte,
Et tous nos Dieux avecque luy,

---

1 La femme de Japhet est morte depuis peu.

2 Lourd comme une chèvre morte.

Puis, un banc me servant d'appuy,
On charge sa lourde personne
Sur la mienne, qui s'en estonne,
Et fait des pas mal arrangez,
Comme font les gens trop chargez :
Mais qui Diable ne s'évertuë,
Quand il a bien peur qu'on le tuë.
Nous voila tous sur le pavé,
Sur mon dos mon Pere élevé
Nous éclairoit de sa lanterne,
Qui n'estoit pas à la moderne,
Elle venoit du Bizayeul
De l'Ayeul de son Trizayeul :
Ma Creüse[1] venoit derriere ;
Chaque valet & chambriere,
De crainte d'estre découverts,
Allerent par chemins divers :
Je menois mon cher fils en lesse,
Pour lequel je tremblois sans cesse :
Enfin, par chemins escartez,
Des moindres bruits espouventez,
Nous marchasmes devers la porte.
Quoy que j'aye l'ame assez forte
Et que, dans le fer & le feu,
D'ordinaire je tremble peu,
Chargé de si cheres personnes,
Je fis cent actions poltronnes :
Au moindre bruit que j'entendois,
Humble quartier je demandois.
Mon bon pere en faisoit de mesme,
Et croy qu'en cette peur extreme,
Dans la hotte un autre que luy
Auroit fait, ce que par autruy
Roy ny reine ne pourroit faire :
Le feu, qui nostre troupe esclaire,
Forme des ombres devant nous
Qui nous effrayent à tous cous.
Enfin, apres plusieurs alarmes,
Un grand bruit de chevaux & d'armes

---

1 Femme d'Énée.

Se fit entendre auprès de nous :
Mais, Madame, le croirez-vous ?
Ce bruit que nous crusmes entendre,
Puisque vous desirez l'apprendre,
Estoit ce qu'on appelle rien,
J'en rougis quand je m'en souvien :
Mon Pere, en cette peur panique,
Mille coups sur mon corps applique,
Pour me faire aller au galop,
Et certes il n'en fit que trop.

Le Virgile Travesty en vers burlesques / De Monsieur Scarron ; dedié à la Reyne. – A Paris : Chez Toussainct Quinet, 1648. – [Livre second, pp. 117-119].

LE ROMAN COMIQUE 184

Une entrée pittoresque (1re partie, chapitre I). — Dès le début du roman, Scarron présente plaisamment une troupe de comédiens qui, à la fin d'une belle après-midi, fait son entrée dans la bonne ville du Mans, chère à l'auteur.

Le soleil avait achevé plus de la moitié de sa course et son char, ayant attrapé le penchant du monde, roulait plus vite qu'il ne voulait. Si ses chevaux eussent voulu profiter de la pente du chemin, ils eussent achevé ce qui restait du jour en moins d'un demi-quart d'heure ; mais, au lieu de tirer de toute leur force, ils ne s'amusaient qu'à faire des courbettes, respirant un air marin qui les faisait hennir et les avertissait que la mer était proche, où l'on dit que leur maître se couche toutes les nuits. Pour parler plus humainement et plus intelligiblement, il était entre cinq et six quand une charrette entra dans les halles du Mans. Cette charrette était attelée de quatre bœufs fort maigres, conduits par une jument poulinière[1], dont le poulain allait et venait à l'entour de la charrette, comme un petit fou qu'il était. La charrette était pleine de coffres, de malles et de gros paquets de toiles peintes qui faisaient comme une pyramide, au haut de laquelle paraissait une demoiselle habillée moitié ville, moitié campagne. Un jeune homme, aussi pauvre d'habits que riche de mine, marchait à côté de la charrette. Il avait un grand emplâtre sur le visage[2] qui lui couvrait un œil et la moitié de la joue, et portait un grand fusil sur son épaule, dont il

1 Jument destinée à la reproduction.
2 Il avait appliqué une substance sur son visage pour en dissimuler les traits.

avait assassiné plusieurs pies, geais et corneilles, qui lui faisaient comme une bandoulière, au bas de laquelle pendaient par les pieds une poule et un oison, qui avaient bien la mine d'avoir été pris à la petite guerre[1]. Au lieu de chapeau, il n'avait qu'un bonnet de nuit, entortillé de jarretières de différentes couleurs, et cet habillement de tête était une manière de turban qui n'était encore qu'ébauché, et auquel on n'avait pas encore donné la dernière main. Son pourpoint était une casaque de grisette[2] ceinte avec une courroie, laquelle lui servait aussi à soutenir une épée qui était si longue qu'on ne s'en pouvait aider adroitement sans fourchette[3]. Il portait des chausses troussées à bas d'attaches[4], comme celles des comédiens quand ils représentent un héros de l'Antiquité, et il avait, au lieu de souliers, des brodequins à l'antique, que les boues avaient gâtés jusqu'à la cheville du pied. Un vieillard vêtu plus régulièrement, quoique très mal, marchait à côté de lui. Il portait sur ses épaules une basse de viole et, parce qu'il se courbait un peu en marchant, on l'eût pris de loin pour une grosse tortue qui marchait sur les jambes de derrière. Quelque critique murmurera de la comparaison, à cause du peu de proportion qu'il y a d'une tortue à un homme ; mais j'entends parler des grandes tortues qui se trouvent dans les Indes et, de plus, je m'en sers de ma seule autorité.

Le Roman comique / Scarron ; texte établi, présenté et annoté par Yves Giraud. – Paris : Garnier-Flammarion, 1981. – (*GF* ; 360). – [Pp. 65-66, 364, 368 pour les notes].

LE ROMAN COMIQUE 185

Un mystérieux compagnon de voyage (2e Partie, chapitre I). — Dans *Le Roman comique*, véritable art romanesque, Scarron pratique tous les registres, avec talent, y compris le fantastique. La comédienne Angélique, fille de La Caverne, a été enlevée. Le Destin est parti à sa recherche et chevauche, de nuit, sur un chemin désert, lorsqu'il fait une rencontre étrange et inquiétante.

Le Soleil donnoit à plomb sur nos Antipodes, & ne prestoit à sa sœur[5] qu'autant de lumiere qu'il luy en falloit pour se conduire dans une nuit fort obscure. Le silence regnoit sur toute la terre, si ce n'estoit dans les

---

1 Il les avait volés.

2 Une veste faite de petite étoffe grise.

3 Bâton ferré, terminé par une fourche, sur laquelle repose le canon d'une arme à feu (un mousquet).

4 Longs bas de soie attachés au haut de chausses.

5 La lune.

lieux où se rencontroient des Grillons, des Hiboux & des Donneurs de serenades. Enfin, tout dormoit dans la nature, ou du moins tout devoit dormir, à la reserve de quelques Poëtes qui avoient dans la teste des Vers difficiles à tourner, de quelques mal-heureux Amans, de ceux qu'on appelle Ames damnées, & de tous les animaux, tant raisonnables que brutes, qui, cette nuict-là, avoient quelque chose à faire. Il n'est pas necessaire de vous dire que le Destin estoit de ceux qui ne dormoient pas, non plus que les Ravisseurs de Mademoiselle Angelique, qu'il poursuivoit autant que pouvoit galoper un cheval à qui les nuages déroboient souvent la foible clarté de la Lune. Il aimoit tendrement Mademoiselle de La Caverne, parce qu'elle estoit fort aymable, & qu'il estoit asseuré d'en estre aimé, & la fille ne luy estoit pas moins chere ; outre que sa Mademoiselle de l'Estoille ayant de necessité à faire la Comedie, n'eust pû trouver en toutes les Caravanes des Comediens de campagne, deux Comediennes, qui eussent plus de vertu que ces deux-là. Ce n'est pas à dire qu'il n'y en ait de la profession qui n'en manquent point : mais dans l'opinion du monde, qui se trompe peut-estre, elles en sont moins chargées que de vieille broderie et de fard. Nostre genereux Comédien courroit donc aprés ces Ravisseurs, plus fort, & avec plus d'animosité que les Lapithes ne coururent après les Centaures. Il suivit d'abord une longue allée sur laquelle répondoit la porte du jardin par où Angélique avoit esté enlevée, &, aprés avoir galopé quelque temps, il enfila au hazard un chemin creux, comme le sont la pluspart de ceux du Mayne. Ce chemin estoit plein d'ornieres & de pierres, & bien qu'il fist clair de Lune, l'obscurité y estoit si grande, que le Destin ne pouvoit faire aller son cheval plus viste que le pas. Il maudissoit interieurement un si méchant chemin, quand il se sentit sauter en crouppe quelque homme, ou quelque Diable, qui luy passa les bras à l'entour du col. Le Destin eut grand peur, & son cheval en fut si fort effrayé, qu'il l'eust jetté par terre si le fantôme qui l'avoit investy[1], & qui le tenoit embrassé, ne l'eust affermy dans la selle. Son cheval s'emporta comme un cheval qui avoit peur, & le Destin le hasta à coups d'esperons, sans sçavoir ce qu'il faisoit, fort mal satisfait de sentir deux bras nuds à l'entour de son col, & contre sa jouë un visage froid, qui souffloit à reprises à la cadence du galop du cheval. La carrière[2] fut longue, parce que ce chemin n'estoit pas court. Enfin à l'entrée d'une Lande, le cheval modera sa course impetueuse, & le Destin sa peur : Car on s'accoustume à la longue aux maux

1 Qui avait pris possession de lui.

2 La route.

les plus insupportables. La Lune luisoit alors assez pour luy faire voir qu'il avoit un grand homme nud en croupe, & un vilain visage auprés du sien. Il ne luy demanda point qui il estoit, (je ne sçay si ce fut par discretion.) Il fit toûjours continuer le galop à son cheval qui estait fort essoufflé, & lors qu'il l'esperoit le moins, le Chevaucheur croupier se laissa tomber à terre, & se mit à rire. Le Destin repoussa son cheval de plus belle, & regardant derrière luy, il vid son Fantosme qui couroit à toutes jambes vers le lieu d'où il estait venu.

Le Romant comique. Seconde partie / de Mr Scarron. – A Paris : Chez Guillaume de Luyne, 1668. – [Pp. 1-4].

MARÍA DE ZAYAS Y SOTOMAYOR

ESPAGNOL 1590 - 1661 (?)

On ignore presque tout de la vie de cette importante femme écrivain du siècle d'or espagnol. Il semble qu'elle soit née à Madrid, au sein d'une famille de petite noblesse, bien que peut-être elle ait résidé dans d'autres villes espagnoles ; elle fut connue dans les milieux littéraires courtisans, recevant mentions et éloges d'écrivains importants. Elle a écrit de la poésie et du théâtre (la Bibliothèque Nationale de Madrid conserve sa comédie autographe et signée, *La Trahison d'une amitié*), mais son intérêt réside surtout dans deux recueils de nouvelles : *Novelas amorosas y ejemplares* (*Nouvelles amoureuses et exemplaires*, 1637) et *Parte segunda del sarao y entretenimiento honesto. Desengaños amorosos* (*Seconde partie de la soirée et amusement honnête. Désenchantements amoureux*, 1647).

L'histoire littéraire n'a pas retenu beaucoup de noms de femmes écrivains du XVIIe siècle espagnol, bien qu'elles furent nombreuses à cultiver la plume, soit dans le genre romanesque (Mariana de Carvajal), théâtral (Ana Caro) ou poétique (Sor Marcela, la fille de Lope de Vega), soit au sein de l'importante littérature de couvent. C'est en cela aussi, en partie, que réside l'intérêt de l'œuvre narrative de María de Zayas : dans un monde d'écrivains, elle manifeste une voix féminine propre et une conscience de femme, et de femme de lettres. C'est pourquoi elle a été qualifiée par de nombreux critiques d'écrivain féministe. Sans tomber dans les anachronismes ou les excès que peuvent entraîner, pour l'époque, de telles dénominations, il est certain que, dans les nouvelles de María de Zayas, les femmes réclament à plusieurs reprises l'égalité avec l'homme, défendent leurs droits, agissent avec une certaine liberté et prennent des initiatives en amour, bien qu'elles ne puissent se libérer du poids des conventions du siècle, honneur, morale, etc., et que la protagoniste qui ordonne le cadre narratif organisant et structurant l'ensemble des nouvelles que forme chacun des recueils finisse par se retirer dans un couvent.

L'œuvre de la nouvelliste doit beaucoup à la technique des nouvelles enchâssées, qui connurent un grand développement à l'époque et furent très lues dans la noblesse. L'enchâssement se fait selon diverses vraisemblances : réunion dans un jardin, diversion pour le carnaval, assemblée de dames et de chevaliers se divertissant. L'essentiel est le cadre narratif, avec son histoire propre, qui donne une unité de sens à une série de nouvelles par des techniques que pratiquèrent aussi le *Décameron* et les *Mille et Une Nuits*. Cette technique est à la source d'une multitude de variations possibles, des motifs narratifs certes, mais aussi de l'autonomie respective de l'histoire enchâssante et des nouvelles, de l'imbrication des contenus des nouvelles et de l'argument enchâssant, etc. Chez Doña María de Zayas cependant, le trait saillant demeure, audelà des techniques et des formes propres au genre, le poids de la voix et de l'attitude féminines, tant au niveau du cadre narratif que dans la série des nouvelles. D'autres traits distinctifs donnent un ton caractéristique à cette œuvre, qui permettent de reconstruire des horizons d'attente et de lecture du public, dans lesquels l'extraordinaire, le fabuleux, le terrible exercent leur pouvoir d'attraction.

Dans les nouvelles de María de Zayas, le lecteur trouve, avec une certaine fréquence, des situations de terreur, de cruauté et de violence, avec des descriptions très vives et très détaillées, qui pourraient être mises en relation avec des genres romanesques qui connaissent, de nos jours, un certain succès. D'autre part, les éléments magiques, fabuleux, les faits extraordinaires et miraculeux ne sont pas rares. Tout cela devait avoir — et a encore aujourd'hui — un grand pouvoir d'évasion et, en conséquence, de diversion.

Certains critiques ont souligné l'érotisme des nouvelles de María de Zayas. Bien qu'il faille envisager leur possible fonction morale et leur valeur contrastive, il est vrai que se trouvent dans cette œuvre des situations érotiques qui vont au-delà de ce qui était habituellement publié. Reste encore qu'a existé une littérature réellement érotique et même pornographique durant le siècle d'or espagnol, qui n'a circulé qu'en manuscrits ou de bouche à oreille, à cause de la censure.

María de Zayas y Sotomayor : su época y su obra / Irma V. Vasileski. – New York : Plaza Mayor, 1972. – 163 p.

Il sistema narrativo di María de Zayas / A. Melloni. – Turin : Quaderni Ibero-Americani, 1976. – 120 p. – (*Collana di testi e studi* ; 8).

J.Mª. Díez Borque, "El feminismo de Doña María de Zayas". – In : *La Mujer en el teatro y la novela del siglo XVII*. – Toulouse : Presses de l'Université, 1978. – [Pp. 61-83].

Feminismo y forma narrativa : estudio del tema y las técnicas de María de Zayas y Sotomayor / Sandra M. Foa. – Valencia : Albatros, 1979. – 192 p. – (*Col. Albatros Hispanofila* ; 4).

Texto y contexto en la narrativa de María de Zayas / Salvador Montesa Peydro. – Madrid : Direccion Gral. de Juventud, 1981. – 400 p.

NOUVELLES AMOUREUSES ET EXEMPLAIRES 186

A. de Methel — 1656

La belle invisible, ou la constance éprouvée. — Épris d'une mystérieuse « Dame cachée » qui a suscité son inclination, Don Carlos tente en vain de connaître son identité et son visage. Sa quête le mène de confusion en pièges et tentations où surgit une seconde Dame voilée, également de haute naissance. Au terme d'un enlèvement et de multiples rebondissements, Don Carlos découvrira la multiple identité de celle qui a voulu éprouver sa constance en jouant elle-même divers rôles.

[...] Don Carlos receu cette lettre avec beaucoup d'émotion, & l'ouvrant, il connut qu'elle venoit de la part de sa Maistresse Inconnuë ; ce qui luy donna un tres grand contentement ; il tira de son doigt un Diamant qu'il donna à ce garde, le remerciant extremement de la faveur qu'il luy avoit faite de se charger de cette lettre, dont il luy tesmoigna qu'il faisoit un fort grand estat. Il monta à sa chambre pour la lire & non sans un nouvel estonnement, il trouva qu'elle contenoit ces paroles.

Mon cher Don Carlos par la violence impreveuë avec laquelle on vous arracha d'aupres de moy, je suis demeurée en tel estat, estant en doute de vostre vie, que mes yeux l'ont bien payé par des larmes continuelles, il ne m'a pas peu cousté de soins & de peines pour sçavoir où vous estiez : mais comme l'exacte recherche que j'en ay faite a esté vaine, i'ay eu recours à la

Magie, à qui rien ne se peut cacher, (& vous n'ignorez pas qu'il y a plusieurs personnes en ce Royaume qui la pratiquent.) Enfin, j'ay descouvert que la Princesse Porcie vous tient captif dans une maison de plaisance, qu'elle a à Pousilippe, & que c'est sa coustume d'user de ces sortes de violences envers les personnes dont elle devient amoureuse. Elle possede un grand estat en ce Royaume, & n'est venuë icy que pour voir la feste ; prenez garde à vous, vous estes sage & advisé, si jusques icy vous avez ignoré ses artifices, que cette lettre vous en instruise ; je ne suis pas bien asseurée qu'elle vienne jusques à vous, veu la façon avec laquelle j'ay appris qu'on espie vos actions & le peu de liberté qu'on vous laisse. La qualité de cette Dame est tres grande, je ne vous le puis nier, mais ses actions ordinaires dementent assez sa naissance. Je ne m'estonne point qu'elle vous trouve à son gré, ni mesme qu'elle vous aime avec passion, veu les rares qualitez qui se rencontrent en vostre personne. Ce dont j'ay à vous suplier, c'est que vous ne relaschiez rien pour ses artifices de la sincere affection que vous m'avez jurée : je la sçauray fort bien reconnoistre si le ciel vous donne la liberté que je vous souhaitte, & vous promets bien qu'aussi-tost que je pourray avoir le bien de vostre veuë, je me descouvriray entierement à vous, & lors vous connoistrez que je ne cede en rien à pas une des rares qualitez que vous avez veuës en cette Princesse. Le ciel vous delivre de ses mains, & vous conserve, comme le souhaite avec passion celle qui vous adore.

Don Carlos fut ravy d'avoir receu dans cette lettre, l'advis que sa Maistresse luy donnoit, & crut facilement que tout ce qu'elle luy mandoit de Porcie, non sans estonnement toutefois qu'une Dame d'une telle naissance, & d'un si rare merite fust capable de si estranges, & si lasches procedez. Il avoit deja bien oüy parler d'elle dans Naples, mais non pas de sa folle & extravagante humeur. Ce Cavalier qui avoit connoissance de toutes choses avoit toûjours abhorré cette effrontée façon d'agir, & n'avoit jamais estimé que les femmes sages & vertueuses qui se gouvernoient avec prudence & modestie. Ce qu'il apprit de celle-cy par la lettre qu'il venoit de recevoir, luy fit perdre entierement le soupçon qu'il avoit eu que ce fust la Dame cachée. Il la prit donc en une merveilleuse aversion, voyant qu'au mesme temps qu'elle luy declaroit sa passion, elle usoit de son authorité avec violence pour la faire reüssir contre la bien sçeance, & contre l'ordre mesme de la Nature.

Cela le fit resoudre à faire tous ses efforts pour tascher de se mettre en liberté afin de suivre aveuglement sa premiere inclination, & de retourner au pouvoir de son adorable Inconnuë dont l'humeur se conformoit mieux à la sienne, & de laquelle il pretendoit d'aussi grands advantages avec bien plus de satisfaction, puis qu'elle estoit de qualité esgale à celle de Porcie. Sur cette pensée, il attendit qu'on luy servit à disner, & sur l'heure que les Dames venoient mettre le couvert à l'accoustumée, ayant toutes mis bas leurs masques, depuis que leur Maistresse avoit parlé à visage descouvert, il leur dit qu'il desiroit fort de parler à elle, elles la surent trouver aussi-tost pour luy en donner advis, & elle, pour le porter d'avantage à ce qu'elle desiroit de luy. Leur dit, qu'elle vouloit qu'il disnast ce jour avec elle. On dressa le couvert dans sa chambre, Don Carlos y vint & y trouva la Princesse Porcie superbement habillée, & plus belle qu'elle ne luy avoit encor paru ; ce qui redoubla sa compassion, voyant qu'une Dame accompagnée de tant de beauté & de mérite, fist des actions si indignes d'elle.

Les Nouvelles amoureuses et exemplaires composées en espagnol... [III] La Belle invisible ou la constance esprouvée / par Dona Maria de Zayas y Sotto Mayor ; et traduites en nostre langue par Antoine de Methel escuier Sieur Bouville. – A Paris : Chez Guillaume de Luynes, 1656. – [Pp. 90-96].

NOUVELLES AMOUREUSES ET EXEMPLAIRES 187

Cl. Vanel — 1680

La force d'amour. — La belle Laure, après s'être longtemps défiée de l'amour et de ses ravages, se laisse gagner par Don Diègue, qu'elle épouse. Malheureusement celui-ci, infidèle, lui préfère bientôt une ancienne passion qui de nouveau l'aveugle. Dans sa détresse, Laure, ne trouvant aucun secours auprès des hommes, fait appel à une sorcière dont l'étrange demande (lui procurer des cheveux, de la barbe et une dent d'un pendu) la désespère.

Pendant que ces reflexions occupoient son esprit, elle estoit couchée sur un petit lit, tenant les mains croisées sur son estomac, & pleurant amerement. C'est-il jamais veu, disoit-elle tout bas, une destinée plus malheureuse que la mienne ? Mes infortunes ont commencé avec ma vie, je l'ay fait perdre à celle qui me l'a donnée, & depuis que j'ay esté capable de quelque discernement, je n'ay eu que de sujets de chagrin. N'estoit-ce pas assez que je fusse en bute aux coups de la fortune, sans que l'amour exerçast contre moy sa tyrannie ? Que les femmes sont mal-heureuses, quand elles laissent surprendre leur cœur à cette cruelle passion ! Les hommes se font une gloire de triompher de leur foiblesse, & d'abuser de leur credulité. La beauté, la naissance, & les grands biens qui font ordinairement le bonheur des autres, sont les instrumens dont la fortune s'est servie pour me persecuter. Si je n'avois pas eu un merite distingué, D. Diegue ne m'auroit pas recherché [*sic*], & je serois encore en liberté de disposer de mon cœur & de ma main. A qui dois-je conter ma peine qui puisse y apporter quelque soulagement ? A qui faut-il que j'adresse mes plaintes, pour en attendre quelque consolation ? Mes larmes ont beau couler, personnne ne viendra les essuyer, mon pere & mes freres qui estoient obligez de prendre ma deffense, m'ont abandonnée, & le Ciel qui ne refuse jamais sa protection à ceux qui n'ont plus rien à espérer du costé des hommes, est devenu sourd à ma voix. Faut-il que je sois contrainte d'implorer le secours de ces mal-heureux esprits qui habitent les noirs abysmes ? Puisque D. Diègue qui paroissoit si amoureux & si empressé avant nostre Mariage, a cessé de m'aimer, lorsque tous ses desirs ont esté satisfaits, il faut tomber d'accord qu'il n'est point d'homme qui demeure plus fidele d'un jour aprés la possession de sa Maistresse : comme leur passion s'augmente avec la resistance, on la voit diminuer à mesure que celle de leurs femmes prend de nouvelles forces. Comment se trouve-t-il des filles assez folles pour desirer des époux voyant les chagrins auxquels sont exposées leurs compagnes, aprés qu'elles sont engagées dans le Mariage ? Que n'ay-je le courage d'oster la vie à celle qui m'a volé le cœur de D. Diègue, & à l'infidele qui m'a trahie ? Mais, helas ! pourrois-je survivre à la perte de ce que j'aime, ou me resoudre à le priver de ce qui fait toute sa joye ? Et vous, Fondateurs de cette Monarchie, pourquoy n'avez-vous point estably de peine contre ceux qui violent les droits de l'Hymenée, ou que n'avez-vous permis aux femmes de percer le cœur de ces parjures, puisque vous souffrez que les hommes lavent dans le sang l'outrage qu'on fait à leur honneur ? Pourquoy nous traitez-vous en esclaves, puisque nous ne leur cedons en courage, ni en force d'esprit ? Mais pourquoy perdre le temps en raisonnemens inutils [*sic*], lorsqu'il est question d'agir ?

Nouvelles / de Dona Maria Dezayas ; traduites de l'espagnol [par Claude Vanel]. – A Paris : G. Quinet, 1680. – [Vol. II, pp. 155-159].

NOUVELLES AMOUREUSES ET EXEMPLAIRES 188

Cl. Vanel — 1680

L'amour désabusé ou la récompense de la vertu. — D. Fernand, après avoir mené une vie fort trouble de débauché, juge bon, pour ses affaires, de se marier, et épouse Clara, la fille unique d'un marchand qu'il croit riche. La dot est cependant vite épuisée et, furieux d'avoir été trompé, D. Fernand n'hésite pas à maltraiter cruellement son épouse dont la vertu et la fidélité restent, en dépit de tout, inébranlables. Il l'abandonne bientôt, lui laissant quatre enfants. Plusieurs mois plus tard, Clara retrouve sa trace à Tolède, lorsque, cherchant à gagner son pain, elle se propose comme femme de chambre auprès de Lucresse, qui n'est autre qu'une ancienne conquête de D. Fernand, que celui-ci a rejointe. Il se passe un an avant que Lucresse, plus âgée que son amant, tombe malade et confie à Clara un précieux talisman. Enfin, D. Fernand reconnaît en sa servante son épouse...

Pendant que Lucresse parloit ainsi à Dona Clara, elle faisoit cent reflexions sur ses discours, & comme elle n'avoit l'ame remplie que de D. Fernand, elle s'imaginoit que cette lame d'argent si chere & si pretieuse à la malade avoit une vertu secrete pour fixer les inclinations de son infidele époux, & que c'estoit de ce charme que sa rivale s'estoit servie pour luy voler son cœur. Neanmoins dés que sa Maistresse eut cessé de parler, craignant qu'un trop long silence & l'alteration de son visage ne luy fissent connoistre ce qui se passoit dans son ame, elle reprit la parole d'un air tranquille, aprés l'avoir remerciée des marques obligeantes qu'elle venoit de luy donner de sa confiance, elle l'assura qu'elle ne seroit pas trompée dans le choix qu'elle avoit fait de sa personne, pour luy remettre un dépost qu'elle disoit luy estre si cher, & en mesme temps de peur de luy donner le loisir de changer de sentimens, elle prit de ses mains la clef qu'elle luy presentoit, & alla prendre dans le cabinet de Lucresse cette plaque misterieuse. De quelque fermeté qu'elle eust armé son cœur, comme elle croyoit que ce talisman agissoit plutost par un pacte secret fait avec les demons, que par l'influence des astres, elle sentit un frisson qui luy courut par tout le corps ; mais enfin surmontant sa timidité naturelle, elle ouvrit l'écritoire de Lucresse, & y trouva cette lame d'argent, quy donoit tant d'inquietudes, aprés en avoir long-temps consideré tous les caracteres, sans y rien comprendre, elle la mit dans sa poche, & retourna auprés de sa Maistresse.

L'heure du disner estant venuë, D. Fernand qui revenoit de la Ville, aprés avoir demandé à Lucresse des nouvelles de sa santé, passa dans une salle où Dona Clara mettoit le couvert, & l'ayant regardée avec plus d'application qu'à l'ordinaire, il la reconnut, soit qu'il eust l'esprit libre, ou que le talisman qu'elle avoit sur elle fit cet effet ; estant un peu remis de la surprise que luy causoit une rencontre si inopinée, il rompit le silence qu'il avoit gardé quelque temps, & luy prenant la main amoureusement, je pense, luy dit-il, ma chere femme, que c'est vous qui nous servez depuis un an, comment se peut-il faire que je ne vous aye pas connuë ? qui vous a appris où j'estois ? donnez-moy des nouvelles de nos filles, & dites-moy où vous les avez laissées. En achevant ces mots, il ne put resister aux mouvemens de sa tendresse renaissante, & ayant pris sa femme entre ses bras, qu'il tint long-temp embrassée, sans pouvoir plus s'exprimer que par ses caresses & par ses larmes, ausquelles Dona Clara répondit avec un empressement égal, elle luy raconta tout ce qui luy estoit arrivé depuis qu'il estoit party de Tolede : mais comme cette conversation se faisoit fort proche du lit de Lucresse, elle en entendit assez pour comprendre qu'entre son mary & sa servante, il y avoit de grands épanoüissemens de joye, & en attribuant la cause à la vertu du talisman, elle appela Dona Clara qu'elle accusa de perfidie, & luy demanda d'un ton severe se qu'elle avoit fait de ce pretieux dépost. La femme de D. Fernand qui n'avoit plus de mesures à garder avec elle, puisqu'elle avoit regagné toutes les affections de son époux, & qu'elle l'avoit guery de sa fole passion, luy dist qu'il estoit temps de lever le masque, & qu'elle avoit asez longtemps possedé D. Fernand, pour ne trouver pas mauvais qu'elle le gouvernast à son tour, & en mesme temps pour la braver, elle luy montra le talisman qu'elle gardoit bien soigneusement. Lucresse fut si saisie, en voyant un changement si impreveu, & si desavantageux pour elle, que le desespoir se joignant à la fievre qu'elle avoit déja fort violante, la fit tomber dans une convulsion qui luy fit perdre en peu de momens la parole & la vie.

Nouvelles / de Dona Maria Dezayas ; traduites de l'espagnol [par Claude Vanel]. – A Paris : G. Quinet, 1680. – [Vol. II, pp. 236-242].

PASCAL

FRANÇAIS

1623-1662

Né à Clermont-Ferrand, de santé fragile et de vie brève, ce génie précoce est d'abord un scientifique — plus soucieux de correspondre avec ses pairs que de publier — et le restera jusqu'au bout. Du petit *Essai pour les Coniques* (1640) au *Traité du triangle arithmétique* (1654), prélude au calcul des probabilités, ou aux recherches sur la « roulette » — courbe dessinée par un point d'une roue en progression — (1658-1659), en passant par les recherches sur le vide et la pesanteur (1654), il prospecte en mathématique comme en physique, sans dédaigner cette mécanique qui fait de lui l'inventeur de la première machine à calculer (1645), lui donnant à l'époque le meilleur de son renom. Il excellait, au départ de l'observation expérimentale, à dégager les « raisons des effets », sa rigueur d'analyse et sa force de synthèse faisant merveille.

Jeune encore, il avait fréquenté les libres-penseurs d'alors, qu'on appelait les libertins. Il avait lu Montaigne, tiré du chevalier de Méré son idéal de l'honnête homme : n'infliger sa science à personne, mais savoir de tout un peu, afin d'être agréable au monde. Mais sa famille est proche des solitaires et des religieuses de Port-Royal, appelés jansénistes du nom de feu Jansens, évêque d'Ypres, dont l'*Augustinus* (1640) développait la théologie de la grâce selon saint Augustin. D'où les deux conversions de Pascal (1646, 1654), la seconde surtout apportant un changement radical dans sa façon d'accorder la vie et la foi. On en a gardé un témoignage peu ordinaire : ce petit écrit trouvé à sa mort dans la doublure de son pourpoint, nommé par la suite le *Mémorial*.

Le savant aimait argumenter de façon concise et irréfutable. Il polémiquait volontiers. Les circonstances requirent ces dons au service de la foi et sous deux formes qui ne touchent à la littérature que dans la mesure où leur art d'atteindre leur public d'alors touche encore le public d'aujourd'hui.

Vers le milieu du siècle, en cette France traversée de gallicanisme, la Contre-Réforme se divise. Deux factions entre autres se distinguent : les jésuites molinistes, dont la casuistique compose avec les grands ; les jansénistes, sévères défenseurs de la tradition. Le laxisme des uns s'oppose au rigorisme des autres, jugés contestataires par le pouvoir. Or la théologie du temps dispute beaucoup de la grâce et de la prédestination divine, par lesquelles Dieu sauve l'homme et sait par avance lequel sera sauvé. C'est mettre en cause et pour certains en contradiction la toute-puissance de Dieu et la liberté de l'homme. En fait, la conviction janséniste ne diffère pas en profondeur de la doctrine chrétienne. Témoin cette exhortation de Saint-Cyran, maître spirituel des jansénistes : « Prier comme si tout dépendait de Dieu, agir comme si tout dépendait de nous ». Mais si le zèle est pour Dieu, la querelle est pour les hommes.

En 1649, la Faculté de théologie de Paris — la Sorbonne — met à l'examen cinq propositions sur ce sujet, qu'on dit condamnables et tirées de l'*Augustinus*, pour condamner du même coup les jansénistes. En janvier 1656, les solitaires demandent à Pascal d'intervenir. Il a 32 ans. Avec leur assistance, il entreprend de mettre le débat théologique à la portée de la mondanité par la seule force de ses « petites lettres », ou plutôt fictions de lettres. Au nombre de dix-huit, elles sont diffusées sous le manteau en l'espace de quinze mois, dans un climat de polémique croissante. Ce sont *Les Provinciales*, appelées ainsi parce que les premières se donnaient un destinataire de province, qu'il fallait informer. Le succès fut immédiat. Les premières lettres s'en tenaient au débat sur la grâce (I à IV). Elles se donnent ensuite, pour s'en prendre aux accommodements de la Compagnie avec la morale, la forme d'un dialogue ironique avec un jésuite particulièrement naïf (lettre V à X), mais délaissent ensuite cette fiction pour s'adresser à l'ensemble des Pères, tandis que le ton monte jusqu'à l'indignation devant les atteintes au sacré, l'aggravation du laxisme, les injustices dont sont victimes les religieuses de Port-Royal. Imposture littéraire (R. Duchêne) ? Oui, si la littérature est par nature une imposture, et la fiction sans vérité. Plus profondément, il y a un tragique des *Provinciales*, si même Pascal n'en laisse rien paraître : elles triomphent, mais sans efficace. Pour défendre Dieu, ce maître du verbe n'a que le verbe de l'homme : il peut être injuste par passion de la justice. On en vint aux accommodements. Mais en mars 1657, il est question de faire signer aux ecclésiastiques un formulaire condamnant les cinq propositions dans Jansénius, et fin octobre, *Les Provinciales* sont mises à l'index.

Est-ce pour dépasser la polémique que Pascal entreprend une *Apologie de la religion chrétienne*, à l'intention des libertins, dont il aurait exposé le plan à ses amis jansénistes dès 1658 ? L'intention serait née en plein combat des *Provinciales*, la guérison, jugée miraculeuse à Port-Royal, d'une sienne filleule qui souffrait d'une fistule lacrymale (24 mars 1656), l'associant à une réflexion sur les miracles. En 1657 le projet prend plus d'ampleur, mais en 1659 une maladie de langueur entraîne l'inactivité, puis la mort. On ne trouva dans les papiers du défunt que des fragments découpés, allant du griffonnage presque illisible au développement solennel, dont l'édition de Port-Royal, fort opportunément sélective, tenta de masquer l'inachèvement en les intitulant *Pensées* (1670). Ils étaient pourtant constitués en liasses en partie titrées dont il fallut trois siècles à l'édition critique, sur base des deux copies peu divergentes qui en avaient été faites aussitôt, pour affirmer la valeur de classement et substituer à l'édition par rapprochements logiques d'un Brunschvicg des éditions améliorant le déchiffrage (Z. Tourneur) et surtout restituant l'ordre de Pascal selon la première copie (L. Lafuma) ou la seconde (Ph. Sellier), d'autres études s'attachant à reconstituer partiellement la chronologie de l'écriture (P. Ernst, Y. Maeda).

Peut-on dégager des *Pensées* la pensée de Pascal ? Lui seul l'aurait pu, par ce travail de finition, inséparable d'un art de persuader, où le portait son esprit. De l'œuvre inachevée, nul ne sait ce que l'achèvement eût retenu, eût rejeté. Mais on peut, comme le fait Jean Mesnard avec une extrême pondération, définir la nature de cette pensée. Paradoxale, on dirait aujourd'hui dialogique par intégration de la pensée adverse, mais pour concilier les contraires dans la perspective d'une vérité supérieure, elle humilie sa propre maîtrise au profit d'un ordre du cœur, vérité supérieure dont resplendissent les Écritures. Ainsi, une anthropologie sévère, ironique jusqu'au portrait à la manière de La Bruyère, aurait montré la misère de l'homme, mais afin de faire éclater en contrepartie sa grandeur, pour peu que Dieu, caché, s'en mêlât. En faisaient foi les prophètes et les évangiles.

De Pascal, certains lecteurs, de Voltaire à M. Yourcenar, ne retinrent que le « pari » : quant à savoir si Dieu existe, « il faut parier », et l'on a tout à gagner à parier que oui — recours souvent déformé. C'était oublier que l'argument était destiné aux libertins, dont les divertissements faisaient du pari monnaie courante.

L'homme de synthèse ne peut achever celle qui lui tenait le plus à cœur. Sa pensée y gagna les suggestions de l'énigme et la force du premier jet ; sa réception, des engagements et des malentendus aussi passionnés que l'œuvre elle-même ; son Dieu, un obscur rayonnement.

Pascal : l'homme et l'œuvre / Jean Mesnard. – Paris : Boivin, 1951. – 192 p. (*Connaissance des lettres* ; 30).

Méthodes chez Pascal ; Actes du Colloque tenu à Clermont-Ferrand, 10-13 juin 1976 / édités par Hugh Davidson, Jan Miel, Thomas More Harrington. – Paris : P.U.F., 1979. – 544 p.

Les Pensées de Pascal / Jean Mesnard. – Paris : SEDES, 1976. – 399 p.

Blaise Pascal et la raison du politique / G. Ferreyrolles. – Paris : P.U.F., 1984. – 288 p. (*Épiméthée : essais philosophiques*).

L'Imposture littéraire dans Les Provinciales *de Pascal* / Roger Duchêne. – 2e édition revue et augmentée, suivie des actes du colloque tenu à Marseille le 10 mars 1984. – Aix-en-Provence : Université de Provence, 1985. – 390 p. (*Publications de l'Université de Provence*).

Blaise Pascal, Conversion et apologétique / Henri Gouhier. – Paris : Vrin, 1986. – 268 p. (*Bibliothèque d'histoire de la philosophie*).

L'Argumentation chez Pascal / Dominique Descotes. – Paris : P.U.F., 1993. – 463 p. (*Écrivains*).

Pascal et saint Augustin / Philippe Sellier. – Paris : Albin Michel, 1995. – XII-645 p. (*Bibliothèque de l'évolution de l'humanité* ; 12).

TRAITÉ DU VIDE 189

Les surpasser en les imitant. — Cet extrait d'un fragment de préface pour un *Traité du vide* (1651) montre que chez Pascal le savant n'est pas séparable du penseur, ici pour juger de cette autorité des Anciens qui pesait si lourdement sur l'immobilisme des sciences.

Partageons avec plus de justice notre crédulité et notre défiance, et bornons ce respect que nous avons pour les anciens. Comme la raison le fait naître, elle doit aussi le mesurer ; et considérons que, s'ils fussent demeurés dans cette retenue de n'oser rien ajouter aux connaissances qu'ils avaient reçues, ou que ceux de leur temps eussent fait la même difficulté de recevoir les nouveautés qu'ils leur offraient, ils se seraient privés eux-mêmes et leur postérité du fruit de leurs inventions.

Comme ils ne se sont servis de celles qui leur avaient été laissées que comme moyens pour en avoir de nouvelles, et que cette heureuse hardiesse leur avait ouvert le chemin aux grandes choses, nous devons prendre celles qu'ils nous ont acquises de la même sorte, et à leur exemple en faire les moyens et non pas la fin de notre étude, et ainsi tâcher de les surpasser en les imitant.

Car qu'y-a-t-il de plus injuste que de traiter nos anciens avec plus de retenue qu'ils n'ont fait pour ceux qui les ont précédés, et d'avoir pour eux ce respect inviolable qu'ils n'ont mérité de nous que parce qu'ils n'en ont pas eu un pareil pour ceux qui ont eu sur eux le même avantage ?

Œuvres complètes / Blaise Pascal ; texte établi, présenté et annoté par Jean Mesnard. – Paris : Desclée de Brouwer, 1964-1992. – [T. II, p. 780].

LES PROVINCIALES 190

Morale chrétienne ? — En 1649, la Sorbonne est sur le point de condamner les cinq propositions, déjà condamnées par le pape. Pour échapper eux-mêmes à la condamnation, les jansénistes introduisent la distinction du droit et du fait. Les propositions sont-elles condamnables ? C'est une question de droit. Sont-elles dans Jansenius ? C'est une question de fait. Dès lors, leur position est simple : condamner les propositions, contester qu'elles soient dans Jansenius. C'est alors que Pascal entre en lice. Dès la première lettre, le locuteur s'est donné des interlocuteurs divers, le dialogue permettant la mise en scène des partis pris. Parmi les pires déformations de la loi divine, la quatorzième lettre s'en prend particulièrement à la justification de l'homicide pour raison d'honneur. L'indignation exprimée n'empêche pas le sarcasme dans le choix des casuistes incriminés.

Quel renversement, mes Pères ! et qui ne voit à quels excès il peut conduire ? Car enfin il est visible qu'il portera jusqu'à tuer pour les moindres choses, quand on mettra son honneur à les conserver ; je dis même jusqu'à tuer *pour une pomme*. Vous vous plaindriez de moi, mes Pères, et vous diriez que je tire de votre doctrine des conséquences malicieuses, si je n'étais appuyé sur l'autorité du grave Lessius, qui parle ainsi, n. 68 : *Il n'est pas permis de tuer pour conserver une chose de petite valeur, comme pour un écu,* OU POUR UNE POMME, *AUT PRO POMO, si ce n'est qu'il nous fût honteux de la perdre. Car alors on peut la reprendre et même tuer, s'il est nécessaire, pour la ravoir,* et si opus est, occidere ; *parce que ce n'est pas tant défendre son bien que son honneur.* Cela est net, mes Pères. Et pour finir votre doctrine par une maxime qui comprend toutes les autres, écoutez celle-ci de votre P. Héreau, qui l'avait prise de Lessius : *Le droit de se défendre s'étend à tout ce qui est nécessaire pour nous garder de toute injure.*

[...]

Dans vos nouvelles lois, il n'y a qu'un juge, et ce juge est celui-là même qui est offensé. Il est tout ensemble le juge, la partie et le bourreau. Il se demande à lui-même la mort de son ennemi, il l'ordonne, il l'exécute sur-le-champ ; et sans respect ni du corps, ni de l'âme de son frère, il tue et damne celui pour qui Jésus-Christ est mort ; et tout cela pour éviter un soufflet ou une médisance, ou une parole outrageuse, ou d'autres offenses semblables pour lesquelles un juge, qui a l'autorité légitime, serait criminel d'avoir condamné à la mort ceux qui les auraient commises, parce que les lois sont très éloignées de les y condamner. Et enfin, pour comble de ces excès, on ne contracte ni péché, ni irrégularité en tuant de cette sorte sans autorité et contre les lois, quoiqu'on soit religieux et même prêtre. Où en sommes-nous, mes Pères ? Sont-ce des religieux et des prêtres qui parlent de cette sorte, sont-ce des Chrétiens ? sont-ce des Turcs ? sont-ce des hommes ? sont-ce des démons ? et sont-ce là des *mystères révélés par l'Agneau à ceux de sa Société*, ou des abominations suggérées par le Dragon à ceux qui suivent son parti ?

Les Provinciales ou les lettres écrites par Louis de Montalte à un provincial de ses amis et aux R.R. P.P. Jésuites / Pascal ; introduction, sommaire biographique, notes et relevé de variantes par Louis Cognet. – Paris : Garnier Frères, 1965. – [Pp. 264 et 270].

LES PROVINCIALES 191

Imposture. — Après l'accusation des coupables, la défense des innocents. La seizième lettre répond aux accusations que les religieuses de Port-Royal ont des accointances avec le calvinisme genevois, qui refuse le mystère de l'Eucharistie, c'est-à-dire, dans le culte catholique, la présence réelle du Christ dans le pain et le vin consacrés par le prêtre.

Voilà, mes Pères, une imposture digne de vous. Voilà un crime que Dieu seul est capable de punir, comme vous seuls êtes capables de le commettre. Il faut être aussi humble que ces humbles calomniées pour le souffrir avec patience ; et il faut être aussi méchant que de si méchants calomniateurs pour le croire. Je n'entreprends dont pas de les en justifier ; elles n'en sont point suspectes. Si elles avaient besoin de défenseurs, elles en auraient de meilleurs que moi. Ce que j'en dirai ici ne sera pas pour montrer leur innocence, mais pour montrer votre malice. Je veux seulement vous en faire horreur à vous-mêmes, et faire entendre à tout le monde qu'après cela il n'y a rien dont vous ne soyez capables.

[...]

Dites-moi, mes Pères, si ces religieuses et leurs directeurs étaient *d'intelligence avec Genève contre le très Saint-Sacrement de l'Autel*, ce qui est horrible à penser, pourquoi auraient-elles pris pour le principal objet de leur piété ce sacrement qu'elles auraient en abomination ? Pourquoi auraient-elles joint à leur règle l'institution du Saint-Sacrement ? Pourquoi auraient-elles pris l'habit du Saint-Sacrement, pris le nom de filles du Saint-Sacrement, appelé leur église l'Église du Saint-Sacrement ? Pourquoi auraient-elles demandé et obtenu de Rome la confirmation de cette institution, et le pouvoir de dire tous les jeudis l'office du Saint-Sacrement, où la foi de l'Église est si parfaitement exprimée, si elles avaient conjuré avec Genève d'abolir cette foi de l'Église ? Pourquoi se seraient-elles obligées, par une dévotion particulière, approuvée aussi par le Pape, d'avoir sans cesse, nuit et jour, des religieuses en présence de cette sainte Hostie, pour réparer, par leurs adorations perpétuelles envers ce sacrifice perpétuel l'impiété de l'hérésie qui l'a voulu anéantir ?

Les Provinciales ou les lettres écrites par Louis de Montalte à un provincial de ses amis et aux R.R. P.P. Jésuites / Pascal ; introduction, sommaire biographique, notes et relevé de variantes par Louis Cognet. – Paris : Garnier Frères, 1965. – [Pp. 300, 302-303].

PENSÉES 192

Justice et relativités. — Réduite ici à quelques fragments quasi sans notes et fréquemment fragmentés eux-mêmes pour des raisons de place, l'œuvre accroît son apparente disparate. Au risque de retomber dans les déformations de sens des éditions dites logiques, qui classaient les fragments par apparentements apparents, certains fragments seront parfois rapprochés pour faire apparaître ce qu'on pourrait appeler les méthodes de notation préparatoire de Pascal : du premier jet à l'indication classificatrice, de l'ébauche elliptique à l'ample développement oratoire.

Plaisante justice qu'une rivière borne ! Vérité au-deçà des Pyrénées, erreur au-delà. [...] Se peut-il rien de plus plaisant qu'un homme ait droit de me tuer parce qu'il demeure au-delà de l'eau et que son prince a querelle contre le mien, quoique je n'en aie aucune avec lui ? (*Misère*, 56).

[...]

Ne pouvant faire qu'il soit forcé d'obéir à la justice, on a fait qu'il soit juste d'obéir à la force. Ne pouvant fortifier la justice, on a justifié la force, afin que le juste et le fort fussent ensemble et que la paix fût, qui est le souverain bien. [...] (*Raison des effets*, 76).

(J'ai passé longtemps de ma vie en croyant qu'il y avait une justice, et en cela je ne me trompais pas, car il y en a selon que Dieu nous l'a voulu révéler, mais je ne le prenais pas ainsi et c'est en quoi je me trompais, car je croyais que notre justice était essentiellement juste, et que j'avais de quoi la connaître et en juger, mais je me suis trouvé tant de fois en faute de jugement droit, qu'enfin je suis entré en défiance de moi, et puis des autres. J'ai vu tous les pays et hommes changeants : et ainsi après bien des changements de jugement touchant la véritable justice, j'ai connu que notre nature n'était qu'un perpétuel changement, et je n'ai plus changé depuis. Et si je changeais, je confirmerais mon opinion.) (*Mélanges*, 468)

Pensées / Pascal ; éditées par Michel Le Guern. – Paris : Gallimard, 1995. – 764 p. (*Folio* ; 2 777).

PENSÉES 193

La condition humaine de la pensée.

Que chacun examine ses pensées. Il les trouvera toutes occupées au passé ou à l'avenir. Nous ne pensons presque point au présent, et si nous y pensons ce n'est que pour en prendre la lumière pour disposer de l'avenir. Le présent n'est jamais notre fin. Le passé et le présent sont nos moyens ; le seul avenir est notre fin. Ainsi nous ne vivons jamais, mais nous espérons de vivre, et nous disposant toujours à être heureux il est inévitable que nous ne le soyons jamais. (*Vanité*, 43).

Tout notre raisonnement se réduit à céder au sentiment. (*Mélanges*, 470).

Imagination. C'est cette partie dominante dans l'homme, cette maîtresse d'erreur et de fausseté, et d'autant plus fourbe qu'elle ne l'est pas toujours, car elle serait règle infaillible de vérité si elle l'était infaillible du mensonge. Mais étant le plus souvent fausse, elle ne donne aucune marque de sa qualité, marquant du même caractère le vrai et le faux. Je ne parle pas des fous, je parle des plus sages, et c'est parmi eux que l'imagination a le grand droit de persuader les hommes. La raison a beau crier, elle ne peut mettre le prix aux choses.

[...] (*Vanité*, 41).

L'homme n'est ni ange ni bête, et le malheur veut que qui veut faire l'ange fait la bête. (*Mélanges*, 572).

L'esprit de ce souverain juge du monde[1] n'est pas si indépendant qu'il ne soit sujet à être troublé par le premier tintamarre qui se fait autour de lui. Il ne faut pas le bruit d'un canon pour empêcher ses pensées. Il ne faut que le bruit d'une girouette ou d'une poulie. Ne vous étonnez point s'il ne raisonne pas bien à présent, une mouche bourdonne à ses oreilles.

[...]

Les sciences ont deux extrémités qui se touchent, la première est la pure ignorance naturelle où se trouvent tous les hommes en naissant, l'autre extrémité est celle où arrivent les grandes âmes qui, ayant parcouru tout ce que les hommes peuvent savoir, trouvent qu'ils ne savent rien et se rencontrent en cette même ignorance d'où ils étaient partis, mais c'est une ignorance savante qui se connaît [...] (*Raison des effets*, 77).

---

1 L'homme.

Toutes choses étant causées et causantes, aidées et aidantes, médiates et immédiates, et toutes s'entretenant par un lien naturel et insensible qui lie les plus éloignées et les plus différentes, je tiens impossible de connaître les parties sans connaître le tout, non plus que de connaître le tout sans connaître particulièrement les parties. (*Transition*, 185).

Différence entre l'esprit de géométrie et l'esprit de finesse.

En l'un les principes sont palpables, mais éloignés de l'usage commun, de sorte qu'on a peine à tourner la tête de ce côté-là, manque d'habitude ; mais pour peu qu'on l'y tourne, on voit les principes à plein ; et il faudrait avoir tout à fait l'esprit faux pour mal raisonner sur des principes si gros qu'il est presque impossible qu'ils échappent.

Mais dans l'esprit de finesse, les principes sont dans l'usage commun et devant les yeux de tout le monde. On n'a que faire de tourner la tête, ni de se faire violence ; il n'est question que d'avoir bonne vue, mais il faut l'avoir bonne ; car les principes sont si déliés et en si grand nombre qu'il est presque impossible qu'il n'en échappe. Or l'omission d'un principe mène à l'erreur ; ainsi il faut avoir la vue bien nette pour voir tous les principes, et ensuite l'esprit juste pour ne pas raisonner faussement sur des principes connus.

Tous les géomètres seraient donc fins s'ils avaient la vue bonne, car ils ne raisonnent pas faux sur les principes qu'ils connaissent. Et les esprits fins seraient géomètres s'ils pouvaient plier leur vue vers les principes inaccoutumés de géométrie. [...] (*Mélanges*, 466).

[...]

Ceux qui sont accoutumés à juger par le sentiment ne comprennent rien aux choses de raisonnement. Car ils veulent d'abord pénétrer d'une vue et ne sont point accoutumés à chercher les principes, et les autres au contraire, qui sont accoutumés à raisonner par principes, ne comprennent rien aux choses de sentiment, y cherchant des principes et ne pouvant voir d'une vue. [...] (*Mélanges*, 632).

Nous connaissons la vérité non seulement par la raison mais encore par le cœur. C'est de cette dernière sorte que nous connaissons les premiers principes et c'est en vain que le raisonnement, qui n'y a point de part, essaie de les combattre. Les pyrrhoniens[1], qui n'ont que cela pour objet, y travaillent inutilement. [...] Et il est aussi inutile et aussi ridicule que la raison demande au cœur des preuves de ses premiers principes

---

1 Sceptiques et agnostiques.

pour vouloir y consentir, qu'il serait ridicule que le cœur demandât à la raison un sentiment de toutes les propositions qu'elle démontre pour vouloir les recevoir. [...] (*Grandeur*, 101).

Pensées / Pascal ; éditées par Michel Le Guern. – Paris : Gallimard, 1995. – 764 p. (*Folio* ; 2 777).

PENSÉES 194

Illusions, vanités et grandeur.

Qui se trouve malheureux de n'être pas roi sinon un roi dépossédé ? [...] (*Grandeur*, 108).

D'où vient qu'un boiteux ne nous irrite pas et un esprit boiteux nous irrite ? À cause qu'un boiteux reconnaît que nous allons droit et qu'un esprit boiteux dit que c'est nous qui boitons. Sans cela nous en aurions pitié et non colère. (*Raison des effets*, 91).

Peu de chose nous console parce que peu de chose nous afflige. (*Vanité*, 40).

Condition de l'homme. Inconstance, ennui, inquiétude. (*Vanité*, 22).

[...] Quelle chimère est-ce donc que l'homme ? quelle nouveauté, quel monstre, quel chaos, quel sujet de contradictions, quel prodige ? Juge de toutes choses, imbécile ver de terre, dépositaire du vrai, cloaque d'incertitude et d'erreur, gloire et rebut de l'univers. [...] (*Contrariété*, 122).

Toutes ces misères-là même prouvent sa grandeur. Ce sont misères de grand seigneur, misères d'un roi dépossédé. (*Grandeur*, 107).

La grandeur de l'homme est grande en ce qu'il se connaît misérable [...] (*Grandeur*, 105).

[...] Que l'homme maintenant s'estime son prix. Qu'il s'aime, car il y a en lui une nature capable de bien ; mais qu'il n'aime pas pour cela les bassesses qui y sont. Qu'il se méprise, parce que cette capacité est vide ; mais qu'il ne méprise pas pour cela cette capacité naturelle. Qu'il se haïsse, qu'il s'aime : il a en lui la capacité de connaître la vérité et d'être heureux ; mais il n'a point de vérité, ou constante, ou satisfaisante. [...] (*Contrariétés*, 110).

[...] Qu'est-ce donc que nous crie cette avidité et cette impuissance sinon qu'il y a eu autrefois dans l'homme un véritable bonheur, dont il ne lui reste maintenant que la marque et la trace toute vide, et qu'il essaie inutilement de remplir de tout ce qui l'environne, recherchant des choses absentes le secours qu'il n'obtient pas des présentes, mais qui en sont toutes incapables parce que ce gouffre infini ne peut être rempli que par son objet infini et immuable, c'est-à-dire par Dieu même. (*Le Souverain bien*, 138).

Roseau pensant. (*Grandeur*, 104).

L'homme n'est qu'un roseau, le plus faible de la nature, mais c'est un roseau pensant. (*Transition*, 186).

Pensées / Pascal ; éditées par Michel Le Guern. – Paris : Gallimard, 1995. – 764 p. (*Folio* ; 2 777).

PENSÉES 195

Pour aborder la religion chrétienne.

Qu'ils apprennent au moins quelle est la religion qu'ils combattent avant que de la combattre. Si cette religion se vantait d'avoir une vue claire de Dieu, et de la posséder à découvert et sans voile, ce serait la combattre que de dire qu'on ne voit rien dans le monde qui la montre avec cette évidence. Mais puisqu'elle dit au contraire que les hommes sont dans les ténèbres, et dans l'éloignement de Dieu, qu'il s'est caché à leur connaissance, que c'est même le nom qu'il se donne dans les Écritures, *Deus absconditus*[1] ; et enfin si elle travaille également à établir ces deux choses : que Dieu a établi des marques sensibles dans l'Église pour se faire reconnaître à ceux qui le chercheraient sincèrement ; et qu'il les a couvertes néanmoins de telle sorte qu'il ne sera aperçu que de ceux qui le cherchent de tout leur cœur, quel avantage peuvent-ils tirer lorsque, dans la négligence où ils font profession d'être de chercher la vérité, ils crient que rien ne la leur montre, puisque cette obscurité où ils sont et qu'ils objectent à l'Église ne fait qu'établir une des choses qu'elle soutient sans toucher à l'autre, et établit sa doctrine bien loin de la ruiner ? (*Preuves de la religion*, 398).

Voilà ce que je vois et ce qui me trouble. Je regarde de toutes parts, et je ne vois partout qu'obscurité. La nature ne m'offre rien qui ne soit matière de doute et d'inquiétude. Si je n'y vois rien qui ne marquât une Divinité, je me déterminerais à la négative ; si je voyais partout les marques

---

1 Dieu caché.

d'un Créateur, je reposerais en paix dans la foi. Mais, voyant trop pour nier et trop peu pour m'assurer, je suis en un état à plaindre, et où j'ai souhaité cent fois que, si un Dieu la soutient, elle le marquât sans équivoque ; et que si les marques qu'elle en donne sont trompeuses, qu'elle les supprimât tout à fait ; qu'elle dît tout ou rien, afin que je visse quel parti je dois suivre. Au lieu qu'en l'état où je suis, ignorant ce que je suis et ce que je dois faire, je ne connais ni ma condition ni mon devoir. Mon cœur tend tout entier à connaître où est le vrai bien pour le suivre ; rien ne me serait trop cher pour l'éternité.

Je porte envie à ceux que je vois dans la foi vivre avec tant de négligence, et qui usent si mal d'un don duquel il me semble que je ferais un usage si différent. [...] (*Preuves de la religion*, 400).

Dieu parle bien de Dieu. (*Preuves de Jésus Christ*, 285).

[...] Le Vieux Testament est un chiffre. (*Loi figurative*, 259).

Dieu par Jésus-Christ (*Excellence de cette manière de prouver Dieu*, 178).

La discordance apparente des évangiles. (*Preuves de Jésus-Christ*, 299).

[...] Pour entendre l'Écriture il faut avoir un sens dans lequel tous les passages contraires s'accordent [...] (*Loi figurative*, 241).

Preuves de Jésus-Christ.

Jésus-Christ a dit les choses grandes si simplement qu'il semble qu'il ne les a pas pensées, et si nettement néanmoins qu'on voit bien ce qu'il en pensait. Cette clarté jointe à cette naïveté est admirable. (*Preuves de Jésus-Christ*, 291).

Jésus-Christ est un Dieu dont on s'approche sans orgueil et sous lequel on s'abaisse sans désespoir. (*Fausseté des autres religions*, 198).

[...] Tout ce qui ne va point à la charité est figure.

L'unique objet de l'Écriture est la charité.

Tout ce qui ne va point à l'unique bien en est la figure. Car puisqu'il n'y a qu'un but, tout ce qui n'y va point en mots propres est figure. [...] (*Loi figurative*, 253).

Qu'il y a loin de la connaissance de Dieu à l'aimer. (*Conclusion*, 357).

L'expérience nous fait voir une différence énorme entre la dévotion et la bonté. (*Morale chrétienne*, 346).

[...] La conversion véritable consiste à s'anéantir devant cet être universel qu'on a irrité tant de fois et qui peut vous perdre légitimement à toute heure, à reconnaître qu'on ne peut rien sans lui et qu'on n'a rien mérité de lui que sa disgrâce. Elle consiste à connaître qu'il y a une opposition invincible entre Dieu et nous, et que sans un médiateur il ne peut y avoir de commerce. (*Conclusion*, 358).

Le grand Pan est mort. (*Prophéties*, 324).

Pensées / Pascal ; éditées par Michel Le Guern. – Paris : Gallimard, 1995. – 764 p. (*Folio* ; 2 777).

PENSÉES 196

Originalités.

Qu'on ne dise pas que je n'ai rien dit de nouveau, la disposition des matières est nouvelle. Quand on joue à la paume, c'est une même balle dont joue l'un et l'autre, mais l'un la place mieux. (*Mélanges*, 590).

Ce n'est pas dans Montaigne mais dans moi que je trouve tout ce que j'y vois. (*Mélanges*, 583).

[...]

Les mots diversement rangés font un divers sens. Et les sens diversement rangés font différents effets. [...] (*Mélanges*, 654).

[...]

J'écrirai ici mes pensées sans ordre et non pas peut-être dans une confusion sans dessein. C'est le véritable ordre et qui marquera toujours mon objet par le désordre même. Je ferais trop d'honneur à mon sujet si je le traitais avec ordre puisque je veux montrer qu'il en est incapable. [...] (*Mélanges*, 472).

Style. Quand on voit le style naturel, on est tout étonné et ravi, car on s'attendait de voir un auteur et on trouve un homme ; au lieu que ceux qui ont le goût bon et qui, en voyant un livre, croient trouver un homme, sont tout surpris de trouver un auteur. [...] (*Mélanges*, 569).

L'éloquence continue ennuie. (*Mélanges*, 646).

La vraie éloquence se moque de l'éloquence, la vraie morale se moque de la morale. [...] Se moquer de la philosophie, c'est vraiment philosopher. (*Mélanges*, 467).

Pensées / Pascal ; éditées par Michel Le Guern. – Paris : Gallimard, 1995. – 764 p. (*Folio* ; 2 777).

PENSÉES 197

Cosmologie, anthropologie.

Le silence éternel de ces espaces infinis m'effraie. (*Transition*, 187).

« Je ne sais qui m'a mis au monde, ni ce que c'est que le monde, ni que moi-même ; je suis dans une ignorance terrible de toutes choses ; je ne sais ce que c'est que mon corps, que mes sens, que mon âme et cette partie même de moi qui pense ce que je dis, qui fait réflexion sur tout et sur elle-même, et ne se connaît non plus que le reste. Je vois ces effroyables espaces de l'univers qui m'enferment, et je me trouve attaché à un coin de cette vaste étendue, sans que je sache pourquoi je suis plutôt placé en ce lieu qu'en un autre, ni pourquoi ce peu de temps qui m'est donné à vivre m'est assigné à ce point plutôt qu'en un autre de toute l'éternité qui m'a précédé et de toute celle qui me suit. » (*Preuves de la religion*, 398).

Disproportion de l'homme. [...] Que l'homme contemple donc la nature entière dans sa haute et pleine majesté, qu'il éloigne sa vue des objets bas qui l'environnent. Qu'il regarde cette éclatante lumière mise comme une lampe éternelle pour éclairer l'univers, que la terre lui paraisse comme un point au prix du vaste tour que cet astre décrit, et qu'il s'étonne de ce que ce vaste tour lui-même n'est qu'une pointe très délicate à l'égard de celui que ces astres qui roulent dans le firmament embrassent. Mais si notre vue s'arrête-là, que l'imagination passe outre, elle se lassera plutôt de concevoir que la nature de fournir. Tout le monde visible n'est qu'un trait imperceptible dans l'ample sein de la nature. Nulle idée n'en approche ; nous avons beau enfler nos conceptions au-delà des espaces imaginables, nous n'enfantons que des atomes, au prix de la réalité des choses. C'est une sphère infinie dont le centre est partout, la circonférence nulle part. Enfin c'est le plus grand caractère sensible de la toute-puissance de Dieu que notre imagination se perde dans cette pensée.

Que l'homme étant revenu à soi considère ce qu'il est au prix de ce qui est, qu'il se regarde comme égaré dans ce canton détourné de la nature ; et que, de ce petit cachot où il se trouve logé, j'entends l'univers, il apprenne à estimer la terre, les royaumes, les villes et soi-même son juste prix.

Qu'est-ce qu'un homme dans l'infini ?

Mais pour lui présenter un autre prodige aussi étonnant, qu'il recherche dans ce qu'il connaît les choses les plus délicates, qu'un ciron lui offre dans la petitesse de son corps des parties incomparablement plus petites, des jambes avec des jointures, des veines dans ses jambes, du sang dans ses veines, des humeurs dans ce sang, des gouttes dans ces humeurs, des vapeurs dans ces gouttes ; que, divisant encore ces dernières choses, il épuise ses forces en ces conceptions, et que le dernier objet où il peut arriver soit maintenant celui de notre discours. Il pensera peut-être que c'est là l'extrême petitesse de la nature.

Je veux lui faire voir là-dedans un abîme nouveau. Je lui veux peindre non seulement l'univers visible, mais l'immensité qu'on peut concevoir de la nature dans l'enceinte de ce raccourci d'atome ; qu'il y voie une infinité d'univers, dont chacun a son firmament, ses planètes, sa terre, en la même proportion que le monde visible, dans cette terre des animaux, et enfin des cirons dans lesquels il retrouvera ce que les premiers ont donné, et trouvant encore dans les autres la même chose sans fin et sans repos, qu'il se perde dans ces merveilles aussi étonnantes dans leur petitesse que les autres par leur étendue ; car qui n'admirera que notre corps, qui tantôt n'était pas perceptible dans l'univers imperceptible lui-même dans le sein du tout, soit à présent un colosse, un monde ou plutôt un tout à l'égard du néant où l'on ne peut arriver ? Qui se considérera de la sorte s'effraiera de soi-même et, se considérant soutenu dans la masse que la nature lui a donnée entre ces deux abîmes de l'infini et du néant, il tremblera dans la vue de ces merveilles, et je crois que, sa curiosité se changeant en admiration, il sera plus disposé à les contempler en silence qu'à les rechercher avec présomption.

Car enfin qu'est-ce qu'un homme dans la nature ? Un néant à l'égard de l'infini, un tout à l'égard du néant, un milieu entre rien et tout, infiniment éloigné de comprendre les extrêmes. La fin des choses et leurs principes sont pour lui invinciblement cachés dans un secret impénétrable. [...] (*Transition*, 185).

Le moi est haïssable. [...] (*Mélanges*, 509).

Pensées / Pascal ; éditées par Michel Le Guern. – Paris : Gallimard, 1995. – 764 p. (*Folio* ; 2 777).

MARC ANTOINE FOSCOLOS

GREC **Env. 1597 - 1662**

Né en Crète, issu d'une famille vénitienne demeurée catholique, mais depuis longtemps assimilée, par la langue et la culture, à la population grecque, Foscolos était, sans appartenir à la noblesse vénitienne, membre de la classe des feudataires et possédait, outre une résidence à Castro, l'actuel Héraclion, capitale de l'île, un domaine à Kainourghio Chorio, dans la campagne voisine. Par son éducation, il connaissait la langue et la littérature italiennes — en particulier le théâtre et l'œuvre de l'Arioste —, possédait des rudiments de latin, mais était également familier du théâtre crétois de son temps, en particulier de l'œuvre de Hortatsis. Sans doute était-il proche, sinon membre, de l'*Accademia degli Stravaganti*, société savante fondée à Castro sur le modèle des Académies italiennes à la fin du XVIe siècle. Au début de la guerre de Crète, Foscolos quitta l'île pour un temps mais y revint en 1652 et passa ses dernières années dans la capitale assiégée par les troupes turques.

C'est là, vraisemblablement vers 1655, qu'il écrivit la seule œuvre que nous connaissions de lui, la comédie de *Fortounatos*. Comme les deux autres comédies de la Renaissance crétoise (*Katzourbos* de Hortatsis et *Stathis*), *Fortounatos* relève de la comédie savante (*commedia erudita*), genre héritier de la comédie latine, cultivé en Italie tout au long du XVIe siècle, et illustré par des auteurs comme l'Arioste, Machiavel ou l'Arétin. C'est à cette tradition que Foscolos emprunte à la fois les principales caractéristiques formelles de son œuvre (division en cinq actes et en scènes, prologue, unité de temps et de lieu) et la plupart de ses types comiques (jeunes amoureux, riche barbon, maître d'école pédant et homosexuel, soldat fanfaron ou moine lubrique). Mais il en simplifie les éléments et les enracine dans son terroir : il évite la prolifération des intrigues parallèles et des personnages secondaires, et choisit, comme Hortatsis et l'auteur de *Stathis*, de situer l'action à Castro et de mettre en scène des types humains représentatifs de la classe moyenne ou du menu peuple des villes crétoises.

La pièce nous montre le marchand Giannoutsos soucieux, avant de marier Fortounatos, un jeune homme de seize ans qu'il a recueilli tout enfant et élevé, de connaître l'identité de ses parents. Fortounatos et Pétronella, la fille de la veuve Milia, sont amoureux l'un de l'autre, mais Milia a décidé, par pur intérêt, de donner sa fille en mariage à un homme âgé et riche, le docteur Louras. À l'entremetteuse Pétrou qui est chargée de négocier cette union, Louras révèle qu'il a un fils, dont il est sans nouvelles depuis que, seize ans plus tôt, des pirates l'ont enlevé. Parallèlement, Giannoutsos demande à Thodoros, un ami de Fortounatos, de l'aider à lui trouver une épouse. Thodoros a tout naturellement recours aux services de Pétrou, de qui il apprend que Louras a un fils. Il devine, et il se confirme bien vite, que ce fils n'est autre que Fortounatos. Pétronella peut dès lors l'épouser, avec la bénédiction de Louras, trop heureux d'avoir retrouvé son enfant.

A. Vincent,"L'auteur de *Fortounatos* : documents inédits concernant Marc Antoine Foscolos". – In : *Thesaurismata* 4 (1967), pp. 53-84. – [En grec].

A. Vincent, “Nouveaux renseignements sur Marc Antoine Foscolos : son testament et quelques autres documents ”. – In : *Thesaurismata*, 5 (1968), pp. 119-176. – [En grec].

A. Vincent, “Comedy”. – In : *Literature and society in Renaissance Crete* / edited by D. Holton. – Cambridge : Cambridge University, 1991. – [Pp. 103-128].

FORTOUNATOS 198

M. Lassithiotakis — 1996

Du bon usage des vieux maris (Acte II, scène 4). — Au cours d’un dialogue avec Milia et sa servante, l’entremetteuse Pétrou précise le seul usage que, selon elle, les jeunes filles malicieuses doivent faire des barbons amoureux.

PÉTROU

Ah ! plutôt être précipitée vivante dans l’Hadès
que de partager la vie d’un barbon comme celui-là,
de le supporter du matin au soir, en me morfondant !
Ces vieillards pleins aux as, on n’est pas obligé
de les garder pour toujours chez soi,
non : juste le temps nécessaire pour les écorcher,
leur manger la viande, avant de jeter la peau au fumier.
Ils ne comprennent rien, ces idiots, ces gâteux :
si d’aventure une chaude donzelle
en accueille un chez elle, et en fait son époux,
c’est pour profiter de lui et lui dévorer, si elle le peut, jusqu’au cœur ;
eux au contraire croient qu’on les aime pour leur barbe grisonnante !
Et à partir de là, elles se mettent à les couvrir de honte,
devant eux, dans leur dos, et à les cocufier.
Et lorsqu’elles les ont bien sucés jusqu’à la moelle des os,
elles filent en les plantant là, après avoir bouffé tous leurs tournois.

Traduction inédite. — *Fortounatos* / Marc Antoine Foscolos ; éd. par A. Vincent. – Héraclion, 1980. – [Pp. 41-42].

FORTOUNATOS 199

M. Lassithiotakis — 1996

Adoption, droits des pères et bonheur du fils (Acte IV, scène 4). — Giannoutsos, le père adoptif de Fortounatos, apprend de Thodoros, à qui il a confié le soin de trouver une épouse pour son fils, que l’enfant qu’il a élevé est le propre fils du docteur Louras.

GIANNOUTSOS

Tout cela est donc vrai, Thodoros,
et son père, à t'entendre, c'est donc lui ? C'est comme si
je retrouvais une nouvelle jeunesse, comme si j'avais
[d'innombrables années devant moi :
mes soucis s'apaisent, ce que je désirais s'accomplit.

THODOROS

Maître, sois rassuré : crois-moi,
son père, c'est lui, je le sais pour avoir entendu
Pétrou le dire.

GIANNOUTSOS

Redis-moi, je t'en prie, dans quelles circonstances
tu l'as entendu dire, Thodoros, mon ami.

THODOROS

J'allais trouver Pétrou, et j'étais anxieux ;
je voulais lui parler du mariage de Fortounatos ;
elle n'était point chez elle, et l'on m'a dit
qu'elle s'était rendue chez la mère Milia, pour arranger,
à ce qu'on m'a dit, le mariage de sa fille : elle négocie
avant de donner sa main au docteur Louras.

GIANNOUTSOS

Elle n'a pas honte, cette bécasse, d'aller donner sa fille
à un barbon comme lui ? Elle n'a donc pas pitié d'elle ?

THODOROS

Moi, dès que j'ai appris la nouvelle,
j'ai aussitôt pensé à Fortounatos,
car cette jeune fille serait pour lui la meilleure des épouses :
la fortune, le caractère, tout les rapproche.
Je me suis donc précipité là-bas sans perdre une minute,
j'ai appelé Pétrou qui était chez Milia,
et j'ai commencé à l'interroger sur cette histoire de mariage.
Et elle m'a dit que c'était vrai, et que l'affaire
allait être conclue aujourd'hui même. Et c'est alors qu'elle m'a
[raconté
que Louras était né à Céphalonie,
qu'il avait un enfant, que les pirates
lui ont enlevé tout petit, lorsqu'il avait deux ans et demi, prenant
[avec lui sa nourrice ;

et que cherchant son fils, qu'il ne parvenait pas à retrouver et qui
[a aujourd'hui seize ans,
il est arrivé ici, et a décidé de ne plus jamais retourner dans sa
[patrie.

GIANNOUTSOS

Tout ce que tu me dis là, mon bon Thodoros,
semble indiquer que Louras est bien le père de Fortounatos.
Mais allons, si tu veux, le trouver en personne :
il nous renseignera mieux que quiconque.
Fortounatos, mon enfant, quel bonheur pour toi !
Ah ! prions que tout cela soit vrai !

THODOROS

Maître Giannoutsos, j'aperçois le docteur qui sort.
Patience, attendons de voir où il se dirige.
Cachons-nous dans un coin, pour épier leurs paroles,
et savoir ce qu'ils ont arrangé pour le mariage.
Car j'avais dit à Pétrou d'empêcher qu'il se fasse,
ou du moins de faire attendre le vieux pendant deux jours.
Ensuite, nous nous approcherons, et, comme si de rien n'était,
nous leur demanderons où en est l'affaire.
Mais regarde-moi ce vieux fou, vois son accoutrement :
Il n'a pas honte d'aller s'engager dans de telles histoires ?

Traduction inédite. — *Fortounatos* / Marc Antoine Foscolos ; éd. par A. Vincent. – Héraclion, 1980. – [Pp. 86-87]

THEÏMOURAZ Ier

GÉORGIEN **1589-1663**

Son père David Ier, roi de Kakhétie (actuellement une des provinces de la Géorgie), étant mort en 1602, Theïmouraz Ier est éduqué par sa mère, la reine Kéthévane, jusqu'au jour où les circonstances la contraignirent à l'envoyer parfaire ses études en Perse, à la cour du chah Abbas Ier. Theïmouraz y apprit « à lire et à parler le persan », tandis que le chah nourrissait l'espoir de convertir le jeune prince à la foi musulmane.

À la fin de 1605 ou au début de 1606, Theïmouraz accède au trône de Kakhétie, sous la tutelle de l'énergique Kéthévane. Mais, en 1614, Abbas envahit la Géorgie et emmène en otages Kéthévane et les deux fils de Theïmouraz, Lévan et Alexandre. Se refusant à embrasser l'islam, ils seront tous trois martyrisés, les fils en 1620, la reine en 1624. Theïmouraz évoquera ces événements dans son poème *Le Martyre de la reine Kéthévane*. Des reliques de la reine, canonisée par l'Église géorgienne, sont conservées à l'église d'Alaverdi en Géorgie, au Goa, à Saint-Pierre de Rome, à la cathédrale de Namur. Le deuil accablera encore Theïmouraz : le chah fera périr sa sœur et sa fille. Quant à son troisième fils, Datouna Batonichvili, il tombera au combat.

Soumise aux rivalités internes, la Géorgie vit à divers moments Theïmouraz affronter ses compatriotes. Vaincu, il fut contraint à renoncer au trône et à se réfugier, entre 1649 et 1656, dans la province voisine d'Imérétie. Pour faire face à sa « triste oisiveté », il s'adonna alors à la littérature et composa diverses œuvres poétiques. Malgré les vicissitudes de son existence, il poursuivra son œuvre jusqu'à la fin de sa vie. Humilié et exilé à Astarabad, il mourra dans cette ville de Perse.

On retient de son œuvre les poèmes *De la rose et du rossignol, Leïli et Medjnoun, Les Amours de Joseph et de Zilikhane, La Comparaison du printemps et de l'automne,* enfin, *Le Martyre de la reine Kéthévane*. Il faut y joindre des pièces lyriques, empreintes de mélancolie et d'amertume nourries par les dures expériences de la vie. Une de ses poésies porte d'ailleurs le titre de *Reproche au monde.* Au croisement des traditions littéraires géorgienne et persane, Theïmouraz joint à une grande maîtrise du verbe la sincérité et la profondeur du sentiment.

La mort de la reine chrétienne inspira à Andreas Gryphius sa tragédie *Catherine de Géorgie* (1657). Au sein de la littérature géorgienne *Le Martyre de la reine Kéthévane* contribua à ranimer le souffle patriotique et prépara le terrain à la période dite de *renaissance* des lettres géorgiennes. Les références à l'œuvre de Theïmouraz sont nombreuses dans la littérature géorgienne des XVIIIe et XIXe siècles. Avec la restauration de la Géorgie comme État indépendant (1991), l'œuvre trouve, pour le lecteur actuel, de nouvelles connotations.

LE MARTYRE DE LA REINE KÉTHÉVANE 200

G. Bouatchidzé — 1996

Quel islam ? (6-7, 29-31, 34-42, 46, 66-70). — Deux conceptions de la foi musulmane se font jour dans *Le Martyre de la reine Kéthévane* : à l'aveugle cruauté du chah Abbas s'opposent l'humanité et la clémence du khan du Chiraz, à qui le chah avait confié pendant un temps sa captive.

Dieu, ta sagesse nous conduit par les méandres des affaires,
Au fond du cœur tu nous enjoins de résister à la souffrance.
De Kéthévane-le-soleil saurais-je taire le martyre ?
Octroie à l'indigne pécheur le pouvoir de le dire en mots.

L'histoire évoque le chemin qu'emprunta celle qui fut reine,
Que la louange accompagna dans son action de souveraine
Jusqu'au jour soudain rapproché de sa fin qui me foudroya.
Seigneur, accède à ma prière, investis ma dextre meurtrie. [...]

Le chah Abbas fit dire au khan Khalar gouvernant à Chiraz :
« Tu ne laisseras pas longtemps en vie la reine Kéthévane,
Assez de la garder en prison, je veux m'abreuver de son sang.
Son existence me défie : une année dure comme dix.

Joie et santé l'accueilleront si elle devient musulmane.
Qu'elle se fie à Mahomet, qu'elle se voue à Azraël[1],
Je jure par Mourtouzali[2] de lui épargner le martyre,
Mais en vénérant Jésus-Christ, elle mérite le supplice. »

Interdit, l'imam khan Kouli n'en revient pas de ce propos,
Pensant au chah, il se demande : « Est-ce digne de sa grandeur ?
Même le temps ne pourra pas la transformer en musulmane,
De la mère de Theïmouraz la démarche paraît indigne ». [...]

Il envoya un messager dire au chah : « Visage solaire,
Comment mettre à exécution l'ordre de votre Majesté ?
Rancœur et foi de Mahomet peuvent-ils faire bon ménage ?
Clément, Allah te sortira même du fond d'un marécage. »

La volonté de Mahomet se manifeste dans la paix,
En suivant son enseignement, honorons la foi musulmane.
Que peut te faire Jésus-Christ ? C'est Mahomet que tu courrouces.
Ne daigne pas martyriser, cela n'entre pas dans tes règles. »

---

1 Nom d'un prince des démons. (N.d.t.)

2 Mourtouzali, « l'élu Ali », en persan. (N.d.t.)

La lune décroissante apprend en frémissant l'ordre donné.
Elle dit : « Puis-je renoncer à ma foi, livrée à la nuit ?
Qui sur la terre après cela pourra encore m'estimer ?
Qui dans ma patrie laissera approcher de lui la parjure ? »

Elle prie : « En toi, ineffable et invisible Dieu, je crois.
Ne nous as-tu pas prodigué tant de miracles étonnants ?
Ton ordre déplace un rocher ou modifie une vallée,
Tu ébranles la terre ferme et protèges ses fondements.

Je t'adresse ma prière à toi, Trinité, être unique en trois,
À part toi, je ne place en rien ni ma foi, ni mon espérance,
Oubliant ma chair périssable, agrée mon âme en ton royaume,
Dépêche-moi saint Gabriel, protecteur des âmes en tourmente !

Ô notre Seigneur Tout-Puissant, les orgues disent ta grandeur,
Magnifiée en chant indien, transposée en paroles grecques,
Élevée et perpétuée par les prédicateurs hébreux.
On t'évoque sous mille noms et on t'encense de louanges !

Je tremblai à l'apparition secrète des gardes célestes,
Ma proche fin m'effaroucha et j'en appréhendai les affres.
N'éloigne pas tes mains de moi, suis-moi, archange Gabriel,
Venez, martyrs, aidez-moi, saints, à me libérer des ténèbres.

Entends ma prière, Seigneur, et après la Résurrection
Daigne me garder à ta droite, aux côtés des pucelles sages,
Confie-moi aux soins de Thomas ou du bienveillant Jean-Baptiste.
Sainte Vierge, exauce mes vœux, seconde mon aspiration.

Je partage la vérité de la naissance immaculée,
Je crois en la virginité la précédant et la suivant,
Oh toi, mise au monde par Anne, aie pitié de celle qui croit
En la Nativité et en la prochaine Résurrection. [...]

L'implacable ayant décidé de me tuer par le supplice,
Fais pour les prisonniers chrétiens un inoubliable miracle,
Permets à mon fils Theïmouraz de confondre ses ennemis,
Réserve un trône au Paradis à qui décrira mon martyre ». [...]

On lui enchaîna les poignets, on lia ses pieds et ses mains,
Les seins déchirés, on brûla sa chair au fer chauffé à blanc,
On posa sur son noble front de cruels faucons affamés,
On cribla sa nuque de coups... En le disant je suis puni.

Malheur à moi ! le souvenir de ce jour efface les autres !
Le fer chauffé la transperça, pénétrant du sein jusqu'au dos,
Pourquoi, plutôt que de verser au loin des larmes impuissantes,
Ne fus-je point crucifié à sa droite comme un brigand ?

Un lit de pointes l'accueillit, un drap de pointes la couvrit,
On s'acharna sur le rubis, on brisa le précieux cristal,
On détacha la peau du corps, on multiplia le supplice,
Mais son cœur ferme ne céda ni au feu, ni à la torture.

Un chaudron posé sur sa tête, un faucon au lieu d'un foulard,
Au lieu d'une rose, le feu, une broche au lieu d'une épingle,
Des clous au lieu d'un édredon, pas de fourchette, mais des pinces.
Comme une tortue dans les rets, ses poignets restaient attachés.

Sublimant ta maternité, tu enduras douleurs et maux,
Ton prix fut l'immortalité étonnante, incommensurable.
Homme courageux, qu'ai-je fait de comparable à ton exploit ?
Vain courage, qu'es-tu auprès d'une racine irréductible ?

Traduction inédite.

ANDREAS GRYPHIUS

ALLEMAND • LATIN **1616-1664**

Né à Glogau (Silésie), fils d'un pasteur protestant, Andreas Greif, dit Gryphius, souffrit les affres de la guerre de Trente Ans et vécut une enfance pleine de malheurs divers. Dès 1621, son père est tué par des troupes protestantes en déroute. Peu de temps après, l'enfant est témoin des violences des mercenaires pillant la ville. Sa mère meurt en 1628. La même année, la Silésie subit un retour forcé au catholicisme. Il connaît alors les nombreuses tribulations de la vie de son beau-père, pasteur et professeur. Privé de scolarité régulière, il s'instruit cependant en autodidacte.

En 1632, de Glogau à nouveau ravagée par la guerre, les incendies et la peste, il va avec les siens vivre à Fraustadt, en Pologne, où les Frères moraves et les luthériens de Silésie vivent en harmonie avec les catholiques polonais et les juifs, et où, dans les écoles, souffle l'esprit de renouveau pédagogique prôné par Comenius (exilé, ce dernier enseigna quelque temps dans la ville voisine de Lissa).

De 1634 à 1636, Gryphius fréquente le Gymnase académique de Danzig, puis revient à Fraustadt où il devient, pendant deux ans, précepteur chez le célèbre juriste Georg Schönborner, qui l'encourage à publier son premier recueil de poèmes, connu aujourd'hui sous le nom de *Lissaer-Sonette* : y figurent, autour des thèmes majeurs des horreurs de la guerre et de l'expérience de la vanité, quelques-unes de ses pièces maîtresses. C'est aussi au cours de ces deux ans que prennent naissance les nombreux sonnets « à Eugenia », témoins de l'inclination réciproque du poète et de la fille de Schönborner. À la mort de son protecteur, Gryphius part, avec les deux fils de ce dernier, pour l'université de Leiden où, poussé par une soif intellectuelle insatiable, il étudie non seulement la philosophie, le droit et la médecine, mais aussi les mathématiques, l'astrologie, l'archéologie et la poétique. Outre qu'il y noue des relations avec d'éminents savants, il découvre, fait déterminant pour sa production dramatique ultérieure, le répertoire du nouveau théâtre d'Amsterdam, notamment des œuvres de Joost van den Vondel, dont il traduira deux pièces en allemand.

Comme la guerre se poursuit, Gryphius, une fois ses études terminées, accompagne un marchand allemand en France et en Italie, de 1644 à 1646. Il connaît ainsi Paris, Florence, Rome, Bologne, Ferrare et Venise. Marqué par les grandeurs de Rome et ses catacombes, il est le premier en Allemagne à en nourrir sa poésie. Il découvre, en outre, à Paris, les tragédies de Corneille et, à Venise, la Commedia dell'arte.

À la fin de 1647, après Strasbourg et la Hollande, Gryphius rentre à Fraustadt, où il épouse la fille d'un marchand prospère. À la suite des traités de Westphalie et la fin de la guerre, Gryphius, qui décline diverses offres de chaires universitaires (Heidelberg, Francfort sur l'Oder, Uppsala) regagne Glogau et, de 1650 à sa mort, y assure les fonctions de syndic, soucieux des privilèges silésiens et des intérêts protestants face à l'absolutisme catholique des Habsbourgs. Il meurt prématurément d'une attaque d'apoplexie, au cours d'un Conseil houleux.

Le meilleur de Gryphius est dans ses sonnets. À ses deux premiers recueils (50 poèmes) se joindront les 100 *Son-und Feyrtags-Sonnete* (*Sonnets pour dimanches et jours fériés*, Leiden, 1639). S'inspirant des péricopes évangéliques, ils renouent avec la littérature de sermons et de prières. Nourris par l'expérience de la guerre de Trente Ans et par l'inspiration de l'*Ecclésiaste*, les sonnets sont dominés par le sentiment de l'éphémère et de la vanité des choses terrestres, signes de la condition humaine. Mais, plus que chez d'autres auteurs baroques, ces motifs dominants, loin de cultiver la mélancolie, traduisent une expérience existentielle qui entend diffuser une sérénité issue autant du stoïcisme que de la confiance chrétienne dans la grâce de Dieu. Du point de vue formel — choix de l'alexandrin notamment —, Gryphius applique, dans ses sonnets, les recommandations du *Livre de la poésie allemande* (1624) d'Opitz, bien que son style, plus rude, plus expressif aussi, allie des vers de sens très dense à une grande virtuosité rhétorique. Ses images, réalistes et audacieuses — « L'épée grasse de sang » — demeurent cependant dans le ton du baroque.

À côté de ses sonnets, Gryphius a laissé des épigrammes, notamment en latin, et des odes — genre peu apprécié par Opitz. Horatiennes ou pindariques, empruntant à la Bible le sujet sublime qu'elles exigent, ces odes sonnent mal en allemand. On est encore loin de Klopstock et de Hölderlin.

Le théâtre de Gryphius a joué, en son temps, un rôle remarquable. Avec sa première pièce *Léon l'Arménien, ou l'assassinat d'un prince*, il fonde, en 1650, la tragédie baroque allemande. Inspirée de traductions d'Opitz (*Les Troyennes* de Sénèque, *Antigone* de Sophocle), influencée par le drame jésuite et par Joost van den Vondel, cette tragédie en 5 actes et en alexandrins introduit, dans sa construction en antithèse, une imitation du chœur de la tragédie antique. Bien qu'elle mette en scène un drame politique, la chute de l'empereur byzantin assassiné, la nuit de Noël, sur l'ordre du machiavélique Balbus, la pièce, comme le signale Gryphius dans son avant-propos, entend montrer « la fugacité des réalités humaines » et, conjointement, la miséricorde de Dieu, où toute faute terrestre, finalement, se résout. La scène finale en est proprement l'emblème : l'empereur meurt sous la croix, délivré de la captivité de l'histoire où il était empêtré. Tirant sa fin non de l'action elle-même mais d'une finalité extérieure, morale et spirituelle, et donc dramaturgiquement faible, *Leo Armenius* sera suivi par *Catherine de Géorgie ou la constance armée*, résolument supérieure et quelque peu marquée par la *Marie Stuart* de Vondel. Première de ses « tragédies de martyrs » — suivront, selon le modèle jésuite, *Charles Stuart ou le Roi assassiné* et *Le Légiste magnanime* —, elle évoque un événement contemporain, l'exécution de la reine de Géorgie, captive en Perse (1624). Catherine incarne la chasteté et la force de la foi chrétienne. Inébranlable, elle résiste à l'amour « impudique » du Shah Abas ; armée de constance chrétienne et de sérénité stoïque, elle supporte, à la suite du Christ, le douloureux martyre du bûcher, confiante dans le salut. Lessing condamnera les tragédies baroques de martyrs : à ses yeux, leurs personnages héroïques sont « faux », trop éloignés des équilibres que nature et raison s'imposent mutuellement. Avec *Cardénio et Célinde ou les amants malheureux* (1657), tragédie en 5 actes, Gryphius rompt délibérément avec les règles tirées de la *Poétique* d'Aristote, où la tragédie représente des personnages élevés et la comédie, le petit peuple. Cardénio et Célinde évoluent dans une espèce de *no man's land* social — défini, par défaut, comme bourgeois — et connaissent des amours malheureuses qui les conduiront à la mort. Passion, orgueil, obstination s'achèveront cependant en pénitence et en repentir, motifs dominant du *Memento-mori*.

Gryphius est aussi auteur de comédies. Adaptation très alambiquée d'une imitation, aujourd'hui perdue, du *Songe d'une nuit d'été* de Shakespeare, l'*Absurda Comica, ou Monsieur Peter Squentz* (1658) montre la représentation de *Pyrame et Thisbé* par une troupe d'artisans devant un public de cour. Gryphius y laisse parler les artisans en *Knittelversen* (vers à quatre temps forts rimant deux à deux, que Gœthe anoblira dans son *Faust*), parodiant ainsi les Maîtres chanteurs, spécialement Hans Sachs. *Horribilicribrifax Teutsch* (1663), quant à elle, emprunte au *Miles gloriosus* de Plaute et à la Commedia dell'arte.

L'œuvre comique la plus accomplie, la plus originale et la plus ambitieuse de Gryphius consiste en un jeu alterné de deux pièces : le *Spectre d'amour* (vaudeville chanté en 4 actes) et *Die gelibte Dornrose* (comédie paysanne en 4 actes). L'œuvre fut représentée en 1660 à Glogau, à l'occasion de noces princières. Gryphius y combine les deux pièces, sans que l'une et l'autre, ni le monde bourgeois ni le monde paysan, ni le sérieux ni le burlesque, se mélangent, un peu comme dans le *Don Giovanni* de Mozart. Ainsi, à l'Acte I du vaudeville succède l'Acte I de la comédie paysanne, et ainsi de suite, en contrepoint. Ce qui pourrait paraître expérience maniériste entend montrer discrètement que les barrières sociales ne doivent abuser personne, paysans ou gens établis, qui sont soumis au même destin. Ici cependant, ce n'est plus la vanité des choses éphémères qui est soulignée, mais les erreurs et la confusion des sentiments. Ainsi, la condition paysanne est portée à la scène sans qu'elle y soit la cible de plaisanteries ou de moqueries.

Die Dramen des Andreas Gryphius : eine Sammlung von Einzelinterpretationen / herausgegeben von Gerhard Kaiser. – Stuttgart : Metzler, 1968. – XI-385 p.

Dichtung, Religion und Gesellschaft im 17. Jahrhundert : Die Sonette des Andreas Gryphius / Wolfram Mauser. – München : Fink, 1976. – 344 p.

Andreas Gryphius / Eberhard Mannack. – 2e édition revue et corrigée. – Stuttgart : Metzler, 1986. – VIII-139 p. – (*Sammlung Metzler* ; 76 / *Sammlung Metzler. Abt. D : Literaturgeschichte*).

SONNETS 201

A. Moret — 1957

Tout est vanité.

Sur la terre on ne voit que partout vanité.
Ce que l'un édifie, un autre va l'abattre.
L'herbe recouvrira demain cette cité
Où, parmi ses troupeaux, un pâtre va s'ébattre.

La splendeur qui fleurit sera foulée aux pieds,
Le cœur fier et fougueux n'est bientôt que poussière.
Il n'est rien d'éternel, ni l'airain, ni le marbre,
Le bonheur nous sourit, puis tourments et tonnerre.

La gloire des hauts faits comme un songe s'envole :
L'homme, jouet du temps, pourrait-il donc durer ?
Qu'est-ce donc ce qui, pour nous, eut tant de prix un jour ?

C'est une ombre, un néant, une poussière, un souffle,
C'est une fleur des champs que l'on perd sans retour.
Nul ne veut voir encor ce qui est éternel !

Anthologie du lyrisme baroque en Allemagne / André Moret ; introduction, textes, traductions. – Paris : Aubier-Éditions Montaigne, 1957. – (*Collection bilingue des classiques étrangers*). – [P. 109].

SONNETS 202

M. Petit — 1977

Misère de l'homme.

Que sommes-nous donc, hommes ? Demeure d'âpres maux,
Balle de chance fausse, feu-follet de l'instant,
Scène d'angoisse emplie de souffrance cuisante,
Neige bientôt fondue et chandelle brûlée.
Cette vie fuit comme un bavardage badin.
Ceux qui ont avant nous quitté l'habit du corps,
Les morts depuis longtemps inscrits dans le grand livre
Sont loin de notre cœur, sortis de la mémoire.
Comme un rêve inutile échappe à notre garde,
Comme un fleuve se perd qu'une force n'endigue,
Tels devront disparaître honneur, louange et nom,
Ce qui prend souffle ici avec l'air s'enfuira,
Ce qui vient après nous nous suivra dans la tombe.
Que dis-je ? Nous passons, fumée dans les grands vents.

Poètes baroques allemands / traduits et présentés par Marc Petit. – Paris : Maspéro, 1977. – [P. 39].

SONNETS 203

M. Petit — 1977

Les pleurs de la patrie.

Nous voici tout à fait, plus que tout dévastés !
Les troupeaux insolents, la trompette furieuse,
L'épée grasse de sang, la bombarde tonnante
Ont dévoré sueur et travail et grenier.
Les clochers sont en flammes, l'église est renversée.

La mairie : des gravats. Les vaillants : mis en pièces.
On a violé les filles. Où que les yeux regardent,
Feu peste et mort hantent les cœurs et les esprits.
Ici, ville et remparts, le sang chaque jour coule.
Trois fois six ans déjà que l'eau de nos rivières
Obstruée par les corps a ralenti son cours.
Mais je n'ai dit pourtant mot de ce qui est pire
Que la mort, plus cruel que feu, peste et famine :
Tout ce qu'on a volé aux âmes, ce trésor.

Poètes baroques allemands / traduits et présentés par Marc Petit. – Paris : Maspéro, 1977. – [P. 147].

LE LÉGISTE MAGNANIME 204

J.-L. Raffy — 1993

À plus haute gloire, plus haute injustice (Acte I, v. 1-156).

PAPINIEN, *seul*

Celui qui s'élève au-dessus de tous les autres et qui, du haut du fier [sommet
Où l'on jouit de tous les honneurs, contemple combien mal la plèbe se [conduit,
Comment à ses pieds tout un empire crépite au milieu de hautes flammes,
Comment, là, l'écume des vagues envahit les champs
Et, ici, le courroux céleste, se mêlant à la foudre et au tonnerre,
Ravage tours et temples, et comment le jour ardent consume
Ce qu'avait ranimé la fraîcheur de la nuit, celui qui voit ses insignes de [victoire
Partout entremêlés à des milliers de cadavres,
Celui-là, je le concède, possède un gros avantage sur le commun des [mortels.
Mais hélas, hélas, avec quelle facilité le vertige ne s'empare-t-il point de [lui
Et, au moment où il s'y attend le moins, ne frappe-t-il point de cécité ses [yeux tremblants
De sorte que, plus tôt encore qu'on ne le pensait, une chute brutale [l'anéantit.
Avec quelle facilité le rocher sur lequel, impassible, il se tenait campé ne [se brise-t-il point,

L'entraînant dans sa course ! Tantôt c'est le sommet
Qui devient si pesant à l'abîme lui-même que la montagne et la vallée se
[mettent à trembler
Et, dans un nuage de poussière et de fumée, se disloquent en creusant de
[larges crevasses,
Tantôt c'est l'âpre vent du nord qui mugit, et pour peu qu'on lui résiste
[trop bien,
C'est le vent fétide du sud qui lui apporte cette peste effroyable
Que l'on nomme la calomnie ! À qui ne s'est-elle point attaquée
Et de qui, lorsque l'envie la seconde, n'a-t-elle point triomphé ?
À quoi te sert-il, Papinien, d'avoir atteint ce sommet,
De voir que personne ne t'égale en rang, puissance ou grandeur,
Qu'armée, cour, Sénat et Empire soient confiés à tes soins,
Que capitaines et soldats n'obéissent qu'à tes ordres,
Que le peuple romain t'appelle le père de tous les pays,
Que le sud, l'est et l'ouest, jusqu'aux Scythes barbares, te reconnaissent
[pour chef,
Que des liens de parenté te lient intimement aux Empereurs[1],
Que Sévère t'ait toujours considéré comme un fidèle, et que tu aies
[toujours trouvé en lui un ami[2],
Qu'il t'ait, en mourant, recommandé ses enfants,
Et qu'il ait bâti sur ton sein son mausolée suprême,
Si tout cela n'est que le récif sur lequel viendra se briser ton navire !
Comme la vérité ne peut me convaincre de vice,
C'est ma vertu qui m'attire les reproches, elle qui, en dardant la nuit
De ses rayons éclatants et en apparaissant dans toute sa lumière,
A fait se lever de fortes brumes qui, se détachant en nuages,
Fondent sur moi de toutes parts comme des nuées d'orage
Lourdes de grondements assourdissants et porteuses de malheur,
Fulminant de leur brasier rougeoyant et aggravées de plaintes et de mort.
Frères qui vous égarez en disputes, quelle est cette folie qui vous gagne[3] ?
Est-il juste qu'un homme se déchaîne sur ses propres membres
Et s'acharne sur sa propre chair ? Que me répondrez-vous ? À moins que
[l'Empire,

---

1 Papinien est le beau-frère de Bassien par alliance, puisque celui-ci a épousé Plautilla, la sœur de Plautio, femme de Papinien. En revanche, le héros n'a aucun lien de parenté avec Géta. (N.d.t.)

2 Papinien avait déjà été nommé Préfet du Prétoire par Septime Sévère, qui en fit aussi le conseiller de ses deux fils. (N.d.t.)

3 Les deux frères auxquels Papinien s'adresse ici sont Bassien et Géta. (N.d.t.)

Dont la première pierre a été posée sur le cadavre d'un frère[1],
Ne puisse point être gouverné à deux ? Les pays vous font-ils défaut ?
Les vastes étendues de la mer, la terre même vous sont-elles trop
[étroites ?
Dans le passé, l'Empire a déjà été partagé[2] : si donc les liens du sang
Ne peuvent vous contraindre plus longtemps, que les flots et les sables
[vous séparent !
Il ne sert à rien de rester ensemble plus longtemps, si Rome doit craindre
Une tragédie. Je la pressens ! Elle s'approche !
Je vois le poing d'un frère s'abattre sur la tête de son frère,
L'illustre Ville plongée dans le malheur, les pays en péril,
La flotte transformée en immense brasier, le trône suprême détruit,
Et moi-même, par la chute de l'un, écrasé, bien qu'innocent.
Pourtant, je ne me plains point, Rome, je ne crains point la mort
Dont, depuis longtemps, l'inexorable fatalité
Me presse les flancs : depuis bien longtemps déjà
On a ordonné de préparer l'instrument de ma perte.
C'est la calomnie qui a affûté la hache qui me tranchera le cou
Lorsque l'ardente envie planera au-dessus de ma tête.
C'est pour cela qu'on monte depuis longtemps le peuple contre moi,
Qu'on répand des mensonges et qu'on salit ma gloire,
Qui survivra à mon trépas. On murmure ici et là,
On me soupçonne, et l'on prend pour argent comptant
Ce que la suspicion invente sur moi. Les armées s'en trouvent souillées,
Les églises ne sont point épargnées, et la contagion gagne même le Sénat.
Qui pourrait encore ne point voir que mon temps est presque écoulé
Dès lors que chacun, jour après jour, œuvre à ma perte ?
Qu'ai-je donc fait ? Esprits fourbes,
Venez, vous qui m'accusez ! Avancez ! Montrez combien âcre et amère
Est aussi votre langue ! Je fuis la vie publique,
Dites-vous, et ferme ma porte aux amis comme aux étrangers ?
Il est vrai que j'ai, à ce jour, réduit quelque peu mon commerce des
[hommes
Depuis que j'ai appris à me méfier des amis comme des étrangers

---

1 Allusion au meutre de Rémus par Romulus. (N.d.t.)

2 Commentant ce vers, Gryphius rappelle qu'une partition de l'Empire avait été envisagée et acceptée par les deux frères, Bassien recevant l'Europe et Géta, l'Asie, mais que cette solution avait été abandonnée sous la pression de Julia. Pour ce qui est du précédent dans l'histoire romaine. Gryphius évoque l'arrangement d'Antonin pour partager le trône entre Marc-Aurèle et Verus. (N.d.t.)

Parce que ceux-ci rapportent au Prince, en les déformant et en les
[chargeant de fiel,
Les propos que livre sans détours mon cœur sincère
Qui ne sait point flatter et a toujours haï le mensonge.
Si vous n'éprouvez aucune honte à déformer ainsi mes paroles dans mon
[dos,
Au moins, ne venez point de vos bruits troubler ma solitude.
Mon tribunal n'en reste pas moins ouvert, je continue à rendre la justice,
Je procède à des auditions publiques, même aux heures où la lumière du
[matin
Ne voit point encore le ciel, et à celles où le jour s'est caché.
Je ne rabroue point la veuve par de dures paroles,
J'apporte mon secours quand cela m'est possible, quand je ne puis sauver
[quelqu'un,
Je ne détourne point ma face de lui sans quelque consolation
Et je déplore de ne pouvoir toujours accomplir ce que l'on me demande.
En outre, on m'accuse de négliger gravement
Les honneurs dus aux Dieux, et de ne point extirper la doctrine des
[Chrétiens
Par le fer et par le feu[1]. Mais est-ce un exploit si digne d'éloges
Que de s'acharner si cruellement sur ces gens
Et d'amonceler les cadavres, sans que personne sache bien
En quoi consiste leur crime ? Quiconque aujourd'hui se déclare chrétien
Doit, sans même une enquête, être conduit sur-le-champ au supplice
Alors que la Sainte Justice exige le temps et les délais réglementaires
Pour une exécution ! Je ne comprends point ce que l'on punit
Ni comment, au nom de quelle justice, on trouve légitime
De livrer une femme honorable à la débauche,
De l'arracher à son foyer pour la jeter dans une maison publique
Pour la seule raison qu'elle aime le Christ[2]. Est-ce là la morale romaine ?
Est-ce une nouvelle justice ? Maudite soit alors cette justice !
On me reproche en outre d'entretenir les Princes dans leur délire

---

1 Ce passage introduit une digression inutile à l'intrigue. Gryphius s'en justifie dans une note, car non seulement ses sources ne contiennent aucune trace de ces bonnes dispositions de Papinien envers les chrétiens mais un grand nombre de témoignages affirment le contraire. [...] il faut voir dans cette bizarrerie la preuve que Gryphius tient par-dessus tout à mettre son héros en résonnance avec le christianisme afin de créer dès la première scène une corrélation entre son attitude et celle des martyrs chrétiens. (N.d.t.)

2 Allusion à l'un des aspects des persécutions contre les chrétiens (cf. *Théodore, Vierge et Martyr* de Corneille). (N.d.t.)

Et leur cruelle discorde, et d'attiser des flammes
Que de tout mon sang je voudrais éteindre.
Lave-moi, illustre Thémis[1], lave-moi de cet opprobre !
Moi qui ne cesse, même au péril de ma vie,
De refréner Bassien et d'exhorter en vain
Antonin à l'amitié, je suis soupçonné d'un acte
Dont mon esprit s'épouvante. Qui a ordonné à la force armée
De prêter le serment solennel aux deux frères à la fois ?
Je voulais même prochainement les inviter à recourir à un partage !
Ô Dieux de cet Empire, si dans cette affaire
La malice a jamais inspiré mes conseils, armez alors votre poing
De foudres contre moi, et ne permettez point
Que je voie ma propre maison épargnée par ces luttes intestines !
Plus encore, on répand le bruit que j'aspire à monter sur le trône
Et cherche, par ce conflit, à ravir aux Antonins la couronne.
Continuez donc, insensés, à me tendre des pièges,
Et vos mensonges se confondront d'eux-mêmes dans votre bouche !
Ai-je quelque apparence de mériter cette accusation ?
Et ma vie elle-même ne vient-elle point démentir cette machination ?
Qui ai-je soudoyé afin qu'il se risque avec moi dans cette aventure ?
À qui ai-je proposé cette trahison, ce parjure ?
Ai-je jamais demandé à l'armée de se mettre à mon service ?
Le pourrais-je, s'il est vrai que je me retranche dans la solitude ? Le
[pourrais-je, s'il est vrai que je fuis mes amis ?
Est-ce à ma propre personne que les lointains royaumes et leurs diverses
[garnisons
Ont prêté serment d'allégeance ? S'il en est ainsi, que viennent les cruels
[châtiments
Et que l'on me condamne au supplice ! Mais s'il ne s'agit là que de vaines
[chimères,
Pourquoi ne point me juger sur ce que j'ai accompli jusqu'ici ?
Si une langue venimeuse a plus de poids qu'un cœur pur,
C'est alors la faute d'un autre que mon sang innocent devra expier.
Voilà aujourd'hui tout mon salaire pour avoir durant tant de nuits
Fui la douceur du repos et connu l'accablement des soucis,
Pour avoir durant tant de jours supporté la poussière, le soleil et le froid,

---

1 Thémis est une Titanide qui personnifie la justice. De son union avec Zeus sont nées les Parques ainsi qu'Astrée, autre incarnation de la justice. (N.d.t.)

Pour avoir, exposant bravement mon corps sur terre comme sur mer,
Mêlé sur cette poitrine mon propre sang à celui des ennemis,
Pour avoir, par la sueur de mes membres, apaisé les craintes des pays,
Contenu la puissance des Parthes, dompté le Nil et l'Euphrate,
Emprisonné le Rhin orgueilleux d'un rempart de palissades, fait plier les
[Baltes sous le joug,
Instauré partout le droit romain, fait rentrer l'argent dans le trésor des
[Princes,
Jugulé la rébellion des armées, arrêté les invasions barbares,
Nourri les villes en proie à la famine grâce au blé de l'Orient,
Parcouru tantôt l'Occident, tantôt le Sud aride, tantôt le Nord sauvage,
Pour avoir là établi des camps retranchés, ici érigé des remparts,
Et rasé levées et fortifications partout où la paix était menacée,
Pour avoir, par-dessus les fleuves impétueux et les vagues hérissées de
[récifs,
Jeté des ponts jusque chez les Bretons, et découvert aux Arabes
Des sources jusqu'alors inconnues, pour avoir jour après jour risqué ma
[vie
Pour la liberté de ton Sénat, Ô Rome, et pour ton autel,
Pour n'avoir jamais reculé devant quelque difficulté,
Pour avoir payé de mon propre bien une plus grande prospérité de tous,
Éventé les ruses des ennemis et fait entrer les étrangers dans nos
[alliances,
Accordé aux expulsés une place dans l'Empire, et pour avoir étouffé les
[conjurations
Dès leurs premières flammes, avant que l'incendie ne s'étende. Mais que
[pouvais-je espérer d'autre ?
La foudre du ciel s'abat sur l'arbre à l'épais feuillage,
Et épargne le buisson, Qui de tous les autres
S'efforce d'apaiser la misère, creuse lui-même sa tombe.
Qui risque sa vie pour le bien de tous ne trouvera pas même un seul vrai
[fidèle
Auquel il puisse se raccrocher à l'instant du naufrage.

Le Légiste magnanime ou la mort d'Émilien Paul Papinien, tragédie / texte original et version française par Jean-Louis Raffy. – Paris : Aubier, 1993. – (*Domaine allemand. Bilingue*). – [Pp. 69-79, 335-336 pour les notes].

ZRÍNYI

HONGROIS

1620-1664

Homme d'État, chef militaire et poète, Miklós Zrínyi est né d'une grande famille aristocratique croate. Orphelin de bonne heure d'un père ban de Croatie, son éducation fut dirigée par le cardinal Pázmány qui l'envoya chez les jésuites de Graz, de Vienne et de Nagyszombat. Rentré début 1637 d'un long voyage qui l'avait mené à Venise et à Naples, il établit sa cour dans son château de Csáktornya (Cakovec, Croatie) dont il sut faire par la suite un lieu de rencontres mondaines et politiques. C'est là qu'il écrivit ses œuvres, disposant d'une bibliothèque bien garnie dont la majeure partie provenait de la République de Venise avec laquelle il entretint des relations commerciales et politiques. Dès 1638, il s'engagea dans la lutte contre les Turcs, et fit preuve à diverses occasions d'un tel mérite qu'il fut fait général en 1646, l'année même où il commence son épopée, *La Détresse de Sziget*, son principal titre de gloire. Ban de Croatie dès 1647, lecteur attentif de Tacite et de Machiavel, mais aussi des *Mémoires* de Guichardin et de penseurs politiques tels Jean de Silhon (1596-1667) ou Virgilio Malvezzi (1596-1654), il rédige une série de notes et de commentaires, le *Preux Capitaine* (1650-1653) où il brosse le portrait du chef militaire idéal, tout en s'interrogeant sur les conditions politiques, militaires et morales de la libération de la Hongrie, dominée par les Turcs, face à l'extrême lenteur des Habsbourg. Devait-on donc se séparer d'eux ? La question fut implicitement posée par ses *Réflexions sur la vie du roi Mathias*(1656-1657), ce miroir des princes dont l'un des modèles fut l'*Histoire de Louis XI* (1610) de Pierre Matthieu (1563-1621) et où la biographie du grand monarque sert de prétexte à une méditation politique et morale sur les devoirs du souverain et les chances d'un absolutisme national. La priorité absolue reste cependant la lutte contre l'occupant : le plus célèbre de ses écrits politiques, le *Remède contre l'opium turc ou antidote contre la trêve entre Turcs et Hongrois* (1660-1661) est un vibrant appel pour la création d'une armée nationale permanente. Les efforts diplomatiques, militaires et de propagande de ses dernières années furent ponctués de moments de découragement, surtout après la conclusion en 1664 d'une « paix honteuse » avec l'ennemi. « Je provoque jusqu'au bout le destin », écrivait-il à un ami en 1663. On eût dit qu'il se préparait à une mort héroïque. Mais le destin la lui refusa. Ironie du sort, il mourut au cours d'une partie de chasse — tué par un sanglier, comme le rapportera Miklós Bethlen dans ses *Mémoires*. Certains contemporains ne voulaient point y croire ; on parla d'assassinat politique.

Son œuvre majeure, *La Détresse de Sziget*, est une épopée baroque dont le sujet est tiré de la chronique familiale : la défense héroïque, en 1566, par l'arrière-grand-père paternel, du château-fort du même nom dans le sud du pays, contre la puissante armée de Soliman II dont la mort, par licence poétique, lui est attribuée dans le poème. Pour Zrínyi, le duel mortel entre son aïeul et le sultan devait avoir un sens à la fois symbolique et prémonitoire : l'image anticipée d'une victoire de la chrétienté où la Hongrie devait jouer un rôle privilégié. Les soldats magyars forment une communauté exemplaire d'abnégation et de foi profonde. Dieu a envoyé sur le pays le fléau turc pour châtiment de ses péchés : ces morts héroïques lui vaudront pardon et soutien en récompense du sacrifice. Le merveilleux chrétien qui traverse tout le poème en détermine aussi la fin : tous les défenseurs de Sziget voient leurs âmes transportées dans le ciel par des anges. C'est ainsi que l'imaginaire transforme la défaite matérielle en victoire morale, en une leçon de conduite destinée aux générations futures. Zrínyi avait ses sources (chants historiques hongrois inspirés par l'action militaire, poésie orale croate, tel historien hongrois contemporain) et ses modèles : le classique Virgile qu'il fréquenta assidument et des auteurs baroques, tels l'Arioste, le Cavalier Marin et, par-dessus tout, l'auteur de la *Jérusalem délivrée*. Ses vers, certes, sont loin d'égaler en souplesse ceux du Tasse, sa versification pouvant même paraître plutôt lourde, mais ces faiblesses sont compensées par la vigueur et la densité du style et par la rigueur de la composition. Sur un point qui a son importance, il dépasse assurément tous ses modèles : pour décrire les combats, il fait appel non à l'imagination, mais à sa propre expérience, d'où certains aspects rudement réalistes de sa vision de la guerre. La mort y est constamment à l'œuvre : or, pas une seule fois le poète ne se répète dans les nombreuses descriptions qu'il en donne.

Si l'œuvre de Miklós Zrínyi ne fut vraiment découverte qu'au XIXe siècle, *La Détresse de Sziget* connut néanmoins une fortune immédiate et bien caractéristique de la symbiose où vivaient alors Hongrois et Croates. C'est le propre frère de Miklós, l'écrivain croate Petar Zrínski (1621-1671), qui devait mourir décapité pour complot contre l'empereur d'Autriche, qui l'a traduite ou plutôt paraphrasée, en 1660, sous le titre de *Adrijanskoga mora sirena* (*La Sirène de la mer Adriatique*).

D. Kosáry, " Français en Hongrie". – In : *Revue d'Histoire Comparée*, 1946, pp. 29-65.

D. Mervyn Jones, "Zrínyi (1620-1664). Heroic Epic". – In : *Five Hungarian Writers (Zrínyi, Mikes, Vörösmarty, Eötvös, Petőfi* / David Mervyn Jones. – Oxford : Clarendon, 1966. – [Pp. 1-61].

T. Klaniczay, "Un machiavellista ungherese : Miklós Zrínyi". – In : *Italia ed Ungheria. Dieci secoli di rapporti letterari* / éd. M. Horányi et T. Klaniczay. – Budapest : Akadèmiai Kiadò, 1967. – [Pp. 185-199].

A Bibliotheca Zriniana története és állománya = History and Stock of the Bibliotheca Zriniana / éd. T. Klaniczay. – Budapest : Argumentum Kiadó : Zrínyi Katonai Kiadò, 1991. – 627 p.

LA DÉTRESSE DE SZIGET 205

E. Guillevic — 1962

Sujet de l'épopée (I, 1-8). — Le premier quatrain, délibérément personnel, rappelle que Zrínyi fut à ses débuts un poète lyrique, comme en témoigne le recueil poétique soigneusement composé qu'il publia à Vienne en 1651 sous le titre de *Sirène de la mer Adriatique* et qui contenait aussi son épopée. Le deuxième quatrain renvoie clairement à l'ouverture de l'*Énéide*. Dans son avertissement *Au lecteur*, Zrínyi se réclamait nommément de l'exemple d'Homère et de Virgile.

Or donc, moi qui naguère, aux jours de ma jeunesse,
M'enjouais de chansons vibrantes d'allégresse,
Louais l'amour, et Violette, ma maîtresse,
Maintenant plein d'ardeur pour Mars et les prouesses ;

Ce sont les armes, que je chante et l'homme grand
Qui jadis a dompté l'empereur ottoman,
Gigantesque fléau venu sur nos arpents,
Le terrible tyran du nom de Soliman.

Anthologie de la Poésie hongroise du XIIe siècle à nos jours / Ladislas Gara. – Paris : Seuil, 1962. – [P. 78].

LA DÉTRESSE DE SZIGET 206

L. Pödör, A.-M. de Backer — 1981

Avant la bataille de Siklós (Chant III, strophes 29-39). — Le pacha Mehmet arrive avec deux mille hommes à Siklós (place forte non loin de Sziget, aujourd'hui Szigetvár, au sud de la Hongrie, département de Baranya) où, sûr de lui et de la supériorité ottomane, il dresse son camp en rase campagne, malgré les avertissements du bey Skander. Le chef de Sziget, alerté par les paysans, entreprendra contre eux une attaque surprise dont le récit permettra au poète de montrer la violence des combats et l'héroïsme des combattants. Ce récit arrive, en contrepoint, après cet épisode lyrique, qui se déroule sous la tente des deux chefs turcs.

Assis sur les coussins, les voici installés,
Ils devisent gaiement, effleurent maints sujets,
Ensemble en leur findja savourant le café,
Et ils prennent tous deux le repas préparé.

Mais un bel enfant turc maintenant se présente,
Sur l'ordre de son maître, il entre dans la tente,
Un luth nacré aux doigts ; et sa tête charmante
Est ceinte d'une soie de blancheur éclatante.

De l'épaule a glissé son caftan de velours,
Il accorde son luth qu'il frôle avec amour,
Assis jambes croisées et tourné vers le jour,
Il chante alors ainsi, fier et doux tour à tour :

« Fortune, comment te maudire ?
Quand tu fais croître mes plaisirs,
Inconstante comme on te dit,
Tu m'es fidèle jour et nuit.

« J'ai la forêt verte au printemps,
Du rossignol épris, le chant ;
Et j'ai du ciel tous les oiseaux,
Souffle du vent, soupir de l'eau.

« Loin de jalouser mes amours,
Tu les rends plus proches toujours,
Pour que ma joie ne s'amoindrisse,
Sans cesse augmentant mes délices.

« En été, j'ai la douce paix,
La brise, l'ombre des cyprès,
Les tentes finement brodées,
Et les belles eaux parfumées.

« En automne, les fruits sont bons,
Oranges, grenades, citrons,
Oiseaux, gibiers de la forêt,
Sont pour mon bonheur désormais.

« Même en hiver où l'on gémit,
Je goûte bien des joies aussi ;
Et la tempête m'effraie peu,
Près des belles flammes du feu.

« Au service de mon Sultan,
On me tient en honneur très grand.
Mes trésors demeurent toujours :
Sabre, cheval, belles amours !

« Fortune, à mon pied je te lie,
Ou chez l'ennemi tu t'enfuis.
Mais comment nuire à mon destin ?
Quant à moi, je te lie si bien. »

Pages choisies de la littérature hongroise des origines au milieu du XVIIIe siècle / préface et choix des textes par Tibor Klaniczay. – Budapest : Corvina, 1981. – [Pp. 170-171].

LA DÉTRESSE DE SZIGET 207

L. Pödör, A.-M. de Backer — 1981

La bataille de Siklós (Chant III, strophes 101-117). — Dans la bataille, de nombreux combattants vont mourir des deux côtés, parmi eux Mehmet et son fils. Les Hongrois remportent une victoire chèrement acquise contre un adversaire aussi puissant que courageux.

Cependant rugissant comme un lion au désert
Farkasics aux païens mène terrible guerre,

L'aga Durlik est mort de sa main meurtrière,
Reuman, Bassah-le-Preux par lui gisent à terre.

Il se fraie un chemin toujours plus spacieux,
Car chacun devant lui se sauve comme il peut,
Ainsi que le boulet du canon faisant feu
Il élargit la brèche avant le but qu'il veut.

Seul, toi, géant Rahmat, de pied ferme l'attends,
Menaçant Farkasics de ton bras effrayant !
Ce Rahmat qui laisse son cheval dès longtemps,
Tel une tour immense avance en bondissant.

Ton sabre, Farkasics, ne peut rien contre lui,
Ton dur glaive ne te serait d'aucun appui !
Il faut une arme à feu pour vaincre, car ainsi
S'il ne tue, son poids t'aura vite meurtri.

Et c'est une arme à feu qu'alors Farkasics tient,
Il la dirige droit sur le cœur du païen,
Mais Rahmat qui le voit lui hurle aussitôt : « Chien,
Trembles-tu devant moi, que tu me tues de loin ? »

« Même si tu prenais à la place un canon,
Tu ne pourrais occire un preux de mon renom,
Ton feu contre ma masse est une illusion,
Les chiens et les corbeaux en pâture t'auront. »

Mais Farkasics tira sur la poitrine large,
Rahmat resta debout pourtant sous la décharge,
Il frappa Farkasics de sa lance, et le brave
Auprès de son cheval s'affaissa sous la charge.

Le géant se laissa lors lui-même tomber
Sur Farkasics ; étant mortellement blessé,
Il permit de sortir, mais non sans blasphémer,
À cette âme orgueilleuse en son corps installée.

L'armée chrétienne est bien désormais invincible ;
Les soldats turcs s'enfuient devant ses coups terribles,
À pied le bey approche et s'offre ainsi pour cible,
Ne voulant pas survivre au désastre indicible.

Il n'a que la moitié du heaume, l'autre part
Fut brisée sous les coups frappés de toutes parts,

De son sabre en morceaux le tronçon se sépare,
Poussière et sang chrétien sur lui ne sont pas rares.

Cent coups de lance au moins perçant son bouclier,
Par les soldats à pied, il se trouve encerclé,
Mais comme l'océan ne brise le rocher,
Cette armée ne peut rien sur l'héroïque bey.

Sur son cheval, Zríni vers lui pique des deux,
Sitôt qu'il l'aperçoit. Il ordonne à ses preux
De ne nuire en rien à ce bey valeureux,
Dont la haute bravoure émerveille ses yeux.

Il crie : « Ô preux, rends-toi ! Tu prouvas ta valeur,
Tu n'as que trop montré ton intrépide ardeur,
Ne cherche pas la mort, c'est Zríni ton vainqueur,
Tu peux te rendre à lui sans forfaire à l'honneur. »

Le bey prend le tronçon de son sabre et le jette
Aux pieds du preux chrétien en inclinant la tête,
Car le nom de Zríni console sa défaite,
Il dit : « Le bey se rend à ta seule requête.

« Tant qu'il me reste un bras, je n'aurais consenti
À faire soumission à d'autres qu'à Zríni,
Moi, le bey valeureux qui si bien combattis,
Et qui, dans Pécs-la-belle, ai somptueux logis. »

On sonna des clairons sur l'ordre du grand ban,
L'armée se regroupa et se remit en rang,
Car sur son char doré le soleil éclatant
S'était laissé glisser derrière l'océan.

Zríni fit du camp du pacha son propre camp,
Le confiant aux soins de guetteurs vigilants,
Il y passa la nuit. Ce qui demain l'attend,
Sera de l'épopée le quatrième chant.

Pages choisies de la littérature hongroise des origines au milieu du XVIIIe siècle / préface et choix des textes par Tibor Klaniczay. – Budapest : Corvina, 1981. – [Pp. 179-181].

LE PREUX CAPITAINE 208

T. Gorilovics — 1996

Que le guerrier privé de bonne fortune n'est rien, et ce que fortune veut dire (Sixième discours). — La source principale des six *Discours* qui introduisent l'œuvre est la traduction italienne (Venise, 1639) par M. Ziccata du *Ministre d'Estat* (1631) de Jean de Silhon. Dans la méditation qui suit, Zrínyi se sépare cependant de sa référence pour exprimer sa propre pensée.

La fortune, c'est cela et non autre chose ; Dieu la prend par les cheveux et l'amène où il le veut, point ailleurs, pour aider celui qui s'aide lui-même, *juvat juventem*. Dès qu'une conjoncture favorable surgit, on doit s'en saisir pour en tirer tout le bien, en s'efforçant d'adapter aux hasards et aux circonstances la tâche qu'on entreprend. Car de même que le navigateur n'a pas en son pouvoir de susciter ni d'amener les vents dont il a besoin, mais d'user seulement avec art de ceux qui viennent d'eux-mêmes : de même le guerrier ou tout autre qui n'a pas non plus en son pouvoir de créer une conjoncture ou des occasions favorables, doit user avec art de celles qui se présentent d'elles-mêmes pour en tirer tout le bien et les mettre à son profit, en adaptant au temps sa propre position. Bref, *quisque suæ fortunæ faber*[1]. Mais il faut expliquer cela plus amplement, car cette matière est des plus ardues dont j'eusse à me préoccuper au cours de ma vie, et j'en ai fait une devise à mon usage[2]. Pour les raisons qu'on vient d'invoquer, nous conclurons que si les événements extérieurs peuvent être favorables et même nécessaires à la fortune de chacun, la forme et la constitution de celle-ci sont néanmoins forgées dans l'homme lui-même. Des causes extérieures on peut dire que *Stultitia unius est felicitas alterius*, c'est-à-dire la sottise des uns donne accès au bonheur des autres ; car pour ce qui est de la fortune, il ne nous est pas possible d'avancer sans être avantagé par la sottise d'autrui ; *serpens, nisi serpentem comederit, non fit draco*[3]. Les bonnes actions sont bien diverses ; il en est d'évidentes qui nous procurent gloire, honneur, respect sans être remarquées par le grand nombre, et pourtant, elles portent bonheur. Sans doute ont-elles de grandes ressemblances avec ces myriades d'étoiles qui ont été attachées au ciel et qu'on appelle *via lactea* en latin. Cette voie lactée se compose d'une infinité de petites étoiles ; bien qu'aucune d'entre elles ne soit visible à elle seule et en particulier, on n'en voit pas moins le vif éclat de l'en-

1 Chacun est l'artisan de sa fortune. (N.d.t.)

2 *Sors bona nihil aliud* (Bonne fortune, rien d'autre), cité explicitement dès la première page de l'ouvrage. (N.d.t.)

3 Le serpent ne devient dragon que s'il a mangé du serpent. (N.d.t.)

semble. De même aucune des nombreuses petites bonnes actions n'est visible dans l'homme en particulier, cependant que le vif éclat de sa fortune qui en provient sera visible aux yeux de tous. [...]

Certes il est des causes que l'on n'a pas à examiner, car elles ne s'y prêtent point, mais là encore, il faut de l'intelligence ; car c'est l'intelligence qui décide si l'on doit ou non rechercher la cause de telle ou telle chose ; le sot y renonce une fois pour toutes, en vrai gribouille qui se jette à l'eau par crainte de la pluie. Un capitaine intelligent qui tient à son honneur, recherche la cause de toutes choses et n'en confie à la fortune que la moindre parcelle. Sa résolution doit reposer à neuf dixièmes sur des certitudes, un dixième étant forcément à risquer au hasard : on n'est pas Dieu pour commander au temps, à la conjoncture et au déroulement des choses ; il faut laisser sa part, mais réduite, à la chance. Si avec les chances qu'on a, jamais on ne perdait et que les raisonnements guerriers fussent toujours sûrs, où trouverait-on meilleur et plus profitable métier que celui du soldat ? Mais tous nos raisonnements ne nous empêchent pas toujours de perdre ni nos folies de gagner ; aussi le soldat gagne-t-il son pain au prix lourd de ses ennuis. Rares sont ceux qui choisissent à bon escient ce métier, sinon ces âmes supérieures aux autres qui se refusent au repos du corps et que l'ardeur de leur âme pousse au péril d'autrui.

Traduction inédite. — *Prózai müvei* (=*Œuvres en prose*) /Miklós Zrínyi ; édition critique par S.I. Kovács. T. Klaniczay. – Budapest : Zrínyi Katonai Kiadò, 1985. – [Pp. 122-124].

REMÈDE CONTRE L'OPIUM TURC — 209

L. Pödör, A.-M. de Backer, T. Gorilovics — 1981/1996

Ne touche pas aux Hongrois ! — Dans ses premières pages, Zrínyi suit un ouvrage célèbre en son temps, de Busbequius (Ogier Busbecq, 1522-1592), *Exclamatio : sive de acie contra Turcam instituenda consilium* (1581). Le *Remède* ne fut imprimé qu'en 1705, pendant la guerre d'indépendance du prince François II Rákóczi (1676-1735), et devait par la suite inspirer toute une littérature indépendantiste.

Le roi Cyrus ayant disputé la ville de Sardes à Crésus, l'histoire relate qu'au moment où la ville était prise, un de ses guerriers découvrit le prince lui-même, et ignorant en face de qui il se trouvait, voulut le tuer. Le fils du roi Crésus, qui avait été muet toute sa vie et n'avait jamais auparavant réussi à proférer un mot, se trouvait justement auprès de son père et, voyant le danger qui le menaçait, s'écria : Ne touche pas au roi ! Est-ce que mon cri qui maintenant s'élève vers toi, ma chère nation, ne serait pas de même nature ? Je vois un dragon épouvantable rempli de rage et de fureur qui se démène et garde contre son sein la couronne de Hongrie ; et moi, tel un muet, qui n'ai aucunement l'éloquence pour métier, je m'écrie toutefois, dans l'espoir de mettre en fuite ce dragon : Ne touche pas aux Hongrois ! Infortunée nation hongroise, tes affaires auraient-elles empiré à ce point que personne ne s'exclame à la vue de ton ultime détresse, que personne ne s'apitoie sur ton péril, que personne ne t'adresse un mot de réconfort dans cet état où tu livres ton ultime combat à la mort ? Moi seul serai-je ton gardien, la sentinelle qui t'avertit de l'imminence du péril ? Il m'est pénible de remplir un tel office, mais puisque Dieu et mon amour pour la patrie m'en ont chargé, je ne m'en écrie pas moins et même je hurle : Écoutez-moi, Hongrois qui vivez, voyez venir le mal, voyez venir le feu dévorant. Je déclare devant toi, grand Dieu, que je crie de toutes mes forces tout ce que je sais pour ne pas avoir à te rendre compte un jour du sang de ma nation répandu pendant que je dors, ainsi que tu m'en as menacé par les paroles du prophète Ézéchiel : *Venientem gladium nisi annunciaverit speculator, animarum quæ perierint sanguinem de manu eius requiret Dominus*[1].

Mais comment se fait-il, ma nation hongroise, que tout en percevant le danger non seulement par les avertissements de ta sentinelle, mais même par tes propres yeux, tu ne sortes pas de ton profond sommeil ? On raconte que l'ours des mers a tant d'audace et si peu de frayeur devant la foudre que lorsque le grondement du tonnerre est le plus fort, il grimpe sur la roche la plus élevée pour y somnoler doucement[2]. Te sentirais-tu donc en même sécurité ? Certes, oui. Du laurier aussi, les naturalistes décrivent l'assurance devant la foudre[3], sans doute en est-il ainsi et aussi sommes-nous mis à l'abri de ce laurier[4] pour nous protéger. Mais je crains que le *Fatum* n'ait affaibli la vigueur de ce noble arbuste, ne fût-ce que pour nous faire périr, ou que sa racine ne languisse pour une raison intime et secrète. Si donc nous plaçons notre entière confiance dans la seule espé-

1 « Si le guetteur n'annonce pas l'épée qui s'approche, c'est à sa main que le Seigneur demandera raison du sang des hommes perdus. » Zrínyi s'inspire ici fort librement des paroles du prophète (Ézéchiel 3, 17-18). (N.d.t.)

2 « L'ours des mers », traduction littérale du terme hongrois, lui-même traduction littérale de l'italien « orso marino » ou du croate « morski medvjedica » qui désigne en fait le phoque (cf. loup marin). Zrínyi avait dans sa bibliothèque l'*Histoire naturelle* de Pline l'Ancien qui serait à l'origine de cette croyance (*Nat. Hist.* II, 55). (N.d.t.)

3 Parmi ces naturalistes, Pline l'Ancien (*Nat. Hist.* XV. 40). (N.d.t.)

4 Le laurier impérial en l'occurrence, c'est-à-dire la maison des Habsbourg. (N.d.t.)

rance, il ne nous reste qu'à chercher un refuge dans notre honneur et dans la piété que nous vouons à Dieu. Que l'exemple des alouettes nous serve de modèle[1] quant à notre confiance en nous-mêmes, confiance qui, si elle nous fait défaut, nous laisse espérer en vain l'assistance de nos voisins ou de nos amis étrangers. Mais implorer même l'assistance de Dieu avec indolence est péché et folie comme d'ailleurs l'a dit autrefois le sage Démosthène : *Nam non modo Deus, sed ne amicus quidem rogandus est, et dormitanti cuiquam aut desidi præsidio sit*[2]. Hongrois, c'est à vous que je parle. Ce dragon hideux, le Turc, nous a arraché Várad et Jenö[3], traînant en captivité des milliers de pauvres Hongrois, en faisant périr beaucoup par l'épée ; il saccagea la Transylvanie, l'une des plus belles parures de notre couronne, la détruisant et écrasant son prince[4] ; il foule aux pieds notre nation, notre pays, comme le noir sanglier des forêts piétine les beaux vignobles. Demandez-vous les uns aux autres qui de nous est désormais guetté par ce danger, menacé par cette guerre ? Et si nous constatons grâce à notre esprit lucide que ce mal n'est pas le nôtre, taisons-nous alors et allons confier notre protection au bon vouloir des autres. Mais puisque même les bêtes privées de raison sont prêtes à affronter la mort lorsqu'on les trouble en leur tanière, et qu'on ravit leurs petits, combien davantage nous autres qui descendons du glorieux sang hongrois devons aller au-devant de la mort pour les nôtres, pour nos pères et mères, pour nos femmes et nos enfants, et tirer au moins vengeance de cet animal féroce.

Pages choisies de la littérature hongroise des origines au milieu du XVIIIe siècle / préface et choix des textes par Tibor Klaniczay. – Budapest : Corvina, 1981. – [Pp. 181-182]. – [Traduction revue par T. Gorilovics].

---

1 L'alouette, qui ne perche pas sur les arbres, a la réputation de s'élever vite dans le ciel par sa propre force. (N.d.t.)

2 « Il ne faut pas demander à Dieu, ni même à son ami d'assister un dormeur ou un indolent ». Emprunt libre à Démosthène (*Olynthienne* II, 23). (N.d.t.)

3 Nagyvárad et Borosjenö furent pris par les Turcs en 1658. (N.d.t.)

4 Le prince György II de Rákóczi (1621-1660). (N.d.t.)

FRANCISCO MANUEL DE MELO

ESPAGNOL • PORTUGAIS **1608-1666**

Dom Francisco Manuel de Melo est le représentant portugais le plus typique de la culture aristocratique péninsulaire du XVIIe siècle. Lié aussi bien à la maison de Bragance qu'à la couronne de Castille, né à Lisbonne au temps des Philippe espagnols et mort bien après la Restauration portugaise (1640), il s'est trouvé activement impliqué dans la vie militaire et politique de son époque, comme en témoigne son œuvre historique. Tant par sa biographie que par le bilinguisme de ses abondants écrits, il appartient aux deux pays.

Destiné à gravir tous les échelons de la carrière réservée au premier ordre de la noblesse, il reçoit à la Cour, jusqu'à l'âge de dix ans, des rudiments d'équitation, d'escrime, de danse et de littérature, complète sa formation classique dans un collège jésuite puis passe cinq années au service de l'armée espagnole afin d'accéder au grade de chevalier. Ensuite, et jusqu'en 1638, il alterne les périodes d'activité militaire avec les agréments de la Cour madrilène de Philippe IV, alors la plus brillante d'Europe. En 1637, il joue un rôle médiateur dans la résolution de la révolte d'Evora ; en 1639, il enrôle des troupes portugaises pour la guerre de Trente Ans ; en 1640, il participe à la répression du soulèvement de la Catalogne. Mais la Restauration portugaise lui fait perdre la confiance de ses supérieurs espagnols : accusé d'avoir favorisé les desseins de la haute noblesse lors de la crise d'Evora, il passe quatre mois en prison. En 1641, il juge soudain opportun d'adhérer au régime de D. João IV, qui lui assigne des tâches paradoxalement subalternes. En 1644, il est emprisonné pour complicité dans un assassinat et passe au moins quatre ans de prison et de résidence surveillée. Le cas est mystérieux : faute de procès, toute réhabilitation est impossible. Il ne réussit qu'à faire commuer sa peine en exil au Brésil, à Bahia, en 1655. En 1658, il enfreint sa condamnation et retourne au Portugal. Le coup d'État de Castel Melhor, en 1662, lui ouvre les portes d'une nouvelle carrière : la diplomatie. Ses missions l'envoient à Londres, à Paris, à Rome, etc. jusqu'en 1666, date de son retour définitif comme député des Tiers-États. Il meurt la même année.

Polygraphe et bilingue, D. Francisco Manuel de Melo « vit autant d'heures qu'il écrit ». Nombre de ses textes ont été perdus ; d'autres n'ont été édités que récemment.

Ses *Œuvres métriques* (Lyon, 1665) réunissent des poèmes composés en espagnol, à l'exception des *Secondes Trois Muses*, en portugais.

À côté de l'*Histoire des mouvements et de la séparation de la Catalogne* (1645) et d'une biographie consacrée au duc de Bragance, *Teodósio* (éd. Porto, 1944, traduction portugaise), rédigés en castillan, son œuvre historique comprend cinq *Epanaphores* (Lisbonne, 1660) et une biographie de D. João IV, *Tacite Portugais* (éd. Rio de Janeiro, 1940).

Ses *Œuvres morales* (Rome, 1664) regroupent des méditations ascétiques ainsi que les vies de saint Augustin et de saint François d'Assise, en espagnol. En portugais, ses *Apologues dialogiques* (1721) comprennent, outre trois peintures de mœurs sur le mode picaresque — les *Horloges parlantes*, le *Bureau avare* et la *Visite des sources* —, un *Hôpital des lettres*, la première revue générale et critique d'auteurs portugais anciens et modernes. De sa prison, il envoie *Aux hommes cultivés du Portugal* une demande de collaboration à son projet bibliographique de « Bibliothèque lusitanienne des auteurs modernes ». Son œuvre morale la plus connue est sans aucun doute le *Guide des époux* (Lisbonne, 1651 ; 14 éditions jusqu'au XXe siècle). Parmi ses écrits politiques, on trouve le *Cours politique*, la *Curie militaire* et la *Politique militaire* (1638) ainsi que des lettres éloquentes relatives à sa captivité et des œuvres apologétiques en faveur des privilèges de la haute noblesse ou de la Restauration. La majeure partie de son œuvre théâtrale s'est perdue mais il reste en portugais une excellente comédie dans la tradition de Gil Vicente, l'*Apprenti gentilhomme* (écrit en 1646 et paru à Lyon, en 1665, dans les *Œuvres métriques*), qui présente d'intéressantes analogies avec la pièce — postérieure — de Molière. On compte encore 500 *Lettres familières* (Rome, 1664) sélectionnées parmi des milliers et retouchées par l'auteur. En outre, parmi les œuvres posthumes, il faut citer un *Traité de sciences cabalistiques* (1724) et une *Foire aux adages* (Lisbonne, 1875).

Fortement contrastée, la personnalité de D. Francisco Manuel de Melo illustre bien certains aspects du baroque péninsulaire. Aristocrate spirituel et curieux, il ne dédaigne pas de donner à sa prose une saveur archaïsante et populaire. Cosmopolite — « entre gens cultivés, il n'y a pas de nations » — il sait aussi se montrer nationaliste lorsqu'il s'agit de défendre le régime de Bragance ou de préparer une anthologie des meilleurs auteurs portugais. Bien qu'il ait le don de s'accommoder aux circonstances (à Bahia, il devient négociant de sucre), il est profondément conservateur. En politique, il garde la nostalgie du passé féodal : selon lui, l'absolutisme a écarté la noblesse de son rôle naturel de médiateur entre le roi et le peuple. Socialement conformiste, il considère la prostitution, la bâtardise et l'inégalité des classes comme des maux nécessaires et regrette les rapports économiques basés sur la libéralité des Grands. Dans le mariage, un problème obsessionnel pour ce célibataire endurci, il accorde au mari une prépondérance déjà jugée scandaleuse à l'époque, puisqu'il condamne l'épouse à une réclusion complète.

D. Francisco M. de Melo : Esboço biográfico / E. Prestage. – Coimbra, 1914. – XXXVI-614 p.

A.C. de Almeida e Oliveira, "O tema de *Le bourgeois Gentilhomme* no teatro antigo e no teatro moderno". – In : *Ocidente*, vol. III (1938), pp. 263-272.

D. Francisco Manuel de Melo et la littérature française / J. Colomès. – Coimbra, 1966.

Dom Francisco Manuel de Melo (1608-1666). Inventário General de sus ideas / Benjamin Nicolaas Teensma. – S'Gravenhage : M. Nijhoff, 1966. – 234 p.

La Critique et la satire de D. Francisco Manuel de Melo / J. Colomès. – Paris : Ed. Fund. Gulbenkian, 1969.

C. Maffre, "*La Guerre de Cataluna* : Don Francisco M. de Melo, écrivain et philosophe de l'histoire". – In : *Arquivos do Centro Cultural Português*, 3 (1971).

R. Bismut, "Molière et D. Francisco M. de Melo". – In : *Arquivos do Centro Cultural Português*, 7 (1973), pp. 203-224.

HISTOIRE DE LA SÉPARATION DE LA CATALOGNE 210

E. Baret — 1863

Appel à l'affranchissement. — En historien accompli, Melo ne se contente pas de rapporter les faits, il les fait vivre, jusqu'à en composer les grands moments rhétoriques et à faire vibrer les sentiments politiques qui ont fait passer les discours de la conscience au cœur, et du cœur aux actes. Il donne à lire ici, à la manière de Tite-Live, le discours aux États de Catalogne de Pau Claris, chanoine de la cathédrale d'Urgel, représentant du clergé à la junte suprême, qui, contre l'évêque d'Urgel, chancelier de Catalogne, appelle et décide l'assemblée à la résistance armée face au roi Philippe IV.

Il ne restait à entendre que le chanoine Claris, des trois députés généraux celui dont l'autorité était la plus grande, autorité qu'il devait moins à sa dignité, qu'à l'ardeur de son zèle pour la chose publique. Claris était un homme qui, jusqu'alors oublié, aspirait ardemment à se faire connaître, sans calculer beaucoup les moyens qui pourraient le conduire à la renommée. Il ambitionnait le commandement qu'il n'avait pu obtenir jusqu'au moment de la révolte ; et depuis, il ne se donnait d'autre mérite que d'aimer sa liberté, dont il affectait d'être extrêmement jaloux. Il détestait depuis longtemps son évêque, au point que, même en partageant ses sentiments, il eût plutôt changé d'opinion que de paraître se ranger à son avis. Jusqu'alors il avait affecté de garder le plus grand silence, bien qu'à ses mouvements involontaires on pût deviner le feu qui couvait dans son âme. — Il attendit un grand moment ; ensuite, promenant sur l'assemblée un regard mélancolique, il sollicita des yeux l'attention, et s'exprima en ses termes :

« N'est-il pas vrai, dites-moi, que par toute l'Espagne est décrié cet odieux gouvernement ? Pouvons-nous douter que le déplaisir ne soit égal dans toutes les provinces ? Il en faut une qui commence à se plaindre, une qui brise la première les liens de l'esclavage : les autres suivront. Déjà le Portugal et la Biscaye vous ont sollicités des yeux, et si leurs peuples se taisent, ce n'est pas qu'ils soient satisfaits, c'est qu'ils attendent. Leur délivrance est également à la charge de votre énergie. Les peuples d'Aragon, de Valence, de Navarre, dissimulent, il est vrai, leurs cris, mais non leurs soupirs. Ils pleurent silencieusement sur leurs ruines ; n'en doutez pas, plus ils semblent abattus, plus ils sont près du désespoir. La Castille ellemême, superbe et misérable, n'achète un mince triomphe qu'au prix d'une longue oppression. Demandez à ses habitants s'ils sont jaloux de la manière dont vous veillez à la défense de vos libertés. — Et si cette considération vous promet les applaudissements et l'appui de tous les royaumes d'Espagne, je ne vois pas qu'il vous soit plus difficile d'avoir d'autres auxiliaires. Doutez-vous du secours de la France ? N'est-il pas inévitable ?

Dites : de quel côté craindriez-vous des ennemis ? Les Anglais, les Vénitiens, les Génois, ne cherchent en Castille que leur intérêt. Ils la considèrent comme un canal de dérivation de l'or et de l'argent dans leur pays. Si ses trésors prenaient un autre chemin, ce jour-là changeraient leur amitié et leur alliance. Les sages Hollandais ne pourront s'étonner de vous voir suivre les traces qui les ont si glorieusement conduits à la conquête de leur liberté !

Voyez notre province enclavée entre l'Espagne et la France. C'est être ingrats envers la nature qui vous a donné la mer en face pour vous enrichir de ses ports, la montagne à dos pour vous couvrir de ses âpres sommets ; à droite et à gauche les puissances de l'Europe pour vous fortifier par leur opposition. Que vous manque-t-il, Catalans, sinon la volonté ? N'êtes-vous pas les descendants de ces hommes fameux qui, après avoir arrêté l'orgueil de Rome, sont devenus le fléau des conquérants africains ? Ne gardez-vous pas quelques restes du sang de vos illustres ancêtres, de cette poignée de héros qui domptèrent la Grèce, pour venger les injures de l'empire d'Orient, et qui, après l'ingratitude du Paléologue, allèrent jusqu'à donner des lois à Athènes pour la seconde fois ? Êtes-vous changés ? Non, vous êtes les mêmes, j'en suis sûr ; vous ne tarderez pas plus à le faire paraître, que la fortune ne tardera à vous en fournir l'occasion. Mais quelle plus juste occasion attendriez-vous que l'affranchissement de votre patrie ? Vous avez vengé les injures de l'étranger, et vous ne vengeriez pas les vôtres ? Voyez les Suisses, ce peuple obscur, de mœurs grossières, de religion incertaine ; il s'est lassé de vivre à l'ombre du diadème impérial, et aujourd'hui les plus grands princes sollicitent et achètent son alliance. Voyez les Provinces-Unies, elles n'avaient pas une aussi belle cause que vous, et la fortune leur a donné la main pour les porter au comble de la prospérité.

Si ces exemples ne vous touchent pas, s'il se peut que la crainte vous ferme les yeux sur vos propres avantages, remuez donc quelques-unes des pierres de cette cité. Elles vous raconteront la résistance que ces murs opposèrent à Jean II d'Aragon, jusqu'à ce que, capitulant à notre discrétion sous les yeux du monde, il entra en vaincu dans Barcelone, où nous le reçûmes en triomphateurs. Est-ce enfin la grandeur du Roi Catholique qui vous arrête ? Regardez-la de près, et vous cesserez de la craindre… Depuis combien d'années la voyez-vous baisser, cette formidable puissance ? Certes, nous pouvons dire, à la vue de ces ruines, que sa grandeur se mesure plutôt par ce qu'elle a perdu, que par ce qu'elle a possédé. Voulez-vous compter ce que chaque jour lui enlève ? Des villes ? vous en trouverez bon nombre en Flandre et en Lombardie ; des provinces ? demandez-le aux deux Indes ; des armées ? la mer et le feu vous en rendront compte ; des capitaines ? la mort ou la lassitude vous répondront.

[...]

Si vous regardez comme un collègue dangereux l'homme qui ne vous parle avec tant de liberté que parce qu'il ressent plus vivement la vue de vos misères, ou si quelqu'un pense, qu'à l'abri moi-même du péril, je suis d'autant plus ardent à vous y précipiter, je déclare, seigneurs, que je suis prêt à abdiquer la part d'action que j'exerce dans votre gouvernement. Retournez, à la bonne heure, aux pieds de votre souverain ; baignez-les de vos larmes ; augmentez par votre humilité l'insolence de vos persécuteurs, et que je sois le premier à comparaître devant la justice, si ma mort doit apaiser la tempête et conjurer les périls de la patrie. Moi-même, de ce poste élevé où vous m'avez placé pour procurer le bien de la république, je marcherai, traînant mes chaînes, au-devant de la fureur du monarque, devenant à ses yeux l'accusateur odieux de mes propres actions. Périsse Claris, qu'il meure s'il le faut, de la mort des infâmes, pourvu que vive et respire la Catalogne affligée !

Histoire de la littérature espagnole depuis ses origines les plus reculées jusqu'à nos jours / par Eugène Baret. – Paris : Dezobry, 1863. – [Pp. 477-480].

HISTOIRE DE LA SÉPARATION DE LA CATALOGNE 211

J. Pérez, J.-M. Pelorson — 1971

La révolte des faucheurs. — « Depuis plusieurs années déjà, un conflit oppose le gouvernement du comte d'Olivares aux Catalans qui se retranchent derrière leurs *fueros* pour refuser de participer à la défense commune de l'Espagne. Le différend s'aggrave à partir de 1635, à l'occasion de la guerre avec la France : des troupes traversent la Catalogne pour renforcer les garnisons du Roussillon, alors possession espagnole, et s'y livrent à quelques excès qui accroissent le mécontentement. Le jour de la Fête-Dieu, 7 juin 1640, la guerre civile éclate, déclenchée par les paysans descendus dans la plaine à l'occasion de la moisson ; l'hymne officiel des républicains catalans, *Els Segadors*, évoque ces événements. Dans un style dense, concis, où abondent les latinismes, l'écrivain décrit les premières échaffourées. » (Argument des traducteurs).

On vit poindre l'aube du jour où l'Église catholique célèbre l'institution du Très saint Sacrement de l'autel ; c'était, cette année-là, le 7 juin ; pendant toute la matinée, se poursuivit l'entrée redoutée des faucheurs, près de deux mille, dit-on, ce qui, avec les premiers venus, représentait plus de deux mille cinq cents hommes, quelques-uns connus pour leur goût de l'esclandre ; on raconte que beaucoup, aux outils et armes habituelles, en avaient ajouté d'autres, cette fois, comme s'ils étaient expressément venus dans l'intention de frapper un grand coup.

Ils entraient et se répandaient dans la cité ; dans toutes les rues et les places, ce n'étaient qu'attroupements et conciliabules entre Barcelonais et faucheurs ; partout, on débattait du différend qui opposait le roi et la province, de l'intransigeance du vice-roi, de l'arrestation du député et des échevins, des intentions de la Castille et, enfin, des abus de la troupe ; après quoi, enflammées par l'indignation, les uns et les autres circulaient en grand silence sur les places et la colère, contenue par l'hésitation, brûlait de se manifester et de se traduire en actes, car on les voyait tous bouillant de rage et d'impatience ; quand ils rencontraient un Castillan, sans égard pour son habit ou sa fonction, ils le toisaient avec dérision et insolence, cherchant à le provoquer ; tous les signes laissaient prévoir une issue déplorable.

On remarquait particulièrement, au milieu de tous les agitateurs, l'un des faucheurs, malfaiteur redoutable. L'ayant reconnu, un fonctionnaire subalterne de la police, créature et auxiliaire de Monredón (dont nous avons déjà parlé), voulut l'arrêter, mais la tentative dégénéra en bagarre entre les deux hommes ; le faucheur fut blessé au moment où commençaient à lui venir en aide un grand nombre de ses amis. L'un et l'autre des deux camps ne cessait de se renforcer ; néanmoins, celui des faucheurs conservait toujours l'avantage. Alors, quelques-uns des soldats de la troupe qui montait la garde devant le palais du vice-roi ouvrirent le feu du côté de la mêlée et fournirent ainsi aux uns et aux autres de nouvelles raisons de secourir les leurs. Tous, à ce moment-là, poussaient des cris furieux ; les uns réclamaient vengeance ; d'autres, allant plus loin, exigeaient la libération de leur patrie ; ici, l'on entendait : « Vivent la Catalogne et les Catalans ! » ; là, d'autres s'écriaient : « À bas le maudit gouvernement de Philippe ! ». Effroyables parurent ces cris, entendus pour la première fois, aux oreilles paisibles des hommes d'ordre ; presque tous ceux qui ne les proféraient pas les écoutaient avec terreur et la plupart auraient préféré ne pas les avoir entendus. L'incertitude, la frayeur, le danger, le désordre, tout était mêlé ; chacun de ces sentiments s'exprimait dans des actes et tout le monde était susceptible de passer par des états aussi différents ; seuls les fonctionnaires royaux et les fauteurs de troubles n'étaient pas surpris, animés d'une ardeur égale. Tous s'attendaient à tout instant au massacre (la fureur de la populace finit presque toujours dans le sang) ; beaucoup, sans maîtriser leur emportement, se faisaient l'écho de la fureur des autres ; tel criait pendant qu'un autre frappait et ce dernier, aux cris poussés par le premier, devenait de nouveau fou furieux. On accablait les Castillans sous les pires injures ; on les traquait avec passion et diligence et celui qui en découvrait un et le tuait, celui-là passait pour un héros, un patriote et un heureux mortel.

Guide de la version espagnole / Joseph Pérez, Jean-Marc Pelorson. – Paris : A. Colin, 1971. – [Pp. 99-101].

COMENIUS

LATIN • TCHÈQUE

1592-1670

Tchèque d'origine, Jan Amos Komenský est né en Moravie. Protestant forcé à l'exil par la reprise en main de la Bohême et de la Moravie par les Habsbourg au cours de la guerre de Trente Ans, Comenius fut, au milieu d'un grand nombre de réfugiés passéistes, un des rares qui réfléchit à un avenir meilleur, appliquant ses efforts à la prospérité de son peuple et au service de l'humanité tout entière.

Pédagogue, il établit les principes didactiques de l'enseignement et de l'éducation scolaire moderne. Son système, qui vise à rendre la scolarité obligatoire, met l'accent sur la langue maternelle et l'élaboration d'un matériel pédagogique approprié aux nécessités de l'âge. Il ordonne son programme à l'ensemble harmonieux des réalités de la vie et des perspectives d'épanouissement spirituel, nécessairement conjointes à ses yeux, tant des individus que des groupes sociaux. Développée dans la *Didactica Magna* (*La Grande Didactique*), dont la version latine avait été précédée d'une version courte en tchèque (1632), sa pédagogie générale se spécialise et concerne, par exemple, l'âge préscolaire dans l'*Informatorium de l'école maternelle* (1632) ou la didactique des langues, considérées comme les réceptacles intégraux de tout savoir (*La Clé des langues*, 1631). Si son œuvre pédagogique a pu être connue de ses contemporains par l'édition amstellodamoise de ses *Opera didactica omnia* (1657), ce n'est pas avant l'époque moderne que l'on a mesuré toute la profondeur et la portée de ses intuitions.

Aux recherches pédagogiques de Komenský sont étroitement liés ses projets pansophiques et panharmoniques, formulés dans divers écrits : la *Pansophiæ diatyposis*, la *Via Lucis* et surtout le *De rerum humanarum emendatione, Consultatio catholica*, un manuscrit des années 1645-1670 dont deux tomes seulement parurent de son vivant, en 1662.

En plus de ses nombreux intérêts pédagogiques et philosophico-théologiques, son œuvre littéraire reflète les diverses préoccupations de ce grand esprit : les *Lettres adressées au ciel* (1619) ne sont pas dénuées de critique sociale ; en 1624, il se penche sur la condition d'orphelin ; son ouvrage intitulé *Triste* exprime son chagrin face aux tragédies nationales, religieuses et personnelles qui l'ont affecté (le premier tome en 1624, les deux suivants, en exil, en 1651 et 1660). Une œuvre allégorique, *Le Labyrinthe du monde ou le paradis du cœur* (1631) a longtemps passé pour le sommet de sa production : le personnage principal, un pèlerin dans lequel Comenius s'est stylisé, considère la crise du monde contemporain avec les yeux d'un lettré, refusant les idées toutes faites et dénonçant discrètement les *a priori*.

À la vie de l'Unité des Frères, dont Comenius était évêque, se rattache une série d'écrits d'orientation plus proprement religieuse : on y trouve notamment, outre un recueil d'hymnes, le *Cantionnaire* de l'Unité (1659), *Le Testament de la mère mourante* (1650) dans lequel, après la paix de Westphalie très défavorable aux exilés, l'Unité des Frères « lègue » à toute sa nation ses efforts et ses projets, surtout le désir de vérité et de justice, une éducation authentique de la jeunesse, l'amour de la patrie et de la langue maternelle.

L'Utopie éducative : Coménius / Jacques Privot ; postface de Jean Piaget. – Paris : Belin, 1981. – 286 p. – (*Fondateurs de l'éducation*).

Le Gutenberg de la didacographie ou Coménius et l'enseignement des langues / Jean Caravolas. – Montréal : Guérin, 1984. – 249 p.

La Visualisation des choses et la conception philosophique du monde dans l'œuvre de Comenius. Actes du Colloque international des 18-20 mars 1992 / Textes réunis par Hana Voisine-Jechova. – Paris : Presses de l'Université de Paris-Sorbonne, 1994. – 215 p. – (*Langues et cultures slaves* ; 5).

Comenius / Marcelle Denis. – Paris : P.U.F., 1994. – 128 p. – (*Pédagogues et pédagogies*).

LA RÉFORME DES CHOSES HUMAINES 212

P. Pietquin — 1996

Il est possible et nécessaire de traduire la pensée en actes (II, chapitre I, 1-12). — Fondé sur l'optimisme évangélique, le réalisme de Comenius voit dans le temps et dans le monde le mode et le lieu où la raison humaine peut actualiser ce que sa nature, illuminée par la grâce, est en droit d'attendre, donc en devoir d'effectuer.

Après avoir cherché des remèdes aux désordres de l'humanité, nous devons encore mettre tout notre soin à les administrer dans les règles et à les employer avec prudence, puisqu'on ne guérit pas des malades en les examinant et en leur donnant des prescriptions, mais qu'il faut aller trouver le pharmacien, vider les boîtes, préparer les médicaments et les administrer aux malades avec précaution. En effet, même les remèdes les plus salutaires donnent fréquemment la nausée aux malades, à moins que, les trouvant suspects, ils ne les recrachent. C'est le cas en particulier pour ceux qui souffrent de troubles de la vision, ainsi qu'il arrive de toute évidence à notre monde. À la vérité, celui-ci s'est tellement accoutumé à préférer la routine au progrès que, chaque fois que se présente quelque lumière ou vérité nouvelle, on commence généralement à se troubler. C'est ce qui a fait dire à Pline (préface de l'*Histoire naturelle*) :

C'est une tâche ardue que de donner un air nouveau aux vieilleries, de l'autorité aux nouveautés, de l'éclat à ce qui est usé, de la clarté à ce qui est obscur, de l'attrait à ce qui est dédaigné, du crédit à ce qui est douteux, de donner à chaque chose sa nature et à la nature tout ce qui lui appartient[1].

Et pour Hermès Trismégiste (dans le *Cratère*, ou la *Monade*) :

C'est une voie tortueuse que d'abandonner les objets familiers et présents, pour rebrousser chemin vers les choses anciennes et primordiales. En

---

1 *Histoire naturelle* / Pline l'Ancien ; traduction de J. Beaujeu. – Paris : Les Belles Lettres. – (*Coll. des Universités de France*). – [Préface, 15]. (N.d.t.)

effet, ce qui apparaît aux yeux fait nos délices, tandis que l'inapparent éveille en nous le doute[1].

Une chose est sûre : un médecin ne s'occupe pas de ce qui plaît à son patient, mais de ce qui est bon pour lui ; dévoué à son salut, il supporte son humeur chagrine et persiste à traquer la maladie de remèdes. De la même façon, ceux à qui il a été donné de déceler les maladies du genre humain et de découvrir les remèdes appropriés, aucun obstacle ne les détournera de leur but. Il nous faut seulement veiller à ne pas subir le sort habituel des médecins, qui avouent sans malice que « sur une chaise, toutes les maladies se guérissent ; au lit, peu se soignent ».

Songeons bien que ce dont il n'existe que l'Idée, mais pas encore la Chose, n'est pas parfait : autrement dit, nos efforts sont là, mais pas encore notre œuvre elle-même. Est parfait ce qui a atteint son but : la Médecine, si elle a guéri le corps ; la Philosophie, si elle a éclairé l'esprit ; la Théologie, si elle a uni l'âme à Dieu ; la Politique, si elle a pacifié l'État ; la Guerre, si elle a apporté la victoire et la paix. Aussi, on ne pourra dire accompli le redressement recherché que quand il sera réellement établi que les hommes ont été redressés, et toutes choses avec eux.

Ce à quoi nous avons visé par nos œuvres, ce furent des vœux pieux pour le salut du genre humain : que tous commencent à ne faire qu'un, à être sages, à être heureux. Si nous ne travaillons pas dès à présent à traduire ces pensées en actes, ce seront de pures idées platoniciennes, un contenu sans contenant, une image sans réalité. Pour que cela n'arrive pas, ne nous contentons pas d'esquisser des idées, commençons par rechercher le résultat lui-même !

Il est facile, par le travail, d'augmenter nos découvertes, mais il est aussi facile, par négligence, de les ruiner. Aussi rechercherons-nous les moyens et les méthodes qui veilleront à préserver ce que Dieu nous a donné de découvrir. Qu'il soit rude, qu'il soit difficile, qu'il soit pénible, le projet dont nous avons osé rêver, tout en recherchant les moyens de l'atteindre. Toutefois, s'il est vrai que cela est très beau et très salutaire, et, partant, très souhaitable, et même toujours souhaitable, il ne faudra pas prendre le prétexte de la difficulté comme une raison de désespérer, mais comme un stimulant pour insister plus énergiquement. Il est mauvais médecin, celui qui désespère de soigner.

---

1 *Le Cratère*, ou *la Monade* / Hermès Trismégiste ; traduction de A.-J. Festugière. – Paris : Les Belles Lettres. – (*Coll. des Universités de France*). – [9]. (N.d.t.)

Un trésor que l'on a découvert, mais que l'on n'a pas désiré, que l'on n'a pas cherché, que l'on n'a pas trouvé, que l'on n'a pas déterré, auquel on n'a pas donné d'usage, à quoi sert-il ? À qui profite-t-il ? Dès lors, ce trésor si grand de Lumière et de Félicité que Dieu, dans sa bonté suprême, nous a dévoilé de manière éclatante ces temps derniers, n'est-ce pas pleins d'ardeur et en unissant nos efforts que nous irons le déterrer ? N'allons-nous pas le mettre à la disposition de tout le monde ? Ne ferons-nous pas comme cet homme de l'Évangile qui, après avoir trouvé un trésor dans un champ, s'en alla tout joyeux, vendit tout ce qu'il possédait et acheta ce champ ? (Matth. 13. v. 44).

Les occasions de grandes réalisations, ce n'est pas nous qui pouvons les créer, entraînés que nous sommes, en même temps que l'univers, par la puissance invisible de la Providence ; elles ne dépendent pas de notre bon vouloir, mais de celui du Gardien éternel de l'univers. Cependant, chaque fois qu'Il nous fournit des occasions, Il veut que nous les saisissions tout autant que si, en nous appelant depuis le ciel, Il nous donnait tel ou tel commandement. Il nous faut alors être obéissants et empressés, de peur de paraître dédaigner le projet que Dieu fait sur nous-mêmes. (Luc. 7, v. 30.)

Or, voilà qu'Il nous fournit les occasions de réalisations presque sans pareil depuis l'origine de l'univers ! Si nous négligeons de les saisir, nous serons saisis d'une écrasante responsabilité d'ingratitude, tout comme celui qui, plongé dans l'ennui des ténèbres, se voit offrir de la pyrite, de l'acier, du combustible, une lampe et un candélabre : tardera-t-il pourtant à faire jaillir flamme et à s'allumer du feu ? Dieu, en effet, ne nous montre-t-il pas les chemins de la Lumière ? Tout n'est-il pas dans cette lumière ? Ne nous donne-t-Il pas des flambeaux à porter au devant de tous ? Ne voit-on pas le ciel s'ouvrir et se manifester désormais enfin, devant nous et devant tous les peuples qu'il a créés, les mystères de sa Gloire ? N'est-ce pas beaucoup mieux que pour Moïse, à qui Il se montra seulement de dos, tandis qu'il se tenait sur le rocher ? Moïse eut pourtant tôt fait de se jeter à terre et dit en se prosternant : « Si j'ai trouvé grâce à tes yeux, je t'en prie : que le Seigneur marche au milieu de nous. » (Exod. 33. v. 20. et 34 v. 8, 9.)

Hâtons-nous donc, nous aussi : Dieu commence à nous montrer, non plus l'ombre de son dos, mais l'éclat de son visage. À notre tour, tombant face contre terre, écrions-nous : « Seigneur, toi qui as pitié de nous, ne nous abandonne pas ! Nous aspirons à la Terre promise que tu ne cesses de nous montrer de loin. Conduis-nous à travers les déserts qui nous en séparent encore, afin que nous ne nous éloignions pas de l'objet de notre désir, Seigneur ! »

Ô, vous à qui, dans la lumière de Dieu, il est déjà donné de voir la lumière, nous avons plus d'une raison de nous hâter d'allumer au plus vite cette œuvre de lumière (à laquelle Dieu collabore avec nous, et nous avec Dieu). Voyez-vous comme la majeure partie du Monde se couvre encore de ténèbres, s'abrutit, ne connaît pas Dieu, ne se connaît pas elle-même, ne connaît rien ? Et nous ne nous empresserons pas d'ouvrir ses prisons de ténèbres ? Afin que s'avance enfin dans la lumière la Créature destinée à avoir part à la Lumière ?

Les guerres font s'agiter épouvantablement, ou plutôt se détruire, les Nations du Monde : hâtons-nous, je vous en supplie, de leur proposer des résolutions de paix ! Afin d'assainir la folie de leur esprit, avant que nous aussi, rescapés jusqu'ici, nous ne nous infligions des blessures réciproques. Homère s'étonne avec raison de ce que les mortels ne soient jamais rassasiés de guerre, alors qu'ils se rassasient facilement de tout le reste. Mais il s'étonnerait davantage s'il vivait à notre époque, où presque le monde entier s'est entre-tué. Si nous devons nous reprendre un jour, faisons-le maintenant ! Et, en compensation de tous les siècles précédents, entamons un siècle de paix. Admettons que les guerres entre Gouvernements, les querelles entre Écoles, les rancœurs entre Chapelles aient été des fatalités, tant que la méchanceté du monde méritait d'être stigmatisée de la sorte. Une fois que nous serons retournés de tout notre cœur à Dieu, source de paix, de lumière, d'amour et de bénédiction, puissent la Paix, la Lumière, l'Amour et la Bénédiction divine devenir une fatalité pour les siècles des siècles.

Enfin, puisque le Monde approche à grands pas de son terme, il nous faut cependant encore auparavant prêcher l'Évangile à toutes les nations qui vivent sous le ciel (Matt. 24, 24.) Il est vrai qu'il reste encore de nombreuses nations à convertir, que nous ne connaissons pas encore, en Asie, en Afrique, en Amérique, sur les terres découvertes par Magellan et dans des îles lointaines. Avant que la bonne nouvelle du Christ ne puisse se répandre sur eux et pénétrer jusqu'aux derniers d'entre eux, il faudra peut-être un siècle (en effet, les choses avancent par étape). Hâtons-nous donc d'arracher aux tourbillons de la perdition ceux qui se perdent ! Pour une Œuvre si sainte, il ne faut pas nous montrer paresseux. Notre ardeur ne doit pas faiblir, tant que nous n'aurons pas soumis l'univers entier à la royauté du Christ.

Traduction inédite. — *De rerum humanorum emendatione, Consultatio catholica* / Johannis Amos Comenii. - Praha, 1966. - [Tome II, pp. 385-387].

LA PAMPÆDIE

213

B. Tenora — 1957

La raison est la lumière divine dans l'homme (chapitres II, § 29-30, III, 1-6, 31-33). — L'âme raisonnable est en tout homme, si infirme qu'il soit, apte à l'instruction (enracinée dans l'amour du prochain et d'autant plus nécessaire que les moyens de nature dont l'être dispose sont faibles). En tant qu'image de Dieu, tout homme désire accomplir la perfection qui est en lui et, par inhérence, en possède les moyens.

Il est pourtant vrai que la sagesse est nécessaire en premier lieu surtout à ceux qui sont destinés à conduire, à enseigner, à diriger les autres, les futurs théologiens, rois et fonctionnaires. Mais si nous pesons le problème à l'aide d'une balance juste, on s'aperçoit que c'est justement pour cette raison que la sagesse est nécessaire à tout le monde. Non seulement parce que chacun doit être précepteur, guide et directeur, en premier lieu, pour lui-même, mais aussi pour les autres. Car Dieu a donné à chacun des ordres concernant sa conduite à l'égard des prochains (Sir., 17, 12) ; il ordonne à chacun non seulement d'aimer son prochain (ce qui est un commandement de caractère général), mais aussi d'instruire l'ignorant, de ramener dans le bon chemin celui qui s'est égaré, de réprimander le pécheur, etc. ; l'Écriture fourmille de ces préceptes. Par conséquent, il faut qu'il n'y ait personne qui ne soit philosophe, car l'homme a été créé comme un être raisonnable et a reçu l'ordre d'observer l'essence des choses et de la montrer aux autres. Il faut qu'il n'y ait personne qui ne soit roi ; car l'homme a été destiné à gouverner les créatures inférieures, lui-même et ses prochains. Il faut qu'il n'y ait personne qui ne soit prêtre, car l'homme a été appelé à servir Dieu le Créateur en son nom et au nom des créatures inférieures ; et il a l'obligation d'y amener aussi d'autres hommes. Il n'y a donc personne qui n'ait besoin de la sagesse, même si l'un est plus haut placé que l'autre ; personne ne doit être complètement négligé.

La question se pose de savoir si même les aveugles, les sourds et les déficients (c'est-à-dire ceux qui, à cause d'une insuffisance d'organes, ne peuvent pas être entièrement instruits) doivent participer à l'instruction. Voici ma réponse : 1° Personne, sinon un être qui n'est pas homme, n'est exclu de l'instruction humaine. Par conséquent, c'est dans la mesure où ils participent à la nature humaine qu'il faut qu'ils participent aussi à l'instruction. Ou plutôt même davantage puisque, la nature ne pouvant, à cause de cette insuffisance intérieure, l'emporter elle-même, une aide venue du dehors est doublement nécessaire. 2° D'ailleurs, la nature qui, pour une raison quelconque, ne peut pas déployer toute sa force dans un sens, la déploie d'autant mieux dans un autre sens si on l'aide un petit peu. Les exemples ne manquent pas d'aveugles de naissance qui, à l'aide de la seule ouïe, sont devenus d'excellents musiciens, juristes, orateurs, etc., de même que des sourds de naissance sont parvenus à être des peintres, des sculpteurs et des artisans remarquables. Il y a eu des hommes sans mains qui sont arrivés à être d'habiles copistes écrivant avec leurs pieds. Et que de cas analogues ! On voit donc qu'il y a toujours un accès à l'âme raisonnable ; par conséquent, il faut y faire pénétrer la lumière par là où c'est possible. Ce n'est que dans le cas où aucun accès de nulle part n'est possible — mais je ne sais pas s'il peut y avoir une bûche où l'âme, en s'installant, c'est-à-dire en élisant son domicile pour elle-même et pour ses instruments, n'aurait gardé aucune lucarne permettant l'accès à l'intérieur — ce n'est que dans ce cas-là qu'il faudrait abandonner cette créature à son Créateur.

C'est tout ce qu'il y a à dire pour faire voir la nécessité d'instruire tous les hommes : à présent, il s'agit de montrer : i. Que ce n'est pas seulement une partie de l'homme, mais l'homme tout entier qui doit être instruit en tout ce qui couronne l'essence de l'humanité ; ii. Que, vu sa nature, c'est possible ; iii. Enfin, comment on peut arriver à le faire d'une manière facile. Mais, avant d'aborder ce sujet, nous intercalerons ici quelques réflexions sur les circonstances dans lesquelles ce si noble désir est né et sur ses différents aspects.

Dès le commencement du monde, des hommes sages, avec leurs faibles connaissances, considéraient comme un honneur de s'approcher de Dieu par la gloire de l'omniscience. Et l'on ne peut pas dire qu'un tel désir était dû à une curiosité maladive, car il a pour auteur Dieu lui-même, le créateur de la nature. C'est Dieu lui-même qui, dès le début, à l'état d'intégrité, a donné à notre père Adam l'occasion de se procurer une certaine omniscience ordonnée. Car, ne se contentant pas d'édifier devant lui un théâtre de sa sagesse plein de choses d'une merveilleuse variété, il lui a donné aussi l'ordre exprès d'observer les créatures, de les classer en groupes et de les distinguer par des noms. Et tous les hommes ne sont-ils pas la descendance d'Adam ? Ne sommes-nous pas les héritiers du droit légué par notre père ?

Plus tard, Dieu a donné à Salomon la sagesse, une très grande intelligence, une étendue d'esprit vaste comme le sable qui est sur le bord de la mer (I Rois, 6, 7) de sorte que, dans les choses concernant la nature, il savait parler des arbres, depuis le cèdre du Liban jusqu'à l'hysope qui sort de la muraille. Et qu'il était capable de parler aussi des choses morales (pour juger avec sagacité tous les faits des hommes), la preuve en est le Livre des proverbes ainsi qu'un autre livre, appelé l'Ecclésiaste, où sont évoqués les hasards de la vie. Enfin, dans le domaine des choses divines, le Cantique des cantiques prouve qu'il a bien observé l'amour qui rattache le Christ à l'Église.

Très nombreux sont ceux qui brûlaient du désir d'acquérir une telle science universelle ; les Grecs l'ont appelée encyclopédie (*egkyklopaideia*), les Romains le cercle des connaissances (*doctrinarum orbis*) ; et il se trouvait des gens qui possédaient vraiment une telle instruction encyclopédique. Chez les Grecs, ils étaient singés par les sophistes qui discouraient, sans préparation, sur tel sujet qu'on leur propopsait ; cependant, des philosophes plus sévères tels que Socrate, Platon, etc., combattaient leur loquacité vantarde.

Aujourd'hui non plus, il ne manque pas d'hommes qui collectionnent, en vue de constituer un système scientifique, toutes les connaissances certaines, tout ce qu'on peut apprendre sur chaque chose sous le soleil, et qui éditent leur ouvrage à l'intention du grand public sous le nom d'encyclopédie, de polymathie, de pandectes, de panaugie, de pansophie ou sous un titre analogue. Et il ne manque pas non plus de têtes intelligentes qui acceptent avec plaisir ce que d'autres leur offrent d'une main généreuse, et qui s'appliquent à meubler universellement leur esprit de toutes les sciences.

Mais nous désirons que ce ne soient pas seulement quelques hommes qui puissent être instruits encyclopédiquement, mais tous les hommes. Et qu'ils soient instruits non seulement de ce qu'on peut savoir, mais aussi de ce qu'il faut faire et expliquer par la parole ; nous désirons qu'ils se distinguent le plus possible des animaux justement par les dons qui les différencient d'eux, c'est-à-dire par la raison, la parole et la liberté d'agir. En effet, la raison est la lumière divine dans l'homme à l'aide de laquelle ce dernier, en percevant, voit et, en voyant, s'apprécie lui-même et apprécie aussi les choses extérieures. C'est de là que résulte immédiatement l'amour du bien ou la volonté, par laquelle l'homme suit tout ce qu'il croit être désirable dans les choses et étend toujours ses désirs sur l'avenir et même sur l'éternité ! La parole est l'émanation de cette lumière qui se propage d'un homme à l'autre ; grâce à elle, l'homme explique clairement et exactement tout ce que lui-même comprend bien et le présente à la compréhension d'autres hommes. D'elle émanent enfin la liberté d'agir et la capacité d'exécuter, si l'on veut, et avec une habileté merveilleuse, ce que l'on comprend et ce dont on parle.

[...]

Jusqu'à présent, nous avons exposé pour quelles raisons il est désirable que tous les hommes puissent être pleinement éduqués ; à présent, il s'agit de voir si c'est possible. Pourquoi ne serait-ce pas possible, puisque chaque homme est créé de façon à représenter Dieu, à être son image ? Ce qui le démontre, ce sont les facultés que la nature a mises dans l'âme de l'homme : c'est le désir 1° de connaître différentes choses, 2° d'édifier, 3° de se montrer pieux, juste et bon dans tout ce qu'il fait , et 4° de dépendre, autant que possible, seulement de soi-même, et pas des autres. Car peut-il y avoir quelqu'un qui ne considérerait comme une gloire de savoir beaucoup, de pouvoir beaucoup, d'être bon (ou du moins de le paraître) et de se suffire à lui-même (de ne pas avoir besoin des autres) ? D'où viennent tous ces instincts ? ou bien Celui qui nous a donné une telle volonté ne pouvait-il ou ne voulait-il pas y ajouter aussi la possibilité ?

Et n'est-il pas vrai que ces aspirations innées sont accompagnées aussi des moyens qui permettent à l'homme, à condition de s'en servir, d'atteindre les objets qu'il désire ? Comme il est inconciliable avec la sagesse divine d'assigner des buts à atteindre sans offrir en même temps les moyens qui permettent de les atteindre, il est évident que les douze désirs de notre cœur, mentionnés à l'article II[1], ont pour contrepartie autant de possibilités permettant de les atteindre — à condition qu'on se serve de ces possibilités — ou conduisant à l'échec, si on les néglige. Car : i. La vie physique est entièrement organique, capable de se conserver ou de se détériorer selon que les organes sont conservés ou détériorés. ii. La santé physique consiste dans la cohérence solide des parties et dans l'état de conservation de chacune d'elles ; on peut donc la conserver à condition

---

1 « Car toute créature humaine désire, par les instincts les plus intimes de sa nature : i. Exister, c'est-à-dire vivre ; ii. Vivre solidement, c'est-à-dire représenter quelque chose ; iii. Vivre intelligemment, c'est-à-dire savoir ce qu'on a autour de soi ; iv. Vivre clairement, c'est-à-dire comprendre ce qu'on sait ; v. Vivre librement, c'est-à-dire vouloir et choisir les choses qu'on sait bonnes, ne pas vouloir et refuser les choses mauvaises et disposer de tout, autant que possible, selon sa propre volonté ; vi. Vivre activement, c'est-à-dire faire les choses que l'on comprend et choisit, pour ne pas comprendre et choisir en vain ; vii. Avoir beaucoup de choses ; viii. Se savoir en sûreté pour tout ce qu'on possède ; ix. Exceller et être considéré ; x. Être, autant que possible, éloquent pour pouvoir communiquer aux autres vite et correctement ce qu'on sait et ce qu'on veut ; xi. Jouir aussi de la faveur et de la popularité parmi les hommes, et, sans susciter l'envie, se voir souhaiter une vie tranquille, agréable et sûre ; xii. Enfin, jouir de l'affection de Dieu pour sa joie intime et pour la sécurité de son bonheur en Dieu. » (*Pampædie*, chapitre III, 11).

d'éviter toutes les influences perturbatrices. iii. Il est possible de savoir tout ce qui est exposé dans le triple livre divin et ce que nous devons y puiser à l'aide des organes qu'on nous a donnés à cet effet (sens, raison, foi). Car c'est par l'intermédiaire des organes extérieurs que tout le monde extérieur pénètre en nous ; à l'aide de la raison, il est possible d'explorer même ce qui est caché en grande partie ; tandis que par la foi on saisit ce qui est dissimulé et ce qu'il a plu à Dieu de révéler. Qu'y a-t-il donc que nous ne possédions pas pour acquérir le trésor d'une certaine omniscience ? iv. On peut aussi comprendre tout ce qui manifeste les causes de son existence. Mais tout ce qui existe a ses causes ; elles peuvent ne pas être toujours évidentes, mais on arrive à les saisir d'après certains indices. Il suffit, pour cela, de quelques efforts ; en général, rien n'est impossible. v. Y a-t-il quelqu'un qui ne sache apprécier et choisir les choses qu'il a comprises ? Tout le monde fait son choix, non seulement ceux qui croient comprendre ; et puis même parmi les hommes insensés il n'y a personne qui ne désire manier les choses à son gré sans en comprendre la nature. vi. L'homme peut tout exécuter à condition de posséder les organes qui permettent de le faire ; mais y a-t-il des choses pour lesquelles il n'aurait pas d'organes ? vii. Pourquoi ne serait-il pas possible de posséder des choses de valeur ? Dieu a installé la maison qu'Il nous a cédée pour y loger [le monde] d'une façon si riche que tout ce qui est nécessaire suffit amplement à tous les hommes, à condition évidemment de savoir s'y prendre. viii. Chacun peut se servir de toutes les choses qui sont de nature à attirer par une valeur qui s'y manifeste. Mais quel ouvrage de Dieu n'entre pas dans ce cas ? Puisque tout est bon, chaque chose en son temps (Siracide, 39, 26, 40). ix. Chaque homme peut se distinguer, à moins qu'il n'ignore ce que c'est que de se distinguer vraiment et quel est le droit chemin des véritables sommets. Car le seul fait d'être créé nous donne le droit d'être supérieurs à toutes les créatures visibles (Psaumes, 8, 6, 7) ; par le bienfait de la rédemption, nous sommes supérieurs même aux anges (Hébr., 2, 16) ; enfin, par la sanctification, nous sommes élevés à la participation à l'essence divine. Que tout cela est magnifique ! x. Chaque homme que Dieu a doté d'une raison saine, d'une langue et d'oreilles peut devenir éloquent, et il y a sûrement peu de gens qui, par un malheureux hasard, soient privés de ces organes. xi. Chaque homme peut s'orner de bonnes mœurs et acquérir la faveur de ses semblables, s'il observe les règles de la bienséance et respecte la paix (à l'intérieur de soi-même aussi bien qu'avec ses prochains) ; et il n'y a sûrement personne qui n'en soit capable. xii. Enfin, il est possible à chaque homme de s'unir à Dieu par l'amour et l'obéissance s'il savoure la douceur du bien suprême (qui n'habite qu'en Dieu, sa source, et en découle pour atteindre tous et tout). Mais pourquoi n'essaierions-nous pas d'en rendre l'accès facile à tout le monde ? Voici du moins ce que dit Dieu : « Goûtez et voyez combien l'Éternel est bon » (Psaumes, 34, 9).

Pages choisies / Jean Amos Comenius ; introduction de Jean Piaget. – Paris : Unesco, 1957. – [Pp. 132-134, 124-125 pour la note].

LA PAMPÆDIE 214

B. Tenora — 1957

Principes et méthodes de l'école publique (chapitre V, 5, 8-16). — Après avoir précisé « Il sera donc très facile d'arriver à faire de toute la vie une école. Tout ce qu'il faut pour obtenir ce résultat est de faire faire à chaque âge ce à quoi il est apte : pendant toute la vie, on aura des choses à apprendre, à faire, en essayant d'y exceller et d'en récolter les fruits » (5), Comenius développe son programme pédagogique.

Il faut traiter à part les écoles publiques et 1° examiner ce qu'elles sont et pourquoi il faut les établir partout ; 2° montrer que c'est possible ; 3° prouver, ce qui est aisé, qu'elles ne seront plus des maisons de travaux forcés, mais d'agréables lieux propices à l'épanouissement du travail intellectuel.

J'appelle écoles publiques les assemblées où la jeunesse de tout le village, de toute la ville ou de toute la région s'exerce en commun aux habiletés et aux connaissances, aux bonnes mœurs et à la vraie piété, sous la surveillance des hommes (ou des femmes) de mœurs sérieuses ; le but à atteindre est d'avoir partout une abondance d'hommes bien instruits. Mais je suis obligé, pour qu'on me comprenne mieux, d'ajouter quelques explications plus détaillées.

Je dis bien : la jeunesse de tout le village, de toute la ville, de toute la région. Il faut comprendre que, partout où il y a une communauté de familles, il faut établir une institution pédagogique commune à toute la jeunesse. Les raisons en sont faciles à comprendre. 1° Les parents ne sont pas capables de se consacrer eux-mêmes à une éducation convenable de leurs enfants, car nombre d'entre eux sont eux-mêmes privés d'instruction ; d'autres, les gens riches et douillets, ne le veulent pas par paresse ; d'autres encore, les zélateurs, ne le peuvent pas, étant absorbés par leur tâche. Par conséquent, si personne ne doit être négligé, il faut prendre les mesures nécessaires pour créer des écoles publiques communes à tous, afin que chacun ait le droit et la possibilité d'y envoyer ses enfants, et même que chacun y soit obligé. 2° Si plusieurs élèves sont groupés, cela non seulement représente une économie de temps, mais apporte aussi une animation aux maîtres et aux élèves et permet d'obtenir en même temps des succès plus rapides et plus solides (grâce à l'émulation mutuelle et aux exemples qui se présentent sans cesse). Enfin, les causes pour lesquelles Dieu a institué les assemblées ecclésiastiques, et la sagesse humaine les réunions de citoyens, sont valables aussi pour les écoles, qui ne sont que des vestibules de l'Église et de la commune ; ce qui veut dire que chacun doit s'habituer aux rapports spirituels aussi bien que temporels, à la concorde et à la vie réglée par des lois. Il faut donc proclamer comme vérité incontestable que les écoles doivent être établies partout : elles favoriseront la vie économique, et offriront une base à l'Église et à l'État.

Ensuite ces écoles doivent être placées sous la surveillance des hommes et des femmes les plus graves ; je veux dire par là : 1° que, vu leur importance, elles ne doivent pas être confiées à n'importe qui, mais seulement à des gens soigneusement choisis ; 2° qu'elles ne doivent pas être confiées à des jeunes gens encore incapables de se diriger eux-mêmes, mais à des personnes d'un certain âge et connues pour leurs mœurs irréprochables ; 3° il faut que chaque sexe soit instruit à part, pour des raisons de bienséance. Mais à quelle fin ?

Tout d'abord pour savoir lire et écrire ; il faut absolument que tout le monde l'apprenne. J'ajoute à cet enseignement les matières nécessaires pour la vie ; car on ne peut pas admettre que la jeunesse s'occupe dans les écoles des choses dont elle n'aura plus tard aucun besoin ; il faut qu'elle s'occupe des choses de nature à la familiariser avec la pratique de la vie. Je suis complètement d'accord avec ce que Cicéron a si bien dit au sujet des exercices oratoires préliminaires (*De oratore*, livre II) : d'après lui, ces exercices préliminaires ne doivent pas ressembler à ce qui était l'habitude chez les Samnites qui, avant le combat, lançaient des javelots dont ils ne se servaient pas pendant le combat même ; ils doivent plutôt être organisés de telle manière que les idées avec lesquelles les disciples ont joué pendant l'exercice puissent aussi servir au cours du combat. C'est ainsi, à mon avis, que la jeunesse scolaire doit être instruite à s'adonner à l'école aux exercices qui, après l'école, lui seront utiles dans les travaux sérieux.

Il faut recommander, dans l'intérêt public, que la jeunesse soit collectivement incitée à s'habituer aux bonnes mœurs. Car, comme les mœurs des garçons ne se corrompent, en effet, que trop facilement, un individu contamine par le simple rapport les autres et leur transmet un vice qui lui est inné ou qu'il a contracté par la faute de la mauvaise éducation à la maison, il n'y a rien qui puisse contribuer plus activement à inculquer de bonnes habitudes que de veiller à ce que, dans la lumière publique, d'incessants exemples des vertus allument toujours de petits feux cachés qui doivent être entretenus par une émulation mutuelle. Il faut donc obtenir, en premier lieu, que chaque école publique devienne un atelier public des vertus ; afin que les enfants ne contractent pas de mauvaises habitudes avant de savoir ce que c'est (car c'est chose difficile à déshabituer quelqu'un des mauvaises habitudes) ; il faut que la jeunesse s'habitue aux vertus tout doucement et sans s'en rendre compte, et que les vices lui inspirent de l'horreur lorsqu'elle aura quitté l'école ; à peu près comme un certain garçon élevé par Platon, qui, rentré à la maison, manifeste son déplaisir à entendre son père s'esclaffer, et dit qu'il n'a jamais rien vu de pareil chez Platon. Par conséquent, même si les enfants ont pris à la maison quelques mauvaises habitudes du fait de l'ignorance ou de l'indolence des parents, il faut s'efforcer de les en déshabituer publiquement. À quoi d'autre servirait le bain si ce n'est à éliminer la saleté ? À quoi bon une école si elle n'arrive pas à délivrer des vices (de l'impureté de l'esprit) ?

J'ai dit que la jeunesse doit être aussi instruite collectivement en piété : car la piété est la véritable âme de toute l'instruction et de toute notre vie ; par conséquent, elle se prête à être enseignée, c'est-à-dire qu'on peut l'enseigner et l'apprendre à l'aide d'exemples, de préceptes et par imitation, avec le secours du Saint-Esprit qui ne manque pas dans tout ce que nous faisons fidèlement et humblement.

C'est en deux sens qu'à mon avis la jeunesse doit être instruite collectivement. D'abord, *tous* les enfants de la classe doivent être aimés et soignés de la même façon ; ensuite l'*ensemble* des sciences doivent leur être inculquées. Car c'est par cette méthode collective qu'il est possible de faire entrer dans la tête plus de science, de faire prendre de bonnes habitudes, d'extirper (avec le temps) plusieurs vices et de réaliser enfin des économies de travail et d'argent, puisqu'on ne prend pas un précepteur pour chacun des élèves, mais qu'on embauche les meilleurs maîtres pour tous les élèves ensemble afin qu'ils les forment tous à la fois, dans tout ce qui est nécessaire. C'est ainsi qu'on arrivera à transformer chaque école en un établissement public où les élèves apprendront à vivre sainement ; en un terrain de jeux où ils s'habitueront à l'activité et à la vivacité, si nécessaires au long de la vie ; en un phare qui éclairera chaque esprit de la lumière de la science ; en une tribune où tous seront instruits à se servir habilement de la langue ; en un laboratoire où l'on ne permettra à personne de vivre à l'école (et plus tard dans la vie) comme les grillons dans les prairies, lesquels perdent leur temps à chanter inutilement — mais comme les fourmis dans leur fourmilière, toujours en plein travail ; en ateliers de la vertu où tous les citoyens se perfectionneront ; en une image de la vie civique où tous apprendront, tour à tour, à obéir, à commander (comme dans un État en miniature), et s'habitueront ainsi dès leur jeune âge à gouverner leurs prochains (si un jour ils sont choisis par le sort pour gouverner les hommes) ; et enfin en une image de l'Église où tous apprendront, du pasteur d'âmes et gardien de la conscience qui leur sera adjoint, à connaître Dieu et à l'adorer ; car ils seront instruits en religion non seulement les jours du Seigneur, mais tous les jours ; et en écoutant les sermons (appropriés évidemment à leur jeune âge), ils apprendront divers préceptes, suggestions et consolations.

Je dois parler enfin aussi des exercices ; car il faut que chaque école publique fourmille plutôt d'exemples et de moyens pratiques qui représentent le chemin le plus court et le plus efficace, que de règles qui ne sont qu'un chemin long et difficile. Ce qu'écrit Hoornbeck, d'après Clenar[1], sur la méthode dont se servent les mahométans dans leurs écoles pour enseigner la langue arabe est vraiment digne d'admiration : « C'est un usage chez eux, dit-il, de faire apprendre par cœur, dès les premières années, le Coran ; ils gravent par conséquent dans leur mémoire un livre qu'ils ne comprennent pas. D'ailleurs, ce livre n'apparaît dans aucune de ces écoles ; le maître puise dans sa mémoire une leçon qu'il écrit au tableau noir et l'élève la grave dans sa mémoire ; le lendemain, le maître écrit une nouvelle leçon et ainsi de suite, de sorte que, en un ou deux ans, il apprend à ses élèves tout le Coran. Et l'on trouverait beaucoup plus de gens qui connaissent le Coran par cette méthode que de gens qui possèdent chez eux le livre même. » Voilà comment des gens déposent le savoir dans leur mémoire et pas sur le papier, grâce à des exercices continuels !

Pages choisies / J. A. Comenius ; introduction de J. Piaget. – Paris : Unesco, 1957. – [Pp. 160-165].

---

[1] Hoornbeck (1617-1666), théologien réformé néerlandais. N. Clenardus, célèbre grammairien du XVIe siècle, a enseigné à Louvain et à Salamanque ; il a séjourné en Afrique pour apprendre l'arabe et rédigé des grammaires grecque, hébraïque et arabe. (N.d.t.)

LITTÉRATURE ET ALCOOL EN RUSSIE

VIEUX RUSSE ET SLAVON **2e moitié du XVIIe siècle**

Le thème de l'alcool et des ivrognes, habituel dans la littérature russe ancienne, devint particulièrement important au XVIIe siècle lorsque l'État s'efforça, pour des raisons économiques, de réduire la consommation en fermant de nombreux cabarets et en interdisant certains jours la vente d'alcool. Cette prohibition relative ne se fit pas sans mal.

Le premier texte est un récit humoristique en l'honneur des ivrognes, qui ont souvent moins à se reprocher que la plupart des saints reconnus. Probablement issu de la littérature orale, il a conservé de nombreuses répétitions ainsi que d'importantes variantes selon les manuscrits.

Le second, du dernier tiers du XVIIe siècle, est très différent. Il s'agit d'une attaque en règle de l'institution du cabaret, « l'anti-église », écrite vraisemblablement après sa réouverture par un ou plusieurs moines appartenant à « l'empire Stroganov » riche de ses monastères, ses églises et ses ateliers d'iconographie. Unique en son genre, cette œuvre est une parodie d'un office de vêpres en mémoire des différentes boissons alcoolisées qui avaient cours en Russie. Sous l'humour et l'extraordinaire veine créatrice souvent rebelle à la traduction, il s'agit d'un texte désespéré dénonçant les ravages de l'alcool dans la société russe.

À LA PORTE DU PARADIS 215

J.-Cl. Roberti — 1996

Il n'y a de pire vice qui ne trouve grâce.

Bénis Père ![1]

Il y avait un ivrogne qui avait beaucoup bu tous les jours de sa vie. À chaque coupe, il glorifiait le Seigneur son Dieu et il priait souvent pendant la nuit. Dieu ordonna de prendre l'âme de cet ivrogne et envoya Son ange ; celui-ci prit l'âme de l'ivrogne et la plaça auprès de la porte du divin paradis, puis l'ange s'en alla.

L'ivrogne commença de frapper à la porte du paradis. Pierre, le premier apôtre, vint auprès de la porte et demanda : « Qui frappe à la porte sainte ? » « Je suis un pécheur, un ivrogne et je veux être avec vous au paradis ». Pierre lui dit : « Les ivrognes ne peuvent pénétrer ici ! ». Et il s'écarta. L'ivrogne dit : « Qui es-tu ? J'entends ta voix, mais je ne connais pas ton nom. » Il lui dit : « Je suis l'apôtre Pierre. [Le Seigneur m'a confié les clés du royaume des cieux.][2] » Ayant entendu cela, l'ivrogne dit : « Pierre,

1 Appel du chœur au prêtre officiant ; manière dont les moines se saluent.

2 Les phrases entre crochets indiquent des variantes dans les manuscrits. (N.d.t.)

te souviens-tu d'avoir trois fois renié le Christ lors de la crucifixion ? Moi, l'ivrogne, je n'ai jamais renié le Christ ! Comment se fait-il que tu vives au paradis ? » Pierre s'en alla, tout honteux.

L'ivrogne se mit à nouveau à frapper à la porte du paradis. Arrive l'apôtre Paul et il dit : « Qui frappe à la porte ? » « Je suis un ivrogne et je veux séjourner avec vous au paradis ». Paul répondit : « Les ivrognes n'entrent pas ici ». L'ivrogne dit : « Qui es-tu, Monseigneur ? J'entends ta voix, mais je ne connais pas ton nom. » « Je suis l'apôtre Paul ». « Tu es Paul ! Te souviens-tu d'avoir tué le premier martyr Étienne avec des pierres ? Moi, l'ivrogne, je n'ai tué personne. » L'apôtre Paul s'en alla, tout honteux.

L'ivrogne se remit à frapper à la porte sainte. Arriva près des portes le roi David. « Qui frappe à la porte ? » « Je suis un ivrogne et je veux séjourner avec vous au paradis. » « Les ivrognes n'entrent pas ici. [Un lieu leur est préparé avec les débauchés.] » L'ivrogne dit : « Qui es-tu, Monseigneur ? J'entends ta voix, mais mes yeux ne te voient pas et je ne connais pas ton nom. » « Je suis le roi David. » « Te souviens-tu, roi David, d'avoir envoyé ton serviteur Urie à la guerre ? Tu le fis tuer, puis tu pris sa femme dans ton lit. Pourquoi es-tu au paradis, [toi un ivrogne et un adultère], et moi, pourquoi ne me laisse-t-on pas entrer ? » Le roi David s'en alla tout honteux.

Après cela l'ivrogne se remit à frapper à la porte. Le roi Salomon arriva et dit : « Qui frappe à la porte du paradis ? » « Je suis un ivrogne et je veux être avec vous au paradis ». Le roi Salomon dit : « Les ivrognes n'entrent pas ici ». Alors l'ivrogne dit : « Qui es-tu, je ne connais pas ton nom ? » « Je suis le roi Salomon [Davidovitch]. » L'ivrogne dit : « Tu es Salomon ! Lorsque tu étais en enfer et que le Seigneur Dieu voulait t'y laisser, tu hurlas : "Seigneur mon Dieu, que ton bras se lève, n'oublie pas tes pauvres à jamais !" Tu as écouté les femmes, tu as adoré les idoles et tu les as servies pendant quarante ans. Moi l'ivrogne, je n'ai jamais adoré personne en dehors de mon Seigneur Dieu. Pourquoi es-tu entré au paradis ? » Le roi Salomon s'en alla tout honteux.

L'ivrogne se remit à frapper à la porte et arriva saint Nicolas qui dit : « Qui frappe à la porte du paradis ? » « Je suis un ivrogne et je veux être avec vous au paradis. » Saint Nicolas répondit : « Les ivrognes n'entrent pas au paradis. Pour eux il y a des souffrances éternelles et le tartare indescriptible ». L'ivrogne dit : « Qui es-tu ? J'entends ta voix, mais je ne connais pas ton nom. » « Je suis saint Nicolas [le thaumaturge]. » Et l'ivrogne dit : « Te souviens-tu, Nicolas, lorsque les saints pères étaient au concile œcuménique[1] et qu'ils dénonçaient les hérétiques, toi tu as levé la main sur ce fou d'Arius. Un hiérarque ne doit lever la main sur quiconque. Dans la loi, il est écrit “tu ne tueras pas” et toi tu as tué Arius le trois fois maudit ». Ayant entendu cela, Nicolas s'en alla.

L'ivrogne se remit à frapper à la porte et arriva Jean le Théologien, l'ami du Christ, et il dit : « Qui frappe à la porte sainte ? » « Je suis un ivrogne, je veux être avec vous au paradis. » Jean le Théologien répondit : « Les ivrognes n'hériteront pas du paradis et un lieu de tourment leur est préparé [avec les adultères, les idolâtres et les brigands] ». L'ivrogne lui dit : « Qui es-tu, car j'entends ta voix, mais je ne connais pas ton nom ? » « Je suis Jean le Théologien. » L'ivrogne ajouta : « Avec Luc vous avez écrit dans l'Évangile : “Aimez-vous les uns les autres”. Dieu aime tout le monde et vous, vous haïssez celui qui arrive, vous me haïssez, Jean le Théologien ! [Ou tu retires cette parole de ton Évangile, ou tu renies de l'avoir écrit. Et moi je ne partirai pas de cette porte.] » Jean le Théologien dit : « Comme les étoiles du ciel, comme le sable sur le bord de la mer, mes écrits sont dispersés sur la terre entière[2], il est impossible de les renier et d'en enlever un mot. [Mon cher frère, viens avec nous au paradis »].

Et il ouvrit les portes du paradis de Dieu et l'ivrogne se réjouit très fort.

[Et vous, mes frères, fils de la Russie, chrétiens orthodoxes, priez Dieu, ne tombez pas dans la luxure, ne buvez pas jusqu'à perdre la raison, ne soyez pas sans intelligence et vous serez les héritiers du royaume des cieux et du paradis.

Gloire à notre Dieu maintenant et toujours et dans les siècles des siècles. Amen.]

Traduction inédite. — *Pamjatniki literatury drevnej Rusi, XVII vek. Kniga vtoraja.* – Moscou, 1989. – [Pp. 222-224, 610-611].

1 Il s'agit du premier concile œcuménique qui eut lieu à Nicée en 375 et auquel participa l'évêque de Myre en Lycie Nicolas. Mais il est faux qu'il ait tué Arius. (N.d.t.)

2 Paraphrase du dernier verset de l'Évangile de Jean (XXI, 25) : « Jésus a fait encore bien d'autres choses : si on les écrivait une à une, le monde entier ne pourrait, je pense, contenir les livres qu'on écrirait. » (N.d.t.)

OFFICE DU CABARET 216

J.-Cl. Roberti — 1996

Prière délirante.

Jour affreux du mois du Centaure où, parmi les non-saints, on fête Cabaret le Fol, appelé Clandé dans la vie monastique, avec ses trois frères impudents qui ont souffert avec lui — Scandale, Gueule de bois et Trouduc — ces mauvais génies des chrétiens.

La célébration a lieu dans les lieux profanes, dans les bouges où n'importe qui, n'importe quand, daignera fêter ces trois hériarques — Vin, Bière et Hydromel —, casseurs de chrétiens et videurs de têtes.

On appelle les fidèles aux petites vêpres en tapant sur des coupelles, en sonnant sur des demi-seaux de bière. Les stichères sont la mise en gage pour pas grand-chose de nos bagues, de nos bottes, de nos gants, de nos pantalons et de nos caleçons.

Ton[1] zéro semblable au dénuement quotidien.

Refrain : *L'ivrogne espère au cabaret boire comme un trou et ne manquer de rien.*

Comme il est écrit que les ivrognes n'hériteront pas du royaume des cieux, tu fus plumé en trois jours. Tu te noies sur la terre ferme, tu as tout eu et tu as tout perdu. Ô homme, tes bagues te gênaient, tes bottes étaient trop lourdes, tu as échangé tes pantalons contre de la bière. Tu as bien commencé et tu te réveilles plein de honte. Tu es retourné à la dure. Tu as fait boire tout le monde et le jour suivant tu as fait la manche. Dès ton réveil, tu cherchais de l'argent.

Verset : *Celui qui t'a fauché tous tes habits, a tout bu au cabaret et s'y est battu.*

Trois jours durant tu as bu, tu es resté sans rien, tu as réussi à te ficher des maladies et la gueule de bois. Tu en as acheté pour trois jours, mettant en gage ton travail, tu as pris l'habitude d'aller trop souvent aux alentours du cabaret et tu as pris l'habitude de regarder sans voir réellement. Un mauvais regard est plus qu'une demande.

Refrain : *On loue l'ivrogne lorsque l'on voit ce qu'il a dans les mains.*

Le roulement du tambourin invite les ivrognes à la folie canaille, il nous fait accepter le joug de la misère, disant aux buveurs : venez, réjouissez-vous, nous allons bientôt faire don des habits qui sont sur nos dos, les

---

1 Le chant byzantin est fondé sur huit tons ou modes. (N.d.t.)

vendre pour du vin et la lumière du jour nous apportera le dénuement et la faim s'approchera.

Refrain : *Comme le buveur s'affermit au cabaret, en balayant de son cul la suie des stalles.*

Qui donc ayant bu jusqu'au dénuement, ne fera pas mention de toi, ô ignoble cabaret ? Comment ne soupirera-t-il pas ? J'ai mis beaucoup de temps à réunir des richesses et en une heure j'ai tout perdu. Impossible de les ramener, malgré mon grand repentir. Qui donc dira, ô ignoble cabaret, que tu manques de pouvoir ?

Gloire couverte de honte... et maintenant...

Venez, vous tous, hommes habiles, connus pour votre sagesse, étonnez-vous de la science de la boisson. Au début, on vient contre la volonté de ses parents et de ses amis les plus proches, aujourd'hui et après-demain, on n'a pas envie de boire à cause de la gueule de bois, et peu à peu, on s'y met et on l'apprend aux gens. Et nous apprendrons à boire de la bière, et nous ne pourrons plus nous en passer. Les premiers temps, lorsque nous ne savions pas boire de la bière, chacun nous invitait et venait à la maison, et nous n'y allions pas et nous subissions la colère de nos amis. Et maintenant, on nous invite, mais nous y allons de notre gré. Si l'on nous critique, nous le supportons, nous mettons un bonnet de sourd sur notre tête. Étonnons-nous de voir comme en peu de temps la sagesse nous a fuis, le dénuement est arrivé, et comment ivres, nous sommes fous à lier, riant de tout et de nous-mêmes, pour notre grande honte. À ceux qui médisent de toi, cabaret ignoble, maître de la diablerie !

Daigne Seigneur nous permettre de nous saouler ce soir sans prendre de coups. Je vais me coucher, car tu es bonté, ô ivresse, pour nous les chercheurs, les buveurs et les ivrognes. Ton nom est loué et glorifié dans les siècles. Ivresse, que ta puissance soit sur nous comme nous avons espéré en toi[1].

Maintenant laisse-moi, moi ton serviteur, descendre du poêle pour aller au cabaret chercher du vin, de l'hydromel et de la cervoise, selon Ta parole et avec Ta paix, car mes yeux ont vu beaucoup de buveurs et d'ivrognes. Sauve-les et ne les enivre pas, ouvre les portes et les fenêtres pour qu'il fasse clair pour les nouveaux arrivants.[2] [...]

---

1 La prière dit : « Daigne, Seigneur, nous garder ce soir sans péché ; Tu es béni, Seigneur, Dieu de nos pères et Ton nom est loué et glorifié dans les siècles. Amen. » (N.d.t.)

2 La prière est : « Maintenant, Seigneur, laisse aller ton serviteur en paix, selon ta parole, car mes yeux ont vu ton salut, que tu as préparé à la face de tous les peuples, Lumière qui se révèle aux nations et gloire de ton peuple Israël. » (N.d.t.)

Notre Père qui es maintenant à la maison, que Ton nom soit glorifié, que Tu viennes chez nous à présent, que Ta volonté soit faite à la maison comme au cabaret. Que notre pain soit sur le four. Donne-toi, Seigneur, en ce jour et laisse nos dettes à nos débiteurs[1] comme nous laissons nos biens au cabaret, et ne nous conduis pas au tribunal, nous n'avons rien à y donner[2], mais délivre-nous de la prison.

Traduction inédite. — *Pamjatniki literatury drevnej Rusi, XVII vek. Kniga vtoraja.* - Moscou, 1989. - [Pp. 196-210, 608].

1 Le texte du Notre Père dit « Remets-nous nos dettes comme nous les remettons à nos débiteurs ». (N.d.t.)

2 Les juges étaient à l'époque particulièrement intéressés. (N.d.t.)

STIERNHIELM

SUÉDOIS **1598-1672**

Originaire de Dalécarlie, Georges Stiernhielm, après des études probablement accomplies à Rostock et à Greifswald, parfait cette éducation internationale en séjournant à plusieurs reprises à l'étranger (Allemagne, Pays-Bas, France, Italie). Une brillante carrière lui est promise dans la haute administration de son pays. En 1630, il est nommé assesseur au tribunal de Dorpat. Douze ans plus tard commence une période très active à Stockholm. Il siège notamment dans une commission de réformes législatives, et prend rapidement une position dominante dans le cercle d'artistes et d'érudits qui gravite autour de la reine Christine. En 1648 lui est confiée la charge des archives du royaume, et en 1667, cinq ans avant sa mort, il devient le premier président du Collège des Antiquités, nouvellement créé. Entretemps, de 1651 à 1656, il met ses talents d'administrateur au service de la Livonie, alors suédoise.

Au cours des années 1640 et 1650, Stiernhielm s'impose à la cour de Christine comme le tout premier littérateur suédois. Esprit encyclopédique digne de la Renaissance, il cultive de concert philosophie, philologie et sciences exactes, avec une propension à la spéculation mystique qui s'alimente aux sources néoplatoniciennes.

Les phénomènes de langue requièrent particulièrement l'attention de cet humaniste érudit. Fondés sur des analogies aventureuses, ses travaux de philologie le conduisent à conforter et à enrichir le vieux mythe *gotique* relatif à l'antiquité et la pureté de la langue suédoise. Selon lui, le scythe, et non l'hébreu, aurait été la langue mère de l'humanité. Et elle aurait échappé à la confusion babylonienne, car, en tant que descendants de Japhet, les Scythes ou Suédois n'avaient pas participé à la construction de la tour. Stiernhielm s'empare également de l'antique légende des Hyperboréens rapportée par Hérodote et émet l'hypothèse que ceux-ci auraient été d'origine scandinave. Ces idées, encore éparses, seront reprises et synthétisées par Olof Rudbeck quelques décennies plus tard.

Puriste, Stiernhielm se montre soucieux de faire table rase des mots étrangers et d'opérer un retour au vieux fonds de la langue maternelle, ce qui explique son goût très prononcé pour les archaïsmes. En 1643, il entreprend la publication d'un dictionnaire (*Gambla Swea — och Götha Måles Fatebur — Thésaurus de la langue des anciens Svear et Götar*), mais, homme des grands projets inachevés, il n'ira jamais au-delà de la lettre A.

Écrit en hexamètres, *Herkules*, son chef-d'œuvre poétique, date de 1658, mais une première version avait vu le jour dix ans auparavant. Le thème, emprunté à Xénophon, est celui du héros à la croisée des chemins, en l'occurrence Hercule qui doit choisir entre les séductions de Madame le Vice (*fru Lusta*) et l'austère leçon de Madame la Vertu (*fru Dygd*). Le message s'adressait sous des formes allégoriques aux jeunes nobles du cru pour les inciter à combattre tout laxisme moral. L'exaltation de la « vieille et honnête manière suédoise » traduit le patriotisme vibrant de l'auteur — et sa méfiance à l'égard d'impulsions étrangères que la politique culturelle de la reine ne faisait pourtant que renforcer.

Malgré certains éléments datés (forme antiquisante, allégorisme érudit, souci didactique), *Herkules* demeure une œuvre très vivante, riche d'images puissantes et d'éléments réalistes qui évoquent concrètement la société du temps. Le recours à certains procédés de la langue parlée confère aussi au poème vigueur et alacrité. Parmi les autres œuvres littéraires de Stiernhielm, il y a encore les textes de ballets écrits pour la cour, non sans arrière-pensées politiques. Ainsi *Fredsavl*, de 1649, qui connut également une version française, *La Naissance de la paix*, dont Descartes, selon une tradition sujette à caution, aurait été le maître d'œuvre.

Aux yeux de la postérité, Stiernhielm apparaît à juste titre comme le « père de la poésie suédoise ». Lui-même avait conscience de faire œuvre de pionnier, comme en témoigne son recueil de poèmes de 1668, *Musæ suethizantes*, où il annonce fièrement que, pour la première fois, les déesses du chant exercent leur talent en langue suédoise. Certes, diverses tentatives avaient déjà été faites pour forger une langue poétique autochtone à l'aide de mètres antiques dûment adaptés, mais c'est avec Stiernhielm que ce projet trouva son plein accomplissement.

Histoire de la littérature suédoise / Henrik Schück ; traduite du suédois [...], avec un avant-propos, par Lucien Maury. – Paris : Ernest Leroux, 1923. – XXIII-348 p. – (*Bibliothèque scandinave*).

HERCULE 217

J.-Cl. Lambert — 1971

Discours de Vice. — Il ne s'agit pas seulement de flétrir, assez classiquement, le vice et l'ensemble des séductions liées au *carpe diem*, il s'agit aussi de montrer sévèrement du doigt, en une espèce d'Index, ici omis, les auteurs et les œuvres dignes de figurer au rang des florilèges du vice.

Hercule au fier courage, Hercule au sang illustre !
Quelle est donc cette angoisse qui pèse sur ton cœur ?
Et cette hésitation maîtresse de ton âme ?
Considère plutôt ton jeune âge en sa fleur,
Ton teint et tes couleurs, et brûlantes, tes joues !
Éprouve le pouvoir de tes regards, ta beauté non pareille,
Objet des vœux ardents des filles les plus belles !
Use bien de tes dons, au cours des ans, des mois, des jours,
Use bien de ta force devant que tes cheveux blanchissent !
Ici-bas rien ne dure, emporté par le flux.
Feu, fleuve, herbe, fleur ou verre, le soir
Tout ce qui brûle, coule, verdoie, fleurit ou brille,
Est consumé, tari, fané, jauni, brisé dès le matin.
Ainsi la vie humaine en fumée se dissipe.
Vif aujourd'hui et droit, joyeux, et beau, et sain,
Demain ta bouche sera froide, et ton corps sera roide
De même que bois mort.

Mort pourrit en poussière tout ce qui luit et brille.
Mort trébuche et atterre tout ce qui est superbe.

Mort écrase et fracasse le plus fort, le plus vif.
Mort dans la boue piétine enfin toute beauté.
Mort hébète en torpeur toute vivante vie.
Arrache tout objet d'amour et de respect.
La Mort n'est que le Rien qui rend tout au Néant.

Nulle joie après mort. Quand il n'est plus de souffle,
Quel plaisir reste-t-il ? Quand l'œil n'a plus à voir,
Quand l'œil est sans lumière et l'oreille sans son,
Qu'en est-il du plaisir, corps et âme divorcés
Dans l'éternel silence et au fond des ténèbres ?
Quand le corps est personne, les sens n'ont plus de joie.
Où, les parfums, les goûts, sans haleine et sans souffle ?
Hélas, il n'est nul songe en l'éternel sommeil !

Quand tombe le soleil s'offusque sa lumière ;
Mais à chaque matin il refait le matin.
Autrement notre vie lorsqu'elle a disparu :
Pour elle nul retour, à jamais les ténèbres.
Considère ceci et vis tant que peux vivre !
Ne me quitte et suis-moi ! Ne te feront défaut
Plaisirs et jours joyeux ! T'attendront à chaque heure
Tant d'avenantes filles et de gais compagnons,
Tant de jeux et de chants, vins, mets et lit mœlleux !

Freya[1] ma sœur aimée te sera favorable,
Régnant toute-puissante sur la terre et la mer,
Dans le ciel et partout ! Des dieux et des déesses
Première et la plus noble, elle est de tous la mère.
Elle viendra chez toi pour être ta compagne
Douce en ses jeux et ris, facéties et baisers,
Avec sa gente suite, les trois Grâces, et l'Archer
Aux yeux bandés, aux ailes d'or, tout nu et preste,
Le petit dieu avec son arc, ses flèches et son flambeau,
Le champion redoutable et qui force les cœurs,
Les soumettant, les transperçant, domptant l'orgueil,
Et ravissant les sens, héros infatigable !
C'est le fils de Freya, Ardamour ! Et c'est lui
Qui conduira ta chasse.

---

1 Dans la mythologie scandinave ancienne, déesse de l'amour et de la fertilité, réputée pour sa beauté, appartenant à la famille des dieux Vanes.

Mais, mon Hercule, écoute ! J'ai trois filles très belles,
Égales en vertu mais diverses d'humeur !
Ce sont Oiseuse et Luxure ; et Vaine, la plus jeune,
Toutes enfants du cœur, sœurs douces et honnêtes.

Onques Oiseuse ne fit tort, tendre et soumise elle œuvre
Sans hâte, sans tracas et ne pressant personne.
À tous Luxure plaît, sans gêne en ses manières,
Car elle est belle, et vive, et prompte à la manœuvre.
Vaine s'en va sans but, tantôt rit, tantôt pleure,
Et ne prend rien à cœur, facile en son humeur.

[...]

Repousse encre et papier, livres, compas, et plumes !
Vas-tu souiller ta main, ta noble et blanche main,
Et d'encre aller tacher les filles que tu prends ?
L'une au menton, l'autre au cou, l'autre au bras :
« Fi ! » rétorqueraient-elles, et que diraient les Sœurs ?
Écrire est salissant, laisse aux clercs, écoliers,
De peiner sur les livres, les chiffres et les cercles.
Tu es de sang trop noble ! Vile en viendrait ta race !

Anthologie de la poésie suédoise / Choix, notes et traductions de Jean-Clarence Lambert. – Paris : Seuil, 1971. – [Pp. 70-73].

HERCULE 218

J.-Cl. Lambert — 1971

Discours de Vertu. — Cette évocation, très juste et très réaliste, du vieillissement demeure positive et invite chacun à profiter du Temps pour faire le bien.

Enfin prendras-tu garde au Temps, le sans-repos.
En chaleur, les jeunes années se ruent et tourbillonnent,
Et l'âge se faufile en souriant sous cape.
Saisis le sablier, avant que soit passé
En vanité ton temps, sache faire le bien !
Un vieillard sans vertu n'est plus qu'une orde bête.

L'âge a ses vices : étais et poutres fléchissent,
Les pignons glissent et les murs se fissurent,
Du toit disjoint il pleut, la maison craque,

Le moulin ne moud plus, les fenêtres sont noires,
Aux coins pousse l'absinthe, l'ortie dans les lézardes,
Sur sa hampe dorée le coq du faîte ne tourne plus
Aux vents, crête baissée, menaçant de tomber ;
Désaccordée, la harpe grince sans résonner ;
Ici, plus de plaisir, toute joie s'est allée,
Fini, festins et danses : maîtres et serviteurs
Cherchent comment quitter la demeure et le lieu.
Ainsi de notre corps : après que les années
T'ont courbé dos et nuque, et fait trembler le chef,
Et roidir les genoux, et chanceler le pas,
Avancer à trois pattes (les enfants vont à quatre[1]).
L'hiver orne tes joues de pâles fleurs sans sève,
Hâtif à grisonner dès l'automne ta tête.
Les cheveux te quittent comme jeunes feuilles de tremble
Et ton crâne apparaît, où jouaient tes boucles frisées,
Ruinées tombent tes dents, et le peu qu'il en reste
Mâchent, remâchent mal l'aliment du repas.
Ton ouïe s'en va sourde et s'évanouissant,
Ton œil couvert de nues s'en va s'obscurcissant,
Les forces te défaillent, la mort est dans tes yeux
Et regarde. Stupides, oublieux, ton sens et ton savoir.
Car la mort est ultime, et tous nous réunit
Dans la boue pour finir.

Anthologie de la poésie suédoise / Choix, notes et traductions de Jean-Clarence Lambert. – Paris : Seuil, 1971. – [Pp. 75-76].

1 Allusion à l'énigme du Sphinx dans *Œdipe*.

MOLIÈRE

FRANÇAIS **1622-1673**

Jean-Baptiste Poquelin, le futur Molière, ne semble pas prédisposé à une carrière théâtrale. Né à Paris d'un riche tapissier de la rue Saint-Honoré consacré en 1631 « tapissier ordinaire de la maison du roi » et « valet de chambre du roi », son avenir semble tout tracé : succéder à son père. En attendant, il reçoit une solide éducation au collège parisien de Clermont, chez les jésuites, et commence, à Orléans, d'utiles études de droit. Mais les projets paternels sont rapidement déçus. En 1643, Jean-Baptiste rompt avec sa famille et, après avoir abandonné à son frère cadet la charge de tapissier du roi, signe avec les Béjart le contrat de constitution de l'Illustre Théâtre, qui s'installe à Paris. Cette première expérience de la scène finit mal. Les spectateurs font défaut. L'entreprise mise en faillite, Molière est incarcéré pour dettes.

Il ne se décourage pas pour autant. Dès sa libération, à l'automne 1645, il s'engage dans une troupe itinérante. Jusqu'en 1658, il parcourt la province française, accumule les expériences, fait en quelque sorte ses classes : il perfectionne son métier d'acteur, jouant comédies, tragi-comédies et tragédies ; il observe les gens, engrange les notations dont il nourrira plus tard les types pittoresques de ses pièces ; il commence à composer, surtout des farces comme *La Jalousie du Barbouillé*, mais aussi des comédies d'intrigue pimentées de romanesque et enrichies de la peinture des caractères, comme *L'Étourdi* ou *Le Dépit amoureux*.

1658 marque un tournant décisif dans la carrière de Molière. De passage à Paris, il joue avec succès devant le roi, qui apprécie son talent d'acteur comique dans *Le Docteur amoureux*. Il s'installe alors dans la capitale où il se produira jusqu'en 1661 dans la salle du Petit-Bourbon, puis, de 1661 à 1673, dans la salle du Palais-Royal. Durant cette période, il met au point un répertoire diversifié destiné à séduire un public varié fait de courtisans, d'amateurs éclairés, d'honnêtes gens et de spectateurs populaires. Il pratique ainsi tour à tour la comédie de caractère, avec *Les Précieuses ridicules* (1659), la farce, avec *Sganarelle* (1660), le divertissement de cour, avec *Les Fâcheux* (1661), qu'il crée lors de l'inauguration du château de Fouquet à Vaux-le-Vicomte.

Vient alors le temps des luttes et des turbulences. À partir de 1662 et jusqu'en 1666, tout en continuant de pratiquer la comédie de caractère (*Le Mariage forcé*, 1664), la farce (*L'Amour médecin*, 1665) et le spectacle de cour (*La Princesse d'Élide*, 1664), Molière s'engage sur la voie de la haute comédie, celle qui se penche sur des problèmes essentiels de société. Dans cette veine, il donne successivement *L'École des femmes* (1662), qui éclaire le mariage d'un jour nouveau, *Tartuffe* (1664), qui met en scène l'hypocrisie religieuse, *Dom Juan* (1665), qui évoque le libertinage, et enfin *Le Misanthrope* (1666), qui représente les différentes attitudes de l'homme en société, de la sincérité excessive d'Alceste à la dissimulation outrancière de Célimène, en passant par la modération d'Éliante et de Philinte. Les adversaires de Molière et, en particulier, les bien-pensants se déchaînent. Si *L'École des femmes* n'est pas interdite, elle est l'occasion d'une vive polémique, dans laquelle s'inscrivent les deux comédies-pamphlets, *La Critique de L'École des femmes* et *L'Impromptu de Versailles* (1663). Mais *Tartuffe* ne pourra être joué en public avant 1669. Et *Dom Juan* ne dépasse pas les 15 représentations. À ces difficultés s'ajoutent des problèmes personnels. Marié en 1662 avec la comédienne Armande Béjart, de vingt ans plus jeune que lui, Molière n'est pas heureux en ménage ; il commence aussi à souffrir de l'affection cardio-pulmonaire dont il mourra.

Aussi, malgré le soutien du roi, il abandonne cette haute inspiration qui lui a causé tant d'ennuis. Durant la dernière partie de sa carrière, tout en restant fidèle à la farce, avec notamment *Les Fourberies de Scapin* (1671), et à la comédie-ballet, avec, entre autres, *Le Bourgeois gentilhomme* (1670) et *Le Malade imaginaire* (1673), Molière multiplie les comédies de caractère qui mettent en scène des ridicules de comportement. Avec une grande habileté, il utilise la comédie d'intrigue, pour camper des pères monomaniaques s'opposant à l'amour de leurs enfants au nom d'une passion égoïste : Harpagon (*L'Avare*, 1668) choisit pour gendre le vieil Anselme, qui accepte d'épouser sa fille sans dot ; Monsieur Jourdain (*Le Bourgeois gentilhomme*, 1670), pour satisfaire son attirance pour l'aristocratie, exige un beau-fils noble ; Argan (*Le Malade imaginaire*, 1673) veut marier son Angélique au médecin Thomas Diafoirus, pour être entouré de soins constants.

Molière montre les dangers de l'excès et de l'égoïsme et met en scène les avantages d'un comportement raisonnable et modéré adapté aux circonstances et à la nature. Il se dégage de son œuvre une morale pratique qui, refusant l'absolu, s'appuyant sur la relativité des qualités et des défauts, vise au juste milieu. Ainsi, dans *Les Femmes savantes* (1672), Philaminte et Armande sont ridicules, non parce qu'elles aspirent à la connaissance, mais parce qu'elles le font avec excès et ostentation ; à l'inverse, Chrysale est condamnable en refusant à la femme tout accès au savoir ; Henriette, Clitandre et Ariste incarnent quant à eux la solution de l'équilibre. Si, par ailleurs, l'autorité d'Harpagon (*L'Avare*) est mise en cause, c'est qu'elle est tyrannique et dévoyée ; symétriquement, Chrysale (*Les Femmes savantes*), par son aboulie, manque à ses devoirs en renonçant à exercer son autorité paternelle.

Molière : homme de théâtre / René Bray. – Paris : Mercure de France, 1954. – 317 p.

Molière / René Jasinski. – Paris : Hatier, 1970. – 288 p. – (*Connaissance des lettres* ; 11).

Le Dernier Molière : des Fourberies de Scapin *au* Malade imaginaire / Robert Garapon. – Paris : SEDES-C.D.U., 1977. – 254 p.

Le Dialogue moliéresque : étude stylistique et dramaturgique / Gabriel Conesa. – Paris : P.U.F., 1983. – 487 p.

Molière et la comédie en France au XVIIe siècle : textes, commentaires et guides d'analyses / Robert Horville. – Paris : Nathan, 1983. – 160 p. – (*Intertextes. Les mouvements*).

Molière / Georges Forestier. – Paris : Bordas, 1990. – 190 p. – (*En toutes lettres* ; 9).

Molière en son temps / Jürgen Grimm. – Paris : Biblio 17, 1993. – 199 p. – (*Biblio 17 : Suppléments aux Papers on French Seventeeth Century literature* ; 77).

LA JALOUSIE DU BARBOUILLÉ 219

Un enseignant pédant et ridicule (Scène 6). — Cette pièce en un acte, qui date de la période 1645-1658, est toute pleine des procédés de la farce : jeux de mots, plaisanteries douteuses, poursuites, coups, chutes. L'intrigue est simple et convenue : le Barbouillé est jaloux de sa jeune épouse, courtisée par un jeune homme, Valère. Ici, le Barbouillé et son beau-père Gorgibus prennent à témoin un universitaire, le Docteur, personnage pédant et suffisant, du différend qui oppose Angélique à son mari.

LE DOCTEUR

Qu'est ceci ? quel désordre ! quelle querelle ! quel grabuge ! quel vacarme ! quel bruit ! quel différend ! quelle combustion ! Qu'y a-t-il, messieurs ? Qu'y a-t-il ? Qu'y a-t-il ? Çà, çà, voyons un peu s'il n'y a pas moyen de vous mettre d'accord, que je sois votre pacificateur, que j'apporte l'union chez vous.

GORGIBUS

C'est mon gendre et ma fille qui ont eu bruit ensemble.

LE DOCTEUR

Et qu'est-ce que c'est ? voyons, dites-moi un peu la cause de leur différend.

GORGIBUS

Monsieur...

LE DOCTEUR

Mais en peu de paroles.

GORGIBUS

Oui-da. Mettez donc votre bonnet.

LE DOCTEUR

Savez-vous d'où vient le mot bonnet ?

GORGIBUS

Nenni.

LE DOCTEUR

Cela vient de *bonum est*, « bon est, voilà qui est bon », parce qu'il garantit des catarrhes et fluxions.

GORGIBUS

Ma foi, je ne savais pas cela.

LE DOCTEUR

Dites donc vite cette querelle.

GORGIBUS

Voici ce qui est arrivé...

LE DOCTEUR

Je ne crois pas que vous soyez homme à me tenir longtemps, puisque je vous en prie. J'ai quelques affaires pressantes qui m'appellent à la ville ; mais pour remettre la paix dans votre famille, je veux bien m'arrêter un moment.

GORGIBUS

J'aurai fait en un moment.

LE DOCTEUR

Soyez donc bref.

GORGIBUS

Voilà qui est fait incontinent.

LE DOCTEUR

Il faut avouer, monsieur Gorgibus, que c'est une belle qualité que de dire les choses en peu de paroles, et que les grands parleurs, au lieu de se faire écouter, se rendent le plus souvent si importuns qu'on ne les entend point : *Virtutem primam esse puta compescere linguam*[1]. Oui, la plus belle qualité d'un honnête homme, c'est de parler peu.

GORGIBUS

Vous saurez donc...

LE DOCTEUR

Socrate recommandait trois choses fort soigneusement à ses disciples : la retenue dans les actions, la sobriété dans le manger, et de dire les choses en peu de paroles. Commencez donc, monsieur Gorgibus.

GORGIBUS

C'est ce que je veux faire.

LE DOCTEUR

En peu de mots, sans façon, sans vous amuser à beaucoup de discours, tranchez-moi d'un apophtegme, vite, vite, monsieur Gorgibus, dépêchons, évitez la prolixité.

GORGIBUS

Laissez-moi donc parler.

LE DOCTEUR

Monsieur Gorgibus, touchez là[2] : vous parlez trop ; il faut que quelque autre me dise la cause de leur querelle.

---

1 *Sache que la première vertu consiste à tenir sa langue.*

2 Expression utilisée pour exprimer un accord, une approbation.

Œuvres complètes / Molière ; préface de Pierre-Aimé Touchard. – Paris : Seuil, 1993. – (*L'Intégrale*). – [Pp. 35-36].

TARTUFFE 220

Une sollicitude sélective (Acte I, scène 4, v. 223-258). — En donnant comme sous-titre à *Tartuffe* (1664) *L'Imposteur*, Molière révèle son projet : mettre en scène un faux dévot qui réussit à tromper Orgon, habité par une foi outrancière, et à lui imposer sa volonté. Cette dénonciation de l'hypocrisie religieuse s'inscrit dans une intrigue traditionnelle de comédie. Mariane, la fille d'Orgon, et Valère s'aiment, mais Orgon choisit pour gendre Tartuffe, qui satisfait sa monomanie religieuse. Après de nombreux rebondissements, Tartuffe démasqué, les amoureux pourront se marier. Ici, Orgon, de retour chez lui, accueilli par son beau-frère Cléante et la servante Dorine, se montre plus préoccupé de la santé de Tartuffe, pourtant bien portant, que de celle de sa femme, qui, pendant son absence, a été indisposée.

ORGON

Ah ! mon frère, bonjour.

CLÉANTE

Je sortais, et j'ai joie à vous voir de retour.
La campagne à présent n'est pas beaucoup fleurie.

ORGON

Dorine... Mon beau-frère, attendez, je vous prie.
Vous voulez bien souffrir, pour m'ôter de souci,
Que je m'informe un peu des nouvelles d'ici.
À Dorine.
Tout s'est-il, ces deux jours, passé de bonne sorte ?
Qu'est-ce qu'on fait céans ? comme est-ce qu'on s'y porte ?

DORINE

Madame eut avant-hier la fièvre jusqu'au soir,
Avec un mal de tête étrange à concevoir.

ORGON

Et Tartuffe ?

DORINE

Tartuffe ! il se porte à merveille,
Gros et gras, le teint frais, et la bouche vermeille.

ORGON

Le pauvre homme !

DORINE

Le soir elle eut un grand dégoût,

Et ne put, au souper, toucher à rien du tout,
Tant sa douleur de tête était encor cruelle !

ORGON

Et Tartuffe !

DORINE

Il soupa, lui tout seul, devant elle ;
Et fort dévotement il mangea deux perdrix,
Avec une moitié de gigot en hachis.

ORGON

Le pauvre homme !

DORINE

La nuit se passa tout entière
Sans qu'elle pût fermer un moment la paupière ;
Des chaleurs l'empêchaient de pouvoir sommeiller,
Et jusqu'au jour, près d'elle, il nous fallut veiller.

ORGON

Et Tartuffe ?

DORINE

Pressé d'un sommeil agréable,
Il passa dans sa chambre au sortir de la table ;
Et dans son lit bien chaud il se mit tout soudain,
Où, sans trouble, il dormit jusques au lendemain.

ORGON

Le pauvre homme !

DORINE

À la fin, par nos raisons gagnée,
Elle se résolut à souffrir la saignée ;
Et le soulagement suivit tout aussitôt.

ORGON

Et Tartuffe ?

DORINE

Il reprit courage comme il faut ;
Et, contre tous les maux fortifiant son âme,
Pour réparer le sang qu'avait perdu madame,
But, à son déjeuner, quatre grands coups de vin.

ORGON

Le pauvre homme !

DORINE

Tous deux se portent bien enfin ;
Et je vais à madame annoncer par avance
La part que vous prenez à sa convalescence.

Œuvres complètes / Molière ; préface de Pierre-Aimé Touchard. – Paris : Seuil, 1993. – (*L'Intégrale*). – [P. 262].

DOM JUAN 221

Éloge de l'hypocrisie (Acte V, scène 2). — Tragi-comédie plus que comédie, *Dom Juan* (1665) met en scène un séducteur athée, incarnation des libertins du XVIIe siècle. Fuyant sa femme Elvire, qu'il a abandonnée, et ses deux beaux-frères, qui veulent venger le déshonneur ainsi infligé à leur famille, Dom Juan, en compagnie de son valet Sganarelle, fera, avant de mourir, de multiples rencontres. Voilà qui permet à Molière d'évoquer, à travers les discussions qu'engage Dom Juan notamment avec Sganarelle, deux conceptions opposées du monde, celle qui repose sur le libertinage et celle qui relève de la morale traditionnelle. Différents thèmes, l'amour, l'honneur, la religion, l'argent illustrent ces deux conceptions tout au long de la pièce. À la scène 1 de l'acte V, Dom Juan fait croire à son père qu'il a décidé de s'engager sur la voie de la vertu. À la scène suivante, il apprend à Sganarelle qu'il s'agit en fait d'une fausse conversion dictée par la prudence.

SGANARELLE

Ah ! Monsieur, que j'ai de joie de vous voir converti ! Il y a longtemps que j'attendais cela, et voilà, grâce au Ciel, tous mes souhaits accomplis.

DOM JUAN

La peste le benêt !

SGANARELLE

Comment, le benêt ?

DOM JUAN

Quoi ? tu prends pour de bon argent ce que je viens de dire, et tu crois que ma bouche était d'accord avec mon cœur ?

SGANARELLE

Quoi ? ce n'est pas... Vous ne... Votre... Oh ! quel homme ! quel homme ! quel homme !

DOM JUAN

Non, non, je ne suis point changé, et mes sentiments sont toujours les mêmes.

SGANARELLE

Vous ne vous rendez pas à la surprenante merveille de cette statue mouvante et parlante[1] ?

DOM JUAN

Il y a bien quelque chose là-dedans que je ne comprends pas ; mais quoi que ce puisse être, cela n'est pas capable ni de convaincre mon esprit, ni d'ébranler mon âme ; et si j'ai dit que je voulais corriger ma conduite et me jeter dans un train de vie exemplaire, c'est un dessein que j'ai formé par pure politique, un stratagème utile, une grimace nécessaire où je veux me contraindre, pour ménager un père dont j'ai besoin, et me mettre à couvert, du côté des hommes, de cent fâcheuses aventures qui pourraient m'arriver. Je veux bien, Sganarelle, t'en faire confidence, et je suis bien aise d'avoir un témoin du fond de mon âme et des véritables motifs qui m'obligent à faire les choses.

SGANARELLE

Quoi ? vous ne croyez rien du tout, et vous voulez cependant vous ériger en homme de bien ?

DOM JUAN

Et pourquoi non ? Il y en a tant d'autres comme moi, qui se mêlent de ce métier, et qui se servent du même masque pour abuser le monde !

SGANARELLE, à part.

Ah ! quel homme ! quel homme !

DOM JUAN

Il n'y a plus de honte maintenant à cela : l'hypocrisie est un vice à la mode, et tous les vices à la mode passent pour vertus. Le personnage d'homme de bien est le meilleur de tous les personnages qu'on puisse jouer aujourd'hui, et la profession d'hypocrite a de merveilleux avantages. C'est un art de qui l'imposture est toujours respectée ; et quoiqu'on la découvre, on n'ose rien dire contre elle. Tous les autres vices des hommes sont exposés à la censure, et chacun a la liberté de les attaquer hautement ; mais l'hypocrisie est un vice privilégié, qui, de sa main, ferme la bouche à tout le monde, et jouit en repos d'une impunité souveraine. On lie, à force de grimaces, une société étroite avec tous les gens du parti. Qui en choque un se les jette tous sur les bras ; et ceux que l'on sait même agir de bonne foi là-dessus, et que chacun connaît pour être véritablement touchés, ceux-là,

---

1 Allusion à la statue, miraculeusement animée, du commandeur, le père défunt d'Elvire.

dis-je, sont toujours les dupes des autres ; ils donnent hautement dans le panneau des grimaciers et appuient aveuglément les singes de leurs actions. Combien crois-tu que j'en connaisse qui, par ce stratagème, ont rhabillé adroitement les désordres de leur jeunesse, qui se sont fait un bouclier du manteau de la religion, et, sous cet habit respecté, ont la permission d'être les plus méchants hommes du monde ? On a beau savoir leurs intrigues et les connaître pour ce qu'ils sont, ils ne laissent pas pour cela d'être en crédit parmi les gens ; et quelque baissement de tête, un soupir mortifié, et deux roulements d'yeux rajustent dans le monde tout ce qu'ils peuvent faire. C'est sous cet abri favorable que je veux me sauver, et mettre en sûreté mes affaires. Je ne quitterai point mes douces habitudes ; mais j'aurai soin de me cacher et me divertirai à petit bruit. Que si je viens à être découvert, je verrai, sans me remuer, prendre mes intérêts à toute la cabale[1], et je serai défendu par elle envers et contre tous. Enfin c'est là le vrai moyen de faire impunément tout ce que je voudrai. Je m'érigerai en censeur des actions d'autrui, jugerai mal de tout le monde, et n'aurai bonne opinion que de moi. Dès qu'une fois on m'aura choqué tant soit peu, je ne pardonnerai jamais et garderai tout doucement une haine irréconciliable. Je ferai le vengeur des intérêts du Ciel, et, sous ce prétexte commode, je pousserai[2] mes ennemis, je les accuserai d'impiété, et saurai déchaîner contre eux des zélés indiscrets, qui, sans connaissance de cause, crieront en public contre eux, qui les accableront d'injures, et les damneront hautement de leur autorité privée. C'est ainsi qu'il faut profiter des faiblesses des hommes, et qu'un sage esprit s'accommode aux vices de son siècle.

Œuvres complètes / Molière ; texte établi et annoté par Georges Couton. – Nouvelle édition. – Paris : Gallimard, 1988. – (*Bibliothèque de la Pléiade* ; 8, 1). – [Pp. 79-81].

LES FEMMES SAVANTES 222

Une admiration inconditionnelle (Acte III, scène 2, v. 737 à 800). — Chrysale, bourgeois de bon sens mais sans volonté, est entouré de femmes savantes, Philaminte, son épouse, Bélise, sa sœur, et Armande, sa fille. Seule, Henriette, son autre fille, et Ariste, son frère, ont échappé à la manie du savoir. Henriette aime d'un amour partagé Clitandre qui s'est détaché d'Armande dont il était d'abord épris, parce que la jeune femme refusait de l'épouser. Chrysale accepterait volontiers Clitandre pour gendre, mais Philaminte, lui préfère un bel esprit, Trissotin. Henriette et Clitandre finiront par se marier, à l'is-

1 La cabale des hypocrites, des faux dévots.

2 Je ferai reculer.

sue de cette intrigue qui ridiculise non la volonté des femmes de s'instruire, mais leurs excès. Ici, les femmes savantes reçoivent Trissotin et s'extasient à la lecture d'un sien sonnet, insipide.

PHILAMINTE

Allons, petit garçon, vite de quoi s'asseoir.

Le laquais tombe avec la chaise.

Voyez l'impertinent ! Est-ce que l'on doit choir,
Après avoir appris l'équilibre des choses ?

BÉLISE

De ta chute, ignorant, ne vois-tu pas les causes,
Et qu'elle vient d'avoir du point fixe écarté
Ce que nous appelons centre de gravité ?

L'ÉPINE

Je m'en suis aperçu, Madame, étant par terre.

PHILAMINTE

Le lourdaud !

TRISSOTIN

Bien lui prend de n'être pas de verre.

ARMANDE

Ah ! de l'esprit partout !

BÉLISE

Cela ne tarit pas.

PHILAMINTE

Servez-nous promptement votre aimable repas.

TRISSOTIN

Pour cette grande faim qu'à mes yeux on expose,
Un plat seul de huit vers me semble peu de chose,
Et je pense qu'ici je ne ferai pas mal
De joindre à l'épigramme, ou bien au madrigal,
Le ragoût d'un sonnet, qui chez une princesse
A passé pour avoir quelque délicatesse.
Il est de sel attique[1] assaisonné partout,
Et vous le trouverez, je crois, d'assez bon goût.

ARMANDE

Ah ! je n'en doute point.

---

1 De finesse.

PHILAMINTE

Donnons vite audience.

BÉLISE.

À chaque fois qu'il veut lire, elle l'interrompt.

Je sens d'aise mon cœur tressaillir par avance.
J'aime la poésie avec entêtement,
Et surtout quand les vers sont tournés galamment.

PHILAMINTE

Si nous parlons toujours, il ne pourra rien dire.

TRISSOTIN

SO...

BÉLISE

Silence ! ma nièce.

TRISSOTIN

SONNET À LA PRINCESSE URANIE SUR SA FIÈVRE

Votre prudence est endormie,
De traiter magnifiquement,
Et de loger superbement
Votre plus cruelle ennemie.

BÉLISE

Ah ! le joli début !

ARMANDE

Qu'il a le tour galant !

PHILAMINTE

Lui seul des vers aisés possède le talent !

ARMANDE

À *prudence endormie* il faut rendre les armes.

BÉLISE

Loger son ennemie est pour moi plein de charmes.

PHILAMINTE

J'aime *superbement* et *magnifiquement* :
Ces deux adverbes joints font admirablement.

BÉLISE

Prêtons l'oreille au reste.

TRISSOTIN

Votre prudence est endormie,
De traiter magnifiquement,
Et de loger superbement
Votre plus cruelle ennemie.

ARMANDE

Prudence endormie !

BÉLISE

Loger son ennemie !

PHILAMINTE

Superbement et *magnifiquement* !

TRISSOTIN

Faites-la sortir, quoi qu'on die,
De votre riche appartement,
Où cette ingrate insolemment
Attaque votre belle vie.

BÉLISE

Ah ! tout doux, laissez-moi, de grâce, respirer.

ARMANDE

Donnez-nous, s'il vous plaît, le loisir d'admirer.

PHILAMINTE

On se sent à ces vers, jusques au fond de l'âme,
Couler je ne sais quoi qui fait que l'on se pâme.

ARMANDE

Faites-la sortir, quoi qu'on die,
De votre riche appartement.
Que *riche appartement* est là joliment dit !
Et que la métaphore est mise avec esprit !

PHILAMINTE

Faites-la sortir, quoi qu'on die.
Ah ! que ce *quoi qu'on die* est d'un goût admirable !
C'est, à mon sentiment, un endroit impayable.

ARMANDE

De *quoi qu'on die* aussi mon cœur est amoureux.

BÉLISE

Je suis de votre avis, *quoi qu'on die* est heureux.

ARMANDE

Je voudrais l'avoir fait.

BÉLISE

Il vaut toute une pièce.

PHILAMINTE

Mais en comprend-on bien, comme moi, la finesse ?

ARMANDE ET BÉLISE

Oh ! oh !

PHILAMINTE

Faites-la sortir, quoi qu'on die.
Que de la fièvre on prenne ici les intérêts,
N'ayez aucun égard, moquez-vous des caquets.
Faites-la sortir, quoi qu'on die :
Quoi qu'on die, quoi qu'on die.
Ce *quoi qu'on die* en dit beaucoup plus qu'il ne semble.
Je ne sais pas, pour moi, si chacun me ressemble ;
Mais j'entends là-dessous un million de mots[1].

BÉLISE

Il est vrai qu'il dit plus de choses qu'il n'est gros.

PHILAMINTE

Mais quand vous avez fait ce charmant *quoi qu'on die*,
Avez-vous compris, vous, toute son énergie ?
Songiez-vous bien vous-même à tout ce qu'il nous dit ?
Et pensiez-vous alors y mettre tant d'esprit ?

TRISSOTIN

Hay, hai.

ARMANDE

J'ai fort aussi l'*ingrate* dans la tête,
Cette ingrate de fièvre, injuste, malhonnête,
Qui traite mal les gens qui la logent chez eux.

Œuvres complètes / Molière ; texte établi et annoté par Georges Couton. – Nouvelle édition. – Paris : Gallimard, 1988. – (*Bibliothèque de la Pléiade* ; 8, 1). – [Pp. 1020-1025].

1 La forme *die* du subjonctif coexistait avec *dise*. Elle disparaît à la fin du siècle. Molière ne se moque pas d'elle ; mais de l'insistance des femmes savantes à admirer une cheville.

JOHN MILTON

ANGLAIS 1608-1674

« Qui ne veut manquer de réaliser son espoir d'être un jour un écrivain digne d'éloge doit être lui-même un véritable poème, soit un composé et un modèle des meilleures choses et des plus honorables », écrit Milton dans *An Apology against a Pamphlet*. Remarque autobiographique qui résume assez bien ce que Milton a voulu être. Il est sûr que, né à Londres dans une famille aisée, cultivée, musicienne, il a reçu la meilleure éducation, a pu poursuivre ses études à Cambridge (Christ's College), et y obtenir des grades universitaires (*Bachelor of Arts* en 1629, *Master* en 1632), sans embrasser la carrière ecclésiastique. Ses années de formation se sont poursuivies, après l'Université, à Horton, par des lectures et des études intensives qui comprenaient aussi bien l'italien, la musique ou l'astronomie que les classiques dans le texte grec ou latin, les livres sacrés et leurs commentaires dans leurs langues originales — textes des Septante ou Vulgate, mais aussi textes hébreu, araméen, voire syriaque. Un fils de famille couronnait ces années par le « grand tour » : Milton séjourna près de deux ans en Italie, du printemps de 1638 jusqu'en juillet 1639, notamment à Florence et à Rome, où il découvrit l'art italien, une société raffinée, une Église dont il n'avait qu'une connaissance livresque.

Avant son départ pour l'Italie, il avait écrit déjà de nombreux poèmes, dont *Ode on the Morning of Christ's Nativity* (*Ode au matin de la Nativité*, 1629) ; *L'Allegro* et *Il Penseroso*, écrits entre 1629 et 1633, qui constituent un dyptique opposant la joie à la mélancolie ; *Comus* (dont la date est plus sûre : 1634) qui prolonge la tradition du masque de cour ; et *Lycidas* (1637), élégie écrite sur la mort d'un ami de Cambridge. *Comus* demeure l'œuvre la plus importante de cette période ; on y trouve le thème de la tentation et la figure séduisante du tentateur qui préfigurent, dans un registre limité, mais d'une grande beauté, les grands thèmes de la maturité.

À son retour d'Italie, quelques mois avant le triomphe du Long Parlement, Milton découvre une Angleterre révolutionnaire. Il se range aux côtés des puritains, et devient assez rapidement l'un de leurs défenseurs les plus engagés. Le poète cède alors le pas au pamphlétaire. Le premier pamphlet, *Of Reformation in England* (*De la réforme touchant la discipline de l'Église et des causes qui l'ont jusqu'ici empêchée*, 1641), propose une interprétation de la Réforme écrite par un radical, et explicitée par *The Reason of Church Government against Prelaty* (*La Raison du gouvernement de l'Église contre les prélats*, 1642). *Areopagitica* est l'un des plus grands textes en prose de Milton ; inquiet de voir le Parlement rétablir la censure après l'avoir supprimée, Milton s'insurge contre ses amis en se faisant le défenseur de la liberté d'opinion contre tous les censeurs. Son traité *Of Education* (*De l'éducation*) date de la même année.

En 1643 cependant, Milton épouse Mary Powell. Ce mariage avec une très jeune femme, d'origine catholique de surcroît, est la source de graves difficultés. Un divorce est toutefois impossible. Milton écrit donc quatre pamphlets sur la liberté qui doit être consentie aux couples, dont *The Doctrine and Discipline of Divorce* (*La Doctrine et la discipline du divorce*, 1643), *Tetrachordon* (1645). On sait que Mary Powell, après la réconciliation des époux, donna naissance à plusieurs enfants, avant sa mort en 1652. Milton eut deux autres épouses, Katherine Woodcock en 1656, et Elizabeth Minshul en 1663.

Entre 1649 et 1660, Milton publia près de onze pamphlets. Il se devait de justifier la politique du Parlement, voire celle de Cromwell. Avocat de la cause anti-royaliste, il publia, en 1649, *The Tenure of Kings and Magistrates* qui sonne le glas de la monarchie de droit divin au profit d'une monarchie limitée. Il est alors nommé, la même année, *Latin Secretary to the Committee of Foreign Affairs*, responsabilité qui le met pratiquement à la tête de la diplomatie anglaise. *Eikonoclastes* (*L'Iconoclaste*, 1649) s'engage, aux côtés des régicides, dans la polémique qui suivit l'exécution du roi.

En 1652, il devient complètement aveugle.

Entre 1659 et 1660, en dépit des dangers, il publie des pamphlets qui prônent un Commonwealth, alors que la monarchie va être rétablie. Il est arrêté au moment de la Restauration (juin 1660) et relâché peu après (décembre 1660), dans des conditions qui restent mal éclaircies.

Le Paradis perdu (*Paradise Lost*) est publié en 1667 en dix Livres. Remanié, il sera publié en douze Livres en 1674. *Le Paradis reconquis* (*Paradise Regained*, poème en quatre Livres) et *Samson Agonistes* (tragédie) sont publiés en 1671. Mort à Londres, Milton est enterré dans l'église de St. Giles (Cripplegate).

Le Paradis perdu demeure l'une des œuvres les plus significatives de la littérature anglaise. Quoique le sujet soit la chute de l'homme (précédée de la chute des anges), ce poème épique est à bien des égards une remise en cause des habitudes de pensée traditionnelles, car l'époque est celle de mutations considérables en astronomie, en physique, en politique, en théologie, etc. N'a-t-on pas parlé d'une coupure épistémologique, pour la décrire ? Milton reprend les explications traditionnelles, et celles qui le sont moins, en se conformant aux règles du poème épique : introduction *in medias res*, puis *flashback*, et enfin prospective prophétique. Les Livres I et II sont consacrés à l'Enfer ; III et IV au Paradis ; V et VI à l'Incarnation du Fils et à la Chute des anges ; VII et VIII à la Création puis à une discussion sur les systèmes respectifs de Ptolémée et de Galilée ; IX et X relatent la Chute de l'homme proprement dite ; XI et XII sont consacrés aux perspectives prophétiques après la Chute. Il s'agit d'opposer une *dikè* à une autre *dikè*. En partant du conflit entre Dieu et le diable, on passe d'une opposition terme à terme à des formes de circularité, en empruntant les voies qu'offrent l'inversion, l'infléchissement, la dégradation, le retournement — tout cela pour décrire le fait primordial de la Révélation et de l'Incarnation opposées au monde, au péché, à la faute, à la souillure. L'épopée repose sur le dépassement de cette contradiction qui, maintenue, nous enfermerait dans un univers tragique : c'est à quoi s'emploient le revirement et le retournement dans l'œuvre. Les portraits de Satan et d'Ève, figures liées au mal certes, demeurent inoubliables, parce qu'elles sont aussi figures de la séduction. *Paradise Lost* est écrit, comme l'indique sa préface, en décasyllabes non rimés, ce qui est une innovation dans la poésie anglaise.

L'influence de cette œuvre a été et demeure considérable. C'est l'un des poèmes qui constituent le substrat sur lequel repose toute la culture anglaise — qui inclut maintenant tous les pays anglophones. Certains en ont fait l'épopée du protestantisme, ou d'une culture protestante. C'est une vue réductrice. Milton, en effet, quoi qu'on en dise, n'est pas un poète puritain. Son esthétique le rapproche davantage des poètes baroques. La figure de Satan a considérablement influencé tout le romantisme français et anglais. Byron en est nourri dans des œuvres aussi différentes que *Caïn* ou que *Le Corsaire*. Chateaubriand a conçu *Les Martyrs* en reprenant des pans entiers du *Paradis perdu*, sans parler de *La Fin de Satan* de Victor Hugo.

Milton's Grand Style / Christopher Ricks. – London : Oxford University Press, 1967. – VI-154 p. – (*Oxford Paperbacks* ; 127).

Les Structures fondamentales de l'univers miltonien / Jean-François Camé. – Paris : Didier, 1976. – 594 p – (*Études anglaises* ; 59).

Pensée, mythe et structure dans le Paradis Perdu / Armand Himy. – Lille : Service de reproduction des thèses, Université de Lille III, 1977. – 526 p.

Analyse stylistique du Paradis Perdu de John Milton : l'univers poétique : échos et correspondance / Gilles Mathis. – Aix en Provence : Université de Provence, 1987. – 3 tomes en 4 vol., 1490 p. – (*Publications de l'Université de Provence*).

Milton and Republicanism / edited by David Armitage, Armand Himy, Quentin Skinner. – Cambridge : University Press, 1995. – 281 p.

LYCIDAS 223

J. Fuzier — 1972

Le royaume des poètes n'est pas de ce monde (v. 1-14, 50-84). — Cette élégie funèbre dit tout de celui qui a choisi l'ingrate destinée de la poésie, ses exigences et ses angoisses, et a, trop tôt peut-être, renoncé aux plaisirs plus doux et aux joies plus faciles. Mais elle dit aussi, par l'effort de l'ami poète qui chante le poète et l'ami perdu, toute la conscience du fragile art difficile qui entend, œuvre divine, sculpter le dire et cultiver, en cette héroïque ascèse, l'honneur d'une voie qui conduit à la gloire éternelle.

Derechef, ô lauriers, et derechef aussi,
Myrtes sombres, et toi, lierre jamais flétri,
Je viens cueillir vos baies âpres et dures,

Et de mes doigts par force rudes
Vos feuilles disperser avant l'an mûrisseur.
Une contrainte amère, un bien cruel malheur
À déranger le cours de vos saisons m'engage,
Car Lycidas est mort, avant la fleur de l'âge,
Le jeune Lycidas, et d'égal n'a laissé.
Qui ne voudrait chanter pour Lycidas ? Lui-même
Savait chanter, savait bâtir d'altiers poèmes.
Sur l'onde, sa civière, il ne doit point flotter
Sans larmes, ni rouler sous le vent desséchant,
Sans l'hommage éploré de quelque triste chant.

[...]

Nymphes, où étiez-vous, quand sans remords l'abîme
Se ferma sur le front de votre Lycidas ?
Car vous ne jouiez pas où reposent aux cimes
Vos bardes anciens, les Druides fameux,

Non plus que sur Mona au sommet broussailleux,
Ni aux lieux où la Dee répand son flot devin[1].

Hélas ! je fais un songe vain !
Eussiez-vous été là… Et qu'eussiez-vous donc fait ?
Que put la Muse même, elle, mère d'Orphée,
La Muse, pour son fils au pouvoir enchanteur
Que pleura la nature entière rassemblée,
Quand la horde poussant de hideuses clameurs
Lança au fil de l'eau sa face ensanglantée,
Au fil de l'Hèbre prompt, jusqu'aux bords de Lesbos ?
Las ! à quoi bon sans trêve, avec un soin sévère,
Faire l'humble métier dédaigné de berger,
Et dans l'austérité suivre l'ingrate Muse ?
Car ne font-ils pas mieux, les autres, qui s'amusent
Avec Amaryllis en des lieux ombragés,
Ou avec les cheveux emmêlés de Néère ?
Dernière infirmité des plus nobles esprits,
La gloire est l'éperon qui pousse une âme pure
Au mépris des plaisirs, aux jours de peine dure ;
Mais quand nous espérons en trouver le beau prix,
Pensant briller soudain de splendeur éclatante,
Vient l'aveugle Furie, et ses ciseaux honnis
Tranchent le fil ténu des jours… « Mais non l'éloge, »
Dit Phébus, et toucha mes oreilles tremblantes.
« À croître en sol mortel la gloire n'est point plante,

Et dans le clinquant ne se loge
Dont se pare le monde, ou dans le vaste bruit.
C'est là-haut qu'elle vit et grandit, sous l'œil clair
Du témoin et du juge absolu, Jupiter.
Puisqu'il rend sur tout acte une ultime sentence,
Ta part de gloire au Ciel attends en récompense. »

Jean Fuzier, "Le *Lycidas* de Milton : Essai de traduction en vers". – In : *Cahiers Élisabéthains*, 2 (octobre 1972), pp. 7-8.

---

1 La montagne des bardes et des druides est un sommet proche de la mer d'Irlande ; Mona, l'île d'Anglesey ; la Dee, rivière de Chester.

LA RAISON DU GOUVERNEMENT DE L'ÉGLISE CONTRE LES PRÉLATS 224

A. Himy — 1995

Amères concurrences (Introduction, livre 2). — En 1641, Milton en est encore à son premier parti : il soutient fermement le Parlement, composé en majorité de presbytériens, afin d'affaiblir la hiérarchie ecclésiastique. L'argumentation suit les méandres d'une prose aux amples et sinueuses périodes, qui s'illustre habilement d'une distinction entre savoir des causes naturelles et sagesse des vérités spirituelles et file une métaphore opposant dispensateurs des joyaux véritables et distributeurs de pacotille.

Quel bonheur ce serait pour cette fragile, et peut-on dire, mortelle, vie humaine, attendu que toutes les choses terrestres que nous appelons bonnes et commodes dans notre usage quotidien sont néanmoins si encombrantes et si pleines de tourment ; quel bonheur ce serait si le savoir, qui est encore la possession la meilleure et la moins pesante de l'esprit, était, comme on le dit communément, le contraire d'un fardeau, et qu'il ne compensât pas le poids qu'il n'impose à aucune partie du corps en accablant l'âme avec usure ! Car, pour ne pas parler de ce savoir qui consiste dans la contemplation des causes et des dimensions naturelles, et qui est nécessairement une sagesse inférieure puisque l'objet en est bas, il est certain que celui qui a réussi dans une mesure plus que très restreinte à connaître distinctement quelque chose de Dieu, et de son vrai culte, et à reconnaître ce qui est infailliblement bon et heureux dans la condition humaine, ce qui est en soi mauvais et malheureux, quand bien même le vulgaire en juge autrement, celui, dis-je, qui a réussi à acquérir cette sagesse, la seule qui soit vraiment d'un grand prix, s'il se rappelle aussi que Dieu exige, et même avec rigueur, l'emploi profitable de ces dons qu'il nous a confiés, ne peut éviter un fardeau spirituel plus pénible et plus accablant qu'aucun faix de labeur supportable sous lequel puisse peiner le corps, à savoir le choix de la manière dont il devra disposer et user de ces valeurs et lumières avec lesquelles Dieu l'a envoyé commercer dans ce monde. Et ce qui aggrave encore ce fardeau, c'est que, cet homme ayant reçu parmi les lots qui lui sont attribués certaines vérités précieuses, d'un lustre oriental tel qu'aucun diamant ne saurait les égaler, vérités dont il doit néanmoins se défaire à n'importe quel prix, bien plus, pour rien, au profit de ceux qui en veulent ; les grands négociants de ce monde[1], craignant que cette pratique ne révélât et ne discréditât bientôt le faux brillant de leurs marchandises, dont ils abusent le peuple, comme on abuse de pauvres Indiens avec des perles de verre, complotent par tous les moyens pour empêcher la vente de telles raretés qui les ruinerait et leur laisserait leur pa-

1 La hiérarchie ecclésiastique.

cotille sur les bras. Aussi, satisfaisant les désirs corrompus des hommes avec des doctrines charnelles, les excitent-ils à persécuter de leur haine et de leur mépris tous ceux qui cherchent à se comporter droitement dans cette factorerie spirituelle qui leur est propre ; et comme ces justes prévoient cette hostilité, sans pouvoir s'abstenir de rendre témoignage à la vérité et à l'excellence de ces marchandises célestes qu'ils apportent, en face de toute opposition et de tout danger que ce soit, cela doit pourtant peser lourdement sur leur cœur de voir que, choisis comme messagers de paix dans l'intention première de Dieu et dans la leur, et dispensateurs d'un trésor inestimable, sans prix, à ceux qui ne possèdent pas la paix, ils deviennent dans l'accomplissement de leur mission, la plus grande cause de discorde et de scandale, une véritable épée, un vrai brandon, dans la maison, comme dans la cité, sur toute la terre.

Traduction inédite. — *Complete Prose Works* / of John Milton. – 2nd Print. – New Haven [Conn.] : Yale University Press, 1970. – [Vol. 1, pp. 801-802].

L'ARÉOPAGITIQUE 225

H.G. Riqueti de Mirabeau — 1788

Comment discerner sans connaître ? (81-85). — Dans ce discours, en style écrit plus qu'oral, Milton adjure le Parlement de renoncer à la censure, qu'il vient de rétablir. Il y défend l'idée que la censure ne peut prétendre n'éliminer que de mauvais écrits, car tout écrit, quel qu'il soit, peut instruire et il est impossible d'y séparer le bon grain de l'ivraie. Réflexion sur la nature du bien et du mal à mettre en relation avec des thèmes similaires dans *Le Paradis perdu*.

Le bien & le mal ne croissent point séparément dans le champ fécond de la vie ; ils germent l'un à côté de l'autre, & entrelassent leurs branches d'une manière inextricable. La connoissance de l'un est donc nécessairement liée à celle de l'autre. Renfermés sous l'enveloppe de la pomme dans laquelle mordit notre premier père, ils s'en échappèrent au même instant ; & tels des jumeaux, ils entrèrent à la fois dans le monde. Peut-être même dans l'état où nous sommes, ne pouvons-nous parvenir au bien que par la connoissance du mal ; car, comment choisira-t-on la sagesse ? comment l'innocence pourra-t-elle se préserver des atteintes du mal, si elle n'en a pas quelqu'idée ? & puisqu'il faut absolument observer la marche des vicieux pour se conduire sagement dans le monde ; puisqu'il faut aussi démêler l'erreur pour arriver à la vérité, est-il une méthode moins dangereuse de parvenir à ce but, que celle d'écouter & de lire toute sorte de traités & de raisonnemens ? avantage qu'on ne peut se procurer qu'en lisant indistinctement toutes sortes de livres.

Craindra-t-on qu'avec cette sorte de liberté indéfinie l'esprit ne soit bientôt infecté du venin de l'erreur ?

Il faudroit, par la même considération, anéantir toutes les connoissances humaines, ne plus disputer sur aucune doctrine, sur aucun point de religion, & supprimer même les livres sacrés ; car souvent on y trouve des blasphêmes ; les plaisirs charnels des méchans y sont décrits sans beaucoup de ménagemens ; les hommes les plus saints y murmurent quelquefois contre la Providence, à la manière d'Epicure ; il s'y rencontre une foule de passages ambigus & susceptibles d'être mal interprétés par des lecteurs vulgaires. Personne n'ignore que c'est à cause de toutes ces raisons que les papistes ont mis la bible au premier rang des livres prohibés.

Sur la liberté de la Presse / imité de l'Anglois de Milton ; par le Comte De Mirabeau. – A Londres, 1788. – [Pp. 25-26].

L'ARÉOPAGITIQUE 226

O. Lutaud — 1956

Remembrer la Vérité (176-177, 182-184). — Présenté sous une forme mythique, l'argument se prolonge et passe d'une réflexion sur le bien et le mal à une réflexion sur la nature de la vérité. Bien que le cadre théologique demeure, Milton s'en affranchit peu à peu et définit les conditions d'une vraie recherche.

Oui, la Vérité vint jadis en ce monde avec son divin Maître : elle fut pour nos regards une forme de perfection et de gloire : mais dès qu'Il eut quitté la terre, et qu'après lui ses Apôtres connurent le grand repos, s'éleva une race perverse d'imposteurs : comme il est dit au récit de *Typhon l'Égyptien*, de ses complices et du traitement qu'ils infligèrent au bon *Osiris*, — ils s'emparèrent de la vierge Vérité, hachèrent son adorable corps en mille morceaux et les dispersèrent aux quatre vents. Depuis lors tous ceux des tristes amis de la Vérité qui osèrent se montrer n'ont cessé d'aller et venir de tous côtés, imitant *Isis* en son anxieuse recherche du corps mutilé d'*Osiris*, rassemblant ses membres un par un, au hasard de leur rencontre.

Nous ne les avons pas encore trouvés tous, Lords et Communes, et nous n'y parviendrons jamais tant que son Maître ne sera pas revenu : c'est lui qui doit réunir et *remembrer* tous ces éléments, et les façonner en une forme d'immortalité adorable et parfaite. Ne souffrez pas que ces interdits de la censure se dressent en tous lieux favorables, empêchant, dérangeant ceux qui persévèrent dans leur recherche et dans ces funèbres hommages que nous rendons au corps déchiré de notre Sainte martyrisée.

[...] Certains se plaignent sans cesse de schismes et de sectes ; si quiconque s'éloigne de leurs maximes, ils en font un vrai drame ; alors que par leur orgueil et leur ignorance ce sont eux les perturbateurs, refusant d'écouter avec douceur et incapables de convaincre : et il faudrait supprimer tout ce qui ne se trouve pas dans leur *Formulaire* ! Voilà les hommes de désordre, les fauteurs de division, puisqu'ils négligent eux-mêmes et refusent à autrui d'unir ces éléments séparés qui jusqu'à présent manquent au corps de la Vérité. Chercher sans cesse l'inconnu par le connu, agréger sans cesse et au fur et à mesure la vérité à la vérité (tout son corps n'est-il pas *homogène*, équilibré ?), telle est la règle d'or en *Théologie* comme en Arithmétique ; c'est elle qui édifie le mieux l'harmonie d'une Église au lieu de cette union extérieure et contrainte d'esprits froids, indifférents, et intérieurement divisés.

Areopagitica, pour la liberté d'imprimer sans autorisation ni censure / Milton ; traduit et préfacé par O. Lutaud. – Paris : Aubier–Éditions Montaigne, 1956. – [Pp. 195-199].

LE PARADIS PERDU — 227

L. Racine — 1755

Ouverture (Livre I, 1-26). — Louis Racine a rendu en prose les pentamètres non rimés anglais.

La premiere désobéissance[1] de l'Homme, & ce Fruit de l'Arbre défendu, qui fatalement gouté fit entrer dans le Monde, la Mort & tous nos malheurs[2], & nous fit perdre un Paradis[3], jusqu'à ce que l'Homme-Dieu[4]

1 Un Commentateur Anglois remarque que les premiers mots de ce Poëme, annoncent le Sujet, de même que les premiers mots de l'Iliade, de l'Odyssée, & de l'Enéide. Sans s'arrêter à cette remarque, il suffit de louer cet Exorde comme simple & naturel. Milton a suivi l'exemple d'Homère & le principe d'Horace. (N.d.t.)

2 De même que Virgile a dit : *Ille dies primus lethi, primusque malorum / Causa fuit.* Adam & Eve ne moururent pas sitôt qu'ils eurent gouté de ce fruit, mais comme dit S. Augustin, ils commencerent à mourir au moment qu'ils reçurent la loi de mort, qui rendit leur corps sujet au dépérissement. *Illo die mori cæperunt, quo mortis legem, quâ in senium inveterascerent, acceperunt.* On verra, dans les fictions du Poëte, la Mort, aussitôt après le Péché de l'Homme, s'emparer de la Terre comme de son Royaume. (N.d.t.)

3 Milton dit *Eden*, & entend par ce mot le Jardin de délices élevé sur une montagne dans la plaine d'Eden. (N.d.t.)

4 Milton dit *un plus grand Homme* : ce que Rolli a traduit littéralement ; mais ce n'est point ici qu'un Traducteur doit être fidelle. Quand Milton eût été Arien déclaré, il eût dû se servir d'une autre expression. Il est rapporté dans la Bibliothèque Angloise, T. IV qu'un ami de Milton lui

nous relevant de notre chute, eût reconquis pour nous le séjour du Bonheur : c'est ce que je t'invite à chanter, céleste Muse[1], Habitante des sommets sacrés d'Horeb ou de Sinaï, d'où tu inspiras le Berger qui le premier apprit au Peuple choisi, comment le Ciel & la Terre au commencement sortirent du Chaos. Ou si tu te plais davantage[2] sur la colline de Sion, sur les bords de Siloé, claire fontaine qui arrose ces lieux où Dieu rend ses oracles ; c'est là que je t'invoque, pour que tu daignes soutenir mon chant hardi, lorsque par un vol, qui ne doit pas être un foible vol, j'entreprends de m'élever au-dessus du mont Aonien, pour raconter des choses que ni la prose ni les vers[3] n'ont encore tenté d'écrire.

Et toi qui préfères à tous les Temples un cœur droit & pur, c'est à toi surtout, Esprit saint[4], de m'instruire, puisque rien ne t'est caché. Au commencement tu étois présent ; & semblable à une Colombe, sous tes puissantes aîles que tu étendois, tu échauffas le vaste Abyme & tu le rendis fécond. Eclaire ce qui est obscur en moi. Que ce qui y est foible soit relevé & soutenu par toi, afin que je puisse, sans être accablé par la grandeur de mon Sujet, prouver une éternelle Providence, & justifier aux yeux des Hommes, les voies de Dieu[5].

---

ayant dit, que depuis la lecture de son Poëme, il le soupçonnoit d'Arianisme, Milton lui répondit : *N'en dites rien, le Clergé ne s'en est point encore apperçu*. Je ferai observer dans le cours de ces Notes, que Milton ne parle jamais du Fils, comme égal au Pere, ni de S. Esprit ; il ne parle jamais d'une Trinité. (N.d.t.)

1 Homere dit dès le premier vers : *Chantez, Muse* ; ce que Milton ne dit qu'au sixiéme vers, & ce que ses deux Traducteurs Rolli & Dobson ont exactement rendu. Comme son Poëme contient des choses qui se sont passées dans le Ciel, dans les Enfers, & dans le Paradis terrestre, un homme ne les peut savoir, c'est à une Divinité à les raconter. Celle que Milton invoque, & qu'il invoquera encore au commencement du septiéme Livre, est cette Sagesse qui, dans les Proverbes, se représente comme jouissant de l'éternité & de la toute-puissance du Seigneur, & ayant été témoin de la création, non comme spectatrice, mais comme agissante. C'est elle qui a inspiré le Berger qui conduisit le troupeau de Jethro son beau-pere, Moyse, l'Historien de la création. (N.d.t.)

2 A l'exemple des Poëtes de l'Antiquité, qui appelloient leurs Divinités dans les differens lieux qu'elles aimoient à habiter, Milton appelle celle qui inspira Moyse, ou d'Horeb ou de Sinaï, deux montagnes si voisines qu'elles paroissent n'en faire qu'une à deux sommets, ou des lieux où a été l'Arche, & où Dieu rendoit ses oracles. Il donne au sommet de Sinaï l'épithète *secret*, au lieu de laquelle Bentley veut qu'on lise *sacred*. Correction fort inutile. *Secret*, suivant la force du mot latin, signifie séparé, consacré à Dieu ; & cette épithète convient à un sommet qui fut couvert de nuages, quand Dieu y parla à Moyse. Milton transporte souvent dans sa Langue des mots de Langues anciennes, en leur conservant leur ancienne signification. (N.d.t.)

3 Imité de l'Arioste, *Cosa non detta in prosa maï, né in rima*. Mais Milton par rime n'entend ici que le nombre de sa versification. On lui reproche ce vers, parce que, dit-on, plusieurs Poëtes dont il a profité, ont écrit sur les mêmes choses. Ce reproche est mal fondé, puisqu'il raconte des choses, arrivées dans le Ciel ou dans les Enfers, qu'avant lui aucun Historien, ni Poëte n'avoit écrites. (N.d.t.)

4 Comme il doit raconter la création, il invoque cet *Esprit* qui étoit *porté sur les eaux* & qui répandit la fécondité. (N.d.t.)

5 Voilà le grand objet de tout ce Poëme. Dieu qui n'est auteur ni du mal moral ni du mal Physique, tire du mal, le plus grand bien. L'Homme est vaincu par Satan, mais sa défaite causera dans la suite sa plus grande félicité, & la plus grande punition de Satan, son Triomphateur. (N.d.t.)

Le Paradis perdu / de Milton ; traduction nouvelle, avec des Notes, la Vie de l'Auteur, un Discours sur son Poëme, les Remarques d'Addison ; & à l'occasion de ces remarques, un Discours sur le poëme Epique par M. Racine. – A Paris : Chez Desaint & Saillant, 1755. – [Tome premier, pp. 3-7].

LE PARADIS PERDU — 227 bis

J. Delille — 1805

Ouverture (Livre I, 1-26). — Cette traduction est plutôt une adaptation, en alexandrins rimés.

Je chante l'homme en proie aux pièges tentateurs,
Et le fatal péché de nos premiers auteurs,
Qui, par le fruit mortel privés de l'innocence,
Nous léguèrent le mal, le crime et la souffrance,
Jusqu'au jour où, calmant le courroux paternel,
L'Homme-Dieu nous rouvrit les demeures du ciel :
Sujet vaste et sacré, dont jamais le génie
N'enchanta les bosquets des nymphes d'Aonie.
Toi donc qui, célébrant les merveilles des cieux,
Prends loin de l'Hélicon un vol audacieux,
Soit que, te retenant sous tes palmiers antiques,
Sion avec plaisir répète tes cantiques ;
Soit que, cherchant d'Horeb la tranquille hauteur,
Tu rappelles ce jour où la voix d'un pasteur
Des Hébreux attentifs ravissant les oreilles,
De la création leur contait les merveilles ;
Soit que, chantant le jour où Dieu donna sa loi,
Le Sina sous tes pieds tressaille encor d'effroi ;
Soit que, près du saint lieu d'où partent ses oracles,
Les flots du Siloé te disent ses miracles :
Muse sainte, soutiens mon vol présomptueux !
Jamais sujet plus grand et plus majestueux
Des poëtes divins n'échauffa le délire :
Viens, sous l'archet sacré déjà frémit ma lyre.
Et toi, toi qui, planant sur le sombre chaos
Où dormaient confondus l'air, la terre et les flots,
Couvais par la chaleur de ton aile féconde
La vie encore informe et les germes du monde,
Esprit saint ! Remplis-moi de ton souffle puissant ;
Et si ton plus beau temple est un cœur innocent,
Viens épurer le mien, viens aider ma faiblesse,
Fais que de mon sujet j'égale la noblesse,

Et que mon vers brûlant, animé de ton feu,
Venge aux yeux des mortels la justice de Dieu !

Œuvres complètes. Tome III. Le Paradis perdu de J. Milton / de Jacques Delille. – À Bruxelles : Weissenbruch, 1817. – [Pp. 5-6].

LE PARADIS PERDU 227 ter

A. Himy — 1995

Ouverture (Livre I, 1-26). — Le même texte, en alexandrins non rimés.

De l'homme la désobéissance première,
Et le fruit de l'arbre interdit au goût de mort,
Qui apporta la mort dans le monde, et le mal,
Et la perte d'Éden, pour qu'un homme plus grand
Nous rétablît dans le sein des béatitudes,
Chante, Muse céleste, qui sur le sommet
De l'Horeb ou du Sinaï sut inspirer
Ce berger qui, d'abord, enseigna aux élus
Le commencement, comment le ciel et la terre
Naquirent du chaos. Si de Sion la colline
Te réjouit davantage, et l'eau du Shiloah
Qui s'écoule auprès de l'oracle de Dieu,
Là, je t'invoque ! Aide mon chant aventureux
Qui, d'une haute aile entend prendre son essor
Au-dessus du mont d'Aonie, dans sa quête
D'objets intentés encore en prose ou en vers.
Et devers toi, surtout, je me tourne, ô Esprit,
Qui préfères aux temples les cœurs purs et droits,
Enseigne-moi, toi qui sais, qui dès l'origine
Fus présent, les ailes puissantes étendues,
Comme une colombe couvant le vaste abîme,
Et le fécondant ; ce qu'il est d'obscur en moi,
Illumine ; élève, exhausse ce qui est vil,
Pour qu'à l'altitude de ce grand argument,
Je puisse affirmer la Providence éternelle,
Et justifier les voies de Dieu devant les hommes.

Traduction inédite.

LE PARADIS PERDU 228

N.-Fr. Dupré de Saint-Maur — 1729

Prière matinale d'Adam et Ève (Livre V, 153-208). — Adam loue le Seigneur, alors qu'il est au Paradis, avant la visite de l'archange Raphaël. Le style de Milton, ici, demeure proche du texte des Psaumes.

Ce sont là tes glorieux ouvrages, puissant Père de tout bien. La structure merveilleuse de cet Univers est ta production : combien es-tu donc toi-même admirable ! Ta grandeur ne sauroit s'exprimer. Elle s'élève au-dessus des Cieux, et se dérobe à nos regards. Nous ne pouvons te voir qu'obscurément dans tes ouvrages sensibles ; cependant ces ouvrages déclarent et ta bonté et ta puissance. Parlez[1], Habitans du Ciel, Anges, Enfans de lumière, vous le contemplez de près ; et, rassemblés autour de son trône, vous faites retentir les Cieux de vos chants d'allégresse : et vous, créatures qui êtes sur la Terre, unissez-vous pour l'exalter : il est le premier, le dernier, le centre de tout, et sa circonférence n'a point de bornes. Brillante Etoile, qui fermes la marche des astres de la nuit ; toi, qui de ton diadème de lumière couronnes le Matin, songe à glorifier l'Eternel, pendant que les approches du jour font les délices de la Nature. Soleil, qui tout à la fois es l'œil et l'âme de ce vaste Monde, reconnois ton maître ; va, et, dans ta course éternelle de l'Orient à l'Occident, et du Couchant à l'aurore, présente partout l'image de sa grandeur. Lune, qui tantôt te rencontres avec l'astre du jour, et qui tantôt l'évites en fuyant avec les Etoiles fixes dans leur orbe mobile ; et vous, Planètes, feux errans dont les pas mystérieux sont accompagnés d'une si belle harmonie, concourez aux louanges de celui qui, du sein des ténèbres, a tiré la lumière. Air, et vous, Elémens, fils ainés de la Nature, qui, sous une infinité de formes différentes, parcourez un cercle perpétuel, et qui êtes le principe et la base de tout, que votre changement continuel varie toujours de nouvelles louanges pour notre Créateur. Vous, Brouillards, et vous, Exhalaisons, qui vous élevez des montagnes et des lacs en sombres tourbillons, jusqu'à ce que le Soleil dore vos vêtemens, levez-vous pour honorer le grand Auteur du Monde ; soit que vous montiez pour orner de nuages le firmament uniforme en sa couleur, soit que vous descendiez pour humecter par vos pluies fécondes la Terre altérée, célébrez toujours les louanges du Seigneur. Vous, Vents, qui soufflez des quatre parties du Monde, publiez ses louanges par vos douces haleines, ou par vos souffles violens. Cédres, balancez vos sommets ; que chaque plante s'incline en signe d'adoration.

[1] Tout ce Cantique est tiré du *Ps.* 148. et de la Prière des trois Enfans dans la fournaise. *Daniel*, c.3.

Fontaines, et vous, Ruisseaux, exprimez ses louanges par vos murmures. Vivantes Créatures, unissez vos voix. Oiseaux, qui vous élevez en chantant vers les demeures célestes, portez sa gloire sur vos ailes ; annoncez-la dans vos ramages. Vous, qui nagez dans les eaux, et vous, qui marchez et rampez sur la terre, soyez tous les témoins que je me fais entendre soir et matin aux montagnes, aux vallées, aux fontaines, aux ombrages ; et que, s'ils sont muets ou insensibles, je leur prête et ma voix et mes sentimens pour rendre gloire au Seigneur. Grand Dieu ! ne te lasse pas d'ouvrir sur nous tes mains libérales ; mets le comble à tes bienfaits. Que ta bonté nous accorde toujours ce qui nous est avantageux ; et, si la nuit a produit ou caché quelque mal, disperse-le comme la lumière dissipe l'obscurité.

Le Paradis perdu / de Milton ; avec des Notes, et les Remarques de M. Addison ; Traduit de l'anglois, par M. Dupré de Saint-Maur. – Nouvelle édition. – A Avignon : chez Seguin Frères, 1811. – [Pp. 137-139].

LE PARADIS PERDU 229

Fr.-R. de Chateaubriand — 1836

La chute d'Ève (Livre IX, v. 735-781). — La Chute apparaît ici à la lumière du Salut, ce qui permet à Milton de la considérer comme une « heureuse faute » non seulement au point de vue spirituel mais aussi sur le plan intellectuel et moral : la science, et sa critique rationnelle, aussi bien que le discernement, et la connaissance du bien et du mal qu'il implique, sont en effet, à ses yeux, la condition nécessaire du progrès volontaire de l'esprit humain et, dans cette mesure, de l'accomplissement de la création. La traduction de *Paradise Lost* par Chateaubriand demeure à ce jour la meilleure en français.

Les yeux fixes, elle contemplait le fruit qui, rien qu'à le voir, pouvait tenter : à ses oreilles retentissait encore le son de ces paroles persuasives qui lui paraissaient remplies de raison et de vérité. Cependant l'heure de midi approchait et réveillait dans Ève un ardent appétit qu'excitait encore l'odeur si savoureuse de ce fruit ; inclinée qu'elle était maintenant à le toucher et à le goûter, elle y attachait avec désir son œil avide. Toutefois elle s'arrête un moment et fait en elle-même ces réflexions :

« Grandes sont tes vertus sans doute, ô le meilleur des fruits ! Quoique tu sois interdit à l'homme, tu es digne d'être admiré, toi dont le suc, trop long-temps négligé, a donné dès le premier essai la parole au muet, et a enseigné à une langue incapable de discours à publier ton mérite. Celui qui nous interdit ton usage, ne nous a pas caché non plus ton mérite, en te nommant l'arbre de science ; science à la fois et du bien et du mal. Il nous a défendu de te goûter, mais sa défense te recommande davantage, car elle conclut le bien que tu communiques et le besoin que nous en avons : le bien inconnu assurément on ne l'a point, ou si on l'a, et qu'il reste encore inconnu, c'est comme si on ne l'avait pas du tout.

En termes clairs, que nous défend-il LUI ? de connaître ; il nous défend le bien ; il nous défend d'être sages. De telles prohibitions ne lient pas... Mais si la mort nous entoure des dernières chaînes, à quoi nous profitera notre liberté intérieure ? Le jour que nous mangerons de ce beau fruit, tel est notre arrêt, nous mourrons... Le serpent est-il mort ? il a mangé et il vit, et il connaît, et il parle, et il raisonne, et il discerne, lui jusqu'alors irraisonnable. La mort n'a-t-elle été inventée que pour nous seuls ? ou cette intellectuelle nourriture, à nous refusée, n'est-elle réservée qu'aux bêtes ? qu'aux bêtes ce semble. Mais l'unique brute qui la première en a goûté, loin d'en être avare, communique avec joie le bien qui lui en est échu, conseillère non suspecte, amie de l'homme, éloignée de toute déception et de tout artifice. Que crains-je donc ? ou plutôt sais-je ce que je dois craindre dans cette ignorance du bien ou du mal, de DIEU ou de la mort, de la loi ou de la punition ? Ici croît le remède à tout, ce fruit divin, beau à la vue, attrayant au goût, et dont la vertu est de rendre sage. Qui empêche donc de le cueillir et d'en nourrir à la fois le corps et l'esprit ? »

Elle dit, et sa main téméraire, dans une mauvaise heure, s'étend vers le fruit : elle arrache ! elle mange !

Œuvres complètes. Tome trente-sixième. Le Paradis perdu de Milton, Tome II / de M. le Vicomte de Chateaubriand. – Paris : Pourrat frères, 1837. – [Pp. 245-249].

HALLGRÍMUR PÉTURSSON

ISLANDAIS **1614-1674**

Comparée aux siècles du « miracle islandais », la période qui va de la fin du XIVe à la fin du XVIIe siècle, tranche par son « obscurité ». L'Islande y est éprouvée tant par les famines et les épidémies qui la déciment, que par la politique de ses nouveaux maîtres depuis 1385, les souverains danois. L'exploitation réglée des ressources de l'île atteint son sommet avec le monopole des échanges que le Danemark s'arroge en 1662.

Très proche de ses formes médiévales, la langue islandaise n'est plus entendue d'emblée par les autres Scandinaves, et le Danemark impose son idiome dans la vie publique. Dépossédée politiquement, asphyxiée économiquement, l'Islande cultive le seul trésor qui lui reste : sa langue et sa littérature. Si l'influence danoise coupe les notables de la tradition savante, savoir-faire et savoir-dire se perpétuent, *mutatis mutandis*, dans la poésie populaire, dont les *rímur* (Cf. *P.L.E.* 5, p. 35) préservent la mémoire de la grandeur passée.

Pas plus qu'ils n'ont voulu la tutelle danoise, les Islandais n'ont souhaité la Réforme, qui, imposée par le pouvoir étranger, fut d'autant plus impopulaire qu'elle fut menée brutalement, culminant avec la décollation de l'évêque Jón Arason, ultime défenseur du catholicisme. Mais le luthéranisme présenta du moins cet avantage : afin de rendre la parole de Dieu accessible à tous, il redonna un statut officiel à l'usage de l'islandais.

Dès l'origine, le christianisme de l'île fut pétri de tradition islandaise. Ainsi, le scalde Eilífr Godhrúnarson composa et la dernière *drápa* sur Thorr l'invincible, et la première sur la force du Christ. De même, le prêtre Einar Skúlason adorna son *Geisli* (*Rayon de soleil*), un poème tout à fait ecclésiastique en l'honneur de saint Olaf, d'expressions empruntées à la mythologie ancestrale (1153). Ce mixte se retrouve avec une acuité encore plus singulière dans le *Sólarljódh* (*Lai du soleil*, fin du XIIe siècle), dont les préceptes, indéfectiblement chrétiens, sont sertis dans une forme digne de l'*Edda* et évoquent les *Hávamál* (cf. *P.L.E.* 3, p. 467) par leur concision drue et leur recours aux images saisissantes de la *Völuspá*.

Instrument politique du pouvoir danois, la Réforme lui permit de confisquer les biens de l'Église, non sans de fortes résistances du clergé, luthérien autant que catholique. À Hólar, le dernier évêque catholique, Jón Arason († 1550), et, à Skálholt, le premier évêque luthérien, Gissur Einarsson (1540), ont tenté par tous les moyens de résister au démembrement du patrimoine culturel que les cloîtres d'Islande renfermaient. Et Gudhbrandur Thorláksson (1542-1627), évêque luthérien de Hólar, y transfère la première imprimerie d'Islande, que Jón Arason, avait installée vers 1524 à Breidhabolstad. En sortira un grand nombre d'écrits religieux, édifiants ou moraux, notamment son *Ein ny sálmabók* (*Un nouveau Livre de cantiques*, 1589) — qui vient après la traduction islandaise du Nouveau Testament par Oddur Gottskálksson (1540) — et, en 1612, son *Visnabók* (*Livre des Chants*). Ce recueil est composé de créations protestantes, souvent dépendantes des modèles allemands ou danois, mais aussi de chants catholiques, dont des compositions de Jón Arason et le fameux *Lilja* du moine Eysteinn Asgrimsson (env. 1340), le fleuron de l'inspiration religieuse nationale, délesté en l'occurrence d'une strophe en l'honneur de Marie...

Né dans ce monde intellectuel et religieux, Hallgrímur Pétursson, fils du sonneur de cloches de Hólar, passe son enfance dans la résidence de l'évêque Gudhbrandur, cousin de son père. On sait peu sur ses 18 premières années et la légende a raconté que, doué d'un talent précoce, Hallgrímur aurait troussé une strophe si irrespectueuse pour Arngrímur Jónsson le Savant, alors directeur de l'école de Hólar, qu'il aurait dû s'exiler à Copenhague. Ce qui est certain, c'est qu'il y est, en 1632, à l'École Notre-Dame et qu'il aura, toute sa vie, l'évêque Brynjólfur Sveinsson pour protecteur. Alors qu'il n'a pas encore terminé son cursus de théologien, il est désigné, en 1636, parce qu'Islandais, pour raffermir la foi de compatriotes que des pirates algériens avaient enlevés sur les îles Vestmann en 1627 et dont on venait de racheter la liberté. Parmi les victimes des Barbaresques se trouve une Gudhrídhur Simonardóttir, de 16 ans son aînée, qu'il épouse dans des circonstances romanesques. Grâce à l'évêque Brynjólfur, il obtient, en 1644, une charge de pasteur à Hvalnes, puis, en 1651, à Saurbaer, près de Hvalfjardharströnd. Après divers malheurs, il contracte la lèpre et devient aveugle. Il mourra 5 ans après avoir abandonné sa charge.

Célèbre de son vivant, ce virtuose de sa langue et de la métrique scaldique, excellent connaisseur de poésie islandaise ancienne, a pratiqué presque tous les genres poétiques, *rímur*, épigrammes, satire sociale, poèmes en mètres anciens, chants religieux, thrènes, poèmes humoristiques sur la bière ou le tabac et autres pièces de circonstance. Mais il doit sa gloire, encore actuelle (75 éditions entre 1666 et 1973), à ses *Hymnes de la Passion*, composés entre 1655 et 1659 mais publiés en 1666. Écrits dans une langue simple, ces 50 *Hymnes*, destinés à la piété domestique, retracent fidèlement, en suivant surtout l'Évangile selon saint Matthieu, la Passion de Jésus, étape par étape, en s'en tenant strictement à la conception luthérienne de la Croix : ce n'est pas l'Homme de Douleur qui est dépeint mais le Rédempteur de chacun. En pasteur plus qu'en théologien, Hallgrímur explique le sens religieux des faits rapportés et fait appel à l'expérience personnelle, n'hésitant pas à engager le dialogue avec Jésus. En effet, si les cantiques allemands du XVIe siècle confessaient communautairement la foi, le XVIIe siècle a chanté l'âme individuelle et la subjectivité de ses rapports avec le Christ.

Thématique de temps troublés, la méditation sur la Passion et la mort, que l'Europe voit fleurir alors, s'enracine, chez Hallgrímur et ses épigones, et dans les œuvres de Luther et dans la tradition plus ancienne de la mystique médiévale (discours de saint Anselme, sermons de saint Bernard, pensées de Tauler), résurgence inattendue dans des livres de prières protestants.

Pour ses *Hymnes*, Hallgrímur, en dehors de la Bible, a principalement puisé à deux sources : une « Harmonie » des textes évangéliques de la Passion, publiée en 1523 par le théologien allemand Johannes Bugenhagen, traduite en allemand en 1525, en danois en 1536, et en islandais, par Oddur Gottskálksson, en 1545 ; et le *Eintal sálarinnar...* (*Soliloque de l'âme*), publié en 1593 à Hólar, une traduction par Arngrímur Jónsson le Savant du *Soliloquia de Passionne Jesu Christi* (1587), le livre le plus populaire du pasteur allemand Martin Moller (1547-1606), souvent réédité en Islande et adapté en vers, piètrement, par Pétur Einarsson (1661).

L'art de Hallgrímur Pétursson tient avant tout à son sens de la langue : alors que ses devanciers, souvent, asservissaient jusqu'au galimatias la syntaxe islandaise aux modèles linguistiques allemands ou danois, le pasteur de Saurbaer, en fin lettré, retrouve un langage naturel et clair, une simplicité où vibre la foi. De plus, maîtrisant parfaitement les ressources de la poésie scaldique, il trouve la mesure métrique adéquate à son propos et soude sens, sons et rythmes par l'allitération et la rime finale qui lient les vers deux à deux (cf. *P.L.E.* 3, p. 568). Cette absence voulue de fioritures permet de préserver le plus souvent l'ordre naturel des mots et soutient la clarté souhaitée. À cette simplicité du dire s'ajoutent, d'hymne en hymne, du chemin de Gethsémani jusqu'à la Résurrection, des recours à l'expérience personnelle du péché qui incitent au repentir et à l'abandon à la grâce de Dieu. Chaque hymne se clôt sur une prière et des paroles de consolation et d'espoir.

Dans ces chants, moins catéchétiques que poétiques, alternant les rythmes majestueux ou doux, jouant de tous les registres de la sensibilité, depuis la naïveté sublime jusqu'à l'intériorité émouvante, Hallgrímur montre la condition commune de l'homme telle qu'il la ressent : tribulations, revers, injustice, souffrance, deuil et mort, partagés avec une pudeur et une retenue fort rares à l'époque baroque. Loin de se limiter à la doctrine luthérienne de la réconciliation, les *Hymnes* mêlent la vivante sagesse populaire aux vertus chrétiennes de douceur et d'humilité, et de nombreux vers sont passés comme dictons dans la langue. Hallgrímur Pétursson « a la lucidité de la saga, la profondeur de l'*Edda*, l'expérience des *Hávamál* et la ferveur de la ballade populaire. Et c'est cet accord qui, dans ses *Hymnes*, sonne avec tant de douceur aux cœurs de ses compatriotes. » (Arne Møller).

Hallgrímur Péturssons passionssalmer / Arne Møller. – København : Gyldendalske boghandel, 1922. – 210 p.

Islands litteratur efter sagatiden / Bjarni M. Gislason. – København : Aschehoug dansk forlag, 1949. – [Pp. 7-28].

Hallgrímur Pétursson og Passiúsálmarnir / Sigurdur Nordal. – Reykjavík : Helgafell, 1970. – 180 p.

Islandske dikt. Fra Sólarljódh til opplysningstid (13. hundreåt-1835) / Ivar Orgland. – Oslo : Fonna forlag, 1977. – [Pp. 78-92 ; 271-335].

Einar Már Jónsson, “Les prétendus siècles obscurs”. – In : *Europe*, n°647, *Littérature d'Islande* (mars 1983), pp. 18-28.

Les Sociétés scandinaves de la Réforme à nos jours / J.-F. Battail, R. Boyer, V. Fournier. – Paris : P.U.F., 1992. – [Pp. 9-55 ; 172-175].

Íslensk bókmenntasaga II / Bödvar Gudmundsson, Sverrir Tómasson, Torfi H. Tulinius, Vésteinn Ólason. – ReykjavÍk : Mál og Menning, 1993. – [Pp. 380-435].

HYMNES DE LA PASSION 230

O. Gouchet — 1996

Comment le seigneur Christ sortit dans le jardin (Hymne 1).

Allons, allons, mon âme et tous mes sentiments,
allons, mon cœur, et ma voix aussi
que l'esprit et la langue apportent leur aide
c'est la souffrance du Seigneur que je veux commémorer.

Saint Paul impose ce devoir :
nous devons, nous tous, sur la terre
faire connaître ce tourment et cette triste mort
que le Seigneur pour nous, misérables, souffrit.

Le doux Jésus pour mon rachat
désira assurément mourir ici,
c'est mon devoir et mon désir de commémorer cela
par gratitude pour mon Seigneur.

L'affliction de sa fin déchire mon moi intime.
Hélas, qu'il y a peu d'amour en moi,
Jésus a souffert à ma place,
que trop rarement je ne l'ai dit.

Mon âme, regardons cette douce victime
qui avec Dieu notre Seigneur nous a,
pauvres damnés, réconciliés ;
c'est allégresse que d'y penser.

Qu'est-ce qui apaise mieux les maux du cœur
que les tourments et souffrances sacrés du Seigneur ?
Qu'est-ce qui arrête davantage scandale et péché
que l'image sanglante du Seigneur Jésus ?

Où peux-tu voir plus clairement, mon âme,
les sentiments du cœur aimant du vrai Dieu,
que le Père de bonté a conçus pour moi,
mieux qu'ici dans les souffrances de Jésus ?

Ô Jésus donne-moi ton esprit,
que tout soit pour ta gloire
écrit, chanté, dit et exprimé,
et qu'ensuite d'autres en tirent profit.

Le repas achevé, mon Jésus
lut pour son Père un chant de louanges,
le dernier soir, tard, cela fut,
il chanta avec ses disciples.

Ce fils de Dieu, qui, lui-même, parole de vérité
possédait dans les cieux et sur la terre,
accepta son pain en rendant grâce
tant qu'il vécut ici-bas.

Tu es une indigente, mon âme,
tu reçois toute chose de ton Seigneur,
ta nourriture et toute ton éducation,
pour lesquelles tu dois lui rendre grâce.

Pour le mauvais serf c'est honte éternelle
s'il reçoit ainsi le prêt de son seigneur
plein d'orgueil et de superbe.
Que le Seigneur me garde d'une chose semblable.

Après ce chant, mais pas avant,
sortit Jésus par la porte de la maison,
comme il avait accoutumé,
et se rendit au mont des Oliviers.

Apprends et garde l'habitude du Sauveur,
ton Dieu tu loueras et adoreras,
que jamais sans prière ne se produise
le départ de ton foyer.

De l'autre côté du large torrent Cédron
il alla, béni, avec ses disciples.
Ce gave porte le nom de la noirceur ;
cela me paraît un bon enseignement.

Par les malheurs passe ma voie,
à tout jamais, tandis que dure la course de la vie,
Jésus l'a parcourue, je dois à sa suite
emprunter ce chemin des épreuves.

Si je te regarde, à présent, dans ma pensée,
cher Seigneur Jésus,
admirables sont tes exemples,
je les emporte volontiers chez moi.

Tu ne voulais pas qu'un dur tumulte
s'élevât lorsque tu fus saisi,
tu t'en allas dans le verger
tu te donnas librement entre les mains des hommes.

C'est cela qui m'apprit à aimer sans convoitise
mon propre avantage, afin que la paix et le calme
n'en soient pas troublés ; Te sont chers
patience et douceur.

Dans l'affliction tu allas le chemin que j'ai dit,
tourment et détresse blessèrent ton cœur,
en riant j'ai gravi le chemin des crimes,
que tu as payés pour moi.

Notre vie est le chemin droit du verger,
la tombe est la limite fixée à tous,
le chemin des pécheurs je ne te le montre pas riant.
Il mène à coup sûr au lieu des tourments.

Les larmes de notre repentir ici-bas
devraient mouiller le chemin de la vie ;
par la mort dans la joie et l'allégresse,
nous allons alors à coup sûr aux cieux.

Alors que Jésus cheminait,
il démontrait aux apôtres
qu'il était aisé de trébucher ;
Pierre le reprit sévèrement.

Le Sauveur Jésus sait d'avance,
quand chute et trébuchement seront miens.
Il sait tout aussi bien le remède
qui peut alors me délivrer de l'affliction.

« Jamais », dit Pierre, « je ne saurais
avoir honte de toi en quelque façon,
même si tous t'abandonnent à présent.
Cette promesse sienne était parfaite.

Cet espoir est à la fois instable et obscur
de miser hardiment sur la force de l'homme.
Sans la grâce de Dieu toute nature confiante est
inconstante, faible et désemparée.

Fais-moi, Jésus, prendre garde
à la coupe dans laquelle je porte mon trésor,
c'est ton avertissement que j'estime le plus,
c'est toi qui vois le mieux la faiblesse de l'homme.

Traduction inédite. — *Passiúsálmar* / Hallgrímur Pétursson ; illustré par Barbara Árnason. – Reykjavík : Hallgrímskirkja, 1961. – [Pp. 3-5].

HYMNES DE LA PASSION 231

O. Gouchet — 1996

Des gardes (Hymne 50).

Les anciens des juifs, le lendemain,
allèrent tout droit trouver Pilate,
disant : Seigneur, nous avons sans cesse
en tête
ce que cet imposteur a prétendu.

Dans trois jours et pas davantage, en vérité,
je ressusciterai, a-t-il dit ;
dans pareille affaire, le mieux est de se prémunir,
fais garder aussitôt
ce tombeau jusqu'au troisième jour.

Il se peut que dans la nuit ses disciples
emportent son corps obtenu en secret
et disent au peuple ce mensonge ;
il ne faudra pas s'étonner
que cette imposture soit pire encore que l'autre.

Pilate leur donna une garde,
la garde sur le champ se mit en route,
ils ne quittèrent pas la tombe du Seigneur ;
pour voir,
ils mirent des scellés sur la pierre.

Dure était l'amère colère des juifs,
l'aveuglement de leurs cœurs et leur égarement, obstinés,
ils ne pouvaient se satisfaire des tourments et du rejet
que Christ avait subis.
Même mort, ils le blâment.

Évite semblable folie,
ne blâme pas la dépouille d'un défunt,
le mort emporte son jugement avec lui,
qui qu'il soit ;
mieux vaut t'examiner toi-même.

Les juifs voulaient jeter le discrédit
sur la gloire de la résurrection de notre Rédempteur,
mais la puissance et la sagesse du Seigneur

le firent bien voir :
il exécuta son œuvre avec force.

Si la troupe n'avait pas gardé et guetté
la tombe, comme ce fut fait,
il y aurait eu alors davantage de raisons de douter
de la résurrection
d'entre les morts de notre Seigneur Jésus.

Les gardes eux-mêmes, cela est sûr,
ont décrit la résurrection du Seigneur
quoique les docteurs des juifs, par froide colère,
et pleins de honte,
les aient achetés pour propager un mensonge.

Traîtrises des hommes et circonstances mauvaises,
le Seigneur les réduit à néant quand il le veut ;
sa puissance est constante pour l'éternité
et son gouvernement, prêt,
la ruse des orgueilleux passe tout uniment.

Lorsque je laisse enfin ma pensée reposer,
Seigneur Jésus, près de ta sépulture ;
lorsque je considère ta mise au tombeau,
mon âme se réjouit,
terreur et crainte de la mort diminuent.

Mes fautes et mes péchés tu portas
toi-même lorsque tu fus tourmenté,
et plus encore tu mourus, Seigneur aimé,
pour les acquitter ;
mon cœur en reçut nouvelle allégresse.

Tu les enfouis avec toi dans la fosse,
tu m'as redonné ta justice ;
au profond de la mer, comme a dit le prophète,
tu les as rejetés,
pour l'éternité ils seront oubliés.

Voici désormais le péché scellé,
et l'âme repentante, en paix avec Dieu ;
justice éternelle commence
en un autre lieu,
c'est elle que le croyant désire.

Que ta mort, Jésus, tue en moi
le désir mauvais de la chair,
que ta tombe cèle mon crime
aux yeux de Dieu,
que ta résurrection me rende fort.

Que la chape de pierre de mon cœur se brise,
voilà ce que l'Esprit Saint a su faire ;
je t'offre le linge de ma foi,
mon Rédempteur ;
que mon repentir soit un baume odorant.

Tout comme en toi je trouve un doux repos,
repose, Jésus, en ma poitrine ;
que l'Esprit Saint à jamais,
par l'amour et la foi,
scelle mon cœur pour que tu y reposes.

Gloire, puissance, respect et honneur suprêmes,
sagesse, pouvoir, sapience et louange extrêmes
à Toi, ô Jésus, Seigneur Très Haut,
et clair hommage ;
amen, amen, pour l'éternité !

Fyrir **I**esú **N**ádh **I**dhrast **S**yndarinn
Fyrir **I**esúm **N**ádhast **I**dhrandi **S**yndari

Pour l'amour de Jésus et sa miséricorde, le pécheur se repent[1].
Par l'amour de Jésus, miséricorde est faite au pécheur repentant.

Traduction inédite. — *Passiúsálmar* / Hallgrímur Pétursson ; illustré par Barbara Árnason. – Reykjavík : Hallgrímskirkja, 1961. – [Pp. 105-106].

1 Les deux derniers vers de ce cinquantième et dernier hymne se présentent ainsi :

Fyrir **I**esú **N**ádh **I**dhrast **S**yndarinn
Fyrir **I**esúm **N**ádhast **I**dhrandi **S**yndari

Les initiales données ici deux fois en caractère gras, qui font le mot FINIS, sont, dans l'original, de grandes capitales qui commandent, à chaque fois, la suite des deux mots qu'elles commencent. Elles constituent en quelque sorte des accolades qui manifestent pour chaque mot et, dans leur suite, pour le sens des deux vers l'étroite conjonction de leur sens et leur unité en Jésus-Christ. Le premier vers fait de l'amour et de la miséricorde de Jésus la cause et la fin du repentir du pécheur ; le second fait de l'amour de Jésus l'agent et, du repentir, la condition de la miséricorde de Dieu. Ce distique souligne ainsi que Dieu, en Jésus-Chrit, est l'alpha et l'oméga du drame du Salut, auquel l'homme, pécheur, n'a qu'à assentir, en actes, en esprit et en vérité.

TESAURO

ITALIEN • LATIN **1592-1675**

De vingt-huit ans le cadet de Galilée, contemporain de Descartes et de Mersenne (1588-1648), Emmanuel Tesauro appartient, après la Renaissance, à la période où l'Italie traverse une phase d'immobilisme politique, religieux et esthétique. À la suite du traité de Cateau-Cambrésis (1559), une grande partie de l'Italie est passée sous la monarchie absolue espagnole : et l'Église de la Contre-Réforme a réagi violemment contre les idées modernes, réinstaurant le Saint-Office, organisant l'Index. Parallèlement, la diffusion des œuvres d'Aristote, notamment la *Poétique* et la *Rhétorique*, la fixation par Bembo, dans les *Proses sur la langue vulgaire* (1525), d'un modèle poétique calqué sur Pétrarque, et la fondation de l'*Academia della Crusca* (1582), qui impose le modèle linguistique du XIVe siècle, ont contribué à confiner la littérature dans un système étroit de normes. À cela répondit et un art conventionnel, et un art de la transgression.

Fils cadet d'une famille noble, Tesauro entre tout jeune chez les jésuites où il se distingue par de brillantes études de rhétorique, de philosophie et de théologie. Il occupe successivement plusieurs chaires de rhétorique, dont celle, prestigieuse, de Brera. Après avoir quitté la Compagnie en 1635, il entre au service de la maison de Savoie. Prédicateur, historiographe et précepteur, il est l'auteur de panégyriques sacrés et profanes (*Le Commentaire sur le Saint-Suaire*, *La Magnificence*, *La Sympathie*, *Le Diamant*, etc.), d'écrits historiques (*Campagnes de Flandre*, *Origine des guerres civiles du Piémont*, *Du royaume d'Italie sous les Barbares*, etc.), de tragédies (*Œdipe*, *Hippolyte*, *Le Libre-arbitre,* etc.) et de divers traités (*Art des lettres missives*, *L'Idée de la parfaite devise*, *Philosophie morale*, etc.).

Son œuvre majeure, *Il cannocciale aristotelico* (*Le Télescope aristotélicien*), publié pour la première fois en 1654 et dans sa version définitive en 1670, mais dont la critique fait remonter la composition aux années 1620-1630, fait de lui le théoricien majeur du conceptisme en Italie et l'homologue de l'Espagnol Baltasar Gracián, l'auteur de *Acuité et art de l'esprit* (1642 / 1648). Partant de la *Rhétorique* d'Aristote, *Le Télescope aristotélicien* examine systématiquement les perfections et imperfections de la nouvelle poétique baroque.

Traité théorique, il commence par distinguer l'*ingegno* (« esprit ») de l'*intelletto* (« intellect »). L'« intellect », doué d'« imagination », est une faculté cognitive, sorte de table rase qui reçoit et connaît les images des objets, comme la matière accueille la forme dans la philosophie aristotélicienne ; au concept, résultat de l'activité intellectuelle, correspond le mot, un donné qui le traduit, autant que possible, fidèlement. L'« esprit », en revanche, doué de « perspicacité » et qui pénètre les circonstances des objets et la « versatilité » qui les manipule, substitue, associe les objets entre eux et les désigne, métaphoriquement, l'un par l'autre : c'est ici le jeu des mots qui « crée » le concept. En réalité, le jeu de l'« esprit », qui renverse le rapport du mot au concept, n'est rien d'autre que la généralisation de l'impossible coïncidence, même dans l'« intellect », entre un mot et un concept. L'exploitation de cet écart par l'« esprit », qui produit la « réflexion » d'un objet par un autre, crée une mise en perspective qui, comme le télescope de Galilée, rend visible ce qui ne l'était pas a priori : le télescope devient kaléidoscope et provoque la contemplation du beau ou plaisir esthétique. À la faculté logique de l'« intellect » qui donne la vérité s'oppose la faculté analogique de l'« esprit » qui crée la beauté.

Le jeu de mots spirituel par excellence est la métaphore : elle n'appartient plus à l'*elocutio*, comme c'était le cas dans la *Rhétorique* aristotélicienne, qui la définit comme simple ornement du discours ; elle devient, en tant que fondement même de la pensée, une composante de l'*argumentatio*.

Tout à la fois philosophie du langage qui affirme le rôle dynamique des mots dans le processus mental et s'oppose par conséquent à l'immobilisme linguistique incarné par Bembo et l'*Academia della Crusca*, « petite révolution copernicienne dans le ciel des idées rhétoriques » (F. Vuilleumier et P. Laurens), et poétique qui met en avant le plaisir esthétique et insiste sur la création littéraire plutôt que sur l'imitation du réel, *Le Télescope aristotélicien* occupe une place majeure parmi les traités du conceptisme (ou cultisme en Espagne, maniérisme en France et euphuisme en Angleterre).

Mario Zanardi, "Metafora e gioco nel *Cannocchiale aristotelico* di Emanuele Tesauro". – In : *Studi Secenteschi*, V, 26 (1985), pp. 25-99.

Il vero e il falso dei poeti : Tasso, Tesauro, Pallavicino, Muratori / Claudio Scarpati e Eraldo Bellini. – Milano : Vita e Pensiero, 1990. – 241 p. – (*Arti e scritture* ; 3).

LE TÉLESCOPE ARISTOTÉLICIEN 232

M. Lazzarini-Dossin — 1996

Causes instrumentales des arguties oratoires, symboliques et lapidaires (Chapitre II).

L'intellect humain fait office de parfait miroir, toujours identique et toujours différent, où les images des Objets qui se présentent à lui viennent s'imprimer : ces images sont les Pensées. Et comme le discours mental n'est autre qu'une trame composée de ces Images intérieures mises dans un certain ordre, ainsi l'expression du discours ne peut être que la mise en ordre de *Signes* sensibles, calqués sur les Images mentales, comme autant d'Incarnations de l'Archétype. Parmi ces Signes, certains sont *Loquaces*, d'autres *Muets*, et d'autres encore *Composites*, dotés de volubilité silencieuse et de volubile silence. Les Signes LOQUACES sont ceux qui par l'intermédiaire de *Paroles vocales* ou *écrites* exposent au grand jour la pensée conçue. Sont Signes MUETS les Images des Mots, ceux qui sont exprimés par le Mouvement, ou *Gestes,* et ceux qui imitent ingénieusement les Objets eux-mêmes comme les *Figures peintes* ou *sculptées.* Enfin, à partir des Concepts Mentaux, Loquaces et Muets, l'industrie humaine peut aujourd'hui fabriquer d'autres formes de Signification, que nous appelons COMPOSITES, de la même manière que l'Agriculteur, de greffe en greffe, met au monde quotidiennement des formes variées et jamais vues de fleurs et de fruits. Bref, la faconde spirituelle est à ce point féconde qu'elle se sert même du silence pour parler, et quiconque est doté d'esprit est assuré de ne jamais perdre sa langue. En conclusion, il existe six manières différentes d'exprimer une Devise ou quelque discours subtil ou figuré que ce soit : par le *concept mental* ou Archétypique ou par la *parole humaine*, par les *caractères écrits* ou par *gestes*, en *représentant* l'Objet ou encore en *mélangeant* entre elles ces cinq premières façons [...].

L'ARGUTIE ARCHÉTYPIQUE est l'empreinte de la Pensée dans le cerveau comme lorsque je dis en mon for intérieur : *Je prends pour Devise un Porc-Épic qui hérisse ses piquants car je menace mes ennemis aussi bien de loin que de près*. Partant d'une telle Argutie Archétypique, nous cherchons ensuite à en esquisser le portrait dans l'esprit d'autrui grâce à des symboles extérieurs vu qu'il est impossible d'en communiquer le contenu directement, sans le ministère des sens. Et quelle ne fut donc pas la bêtise de Socrate lorsqu'il incrimina la Nature de ne pas avoir ouvert à la surface de la poitrine humaine une petite fenêtre par laquelle il fût possible d'apercevoir clairement l'Original des pensées conçues sans avoir recours à l'interprétation du langage trompeur, qui souvent traduit et trahit. Contre cette accusation, la Nature pourrait prononcer un plaidoyer disant que de la sorte elle aurait spolié les esprits disposés à l'ingéniosité de la jouissance de tant d'Arts du discours. En revanche, les Anges et les Âmes libérées de toute entrave corporelle peuvent sans intermédiaire peindre dans l'Esprit d'autrui les images spirituelles de leurs pensées, se transformant ainsi l'un en peintre et l'autre en peinture, car tel est le langage bref et naturel des Anges. Et par conséquent, à ceux qui se demandent *si un Ange est capable de concevoir une Devise Symbolique et de la révéler à un autre Ange alors qu'il ne parle pas avec des Signes de concepts mais avec les concepts eux-mêmes si bien qu'une même chose est à la fois signifiante et signifiée, prototype et type*, on peut facilement répondre que l'intelligence Angélique étant un Miroir volontaire, qui peut voiler ou dévoiler sa pensée, elle peut aussi voiler la révélation de sorte que l'autre soit amené à déduire le concept dans son entièreté, tout comme à partir de l'effigie d'un Porc-Épic l'on imagine la pensée de celui qui l'a peint. Or si cette façon de signifier une chose par une autre renferme l'art ingénieux des Devises et de toutes les Arguties, et même de la Poésie, qui niera encore que les Anges puissent à volonté devenir Poètes et inventer Devises, Emblèmes, Hiéroglyphes et autres Arguties ? Dieu lui-même se plaît parfois à imprimer, dans l'esprit en transe des Prophètes, l'image d'un *Ra-*

meau avec des Yeux, d'un *Pain volant*, d'une *Échelle menant au Ciel*, ou encore d'un *Livre fermé par sept sceaux*, qui sont autant de Divines Poésies, d'ingénieuses Arguties et de Devises Archétypiques, fruits de l'Esprit Éternel, source inépuisable de mystères ingénieux, délicatement recouverts d'un vêtement allégorique et figuré, car Il sait la tendance des hommes à aimer davantage ce qu'ils admirent et à admirer davantage la vérité voilée plutôt que dévoilée.

L'ARGUTIE VOCALE est une Image sensible de l'Archétype, dont les peintures qui ont les sons pour couleurs et la langue pour pinceau ne cessent de réjouir l'oreille. Mais c'est une Image plus esquissée qu'achevée, où l'esprit entend plus que la langue ne parle, et la pensée supplée ce que la voix ne dit pas. Dans les Expressions trop transparentes au contraire, l'Argutie perd de son éclat tout comme les Étoiles étincellent dans l'obscurité et pâlissent dans la lumière. De là provient le double plaisir de qui invente l'argutie et de qui l'entend : le premier jouit d'insuffler la vie dans la plus noble partie de l'esprit de son interlocuteur et ce dernier se réjouit de saisir ce que l'esprit d'autrui furtivement lui dérobe, car il ne faut pas moins de sagacité pour décomposer une Devise ingénieuse que pour la composer.

[...]

LES ARGUTIES ÉCRITES sont l'Image des sons vocaux : en effet, comme le dit notre Auteur[1], l'écrit est la mise en signes de la voix et écrire revient à ensemencer la page de mots. Mais cette troisième catégorie d'arguties est bien plus variée, plus subtile et plus féconde que la deuxième car elle engendre davantage d'ingéniosités, parmi lesquelles on dénombre les *Inscriptions subtiles*, les *Légendes des Devises*, les *Sentences tronquées*, les *Missives laconiques*, les *Caractères Mystérieux*, les *Épigrammes*, les *Hiérogrammes*, les *Logogriphes*, les *Codes secrets*, et les *Argots*, qui de mille façons habiles révèlent les concepts tout en les voilant.

Traduction inédite. — *Il cannochiale aristotelico* / Emanuele Tesauro ; Herausgegeben und eingeleitet von August Buck. – (*Ars poetica. Texte und Studien zur Dichtungslehre und Dichtkunst. Texte* ; Band 5). – Berlin ; Zurich : Verlag Gehlen, 1968. – [Pp. 15-20].

1 Aristote. (N.d.t.)

KADLINSKÝ

TCHÈQUE **1613-1675**

Engagé dans la littérature de propagande catholique, le jésuite Félix Kadlinský — il œuvra dans des paroisses et enseigna dans des collèges de province — donna principalement des écrits hagiographiques sur les saints tchèques, notamment une *Vie et glorification de saint Venceslas* (éditions en 1669, 1702, 1730) et une *Vie de sainte Ludmilla* (1702). Son chef-d'œuvre est cependant son *Rossignol posé dans un petit bocage plaisant* (1665), un poème bucolique à consonnance lyrique et spirituelle, en 52 morceaux mis en musique, adaptation du *Trutznachtigall* de Friedrich Spee (cf. pp. 193-200).

LE ROSSIGNOL **233**

Fr. Lhoest — 1996

Damon et Halton (chant 50, strophes 1-17). — Cette églogue en vers assortit les traits bucoliques et les perspectives spirituelles suscitées par le mystère de la résurrection.

Après ces beaux jours du temps de Pâques,
deux pasteurs au petit matin
ont mené au pré
leurs petits troupeaux.
Damon et Halton, tels étaient leurs noms,
en ces belles années.

Damon jouait, du mieux qu'il pouvait,
de la viole d'amour ;
le soleil dardait ses rayons,
comme toujours il se lève à l'aurore,
et l'été rénove :
tout devient beau,
tout acquiert de l'éclat,
montagnes et vallées
se parent de couleurs.

Les oiseaux, au terme de la nuit,
s'égosillent de tout cœur
pour faire entendre leur chant
par toute la terre.
Prennent leur plaisir à voleter de-ci de-là

et, montant jusqu'aux cieux,
louent Dieu selon leurs forces.

Nos bestiaux domestiques, vaches et veaux,
ne voulaient plus rester à l'étable ;
nos agneaux, nos brebis,
le soleil les attirait :
envie de voir seulement
ce qui frappe par son éclat,
où le chagrin ne tombe pas.

À leur tour ils voient devant eux
mille moutons blancs.
Tout de suite, il vient derrière toi, Damon,
tant de petits veaux charmants.
Ô, salut, bel été, gentil pour toute la création !
Salut, œil resplendissant de la terre,
joie des bergers !

De nouveau les eaux pures
descendent des montagnes,
pour que puisse qui le souhaite, sans difficultés,
la recueillir dans les fourrés de la forêt.
Les sources bondissent de joie,
car les larmes qu'elles avaient avalées
lors de la Passion,
elles les déversent aujourd'hui.

Aimablement, tous les torrents qui coulent alentour,
les courants qui sortent de la rive,
illuminent les regards,
frémissent, bruissent,
et les prairies se couvrent de rosée,
brillantes comme un cristal ;
les herbes mortes reviennent à la vie,
c'est leur façon de louer Dieu.

Pins sylvestres, tilleuls, sapins, cèdres
s'élèvent vers le ciel,
épicéas, peupliers poussent, immenses,
leurs faîtes bien verts,
comme si, par leur grande taille,
ils voulaient se rattacher au ciel.

Nous aussi, nous plaçons
nos violons dans la forêt
et nous tendons leurs cordes
pour chanter un chant d'amour
au Christ, qui reposa dans le tombeau
trois jours, enterré,
puis qui se rendit la vie,
s'est relevé couvert de gloire.

Il a brisé les portes de l'enfer, il a libéré les captifs,
il a vaincu la mort, enchaîné le diable,
a pris son saint butin
et, dès avant l'aube,
comme un géant victorieux,
en se relevant par sa puissance,
il a saisi d'effroi les gardiens du tombeau.

Comme éveillé du sommeil, il quitte son repos ;
promptement suscité par l'énergie qui l'éveille,
il s'adonne à la course.
Le soleil et la lune doivent céder à sa brillance
et les étoiles s'émerveiller
de sa beauté.

Nul besoin que le soleil se lève au matin,
lorsque la lumière sans déclin
éclairait le monde,
cette lumière qui suffit
à repousser toute ténèbre.

Elle ajoute toute lumière au temps de la nuit,
la lune et les étoiles
ne doivent pas donner de leur propre brillance.
En vérité, ses plaies...
semées du haut des cieux,
aux quatre coins de la terre,
dardent des rayons de lumière.

Et même il lui suffit,
lorsqu'il brille pour ceux qu'il aime,
de multiplier les joies.
Il se laisse trouver en elles,
sa visite met en joie.

Et pour leur rédemption
ils expriment leur reconnaissance.

À toi, Christ crucifié,
à toi qui est si bellement glorifié,
tes enfants au cœur pur adressent leurs actions de grâces.
Et les petits moutons et les veaux dans les champs
sautent comme des faons
broutant dans la vallée.

Ils te regardaient, le Vendredi Saint,
tout dénudé :
ils auraient tant voulu te couvrir
de leur toison de laine.
Mais de te voir encore plus beau,
revêtu de gloire et de magnificence,
ils folâtrent plus gaiement
dans les prés.

Et toi, ô bon Pasteur,
n'abandonne jamais tes brebis,
ne laisse pas les loups dévorants
les attaquer.
Afin qu'ainsi protégés,
ils puissent vivre en paix.
Et honorer
ton nom digne de toute gloire. Amen.

Zdoroslavíček / Felix Kadlinský ; édité par Milan Kopecký. – Brno, 1971. – [Pp. 161-163].

PAUL GERHARDT

ALLEMAND

1607-1676

Paul Gerhardt est sans doute l'auteur de chorals protestant qui jouit, après Luther, de la plus grande notoriété : nombre de ses textes sont encore très connus aujourd'hui, ne serait-ce qu'à travers leur présence dans les cantates et passions de cet autre fervent luthérien que fut Jean-Sébastien Bach.

Paul Gerhardt est né à Gräfenhainichen près de Wittenberg, en Saxe électorale, ville dont plusieurs de ses ancêtres paternels avaient été bourgmestres, tandis que sa mère était issue d'une famille de pasteurs luthériens. À la mort de ses parents en 1622, Paul Gerhardt entra à Grimma dans l'un des trois établissements princiers fondés en 1550 par Maurice de Saxe, où il reçut une éducation humaniste, musicale et profondément luthérienne. En 1628, il s'inscrivit à l'université de Wittenberg, l'un des centres de l'orthodoxie luthérienne, pour y poursuivre des études de théologie. Peut-être fut-il l'élève d'August Buchner, titulaire de 1616 à 1661 de la chaire de rhétorique et de poétique, et qui contribua à propager les principes de versification du « réformateur » des lettres allemandes, Martin Opitz. Si Gerhardt resta en effet en marge du monde littéraire baroque allemand — il ne fut membre d'aucun cercle de poètes, d'aucune académie de langue —, sa poésie s'inscrit toutefois dans la voie ouverte par la réforme opitzienne. On le retrouve en 1643 à Berlin, où il n'occupe aucune fonction ecclésiastique officielle, vivant chez Andreas Barthold (ou Berthold), avocat à la cour d'appel, qui l'emploie comme précepteur particulier. Il fréquente les milieux des théologiens et des juristes, dans une ville qui, sous l'impulsion du Grand Électeur Frédéric Guillaume, se transforme en véritable capitale. Il fait alors la connaissance du cantor de l'Église Saint-Nicolas, Johann Crüger, un compositeur inventif dont les mélodies populaires contribuèrent pour une large part au succès des textes de Gerhardt : Crüger fit paraître en 1647 un recueil de cantiques intitulé *Praxis pietatis melica* (*Exercices lyriques de piété*), dont la dixième et dernière édition, parue en 1661, ne comptait pas moins de 95 textes de Gerhardt sur un total de 387. Le successeur de Crüger, Johann Georg Ebeling, publia plus tard une édition de 120 textes de Paul Gerhardt, dotés de nouvelles mélodies, les *Pauli Gerhardi Geistliche Andachten* (*Les Méditations spirituelles de Paul Gerhardt*, 1667).

Ce n'est qu'en 1651 qu'on proposa à Gerhardt un poste de prieur à Mittenwalde, qu'il accepta après avoir été ordonné et s'être engagé vis-à-vis des articles de foi luthériens (notamment la Formule de Concorde de 1577, dirigée contre les calvinistes). En 1655, il épousa Anna Maria Barthold, et saisit la première occasion pour rentrer à Berlin, en 1657, alors qu'était vacant le poste de troisième diacre à l'église Saint-Nicolas. Durant cette seconde période berlinoise, une virulente polémique confessionnelle l'opposa à l'Électeur : face à une reprise des affrontements religieux dans les années 1660, Frédéric Guillaume s'était en effet trouvé dans l'obligation de renouveler les Édits de tolérance pris par l'Électeur Jean-Sigismond, converti au calvinisme en 1613 pour des raisons politiques. Par deux édits de 1662 et 1664, Frédéric Guillaume exigea de tous les ecclésiastiques la signature d'une lettre de garantie par laquelle ils s'engageaient à renoncer à toute polémique confessionnelle depuis leur chaire. Paul Gerhardt ayant refusé de signer, il fut convoqué devant le consistoire en 1666, puis suspendu de ses fonctions. Mais la réaction publique ne se fit pas attendre : sachant justement s'abstenir de tout extrémisme, Paul Gerhardt était très populaire. Après que son cas eut été réexaminé, en vain, les États provinciaux du Brandebourg prirent sa défense. Désireux de ne pas risquer un conflit avec eux, l'Électeur décida, en janvier 1667, de réintégrer Paul Gerhardt dans ses fonctions sans qu'il eût besoin de sa signature. Mais celui-ci fit alors savoir aux autorités de la ville qu'il ne pouvait tolérer que les textes du Livre de Concorde de 1580 soient dénigrés et contestés par d'autres ; préférant rester fidèle à la Formule de Concorde, il renonça à ses fonctions. Il ne fut destitué définitivement qu'en février 1667, et perçut ses émoluments jusqu'en 1668. Gerhardt n'était pourtant pas un frondeur : il voulait simplement rester en accord avec sa conscience, et en tira les conséquences. Il souffrit cependant beaucoup de cette situation, et n'écrivit pratiquement plus après cette affaire. Quelque temps plus tard, il fut appelé à Lubben en Lusace inférieure, en Saxe, où l'orthodoxie luthérienne n'était pas menacée et où il s'occupa jusqu'à sa mort en 1676 d'une petite paroisse de 1 200 âmes.

La production poétique de Paul Gerhardt se caractérise par une grande variété dans les formes strophiques utilisées, de même que par la richesse des thèmes qu'elle aborde et celle des sources auxquelles elle puise : la Bible, notamment les Psaumes, mais aussi toute la littérature spirituelle de l'époque, la littérature d'édification, l'homélie et la prière. Ses textes sont très marqués par l'orthodoxie luthérienne, fondement de son univers spirituel et référence de son œuvre théologique aussi bien que poétique. Il fut aussi très influencé par les textes des mystiques du Moyen Âge, édités par le pasteur Martin Möller à Görlitz entre 1584 et 1591 (*Meditationes Sanctorum Patrum*) et très appréciés au début du XVIIe siècle. Le texte qui le marqua le plus fut sans nul doute le grand *Salve de la Passion* d'Arnulf de Louvain, longtemps attribué à Bernard de Clairvaux. La découverte des œuvres de Johann Arndt lui permit enfin d'intégrer à sa propre poésie un important symbolisme de la nature, dans la lignée de certains mystiques qui voyaient en elle une immense allégorie : c'est chez Arndt, dans le *Paradiesgärtlein* (*Le Jardin de Paradis*, 1612) que Paul Gerhardt prit connaissance de ce style particulier que l'on retrouve dans ses propres textes, notamment dans son *Chant d'été* (*Sommergesang*). Gerhardt parvint ainsi à une synthèse de l'orthodoxie luthérienne et du mysticisme, tempérant les effusions de celui-ci par l'emploi de formes poétiques très rigoureuses — notamment strophiques — en partie imposées par les règles de la réforme opitzienne. Les symboles mystiques se révélèrent très féconds pour le *Kirchenlied*, et permirent la constitution d'un langage poétique propre à ce genre de textes. Ce faisant, Gerhardt put promouvoir un type de cantiques qui comblait un manque sensible, laissé par une théologie plus intellectuelle qu'affective ou émotionnelle : en introduisant par exemple les notions de *douceur* (*dulcedo*) et de *beauté* (*pulchritudo*) pour décrire la grâce divine, Gerhardt donne plus de couleur et de chaleur à la réalité divine et autorise ainsi l'expression d'un rapport plus individuel du croyant à son Dieu. Parmi les images fortes, empruntées pour la plupart au mysticisme, on peut noter celle du Soleil comme symbole de Dieu ou du Christ, ou encore celle de l'oiseau originel déployant ses ailes au-dessus de ses petits pour les protéger, symbole de la main protectrice de Dieu. La Guerre de Trente Ans, qui marqua pourtant une grande partie de la vie de Gerhardt, ne laissa que peu de traces dans son œuvre : les souffrances évoquées dans ses textes sont à comprendre en termes théologiques généraux, renvoyant à la condition humaine bien plus qu'à quelque circonstance particulière.

Après être rapidement tombé dans l'oubli au XVIIIe siècle, son œuvre ne correspondant guère à l'esprit du piétisme ou des Lumières, Paul Gerhardt connut une certaine renaissance au XIXe siècle, à la faveur du romantisme.

Paul Gerhardt : Dichter, Theologe, Seelsorger ; 1607-1676 / Beiträge der Wittenberger Paul-Gerhardt-Tage 1976 mit Bibliographie und Bildteil ; Herausgegeben von H. Hoffmann. – Berlin : Evangelische Verlaganstalt, 1978. – 127-24 p.

Paul Gerhardt / Gerhard Rödding. – Gütersloh, 1984. – [1re édition, 1981].

Ich bin ein Gast auf Erden : Gedichte / Paul Gerhardt ; Mit einem Nachwort herausgegeben von Heimo Reinitzer. – Berlin : Henssel Verlag, 1986. – 143 p.

Paul Gerhardts deutsche Gedichte : rhetorische und poetische Gestaltungsmittel zwischen traditioneller Gattungsbindung und barocker Modernität / Rainer Hillenbrand. – Frankfurt am Main : Bern : New York : Paris : Peter Lang, 1992. – 170 p.

Paul Gerhardt : Weg – Werk – Wirkung/ Christian Bunners. – Berlin : Union Buchverlag, 1993. – 396 p.

SALVE DE LA PASSION 234

J. Rothmund-Dhuicq, E. Rothmund — 1996

Au visage du Seigneur Jésus. — Adaptation en allemand, sous forme rigoureusement strophique et rimée, du *Grand Salve de la Passion* (env. 1250) du cistercien Arnulf de Louvain, abbé de Villers-la-Ville (Brabant), ce cycle de sept pièces est consacré aux sept parties du corps du crucifié, que contemple celui qui est agenouillé au pied de la croix (les pieds, les genoux, les mains, le côté, la poitrine, le cœur et le visage), et doit inciter le chrétien à se représenter, dans sa méditation, tous les détails de la crucifixion jusqu'à s'identifier au Christ souffrant et atteindre une sorte d'empathie mystique. Gerhardt apporte cependant une modification essentielle au texte latin (*Salve caput cruentatem*) : en maintenant une nette distance entre celui qui prie et le crucifié, il prévient la réalisation d'une union mystique qui ne s'accorderait guère aux principes de l'orthodoxie luthérienne.

Ô tête ensanglantée et meurtrie,
Couverte de douleur et de sarcasme !
Ô tête, ceinte par dérision
D'une couronne d'épines !
Ô tête, jadis si richement parée
Des plus hauts honneurs,
Aujourd'hui outragée à l'extrême,
Je te salue !

Ô noble visage,
Qui autrefois inspirait crainte et peur
À tous les puissants du monde,
Comme on t'a conspué !
Comme tu es devenu blême !
Qui s'en est pris avec une telle infâmie

À la lumière de tes yeux,
À laquelle nulle autre ne saurait être comparée ?

La couleur de tes joues
L'éclat de tes lèvres vermeilles
Ont disparu à jamais ;
La puissance de la mort blafarde
A tout pris,
A tout ravi,
Et c'est ainsi que les forces
De ton corps t'ont quitté.

Tout ce que tu as enduré, Seigneur,
Est mon fardeau ;
Je suis moi-même coupable
De ce que tu as supporté.
Regarde, me voici, misérable,
Méritant la colère ;
Accorde-moi, ô toi qui prends pitié de moi,
D'apercevoir ta grâce.

Reconnais-moi, mon gardien,
Mon berger, accepte-moi,
De toi, source de toute bonté,
J'ai reçu tant de faveurs :
Ta bouche m'a abreuvé
De lait et de miel,
Ton esprit m'a fait don
De mainte joie céleste.

Je veux rester ici près de toi,
Ne me méprise donc pas !
Je ne t'abandonnerai pas
Quand ton cœur se brisera,
Quand ta face pâlira
Sous le dernier assaut de la mort,
Je te serrerai alors
Dans mes bras, sur mon cœur.

Cela m'emplit de joie
Et me comble de bonheur
De pouvoir, ô mon Sauveur,
Partager ta souffrance !

Ah, je voudrais, ô ma vie,
Ici, au pied de ta croix,
Faire l'offrande de ma vie.
Combien j'en serais heureux !

Mon cœur te remercie
Ô Jésus, ami bien aimé,
Des souffrances de ton agonie,
Subies pour notre bien.
Ah, fais que je ne te trahisse pas
Et que je te reste fidèle,
Et qu'à l'heure de mon trépas,
Ma fin soit en toi.

Lorsqu'il me faudra partir,
Ne m'abandonne pas !
Lorsqu'il me faudra subir la mort,
Approche-toi alors :
Quand la plus grande angoisse
S'emparera de mon cœur,
Arrache-moi à ces peurs
Par la force de ta peur et de ton martyr.

Apparais-moi et protège-moi,
Console-moi de ma mort
et laisse-moi voir ton image
Dans la détresse du crucifié.
Je lèverai alors les yeux vers toi
Et, tout empli de la foi,
Je te serrerai sur mon cœur.
Qui meurt ainsi meurt en paix.

Traduction inédite. — *Geistliche Lieder*/ Paul Gerhardt ; herausgegeben von Gerhard Rödding. – Stuttgart : Reclam Verlag, 1991. – (*Reclams UB* ; 1741). – [Pp. 17-19].

CANTIQUES 235

J. Rothmund-Dhuicq, E. Rothmund — 1996

Chant d'été. — C'est sur l'analogie de l'été et du paradis que se structure, au long de ses 15 strophes, ce célèbre cantique. Après une description mêlant au modèle traditionnel du *locus amœnus* des éléments empruntés à la réalité quotidienne, la huitième strophe, centrale, exprime l'adhésion et la participation du sujet au monde créé par Dieu. De cette perception de l'œuvre de Dieu, on passe alors à l'évocation du jardin céleste (« le jardin du Christ », strophe 9) dont la nature terrestre, malgré sa splendeur, ne saurait être qu'une pâle préfiguration. La glorification du Créateur et la confiance au Dieu sauveur viennent clore ce cantique conçu autour de trois éléments fondamentaux de la foi protestante.

Évade-toi, mon cœur, et cherche la joie
En cette belle saison d'été,
Dans les dons de ton Dieu ;
Regarde la belle parure des jardins
Et vois comme ils se sont ornés
Pour ton plaisir et pour le mien.

Les arbres sont couverts de feuillage,
La terre recouvre sa poussière
D'un vêtement de verdure ;
Narcisses et tulipes
Ont des atours plus beaux
Que la soie de Salomon.

L'alouette prend son essor,
La tourterelle quitte son abri
Et s'envole dans les bois ;
Le rossignol talentueux
Ravit et emplit de son chant
Monts et collines, vallées et champs.

La mère poule promène son petit monde,
La cigogne bâtit sa demeure et l'habite,
L'hirondelle nourrit ses petits ;
Le cerf rapide et le chevreuil agile
Se réjouissent et bondissent des sommets
Dans l'herbe drue.

Les ruisselets bruissent sur le sable
Et s'ornent, de même que leurs rives,
De myrtes aux ombres généreuses ;
Les prés s'étendent tout à côté
Et résonnent des cris de joie
Des brebis et de leurs bergers.

L'essaim d'abeilles, infatigable,
Vole de ci, de là, cherchant de fleur en fleur
Le miel, sa noble nourriture ;
La sève puissante du cep de vigne

Reçoit chaque jour une vigueur et une force nouvelles
Dans son rameau gracile.

Les blés croissent avec force,
Réjouissant jeunes et vieux
Qui vantent l'infinie bonté
De Celui qui revigore,
Avec une telle profusion de biens,
Le cœur de l'homme.

Moi-même, je ne puis ni ne veux demeurer en repos,
Le zèle intense du Seigneur
Met tous mes sens en éveil :
Ma voix se mêle aux chants de tous,
Et je laisse s'épancher mon cœur
À la gloire du Très-Haut.

Ah, pensé-je, tout est déjà si beau ici,
Tu rends notre existence si douce
Sur cette pauvre terre :
Que peut-il bien y avoir après cette vie,
Là-haut, sous cette riche voûte celeste,
Dans ce palais doré ?

Quelle joie immense, quelle lumière éclatante
Doivent régner dans le jardin du Christ !
Quels chants mélodieux doivent retentir
Lorsque les séraphins, par milliers,
Entonnent à l'unisson
Leur Halleluia !

Ô si j'étais là-bas, si j'étais déjà,
Ô Dieu de douceur, devant ton trône,
Mes rameaux à la main !
Je voudrais, à l'exemple des anges,
Changer la gloire de ton nom
Par mille psaumes mélodieux.

Mais puisqu'aussi bien je dois
Porter ici encore le joug de mon corps,
Je ne veux pas me taire ;
Que mon cœur, sans relâche,
En ce lieu comme en d'autres,
Chante tes louanges.

Aide-moi et bénis mon esprit
D'une bénédiction venue du ciel,
Et donne-moi de prospérer sans cesse, pour ta gloire ;
Fais que l'été de ta grâce
Fasse mûrir en mon âme, à tout moment,
Tous les fruits de la foi.

Fais entrer en moi ton esprit,
Afin que je devienne un arbre fécond
Que tu feras croître ;
Accorde-moi de rester, pour ta gloire,
Une des plus belles fleurs et plantes
De ton jardin.

Conduis-moi au paradis de tes élus,
Et laisse-moi, jusqu'au dernier voyage,
Prospérer dans mon corps et mon âme ;
Ainsi c'est toi et ta gloire
Que seuls ici et là-bas
Je veux servir pour l'éternité.

Traduction inédite. — *Geistliche Lieder*/ Paul Gerhardt ; herausgegeben von Gerhard Rödding. – Stuttgart : Reclam Verlag, 1991. – (*Reclams UB* ; 1741). – [Pp. 71-74].

CANTIQUES 236

J. Rothmund-Dhuicq, E. Rothmund — 1996

Chant du soir. — Publié en 1647, ce cantique, dont les deux dernières strophes sont une prière du soir très appréciée des germanophones, est rapidement devenu très populaire : d'une grande simplicité formelle, il est souvent considéré comme un chant traditionnel allemand, un *Volkslied*. Si sa strophe initiale fait écho à la fois à l'*Enéide* et à Isaïe, ce poème a laissé à son tour quelque résonnance dans la poésie allemande, par exemple dans le *Chant du Soir* de Matthias Claudius (1740-1815).

Voici que reposent toutes les forêts,
Bêtes, gens, villes et champs,
Le monde entier sommeille.
Mais vous, mes pensées,
Éveillez-vous, il vous faut commencer à accomplir
La volonté de votre créateur.

Où es-tu resté, soleil ?
La nuit t'a mis en fuite,

La nuit, l'ennemi du jour.
En route ! Un autre soleil,
Mon Jésus, ma félicité,
Illumine mon cœur de sa clarté.

Le jour s'en est allé,
Les étoiles d'or scintillent
Dans le palais bleu du ciel.
C'est ainsi que, moi aussi, je me tiendrai,
Lorsque mon Dieu m'enjoindra
De quitter cette vallée de larmes.

Voici que le corps aspire au repos,
Ôte vêtements et souliers,
Images d'une condition mortelle.
Je m'en défais, en retour
Le Christ me vêtira
De l'habit d'honneur et de magnificence.

La tête, les pieds et les mains
Sont heureux que leur tâche
Soit maintenant accomplie.
Ô mon cœur, réjouis-toi, tu seras
Délivré de la misère de cette terre
Et du fardeau de tes péchés.

Allez donc, membres fourbus,
Allez, étendez-vous
Sur la couche tant attendue.
L'heure et le temps viendront
Où l'on vous préparera
Un petit lit de repos dans la terre.

Mes yeux sont fatigués,
En un instant, les voici clos.
Où sont donc le corps et l'âme ?
Accorde leur ta grâce,
Protège-les de tout dommage,
Toi l'œil qui veille sur Israël.

Déploie tes deux ailes,
Ô Jésus, qui me ravis,
Et protège ton poussin.

Si Satan veut m'engloutir,
Demande aux anges de chanter :
« Cet enfant doit être épargné ».

Vous aussi, tous ceux que j'aime,
Qu'aucun malheur, aucun péril
Ne vous afflige aujourd'hui.
Que Dieu vous laisse dormir en paix,
Qu'il entoure votre lit
Des armes d'or et des légions de ses héros.

Traduction inédite. — *Geistliche Lieder*/ Paul Gerhardt ; herausgegeben von Gerhard Rödding. – Stuttgart : Reclam Verlag, 1991. – (*Reclams UB* ; 1741). – [Pp. 109-110].

ADAM MICHNA D'OTRADOVICE

TCHÈQUE

Env. 1600 - 1676

À la faveur de la reconquête du pouvoir par les Habsbourg, après 1620, se développa, dans les Pays tchèques, une littérature catholique destinée à stimuler la conversion à la seule vraie foi et à la restauration des structures féodales. Adam Michna d'Otradovice en est un des représentants.

Natif de Jindřichově Hradci, il y fut organiste à partir de 1633, professeur de chant et de musique, et supérieur de la « fraternité littéraire » (c'est-à-dire de l'assemblée ecclésiale). Pour ses chansonniers, la *Musique mariale tchèque* (1647), et la *Musique de l'année sainte* (1661), il puise son inspiration dans la Bible et la tradition paysanne de la Bohême méridionale, tout empreinte du sens de la nature et de la sagesse des gens simples.

Son inspiration religieuse, harmonieusement conjointe à divers aspects de l'amour profane, diffuse, à la faveur des rapports sentimentaux établis entre les personnages religieux mis en scène, une atmosphère mystico-érotique représentative de certaines tendances du baroque.

Son *Luth tchèque* (1653), par contre, est tout entier un recueil de poèmes d'amour.

MUSIQUE MARIALE TCHÈQUE

237

Fr. Lhoest — 1996

La nuit de Noël. — Cette berceuse « Afin qu'il dorme » est encore chantée aujourd'hui.

Afin qu'il dorme,
la mère penchée sur son fils
lui chantait ce chant :
Vois, mon doux enfant,
fils de Dieu,
vois, mon tout petit,
richesse du monde,
la litière que t'ai préparée,
mon Sauveur ;
j'ai convoqué en ton honneur les créatures,
mon Créateur.
Vois, beauté et couronne
souveraine ;
vois, récompense ardemment désirée
de ceux qui t'aiment,
vois le désir de ta mère,
ma douce colombe.
Vois la joie de tous les anges,

ma perle fine.
Gloire et louange tu auras
de ta mère.
À ton réveil
je te donnerai du bon miel d'abeilles,
j'en mettrai dans ta bouillie
pour te faire plaisir,
tu en es friand je le sais.
Vois, ma fleur de paradis,
mon romarin,
je te compose un bouquet
qui ne fanera point.
Ô ma violette, mon lys, ma rose,
voici, mon petit muguet parfumé,
mon jardinet.
Ô mon lys, mon cygne blanc,
mon rossignol !
Ma douce harpe, ma cymbale,
bonsoir, je te donne un baiser,
mon petit enfant.
Je vais te bercer
tout doucement.
Dors, mon petit enfant,
Anges, cessez vos chants,
Peuples, avec moi, prosternez-vous
devant le Dieu vivant.

Traduction inédite. — *Ceska mariánská muzika* / Adam Michna d'Otradovice. – 1647. – [Pp. 4-5].

GRIMMELSHAUSEN

ALLEMAND **1621/22-1676**

Hans Jakob Christoph von Grimmelshausen est né à Gelnhausen (Hesse), dans une famille d'origine noble, mais pauvre. Son grand-père était boulanger. Après la victoire des troupes hispano-bavaroises à Nördlingen (1634), Gelnhausen, luthérienne, est saccagée, brûlée, et sa population massacrée ou chassée. Dès lors, le jeune Grimmelshausen est entraîné dans le tourbillon de la guerre de Trente Ans (1618-1648) et assiste, probablement comme valet d'écurie, à nombre d'atrocités soldatesques dont il témoignera plus tard dans ses écrits. À 18 ans, il devient lui-même soldat, puis, peu après, secrétaire dans le régiment du colonel Reinhard de Schauenburg, commandant de la place forte d'Offenburg — promotion à la fois agréable et importante puisqu'elle lui donne accès au monde des livres et, par delà, à la culture.

Après le traité de Westphalie (1648), il quitte l'armée, se convertit au catholicisme, se marie et s'installe à Gaisbach, un village de la Forêt Noire non loin d'Oberkirch. Il y devient régisseur pour le compte de la même famille de Schauenburg, plus tard pour celui de Johann Küffer, un médecin fortuné de Strasbourg. Parallèlement, il est négociant en vins et en chevaux et, pendant quelques années, tient aussi une auberge à Gaisbach, « L'étoile d'argent », qui existe toujours. Sa situation se stabilise enfin lorsqu'en 1667, l'évêque de Strasbourg le nomme maire de Renchen, village voisin du canton d'Oberkirch ; jusqu'à sa mort, il gère les finances du village, perçoit les impôts pour l'évêque, veille à l'exécution des ordres du bailli et rend justice, en même temps qu'il entretient sa femme et ses 9 enfants... et rédige une vingtaine d'ouvrages.

C'est à tort que la critique a longtemps considéré Grimmelshausen comme un talent spontané, un conteur naïf inspiré par ses propres aventures. Car si son état d'autodidacte le distingue nettement, en effet, d'écrivains contemporains comme Harsdörffer, Gryphius, Lohenstein ou Opitz, pour la plupart humanistes, rhétoriciens et savants, ses œuvres n'en étaient pas pour autant destinées à un public populaire. Lire Grimmelshausen implique en effet nombre de références historiques, bibliques et mythologiques aussi bien que littéraires, astrologiques, physiques, ethnographiques et géographiques. Conformément à la mode de l'époque, l'auteur aime étaler son érudition ; il ne se montre avare ni de citations latines, ni d'emprunts à diverses sources comme l'encyclopédie, alors renommée, de Tommaso Garzoni, la *Piazza Universale*.

Grimmmelshausen écrivit d'abord, sans grand succès, quelques œuvres dans le style galant et le goût baroque, des romans d'aventures et d'amour édifiants mêlant fantaisie et érudition, comme *Dietwald et Amelinde* (1666). La majeure partie de son œuvre cependant, publiée sous une dizaine de pseudonymes-anagrammes bien sonnants de son nom — German Schleifheim von Sulsfort, par exemple, pour le *Simplicissimus* — sont des « simpliciades » écrites sur le modèle de son premier grand succès, *Der abenteuerliche Simplicissimus Teutsch* (1668). Mêmes personnages, mêmes thèmes réalistes, même style, même esprit satirique : *Die Landstörterin Courasche* (*La Vagabonde Courage*, 1670), *Der seltzame Springinsfeld* (*L'Étrange Springinsfeld*, 1970) et *Das wunderbarliche Vogelnest* (*Le Nid d'oiseau merveilleux*, 1670).

Grand succès dès leur parution, *Les Aventures de Simplicissimus* est le seul roman baroque allemand qui ait gardé cette place dans la littérature mondiale. Il raconte, rétrospectivement, la vie d'un jeune garçon qui découvre le monde dans la première moitié du XVIIe siècle, une période bien troublée en terre allemande. Dans sa première partie, le récit est surtout l'évocation impressionnante d'une désolation totale, le reflet d'un monde en désarroi dans lequel le seul objectif est de survivre. Bien qu'il ait pour toile de fond la guerre de Trente Ans, ce n'est pas un roman historique : il ne donne pas un récit cohérent des faits militaires et les héros de l'époque, comme les généraux Wallenstein ou von Mansfeld, en sont absents. Par certains traits, le *Simplicissimus* s'apparente au roman comique de Charles Sorel, *Francion*, et au roman picaresque, dont Grimmelshausen avait lu les principaux, *Lazarille de Tormès* et *Guzman d'Alfarache* : de prime abord, en effet, le *Simplicissimus* rapporte une suite d'espiègleries et d'entreprises hasardeuses qui emmènent le jeune Simplicius par monts et par vaux. Tantôt il vole dans les airs comme un apprenti sorcier, tantôt il nage comme un poisson au fond de l'océan ; il traverse l'Allemagne, de l'Elbe à la Suisse, et le destin, avec la même aisance, l'emmène à Paris et à Moscou, en Égypte, à Macao et même sur une île déserte près de Madagascar, où il écrit ses mémoires, qui constituent le roman. Cependant, à la différence du roman picaresque où, généralement, le héros reste tout au long psychologiquement inchangé, dans le *Simplicissimus*, les anecdotes et les épisodes, en apparence autonomes et isolés, contribuent en réalité à retracer l'évolution mentale d'un esprit simple qui cherche le sens de l'existence humaine. Enfant illettré et naïf, élevé par un ermite dans l'isolement d'une forêt, il connaît d'abord une paix intérieure que rien ne perturbe. Devenu adulte, il découvre le monde extérieur, source de jouissances et de plaisir mais également menace pour le corps et l'esprit. Il fait l'expérience du bonheur de ce monde, mais le découvre éphémère et trompeur. Peu à peu, il se rend compte de l'inconstance de toute chose : le soldat fougueux devient un vieilliard réfléchi, porteur d'une sagesse fondamentale qui atteste que la vie chaotique et agitée d'ici-bas n'apporte pas le bonheur, mais que tout salut est en Dieu.

Pour son tableau réaliste de la société, Grimmelshausen n'a pas choisi le ton sérieux. À ses yeux, la noirceur n'est qu'un aspect du monde, pas le plus important ; l'incertitude et la menace peuvent rendre la vie plus intense. Et, même dans les temps difficiles, il reste de la place pour le rire, l'exubérance, les soûleries, la cuisine grasse, les danses paysannes et les chansons que l'on braille, les amitiés solides et les aventures amoureuses. Artiste doué d'humour, au langage vigoureux et imagé, Grimmelshausen affectionne les traits d'esprit, les jeux de mots, les situations grotesques, satirisant ses contemporains avec malice. Selon un procédé narratif ancien et fécond, il cède la parole à son héros et le laisse raconter son périple lui-même. De son point de vue étroit de *simplex*, Simplicius peut alors décrire et démasquer les failles d'un monde corrompu de la façon la plus mordante, appeler les choses par leur nom et dire à quiconque ses quatre vérités.

Joël Lefebvre, "Grimmelshausen et la littérature". – In : *Études : recueil dédié à Jean-Jacques Anstett*, VII (1979), pp. 1-25.

Yves Carbonnel, "Imagination et matière dans le *Simplicius Simplicissimus* de Grimmelshausen". – In : *Cahiers d'études germaniques*, 8 (1984), pp. 25-45.

Monique Samuel, "Aspects confessionnels et religieux du *Teutsch*. L'émergence de la piété individuelle dans la deuxième moitié du XVIIe siècle". – In : *Littérature et civilisation à l'agrégation d'allemand (session 1990)*. – Richardmesnil : Association des Nouveaux Cahiers d'allemand, 1990. – [Tome 1, pp. 167-182].

Jean-Marie Valentin, "Du rire au plus haut savoir. Sur les écrits poétologiques de Sorel et Grimmelshausen". – In : *Études germaniques*, 46 (1991), pp. 95-119.

Yves Carbonnel, "La guerre de Trente Ans dans le *Simplicius Simplicissimus* de Grimmelshausen. Références historiques et nécessités romanesques". – In : *Cahiers d'études germaniques*, 21 (1991), pp. 113-122.

LES AVENTURES DE SIMPLICISSIMUS 238

M. Colleville — 1925

La demeure de Simplex est mise au pillage sans que personne s'oppose aux dévastations des soldats (I, 4). — Surtout dans sa première moitié, le *Simplicissimus* évoque un monde de peur et de cris, de faim et de solitude, de nuit, de froid, de saleté et de sang, de villages en flammes et de ruines fumantes, de pauvres hères en guenilles et de mercenaires sans scrupules devant lesquels les campagnards s'enfuient dans les bois. Tout au début du roman, une bande de brigands oblige l'ingénu Simplicius, qui gardait les moutons dans les prés, à les accompagner à la ferme de ses parents où, avec un étonnement candide, il observe les ravages.

Je n'avais point l'intention de conduire le paisible lecteur, à la suite de cette troupe de cavaliers peu scrupuleux, jusque dans le domaine de mon père : il va être le théâtre de trop de turpitudes ! La logique de mon récit exige néanmoins que je transmette à la postérité le récit des horreurs et des cruautés inouïes qui furent commises, çà et là en Allemagne, au cours de cette guerre. Je veux surtout montrer par mon propre exemple que tous ces maux se sont abattus sur nous pour notre plus grand profit, selon la bonté du Très-Haut. [...]

Quand ces cavaliers entrèrent dans les pièces enfumées de mon père, la première chose qu'ils firent fut d'y installer leurs chevaux ; puis chacun s'occupa de vaquer à sa tâche particulière, qui semblait être de tout détruire et de tout saccager. Tandis que quelques-uns se mettaient à égorger les bêtes, à en faire bouillir ou rôtir la chair, si bien qu'on eût dit qu'on allait tenir un banquet, il y en avait d'autres qui bouleversaient la maison du haut en bas. Le privé lui-même ne fut pas à l'abri de leurs investigations, comme s'il eût recélé la toison d'or de Colchide. D'autres faisaient de grands paquets de linge, de vêtements, de toutes sortes d'ustensiles, comme pour ouvrir quelque part un marché de brocanteurs ; quant à ce qu'ils ne comptaient pas emporter, ils le mettaient en pièces. Certains perçaient de leur épée les tas de foin et de paille, à croire qu'ils n'avaient pas eu assez de porcs à estoquer ; certains vidaient les matelas de leurs plumes et les remplissaient de lard, de salaisons ou d'autres objets, comme si après on devait mieux dormir dessus. D'autres démolissaient le poêle et les fenêtres, apparemment pour annoncer que l'été allait durer éternellement. Ils fracassaient la vaisselle de cuivre et d'étain, pour emporter ces morceaux tordus et hors d'usage. Ils brûlaient les lits, les tables, les chaises, les bancs, alors qu'il y avait dans la cour bien des cordes de bois sec. Les marmites et les terrines durent toutes voler en éclats, soit parce qu'ils ne voulaient plus manger que des rôtis, soit parce qu'ils pensaient ne prendre ici qu'un seul repas.

Notre servante subit, dans l'écurie, de tels traitements qu'elle ne pouvait plus marcher pour en sortir. N'est-ce pas honteux à dire ? Quant au valet de ferme qu'ils avaient garrotté, ils l'étendirent par terre, lui mirent en travers de la bouche un morceau de bois et lui entonnèrent dans le corps un plein seau d'un affreux purin ; c'est ce qu'ils appelaient « boire une rasade à la suédoise » ; mais lui, ne la trouvait point de son goût ! Ils le forcèrent aussi à servir de guide à une bande de partisans dans une autre incursion, où ils enlevèrent bêtes et gens qu'ils amenèrent dans notre métairie : parmi eux étaient mon père, ma mère et Ursule.

On se mit alors à retirer de l'écrou des pistolets les pierres à feu, mais pour les remplacer par des pouces de paysans et torturer ainsi les pauvres hères, comme s'il s'agissait de brûler des sorcières. D'ailleurs, les soldats avaient déjà jeté dans le four un des paysans faits prisonniers et ils travaillaient à le chauffer, quoiqu'il n'eût encore rien avoué. À un autre, ils avaient attaché autour de la tête une corde, qu'ils serraient avec un garrot, et à chaque tour le sang lui jaillissait par la bouche, le nez et les oreilles. Bref, chacun inventait un nouveau genre de torture pour ces pauvres paysans, et chaque victime avait ainsi son supplice particulier.

Cependant, mon père fut, à ce qu'il me sembla alors, le plus heureux de tous, car il avoua le rire aux lèvres, ce que les autres étaient forcés de révéler dans les souffrances et avec d'affreuses plaintes ; pareil honneur lui échut sans doute parce qu'il était chef de famille. Les soldats le placèrent devant un grand feu, l'attachèrent pour qu'il ne pût remuer ni bras, ni jambes, et lui frottèrent la plante des pieds avec du sel humide ; ils les lui firent ensuite lécher par notre vieille chèvre ; il en fut si fort chatouillé qu'il faillit crever de rire. Cela me parut si gentil et si plaisant — je n'avais jamais vu ni entendu mon père rire aussi longtemps — que, soit contagion, soit faute de comprendre, je fus forcé de rire de bon cœur. C'est ainsi que mon père avoua ce qu'on voulait savoir de lui et révéla où se trouvait caché son trésor qui consistait en or, perles et joyaux et qui était beaucoup plus riche qu'on ne l'eût supposé chez un paysan.

Je ne puis rien dire au sujet du traitement que subirent femmes, servantes et jeunes filles faites prisonnières, car les soldats ne me laissèrent pas voir comment ils en usaient avec elles. Je sais seulement que l'on entendait de temps à autre gémir dans les coins, et je pensai que ma mère et ma sœur Ursule n'avaient pas dû avoir meilleur sort que les autres.

Au milieu de cette désolation, je tournais tranquillement la broche, car je ne comprenais pas encore bien le sens de ces événements [...].

Les Aventures de Simplicius Simplicissimus / Grimmelshausen ; ouvrage traduit de l'allemand par M. Colleville ; et précédé d'une préface. – Paris : La Renaissance du Livre, [1925]. – (*Collection de littérature ancienne française et étrangère*). – [Tome I, pp. 33-36].

LES AVENTURES DE SIMPLICISSIMUS 239

J. Amsler — 1990

Simplex, que hante une misère noire, devient droguiste et thériacleur de foire (IV, 8). — Après des années prospères comme soldat et coureur de jupons, qui l'ont même mené jusqu'à Paris, Simplicius veut enfin retourner en Allemagne pour revoir sa famille. Mais la chance le quitte. Il attrape la variole, ce qui lui fait perdre tout son charme masculin. Il se fait dépouiller et se voit obligé de se débrouiller en escroquant les paysans dans les foires. Une scène typiquement picaresque qui, en même temps, ridiculise la crédulité des campagnards.

J'avais alors un appétit de batteur en grange, car mon estomac était insatiable bien que je n'eusse plus en réserve qu'un unique anneau d'or avec un brillant qui valait quelque vingt couronnes ; je le bradai pour douze et alors je n'eus aucun mal à imaginer que j'en verrais bientôt le bout si je n'en tirais pas un gain, et résolus de devenir médecin. Je m'achetai les *materialia*[1] de la *theriaca diatessaron*[2] et j'en préparai ; je commençai par faire à base de simples, de racines, de beurre et de quelques substances huileuses une pommade verte contre toutes les plaies par laquelle on aurait pu sans aucun doute guérir un cheval imprimé ; *item*, à partir de calamine, de silex, d'yeux d'écrevisses[3], d'émeri ou de tripoli une poudre pour blanchir les dents ; de plus une eau bleue faite de lessive, de cuivre,

1 *Materialia* : « ingrédients ».

2 *Theriaca diatessaron* : grec *theriakè*, lat. *theriaca* (Dioscoride, 2.9), remède « contre les bêtes sauvages », notamment les morsures de serpents ; antidote ; puis panacée. La thériaque *dia tessaròn* en grec est la thériaque « par quatre », faite de quatre éléments.

3 Concrétions calcaires que l'on trouve dans l'estomac des écrevisses.

de *sal moniacum*[1] et de camphre contre le scorbut, l'ozène, le mal aux dents et aux yeux ; je me procurai abondance de petites boîtes en fer blanc et en bois, du papier et des bocaux pour y mettre ma marchandise, et afin d'accroître mon prestige, je me fis rédiger en français une affiche où l'on pouvait voir à quoi ceci ou cela était bon. En trois jours, j'étais à bout de mon travail et j'avais à peine dépensé trois couronnes à la pharmacie et pour les récipients quand je quittai la petite ville. Je fis donc mon paquet et entrepris d'aller à pied de village en village jusqu'en Alsace, de placer ma denrée en cours de route jusqu'à Strasbourg qui était ville neutre, de me mettre en mesure de retourner à Cologne avec des négociants, et, une fois là-bas, de prendre le chemin me ramenant près de ma femme ; le plan était bon, mais le coup rata de loin !

Quand pour la première fois j'arrivai devant une église avec ma droguerie et ouvris mon éventaire, le rendement fut médiocre parce que j'étais beaucoup trop emprunté, parlais mal la langue et n'arrivais pas à débagouler des menteries ; il apparut tout de suite qu'il fallait m'y prendre autrement si je voulais faire recette. J'allai avec mon bazar à l'auberge et appris au passage de l'aubergiste que l'après-midi toutes sortes de gens se rassembleraient sous le tilleul devant sa maison, que je pourrais peut-être alors vendre quelque chose si j'avais de bonne marchandise ; seulement, il y avait tant de charlatans dans le pays que les gens serraient fortement les cordons de leur bourse s'ils n'avaient pas sous les yeux la preuve que la thériaque était tout à fait bonne. Quand j'entendis cela et compris par où cela péchait, je pris un demi-verre à boire de bonne eau-de-vie de Strasbourg et attrapai une espèce de crapaud[2] qu'on appelle *Reling* ou *Möhmlein*, qui se tiennent au printemps et en été dans les mares boueuses et chantent, sont jaunes d'or ou presque orange et tachés de noir sur le ventre, très vilains à voir ; j'en mis un dans une chope de verre avec de l'eau et le plaçai sur une table sous le tilleul. Or comme les gens commençaient à se rassembler et m'entouraient, certains pensèrent qu'à l'aide de la pince que la femme de l'aubergiste m'avait prêtée de sa cuisine, j'arrachais les dents ; mais je commençai : « Vous Messieurs et Amis, moi pas être tire-les-dents (car je ne savais que peu de français encore), seulement avoir bonne eau pour œils, faire toutes fluxions yeux rouges aller loin. C'est vrai. Si moi eau pour moi pas avoir, moi aveugle suis ; eau je revends pas ; le thériac et poudre pour dents blancs moi vendre et pommade vulné-

---

1 *Sal moniacum* : barbare pour *sal ammoniacum* : sel ammoniaque.

2 Cet amphibien semble être la grenouille rousse, ou plutôt la salamandre.

raire vouloir vendre, eau donner moi en par-dessus le marché gratis ; moi pas charlatan, moi pas tromper les gens ; moi vendre mon thériac ; si toi usager et toi pas plaire, toi pas acheter moi. » Cependant je fis choisir à un des badauds du cercle qui m'entouraient l'une de mes petites boîtes de thériaque ; de celle-ci je pris la grosseur d'un pois pour la mettre dans mon eau-de-vie, en la râpant entre mes doigts pour l'y dissoudre ; puis avec la pince j'attrape la grenouille et la sors du bocal plein d'eau et dis : « Voir bons amis, si cet animal poissonneux peut mon thériac boire, et lui pas crever, la chose pas bonne, alors vous pas acheter. » Ce disant, je mis la pauvre grenouille qui était née et avait grandi dans l'eau et ne pouvait supporter d'autre élément ou liqueur dans mon eau-de-vie et je mis un papier dessus pour l'empêcher de sauter dehors ; elle commença à gigoter et se démener, bien pire que sur des charbons ardents et, après l'avoir fait un petit moment parce que l'eau-de-vie était bien trop forte, elle creva et resta les quatre pattes raides. Les paysans en restèrent bouche bée, et leur bourse avec, car ils avaient de leurs yeux vu cette expérience certaine, donc ils ne pouvaient penser qu'existât au monde meilleure thériaque que la mienne, et j'eus assez à faire pour emballer ma marchandise dans des papiers et à en percevoir le montant ; il y en eut parmi eux quelques-uns qui en achetaient bien trois, quatre, cinq, six fois pour être au besoin pourvus du si précieux électuaire et contrepoison ; ils achetaient même pour leurs amis et parents qui habitaient en d'autres lieux, si bien qu'avec cette farce, et pourtant ce n'était pas jour de marché, j'empochai ce même soir dix couronnes tout en conservant une bonne moitié de ma denrée.

Cette même nuit, je me rendis dans un autre village, car je redoutais qu'un des paysans ne fût assez curieux pour mettre une grenouille dans l'eau, histoire d'essayer ma thériaque et, si ça ratait, gare à mes abattis !

[...] C'est pourquoi, chers paysans, ne croyez pas si facilement les bonimenteurs inconnus ; sinon ils vous trompent ; car ce qui les intéresse, ce n'est pas votre santé mais votre argent.

Les Aventures de Simplicissimus / Grimmelshausen ; roman traduit de l'allemand par Jean Amsler ; préface de Pascal Quignard. – Paris : Fayard, 1990. – [Pp. 273-275].

LA VAGABONDE COURAGE 240

M. Colleville — 1923

Rencontre de Courage et de Simplicius (chapitre XXIV).

J'étais aux eaux depuis huit jours à peine, lorsque le seigneur Simplicius fit ma connaissance ; en effet, qui se ressemble s'assemble, comme le disait le diable au charbonnier. J'avais de nobles manières ; et comme Simplicius menait grand train et qu'il entretenait un grand nombre de domestiques, je le tins pour un brave gentilhomme ; et je réfléchis alors si je ne pourrais point lui attacher un fil à la patte et le prendre pour mari, comme je l'avais fait tant de fois déjà.

Conformément à mon désir il entra à pleines voiles dans le dangereux port[1] où étaient ancrées mes insatiables passions, et je le traitai à peu près comme Circé traita l'errant Ulysse. Dès lors je pris confiance et je pensai me l'être déjà attaché. Mais le volage rompit le fil qui le retenait, en me jouant un mauvais tour de sa façon, qui me prouva son ingratitude, à ma confusion et à son propre détriment.

Avec un coup de pistolet à blanc et une seringue remplie de sang, dont il m'inonda au travers d'un retiro, il me fit croire que j'étais blessée, ce qui permit non seulement au barbier qui me pansa, mais aussi à presque toute la population de la ville d'eaux, de me considérer sur toutes mes faces ; tous ensuite me montrèrent au doigt, commentèrent mon aventure et se raillèrent tellement de moi, que je ne pus supporter plus longtemps leurs moqueries. Et avant d'avoir achevé ma cure, je quittai la ville et les bains.

Ce sot de Simplex m'appelle dans l'histoire de sa vie — au sixième chapitre du livre cinq — une femme frivole. Il a dit de même que j'étais plus *mobilis* que *nobilis*. Je reconnais ces deux torts. Mais s'il avait été noble lui-même ou s'il avait eu une seule fibre d'honnêteté, il ne se serait pas jeté au cou d'une ribaude si volage et si effrontée — puisqu'il me tenait pour telle — ; encore moins aurait-il étalé et proclamé devant le monde entier son propre déshonneur et ma honte.

Dis-moi, cher lecteur : quel honneur, quelle gloire lui reste-t-il maintenant d'avoir obtenu — pour me servir de ses propres paroles — en peu de temps toutes les faveurs et tous les plaisirs, qu'il pouvait souhaiter, d'une femme dont le libertinage lui répugnait ? Oui, de celle qui en avait à

1 Nous avons gardé en français cette image audacieuse. (N.d.t.)

peine fini avec le Sudatorium[1] ? Voyez quelle belle gloire il revient à ce pauvre diable de se vanter de ce qu'il ferait mieux de taire ! Mais il en est toujours ainsi de ce genre d'étalons : ils poursuivent la femme comme des bêtes privées de raison, tel le chasseur derrière une pièce de gibier.

Il dit que j'avais les cheveux plats. Mais il faut qu'il sache que je n'avais plus alors la dix-septième partie de ma beauté de jadis, et que je remédiais à ma déchéance par toutes sortes de pommades et de fards, dont il a léché une grande partie.

Mais il suffit : c'est à coup de massues qu'on doit pouiller les fous. Ce que j'ai dit est peu de chose. Que le lecteur apprenne maintenant comment je l'ai finalement payé de retour. Je quittai la ville d'eaux, pleine de dépit et fort mécontente, et je songeai à me venger d'avoir été à la fois couverte de honte et méprisée par Simplicius. — Ma servante s'était montrée en ce lieu aussi franche ribaude que moi ; et (la pauvre fille ne savait pas « s'amuser ») pour un pourboire qu'on lui avait donné, elle s'était laissée planter un rejeton qu'elle mit heureusement au monde dans la métairie que je possédais hors la ville. Ce jeune fils, elle dut le baptiser du nom de Simplicius, bien que Simplicius ne l'ait jamais approchée.

Dès que je sus que Simplicius avait épousé la fille d'un paysan, j'ordonnai à ma servante de sevrer son enfant ; et après l'avoir emmailloté de douillettes, de couvertures et de larges de soie, pour que l'illusion fût complète, je le fis porter, sous la conduite d'un valet de mon métayer, à la maison de Simplicius. L'enfant fut déposé la nuit devant sa porte, avec un billet attestant que Simplex avait eu ce fils de moi.

Je ne saurais dire combien ce bon tour me remplit de joie, surtout lorsque j'appris que Simplicius avait été pour cette raison puni par son chef de façon exemplaire, et que sa femme lui parlait à chaque repas en termes amers de l'enfant trouvé. Je me réjouis également d'avoir fait croire à Simplex que la stérile Courage avait enfanté. Car si j'avais dû procréer, je ne l'aurais point attendu, et ma jeunesse aurait vu s'accomplir ce qui, croyait-il, n'était arrivé qu'à mon âge mûr. J'avais alors près de quarante ans, et je n'étais pas digne d'un scélérat tel que Simplicius.

La Vagabonde Courage / Grimmelshausen ; traduit de l'allemand par Maurice Colleville. – Paris : La Renaissane du Livre, s.d. [1923] – (*Collection de littérature ancienne française et étangère*). – [Pp. 194-196].

---

1 Traitement employé contre la syphilis. (N.d.t.)

ANGELUS SILESIUS

ALLEMAND **1624-1677**

Avec Jacob Böhme et Grimmelshausen, Johannes Scheffler figure parmi les rares auteurs du baroque allemand à être mondialement célèbres. Né à Breslau d'un noble polonais et d'une Silésienne, il étudie à Strasbourg (1643-44), à Leiden (1644-46) et à Padoue (1647-48), puis revient dans sa patrie avec les titres de docteur en Philosophie et en Médecine. À Oels, il devient médecin personnel du duc (1649-52) et fréquente les cercles de la mystique silésienne.

Abraham von Franckenberg, partisan de Böhme, l'initie aux écrits du maître et lui offre une imposante bibliothèque d'ouvrages mystiques anciens et modernes. Il lui apprend aussi à connaître le poète Daniel Czepko von Reigersfeld (1605-1660), dont les épigrammes latines et allemandes, surtout les *Sexcenta Monodisticha Sapientum* (inédites au XVIIe siècle), lui firent une forte impression. Ainsi familiarisé avec la pensée religieuse du mysticisme silésien, Scheffler entre de plus en plus en conflit avec l'orthodoxie luthérienne, en même temps qu'il se rapproche du catholicisme. En 1653, il s'y convertit et prend le nom d'Angelus Silesius (« Messager divin de Silésie »). Au regard de l'histoire, pareille conversion paraît bien résulter de l'intensification de la Contre-Réforme dans l'Allemagne du sud-est.

C'est avec la passion du converti que Silesius s'engage alors au service de la cause catholique. Ordonné prêtre en 1661, il est, de 1664 à 1666, maréchal de palais auprès de l'official et du vicaire général de Silésie, chargé principalement de la politique de Contre-Réforme — une politique qu'il poursuivra également en dehors de son office avec une sévérité toujours plus grande. Son activité littéraire, dans les 10 ou 15 dernières années de sa vie, se place entièrement sous le signe du débat qui oppose catholicisme et luthéranisme. Dans une douzaine de traités de controverse théologique, mi-religieux, mi-savants pour certains, mi-polémiques mi-satiriques pour d'autres, il prend la parole, implacable, comme le montre le titre de sa principale œuvre de polémique : *Conviction morale motivée ou démonstration selon laquelle l'on pourrait et devrait contraindre les hérétiques à la vraie foi*, ouvrage dédié à l'empereur en 1673.

Contrastant avec la partisanerie du publiciste contre-réformateur s'élève, paradoxalement, la profonde voix mystique et la douce chaleur, quelquefois extatique, de la poésie d'Angelus Silesius, entièrement contenue dans deux ouvrages, parus tous deux en 1657. Le premier, connu sous le titre que portera sa deuxième édition augmentée (*Le Pèlerin chérubinique*, 1675), est constitué de 1 675 textes, répartis irrégulièrement en six Livres : distiques d'alexandrins rimés qui sont, le plus souvent, des épigrammes acérées, ou sonnets concis, en alexandrins également. Écrits, pour la plupart, avant la conversion, ils ne s'entendent que dans un dialogue avec la tradition mystique. Dans l'avant-propos, Scheffler tente de devancer les objections et les éventuels malentendus théologiques, conscient du danger qu'il court, avec ses paradoxes singuliers, de se rendre suspect d'hérésie. Comme le laisse entendre le titre de *Pèlerin chérubinique*, les épigrammes de Scheffler thématisent, par l'image de l'ange cheminant, le voyage de l'âme humaine vers l'union mystique. Fondé sur l'expérience de soi et de Dieu construite sur le *Deus in nobis*, le propos n'a rien du discours spontané et passionné sur l'obscurité des sentiments et « l'abondance du cœur », que produira plus tard la dévotion piétiste.

Chez Angelus Silesius, il s'agit d'une contemplation quasi philosophique, qui ne cherche cependant ni à saisir ni à articuler ce qui, en réalité, dans l'expérience mystique, est incommunicable en termes discursifs. Cela est fait dans un style tout empreint de lucidité spirituelle, d'abstraction dialectique audacieuse, qui ose concevoir l'absurde apparent du lien entre Dieu et l'homme. Ainsi donc l'épigramme, qui fait écho à Eckhart (Cf. *P.L.E.* 5, pp.127-140) : « Sans moi, Dieu ne peut vivre, fût-ce une seconde, je le sais, / Si je retourne au néant, de dénuement Il doit rendre l'esprit ». (Trad. C. Jordens).

La forme de l'épigramme, avec sa structure fondamentalement antithétique, jeu riche de tensions d'une thèse provocante à laquelle répond une pointe déconcertante, épouse l'expérience religieuse de Scheffler qui, entre lucidité rationnelle et point de vue mystique, tient idéalement un milieu suspensif. Nourris de la tradition gnostique antique et du néo-platonisme, de la spéculation alchimiste et pan-sophiste et aussi, sans aucun doute, de mouvements sectaires contemporains, la profonde expérience vécue et le génie langagier de Scheffler ont fait du *Pèlerin chérubinique* l'un des livres de sagesse les plus significatifs de la modernité.

D'une tout autre nature est le recueil de *Lieder*, également paru en 1657, *Heilige Seelen-Lust oder geistliche Hirtenlieder der in ihren Jesum verliebten Psyche* (*Saintes délices de l'âme ou Églogues spirituelles de Psyché amoureuse de son Jésus*) dont la première édition, en 4 Livres, fut suivie, en 1658, d'une seconde en 5 Livres et 205 *Lieder* avec leur mélodie. Le recueil trouva auprès du public un accueil aussi important que celui réservé au *Pèlerin chérubinique* ; son effet fut cependant moins durable, ces *Lieder* étant par trop attachés au goût spécifique du baroque.

Avec les *Saintes délices de l'âme*, Angelus Silesius se rattache à la poésie pastorale de l'Antiquité et de la Renaissance, où les rôles des couples de bergers amoureux sont tenus par l'âme et par le Christ, le fiancé de l'âme. Le développement des relations spirituelles entre Dieu et l'âme dans une terminologie érotique avait lui-même déjà une longue et haute tradition. D'autres en Allemagne avant Scheffler, notamment Friedrich Spee von Langenfeldt, s'étaient illustrés par des *Lieder* spirituels de ce genre, se prêtant aussi bien à l'expression d'une expérience mystique qu'à l'emploi liturgique, en chants ordinaires.

Tout en rejetant, dans son œuvre polémique, les poètes galants qui, avec leurs « Dorinde, Flavien, Purpurille, et autres », perdent leur temps, au lieu de se tourner vers le vrai thème de la poésie, l'amour du Christ, Scheffler leur reprend leurs conventions pastorales et sentimentales, en les transposant au spirituel, dans la sphère des *Saintes délices de l'âme*, où la métaphore érotico-religieuse verse parfois dans l'indécence ou le comique involontaire. Quelques-uns de ces chants pourtant seront adoptés, dans le courant du XVIIIe siècle, par les livres de cantiques, aussi bien catholiques que protestants.

Angelus Silesius / Jeffrey L. Sammons. – New York : Twayne, 1967. – 176 p.

Louise Gnädinger, "Angelus Silesius". – In : *Deusche Dichter des 17. Jahrhunderts : Ihr Leben und Werk* / Herausgegeben von Harald Steinhagen und Benno von Wiese ; unter Mitarbeit zahlreicher Fachgelehrter. – Berlin : Schmidt, 1984. – [Pp. 553-575].

LE PÈLERIN CHÉRUBINIQUE 241

E. Susini — 1964

Paradoxes, antithèses (I, 138, 145, 171, 177, 212, 240, 289).

Plus tu sors et plus Dieu entre

Plus l'homme hors de soi se déverse et bondit,
Plus de sa Déité Dieu l'inonde et remplit.

Tu trouves en toi ce que tu veux

En toi-même est le ciel et l'enfer et ses feux,
Et tu trouves partout ce que choisis et veux.

On trouve Dieu en ne le cherchant pas

Dieu n'est ici ni là ; quiconque le réclame,
S'attache pieds et poings, et son corps et son âme !

La prière muette

On ne peut nommer Dieu ; tout Il dépasse, immense ;
Aussi, bonne oraison est celle du silence.

Au fond tout est pareil

On dit : éternité, heure ou bien lieu et temps,
Mais que sont lieu, durée, éternité, instant ?

Moi comme Dieu, Dieu comme moi

Dieu est l'être qu'il est, moi par lui ce que suis,
Mais, connaissant l'un d'eux, tu me connais et lui.

Sans raison

La rose est sans raison et, fleurissant sans cause,
N'a garde à sa beauté ni si l'on voit la rose.

Le Pèlerin chérubique / Angelus Silesius ; traduction par Eugène Susini. – Paris : Presses Universitaires de France, 1964. – (*Publications de la Faculté des Lettres et Sciences Humaines de Paris ; Série "Textes et documents" ;* tome IV). – [T. I, pp. 103, 105, 109, 111, 119, 125, 137].

LE PÈLERIN CHÉRUBINIQUE 242

R. Munier — 1993

Assomptions énigmatiques (I, 25, 37, 45, 68, 82, 177, 212, 289).

On ne saisit pas Dieu

Dieu est un Rien pur, nul *maintenant*, nul *ici* ne Le touchent ;
Plus tu cherches à Le saisir et plus Il t'échappe.

L'inquiétude vient de toi

Il n'est rien qui te meuve et toi-même es la roue,
Qui d'elle seule court et n'a pas de repos.

La riche pauvreté

Qui ne désire rien, n'a rien, ne sait, n'aime, ne veut rien,
Il a, sait, désire et aime beaucoup encore.

Un abîme appelle l'autre

L'abîme de mon esprit sans cesse appelle avec clameur
Celui de Dieu ; quel est, dis-moi, le plus profond ?[1]

Le ciel est en toi

Arrête, où cours-tu donc ? Le ciel est en toi ;
Cherches-tu Dieu ailleurs, tu Le manques sans fin.

Au fond tout est un

On dit : le temps, le lieu, l'instant, l'éternité.
Mais que sont temps et lieu, instant, éternité ?

Moi comme Dieu, Dieu comme moi

Dieu est ce qu'Il est ; moi, ce que par Lui je suis ;
Mais si tu connais l'un, tu me connais et Lui.

Sans pourquoi

La rose est sans pouquoi ; elle fleurit parce qu'elle fleurit,
N'a garde à sa beauté, ne cherche pas si on la voit.

L'Errant chérubinique / Angelus Silesius ; traduit de l'allemand et présenté par Roger Munier. – Paris : Arfuyen : Roger Munier, 1993. – [Pp. 23, 25, 27, 31, 33, 47, 53, 65].

LE PÈLERIN CHÉRUBINIQUE 243

C. Jordens — 1994

En peu de mots, l'abîme (I, 5 ; II, 30 ; III, 118, 228, 232 ; IV, 38, 118 ; V, 81).

On ne sait ce qu'on est

Je ne sais qui je suis, je ne suis qui je sais :

---

1 Ici, la mystique allemande, comme chez Eckhart (prémices de conjonction avec l'Orient, mais rupture avec le paradoxe chrétien de la divino-humanité) court le danger de la réversibilité de l'Absolu et du Néant.

Une chose et non une chose, un point infime et un cercle.[1]

Accidents et essence

Homme, retourne à ton essence, car quand passe le monde,
Disparaissent les accidents ; l'essence, elle, subsiste.

La pierre philosophale est en toi

Homme, limite-toi à entrer en toi-même. Car pour trouver la pierre philosophale, il n'est pas requis de voyager en pays lointains.

Les yeux de l'âme[2]

L'âme a deux yeux : l'un regarde dans le temps,
L'autre est tourné vers l'éternité.

Ne t'adjuge quoi que ce soit

Ami, si tu es quelque chose, de grâce n'en reste pas là.
Il faut outrepasser une lumière vers une autre Lumière.

Dieu rien et tout[3]

Dieu est un esprit, un feu, une essence et une lumière :
Il n'est d'autre part également rien de tout cela.

Le miroir

Le miroir te montre dans ton apparence extérieure :
Quel malheur qu'il ne te montre pas aussi ton intériorité !

Dans ce qui est pur, Dieu paraît

Homme, si tu veux contempler Dieu, là-haut ou ici sur Terre, ton cœur doit d'abord devenir pur miroir.

Le Pèlerin chérubinique / Angelus Silesius (Johannis Angeli Silesij) ; traduction par Camille Jordens. – Paris : Éditions du Cerf : Éditions Albin Michel, 1994. – (*Sagesses chrétiennes*). – [Pp. 107, 186, 209, 210, 224, 244, 285].

1 Le motif du point central et de la circonférence (le centre du cercle) est fréquent chez Silesius : II, 24 ; 183 ; 188 ; III, 28 ; 148 ; IV, 62 ; 158 ; 205 ; V, 212. Cette inanité de l'homme qui recèle néanmoins le Tout en soi, et sa traduction en une symbolique géométrique, se trouve déjà au Moyen Âge dans le *Livre des vingt-quatre maîtres*, surtout chez Nicolas de Cues, qui était mathématicien, et enfin dans *Monas Hieroglyptica* (1591) de John Dee, volume que Silesius possédait. (N.d.t.)

2 Le motif des deux yeux est un topique de la mystique médiévale, depuis les Victorins en passant par Eckhart et Tauler. Ce n'est cependant que la *Theologia Deutsch* (chap. 7) qui parle de deux yeux dont l'un a la faculté de regarder l'éternité et l'autre le temps. (N.d.t.)

3 Exemple typique de paradoxe avec affirmation successive de deux vérités qui se contredisent en apparence. (N.d.t.)

SAINTES DÉLICES DE L'ÂME 244

A. Moret — 1957

Elle s'enquiert de son bien-aimé auprès de toutes les créatures.

Où est mon bien-aimé si beau,
De mon âme le fiancé ?
Où est mon berger, mon agneau,
Pour qui mon cœur est attristé ?
Dites-le moi, prairies, herbages,
Vais-je parmi vous le trouver,
Pour que je puisse à son ombrage
Me rafraîchir et raviver ?

Dites-le moi, lis et narcisses,
Où est le lilial enfant ?
Roses, dites-moi, sur le champ,
Me réservez-vous ses délices ?
Vous, jacinthes et violettes,
Et vous, fleurs aux multiples sortes,
Dois-je chez vous me mettre en quête
Pour que vite il me réconforte ?

Où est mon onde fraîche, ô puits ?
Ruisseaux, ma vague ruisselante ?
Mon principe que je poursuis,
Ma source toujours obsédante ?
Où est mon gai bocage, ô bois ?
Où se trouve, ô plaines, ma plaine ?
Champs, où est mon champ qui verdoie ?
Ah ! que vos voix vers lui me mènent !

Oiseaux, où est ma tourterelle ?
Où est mon pélican fidèle,
Capable de me vivifier ?
Ah ! que ne puis-je le trouver !
Où est mon sommet, ô collines ?
Ô vallons, où est ma vallée ?
Voyez, en tous sens je chemine
Et l'ai de toutes parts cherché !

Où est mon soleil et mon Nord,
Ma lune et tout mon firmament,
Ma fin et mon commencement,

Mon allégresse et mon transport ?
Où est ma mort, où est ma vie,
Et mon ciel et mon paradis ?
Le cœur qui m'a si bien ravie
Que je ne connais plus que lui ?

Dieu ! pourquoi questionner en vain ?
Il n'est pas chez les créatures !
Qui me fera dépasser la nature,
À mes plaintes qui mettra fin ?
Si par dessus tout je m'élance
Pour plus haut que moi m'élever :
Je pourrai, j'en ai l'espérance,
Ô Jésus, enfin te trouver.

Anthologie du lyrisme baroque en Allemagne / introduction, textes, traductions par André Moret. – Paris : Aubier-Éditions Montaigne, 1957. – (*Collection bilingue des classiques étrangers*). – [Pp. 199-201].

SAINTES DÉLICES DE L'ÂME 245

J.-P. Lefebvre — 1993

Elle crie pour un baiser de sa bouche.

Ô qu'il me baise d'un baiser de sa bouche,
Qu'il m'abreuve du fleuve de ses seins,
Car ils sont meilleurs que vin,
        Et sa bouche
        Dans l'instant
Sait emplir de joie une âme.

Amour, hélas, comme mort est sévère ;
Ô, qu'il m'embrasse le cher Dieu d'amour,
Car mon cœur n'est que flamme et feu,
        Et se languit et se sèche
        Et soupire et gémit,
Et la vie touche à sa fin.

Où est son esprit, la douce rosée céleste ?
Qu'il fasse donc fraîchir la prairie de mon cœur.
Ou bien prenne complètement
        Mon esprit

Qui déjà le plus souvent
S'est en lui perdu.

Ô Jésus, si vraiment je te suis familière,
Viens donc ici embrasser ta fiancée,
Car c'est ton baiser, lui seul,
Que mon cœur
Avec douleur
Cherche plus qu'or et pierre précieuse.

Anthologie bilingue de la poésie allemande / édition établie par Jean-Pierre Lefebvre. – Paris : Gallimard, 1993. – (*Bibliothèque de la Pléiade* ; 401). – [Pp. 225-227].

ANDREW MARVELL

ANGLAIS • GREC • LATIN **1621-1678**

Admiré aujourd'hui comme grand poète lyrique, Marvell ne fut guère connu de son vivant que comme parlementaire et auteur de pamphlets et satires politiques. Son œuvre poétique, assez restreinte, aurait d'ailleurs vraisemblablement disparu si elle n'avait été publiée trois ans après sa mort par une femme qui se fit passer pour sa veuve, alors qu'elle n'était probablement que sa gouvernante.

Après des études secondaires à Hull, Marvell entre à Trinity College (Cambridge), où il devient *Bachelor of Arts* (1639) et semble s'être converti au catholicisme : il aurait même suivi un groupe de prosélytes catholiques à Londres avant que son père ne l'arrache à leur influence. De 1643 à 1647, il parcourt, apprenant les langues étrangères, la Hollande, la France, l'Italie et l'Espagne, peut-être pour éviter la guerre civile. Sa loyauté politique ne semble en effet guère plus ferme que ses convictions religieuses. Alors même que l'on peut penser qu'il avait des amis dans les cercles royalistes à la fin des années 1640, il rédige, dès le début de l'été 1650, une *Ode horatienne à l'occasion du retour d'Irlande de Cromwell.* Caractéristique de cette attitude énigmatique, le poème laisse également transparaître de la compassion pour le roi Charles, exécuté par le chef puritain.

De 1650 à 1652, il est précepteur de la fille de Lord Fairfax, ancien chef des armées parlementaires, et c'est probablement dans le cadre agréable du manoir de son protecteur que Marvell rédige ses meilleurs poèmes. Il est ensuite chargé de l'éducation d'un pupille de Cromwell, à Eton, avant d'obtenir, en 1657, un emploi dans l'administration, sur la recommandation de son ami Milton, qu'il assiste dans ses fonctions de Secrétaire d'État au Commonwealth.

Élu député de Hull, il conservera son mandat jusqu'à sa mort. Son influence politique lui permet, après 1660, de venir en aide à Milton, persécuté par les Royalistes revenus au pouvoir, et d'obtenir son élargissement. Sous la Restauration, il prend part à des missions diplomatiques en Scandinavie et en Russie, défend les intérêts de ses électeurs, publie de nombreux libelles critiquant amèrement le gouvernement de Charles II et plaide pour la liberté religieuse. Les subtiles ambiguïtés et les sympathies équivoques de son opportunisme de jeunesse ont bel et bien disparu.

Étudiant, il publie en 1637 quelques poèmes en latin et en grec dans un volume édité en l'honneur de la naissance de la fille de Charles Ier. Mais son amour des classiques et sa formation humaniste apparaissent également dans ses vers anglais qui, selon le critique A.J.N. Wilson, trahissent une sorte de « couleur romaine ». D'influence horatienne, la grâce formelle et l'équilibre maîtrisé de sa poésie rappellent la veine néo-classique de Ben Jonson. Toutefois, sa puissance dramatique et sa complexité intellectuelle expliquent que Marvell soit classé avec Donne, Herbert et quelques autres parmi les « poètes métaphysiques » anglais et non parmi les « fils de Ben ». La thématique de son œuvre va de l'amour à la religion, s'inscrivant souvent dans la tradition pastorale.

La réputation des poètes métaphysiques souffrit beaucoup, après la Restauration, du mouvement néo-classique, qui appelait à plus de clarté dans l'expression. La poésie lyrique de Marvell demeura dans l'ombre pendant plus de deux siècles. Le XVIIIe siècle ne vit en lui qu'un satiriste politique, qui influença Swift. Si l'essayiste romantique Charles

Lamb tenta de le réhabiliter, il fallut attendre le début du XXe siècle pour que renaisse l'intérêt de la critique. L'anthologie de H.J.C. Grierson *Metaphysical Lyrics and Poems of the Seventeenth Century* (1921) et l'essai de T.S. Eliot publié dans un volume collectif à l'occasion du tricentenaire du poète ont joué un rôle-clé dans un regain d'intérêt qui n'a cessé de s'amplifier.

L'Inspiration personnelle et l'esprit du temps chez les poètes métaphysiques anglais / Robert Ellrodt. – Paris : José Corti, 1960. – 464-488 p.

Andrew Marvell : The Critical Heritage / ed. by Elizabeth Story Donno. – London & Boston : Routledge and Paul Kegan, 1978. – XVII-385 p. – (*The Critical Heritage series*).

Jacques Blondel, "La pastorale anglaise : de Milton à Marvell. Le thème de l'eau". – In : *Le Genre pastoral en Europe du XVe au XVIIe siècle : actes du colloque international tenu à Saint-Étienne du 28 septembre au 1er octobre 1978* / Université de Saint-Étienne. – Saint-Étienne : Publications de l'Université, 1980. – [Pp. 169-175].

Andrew Marvell / Robert Wilcher. – Cambridge : University Press, 1985. – XI-191 p. – (*British and Irish authors*).

Apocalyptic Marvell : The Second Coming in Seventeenth Century Poetry / M. Stocker. – Brighton (Sussex) : Harvester Press, 1986. – XV-381 p.

POÈMES 246

P. Leyris — 1913

À sa prude maîtresse. — C'est une des plus belles variations poétiques de la Renaissance sur le thème du *Carpe Diem*. À l'urgence de la passion s'opposent les sombres menaces du changement, du déclin, de la mort : l'appel à saisir l'instant, léger, y prend la gravité d'une révolte contre la finitude.

Si nous avions assez de temps
Et d'ici-bas, ta pruderie
Ne serait un crime, lady :
Nous débattrions doucement
Où passer en nous promenant,
Notre longue journée galante.
Tu irais cherchant des rubis
Au bord du Gange indien, tandis
Que je pleurerais mon malheur
Au long des rives de l'Humber.
Je t'aimerais dix ans avant
Que le Déluge ne survienne
Et tu dirais non jusqu'au temps
Qu'Israël ait la foi chrétienne.
Mon amour végétal croîtrait
Plus vaste et lent que les empires ;

Cent ans durant célébrerais
Tes yeux, ton front sérénissime ;
Deux cents prendrais pour chaque sein
Et pour le reste trente mille :
Une ère au moins pour chaque part
Et la dernière pour ton cœur.
À meilleur compte n'aimerais :
Tu vaux, lady, pareil honneur.
Mais j'entends toujours par derrière
Le chariot ailé du temps
Et devant moi l'éternité
Sans mesure étend ses déserts.
Car ta beauté plus ne sera
Ni mon chant ne retentira
Dessous ton marbre funéraire.
Ce sont les vers qui forceront
Ton pucelage et qui mueront
Ta vertu bizarre en poussière
Comme en cendres tout mon désir.
Ta tombe est un beau lieu privé,
Mais bien mal fait pour s'accoler.
Lors donc que la jeunesse dore
Ta joue comme rosée d'aurore
Et que ton âme acquiesçante
Transpire des flammes ardentes
Qui s'échappent par tous tes pores,
Viens ça t'ébattre et mener joie.
En amoureux oiseaux de proie
Dévorons plutôt notre temps
Que de souffrir à petite heure
L'étau de son ruminement ;
Ramassons toutes nos ardeurs
Et suavités en une sphère ;
À travers les portes de fer
De la vie, pressons nos plaisirs
Et faute d'arrêter Phébus
En la nue, faisons-le bondir !

La Poésie anglaise / Georges-Albert Astré. – Édition bilingue. – Paris : Éditions Seghers, 1964. – (*Collection Melior*). – [Pp. 164-166]. – [1re édition dans *La Licorne*, 2 (1913/14)].

POÈMES

246 bis

Ph. de Rothschild — 1969

À sa prude maîtresse.

Hors monde et temps et leur régime,
Femme, être prude n'est point crime.
Assis, nos détours à tracer,
Le long jour d'amour va passer :
Flânant le Gange hindou tu trouves
Plus d'un rubis. Moi, l'Humbre[1] couve
mon mal, t'aimer dix ans déjà
Avant qu'au déluge on songeât.
Il te plaira n'en avoir cure
Jusqu'à ce que le Juif abjure.
Mon amour végétal s'étend
Plus vaste qu'un empire et lent.
Cent ans pour de tes yeux l'éloge
Scruter ce front que j'interroge,
Deux cents pour adorer tes seins,
Trente mille le reste à plein,
Pour tout de toi point trop d'une ère
Et ton cœur s'ouvre à la dernière.
Femme, il est vrai, ce prix tu vaux,
T'aimer ne veux à moindre taux.

Mais dans mon dos sonne à mes trousses
Le Temps, son char ailé qui pousse :
Devant plus rien, quand loin se perd
L'éternité, le grand désert :
Ta beauté passée hors d'atteinte.
Sous le marbre tombal ma plainte
A peine écho. Les vers ont eu,
Vierge sauve, ta vertu,
Ton honneur tant vanté, poussière,
Et mon désir en cendres erre.
Domaine bien à soi, très beau,
Mais qui donc s'embrasse au tombeau ?
Lors qu'en duvet, fraîcheur naissante,
L'aube, à ta peau, rosée enfante,

1 L'Humbre, rivière du pays où Marvell a vécu enfant. (N.d.t.)

Ton âme d'où transpire un feu
Brûle à chaque pore l'aveu,
Tant que se peut vivons nos joies.
Amoureux comme oiseau de proie,
Le Temps, nous, plutôt l'étourdir
Qu'en son pouvoir broyés, languir.
Roulons nos forces et nos grâces
en une balle à plein espace,
Nos plaisirs seuls arrachant fiers
La vie à ses grilles de fer.
Et ce soleil sans halte ou pause
Alors, qu'il courre à notre cause.

Poèmes élisabéthains / traduits et présentés par Philippe de Rothschild ; préface de André Pieyre de Mandiargues ; introduction de Stephen Spender ; notices biographiques de Christopher Ricks. – Édition bilingue. – Paris : Éditions Seghers, 1969. – [Pp. 339-341].

POÈMES 247

P. Leyris — 1913

Le faucheur aux vers luisants. — Élément d'un ensemble de quatre poèmes de tradition pastorale, ce poème met en scène un ardent faucheur, le susceptible Damon (nom typique depuis Virgile) et une bergère au cœur dur, Juliana (nom vraisemblablement dérivé de « juillet »).

Vivants flambeaux à la lueur desquels
Le rossignol si chèrement s'attarde
Pour étudier dans la nuit estivale
Et méditer ses chansons nonpareilles ;

O comètes des champs qui n'annoncez
Ni guerres ni princières funérailles
Et ne brillez à fin plus glorieuse
Que d'augurer la chute du gazon ;

O vers luisants dont la flamme officieuse
Montre la voie aux faucheurs vagabonds
Qui dans la nuit ayant perdu leur route
Errent, leurrés par les flammes-follettes,

Vous épuisez en vain vos rais courtois
Depuis le jour qu'a paru JULIENNE
Car mes esprits courent la pretentaine
Et jamais plus ne trouverai mon toit.

La Poésie anglaise / Georges-Albert Astré. – Édition bilingue. – Paris : Éditions Seghers, 1964. – (*Collection Melior*). – [Pp. 168-169]. – [1re édition dans *La Licorne*, 2 (1913/14)].

POÈMES 247 bis

G. Gacon — 1994

Injonction du faucheur aux vers luisants.

Vivants fanaux, dont la clarté
Par le rossignol en sa veille
Est prisée tard les nuits d'été
Pour mûrir ses chants sans pareils ;

Rustiques comètes, présageant
Ni bataille ni mort princière,
Éclairant pour tout simplement
Dire la fin de l'herbe entière ;

Vers luisants, dont la flamme ardente
Dit la route aux faucheurs perdus,
De feux follets proies imprudentes
Qui dans la nuit errent sans but,

Cessez de gaspiller vos feux,
Puisque Juliana est ici ;
À mon foyer je dis adieu
Car elle m'a ravi l'esprit.

Les Yeux et les Larmes et autres poèmes / Andrew Marvell ; choix, traduction de l'anglais et présentation par Gérard Gacon. – Paris : La Différence, 1994. – (*Orphée* ; 180). – [P. 99].

POÈMES 248

L. Cazamian — 1946

Sur la mort de Cromwell. — « Dans ce morceau dont la date est fixée par l'événement, l'inspiration politique remplace, chez le fougueux patriote qu'était Marvell, les thèmes de nature ou d'amour, les divertissements de la préciosité. Associé à Milton comme secrétaire du Protecteur, il avait nourri de ce contact sa fervente admiration pour la grande figure de l'homme d'État. Il y a ici une hauteur et comme une sublimité cornéliennes. » (Argument de L. Cazamian)

Je le vis mort : ses yeux vigilants recouverts
D'un lourd sommeil, d'un mortel assoupissement ;

Ces doux rayons s'étaient enfuis sous les paupières,
Qui donnaient aux regards cette douceur perçante ;
Ce corps, majestueux de port et si robuste,
Sans nerf et sans vigueur, reposait étendu ;
Tout flétri, tout décoloré, pâle et livide,
Combien changé, non plus cet homme qu'il était !
Ô vaine gloire humaine ! Ô Mort ! Ailes du temps !
Ô méprisable monde ! Ô choses transitoires !
Pourtant telle grandeur en sa forme déchue
Restait, que mort, il semblait plus grand que la Mort,
Et ses traits altérés nous montraient quelque signe
Qui menaçait la Mort du réveil de la vie.
Tel le chêne sacré, qui vers le Ciel élance
Ses branches, à travers la terre ses racines ;
Dont la vaste couronne est lourde de trophées,
De guirlandes d'honneur, prix de mainte victoire ;
Quand Jupiter en son courroux darde la foudre
Contre les criminels, sans épargner son arbre,
Il gémit, et sa chute écrase tout, lui qui
Fut si longtemps le protecteur de la forêt ;
Le chêne, auparavant raccourci à nos yeux,
Couché, paraît plus grand qu'il ne l'était debout ;
La gloire de Cromwell ainsi s'agrandira
Quand, le vrai reconnu, mourra le parti pris ;
Ses ombres avec lui tombent ; les yeux humains
Ôtent à la hauteur d'objets plus hauts qu'eux-mêmes ;
Mais, quand la Mort leur prend la pompe qu'on envie,
Les voyant tels qu'ils sont, nous les avouons grands.

Anthologie de la poésie anglaise / choix, traduction et commentaires par Louis Cazamian. – Paris : Éditions Stock, 1946. – [Pp. 121-122].

POÈMES 249

J.-P. Mouchon — 1979

Les yeux et les pleurs (I-VII).

Avec quelle sagesse la Nature décréta-t-elle
Que les mêmes yeux serviraient à pleurer et à voir !
De sorte que, ayant contemplé la vanité de leurs objets,
Ils pusssent être prêts à se lamenter.

Et, puisque la vue qui s'induit elle-même en erreur
Mesure chaque hauteur sous un faux angle,
Ces larmes, qui mesurent tout mieux,
Tombent comme des lignes et des sondes liquides.

Deux larmes, que le chagrin pesa longtemps
Dans les plateaux de l'un ou l'autre œil,
Et puis laissa filer en parfait équilibre,
Sont le prix véritable de toutes mes joies.

Ce qui apparaît au monde de plus beau,
Oui, même le rire, devient des larmes :
Et tous les joyaux que nous prisons
Se fondent dans ces pendants des yeux.

J'ai traversé tous les jardins,
Je me suis trouvé au milieu des rouges, des blancs et des verts ;
Et cependant, de toutes les fleurs que j'ai vues,
Je n'ai pu extraire d'autre miel que ces larmes.

Ainsi le soleil, qui voit tout, chaque jour
Distille le monde de son rayon chimique ;
Mais il constate que l'essence n'en est qu'averses
Qu'il fait directement retomber par pitié.

Pourtant heureux ceux que le chagrin bénit,
Eux qui voient d'autant moins qu'ils pleurent davantage :
Et qui, pour conserver leur vue plus fidèle,
Baignent toujours leurs yeux dans leur propre rosée.

Les Éléments naturels dans la poésie lyrique de Marvell / Jean-Pierre Mouchon. – Paris : Éditions Ophrys, 1979. – [Pp. 29-30].

POÈMES 250

J.-P. Mouchon — 1979

Appleton House (Strophes LXXIV-LXXVII).

Et voyez comme l'esprit supérieur du hasard
A su fournir un masque à mes études !
Les feuilles de chêne me recouvrent de leurs broderies,
Entre lesquelles rampent des chenilles :

Et le lierre, de ses traînes amicales,
Me lèche et m'étreint et s'enroule et me tire.
Sous cette chape étrange je m'avance
Comme un grand prélat du bosquet.

Puis languissant d'aise, je m'agite
Sur une couche gonflée de mousse veloutée ;
Tandis que le vent, en se rafraîchissant à travers les rameaux,
Caresse d'air mes tempes qui palpitent.
Merci de ce repos, ô vous talus de mousse,
Et vous, frais zéphyrs, merci,
Vous qui, comme sur mes cheveux, soufflez aussi sur mes pensées
Et séparez ma tête de la balle.
Comme il me semble avoir mis mon esprit à l'abri
Derrière ces arbres, avec tant de sécurité et de force ;
Là où la bonté, visant le cœur,
Décoche son trait inutile sur un tronc ;
Et où le monde ne peut en tirer certain coup
Ni me toucher.
Mais moi, je joue là en toute sécurité
Et je gaule ses cavaliers toute la journée.

Enlacez-moi, de vos vrilles, ô liserons,
Enroulez-vous autour de moi, ô vous vignes vagabondes,
Et, oh ! resserrez si étroitement vos cercles,
Que je ne puisse jamais quitter cet endroit :
Mais, à moins que vos liens se révèlent trop fragiles,
Avant que je brise votre attache de soie,
O ronces, enchaînez-moi également,
Et gracieuses racines de bruyère, transpercez-moi.

Les Éléments naturels dans la poésie lyrique de Marvell / Jean-Pierre Mouchon. – Paris : Éditions Ophrys, 1979. – [Pp. 19-20].

HOBBES

ANGLAIS • LATIN **1588-1679**

Sa longue vie s'inscrit entre deux mondes : l'année de sa naissance, c'est la victoire sur l'Invincible Armada et le début de la glorieuse décennie du règne d'Elizabeth Ire († 1603), la dernière des Tudors ; l'année de sa mort, c'est l'*habeas corpus*, jalon dans l'histoire des droits de l'homme, et le début, avec les six années qui restent à Charles II, de la fin des Stuarts.

Né à Wesport, tout près de Malmesbury (Wiltshire), celui dont on a pu dire qu'il fut le plus grand philosophe de l'histoire de la pensée anglaise, était de petite naissance. Bon élève à l'école, il y apprend tôt le latin et le grec — jusque dans sa vieillesse, il en traduira, notamment l'*Iliade* — et, à 15 ans, va à l'Université d'Oxford où il reste cinq ans. Marqué, dans ce foyer de puritanisme, par l'esprit aristotélicien (rigueur, clarté, certitude dogmatique, organisation systématique du savoir), il est, à 19 ans, bachelier-ès-lettres et autorisé à enseigner la logique. Il devient page-précepteur chez William Cavendish, baron de Hardwick. Comme Milton et Locke plus tard, il est pédagogue, et noue, en 1608, des relations étroites avec une famille de la noblesse dont les deux branches le protégeront sa vie durant. De 1608 à 1610, il voyage sur le continent où il accompagne son élève : il fera plusieurs autres voyages : en 1629-1630, en 1634-1636, plus tard encore, en 1640, pour rester en France longtemps.

De 1608 à 1615, Thomas Hobbes lit, apprend les mœurs de la gentry et l'italien. Entre 1615 et 1628, il traduit Thucydide et réfléchit à la guerre civile, à la causalité en histoire ; dix ans plus tard, il pressentira les dangers de la guerre civile en Angleterre ; quarante ans plus tard, il racontera, un peu à la façon rationaliste et critique de l'historien grec, les années tumultueuses du milieu du siècle. Entre l'âge de trente et de quarante ans, il fréquente aussi des poètes, Ben Jonson en particulier, et la société brillante que rassemblait Bacon autour de lui, à Gorhambury ; Hobbes, secrétaire préféré de Bacon, gardera un silence complet sur le chancelier (il sera muet aussi sur Machiavel) : sans doute la science hésitante de Bacon ne convenait-elle pas à l'idéal auquel il aspirait. Hobbes, ami du médecin William Harvey, savait sûrement en quelle mésestime l'ancêtre de la médecine expérimentale tenait Bacon savant, même si on retrouve des échos du modernisme baconien dans son œuvre.

C'est au cours de son second voyage sur le continent, à Paris, en 1629 probablement, que se situe le célèbre épisode de la découverte d'Euclide, ou plutôt du raisonnement géométrique, qui accorde la logique et une forme d'expérience. Dès cette époque aussi Hobbes est préoccupé par la question de la sensation : il écrit le *Court Traité des premiers principes* et s'intéresse aux mécanismes naturels. Il s'intéresse aussi de près à l'optique, et se mêle à plusieurs groupes intellectuels, à Great Tew, près d'Oxford, dans un climat royaliste mais rationaliste et « libéral », et au cercle d'études centré autour de la famille Newcastle. Préoccupé de pédagogie, il travaille la *Rhétorique* d'Aristote, dont il publie un *Abrégé*, équilibrant ainsi l'intelligibilité physico-géométrique. Lors de son troisième voyage, il rencontre Galilée. Ensuite, il rédige ses *Elements of Law* (1639-1640).

Suite aux troubles politiques en Angleterre, Hobbes s'expatrie en France en novembre 1640, faisant comme Descartes l'expérience de l'exil. Il y reste onze ans, pendant lesquels il publie le *De Cive* (1642), fréquente assidûment le milieu scientifique du Père Mersenne, enseigne les mathématiques au futur Charles II, mène de front réflexion scientifique (l'optique, la balistique, le vide) et réflexion politique, établissant le lien entre les deux, franchissant ainsi le pas de la modernité, sans abandonner pour autant la réflexion en matière métaphysique et théologique (la liberté et la nécessité). En résulte l'énorme traité du *Léviathan*, publié en 1651, à son retour au pays natal. Retour précipité, la France n'étant plus sûre, comme avait été le départ. Hobbes se soumet alors au régime de Cromwell et se met sous la protection du duc de Devonshire. Il séjourne de temps en temps à Londres (où il fréquente le juriste Selden, les poètes Davenant, Cowley et Waller, le médecin Harvey) mais surtout à Hardwick. À cause de *Léviathan*, monumentale métaphore de la politique, il devient la bête noire de certains contemporains, ecclésiastiques, universitaires et mathématiciens — il polémiquera longtemps pour des causes perdues, comme la quadrature du cercle.

Restauré en 1661, le roi versa une pension à son ancien précepteur, célébrité européenne à qui l'on faisait visite : il lui interdit cependant de publier son *Béhémoth* (1668) : Hobbes l'« athée », bouc-émissaire désigné des maux de l'Angleterre (la peste de 1665, le grand incendie de 1666), était pour certains un penseur infréquentable. Il finit sa vie loin de Londres, à Chatsworth et Hardwick et publia, en 1678, à 90 ans, un dernier livre de « philosophie de la nature ». À ses yeux, la science de la paix civile (la politique) est un secteur privilégié de la science tout court.

Hobbes a voulu être le Galilée de la politique : il a conçu un système à partir d'un modèle mécanique rigoureux. Certains éléments de l'ensemble l'ont rendu célèbre : son phénoménisme doublé de nominalisme, sa conception du *conatus* et du désir, sa théorie du langage, sa manière de voir l'homme se dégager de l'état de nature par une sorte de sacrifice, sa façon de fonder sur un contrat le pouvoir absolu, sa définition du souverain, qui a pour fonction d'assurer la survie des hommes.

Violemment critiqué dans son pays, Hobbes a eu des admirateurs en France ; Mersenne et Sorbière au XVIIe siècle, Bayle, Diderot, d'Holbach (qui le traduira) au XVIIIe. Parce qu'en dernière analyse, il préserve les droits de l'individu, on a pu voir en lui un précurseur du libéralisme bourgeois et, parce qu'on a oublié cet aspect, on a fait de sa pensée le prototype du totalitarisme. Depuis les années 1960-1970, son œuvre a connu un regain d'intérêt remarquable en Europe, en France en particulier.

Politique et philosophie chez Thomas Hobbes / Raymond Polin. – Paris : P. U. F., 1953. – 267 p. – (*Bibliothèque de philosophie contemporaine. Histoire de la philosophie et philosophie générale*).

Revue Internationale de philosophie, n°129 (1979).

Thomas Hobbes, penseur entre deux mondes / Louis Roux. – Saint-Étienne : Publications de l'Université de Saint-Étienne, 1981. – 299 p.

Revue européenne des sciences sociales, tome XX, n°61 (1982).

La Décision métaphysique de Hobbes : conditions de la politique / Yves-Charles Zarka. – Paris : Vrin, 1987. – 407 p. – (*Bibliothèque d'histoire de la philosophie*).

Thomas Hobbes : philosophie première, théorie de la science et politique. Actes du colloque tenu en Sorbonne et à l'ENS Ulm les 30-31 mai et le 1er juin 1988 / publiés sous la direction de Yves-Charles Zarka. – Paris : P. U. F., 1990. – 418 p. – (*Léviathan*).

Hobbes ou la crise de l'État baroque / Anne-Laure Angoulvent. – Paris : P. U. F., 1992. – 256 p. – (*Questions*).

Le Pouvoir et le droit : Hobbes et les fondements de la loi. Actes du colloque tenu à l'Université Jean Moulin-Lyon III, les 17, 18, et 19 mars 1989, pour le quatrième centenaire de la naissance de Hobbes / édités par Louis Roux et François Tricaud ; Université Jean Moulin-Lyon III. – Saint-Étienne : Publications de l'Université de Saint-Étienne, 1992. – 207 p.

LÉVIATHAN 251

Fr. Tricaud — 1971

Nécessité des définitions (chapitre V). — Il n'y a de vérité qu'exacte et d'exactitude que par définition.

Puisque la *vérité* consiste à ordonner correctement les dénominations employées dans nos affirmations, un homme qui cherche l'exacte vérité doit se rappeler ce que représente chaque dénomination dont il use, et la placer en conséquence : autrement, il se trouvera empêtré dans les mots comme un oiseau dans des gluaux ; et plus il se débattra, plus il sera englué. C'est pourquoi en géométrie, qui est la seule science que jusqu'ici il ait plu à Dieu d'octroyer à l'humanité[1], on commence par établir la signification des mots employés, opération qu'on appelle *définitions*, et on place ces définitions au début du calcul.

On voit par là combien il est nécessaire à quiconque aspire à une connaissance vraie d'examiner les définitions des auteurs qui l'ont précédé, de les corriger lorsqu'elles sont rédigées avec négligence, ou bien de les composer par lui-même. Car les erreurs de définition se multiplient d'elles-mêmes à mesure que le calcul avance, et elles conduisent les hommes à des absurdités qu'ils finissent par apercevoir, mais dont ils ne peuvent se libérer qu'en recommençant tout le calcul à partir du début, où se trouve le fondement de leurs erreurs. De là vient que ceux qui se fient aux livres[2] font comme ceux qui additionnent beaucoup de totaux partiels en un total plus général sans considérer si ces totaux partiels ont été bien calculés ou non ; trouvant finalement une erreur manifeste, et ne suspectant pas leurs premiers fondements, ils ne savent pas comment s'en sortir : ils passent leur temps à voleter à travers leurs livres, comme des oiseaux qui, entrés par la cheminée, se trouvent enfermés dans une pièce et volètent vers la lumière trompeuse des carreaux de la fenêtre, n'ayant pas assez d'esprit pour considérer par où ils sont entrés. C'est donc sur la définition correcte des dénominations que repose le premier usage de la

1 Le latin dit : « qui est presque la seule science exacte ». (N.d.t.)

2 Le latin dit : « qui se fient trop aux autres auteurs ». (N.d.t.)

parole, qui est l'acquisition de la science. Et c'est sur les définitions incorrectes ou dans l'absence de définitions que repose le premier abus, duquel procèdent toutes les thèses fausses ou absurdes, et par lequel les hommes qui reçoivent leur instruction de l'autorité des livres et non de leur propre réflexion tombent aussi bas au-dessous de la condition de l'ignorant que les hommes dotés de la vraie science s'élèvent au-dessus. Car l'ignorance tient le milieu entre la vraie science et les doctrines erronées. La sensation et l'imagination naturelles ne sont pas sujettes à l'absurdité. La nature, en elle-même, ne peut se tromper. Mais à mesure que les hommes disposent d'un langage plus riche, ils deviennent plus sages ou plus fous qu'on n'est ordinairement. Sans l'usage des Lettres, il n'est pas possible de devenir remarquablement sage, ou (à moins d'avoir la mémoire altérée par une maladie ou une mauvaise constitution des organes) remarquablement sot. Car les mots sont les jetons des sages, qui ne s'en servent que pour calculer, mais ils sont la monnaie des sots, qui les estiment en vertu de l'autorité d'un Aristote, d'un Cicéron, d'un saint Thomas, ou de quelque autre docteur, qui, en dehors du fait d'être un homme, n'est pas autrement qualifié.

Léviathan : traité de la matière, de la forme et du pouvoir de la république ecclésiastique et civile / Thomas Hobbes ; traduit de l'anglais, annoté et comparé avec le texte latin par François Tricaud. – Paris : Sirey, 1971. – (*Philosophie politique* ; 2). – [Pp. 31-32].

DE LA NATURE HUMAINE 252

P.H.D. d'Holbach — 1772

Du Bien et du Mal, du Beau, du Honteux, etc. (chapitre VI, § 3-8).

Chaque homme appelle *Bon* ce qui est agréable pour lui-même & appelle *Mal* ce qui lui déplaît. Ainsi chaque homme différant d'un autre par son tempérament ou sa façon d'être, il en differe sur la distinction du Bien & du Mal ; & il n'existe point une bonté absolue considérée sans relation, car la bonté que nous attribuons à Dieu même n'est que sa bonté relativement à nous. Comme nous appelons *bonnes* ou *mauvaises* les choses qui nous plaisent ou nous déplaisent, nous appelons bonté & méchanceté les facultés par lesquelles elles produisent ces effets : les Latins désignent par le mot seul *pulchritudo* les signes de la bonté, & ils désignent sous le nom de *turpitudo* les signes de la méchanceté.

Toutes les conceptions que nous recevons immédiatement par les sens étant ou plaisir ou douleur, produisent ou le desir ou la crainte ; il en est de même de toutes les imaginations qui viennent à la suite de l'action des sens. Mais comme il y a des imaginations foibles, il y a aussi des plaisirs & des douleurs plus ou moins foibles.

L'appétit ou le desir étant le commencement du mouvement animal qui nous porte vers quelque chose qui nous plaît, la cause finale de ce mouvement est d'en atteindre la fin que nous nommons aussi le *but* ; & lorsque nous atteignons cette fin, le plaisir qu'elle nous cause se nomme *Jouissance*. Ainsi le bien (*bonum*) & la fin (*finis*) sont la même chose envisagée diversement.

Parmi les fins, les unes sont nommées *prochaines* & les autres *éloignées* ; mais lorsqu'on compare les fins les plus prochaines avec les plus éloignées, on ne les appelle plus des fins mais des moyens ou des voyes pour parvenir. Quant à la fin la plus éloignée dans laquelle les anciens Philosophes ont placé la félicité, elle n'existe point dans le monde, & il n'y a pas de voye qui y conduise ; car tant que nous vivons nous avons des desirs, & le desir suppose toujours une fin. Les choses qui nous plaisent comme des moyens ou des voyes pour parvenir à une fin sont appelées *utiles* ou *profitables* ; leur jouissance se nomme *usage*, & celles qui ne nous rendent aucun profit s'appellent *vaines*.

Puisque nous voyons que tout plaisir est appétence & suppose une fin ultérieure, il ne peut y avoir de contentement qu'en continuant d'appéter. Il ne faut donc pas être émerveillés que les desirs des hommes aillent en augmentant à mesure qu'ils acquierent plus de richesses, d'honneurs ou de pouvoir ; & qu'une fois parvenus au plus haut degré d'un pouvoir quelconque, ils se mettent à la recherche de quelque autre tant qu'ils se jugent inférieurs à quelqu'autre homme. Voilà pourquoi parmi ceux qui ont joui de la puissance souveraine, quelques-uns ont affecté de se rendre éminens dans les Arts. C'est ainsi que *Néron* s'est adonné à la Musique & à la Poësie ; l'Empereur *Commode* s'est fait Gladiateur ; ceux qui n'affectent point de pareilles choses sont obligés de chercher à s'amuser ou à récréer leur imagination par l'application que donnent le jeu, ou les affaires, ou l'étude &c. C'est avec raison que les hommes éprouvent du chagrin quand ils ne sçavent que faire. Ainsi la félicité, par laquelle nous entendons le plaisir continuel, ne consiste point à avoir réussi mais à réussir.

Il y a peu d'objets dans ce monde qui ne soient mélangés de bien & de mal ; ils sont si intimement & si nécessairement liés que l'on ne peut obtenir l'un sans l'autre. C'est ainsi que le plaisir qui résulte d'une faute est joint à l'amertume du châtiment ; c'est ainsi que l'honneur est joint communément avec le travail & la peine. Lorsque dans la somme totale de la chaîne le bien fait la plus grande partie, le tout est appelé *bon* ; mais quand le mal fait pancher la balance, le tout est appelé *mauvais*.

Il y a deux sortes de plaisirs ; les uns semblent affecter les organes du corps ou les sens, & je les appelle *sensuels*, parmi lequels le plus grand est celui qui nous invite à la propagation de notre espece ; vient ensuite celui qui nous invite à manger pour la conservation de notre individu. Le plaisir de l'autre espece n'affecte aucune portion de notre corps en particulier, on le nomme plaisir de l'esprit, & c'est ce que je nomme la joie. Il en est de même des peines dont les unes affectent le corps & d'autres ne l'affectent point & sont appellées *chagrins*.

De la nature humaine / Thomas Hobbes ; traduction du baron d'Holbach [1772] ; introduction par Émilienne Naert. – Paris : Vrin, 1971. – (*Bibliothèque des textes philosophiques*). – [Pp. 66-71].– [Reproduction en fac-similé de l'édition de Londres, 1777].

LES ÉLÉMENTS DU DROIT, NATUREL ET POLITIQUE 253

L. Roux — 1977

La vie humaine est une course (chapitre VII, 21).

La comparaison de la vie de l'homme avec une course, bien qu'elle ne puisse être soutenue point par point, tient si fort pour notre présent propos, qu'on peut par là à la fois voir et se rappeler quasi toutes les passions que nous avons mentionnées. Mais nous devons supposer que cette course n'a d'autre fin, ni d'autres fleurs que de continuer ; et en cette course :

Faire effort, c'est l'appétit ;
Être mou, c'est la sensualité ;
Considérer ceux qui sont derrière, c'est la gloire ;
Considérer ceux qui sont devant, c'est l'humilité ;
Perdre du terrain en regardant derrière, la vaine gloire ;
Être retenu, la haine ;
Revenir en arrière, le repentir ;
Avoir du souffle, l'espoir ;
Être las, le désespoir ;
Essayer de dépasser celui qui précède, l'émulation ;

Supplanter ou renverser, l'envie ;
Être résolu à passer outre à un arrêt prévu, le courage ;
Passer outre à un arrêt imprévu, la colère ;
Passer aisément, la magnanimité ;
Perdre du terrain sur de petits obstacles, la pusillanimité ;
Chuter sur l'imprévu est la disposition à pleurer ;
Voir un autre tomber, la disposition à rire ;
Voir qu'est dépassé quelqu'un dont nous ne voudrions pas qu'il le fût, c'est la pitié ;
Voir quelqu'un dépasser quand nous ne le voudrions pas, c'est l'indignation ;
Se tenir très près d'un autre, c'est aimer ;
Entraîner celui qui se tient près, c'est la charité ;
Se blesser par précipitation, c'est la honte ;
Être toujours dépassé, c'est la misère ;
Toujours dépasser celui qui précède, c'est la félicité ;
Et abandonner la course, c'est mourir.

Les Éléments du droit naturel et politique / Thomas Hobbes ; traduit par Louis Roux. – Lyon : L'Hermès, 1977. – (*Droit, économie, gestion* ; 1). – [Pp. 176-177].

DE CIVE, OU LES FONDEMENTS DE LA POLITIQUE 254

S. Sorbière — 1646

Normativité des lois et liberté de l'action (chapitre XI, XV). — Il ne faut pas prescrire plus de lois que n'en demande le bien des sujets et de l'État.

La liberté des sujets ne consiste pas en ce qu'ils soient exempts des loix de l'état, ou que les souverains ne puissent pas établir telles loix que bon leur semble. Mais, parce que tous les mouvemens & toutes les actions des particuliers, ne peuvent jamais être tellement réglées, ni leur variété si limitée, qu'il n'en demeure presqu'une infinité, qui ne sont ni commandées, ni défendues, & que les loix laissent au franc arbitre des hommes, chacun est libre à leur égard, & la liberté de laquelle on jouit de ce côté-là, est cette partie du droit de nature, à laquelle les loix n'ont pas encore touché, & dont il nous reste l'usage. Sur quoi il m'est venu souvent en la pensée, que comme l'eau qui croupit dans les bords d'un étang se corrompt ; ou si d'autre côté elle n'est retenue, elle se répand, & coule par tout autant d'ouvertures qu'elle rencontre. Ainsi les sujets d'un état, s'ils ne se mancipoient jamais à des choses contraires aux loix, ils s'engourdiroient ; & s'ils les choquoient en toutes leurs actions, ils passeroient à une trop grande licence : mais tant plus de choses il y a que les loix laissent indéterminées, d'autant plus étendue est la liberté dont ils jouissent. L'une & l'autre de ces extrémités est vicieuse : car les loix n'ont pas été inventées pour empêcher toutes les actions des hommes ; mais afin de les conduire, de même que la nature n'a pas donné des bords aux rivières pour en arrêter ; mais pour en diriger la course. La mesure de cette liberté doit être prise sur le bien des sujets, & sur l'intérêt de l'état. C'est pourquoi j'estime que c'est une chose particulièrement contraire au devoir des souverains, & de tous ceux qui ont droit de donner des loix, d'en établir plus qu'il n'en est absolument de besoin pour l'intérêt des particuliers, & pour celui de la république. Car les hommes ayant accoutumé de délibérer de ce qu'ils doivent faire, ou ne pas faire, plutôt en consultant leur raison naturelle, que par la science des loix ; lorsque celles-ci sont en trop grand nombre pour se bien souvenir de toutes, & que quelques-unes défendent ce à quoi la raison ne touche point directement ; il faut de nécessité qu'ils tombent insciemment, & sans aucune mauvaise intention, dans les loix, comme dans des pièges qui ont été dressés à cette innocente liberté, que les souverains doivent conserver à leurs sujets suivant les règles de la nature.

De Cive, ou les fondements de la politique / Thomas Hobbes ; traduction de Samuel de Sorbière [1646], présentée par Raymond Polin. – Paris : Sirey, 1981. – (*Philosophie politique, Publications de la Sorbonne. Université de Paris IV, Paris-Sorbonne. Série Documents* ; 32). – [Pp. 246-247].

RÉPONSE DE MONSIEUR HOBBES... 255

Fr. Lessay — 1993

Réponse à la Préface de Sir William Davenant à Gondibert. — L'art poétique de Hobbes met en place mémoire, jugement et imagination et leurs rôles respectifs dans le poème héroïque.

Le temps et l'éducation engendrent l'expérience ; l'expérience engendre la mémoire ; la mémoire engendre le jugement et l'imagination ; le jugement engendre la force et la structure, et l'imagination engendre les ornements d'un poème. Aussi les Anciens ne fabulaient-ils pas d'absurde façon en faisant de la mémoire la mère des Muses. En effet, la mémoire est le monde, non point réellement, mais comme vu dans un miroir, où la faculté de juger, la sœur plus sévère, s'affaire à un examen grave et rigoureux de toutes les parties de la nature et à l'enregistrement écrit de leur ordre, de leurs causes, de leurs usages, de leurs différences et de leurs ressemblances, ce qui permet à l'imagination, lorsqu'une quelconque œuvre d'art doit être réalisée, de trouver ses matériaux à portée et prêts à l'emploi, sans qu'il lui soit nécessaire de faire plus que de les parcourir rapidement pour que ce dont elle a besoin et qui est là, à sa disposition, ne demeure pas trop longtemps ignoré des regards. De la sorte, quand elle semble voler des Indes orientales jusqu'aux Indes occidentales et du ciel jusqu'à la terre, et pénétrer dans la matière la plus dure et les endroits les plus obscurs, dans l'avenir et en elle-même, le périple n'est pas si grand, puisqu'elle est elle-même tout ce qu'elle cherche ; et sa célérité merveilleuse consiste non point tant en mouvement qu'en abondance d'images raisonnablement ordonnées et parfaitement enregistrées dans la mémoire, ce dont la plupart des hommes, sous le nom de philosophie, ont un aperçu, et à quoi beaucoup prétendent qui, commettant à son propos une grossière erreur, n'embrassent que gesticulation en ses lieu et place. De même, cependant, que l'imagination de l'homme a tracé les voies de la vraie philosophie, de même, elle a produit de bien merveilleux effets pour le bénéfice de l'humanité. Tout ce qui est beau ou défendable dans les constructions, ou merveilleux dans les machines et les instruments qui permettent le mouvement ; tous les avantages que les hommes reçoivent des observations des cieux, de la description de la terre, du calcul du temps, du parcours des mers ; tout ce qui distingue la civilité de l'Europe de la barbarie des sauvages d'Amérique ; tout cela est l'ouvrage de l'imagination, mais guidé par les préceptes de la vraie philosophie. Là, cependant, où ces préceptes font défaut, comme ils ont fait défaut jusqu'à présent dans la doctrine de la vertu morale, là, l'architecte Imagination doit prendre sur soi la part du philosophe. Par conséquent, celui qui entreprend un poème héroïque, lequel est censé montrer une image vénérable et aimable de la vertu héroïque, doit être non seulement le poète qui place et relie, mais aussi le philosophe qui fournit et ajuste les éléments de son sujet ; autrement dit, il doit fabriquer le corps et l'âme, la couleur et la teinte de son poème en faisant appel à son propre fonds, et c'est votre succès dans l'accomplissement de cette tâche que j'examine à présent.

Textes sur l'hérésie et sur l'histoire / Thomas Hobbes ; introduction, traduction, notes, glossaires et index par Franck Lessay. – Paris : Vrin, 1993. – (*Bibliothèque des textes philosophiques*). – [Pp. 178-179].

BÉHÉMOTH 256

L. Borot — 1990

Situation de l'Angleterre en 1640 et causes de la guerre civile (Dialogue 1). — Le principe d'union monarchique est mis à mal par les intérêts personnels et les factions partisanes.

A — En l'an 1640, le gouvernement de l'Angleterre était une monarchie, et le souverain régnant le roi Charles, premier du nom, détenant la souveraineté du droit d'une descendance ininterrompue depuis plus de six cents ans, du droit d'une descendance encore plus ancienne, il était roi d'Écosse, et d'Irlande depuis le temps de son ancêtre Henri II[1] ; l'homme ne manquait de vertu ni au physique ni au moral, et n'avait d'autre intention que de remplir son devoir envers Dieu par le bon gouvernement de ses sujets.

B — Dans ce cas, comment put-il faillir, ayant dans chaque comté assez de soldats de métier pour constituer, une fois rassemblés, une armée de soixante mille hommes, et divers magasins de munitions dans des places fortifiées ?

A — Si ces soldats avaient été, comme c'était leur devoir et celui de tous les sujets, aux ordres de Sa Majesté, la paix et le bonheur des trois royaumes eussent continué comme le roi Jacques les avait laissés[2]. Mais le peuple était dans son ensemble corrompu, et les gens désobéissants tenus pour les meilleurs patriotes.

B — Mais il y avait assez d'hommes à coup sûr, en dehors de ceux qui étaient mal intentionnés, pour constituer une armée suffisante pour empêcher le peuple de s'unir en un corps capable de s'opposer au roi.

A — En vérité, je pense que si le roi avait eu de l'argent, il aurait pu avoir assez de soldats en Angleterre. Il y avait en effet peu de gens du commun qui eussent des préférences pour l'une ou l'autre *cause*, mais qui eussent pris parti pour n'importe quel côté, pour une solde ou du butin. Mais le trésor du roi était très bas, et ses ennemis, qui prétendaient soulager le peuple des impôts, et autres choses spécieuses, tenaient les cordons de la bourse de la Cité de Londres et de la plupart des cités et des villes à charte en Angleterre, et de bon nombre de particuliers par surcroît.

B — Mais comment le peuple en vint-il à être si corrompu ? Et de quel genre étaient les hommes qui avaient pu les séduire à ce point ?

---

1 Henri II Plantagenêt, roi d'Angleterre (1154-1189). (N.d.t.)

2 Jacques VI d'Écosse et Ier d'Angleterre de 1603 à 1625, père du roi Charles. (N.d.t.)

A — Les séducteurs étaient de diverses sortes : une première sorte était constituée par des ministres, ou pour reprendre le nom qu'ils se donnaient, les ministres du Christ, et parfois, dans leurs sermons au peuple, les ambassadeurs de Dieu ; ils prétendaient tenir de Dieu le droit pour chacun d'eux de gouverner sa paroisse, et pour leur assemblée celui de gouverner la nation tout entière.

Deuxièmement, il y en avait un grand nombre, quoique peu comparable à l'autre, qui, nonobstant que le pouvoir du Pape en Angleterre, aussi bien temporel qu'ecclésiastique, eût été aboli par un Acte du Parlement, persistaient cependant à croire que nous devions être gouvernés par le Pape, qui était, selon leur allégation, le vicaire du Christ, et du droit du Christ, le gouverneur de tous les Chrétiens. Ceux-ci étaient connus sous le nom de *Papistes*, tout comme les ministres que j'ai mentionnés précédemment étaient communément appelés *Presbytériens*.

Troisièmement, il y en avait plus d'un qui ne se découvrirent pas au début des troubles, mais se déclarèrent peu après en faveur de la liberté de religion, et avaient des opinions différentes les uns des autres[1]. Certains, parce qu'ils voulaient que toutes les assemblées de fidèles fussent libres et indépendantes les unes des autres, furent appelés *Indépendants*. D'autres, qui soutenaient que le baptême administré aux enfants et à ceux qui ne comprennent pas ce en quoi ils sont baptisés, était sans effet, furent pour cette raison appelés *Anabaptistes*. D'autres encore, qui soutenaient que le royaume du Christ devait à cette époque commencer sur la terre furent appelés les hommes de la *Cinquième Monarchie* ; par ailleurs, il y avait diverses autres sectes, tels que les *Quakers*, les *Adamites*, etc, dont je ne me rappelle pas bien le nom ni les doctrines particulières. Voilà quels étaient les ennemis qui se dressèrent contre le roi, au nom de l'interprétation privée de l'Écriture exposée à l'examen de tout homme dans sa langue maternelle.

Quatrièmement, il y avait un nombre considérable d'hommes de la meilleure sorte, qui avaient reçu dans leur jeunesse une instruction qui

---

[1] Ici, Hobbes se place dans l'optique d'une théorie du complot, selon laquelle les sectaires, et principalement les Indépendants (dont Cromwell), auraient volontairement dissimulé leurs différences pour mieux trahir ensuite les Presbytériens ; en fait, les différences étaient perçues bien avant, et l'alliance tint bon jusqu'à la guerre civile, car ensuite les Presbytériens furent choqués par les théories de leurs alliés sur l'indépendance des communautés de fidèles. En revanche, Hobbes montre bien dans le reste du traité comment les deux courants se sont séparés, puis combattus. (N.d.t.)

leur avait fait lire les livres écrits par les hommes fameux des anciennes républiques grecques et romaine, au sujet de leurs constitutions politiques et des actions d'éclat accomplies en leur sein, et où le gouvernement populaire est célébré sous le nom glorieux de liberté, et la monarchie dépréciée sous celui de tyrannie, et qui tombèrent par là amoureux de leurs formes de gouvernement. Or c'est parmi ces hommes qu'était choisie la majeure partie de la Chambre des Communes, ou, s'ils n'en constituaient pas la majeure partie, ils pouvaient cependant toujours, grâce à leur éloquence, y faire incliner tout le reste de leur côté.

Cinquièmement, la Cité de Londres et les autres grandes villes de commerce, tenant en haute admiration la grande prospérité des Pays Bas après leur révolte contre leur monarque le roi d'Espagne, inclinaient à penser qu'un changement de gouvernement semblable dans notre pays serait pour eux la cause d'une semblable prospérité.

Sixièmement, il y avait un très grand nombre d'hommes qui soit avaient gaspillé leur fortune, soit l'estimaient trop mince pour les talents dont ils se croyaient pourvus, et il y en avait davantage qui étaient vigoureux de corps, mais ne voyaient pas le moyen de gagner honnêtement leur pain. Ceux-là désiraient vivement une guerre, et espéraient vivre par la suite de s'être judicieusement ralliés à un parti, et servirent par conséquent pour la plupart sous ceux qui avaient le plus d'argent.

Pour finir, le peuple dans son assemblée était dans une telle ignorance de ses devoirs, qu'il n'y avait peut-être pas un homme sur dix mille qui sût quel droit un autre avait de lui commander, ou par quelle nécessité il existait un roi ou une république en faveur de qui il dût se défaire de son argent contre sa volonté, qui ne pensât être à ce point maître de ses possessions qu'il fût impossible de lui en ôter quoi que ce fût sans son consentement sous prétexte de sécurité commune. Roi, pensaient-ils, n'était que le titre d'honneur le plus haut, auquel les titres de gentilhomme, chevalier, baron, comte et duc ne sont que des degrés permettant de s'élever à l'aide des richesses ; ils n'avaient pour règles d'équité que des précédents et des coutumes, et l'on considérait comme le plus sage et le mieux apte à être choisi pour le Parlement, l'homme le plus opposé à accorder des subsides ou d'autres paiements publics.

B — Quand le peuple est dans de telles dispositions, le roi est déjà, à mon sens, expulsé de son gouvernement, de telle sorte qu'ils n'avaient pas besoin de prendre les armes pour y parvenir. Je ne puis en effet imaginer comment le roi arriverait à leur résister en aucune manière.

A — Il y avait en effet beaucoup de difficulté en l'affaire. Mais vous aurez de plus amples informations sur ce sujet dans la suite de cette narration.

Béhémoth ou le long parlement / Thomas Hobbes ; introduction, traduction, notes, glossaires et index par Luc Borot. – Paris : Vrin, 1990. – (*Bibliothèque des textes philosophiques*). – [Pp. 39-43].

HOFFMANN VON HOFFMANNSWALDAU

ALLEMAND **1616-1679**

Issu d'une famille patricienne de Silésie, fils d'un conseiller impérial et secrétaire de la Cour Suprême, Christian Hoffmann von Hoffmannswaldau est d'abord éduqué dans sa ville natale de Breslau, dans l'excellent gymnase Elisabeth, à l'abri des affres de la Guerre de Trente Ans. Il achève ses études à Danzig (1636-1638), où il noue des relations durables avec le vénéré Opitz, à Leiden, où il se lie avec Vossius, et à l'Athenäum d'Amsterdam (1638-1639). Un voyage de deux ans le conduit ensuite en Angleterre, à Paris et, par les villes universitaires de l'Italie du Nord, jusqu'à Rome (1639-1641). De retour à Breslau, il se marie (1643) et se consacre à ses intérêts littéraires et historiques, jusqu'à ce qu'il entre, en 1647, au Conseil de la Ville, au sein duquel il assurera, jusqu'à sa mort, diverses fonctions, jusqu'à celle de Président.

Ses connaissances juridiques, son habileté diplomatique, sa riche culture et son entregent font de lui un excellent négociateur. Il représente sa ville auprès de la Diète d'Empire de Regensburg (1653) et, nommé au Conseil Impérial en 1657, prend part à des missions politiques à Vienne (1657, 1660, 1669-1670). Sa maison hospitalière de Breslau est le cœur d'une vie intellectuelle et sociale considérable ; on vante sa courtoisie et son amabilité ; on apprécie son esprit, son urbanité, son savoir et on s'émerveille devant ses poésies. Dans son éloge funèbre, Daniel Casper von Lohenstein, chef de file du drame baroque tardif en Silésie, l'exaltera : « Opitz imitait les Anciens et les étrangers ; notre Hoffmannswaldau, lui, les a dépassés ».

Sa dette ne va pas seulement à l'Antiquité. La poésie de Hoffmannswaldau doit aussi beaucoup au génie latin, aux procédés rhétoriques et aux jeux subtils de forme, de langage et d'esprit qui illustrent l'œuvre de Marino et des concettistes italiens. Il passera maître, lui aussi, dans l'art de l'*acutezza*, la « pointe », qu'il maniera avec virtuosité et élégance dans ses épigrammes, ses sonnets et, surtout, dans ses *Épitaphes poétiques*.

Une grande partie de ses poèmes voit le jour durant les années 1640. Ses textes circulent dans un cercle restreint d'amis et d'érudits : pour beaucoup de poètes baroques pourvus de charges publiques, la poésie demeurait en effet une activité relativement privée, qu'on ne songeait guère à imprimer. Ce sont des éditions non autorisées qui le décidèrent à s'occuper de publication. En 1679 paraissent les *Adaptations et poèmes allemands* : outre une grande partie de sa production lyrique d'avant 1652, ce recueil comprend sa transcription du *Berger fidèle* de Guarini et ses *Épîtres héroïques* (*Helden-Briefe*). Ces dernières, composées en 1663-1664, sont une imitation des *Héroïdes* d'Ovide, d'une teneur cependant absolument originale. Il s'agit de quatorze échanges de lettres fictives entre couples d'amoureux, pour la plupart des personnages tirés de l'histoire allemande. Le cadre formel est rigoureux : lettre et réponse comptent respectivement cent alexandrins ; une introduction en prose résume l'intrigue. Hoffmannswaldau veut montrer « quel jeu effrayant l'amour mène dans le monde ». Il épingle ainsi les meurtres conjugaux, l'adultère, mais aussi la trangression, par l'amour, des barrières de classes, des antagonismes politiques ou des engagements religieux. L'amour galant, réduit à la sensualité, en est exclu. Illustrations de la puissance de l'Éros, notamment dans des constellations inhabituelles, ces *exempla*, descriptifs et non moralisateurs, développent la conception baroque de l'amour entendu comme grande passion, véritable destin auquel la victime ne peut se soustraire.

Dans la confection du recueil de ses œuvres, Hoffmannswaldau avait écarté la plus grande partie de ses *Lust-Gedichte*, sans doute dans la crainte qu'ils n'obnubilent le jugement de la postérité. Crainte fondée : Hoffmannswaldau eut mauvaise réputation et fut considéré comme frivole et licencieux à la suite de la publication du « Recueil de Neukirch », une anthologie en sept volumes de la lyrique baroque et du début de l'Aufklärung, parue de 1695 à 1727. Benjamin Neukirch, l'éditeur des deux premiers volumes (1695, 1697) compta beaucoup, pour attirer le lecteur, sur l'effet que produirait la publication de quelque 115 poèmes inédits du poète de Silésie, choisis précisément pour leur caractère galant. Ces poèmes, à l'opposé de la lyrique amoureuse spiritualisante du pétrarquisme — que Hoffmannswaldau maîtrisait par ailleurs — vantent les plaisirs sensuels de l'amour et les attraits corporels de la femme, jusqu'à constituer des catalogues descriptifs et une topographie complète des beautés féminines, depuis les « rangées de perles brillantes » de la dentition jusqu'aux « petits seins d'ivoire ».

Le discrédit où tomba, à l'*Aufklärung*, la conception de l'amour galant et libertin, et le mépris dans lequel le triomphe de la raison, y compris en poésie, tint Marino et le marinisme, le concettisme et ce qui ne sembla plus que verbiage vide et affecté, entraînèrent les revers de la fortune littéraire de Hoffmannswaldau jusqu'à nos jours. Depuis peu, seul le monde universitaire semble amorcer la réévaluation d'une œuvre injustement réduite à un de ses aspects.

Christian Hofmann von Hofmannswaldau / Erwin Rotermund. – Stuttgart : Metzler, 1963. – 94 p. – (*Sammlung Metzler. Abt. D : Literaturgeschichte* ; 29).

Franz Heiduk, "Christian Hoffmann von Hoffmanswaldau". – In : *Deutsche Dichter des 17. Jahrhunderts : Ihr Leben und Werk* / Harald Steinhagen ; Benno von Wiese ; unter Mitarbeit zahlreicher Fachglehrter (Hrsg.). – Berlin : Schmidt, 1984. – [Pp. 473-496].

The Heroism of Love in Hoffmannswaldau's « Heldenbriefe » / Véronique Helmridge-Marsillian. – Tübingen : Max Niemeyer Verlag, 1991. – VII-269 p. – (*Studien zur Deutschen Literatur* ; 113).

ÉPÎTRES HÉROÏQUES 257

H. Roland — 1996

Héloïse et Abélard. — L'amour d'Héloïse conjugue l'intelligence et la passion. Son expression mêle, dans le filigrane d'allusions et d'équivoques subtiles, les souvenirs durables, les possibilités inaccomplies et les inaltérables acquis d'une histoire que son drame perpétue dans le ciel, désormais universel, des immortelles fascinations.

Une lettre de sang appelle une lettre de pleurs
La blessure qui t'entaille me saigne moi aussi
Quel malheur que le ciel m'accorde de dire ma détresse
Sans daigner briser mon corps rompu de fatigue
Au-delà de tout souffle de vanité, au-delà de tout parfum de désir [ardent
Je suis en extase devant ta peine en pleurant

Que les esprits me mènent dans un désir aride
Si jamais je conserve le vif souvenir d'un baiser gourmand
Je ne crains pas d'avouer ma faiblesse
Et que ta main audacieuse m'a conduite dans les feux de l'amour
Comment l'âme d'une femme ne s'enflammerait-elle pas
Lorsqu'un Abélard attise chez elle de telles étincelles
Les mots qui, de ta bouche, ont frappé mon ouïe
Ont de leur charme doux apprivoisé mon âme
Ta main, mon noble ami, m'a fait glisser
Sans toi, j'aurais vécu à l'abri de toute chute
Toi seul m'a fait perdre l'équilibre
Mais qui tombe devant un héros ne tombe pas sans gloire
Que tu m'aies combattue, que tu m'aies ravi toute commande
Demeure mon plus précieux trésor.

Traduction inédite. — *Die Deutsche Literature vom Mittelalter bis zum 20. Jahrhundert. Band III. Das Zeitalter des Barock : Texte und Zeugnisse* / Herausgegeben von Albrecht Schöne. – München : Deutscher Taschenbuch Verlag : GmbH & C°, 1988. – [Pp. 504-505].

POÈMES 258

H. Roland — 1996

Le monde. — Hors du monde, déjà *n'importe où*, comme le dira Baudelaire bien plus tard ; hors du monde seulement « s'étreignent la beauté et l'éternité ».

Qu'est-ce que le monde et son brillant orgueil ?
Qu'est-ce que le monde et toute sa splendeur ?
Méprisable façade aux étroites limites
Nuit sombre et nuageuse que traverse un vif éclair
Un champ bariolé où fleurissent les chardons des chagrins
Un bel hôpital où couvent tant de maladies
Une maison d'esclaves où tous les hommes sont asservis
Une tombe moisie couverte d'albâtre.
Tel est le sol sur lequel nous, hommes, bâtissons,
Et ce que l'homme charnel idolâtre.
Viens, mon âme, et apprends à voir au-delà
De l'étendue du cercle de ce monde
Retires-en le maigre éclat
Apprends la lourde charge des plaisirs.

Ainsi atteindras-tu aisément ce havre
Où s'étreignent la beauté et l'éternité.

Traduction inédite. — *Die Deutsche Literature vom Mittelalter bis zum 20. Jahrhundert. Band III. Das Zeitalter des Barock : Texte und Zeugnisse* / Herausgegeben von Albrecht Schöne. – München : Deutscher Taschenbuch Verlag : GmbH & C°, 1988. – [P. 251].

POÈMES 259

M. Petit — 1993

La beauté fugitive.

Un jour, au bout du temps, la pâle mort viendra,
Elle caressera tes seins de sa main froide,
Le corail délicieux des lèvres sera blème,
La neige chaude des épaules, un sable froid ;

L'éclair doux de tes yeux, les forces de ta main
Auxquelles tout se plie, le temps les brisera ;
Les cheveux maintenant si près de l'or qui brille,
Ans et jours comme une charpie les détruiront.

Le pied bien façonné, les gestes adorables
Tomberont en poussière et rien et moins que rien,
Nul ne sacrifiera sur l'autel de ta gloire.

Tout cela, et bien plus encore, doit disparaître ;
Ton cœur lui seul pourra en tout temps demeurer
Parce que la nature en diamant l'a fait.

Anthologie bilingue de la poésie allemande / édition établie par Jean-Pierre Lefebvre. – Paris : Gallimard, 1993. – (*Bibliothèque de la Pléiade* ; 401). – [Pp. 229-231].

POÈMES 260

A. Moret — 1957

Esquisse de l'amour.

L'amour est déraison où la raison se mêle,
À la fois haine et paix, duperie et confiance,
Crainte pleine d'espoir, naufrage dont l'épave
Semble pourtant bien douce, un roc qui nous écrase,

Agréable Charybde et saine maladie,
Une faim qui répugne à se voir assouvie.

Une soif après boire, un sang-froid plein d'ivresse,
Un jeu joyeux et beau qu'un noir malheur termine,
Un port où s'engloutit qui se croyait à terre,
Un malaise bien doux, une douceur mal aise,
Un miel amer duquel sort un parfum divin
Mais qui ne laisse au goût que fiel, peste et venin.

Tempête désirée et lumineuse nuit,
Lumière ténébreuse, existence de mort,
Trépas vivant, défaut que l'on peut pardonner,
Mais non pas oublier, flétrissure qui s'orne
De splendeur et de fard, un vice vertueux,
Et remède suave à des forfaits honteux.

Badinage inconstant, constante tromperie,
Impuissante puissance et fixité mouvante,
Raison universelle et comble de folie,
Sentence d'un conseil jugeant sans foi ni loi,
Bien-être désolant, vaine félicité,
Lieu de joie où le cœur pleure sa liberté !

Anthologie du lyrisme baroque en Allemagne / Introduction, textes, traductions par André Moret. – Paris : Aubier-Éditions Montaigne, 1957.

ÉPITAPHES 261

M. Petit — 1977

Un alchimiste.

J'étais un alchimiste, et songeais jour et nuit
À me libérer de la mort par art nouveau
Ce que j'ai tant cherché, je ne l'ai pas trouvé ;
Ce que je voulais fuir m'a rattrapé tout seul.

Poètes baroques allemands / traduits et présentés par Marc Petit. – Paris : Maspéro, 1977. – [P. 68].

ÉPITAPHES 262

I. Piette — 1996

Cicéron.

En ce lieu étroit Cicéron fut laissé
Qui la célèbre Rome secoua à son gré.
Lecteur, ne crains pas d'embrasser cette vilaine tombe :
C'est la bouche de Rome qui sous tes pieds vilains repose.

Traduction inédite. — *Die Deutsche Literature vom Mittelalter bis zum 20. Jahrhundert. Band III. Das Zeitalter des Barock : Texte und Zeugnisse* / Herausgegeben von Albrecht Schöne. – München : Deutscher Taschenbuch Verlag : GmbH & C°, 1988. – [P. 729].

ÉPITAPHES 263

R. Lasne — 1967

L'Amiral anglais Drake.

Sur la houleuse mer j'ai conquis biens et gloire ;
en l'orageuse mer se sont glacés mes sens.
Qu'un roi ait un tombeau d'or et de diamants :
du pli des flots Neptune a drapé mon suaire.

Anthologie bilingue de la poésie allemande des origines à Hölderlin / René Lasne. – Verviers : Marabout, 1967. – (*Marabout Université* ; 37). – [P. 147].

ÉPITAPHES 264

M. Petit — 1977

Un mendiant.

Mes table, siège et lit furent ce vaste cercle.
Deux choses m'attristaient, l'estomac et la bouche.
Je n'ai rien désiré qu'être enterré bientôt
Pour posséder enfin quelque chose : ma tombe.

Poètes baroques allemands / traduits et présentés par Marc Petit. – Paris : Maspéro, 1977. – [P. 68].

VONDEL

NÉERLANDAIS **1587-1679**

Né à Cologne de parents anabaptistes qui avaient fui Anvers et qui, en 1595, quittèrent la ville rhénane, encore pour des raisons religieuses, Joost van den Vondel vit sa famille, après deux ans de prérégrinations en Allemagne, s'établir enfin à Amsterdam, où elle ouvrit un commerce de soierie et de bonneterie, que le poète continuera d'exploiter.

Le jeune Vondel entre en poésie dès 1605 et, jusque dans les années 1620, donne des vers empreints de la piété tranquille des anabaptistes, de la culture des nombreux exilés brabançons et flamands, puis de l'influence croissante du style de Du Bartas. Rien alors ne permet de prévoir l'extraordinaire carrière qui allait faire de lui le poète amstellodamois par excellence, le plus célèbre dramaturge néerlandais et, à partir de 1641, un des plus éminents représentants du baroque littéraire catholique, une espèce de Rubens des lettres.

Vondel, comme poète et comme dramaturge, connut une évolution lente et constante, qu'il compara lui-même aux rivières paresseuses de son pays qui, toujours plus larges et plus profondes, « jamais ne faiblissent mais sans cesse enflent et, la gorge pleine, se jettent en bouillonnant dans la mer féconde. » Ses 24 tragédies en sont la plus frappante mais non la seule illustration. Dans les dédicaces qui, régulièrement, les précèdent, il justifie et illustre abondamment chacune de ses innovations et donne ainsi à son œuvre un accès des plus intéressant : il s'y révèle d'esprit très ouvert, peu soucieux du succès immédiat, jamais inquiet de devoir revenir en arrière. De moins en moins attaché à l'extériorité du spectacle, le dramaturge finira par s'éloigner de son public : un chef-d'œuvre de théâtre lyrique tel que *Adam in ballingschap* (*Adam exilé*, 1664) ne fut par exemple représenté qu'en 1852.

Vers 1620, après que Vondel eut étudié le latin et les modèles antiques, se produit, accompagné d'une sérieuse dépression, le premier grand revirement de sa vie. Saisi par l'humanisme de la Renaissance, il se libère progressivement de son entourage anabaptiste, fréquente l'élite intellectuelle, dont Hooft, et, profondément choqué par l'exécution de Johan van Oldenbarneveldt, se révèle farouchement anti-théocratique et anti-absolutiste. Dans la République menacée par l'intransigeance calviniste, Vondel devient un défenseur infatigable de la liberté de conscience, et de la séparation de l'Église et de l'État. De cette période (1620-1631) datent divers textes polémiques : des satires, des pamphlets et *Palamède* (1625), pièce de théâtre à clefs dirigée contre Maurice de Nassau qui, un temps, contraignit le poète à la clandestinité. Au cours de la même période, son style héroïque s'accomplit, dans des hymnes à Frédéric-Henri, et dans le remarquable *Lof der Zeevaert* (*Éloge de la navigation*), un poème de près de 500 vers où s'affirme une écriture socialement engagée. Sous l'influence de Grotius notamment, il s'y montre opposé à la violence, à l'intolérance et à l'exploitation, chante un monde pacifique, dirigé par la raison et le droit, de même que, dans de nombreux poèmes de circonstance, aussi emportés que solidement construits selon les règles classiques, il se fait le héraut de la politique de paix d'Amsterdam. Entre 1631 et 1637, il conçoit l'ambitieux projet, plus tard abandonné, d'une grande épopée, la *Constantinade* et compose les chants funèbres, aujourd'hui classiques, pour sa femme, ses enfants, ses amis.

Entretemps il écrit aussi plusieurs drames et traduit, entre autres, Grotius et Sénèque. Pour l'inauguration, le 3 janvier 1638, du théâtre d'Amsterdam, on lui demande d'écrire la pièce d'ouverture. Dramatisation audacieuse de la résistance des Amstel durant la prise et la destruction de la ville par les troupes du comte de Hollande en 1304, *Gisbert d'Amstel* y mêle la matière de Troie, le motif de Noël et l'arrière-fond des promesses glorieuses de l'actualité. La pièce est encore jouée, chaque année, à Amsterdam autour du jour de l'an.

Décidément alors, Vondel semble avoir trouvé sa voie : la tragédie l'emporte depuis sa traduction de l'*Electre* de Sophocle en 1639 ; le catholicisme triomphant et expansif le convainc. En 1641, il devient officiellement catholique romain, conversion qu'il clame, non sans provocation : il met en scène des martyres, donne, dans le style des *Héroïdes* d'Ovide, des épîtres de martyres, écrit un poème didactique sur l'eucharistie et une adaptation, littérairement remarquable, des Psaumes de David. Par-dessus tout, il se consacre à la tragédie biblique moderne, une des grandes ambitions de sa vie. Sa série des Joseph (1640 : *Joseph à Dothan* ; *Joseph en Égypte*), remporte un vif succès, qui dure encore. Mais c'est dans son *Gebroeders* (*Frères*, 1640) qu'il adapte, consciemment le premier, la tragédie biblique au modèle grec. Dans cette pièce au style très orné, colorée et pleine d'émotion sur le thème de la vengeance des Gabaonites (2 Samuel, 21, 1-14), David se voit contraint d'exécuter sept garçons de sa famille. Vondel y centre la tension sur le motif sophocléen de la punition différée, sur le combat intérieur de David obligé d'exécuter une sentence contre nature et sur la complexité pathétique des conflits familiaux. La maison tourmentée de David, pendant biblique des Atrides, reparaîtra dans d'autres pièces.

L'apogée de la carrière dramatique de Vondel se situe entre 1648 et 1659, où il crée, autour du héros « aristotélicien », vertueux et pécheur, des drames sur le déchirement de qui succombe à la luxure (*Salomon*, 1648), à l'ambition (*Lucifer*, son chef-d'œuvre, 1654) et à l'obstination (*Jephta*, 1659). Dans cette dernière pièce, apparaît le principe de la péripétie qui dominera dans ses œuvres ultérieures, toujours construites de façon contrastée et illustrative. Pour ce qui est de la pratique et des considérations sur l'« aristotélisme » théâtral, Vondel a, dans ses avant-propos, devancé les classiques français.

À la même époque, Vondel consacre d'admirables poèmes à la peinture, dont il a pénétré la poésie. En 1653, les peintres amstellodamois célèbrent en lui un nouvel Apollon. Mais c'est alors aussi que commencent, dans sa vie, de terribles années : son fils Joost mène l'entreprise familiale à la faillite et meurt, en 1660, au cours de son voyage d'émigration en Indonésie. Ruiné, Vondel, dans ses vieux jours, se verra offrir par sa ville reconnaissante une place de surveillant au mont-de-piété.

Ce malheur familial est suivi d'une période d'activité fébrile. Nombre de pièces traitent alors de conflits entre père et fils, les *David* notamment, parmi lesquels *Adonias* (1661) et *Faëton* (1663), mais ce thème appartient aussi à l'ensemble imaginaire qui stimule l'esthétique baroque : fils révoltés, pères humiliés et triomphants, individu s'affirmant absolument, fascination de l'orgueil et de la chute, raison, passion, foi.

La vieillesse de Vondel est encore féconde de grandes œuvres : une traduction en vers de Virgile, une épopée religieuse (*Joannes de Boetgezant*, 1662), de longs poèmes didactiques sur la splendeur de l'Église catholique (1663), et la très haute envolée poétique, en 7 352 vers, sur Dieu et la religion (*Bespiegelingen van Godt en Godtsdienst*, 1662) théodicée où l'on a, un peu trop énergiquement, reconnu la plus ancienne réaction catholique au monisme de Spinoza, mais qui témoigne de l'élan typiquement baroque où se conjoignent respect pour la transcendance et émotion religieuse. Vers 1668, Vondel achève un troisième livre de *Bespiegelingen*, expression magistrale de la vision catholique baroque sur la création. Il traduit encore les *Métamorphoses* d'Ovide et meurt âgé de 92 ans.

Abordant les aspects fondamentaux de l'existence — naissance et mort, liberté et oppression, bonheur et malheur, bien et mal — l'œuvre de Vondel témoigne d'une admirable maîtrise de la langue, du style et de la poésie. À côté de certains de ses drames, nombre de ses poèmes passionnent encore. Sa liberté de parole et de critique, face à Amsterdam et à l'incomparable République des Pays-Bas, les Provinces-Unies d'alors, dit l'éclat de sa conscience, sa profonde passion pour la paix, sa profonde connaissance et son jugement éminent de la réalité européenne.

Vondel (1587-1679) : Contribution à l'histoire de la tragédie au XVIIe siècle / W.A.P. Smit et P. Brachin ; avant-propos de Marcel Bataillon. – Paris : Didier, 1964. – 190 p. – (*Études de littérature étrangère et comparée* ; 48).

Pierre Mesnard, "Pour le tricentenaire de Vondel, le plus grand tragique chrétien". – In : *Revue de littérature comparée*, 35 (1965), pp. 5-21.

Jacques Voisine, "Un grand tragique du XVIIe siècle : Vondel". – In : *Revue de littérature comparée*, 39 (1965), pp. 123-134.

Cinq tragédies / Joost van den Vondel ; notice biographique et notes, traduction vers par vers dans les rythmes originaux par J. Stals. – Paris : Didier, 1969. – 464 p. – (*Collection Unesco d'œuvres représentatives. Série européenne*).

Karel Porteman, "Joost van den Vondel. *La scène est au ciel*. Panégyrique à l'occasion du tricentenaire de sa mort (1679-1979)". – In : *Septentrion. Revue de culture néerlandaise*, 8 (1979), pp. 87-90.

Vondel et la France : À l'occasion du quatrième centenaire de la naissance à Cologne du dramaturge et poète néerlandais Joost van den Vondel, 1587-1679 / Walter Thys ; traduit du néerlandais par Walter Thys [et al.]. – Lille : Presses universitaires de Lille, 1988. – 186 p.

Mieke Smits-Veldt, "Le théâtre hollandais chez Vondel". – In : *Le Grand Siècle et la Bible* / sous la direction de Jean-Robert Armogathe. – Paris : Beauchesne, 1989. – 834 p. – (*Bible de tous les temps* ; 6).

Karel Porteman, "Van den Vondel". – In : *Lettres européennes. Histoire de la littérature européenne* / sous la direction d'Annick Benoit-Dusausoy et de Guy Fontaine. – Paris : Hachette ; Bruxelles : De Boeck, 1992. – [Pp. 401-404].

GISBERT D'AMSTEL 265

J. Collin de Plancy — 1842

Malvenus sont les conseils de l'ennemi (Acte V, scène 5). — « Le comte Florent V avait donné aux communes de grandes franchises ; il avait favorisé les villes contre les seigneurs rebelles : il avait créé quarante nobles parmi la bourgeoisie ; ce qui avant lui ne n'était pas encore fait. Il avait promulgué plusieurs lois sages, entre autres celle qui établit l'usage de publier à l'avenir, en langue nationale, tous les actes officiels, que jusqu'alors on écrivait en latin. Il favorisait le commerce, les lettres et les arts. Ces innovations louables lui avaient fait des ennemis. Une conspiration, encouragée par les comtes de Flandre et de Gheldre, par des seigneurs allemands et anglais, fut ourdie contre lui ; il paraît qu'on voulait le livrer à l'Angleterre. On mit à la tête du complot Gérard van Velsen, dont on disait que Florent avait déshonoré la femme. Florent ayant voulu résister à ceux qui l'entraînaient, fut percé de trente-deux coups d'épée. Il mourut de la sorte, en l'an 1296, à l'âge de quarante-deux ans. Le peuple, qui avait chéri Florent V, fit tout pour le venger ; Gérard van Velsen ayant été pris à Leyde fut enfermé dans un tonneau garni de clous et cruellement mis à mort. Sa famille et tous les conjurés furent proscrits. Ghysbrecht d'Amstel, qui avait pris part au complot, se retrancha avec ses amis dans son fort ; et ce refuge va devenir Amsterdam. » (Argument de Collin de Plancy).

[Le Seigneur de] VOOREN

Mon seigneur, votre infortune nous afflige profondément. Nous sommes devant les fossés, prêts à monter à l'assaut ; il est temps que vous preniez une prompte résolution et que vous fassiez ouvrir les portes, si vous voulez obtenir grâce et prévenir de nouveaux désastres. [...]

GHYSBRECHT

Vous demandez que je me déshonore. Je ne rendrai la place qu'avec ma vie ; et avant que je tombe il en tombera encore d'autres.

VOOREN

Un héros s'honore-t-il en se sacrifiant inutilement ?

GHYSBRECHT

Tant qu'on tient une place, on ne perd pas toute espérance.

VOOREN

Vous n'en pouvez conserver ici. Votre défense sera vaine.

GHYSBRECHT

C'est ce qu'on verra. Nous combattrons encore.

VOOREN

C'était le moment de combattre lorsque l'ennemi n'était pas maître de votre ville, de ses portes, de ses remparts, lorsque toutes les cloches annonçaient l'incendie, le massacre et le désordre ; que vos soldats et vos bourgeois s'unissaient pour vous soutenir. Mais maintenant que vos remparts sont envahis, que l'hôtel-de-ville est brûlé, qu'il n'y a plus que des morts dans les brillantes armures de vos soldats, vous chercherez vainement à défendre ce château et le peu qui vous reste. Prenez donc à l'instant une décision, quand vous pouvez encore obtenir une capitulation honorable.

GHYSBRECHT

Ce n'est pas ma coutume de demander grâce.

VOOREN

Mais la prudence conseille à tout homme de ne pas négliger son salut. On peut sortir de ses habitudes, quand on voit un danger présent ; et si on a deux partis à prendre, on doit choisir le moins mauvais.

GHYSBRECHT

Je n'ai pas perdu tout espoir. Je compte encore sur l'assistance de Dieu.

[...]

VOOREN

Croyez-moi ; je ne cherche pas à vous intimider par des paroles. Mais au point du jour, avant le lever du soleil, vous vous verrez attaqué, de ce côté-là aussi, par des navires sans nombre. L'amiral Persyn a rassemblé tous les vaisseaux et toutes les barques de la Frise et du Waterland. Tous les hommes des environs se sont levés, à la vue de l'incendie qui dévore l'église et les tours ; et ils marchent contre vous. Comment pourrez-vous résister avec une poignée d'hommes, que leur défaite toute récente et la ruine de toute la ville ont frappés de terreur ? Vous avez tenté une sortie : quel en a été le résultat ? Vos ennemis vous ont repoussé ; vous avez dû reculer en toute hâte et rentrer dans votre château, avec des plaies et du sang répandu ; autrement on vous eût coupé la retraite.

GHYSBRECHT

Mais je ne suis pas blessé. Le sang que vous voyez à ma poitrine vient d'une pierre mal lancée, qui m'a seulement effleuré la peau ; — il n'a besoin que d'être lavé. Et nous sommes rentrés, non point par épouvante, mais parce que nous n'avions pas le projet de pousser plus loin notre sortie.

VOOREN

A quoi bon combattre, lorsqu'on n'y peut rien gagner ?

GHYSBRECHT

C'est quelquefois gagner beaucoup, pour un homme de guerre, que de gagner du temps.

VOOREN

Il vaut mieux transiger quand on le peut, que de subir ensuite des conditions forcées.

GHYSBRECHT

Ma mère m'a toujours recommandé de me défier des conseils de mes ennemis, qui ne peuvent guère m'en donner de bons. Ainsi, pour le moment, Seigneur, je me passerai de vos avis.

VOOREN

Mon maître s'intéresse à tout homme de cœur qui défend bravement son honneur et ses domaines. [...]

GHYSBRECHT

Il m'aime ; et il le montre en détruisant mon héritage ; il m'aime singulièrement, et son affection m'est funeste. Qui a saccagé la ville ? Qui l'a mise à feu et à sang ? Qui, dans cette horrible nuit de fureurs sauvages, a rempli l'Amstel de morts et les rues de cadavres ? Qui a allumé cet incendie dont tout l'horizon est embrâsé ? Quelle tombe, quel autel, quelle église a été épargnée par la main des brigands ? Quels sont les sanctuaires, les chapelles, les cloîtres de jeunes vierges qui n'ont pas été déshonorés, et souillés par ces infâmes ? Je ne parle pas même de mille abominations commises par les soldats, qui ont profané les choses les plus saintes. Les siècles à venir ne parleront qu'en frémissant de tant d'horreurs ; et la juste vengeance de Dieu se chargera de l'expiation.

VOOREN

Cette nuit, je le sais, a été pleine de crimes et de désastres. Mais il serait injuste de rendre les chefs responsables de tout ce qu'ont fait des soldats effrénés, qui ne respectent plus rien, et sur qui la voix de la raison n'a plus d'autorité. L'expérience et la sagesse sont sans pouvoir dans de telles rencontres, où les cœurs sont débordés par le sentiment de la vengeance. Peut-on se flatter de dominer un lion qui a rompu sa chaîne ? Il suit son instinct cruel ; il s'élance et saisit aveuglément tout ce qu'il rencontre. Quand l'épée des guerriers furieux est sortie du fourreau, elle est lente à y rentrer : les ordres ne sont plus respectés ; les prières sont méprisées ; le général, le prince lui-même, ne peuvent plus se faire entendre ; l'épée, ardente à la vengeance, se plonge avec délices dans le sang ennemi ; l'obscurité de la nuit augmente encore l'horreur. Ce dont on rougirait dans le jour, on le fait alors sans honte. Dans cette ivresse de carnage, dans cette aveugle frénésie qui étouffe jusqu'aux dernières lueurs de la raison, qui fait de l'homme policé une bête féroce, on est contraint de lâcher la bride à l'armée. Mon maître, lorsqu'il est venu devant vos remparts, n'avait pas le projet de s'emparer d'Amsterdam, pour la détruire si honteusement ; ce qui s'est fait est pour lui une amère douleur. Quoique le droit de la guerre l'excuse, il n'en approuve pas la rigueur ; il ne poursuit qu'avec peine ; il est plus enclin à la douceur et au pardon, qu'à l'inflexible exigence de ses droits. Ménagez donc votre vie et laissez-moi l'honneur de vous sauver.

GHYSBRECHT

J'aime mieux mourir une fois que cesser d'être libre. Allez ; ne me prodiguez pas plus longtemps vos conseils. Je souffrirai sans me plaindre tout ce que Dieu vous permettra de faire encore contre moi.

Ghysbrecht d'Amstel ou les origines d'Amsterdam / tragédie en cinq actes, par J. Vondel ; traduite en français par J. Collin de Plancy. – La Haye : Société Néerlandaise pour les Beaux-Arts ; Bruxelles : Société des Beaux-Arts, 1842. – [Pp. 18-19].

LUCIFER 266

J. Cohen — 1822

Absurde et révoltante humiliation divine (Acte II, scène II). — Après deux représentations, dans une mise en scène coûteuse et haute en couleur — *La scène est au ciel*, précise le texte —, ce drame de cour sur la révolte des anges fut retiré à cause de l'opposition des prêcheurs. « L'archange Lucifer, le chef et le plus illustre de tous les anges, plein d'orgueil et d'ambition, aveuglé par l'amour-propre, enviait la grandeur infinie de Dieu, ainsi que l'homme, créé à l'image de Dieu, et doué, dans le riche paradis, de la souveraineté du globe terrestre. Son envie prend de nouvelles forces quand Gabriel, héraut de Dieu, vient déclarer que tous les anges sont des esprits esclaves, et quand il leur apprend le mystère de la future incarnation, par laquelle Dieu, négligeant les anges, devait unir sa nature à celle de l'homme, et leur donner à toutes deux un pouvoir et une majesté égale. C'est pourquoi l'esprit orgueilleux et envieux, voulant s'égaler à Dieu, et empêcher l'homme d'entrer dans le ciel, trouve moyen, par ses partisans, de soulever une foule innombrables d'anges, les arme, et en dépit des conseils de Raphaël, les mène au combat contre Michel, chef des troupes célestes, et contre son armée. Vaincu, il entraîne dans sa chute, par esprit de vengeance, le premier homme et tous ses descendants, tandis que lui-même et ses partisans rebelles, précipités dans l'enfer, sont condamnés à une réprobation éternelle. » (J. Cohen).

LUCIFER

O vous qui savez découvrir et dévoiler par l'éclat de votre génie les plus profonds mystères de la divinité, éclairez-moi.

GABRIEL

Quel est le sujet qui vous trouble ?

LUCIFER

C'est la résolution que la Divinité vient de prendre ; résolution par laquelle elle semble mettre moins de prix au ciel qu'à la terre : elle opprime le ciel, tandis que d'un amas de boue elle élève la terre au-dessus de tous les astres ; elle place les hommes sur le trône des anges ; elle enlève à ceux-ci le droit des premiers dons, et leur ordonne désormais de ne travailler qu'au seul bonheur des hommes. Le peuple des purs esprits, consacré jusqu'à présent au service de la cour céleste, devra désormais veiller sur un reptile né de la poussière, lui obéir et le voir augmenter jusqu'à ce qu'il nous surpasse en grandeur et en nombre. Pourquoi l'inépuisable bonté nous abaisse-t-elle à ce point ? quelqu'un d'entre nous a-t-il négligé ses devoirs ? Et comment la Divinité pourrait-elle se mêler aux hommes, négliger la nature des anges élus, et verser son essence et sa nature dans un corps ? Comment pourrait-elle lier l'éternité à un commencement ? ce qu'il y a de plus grand à ce qu'il y a de plus petit ? Le créateur à la créature ? Qui peut comprendre et expliquer une semblable résolution ? La lumière éternelle se cachera-t-elle à l'avenir dans les ombres de la terre ? Faudra-t-il que nous, lieutenans du pouvoir de Dieu, nous fléchissions les genoux devant cette autorité empruntée, cette puissance sensuelle ? Les innombrables êtres spirituels et semblables à Dieu s'abaisseront-ils devant cet élément grossier auquel il a plu à Dieu d'imprimer sa majesté et sa nature ? Nos esprits sont trop lourds pour concevoir ces mystères ; mais vous qui possédez la clef des impénétrables trésors de Dieu, ouvrez le livre scellé, et, si cela vous est permis, dévoilez-nous cette obscure difficulté. Faites-nous connaître la volonté du ciel.

GABRIEL

Vous saurez tout ce qu'il est permis de découvrir des livres célestes. Des connaissances profondes ne profitent pas toujours et nuisent souvent. L'Etre Suprême ne nous dit que ce qu'il juge convenable. Une lumière trop éclatante aveugle même les séraphins. La pure sagesse a voulu cacher en partie ses décrets et les faire en partie connaître. Le sujet, soumis aux ordres et à la volonté de son souverain, est tenu de se conduire d'après les lois qui lui sont imposées. La raison et le but pour lesquels, après une longue suite de générations, nous attendons dans l'avenir le seigneur qui, devenu dieu et homme dans le siècle, portera le sceptre et gouvernera au loin les astres, la terre, les eaux, et tout ce qui existe ; c'est là ce que le ciel veut qui vous reste caché. Le temps en découvrira la cause ; en attendant, obéissez à la trompette de Dieu. Vous savez sa volonté.

LUCIFER

Un étranger, un ver, donnerait donc des lois en ces lieux, et nous [...], nous céderions à son empire ! nous élèverions pour l'homme un trône au-dessus même de Dieu.

GABRIEL

Contentez-vous de votre sort, et du rang que Dieu vous a destiné. Il vous a élevé au sommet de toutes les hiérarchies ; mais il n'a pas voulu que vous portassiez envie à l'éclat et à l'élévation des autres. La rébellion se perdra elle-même, si elle ose s'opposer aux ordres du Très-Haut. Vous ne tirez votre éclat que de la puissance de Dieu.

LUCIFER

Jusqu'ici je ne me suis abaissé que devant Dieu seul.

GABRIEL

Abaissez-vous donc maintenant aussi devant les décrets de la Divinité, qui, après avoir tiré du néant tout ce qui existe, le régit avec tout ce qui doit exister dans un but que nous ne comprenons point.

LUCIFER

Voir l'homme élevé au saint éclat de la Divinité, et assis sur le trône de Dieu ; voir fumer devant lui l'encens, aux chants unanimes de mille et mille chœurs, c'est là ce qui obscurcit la majesté et les rayons brillans de notre astre du matin : il ne jette plus de feux et les joies célestes languissent dans la douleur.

GABRIEL

Le salut consiste à goûter une satisfaction tranquille, et, d'accord avec la volonté de Dieu, à s'y soumettre en toutes choses.

LUCIFER

La majesté de Dieu et sa divinité s'avilissent unissant leur nature au sang des hommes. Nous qui sommes des esprits, nous avons plus de rapports avec Dieu et sa nature, comme fils d'un même père et semblables à lui, s'il est permis de comparer deux choses incomparables, l'infini avec le fini ; une puissance bornée avec celle qui ne connaît point de limites. Si le soleil s'égarait dans sa course et, se couvrant d'un nuage, n'éclairait plus la terre qu'à travers une vapeur épaisse et noire, toute joie ne cesserait-elle pas parmi les hommes ? La race terrestre ne se verrait-elle pas soudain privée d'éclat et de vie ? Combien le soleil perdrait de sa majesté ! Il me semble que le ciel deviendrait aveugle, que les astres se confondraient, et que le désordre remplacerait l'ordre et la règle, si la source de la lumière venait à plonger ses rayons dans un tombeau marécageux. Pardonnez-moi, ô Gabriel, si je contredis ou parais contredire la loi suprême que vous avez proclamée. Nous sommes pleins de zèle pour l'honneur de Dieu ; c'est pour rendre à Dieu ce qui lui est dû que je m'enhardis à ce point, et que je sors ainsi de la route de l'obéissance.

GABRIEL

Vous êtes, dites-vous, plein de zèle pour le nom de Dieu, et vous ne réfléchissez pas que Dieu connaît mieux que vous en quoi consiste sa grandeur. Que cette pensée mette un terme à vos recherches. C'est Dieu devenu homme, qui lui-même ouvrira ce livre mystérieux scellé de sept sceaux. Maintenant vous ne voyez que l'écorce et le fruit vous est dérobé. Alors on verra la cause, la raison, le motif de tous ces mystères ; on pénétrera jusqu'au fond du saint des saints ; maintenant nous devons nous soumettre, adorer cette aurore, nous en servir avec reconnaissance, jusqu'à ce que la sagesse dans sa force dissipe les doutes, comme le soleil dissipe les ombres de la nuit. [...]

Chefs-d'œuvre des Théâtres étrangers [...] traduits en français. Théâtre hollandais. Tome I. Hooft, Vondel, Langendijck / [avec un essai sur la poésie hollandaise, pour servir d'introduction au théâtre hollandais, et traductions de Jean Cohen]. – A Paris : Chez Rapilly, 1827. – [Pp. 226-230].

JOSEPH À DOTHAN 267

J. Giono — 1952

Au fond du puits, sans pitié (Acte III, scène 3). — Cette adaptation de Jean Giono s'est faite à partir d'une traduction littérale de J. Plessens.

SIMÉON

Ici, tu vas finir de pleurer. Déshabille-toi. Vite, ou j'y mets la main.

LÉVI

Apprends-lui avec ce bâton.

JOSEPH

Ah ! frères, pardon ! Ne pouvez-vous pas avoir pitié ? Qu'ai-je fait de mal ?

SIMÉON

Enlève-moi ça, je te dis.

JOSEPH

Qu'ai-je fait de mal ?

LÉVI

Il en est encore à radoter

JOSEPH

Hélas ! Où suis-je ?

LÉVI

À l'endroit où tes rêves insensés vont se réaliser : au fond d'un puits.

JOSEPH

Dans quel coin oublié de Dieu et des hommes suis-je acculé ? Que voulez-vous faire ?

SIMÉON

Te mettre dans le puits.

JOSEPH

Vous voulez me noyer ?

LÉVI

Sommes-nous des gens à te faire boire ? Tu vas aller mourir de faim et de soif là-dedans.

JOSEPH

Mourir ! Je ne vois pas de fond.

SIMÉON

Tu verras le soleil et la lune dans tes rêves, et les étoiles.

JOSEPH

Je vous ai dit la vérité. Je l'ai vraiment rêvé. Je n'ai pas voulu vous vexer.

LÉVI

On parle beaucoup de vérité au moment de mourir.

JOSEPH

Qui peut m'empêcher de rêver d'étoiles ?

LÉVI

Ce puits.
Ce puits t'empêchera de rêver d'étoiles. Ce puits te rendra paisible et muet devant tes frères, ton père et ta mère. Qui monte trop haut doit s'attendre à tomber.

JOSEPH

Je jure sur le ciel et les anges que je n'ai pas besoin de ce puits pour obéir à père, mère, à vous, à toute la famille. Vous avez mal compris ce que j'ai dit. Il n'y avait rien contre vous. Puissiez-vous voir mon cœur. Il est sans mensonge et sans ruse.

SIMÉON

Tu chantes trop bas, maintenant, après avoir chanté trop haut. Quand tu nous dénonçais, qu'est-ce que c'était ? Balivernes ? Naïveté ? Ou des crapauds verts ? Avais-tu besoin de calomnier tes frères, pour la honte de la famille et de jeter de l'huile sur le feu ?

JOSEPH

Qui peut dire qu'il ne s'est pas trompé une fois ?

LÉVI

Il ne s'agit pas d'une fois.

JOSEPH

Fermez les yeux sur toutes les fois.

SIMÉON

Nous avons trop peur de le regretter.

LÉVI

Avec toi, plus on patiente, plus on pâtit.

SIMÉON

Il vaut mieux débarrasser la maison de cette peste.

LÉVI

Déshabille-toi.

JOSEPH

Ne puis-je pas garder cette tunique ?

SIMÉON

Tu n'en as plus besoin.

LÉVI

Il a peur de s'enrhumer.

JOSEPH

J'aurais voulu embrasser Benjamin avant de mourir.

SIMÉON

Benjamin ! Il a un an. Il ne sait même pas qui tu es. Il ne te connaît pas.

JOSEPH

Il a frotté son museau contre ma joue avant que je parte.

LÉVI

Il aurait frotté son museau contre n'importe quoi.

JOSEPH

Il m'a souri ! Et c'était la dernière fois. Je ne savais pas ce qui m'attendait. Tenez. Voilà ce que vous voulez.

SIMÉON

Dépêche-toi. Il ne faudrait pas qu'on vienne troubler la cérémonie maintenant.

JOSEPH

Ah ! frères ! Épargnez-moi. Je ne vous dénoncerai pas.

LÉVI

Nous aimons mieux notre façon de te faire taire. Donnez-moi la corde, vous autres.

JOSEPH

Je suis perdu !

LÉVI

Si tu n'as pas d'ailes, oui ! C'est le moment de rêver que tu es un oiseau.

SIMÉON

Tiens-toi tranquille. Je vais nouer la corde à l'anneau.

LÉVI

Regarde devant toi et ne tombe pas. Si la corde est trop courte, tu resteras pendu comme une cloche.

SIMÉON

Il n'aura qu'à sauter.

LÉVI

Sauter ! Ce serait bon pour nous. L'ange de père portera tout doucement ce bel astre dans la boue sur ses ailes de plume.

SIMÉON

À moins qu'il n'y ait pas d'anges…

LÉVI

Alors, il se cassera le cou. Plus il tombera de haut, mieux ça vaudra. De toute façon, on a fini d'y mettre des formes. Allez, ouste ! À cheval ! La monture de mon Prince est scellée.

SIMÉON

Allons, en selle ! Et chevauche gentiment vers les vrais rêves.

JOSEPH

Mon Dieu ! Pardonnez-leur ce qu'ils font !

SIMÉON

En avant ! Plus de mots !

JOSEPH

Ah ! Laissez-moi parler. Mon cœur étouffe !

LÉVI

Tu pourras parler tant que tu voudras dans le puits.

JOSEPH

J'ai soif. Et j'ai soif de vous entendre parler.

LÉVI

Bois. Tu vois maintenant que l'eau sale est aussi bonne pour la soif que l'eau claire.

JOSEPH

Je bois pour la dernière fois. Et mon cœur aussi.

SIMÉON

Maintenant, en selle ! Voilà mon genou, mon Prince. Le pied à l'étrier, s'il vous plaît.

LÉVI

En route !

JOSEPH

Frères ! Vivez longtemps. Bonne et longue vie. Consolez père de son deuil.

SIMÉON

Ce sera facile.

LÉVI

C'est bien long.

SIMÉON

Alors, es-tu au fond ?

JOSEPH

Pas encore.

LÉVI

Voilà. Enlève la corde et partons.

SIMÉON

Oui. Repos. Il s'agit maintenant de boire et de manger. Le soleil pique.

LÉVI

Venez. Cet endroit manque d'ombre. Écoutez-le crier. Et comme ça résonne !

SIMÉON

Qu'est-ce qu'il chante ?

LÉVI

Je n'en sais rien. Je languis d'être ailleurs.

Domitien, suivi de Joseph à Dothan : théâtre / Jean Giono. – Paris : Gallimard, 1959. – [Pp. 200-210].

ATHANASE KIRCHER

LATIN

1602-1680

Ce jésuite fut sans nul doute un des esprits les plus complets de son époque, et les plus fascinants pour la nôtre. Sa vie ressemble aux romans du XVIIe siècle. Dernier des neuf enfants de Johann Kircher, docteur en théologie à Heiligenstadt, près de Fulda, qui possédait une vaste bibliothèque et s'intéressait de près aux sciences de son temps, il manifeste tôt ses dons intellectuels, et l'on ne tarde pas à lui faire donner des cours particuliers d'hébreu par un rabbin, outre l'enseignement qu'il suit au collège jésuite voisin. Le jeune Athanase échappe durant son enfance à toutes sortes d'accidents : il n'en fallait pas plus pour qu'il se crût appelé par Dieu à un destin exceptionnel. En 1618, il entre comme novice au collège des jésuites de Paderborn, et prononce ses vœux en 1620. La guerre de Trente ans vient cependant interrompre ses études. L'approche du duc Christian de Brunschwick, farouchement hostile à la Compagnie de Jésus, l'oblige à fuir avec quelques compagnons en janvier 1622, à travers une tempête de neige ; en ralliant Cologne, il manque de se noyer en voyant se briser sous ses pas une rivière gelée, puis se fait attaquer par des soldats protestants en regagnant Heiligenstadt. Là, il enseigne les mathématiques, l'hébreu et le syriaque, et, déjà curieux des effets d'optique et de mécanique — comme le jeune Descartes un peu plus tôt au collège de La Flèche —, il combine toutes sortes de machineries et de décors qui attirent l'attention de l'archevêque-électeur de Mayence. Ce dernier l'attache à sa cour ; Kircher y poursuit des recherches sur le magnétisme, qui lui permettront de publier en 1631 son premier livre. Un peu plus tard, il obtient une lunette astronomique et observe le phénomène alors inexpliqué des taches solaires. Il est ordonné prêtre en 1628. Peu de temps après, en feuilletant par hasard un livre consacré à l'obélisque du Vatican, il découvre cet héritage humaniste qui restera ensuite un de ses principaux centres d'intérêts : les hiéroglyphes, leur déchiffrement et la recherche de la langue parfaite.

Différentes mutations, puis l'invasion de la Bavière par Gustave-Adolphe de Suède interrompent ses recherches, et Kircher est une nouvelle fois obligé de s'enfuir, avec son élève et fidèle disciple Caspar Schott (il fera éditer les œuvres restées manuscrites après la mort de son maître). Il obtient l'autorisation de se rendre au collège des jésuites d'Avignon. Dans cette ville, l'érudit Nicolas-Claude Fabri de Peiresc, qui avait entendu parler des prouesses philologiques de Kircher, l'intègre à la communauté scientifique : tandis que Peiresc se fait envoyer des manuscrits de l'Europe entière, voire d'outre-Méditerranée, Kircher et son protecteur s'attachent conjointement au déchiffrement des hiéroglyphes. S'ils n'y parviennent pas — l'étude des livres de Kircher sera néanmoins un siècle plus tard décisive pour Champollion — Kircher en revanche est le premier à établir une grammaire complète du copte (*Prodromus coptus sive ægyptiacus,* 1636), qui sert toujours de référence. En 1633, il est appelé à Vienne, à la cour des Habsbourg, pour succéder à Kepler mais l'initiative, après divers concours de circonstances, n'aura pas de suites, au grand soulagement de Peiresc. Kircher restera désormais au Collège Romain, centre intellectuel de tout l'ordre, afin d'y étudier les hiéroglyphes et mener à bien ses différentes recherches scientifiques. Excepté un voyage jusqu'en Sicile, de 1636 à 1638, qui lui donne l'occasion d'observer les phénomènes volcaniques et les effets de l'attraction magnétique, Kircher ne quitte plus guère Rome et commence à publier ses œuvres, à raison d'un titre tous les trois ou quatre ans, en même temps qu'il constitue un cabinet de curiosités célèbre à travers toute l'Europe — et l'un des premiers musées publics. Kircher reçoit des visiteurs illustres, perfectionne la connaissance des règles de la perspective chez le peintre Nicolas Poussin, entretient une immense correspondance qui révèle notamment que le jeune Leibniz n'est pas le moindre de ses admirateurs. Malade, il consacre les dernières années de sa vie à la pratique d'exercices de piété.

Les livres de Kircher, superbes in-folios magnifiquement gravés, explorent dans un latin de très belle venue tous les domaines du savoir qui pouvaient intriguer les hommes du XVIIe siècle : les lois de l'aimantation, la mécanique des mouvements terrestres, la redécouverte de la langue divine à travers le déchiffrement des hiéroglyphes — et pour ce faire, des caractères chinois (Kircher a regretté toute sa vie de n'avoir pas obtenu l'autorisation de se rendre lui-même en Chine) —, l'interprétation des monuments mythiques comme l'arche de Noé (*Arca Noe in tres libros digesta*, 1675), la tour de Babel (*Turris Babel sive archondologia*, 1679) et la pyramide de Khéops, entre autres sujets. En effet, une idée fondamentale anime toute la carrière du jésuite : retrouver le principe unificateur de l'harmonie universelle, cette manifestation plénière de la divinité que ce monde-ci cache et met en dissonance apparente. Cette conception allégorique d'un univers où le plan inférieur figure le plan supérieur est héritée de la Renaissance néoplatonicienne *via* la kabbale chrétienne ; elle a longtemps conduit à considérer en Kircher un égaré au XVIIe siècle. Et pourtant ses recherches, quelque inaboutis qu'en restèrent les postulats, constituent une étape majeure de l'épistémologie occidentale à l'heure du cartésianisme. En effet, trouver les lois de l'harmonie universelle, c'est déchiffrer tout le réseau de signes épars et incompréhensibles qu'offrent les prodiges naturels ou artificiels, des fossiles aux anamorphoses. Ce faisant, Kircher conduit encore plus avant l'ancienne lecture symbolique du monde et des témoignages antiques que la Renaissance avait instaurée en lui donnant une valeur scientifique, au moment même où la rend caduque l'empirisme expérimental à ses débuts. En effet, les humanistes avaient postulé l'intérêt herméneutique des textes de l'Antiquité lus allégoriquement : il faut interpréter figurativement Platon, Orphée et Hermès Trismégiste, autre nom du dieu égyptien Teuth, l'inventeur des hiéroglyphes. Kircher à son tour interprète les interprétations pour leur conférer une dimension scientifique immédiate. Sous sa plume, les anciens récits servent à identifier dans leur matérialité les figures merveilleuses de la divinité que furent les hiéroglyphes et les pyramides, les courants souterrains divinisés en fleuves dans les *Métamorphoses* d'Ovide, la logique mathématique qui préside chez Platon à la compréhension musicale de l'ordonnancement du cosmos, etc. Le jésuite aboutit ainsi à une littéralisation scientifique des anciens prodiges qui sert en dernière instance à ses yeux de comparant d'un comparé théosophique, car elle est figure de la divinité chrétienne dans sa toute-puissance. Pour épistémologiquement fantaisiste que puisse paraître une telle conclusion, les prémisses du raisonnement ne manquent pas d'efficacité. Certains résultats sont salués en leur temps et n'ont rien perdu de leur validité. Sa *Musurgia universalis* constitue toujours un traité d'harmonie de première importance en musicologie ; dans son *Ars magna sciendi*, Kircher invente les bases du calcul infinitésimal que Leibniz achèvera de théoriser.

Les Sciences humaines et la pensée occidentale. Tome 3 : La révolution galiléenne / G. Gusdorf. – Paris : Payot, 1969. – 2 volumes. – (*Bibliothèque scientifique*).
J.-E. Fletcher, "Athanasius Kircher and the Distribution of His Books". – In : *The Library*, 5th series, vol. 23 (1969), pp. 108-117.
Athanasius Kircher : un homme de la Renaissance à la quête du Savoir Perdu / J. Godwin. – Paris : Librairie Jacques Pauvert, 1980. – 96 p. – [1re édition, anglaise : 1978].
G.-F. Strasser, "La contribution d'Athanase Kircher à la tradition humaniste hiéroglyphique". – In : *XVIIe Siècle,* n°158 (janvier-mars 1988), pp. 83-92.
Symbolique et emblématique humaniste : l'évolution et les genres / A.-E. Spica. – Paris : Champion, 1995. – [Pp. 58-59, 66, 91-99, 443-456].

LE VOYAGE DANS LES ASTRES 268

A.-E. Spica — 1995

Dans la lune (chapitre 2, § 1). — L'*Iter exstaticum* fut publié pour la première fois en 1656, puis réédité quelques années plus tard pour servir de pendant au *Mundus subterraneus* (1664-1665), dans lequel Kircher rassemblait ses théories d'une « tectonique des plaques », en donnant les raisons — à ses yeux — des mouvements telluriques. Il permet à Kircher d'exposer ses conceptions astronomiques sous le couvert d'une fiction à première vue plaisante : le narrateur Théodidacte, « celui qui apprend de Dieu », figure intradiégétique de l'auteur, est pris d'une sorte de transe mystique en entendant un concert de luth, et imagine qu'il parcourt le ciel sous la houlette de l'esprit Cosmiel. Toutefois, l'anecdote apparente — Kircher, nous rapporte Schott, était sujet à ces sortes d'extases — est nourrie d'une double réminiscence littéraire et philosophique, celle du mythe d'Er à la fin de la *République* de Platon, et celle du *Songe de Scipion* inséré par Cicéron dans son *De Republica.* Kircher, ici, renouvelle ces sources en une herméneutique mystique. La scène se joue dans un décor contemporain, une académie italienne, lieu par excellence de semblables spéculations, loin de la ville et des activités mondaines. Ce *locus philosophicus* à la manière des dialogues de l'Antiquité situe le dialogue de Théodidacte et de Cosmiel dans un cadre intemporel, transcendant et révélant tout à la fois. Le platonisme antique, explicité par la lecture herméneutique de la Renaissance, se trouve ici achevé, au plein sens du terme, par son exploitation chrétienne. La révélation de la divinité s'opère à travers un récit allégorique dont la finalité est de sublimer la scientificité réelle, aux yeux de Kircher, par la plus grande louange de Dieu.

THÉODIDACTE. — Il se trouve que je fus récemment invité aux répétitions privées de nos trois incomparables musiciens[1] de l'Académie (si je les appelais des Orphées, je ne serais pas loin de la vérité). Pour me donner un échantillon de leurs dons encore plus virtuose que d'ordinaire, ils me voulurent seul et unique témoin de leur art — ou pour mieux dire, de leur magie musicale, proprement inouïe. Ainsi, lorsque tout fut prêt pour la démonstration et qu'on eut soigneusement choisi l'heure et le lieu, ils commencèrent par un concerto pour deux luths et un théorbe. Il était à la fois d'un équilibre musical et d'une invention harmonique incroyables. Jamais je n'avais assisté à un morceau aussi extraordinaire. Aussi loin que je remonte dans mon souvenir, je n'ai écouté une semblable musique,

1 Il s'agit, précise Kircher, des trois luthistes Michael Angelus Rosius, Laelius Chorista, et Salvator Mazella. (N.d.t.)

qui mêlait aussi subtilement les effets diatoniques aux chromatiques, et ceux-ci à la finesse merveilleusement suave des accords. Il serait presque impossible de trouver les mots pour dire combien ces intrications inhabituelles bouleversaient l'âme. Quand ils passaient d'un montée progressive vers l'aigu à un son grave et languissant, cette langueur pénétrait l'auditeur ; quand ils attaquaient une montée sonore, comme si elle réveillait d'un profond sommeil, ils excitaient je ne sais quoi d'entraînant. Tantôt, en frottant l'archet sur les cordes d'une manière légère et souple, ils semblaient provoquer un même tressaillement de cœur ; tantôt, en laissant entendre quelque lugubre murmure, ils faisaient passer de l'emportement à l'affliction profonde, et l'on se serait cru à la représentation d'un drame antique ; puis, d'une modulation triste, aux notes espacées, ils emportaient progressivement vers des gammes chromatiques resserrées, intenses, pleines de joie et d'allégresse, avec un tel élan qu'il s'en serait fallu d'un cheveu qu'ils ne me fassent passer de l'apathie à la fureur ; en faisant alors naître je ne sais quel tumulte et quelle véhémence féroce, ils incitaient l'esprit au combat et à la bataille par des fugues alternées ; puis, cet élan apaisé en une indicible douceur d'émotion, ils incitaient à la compassion, à l'amour de Dieu et au mépris des choses de ce monde, et il s'élevait de là une immense grâce et majestueuse beauté. J'en étais certain, les antiques génies — Orphée, Terpandre[1] et tous ceux dont le renom est grand chez les musiciens — jamais n'atteignirent à ce degré d'art. Empli de cette incomparable musique, mon esprit, sous l'effet d'une émotion inhabituelle, se trouva ainsi enlevé vers l'harmonie des sphères célestes ; je contemplai alors les lois qui réglaient l'accord et le désaccord mutuel de chacun des éléments de ce monde, de sorte que je remarquai que, pris séparément, leur concorde était pleine de discorde, tandis que leur ensemble conspirait à la conservation de l'harmonie universelle. Comme les variations du concerto agitaient toutes sortes d'images dans mon esprit qui rêvait au gré des modulations harmoniques, il arriva que ce jour-là, j'en vins à contempler plus intensément que d'ordinaire la sagesse du Dieu trois fois grand, qui s'est révélée dans la fabrique admirable et mystérieuse de ce monde. Or voici que soudain, comme si j'avais été tiré d'un profond sommeil, je me crus projeté dans une immense plaine, et devant moi se tenait un homme d'une haute stature ; sa tête et son visage resplendissaient dans un halo de lumière, ses yeux étincelaient comme deux dia-

1 Musicien légendaire de la mythologie. (N.d.t.)

mants ; tout son vêtement était fait d'un tissu inconnu, et façonné en forme de deux ailes compliquées dans une matière étrange : il était presque impossible d'imaginer ou de concevoir une sorte de couleur que ses plumes ne pussent offrir à la vue. Ses mains et ses pieds étaient plus brillants que les plus précieuses pierres ; il portait dans la main droite une sphère, sur laquelle on pouvait apercevoir autant de pierres précieuses incrustées en petites sphères qu'il y a d'astres errants — ouvrage ô combien magnifique ! dans la main gauche, il tenait une toise, d'un admirable travail de joaillerie et de sertissage. Devant une apparition aussi inhabituelle et extraordinaire pour un œil humain, je demeurai sans souffle, les pieds rivés au sol, stupéfait. Mes cheveux se dressaient sur la tête, et ma voix ne pouvait franchir mes lèvres. Le cœur battant, glacé d'effroi jusqu'à la moelle, je me contenais à grand peine, et je n'avais plus la force d'articuler le moindre mot. J'entendis alors une voix, ineffable, douce, suave, aimable, qui fit entendre ces paroles : « Lève-toi, n'aie pas peur, Théodidacte, voici que tes désirs sont exaucés. J'ai été envoyé vers toi pour te montrer la suprême majesté du Dieu Très Grand, autant qu'il est permis à tes yeux de chair, resplendissant dans ses œuvres d'ici-bas. » Moi, réveillé par la voix inouïe de l'habitant céleste, je retrouvai sur le champ mes facultés, et je lui adressai la parole : « qui es-tu, Seigneur ? et quel est cet habit étrange qui te vêt ? » Il répondit : « je suis Cosmiel, le serviteur du Dieu Très-Haut, et le Génie du Monde. Le nimbe brillant qui entoure mes cheveux et dont tu me vois resplendir signifie la splendeur de mon appartenance chérubinique ; mes yeux, qui brillent à l'instar des diamants, sont les éclairs divins, qui nous illuminent du regard éternel de la divinité. Cet habit orné de plumes à l'incommensurable variété de couleurs signifie l'extrême élévation de notre esprit, grâce auquel nous comprenons et réglons les sacrés secrets de la nature et les innombrables vertus de toutes les choses, que l'Artisan suprême a cachés dans cette machine du monde ; la sphère que tu vois désigne le gouvernement des sphères célestes, et la toise, qui nous permet de mesurer toute chose à l'aune de la loi divine, nous aide à maintenir l'harmonie. Quant à toi, mon enfant, tout ce que tu apprendras désormais de ma bouche, garde-le gravé au plus profond de ton cœur, et répands à travers la terre entière la miséricorde divine qui s'exerce à ton égard ».

Traduction inédite. — *Itinerarium exstaticum [...]* / Athanase Kircher. – Herbipoli : Sumptibus J.A. et W. jun. Endterorum hæredibus, 1660. – [Pp. 33-36].

BRIDEL

TCHÈQUE **1619-1680**

Natif de Vysoké Myto, le jésuite Frédéric Bridel fut d'abord professeur de rhétorique et de poésie dans les écoles de la Compagnie puis, de 1656 à 1660, directeur de l'imprimerie académique au Clementinum de Prague, et enfin missionnaire. Il mourut d'avoir contracté la peste au chevet des malades qu'il soignait à Kutná Hora.

Acquis à la propagande littéraire catholique, il donne une *Vie de saint Jean* (1657) où prose et vers alternent pour présenter une figure de solitaire au désert. *Les Crèches* (1658) rassemblent des hymnes, surtout des chants de Noël, d'auteurs antérieurs et de lui-même.

En 1658 également paraît son chef-d'œuvre, *Qu'est-ce que Dieu, Qu'est-ce que l'homme ?*, un poème de 560 vers, construit sur l'antithèse entre la grandeur de Dieu et la petitesse de l'homme. Œuvre capitale de la poésie baroque, maniant magistralement son dynamisme caractéristique, l'antithèse, elle joue des nombreuses oppositions que le thème permet (esprit-matière, Dieu-homme, vie-mort...). Cette œuvre influencera la poésie moderne, surtout romantique et spiritualiste.

Dévouée, en vers et en prose, à la gloire du culte eucharistique, paraît ensuite, en 1659, *La Table du Seigneur*, puis, en 1660, la *Journée du chrétien*, une traduction du catéchisme latin du jésuite français Nicolas Caussin.

QU'EST-CE QUE DIEU, QU'EST-CE QUE L'HOMME ? 269

H. Jehova, M.-Fr. Vieuille — 1981

Moi — pus, boue et poignée d'argile. — Il y a du dégoût dans ce vertige vécu des incommensurabilités entre Dieu et l'homme.

Moi qui ne suis plus que cendre,
Je Te parlerai, Dieu suprême
Moi — pus, boue et poignée d'argile.
Ah ! Que diras-tu au plus vil ?
Que suis-je ? Qui es-Tu, ô Dieu ?
Comment perdre effroi devant Toi ?
Tu es Dieu grand, Tu es Dieu saint,
Comment Te parler, Te prier ?

Que suis-je donc pour jouir
De la jouissance de mon Dieu ?
Je n'existe que pour souffrir,
Je ne suis que vice et misère,
Poussière suis, poignée d'argile,
Ma famille, toute ma race

De la même terre est issue,
Aussi sommes-nous tous mortels.

Puis-je moi, poignée d'argile,
Pépier seulement devant Toi ?
Poussière, atome de poussière,
Puis-je prononcer un seul mot ?
Mon Dieu, Ah mon Dieu, qui es-Tu ?
Et que suis-je ? Moi, vermisseau,
Devenir l'instrument de ta gloire !
Je ne suis qu'un homme débile.

Je suis fumée, vent et vapeur,
Moi, pétri de semence vile,
Brève journée, fugaces jours,
Je suis né du sein de la femme.
Toi abîme donnant naissance
À toute chose de ce monde,
Tu es famille de tout homme,
Vie première et dernière vie.

Je suis tronc, mousse pourrie,
Pesant et massif comme chêne,
Glèbe par Tes mains scellée,
Je suis hébété, imparfait,
Tu es havre de profondeur
Et le saint soutien de la terre,
L'esprit du monde originel
L'essence de toutes choses.

Goutte ruisselante de rosée,
Diamant solitaire du matin,
Coque de noix vide qui tombe
Et petite bulle éphémère —
Tu es le soleil sans matin
Et Tu emplis toute ma coupe
Qui devient pleine de Toi
Et Toi-même, Tu t'en réjouis.

Je suis gangue où le cuivre gît,
Une fleur des champs tôt éclose,
Ma vie est rapide et fugace
Et bientôt le glas sonnera.

Et Toi, du pus, de la rosée,
Tu tailles la petite pierre,
Un anneau qui est cher à l'âme
D'où ma famille surgira.

Je suis cendre, poussière, boue,
Morceau d'argile et pourriture
Auxquels Tu dispenses de l'or
Pour en faire un suave instrument.
Dis, qui es-Tu, ô Dieu saint ?
Que dois-je dire devant Toi ?
Je suis saisi de Ton amour,
Puis-je soupirer devant Toi ?

Je suis la pauvreté, le vice,
La mendicité, la misère,
Toi, Tu es trésor, bonheur pur,
Abondance de tout bien,
De tout bien source première,
Toi, Tu es trésor très étrange,
Je suis racine de tout mal.
Inconstant, vil et incertain.

Tout ce qui est et qui sera,
Tu le sais, ô Dieu tout-puissant,
Je suis un cœur tout hébété
Qui ignore jusqu'à lui-même.
Tu es sens, conseil suprême
Et l'infaillible providence,
Moi, je ne suis que perfidie
D'orgueil et de présomption.

Anthologie de la poésie baroque tchèque / Présentation, traduction et notes de Hana Jehova et Marie-Françoise Vieuille. – Lausanne : Éditions L'Âge d'Homme, 1981. – (*Classiques Slaves*). – [Pp. 92-95].

LA ROCHEFOUCAULD

FRANÇAIS **1613-1680**

Né à Paris dans une famille de haute noblesse, François de La Rochefoucauld, après des études médiocres, se marie, dès l'âge de 15 ans, avec Andrée de Vivonne dont il aura huit enfants. Très tôt, il a des ambitions militaires et politiques. S'il s'illustre, au cours de la guerre de Trente Ans, dans les campagnes de 1635 et de 1636 que la France mène contre l'Autriche, ses débuts politiques ne sont, par contre, guère encourageants. Ses intrigues avec la duchesse de Chevreuse pour soutenir les intérêts d'Anne d'Autriche s'achèvent par son arrestation et son emprisonnement à la Bastille sur l'ordre de Richelieu. Lorsqu'Anne d'Autriche devient régente en 1643, il compte, en vain, sur sa reconnaissance et constate avec amertume qu'elle ne lui confie aucune responsabilité. Il rejoint donc le camp des nobles déçus par un système monarchique qui les prive peu à peu de leurs prérogatives. Il croit, avec la Fronde (1648-1652), que son heure est enfin venue. Attiré dans le parti des frondeurs qui contestent le pouvoir de Mazarin, par la sœur de Condé, Madame de Longueville, comploteuse impénitente avec laquelle il a une liaison sentimentale, il devient lieutenant-général de l'armée rebelle. Il se fait remarquer pour sa bravoure et est grièvement blessé lors d'un combat contre les troupes royales. Mais la défaite des adversaires de Mazarin fera de lui, à nouveau, un perdant.

Amnistié, La Rochefoucauld se tourne vers la vie mondaine. Habitué des salons à la mode, il noue des liens d'amour ou de tendre amitié avec les femmes les plus réputées de son époque : Madame de La Fayette, Madame de Sablé, Mademoiselle de Scudéry, Mademoiselle de Montpensier. Cette existence agréable est bientôt perturbée par la goutte : la souffrance, puis la vieillesse, l'amènent à abandonner peu à peu les mondanités. Il sombre alors dans la misanthropie et se réfugie dans la littérature.

Sa première œuvre (1659) est son propre portrait, écrit pour un recueil collectif destiné à la Grande Mademoiselle, la duchesse de Montpensier. En 1662 paraissent des *Mémoires*. Ces deux ouvrages manifestent déjà son goût de l'analyse psychologique et son attirance pour le paradoxe, qui s'affirmeront dans son œuvre majeure, les *Maximes*. C'est le livre de toute une vie, commencé dès 1658 et constamment modifié, de la première édition de 1664 à la dernière publiée de son vivant, en 1678. Participant de la littérature de salon, adressées à des mondains attirés par le brillant et le paradoxe, les *Maximes* font cohabiter des écritures variées : la brièveté toute classique s'y trouve compensée par un recours tout baroque à une expression imagée et foisonnante. De même, l'abstrait et le concret se mêlent harmonieusement, tandis que la rigueur de la démonstration contraste avec les prestiges de la subjectivité.

Par ailleurs moraliste profond et lucide, La Rochefoucauld exprime une conception originale de l'homme dont le maître mot est l'amour-propre, sorte d'instinct vital qui conduit l'individu à affirmer son identité à l'intérieur de la cellule sociale. Voilà qui l'amène à tout ramener à soi, à essayer, en toute occasion, de faire triompher son intérêt. Un tel comportement fait que toute vertu est intéressée. Vertu et vice, dès lors, loin de s'opposer, sont les deux faces d'une même réalité. La vertu n'est souvent qu'un vice déguisé : entre eux s'opèrent des transferts, selon un processus dans lequel la dissimulation joue un rôle déterminant. Dans ce monde s'imposent les apparences, masques de la réalité, et le hasard, grand ordonnateur des circonstances.

Appliquant cette grille, jusque dans le détail, à l'ensemble des comportements humains, La Rochefoucauld est amené à tirer sur l'homme des conclusions pessimistes. Elles ne l'empêchent cependant pas de proposer un art de vivre. En se défiant de toute sublimation, il convient, à ses yeux, d'affronter l'existence avec lucidité et de rechercher la sincérité. À ces conditions, garantes de l'harmonie individuelle et d'un regard sur la société qui privilégie le mérite vrai et non les valeurs d'apparence, l'homme trouvera sinon le bonheur, du moins la tranquillité d'âme.

La Rochefoucauld / Édith Mora. – Paris : Seghers, 1965. – 192 p. – (*Écrivains d'hier et d'aujourd'hui*).
La Rochefoucauld : augustinisme et littérature / Jean Lafond. – Paris : Klincksieck, 1977. – 281 p.
Essai sur la morale de La Rochefoucauld / Louis Hippeau. – Édition revue. – Paris : Nizet, 1978. – 256 p.
Procès à La Rochefoucauld et à la maxime / Corrado Rosso. – Pisa : Goliardica ; Paris : Nizet, 1986. – 249 p. – (*Histoire et critique des idées* ; 8).

PORTRAIT 270

Un narcissisme tempéré par la lucidité. — Ce portrait obéit aux règles du genre : d'abord la description physique, puis l'évocation morale et intellectuelle. Déjà, dans cette ébauche, La Rochefoucauld montre ses dons d'analyse, son goût pour la clarté et la précision du style, ses tendances à un narcissisme que vient tempérer un certain humour.

L'ambition ne me travaille point. Je ne crains guère de choses, et ne crains aucunement la mort. Je suis peu sensible à la pitié, et je voudrais ne l'y être point du tout. Cependant il n'est rien que je ne fisse pour le soulagement d'une personne affligée ; et je crois effectivement que l'on doit tout faire, jusqu'à lui témoigner même beaucoup de compassion de son mal ; car les misérables sont si sots que cela leur fait le plus grand bien du monde ; mais je tiens aussi qu'il faut se contenter d'en témoigner et se garder soigneusement d'en avoir. C'est une passion qui n'est bonne à rien au-dedans d'une âme bien faite, qui ne sert qu'à affaiblir le cœur et qu'on doit laisser au peuple, qui, n'exécutant jamais rien par raison, a besoin de passions pour le porter à faire les choses. J'aime mes amis, et je les aime d'une façon que je ne balancerais pas un moment à sacrifier mes intérêts aux leurs. J'ai de la condescendance pour eux ; je souffre patiemment leurs mauvaises humeurs, et j'en excuse facilement toutes choses ; seulement je ne leur fais pas beaucoup de caresses, et je n'ai pas non plus de grandes inquiétudes en leur absence. J'ai naturellement fort peu de curiosité pour la plus grande partie de tout ce qui en donne aux autres gens.

Je suis fort secret et j'ai moins de difficulté que personne à taire ce qu'on m'a dit en confidence. Je suis extrêmement régulier à ma parole ; je n'y manque jamais, de quelque conséquence que puisse être ce que j'ai promis et je m'en suis fait toute ma vie une loi indispensable. J'ai une civilité fort exacte parmi les femmes, et je ne crois pas avoir jamais rien dit devant elles qui leur ait pu faire de la peine. Quand elles ont l'esprit bien fait, j'aime mieux leur conversation que celle des hommes : on y trouve une certaine douceur qui ne se rencontre point parmi nous ; et il me semble, outre cela, qu'elles s'expliquent avec plus de netteté, et qu'elles donnent un tour plus agréable aux choses qu'elles disent. Pour galant, je l'ai été un peu autrefois ; présentement je ne le suis plus, quelque jeune que je sois. J'ai renoncé aux fleurettes et je m'étonne seulement de ce qu'il y a encore tant d'honnêtes gens qui s'occupent à en débiter. J'approuve extrêmement les belles passions ; elles marquent la grandeur de l'âme, et quoique, dans les inquiétudes qu'elles donnent, il y ait quelque chose de contraire à la sévère sagesse, elles s'accommodent si bien d'ailleurs avec la plus austère vertu que je crois qu'on ne les saurait condamner avec justice. Moi qui connais tout ce qu'il y a de délicat et de fort dans les grands sentiments de l'amour, si jamais je viens à aimer, ce sera assurément de cette sorte ; mais, de la façon dont je suis, je ne crois pas que cette connaissance que j'ai me passe jamais de l'esprit au cœur.

Œuvres complètes / François de La Rochefoucauld ; édition établie par Louis Martin-Chauffier, revue et augmentée par Jean Marchand ; introduction par Robert Kanters ; chronologie et index par Jean Marchand. – Paris : Gallimard, 1964. – (*Bibliothèque de la Pléiade* ; 24). – [Pp. 5-6].

MAXIMES 271

Causes et effets des passions (1-13). — Les 13 premières des 641 maximes sont, pour l'essentiel, consacrées aux passions. La Rochefoucauld y montre comment l'être humain, aveuglé par l'amour-propre, est dominé par la violence des désirs qui l'agitent continuellement.

Ce que nous prenons pour des vertus n'est souvent qu'un assemblage de diverses actions et de divers intérêts que la fortune ou notre industrie savent arranger ; et ce n'est pas toujours par valeur et par chasteté que les hommes sont vaillants et que les femmes sont chastes.

L'amour-propre est le plus grand de tous les flatteurs.

Quelque découverte que l'on ait faite dans le pays de l'amour-propre, il y reste encore bien des terres inconnues[1].

L'amour-propre est plus habile que le plus habile homme du monde.

La durée de nos passions ne dépend pas plus de nous que la durée de notre vie.

La passion fait souvent un fou du plus habile homme, et rend souvent les plus sots habiles.

Ces grandes et éclatantes actions qui éblouissent les yeux sont représentées par les politiques comme les effets des grands desseins, au lieu que ce sont d'ordinaire les effets de l'humeur et des passions. Ainsi la guerre d'Auguste et d'Antoine[2], qu'on rapporte à l'ambition qu'ils avaient de se rendre maîtres du monde, n'était peut-être qu'un effet de jalousie.

Les passions sont les seuls orateurs qui persuadent toujours. Elles sont comme un art de la nature dont les règles sont infaillibles ; et l'homme le plus simple qui a de la passion persuade mieux que le plus éloquent qui n'en a point.

Les passions ont une injustice et un propre intérêt qui fait qu'il est dangereux de les suivre, et qu'on s'en doit défier, lors même qu'elles paraissent les plus raisonnables.

Il y a dans le cœur humain une génération perpétuelle de passions, en sorte que la ruine de l'une est presque toujours l'établissement d'une autre.

Les passions en engendrent souvent qui leur sont contraires. L'avarice produit quelquefois la prodigalité, et la prodigalité l'avarice ; on est souvent ferme par faiblesse, et audacieux par timidité.

Quelque soin que l'on prenne de couvrir ses passions par des apparences de piété et d'honneur, elles paraissent toujours au travers de ces voiles.

Notre amour-propre souffre plus impatiemment la condamnation de nos goûts que de nos opinions.

---

1 Type d'image cher à la préciosité. C'est ainsi qu'à l'extrême-nord de la fameuse *Carte du Tendre*, au-delà de la *Mer dangereuse*, Mlle de Scudéry a fait dessiner des *Terres inconnues* (les *Terræ incognitæ* des vieux navigateurs).

2 Allusion à la guerre civile qui opposa Octave et Antoine après l'assassinat de Jules César.

Maximes suivies des Réflexions diverses, [...] / La Rochefoucauld ; texte établi par Jacques Truchet. – Paris : Garnier, 1967. – (*Classiques Garnier*). – [Pp. 7-10].

MAXIMES 272

Relativité des qualités et des vices (176-178 ; 180-182 ; 184 ; 186 ; 188-192). — La pratique des qualités est toujours soumise à l'intérêt ; qualités et vices sont intimement liés, et les qualités ne sont que des vices déguisés.

Il y a deux sortes de constance en amour : l'une vient de ce que l'on trouve sans cesse dans la personne que l'on aime de nouveaux sujets d'aimer, et l'autre vient de ce que l'on se fait un honneur d'être constant.

La persévérance n'est digne ni de blâme ni de louange, parce qu'elle n'est que la durée des goûts et des sentiments, qu'on ne s'ôte et qu'on ne se donne point.

Ce qui nous fait aimer les nouvelles connaissances n'est pas tant la lassitude que nous avons des vieilles, ou le plaisir de changer, que le dégoût de n'être pas assez admirés de ceux qui nous connaissent trop, et l'espérance de l'être davantage de ceux qui ne nous connaissent pas tant.

Notre repentir n'est pas tant un regret du mal que nous avons fait qu'une crainte de celui qui nous en peut arriver.

Il y a une inconstance qui vient de la légèreté de l'esprit ou de sa faiblesse, qui lui fait recevoir toutes les opinions d'autrui, et il y en a une autre qui est plus excusable, qui vient du dégoût des choses.

Les vices entrent dans la composition des vertus, comme les poisons entrent dans la composition des remèdes. La prudence les assemble et les tempère, et elle s'en sert utilement contre les maux de la vie.

Nous avouons nos défauts pour réparer par notre sincérité le tort qu'ils nous font dans l'esprit des autres.

On ne méprise pas tous ceux qui ont des vices ; mais on méprise tous ceux qui n'ont aucune vertu.

La santé de l'âme n'est pas plus assurée que celle du corps ; et quoique l'on paraisse éloigné des passions, on n'est pas moins en danger de s'y laisser emporter que de tomber malade quand on se porte bien.

Il semble que la nature ait prescrit à chaque homme, dès sa naissance, des bornes pour les vertus et pour les vices.

Il n'appartient qu'aux grands hommes d'avoir de grands défauts.

On peut dire que les vices nous attendent dans le cours de la vie, comme des hôtes chez qui il faut successivement loger ; et je doute que l'expérience nous les fît éviter s'il nous était permis de faire deux fois le même chemin.

Quand les vices nous quittent, nous nous flattons de la créance que c'est nous qui les quittons.

Maximes suivies des Réflexions diverses, [...] / La Rochefoucauld ; texte établi par Jacques Truchet. – Paris : Garnier, 1967. – (*Classiques Garnier*). – [Pp. 45-49].

MAXIMES 273

Le triomphe de l'hypocrisie (216 ; 218-219 ; 221-222). — Se parer d'une qualité que l'on n'a pas, c'est faire prendre un vice pour une vertu, mais c'est aussi rendre hommage à la vertu en en montrant l'importance.

La parfaite valeur est de faire sans témoins ce qu'on serait capable de faire devant tout le monde.

L'hypocrisie est un hommage que le vice rend à la vertu.

La plupart des hommes s'exposent assez dans la guerre pour sauver leur honneur. Mais peu se veulent toujours exposer autant qu'il est nécessaire pour faire réussir le dessein pour lequel ils s'exposent.

On ne veut point perdre la vie, et on veut acquérir de la gloire ; ce qui fait que les braves ont plus d'adresse et d'esprit pour éviter la mort que les gens de chicane n'en ont pour conserver leur bien.

Il n'y a guère de personnes qui, dans le premier penchant[1] de l'âge, ne fassent connaître par où leur corps et leur esprit doivent défaillir.

Maximes suivies des Réflexions diverses, [...] / La Rochefoucauld ; texte établi par Jacques Truchet. – Paris : Garnier, 1967. – (*Classiques Garnier*). – [Pp. 55-57].

---

1 Déclin.

MAXIMES 274

L'emprise de l'amour-propre (563). — Cette longue maxime souligne la forte emprise de l'amour-propre et montre comment cette impulsion, directrice et protéiforme, concerne les domaines les plus divers.

L'amour-propre est l'amour de soi-même et de toutes choses pour soi ; il rend les hommes idolâtres d'eux-mêmes, et les rendrait les tyrans des autres si la fortune leur en donnait les moyens ; il ne se repose jamais hors de soi, et ne s'arrête dans les sujets étrangers que comme les abeilles sur les fleurs, pour en tirer ce qui lui est propre. Rien n'est si impétueux que ses désirs, rien de si caché que ses desseins, rien de si habile que ses conduites ; ses souplesses ne se peuvent représenter, ses transformations passent[1] celles des métamorphoses, et ses raffinements ceux de la chimie. On ne peut sonder la profondeur, ni percer les ténèbres de ses abîmes. Là il est à couvert des yeux les plus pénétrants ; il y fait mille insensibles tours et retours. Là il est souvent invisible à lui-même, il y conçoit, il y nourrit, et il y élève sans le savoir un grand nombre d'affections et de haines ; il en forme de si monstrueuses que, lorsqu'il les a mises au jour, il les méconnaît[2], ou il ne peut se résoudre à les avouer. De cette nuit qui le couvre naissent les ridicules persuasions qu'il a de lui-même ; de là viennent ses erreurs, ses ignorances, ses grossièretés et ses niaiseries sur son sujet ; de là vient qu'il croit que ses sentiments sont morts lorsqu'ils ne sont qu'endormis, qu'il s'imagine n'avoir plus envie de courir dès qu'il se repose, et qu'il pense avoir perdu tous les goûts qu'il a rassasiés. Mais cette obscurité épaisse, qui le cache à lui-même, n'empêche pas qu'il ne voie parfaitement ce qui est hors de lui, en quoi il est semblable à nos yeux, qui découvrent tout, et sont aveugles seulement pour eux-mêmes. En effet, dans ses plus grands intérêts et dans ses plus importantes affaires, où la violence de ses souhaits appelle toute son attention, il voit, il sent, il entend, il imagine, il soupçonne, il pénètre, il devine tout ; de sorte qu'on est tenté de croire que chacune de ses passions a une espèce de magie qui lui est propre. Rien n'est si intime et si fort que ses attachements, qu'il essaye de rompre inutilement à la vue des malheurs extrêmes qui le menacent. Cependant, il fait quelquefois en peu de temps, et sans aucun effort, ce qu'il n'a pu faire avec tous ceux dont il est capable dans le cours de plusieurs années ; d'où l'on pourrait conclure assez vraisemblablement que c'est par lui-même que ses désirs sont allumés, plutôt que par la

---

1 Dépassent, surpassent.

2 Il ne les reconnaît pas.

beauté et par le mérite de ses objets ; que son goût est le prix qui les relève et le fard qui les embellit ; que c'est après lui-même qu'il court, et qu'il suit son gré, lorsqu'il suit les choses qui sont à son gré. Il est tous les contraires : il est impérieux et obéissant, sincère et dissimulé, miséricordieux et cruel, timide et audacieux. Il a de différentes inclinations selon la diversité des tempéraments, qui le tournent et le dévouent tantôt à la gloire, tantôt aux richesses, et tantôt aux plaisirs ; il en change selon le changement de nos âges, de nos fortunes et de nos expériences ; mais il lui est indifférent d'en avoir plusieurs ou de n'en avoir qu'une, parce qu'il se partage en plusieurs, et se ramasse en une quand il le faut, et comme il lui plaît. Il est inconstant, et, outre les changements qui viennent des causes étrangères, il y en a une infinité qui naissent de lui et de son propre fonds ; il est inconstant d'inconstance, de légèreté, d'amour, de nouveauté, de lassitude et de dégoût ; il est capricieux, et on le voit quelquefois travailler avec le dernier empressement, et avec des travaux incroyables, à obtenir des choses qui ne lui sont point avantageuses, et qui même lui sont nuisibles, mais qu'il poursuit parce qu'il les veut. Il est bizarre, et met souvent toute son application dans les emplois les plus frivoles ; il trouve tout son plaisir dans les plus fades, et conserve toute sa fièrté dans les plus méprisables. Il est dans tous les états de la vie et dans toutes les conditions ; il vit partout, et il vit de tout, il vit de rien ; il s'accommode des choses, et de leur privation ; il passe même dans le parti des gens qui lui font la guerre, il entre dans leurs desseins ; et ce qui est admirable, il se hait lui-même avec eux, il conjure sa perte, il travaille même à sa ruine ; enfin il ne se soucie que d'être, et pourvu qu'il soit, il veut bien être son ennemi. Il ne faut donc pas s'étonner s'il se joint quelquefois à la plus rude austérité, et s'il entre si hardiment en société avec elle pour se détruire, parce que, dans le même temps qu'il se ruine en un endroit, il se rétablit en un autre ; quand on pense qu'il quitte son plaisir, il ne fait que le suspendre, ou le changer, et, lors même qu'il est vaincu et qu'on croit en être défait, on le retrouvre qui triomphe dans sa propre défaite. Voilà la peinture de l'amour-propre, dont toute la vie n'est qu'une grande et longue agitation ; la mer en est une image sensible, et l'amour-propre trouve dans le flux et le reflux de ses vagues continuelles une fidèle expression de la succession turbulente de ses pensées et de ses éternels mouvements.

Maximes suivies des Réflexions diverses, [...] / La Rochefoucauld ; texte établi par Jacques Truchet. – Paris : Garnier, 1967. – (*Classiques Garnier*). – [Pp. 133-136].

ZÉNON

GREC

Env. 1680

Zénon, empereur byzantin, et son cousin Longin s'efforcent, par d'habiles intrigues et en perpétrant force crimes, d'éliminer tous leurs adversaires pour consolider leur pouvoir. Ils déposent d'abord le co-empereur Basiliskos, encore mineur, qu'ils enferment dans un monastère, puis font mettre à mort son père, le général Armakios, sous le prétexte qu'il préparait un coup d'État. Pélage, patricien qui s'opposait aux menées des conspirateurs, est accusé d'idolâtrie, condamné sur la foi de faux témoignages et exécuté. Mais un ministre, Anastase, aspire lui aussi au pouvoir. Encourageant les scélérats dans leurs méfaits, il réussit à les rendre odieux et, profitant de l'indignation populaire, à apparaître lui-même comme un sauveur. L'armée, qu'Anastase est parvenu à soulever contre les criminels, fait irruption dans la salle où ceux-ci croyaient pouvoir fêter leur victoire par un somptueux festin. Zénon, ivre, est enterré vivant. Longin, poursuivi par les ombres de ses victimes, est décapité après avoir tenté de se pendre.

Telle est, réduite à ses grandes lignes, l'intrigue de *Zénon*, tragédie historique anonyme que l'on peut tenir pour la dernière en date des œuvres du « théâtre crétois », bien qu'elle ait probablement été composée entre 1680 et 1683 dans les Îles ioniennes, peut-être à Zante où l'on a de sérieuses raisons de penser qu'elle fut représentée en 1683. La pièce emprunte son sujet — le règne et la chute de l'empereur Zénon (474-491) — au monde des chroniques byzantines (Procope, Évagre, Zonaras, Malalas), mais a pour modèle direct une tragédie latine, intitulée *Zeno*, du jésuite anglais Joseph Simons (1595-1671), qui fut jouée pour la première fois en 1631, avant d'être publiée en 1648, puis traduite en allemand, en anglais et en italien. L'auteur du *Zénon* grec, peut-être un ancien élève du collège jésuite Saint-Athanase de Rome, paraît avoir appartenu aux milieux catholiques des Îles ioniennes : l'hypothèse a été récemment avancée qu'il pourrait s'agir de Georges Scouphos, frère du prosateur François Scouphos.

Comme son modèle latin qu'elle suit assez fidèlement, la tragédie de *Zénon* est un produit caractéristique du théâtre baroque, et plus précisément du drame jésuite à visée édifiante. Les conventions propres à la tragédie de la Renaissance n'y sont plus respectées : la règle de l'unité de lieu est transgressée, les parties chorales autonomes qui terminaient traditionnellement chaque acte ont disparu. Le lyrisme, les longues tirades rhétoriques, l'abondance des monologues qui caractérisent les deux autres tragédies crétoises, *Érophile* et *Rodolinos*, cèdent ici la place à une intrigue plus serrée, à une action plus complexe, qui met en présence un nombre plus grand de personnages, dans des dialogues le plus souvent rapides et mieux adaptés à la représentation scénique. À la différence d'*Érophile* et de *Rodolinos*, *Zénon* est avant tout une tragédie exemplaire, une *blood tragedy* au sujet strictement politique et moral, et d'où, conformément aux règles du théâtre jésuite, les personnages féminins sont exclus : l'amour n'y entre donc pour aucune part, et seuls y sont châtiés le péché d'orgueil, l'appétit de pouvoir et la tyrannie.

L. Martini, “Considerazioni e proposte sullo *Zenone*”. – In : *Miscellanea* / Università di Padova, Istituto di Studi Bizantini e Neogreci. – Padova : Università di Padova, 1978. – [I, pp. 33-51].

W. Puchner, “Recherches théâtrologiques sur le modèle de *Zénon*”. – In : *Thesaurismata*, 17 (1980), pp. 206-284. – [En grec].

Zénon / éd. S. Alexiou et M. Aposkiti. – Athènes : Stigmi, 1991. – [Introduction, en grec, pp. 15-117].

W. Puchner, “Zinon”. – In : *Literature and society in Renaissance Crete* / edited by D. Holton. – Cambridge : Cambridge University, 1991. – [Pp. 154-158].

ZÉNON 275

M. Lassithiotakis — 1996

Dans l'antichambre des enfers (Acte V, scène 8). — Zénon, dans son tombeau, s'étonne de ne pas voir la lumière du jour. Prenant conscience qu'il a été enchaîné et enterré vivant, il appelle en vain à son secours ses alliés de naguère. L'ombre de Longin lui explique alors le retournement de situation qui a conduit à la victoire de leurs ennemis. Pour finir, apparaît le spectre de l'une de leurs victimes, Pélage, venu décrire à Zénon agonisant les souffrances éternelles qui l'attendent dans l'Hadès.

Zénon, dans la tombe, ombres de Longin et de Pélage, soldats ; la scène s'obscurcit.

ZÉNON

Le jour n'est pas levé ? L'aurore à la rose parure
ne vient pas, vers ce lieu dirigeant ses rayons,
dissiper la ténèbre, cette atroce ténèbre,
ni le soleil radieux m'apporter la lumière ?
Ô nuit la plus profonde, ô nuit toujours plus noire,
qui m'accable le cœur, le désole à jamais !
Mais quels sont ces lacets et ces fers à mes mains,
et ces chaînes de fer dont mes pieds sont chargés ?
Où êtes-vous, mes princes ? Arrivez sur-le-champ !
Vous ne venez pas voir votre roi dans les fers ?
Qu'attendez-vous ? Vous ne craignez donc plus son visage sévère ?
Quoi ! vous n'accourez point ? Vous êtes sans pitié !
Frère, tu ne m'entends pas ? Longin, tu te dérobes,
et m'abandonnes en détresse, sans rien dire ?
Proclus, Urbitius, Anastase, vous me laissez au fond du gouffre ?
Vous refusez de me soustraire à ces tourments ?
Tardez encore, et je vous fais décapiter !
Mais où est l'affection que tous vous me portiez ?
M'entendez-vous ? Las ! je ne vois venir personne,
et je comprends, à ce retard, que l'on me hait.
Quel est ce lieu, Zénon, où l'on t'a mis ? L'Hadès ?
Quels impudents t'ont chargé de ces chaînes,
au fond de cette grotte noire poussiéreuse ?

Je suis un mort vivant, je ne puis m'échapper !
Monstres, fantômes de l'Hadès, accourez
— concédez ce plaisir à mon âme meurtrie —
depuis l'Erèbe et le Phlégéton redoutable,
venez me prendre avec la barque de Charon !

Ici apparaît l'ombre de Longin, qui prononce ces mots :

L'OMBRE

Ne gémis plus, cousin, et cesse de pleurer :
tes pleurs ont ravivé le feu de mon supplice.
On m'a percé la poitrine et tranché la gorge,
et volé mon habit de roi et mon trésor.
Toi, c'est vivant qu'on t'a précipité en terre
et qu'on t'a lié sans peine, parce que tu avais bu.
Comme le vin peut obscurcir l'esprit de l'homme,
et apporter la mort, là où l'on croit trouver la joie !
Recrache tout ce vin, recrache-le, si ce n'est fait :
désormais tu ne peux te séparer de moi.
Et remets-moi ton âme, qu'elle vienne me rejoindre :
dans l'Hadès désormais je t'accompagnerai.
Viens ! qu'attends-tu ? Les âmes que tu as ravies
sont restées à pleurer aux portes de l'Hadès :
Cerbère se refuse à les laisser entrer.
On nous attend pour mettre un comble à nos tourments.
J'ai frappé, demandé à descendre en enfer,
on ne veut pas m'ouvrir si tu ne m'accompagnes.
Viens avec moi ! Comme ton âme plaint ton corps !
Laisse Charos, qui est pressé, prendre ta vie.

ZÉNON

Las ! mais où est ma gloire, où donc est ma puissance ?
Mes amis m'ont laissé, mes ennemis m'ont pris.
Je ne vois plus le ciel, et la lumière disparaît ;
mes actes sont mauvais, et le châtiment juste.
La terre, s'entrouvrant, m'engloutit dans son sein :
marcher à sa surface ne m'est plus permis.
Comme des projets fous m'ont fait perdre mon sceptre !
Et mon frère a perdu le trône où je l'avais placé.
Mes serviteurs ne sont plus là : qui pourrait me sauver
et m'éviter d'aller vivant dedans l'Hadès ?

À ce moment apparaît l'ombre de Pélage

Va-t'en, Pélage, horrible monstre, loin de ces lieux !
Que sont venues faire tant d'ombres ? Qui cherchaient-elles ?
Pars, et cesse de mettre au supplice mon cœur ;
pars, à te voir je rends mon dernier souffle.
Pourquoi persécuter un cadavre enterré ?
Se peut-il qu'un vivant fasse souffrir un mort ?
Et puisque le soleil se dérobe à mes yeux,
que les astres, le ciel portent le noir du deuil.
Ô mort inexorable, ô mort, comme je tremble !
Déesses vénérables, emmenez-moi dans les Enfers !

À ce moment, Zénon meurt et l'ombre de Pélage prononce ces paroles :

L'OMBRE

Sur les bords de l'Érèbe, au fleuve de l'Oubli,
où souffle un vent fétide, tu parviendras bien vite ;
là tu demeureras, et tes larmes amères
iront grossir les fleuves et rendront leur eau trouble.
Mais j'aperçois de ton cousin sur les remparts
le cortège funèbre, et je m'arrête un temps.

On entend alors des instruments qui jouent une musique lugubre,
tandis que les soldats s'en vont enterrer Longin en disant :

CHŒUR

D'un souverain cruel la gloire toujours passe,
comme flots que les vents dispersent sur le sable.
La royauté dans notre monde est comme l'arbre
qui pousse lentement, grandit et prend racines ;
et lentement aussi l'homme escalade l'arbre,
et parvient à s'asseoir sur la plus haute branche ;
son bonheur est parfait, mais le vent secoue l'arbre :
du sommet l'homme tombe et vient s'abattre à terre.
De même la Fortune élève l'ambitieux,
mais l'arrache aussitôt comme un arbre stérile.
Cet exemple sanglant suffit à le montrer ;
cette scène obscurcie en apporte la preuve.

Traduction inédite. — *Zénon* / [édité par] S. Alexiou et M. Aposkiti. – Athènes : Stigmi, 1991. – [Pp. 209-212].

CALDERÓN DE LA BARCA

ESPAGNOL

1600-1681

Lope de Vega, le créateur de la « comédie nouvelle », a 38 ans lorsque Pedro Calderón de la Barca naît à Madrid, d'un père greffier au Conseil du Palais. Après des études au collège des jésuites de Madrid et dans les universités d'Alcalá et de Salamanque, il amorce, dans les années 1620, une carrière littéraire et théâtrale qui ne cessera qu'avec la mort et connaîtra des variations successives, selon qu'il se consacrera au théâtre public, écrivant pour les *corrales* de comédies, au théâtre de palais, devenant dramaturge de cour, ou aux *autos sacramentales*, ces drames à grand succès représentés chaque année, en rue puis dans les *corrales*, pour la fête du *Corpus Christi*.

Outre qu'il participe notamment à la campagne militaire de Catalogne dans les années 1640, deux dates marquent sa vie : 1635, où il est nommé directeur des représentations du palais, un poste aux importantes faveurs, et 1651, année de son ordination sacerdotale. Écrire du théâtre de cour — il laisse des pièces mythologiques mémorables — et du théâtre religieux — de grands *autos sacramentales* —, devient son occupation principale, même si cela ne signifie pas que ses œuvres soient absentes du théâtre public ; en effet, il y avait, outre des reprises du répertoire, des passages du *corral* au palais et du palais au *corral*.

Le profil véritable du Calderón de la maturité et de la vieillesse se trouve en effet au croisement de l'homme religieux et de l'homme de palais. Ainsi, un an avant de mourir, il écrit encore une comédie de palais, *Hado y divisa de Leonido y Marfisa* (*Destin et emblème de Leonido et Marfisa*), et, l'année même de sa mort, produit *L'Agneau d'Isaïe* et arrive presque au terme de *La Divine Philothée*. S'il fut un écrivain de grande culture, un poète et un écrivain religieux de large formation philosophique et théologique, un dramaturge méditatif et profond, il ne cessa jamais d'être un courtisan, un favori du palais, qui connut et goûta les applaudissements publics pour ses comédies, ses *entremeses*, *zarzuelas*, et autres *autos sacramentales*

Moins fécond que Lope, Calderón a cependant beaucoup écrit : comédies, *autos sacramentales*, pièces brèves (*entremés*, *jácara*, *mojiganga*) et d'autres genres littéraires. Parfaitement au fait de la technique de la « comédie nouvelle », il lui impose les « nouveautés » de sa forte personnalité créatrice, « baroquisant » le modèle de Lope.

Bien que la question soit encore controversée et qu'il faille tenir compte de décalages chronologiques, on distingue généralement deux styles caldéroniens : d'abord, des œuvres plus légères (comédies d'intrigue, de cape et d'épées), ensuite, du théâtre sacramentel ou mythologique, avec un imposant appareil scénique et verbal. D'un côté, des œuvres de moins grande complexité thématique, rhétorique, stylistique, et de l'autre, des œuvres de grande profondeur philosophique, qui mettent en scène les grands thèmes (liberté, destinée, raison d'État) exprimés, à travers une casuistique complexe, dans un langage dense fait d'images, de métaphores, de figures rhétoriques et dans le style élevé du plus pur baroque. Si l'univers thématique de Calderón paraît à certains relever d'une autonomie analogue à celle qui régit l'édifice de sa grandiose machinerie dramaturgique, il n'en reste pas moins qu'un sens transcendant anime le mécanisme du monde théâtral caldéronien, même si, quelquefois, une mécanique trop pesante peut donner l'impression de la facticité.

Calderón en était d'ailleurs conscient, qui, à l'occasion, ironise sur certains de ses procédés récurrents.

Le très riche réseau des images poétiques de Calderón a fait l'objet de systématisations. Ainsi Hesse a pu les ordonner selon leur appartenance naturelle (réalités astronomiques, lumière, règne animal, etc.) tandis que Wilson a organisé l'imagerie caldéronienne autour des quatre éléments (terre, eau, air, feu), les affinités entre les créatures, leurs attributs, etc. Quel qu'en soit le principe d'ordre, ce système fait fréquemment paraître le paradoxe et dénonce la tromperie des sens. Mais Calderón, qui y manifeste l'habituel goût baroque pour les oppositions, le jeu des contraires, les parallélismes, les répétitions, ne tombe généralement pas dans les excès d'ingéniosité et la subtilité gratuite et ne surcharge pas son œuvre des pesants artifices dont le baroque écrasera sa propre esthétique.

Du théâtre courtisan de Calderón, au style élevé, aux thèmes mythologiques, marqué par le monumental et l'ornemental, on retiendra surtout *Andromède et Persée*, *La Statue de Prométhée*, *Écho et Narcisse*, *Le Fils du soleil; Phaéton*. Très significatives aussi sont les représentations chantées, sous forme de *zarzuela*, comme *Le Jardin de Falerina*, *Le Golfe des sirènes*, *La Pourpre de la rose*.

La Vie est un songe domine son théâtre de signification philosophique. Y apparaissent un grand nombre de problèmes éclairés par le pessimisme et le désenchantement baroques : la beauté, le rêve du pouvoir et de la richesse et les complexes questions politiques de la rébellion ou de la raison d'État.

Dans de nombreuses œuvres théâtrales, la tension dramatique naît, comme souvent dans le théâtre espagnol du XVIIe siècle, des conflits de l'honneur (matrimonial ou social). Dans certaines, comme *À offense secrète, vengeance secrète*, *Le Médecin de son honneur* ou *Le Plus Grand Monstre du monde*, la tension tragique se noue, dans l'entrecroisement de l'amour, de l'honneur et de la jalousie, sous des apparences fausses ou des erreurs, qui font de la femme une victime.

Calderón a fait aussi de l'histoire, espagnole et étrangère, lointaine ou proche, un thème répété de son théâtre. Cela va de la reine Sémiramis (*La Fille de l'air*) au *Siège de Breda*, en passant par l'évocation des conflits avec les *moriscos* (*El Tuzai de la Alpujarra*), le thème américain (*L'Aurore à Copacabana*) et le mélange de religion et d'histoire (*Le Schisme d'Angleterre* et *Le Prince constant*). Principal fournisseur d'*autos sacramentales* pour le *Corpus Christi* de Madrid et d'autres villes, Calderón a proprement accompli cette forme la plus parfaite du théâtre religieux espagnol du XVIIe siècle, ce lieu de rencontre entre théâtre et liturgie, lieu d'action scénique et de cérémonie, de rituel festif et théâtral, dans un univers complexe de concepts théologiques, éthiques, d'histoire sacrée, mis en évidence par la richesse de l'allégorie et du symbole, l'excellence stylistique, la complication scénographique et la sollicitation de tous les sens. On retiendra dans le nombre *Le Grand Théâtre du monde*, *Le Grand Marché du monde*, *Les Charmes de la faute*, *Il n'y a pas d'autre fortune que Dieu*. En dehors même du genre de l'*auto sacramental*, le drame religieux lui a aussi inspiré *La Dévotion de la croix*, *El mágico prodigioso* (*Le Magicien prodigieux*), *Les Cheveux d'Absalon*.

À côté de ce Calderón des grands concepts demeure celui de la comédie d'intrigue, de l'action qui progresse dans un rapide enchaînement de quiproquos, de causes concertées, d'effets menant à un dénouement heureux, des œuvres où le mécanisme théâtral fonctionne de manière parfaitement synchronisée : *Il est malaisé de garder une maison avec deux portes*, *La Dame lutin*, *Avant tout, il y a ma dame*, sans oublier le Calderón du théâtre comique bref des *entreméses*, *jácaras*, *mojigangas*.

Calderón and the Seizures of Honor / Edwin Honig. – Cambridge (Mass.) : Harvard University Press, 1972. – IX-271 p.

Calderón y la crítica : Historia y antología / ed. M. Durán y R. González Echevarría. – Madrid : Gredos, 1976. – 786 p. [2 vol.]. – (*Biblioteca Romanica hispanica. 2. Estudios y ensayos* ; 238).

Calderón de la Barca : Imagery, Rhetoric and Drama / J. V. Bryans. – Londres : Tamesis, 1977. – X-207 p. – (*Tamesis, Série A : Monografias* ; 64).

Los autos sacramentales de Calderón de la Barca / A. Parker. – Barcelona : Ariel, 1983. – 252 p.

Calderón y la tragedia / F. Ruiz Ramón. – Madrid : Alhambra, 1984.

The Play of Power : Mythological Court Dramas of Calderón de la Barca / M. Greer. – Princeton : Princeton University Press, 1991. – 256 p.

La imaginación y el arte de Calderón. Ensayos sobre las comedias / A. Parker. – Madrid : Cátedra, 1991. – 446 p.

Calderón de la Barca et le grand théâtre du monde / Didier Souiller. – Paris : P.U.F., 1992. – 390 p. – (*Écrivains*).

L'ALCADE DE ZALAMEA 276

R. Marrast — 1959

Conseils paternels (Acte II, scène 4). — Crespo, paysan notable de Zalamea, donne à son fils, qui vient de s'engager dans l'armée, un viatique de bons principes.

CRESPO

[…] Pendant que le seigneur don Lope fait ses derniers préparatifs, écoute, mon fils, devant ta cousine et ta sœur, ce que j'ai à te dire. Grâce à Dieu, Juan, tu appartiens à une famille plus pure que le soleil, mais roturière. Je te dis une chose et l'autre : la première, pour que tu ne rabattes pas ta fierté et ta fougue au point de cesser, par manque de confiance en toi, d'aspirer, par une sage détermination, à t'élever ; la seconde, afin que tu n'ailles pas, par excès d'orgueil, t'abaisser.

Mets en pratique, avec modestie, ces deux résolutions ; si tu es modeste, en effet, la droiture de ton jugement te fera prendre le meilleur parti ; et, en agissant ainsi, tu n'attacheras nulle importance aux choses qui, pour les présomptueux, tournent à désavantage.

Combien, en ce monde, qui portaient en eux quelque défaut, l'on fait disparaître par leur modeste conduite ! Combien aussi, qui n'avaient pas de défaut, s'en sont trouvés affligés parce qu'ils étaient mal considérés ! Sois d'une courtoisie parfaite, soit généreux et sache partager : c'est le chapeau et l'argent qui font les amis ; et tout l'or qu'engendre le soleil dans la terre des Indes et que dévore la mer ne vaut pas l'avantage d'être estimé.

Ne dis pas de mal des femmes : la plus modeste, je t'assure, est digne d'estime, car enfin, ce sont elles qui nous donnent la vie.
Ne te bats point pour n'importe quoi. Quand je vois, dans le monde, tous ces gens qui apprennent à se battre, je me dis mille fois en moi-même : « Cette école n'est pas celle qui devrait être. » Car pour moi, je suis d'avis que ce n'est pas l'art de se battre avec adresse, élégance et ardeur qu'elle devrait enseigner à un homme, mais les raisons pour lesquelles il doit se battre. J'affirme que, s'il existait un seul maître qui, bien avisé, enseignât non point comment, mais pourquoi on doit se battre, tous les pères lui confieraient leurs fils. Avec ces conseils, l'argent que tu emportes pour le voyage et te faire faire deux habits dès que tu seras à demeure, la protection de don Lope et ma bénédiction, je te verrai bientôt — je m'en remets à Dieu — dans une autre situation. Adieu, mon fils, car je m'attendris en te parlant.

El Alcalde de Zalamea (=L'Alcalde de Zalamea) / Calderón ; texte établi, présenté et traduit par Robert Marrast. – Paris : Aubier-Flammarion, 1959. – [Pp. 123-125].

L'ALCADE DE ZALAMEA 277

A. Arnoux — 1955

Refus d'un dialogue d'hommes (Acte III, scène 2). — Un capitaine, noble, a enlevé et violé la fille de l'alcade qui, bien que simple paysan, est fier et digne. Ce père bafoué, qui a usé de son pouvoir de police pour faire arrêter le capitaine, s'adresse maintenant à lui d'homme à homme pour réclamer la réparation de l'honneur de sa famille. Le capitaine refusera sa proposition avec mépris. Dès lors, ni sa naissance, ni sa fonction ne le sauveront d'une juste vengeance. La jeune fille déshonorée s'ensevelira dans un couvent.

CRESPO

Je me suis servi de ma fonction, Monsieur, et de la dignité qu'elle confère, pour vous obliger à m'entendre. Ceci obtenu, je n'ai plus besoin d'elle. Je dépose donc son insigne. Un homme vous parle, rien de plus qu'un homme, et il vous dit sa douleur. (*Il dépose le bâton d'alcade.*) Nous nous trouvons seuls, Monsieur, face à face ; expliquons-nous avec clarté. Sans laisser toutefois les sentiments profonds, enfouis au fond du cœur, briser les prisons du silence. Je suis un homme de bien. Si l'on m'avait laissé le choix de ma naissance, je l'eusse voulue sans défaut qui puisse contrister mon orgueil. Cependant mes égaux me traitent avec respect ; le Conseil de la commune me tient en estime et considération. Je possède un patrimoine très suffisant ; je passe même pour le paysan le plus riche du pays. J'ai élevé ma fille dans la modestie, la décence et la vertu. Elle a eu pour modèle et exemple sa défunte mère ; que Dieu ait son âme ! Comme preuve de ce que j'avance, Monsieur, constatez que, riche, nul ne dit du mal de moi, et que, sans vanité, me tenant à mon rang, personne ne se risquerait cependant à me manquer. Nous vivons dans un cercle étroit, ici, où chacun connaît les défauts et les faiblesses des autres. Et l'on ne se contente pas de les connaître, on les publie... Quant à la beauté de ma fille, les extrémités même où elle vous a porté en témoignent suffisamment ; et mes larmes, mon humiliation, mon infortune. Mais n'épuisons pas d'une fois tout le poison de la coupe... Il ne sied pas de compter uniquement sur le temps, Monsieur, pour arranger les affaires ; mettons-y un peu du nôtre. Si je pouvais maîtriser ma douleur, l'ensevelir dans le secret de moi-même, je n'en serais pas arrivé où j'en suis. Certes, je préférerais garder mon malheur muet, sans voix. Mais un si cruel outrage ne peut demeurer sans réparation. Car la vengeance ne constitue pas une réparation suffisante. Et, avisant les divers partis possibles, je n'en vois qu'un qui me convienne et qui vous convienne. Prenez, Monsieur, tout mon bien. Mon fils et moi, nous ne garderons rien pour notre subsistance ; lui-même, il vous suppliera d'accepter ce que je vous propose. Nous irons ensuite, s'il le faut, tendre la main sur les routes. Si ce prix ne vous contente pas, vendez-nous comme esclaves. Ajoutez ce peu que nous valons à la dot d'Isabelle. Rétablissez notre honneur, que vous avez ruiné. Ce que vos enfants perdront d'un côté en m'ayant pour aïeul, ils le regagneront amplement de l'autre puisqu'ils vous auront pour père. Le proverbe castillan le dit : « C'est le cheval qui porte la selle. » Et nul ne l'a jamais contesté. Je m'agenouille devant vous, Monsieur. Voyez mes larmes, mes cheveux blancs. De vous j'implore la restitution de cet honneur que vous m'avez dérobé. Quoiqu'il m'appartienne, je vous le demande très humblement, comme une aumône, comme le don de ce que vous détiendriez légitimement. Songez, Monsieur, que je pourrais le reprendre de force et que je consens à le recevoir de vous, ainsi qu'une libéralité.

LE CAPITAINE

Ah ! l'ennuyeux vieillard. Et quelle longueur de discours ! Rendez-moi plutôt grâces. J'ai épargné votre vie et celle de votre fils ; j'aurais pu vous tuer. Vous ne les devez, ces deux vies, qu'à la beauté d'Isabelle. Enfin, si vous tenez tellement à venger votre honneur, je vous accorde une réparation par les armes, et je n'ai pas grand'chose à craindre de vous. Pour le reste, pour la question de procédure, vous n'avez pas juridiction sur moi.

Trois comédies. [...] L'Alcalde de Zalamea / Calderón ; adaptées par Alexandre Arnoux et précédées d'une introduction. – Paris : Grasset, 1955. – [Pp. 294-296].

LA VIE EST UN SONGE 278

C. Zins — 1982

Le crime est d'être né (Acte I, scène 2). — « Ce texte est à lire comme un essai de *transcription* (plus que de traduction) *poétique et théâtrale* de l'œuvre de Calderón. S'il n'en suit pas le mot à mot, il s'est néanmoins attaché à restituer l'essentiel : écriture rythmée, jeux de sonorités, alternance de style direct et d'envolées lyriques, métaphores baroques. Tout en gardant à l'esprit qu'il s'agissait d'une pièce devant être jouée par des acteurs. C'est à partir de ce texte que fut établie la version (écourtée) destinée à la mise en scène de Jorge Lavelli pour la Comédie-Française. » (Argument de Céline Zins).

La porte s'ouvre et Sigismond apparaît, enchaîné, vêtu de peaux de bêtes.
Un flambeau éclaire faiblement le cachot.

SIGISMOND

Ah pauvre de moi, oh combien infortuné !
Je veux savoir, ô cieux,
puisque vous me traitez ainsi,
quel crime j'ai commis
contre vous en naissant ;
quoique étant né, justement,
je comprenne le crime ainsi commis.
Votre justice, en effet,
a de quoi exercer sa rigueur
puisque de l'homme le crime
majeur est d'être né.
Je voudrais pourtant savoir
ô cieux, en quoi de plus je vous ai offensés
— hormis le crime d'être né —
pour que vous me châtiiez plus encore.
Les autres ne sont-ils point nés ?
et malgré leur naissance
de quels privilèges furent-ils investis
dont jamais je ne fus gratifié ?
L'oiseau vient au monde, et,
tout paré de sa splendeur,
à peine se fait-il bouquet de plumes,
ramage ailé, qu'il fend l'espace éthéré,

délaissant la douceur
du nid protecteur.
Et moi, dont l'âme a plus d'essor
j'aurais moins de liberté ?
La bête vient au monde, et,
le pelage si divinement tacheté,
à peine est-elle traînée d'étoiles,
que l'humaine nécessité,
lui enseignant la cruauté,
en fait un monstre de rapacité.
Et moi, dont l'instinct est plus fort,
j'aurais moins de liberté ?
Le poisson vient au monde, et,
sans souffle, avorton d'ulves et de limon,
à peine se voit-il sur les flots,
vaisseau d'écailles, que de toute part
il mesure l'immensité des pouvoirs
que lui offre l'empire des ondes.
Et moi, au plus grand libre arbitre,
j'aurais moins de liberté ?
Le ruisseau vient au monde, et,
couleuvre glissant parmi les fleurs,
à peine se fait-il serpent d'argent
qu'il chante la majesté
des champs ouverts à son sillage.
Et moi, plus animé de vie,
j'aurais moins de liberté ?
Parvenu à tant de passion,
devenu volcan, Etna en éruption,
je voudrais arracher de mon sein
mon cœur par morceaux.
Quelle loi, justice ou raison
peut-elle dénier aux hommes
si doux privilège,
si vitale faveur,
que Dieu a pourtant accordés à la bête,
au poisson, à l'oiseau, au ruisseau ?

ROSAURE

Son discours m'a emplie
de crainte et de pitié.

SIGISMOND

Qui donc a écouté mes cris ?
Est-ce toi, Clothalde ?

CLAIRON, bas, à Rosaure :

Réponds que oui.

ROSAURE

Ce n'est qu'un autre infortuné, hélas,
qui sous ces voûtes froides
a entendu l'accent de ta mélancolie.

SIGISMOND

Eh bien je vais te tuer,
afin que tu ne saches pas que je sais
que tu connais mes faiblesses.

(Il l'empoigne.)

Pour m'avoir écouté,
de mes deux bras puissants
je vais te mettre en pièces.

CLAIRON

Moi, je suis sourd,
je n'ai rien entendu.

ROSAURE

Si tu es né humain,
il doit suffire que je m'incline
à tes pieds pour me sauver.

SIGISMOND

Ta voix a su m'attendrir,
ta présence arrêter mon bras,
ta noblesse me troubler.
Qui es-tu donc ?
Moi qui connais si peu du monde,
enfermé dans cette tour,
à la fois mon berceau et ma tombe ;

moi qui depuis ma naissance
n'ai contemplé que ce désert aride
où je vis misérable,
squelette vivant,
vivant à l'agonie ;
moi qui n'ai jamais parlé
qu'au seul être qui en ces lieux
connaît mes malheurs et m'apporte
quelques nouvelles du ciel et de la terre ;
moi qui au cœur des ombres et des chimères
suis homme parmi les fauves
et fauve parmi les hommes ;
moi qui malgré mon infortune
ai étudié la politique,
enseigné par les bêtes,
instruit par les oiseaux,
qui ai même des doux astres
mesuré le tour des cercles,
pour moi donc,
toi, toi seul es venu surprendre
l'ardeur de ma colère,
l'éblouissement de mes yeux,
l'émerveillement de mes oreilles.
Plus je te vois,
et plus je m'émerveille ;
plus je te regarde,
plus je désire te regarder.
Mes yeux, je crois bien,
sont devenus hydropiques :
alors que boire signifie la mort,
ils boivent davantage ; ainsi les miens,
voyant que le voir me fait mourir,
meurent d'envie de voir encore.
Mais qu'ils voient et que j'en meure ;
car si te voir me fait mourir,
j'ignore, vaincu déjà,
ce que ne plus te voir me ferait.

Ce serait, plus que mort cruelle,
fureur farouche et forte douleur.
Aussi en ai-je pesé toute la rigueur,
car donner la vie au malheureux,
c'est donner la mort au bienheureux.

La Vie est un songe / Pedro Calderón de la Barca ; texte français de Céline Zins. – Paris : Gallimard, 1982. – [Pp. 15-20]. – (*Le Manteau d'Arlequin*).

LA VIE EST UN SONGE 278 bis

M. Damas-Hinard — 1845

Le crime est d'être né (Acte I, scène 2).

Entre Sigismond ; il est enchaîné et couvert de peaux de bêtes.

SIGISMOND.

Hélas ! malheureux !... hélas ! infortuné !... Ô ciel ! je voudrais savoir au moins, dans mon malheur, quel crime j'ai commis contre toi en naissant ! Est-il juste à toi de me traiter aussi cruellement, puisque mon seul crime est d'être né ? et si cela devait m'être imputé à crime, ne devais-tu pas m'empêcher de naître ? car, pour justifier ta rigueur, tu n'as rien autre à me reprocher... Est-ce que le reste des êtres animés n'ont pas eu naissance ainsi que moi ? et si tous ainsi que moi ont eu naissance, pourquoi donc jouissent-ils de priviléges qui m'ont été refusés ?... L'oiseau naît, et à peine est-il une fleur qui a des plumes et un bouquet qui a des ailes, que, revêtu de sa parure charmante, il s'élance de son nid bientôt oublié, et fend d'un vol léger les plaines de l'air. Et moi qui ai plus d'âme, j'ai moins de liberté !... La bête sauvage naît, et dès que sa peau est marquée de ces taches égales qui y semblent tracées par le plus habile pinceau, elle traverse les forêts en bondissant, et pressée par la nécessité, déchire sans pitié tout ce qu'elle rencontre sur son passage. Et moi, avec de meilleurs instincts, j'ai moins de liberté !... Le poisson naît, et à peine est-il sorti du limon et des algues marines où il fut déposé, — à peine, couvert d'écailles, peut-il se mirer sur les eaux, que, poussé par son caprice et la température de l'humide élément, il parcourt en tous sens l'immensité des mers. Et moi, avec plus d'intelligence, j'ai moins de liberté !... Le ruisseau naît, couleuvre argentée qui se détache parmi les fleurs, et à peine est-il sorti de son berceau parfumé, qu'il se déroule en longs plis avec un doux murmure, et traverse en chantant la plaine qui s'ouvre devant lui. Et moi, avec une vie plus complète, j'ai moins de liberté !... Aussi, quand j'y songe, mon sein se soulève d'indignation, et comme un volcan, il est prêt à lancer feu et flamme. Quelle justice, quelle raison, quelle loi permet donc de refuser à un homme le doux privilège, le droit précieux que Dieu accorde au ruisseau cristallin, au poisson, à la bête sauvage, à l'oiseau[1] ?

ROSAURA.

Ses paroles m'ont inspiré tout à la fois de la crainte et de la pitié.

SIGISMOND.

Qui donc a écouté mes plaintes ?... Est-ce vous, Clotaldo ?

CLAIRON.

Dites que oui.

ROSAURA.

Non, ce n'est pas lui ; c'est un infortuné qui dans ces tristes lieux avait entendu vos gémissements.

SIGISMOND.

Eh bien ! tu vas mourir ; car je ne veux pas qu'il existe personne qui soit instruit de ma faiblesse ; et seulement parce que tu m'as entendu, je vais te presser entre mes bras robustes et te mettre en pièces.

CLAIRON.

Pour moi je suis sourd, et par conséquent je n'ai pas pu vous entendre.

ROSAURA.

Si tu as en toi quelque chose d'humain, me voilà à tes pieds, épargne-moi.

SIGISMOND.

Je ne sais par quelle secrète puissance, mais ta voix m'attendrit et ta présence me trouble. Qui es-tu ? — Car bien que je ne connaisse rien du monde, puisque cette tour, ou, pour mieux dire, cette caverne, a été jusqu'ici mon berceau et mon tombeau ; bien que depuis ma naissance je n'aie jamais vu que cet affreux désert, où je n'ai qu'une misérable existence aussi monotone et aussi triste que la mort ; bien que je n'aie jamais parlé

---

1 Rosaura, dans *les Trois effets de l'amour*, est dans la même situation que Sigismond, et, comme lui, elle compare sa destinée à celle de tous les objets qui l'entourent, mais dans des vers qui ont moins de grâce et d'harmonie. (N.d.t.)

à aucun être vivant, si ce n'est à un homme qui partage ma disgrâce et qui m'a donné quelques renseignements sur le ciel et sur la terre, sur le cours des astres, sur l'art de gouverner les états ; bien qu'à vrai dire, — ce qui cause ton effroi, — je sois un homme parmi les bêtes sauvages et une bête sauvage parmi les hommes, et que tu puisses à bon droit m'appeler un monstre ; — toi seul, sache-le, tu as suspendu ma colère, adouci ma tristesse, et charmé mon oreille et ma vue. Chaque fois que je te regarde, je t'admire davantage, et à mesure que je te regarde je désire davantage te regarder. Je ne comprends pas que mes yeux se fixent ainsi sur toi, car en te voyant je meurs d'envie de te voir[1]. Mais n'importe, laisse-moi te voir, et que je meure ! car si à te voir je ressens un tel effet, que ressentirais-je donc à ne te voir pas ? Ne serait-ce pas une douleur cruelle, une fureur, une rage pires que la mort ? car, après avoir vécu si malheureux, ne serait-ce pas horrible de mourir au moment du bonheur ?

Chefs-d'œuvres du théâtre espagnol. La Vie est un songe / Calderon ; traduction nouvelle, avec une introduction et des notes par M. Damas Hinard. – Paris : Charles Gosselin, 1845. – [Pp. 321-323].

LE GRAND THÉÂTRE DU MONDE 279

É. Vauthier — 1938

Relativité des rôles, égalité des perfections (v. 378-484). — La métaphore du théâtre pour signifier la création et les destinées humaines entend lutter contre l'absurde et accueillir la providence.

LE PAUVRE. — Si je pouvais me dispenser de jouer ce rôle, je m'en dispenserais, quand je vois celui que tu as voulu me donner ; et puisque je ne peux m'expliquer là-dessus, alors que je voudrais en avoir l'audace, je le prends. Mais considère, puisqu'il me faut faire le mendiant, non, Seigneur, ce que je te dirai mais ce que je voudrais pouvoir te dire.

Pourquoi faut-il que dans cette pièce je joue le rôle du pauvre ? Il s'agit donc d'une tragédie pour moi ; et pas pour les autres ? Quand ta main m'a donné ce rôle, ne m'a-t-elle pas fait don d'une âme semblable à celle de celui qui joue le roi ? De la même raison ? De la même essence ? Alors, pourquoi mon rôle est-il si inégal ? Si, au moins, tu m'avais créé d'une autre argile, si tu m'avais paré d'une âme différente et garanti une moins longue vie ; si tu m'avais donné moins de raison ! Mais il paraît que tu

---

1 Mot à mot : Mes yeux, je crois, doivent être hydropiques ; car, etc., etc. (N.d.t.)

avais un autre dessein, Seigneur. Cela semble pure rigueur — pardonne-moi ces mots cruels — que le rôle soit meilleur si l'être ne l'est pas.

L'Auteur. — Au spectacle satisfait également celui qui joue bien le rôle du pauvre, avec sentiment, esprit et action, comme celui qui fait le rôle du roi ; et tous deux sont égaux lorsqu'ils jouent. Remplis le rôle qui t'incombe et crois bien que par la récompense je ferai de vous des égaux. Ce n'est pas parce que tu succombes sous la peine de ta pauvreté que dans ma loi le rôle du roi est meilleur, si le pauvre joue bien le sien. À l'un et l'autre je donnerai le salaire tout entier quand il l'aura gagné ; car il se gagne dans tous les rôles. Toute la vie humaine n'est qu'une représentation. Et la comédie terminée, il viendra dîner à mes côtés celui qui, sans erreur aucune, aura joué le mieux. Là je ferai de vous des égaux.

La Beauté. — Alors, Seigneur, dites-nous, vous, comment dans la langue de Renommée se nomme cette comédie.

L'Auteur. — « Bien agir, car Dieu est Dieu ».

Le Roi. — Il importe beaucoup de ne pas se tromper dans une si mystérieuse pièce.

Le Riche. — Aussi faudrait-il tout d'abord la répéter.

La DIscrétion. — Comment la répéter ? Nous ne pouvons y voir sans lumière, et jusqu'à la représentation nous sommes sans âme et sans existence.

Le Pauvre. — Mais comment jouer ce spectacle sans répéter ?

Le Laboureur. — Du pauvre j'approuve la plainte, car j'en dépose une aussi. Seigneur, pauvre et laboureur font bien la paire. Même une comédie ancienne est pénible à représenter ; si l'on ne commence pas par répéter, on se trompe quand on joue. Pour celle-ci qui est nouvelle, comment pourrait-on réussir sans répétition ?

L'Auteur. — En observant que, le ciel étant juge, il faut réussir du premier coup tout ce qui est vivre et mourir.

La Beauté. — Mais les entrées et les sorties, comment les faire et comment savoir à quel moment elles doivent avoir lieu ?

L'Auteur. — Cela aussi il faudra l'ignorer et réussir en une fois pour ce qui est de mourir et de naître. Soyez toujours prévenus de ceci pour bien remplir votre rôle : je vous appellerai quand vous aurez fini.

Le Pauvre. — Et si jamais nous y perdions la tête ?

L'Auteur. — Pour cela, ô vaste famille, du pauvre jusqu'au roi j'aurai de quoi corriger celui qui se trompe et enseigner l'ignorant. Je soufflerai selon ma loi ; c'est elle qui vous dira à tous ce que vous devez faire ; ainsi jamais vous ne vous plaindrez de moi. Vous avez déjà le libre arbitre, le théâtre est préparé et vous mesurez tous les deux termes de la vie.

Théâtre. Le Magicien prodigieux. Le Grand Théâtre du monde / Calderon ; traduction et introduction de Étienne Vauthier. – Paris ; La Renaissance du livre, s.d. [1938]. – (*Les CentChefs-d'œuvre étrangers*). – [Pp. 115-117].

LA DÉVOTION DE LA CROIX 280

A. Camus — 1953

Désir, désespoir (Acte II, v. 1409-1566). — Eusebio aime Julia, que son père n'est pas disposé à lui donner car il est d'obscure naissance. Enfant trouvé au pied d'une croix, lui-même marqué de ce signe, Eusebio jouit de faveurs prodigieuses dues à la protection de la Croix, à laquelle il voue une fervente dévotion. Le frère de Julia, offensé par l'amour d'Eusebio pour sa sœur, le provoque en duel mais meurt de sa main, geste qui sépare les amants. Eusebio, proscrit, se fait brigand et Julia accepte le couvent auquel la destinait son père. Eusebio va l'y chercher et la convainc de céder à son amour mais lorsqu'il voit la croix dont Julia est elle aussi marquée, il est épouvanté par le péché qu'il s'apprêtait à commettre et s'enfuit. La jeune fille se fait alors criminelle pour le poursuivre. Les brigands sont encerclés et vaincus. Eusebio est blessé et le père de Julia, qui mène la troupe, comprend à la croix inscrite dans la chair du jeune homme qu'Eusebio est son propre fils, jumeau de Julia. Mourant au pied de la croix qui l'a vu naître, Eusebio l'invoque et se suscite ainsi un confesseur *in articulo mortis*. Julia, que son père s'apprête à exécuter pour les crimes qu'elle a commis, invoque elle aussi la croix et disparaît à la vue de tous.

Un couvent, vu de l'extérieur. Entrent Eusebio, Celio et Ricardo.

RICARDO, *à Celio*. — Point de bruit ! Viens ! Place l'échelle ici.

EUSEBIO. — J'escaladerai le ciel jusqu'au soleil lui-même : l'amour enseigne l'audace et la force. Icare sans ailes, Phaéton de la nuit, je franchirai la voûte des cieux. Ôtez l'échelle dès que je serai sur le mur et attendez mon signal. Allons ! Qu'importe de tomber en se hissant vers le sommet, d'être réduit en cendres au milieu de l'ascension ! La chute n'enlève rien à la gloire de s'être élevé.

RICARDO. — Qu'attends-tu ?

CELIO. — Quelle crainte entrave ton indomptable orgueil ?

EUSEBIO. — Ne vois-tu pas ce feu brûlant qui me menace ?

CELIO. — Ce sont là fantômes, capitaine, et qui viennent de la peur.

EUSEBIO. — Quelle peur ?

CELIO. — Alors, monte !

EUSEBIO. — J'y vais. Ces rayons m'aveuglent, mais je passerai à travers les flammes ! Le feu de l'enfer lui-même ne m'arrêtera pas. *(Il monte.)*

CELIO. — Il est entré.

RICARDO. — C'était une hallucination, quelque imagination que sa crainte se créait à elle-même.

CELIO. — Ôte l'échelle.

RICARDO. — Il faut attendre ici jusqu'au jour.

CELIO. — Il lui a fallu de l'audace pour entrer. Quant à moi, j'aurais préféré retrouver ma villageoise. Mais enfin, ces jolis jeux seront pour plus tard.

Ils sortent.

Le couvent. Cellule de Julia. Entre Eusebio.

EUSEBIO. — J'erre dans ce couvent. Personne ne m'a vu. Partout où j'ai porté mes pas, suivant mon étoile, je n'ai trouvé que des cellules dont les religieuses tenaient ouvertes les portes étroites. Mais Julia ne se trouvait dans aucune. Où vais-je ainsi, courant après des espérances toujours trompées ?... Quel épais, quel horrible silence ! Quelle funèbre obscurité !

De la lumière ! Une cellule... et voici Julia ! *(Il tire un rideau et la regarde.)* Allons, pourquoi hésiter ? N'ai-je même plus le courage de lui parler ? Je ne sais plus ce que je veux ni ce que j'attends. Ô craintif courage ! lâcheté intrépide ! Je trébuche en plein élan !

L'humilité de cette robe ajoute encore à sa perfection. L'humilité chez la femme est la beauté elle-même. Et sous cette bure, sa beauté que je convoite honteusement produit en moi le plus violent effet. Mon amour s'excite en même temps du désir que je porte à son corps et du respect que m'inspire sa robe. Julia ! Julia !

JULIA. — Qui prononce mon nom ! Ô mon Dieu ! Qui es-tu, toi qui parais ici ? Es-tu l'ombre de mes désirs ou le fantôme de mes pensées ?

EUSEBIO. — Je te fais donc si peur ?

JULIA. — Ah ! qui ne voudrait fuir loin de toi !...

EUSEBIO. — Arrête, Julia !

JULIA. — Que veux-tu, vaine apparence, ombre, reflet de mon obsession... Est-ce la voix de mon imagination qui parle à mon malheur et qui suscite ici un spectre, la figure d'un songe, la chimère d'une nuit froide !

EUSEBIO. — Julia, entends-moi... Julia... Je suis Eusebio, vivant, à tes pieds. Si je n'étais que la pensée d'Eusebio, elle ne t'aurait jamais quittée.

JULIA. — Ah ! Ta voix me rappelle à la réalité, et à la honte. Que n'es-tu un spectre, en vérité ! Eusebio, que viens-tu faire là où je vis dans la peine, où je meurs dans les larmes ! Que me veux-tu ? Que cherches-tu ? Je tremble, j'appréhende... Quels sont tes nouveaux desseins ? Comment es-tu arrivé jusqu'ici ?

EUSEBIO. — Ô amour, tout en toi est démesure ! Ma douleur et mon chagrin me terrasseront aujourd'hui ! Jusqu'à ce que j'aie connu ton entrée au couvent, j'ai souffert sans cesser d'espérer. Mais, lorsque j'ai su que ta beauté était perdue pour moi, j'ai foulé aux pieds le respect dû aux choses saintes et j'ai violé la loi du cloître. Que ce soit là justice ou blasphème, nous en portons tous deux la faute. Mais, quant à moi, la force et le désir me jettent à toutes les folies. Ma prétention d'ailleurs ne peut affliger le ciel. Avant qu'on t'ait menée ici, tu étais mariée en secret. Tu ne peux être en même temps épouse et nonne.

JULIA. — Je ne nie pas le lien d'amour qui, dans le bonheur, nous fit unir nos deux volontés. Je ne nie pas que notre attirance fut irrésistible. Je t'ai appelé époux bien-aimé. Tout fut comme tu le dis. Mais ici, en prononçant mes vœux, j'ai juré d'être l'épouse du Christ. Je suis à Lui, il a ma parole et ma main. Que pourrais-tu obtenir de moi désormais ? Va-t'en ! Va consterner une fois de plus ce monde dont tu massacres les hommes et forces les femmes ! Va-t'en, Eusebio ! N'espère jamais jouir de ton amour dément. Songe seulement que je suis vouée à Dieu et ta folie te fera horreur.

EUSEBIO. — Plus tu te défends et plus mon désir grandit. Non, Julia... J'ai franchi les murs de ce couvent, je t'ai vue maintenant, et ce n'est plus l'amour qui brûle en moi, mais une force plus sombre. Cède à mon désir, ou je dirai que c'est toi qui m'as appelé et qui me tiens enfermé dans ta cellule, depuis plusieurs jours. Mes malheurs me désespèrent et il faut que je crie. *(Il crie.)* « Sachez tous... »

JULIA. — Arrête, Eusebio !... Songe... Malheur à moi !... J'entends des pas !... On traverse le chœur !... Que faire, ô mon Dieu ! Ferme cette cellule. Reste... Je les craignais, et c'est toi que maintenant je redoute ![1]

EUSEBIO. — Ô puissant amour !

JULIA. — Ô force cruelle de la vie !

Œuvres complètes. Adaptations et traductions. [...] La Dévotion à la Croix / Albert Camus. – Paris : Imprimerie nationale-André Sauret, 1953. – [Pp. 111-114].

---

1 Littéralement : « J'échange une crainte contre une autre. » (N.d.t.)

AVVAKOUM

VIEUX RUSSE **1620-1681/82**

L'archiprêtre Avvakoum Petrovitch naquit dans le village de Grigorovo près de Nijni-Novgorod, d'un père prêtre. Ordonné diacre à 21 ans, prêtre deux ans plus tard, puis archiprêtre, il prit en charge une paroisse dans la même région et adhéra à la *Bratja* (« Fraternité ») œuvrant au renouveau des traditions chrétiennes dans l'État moscovite. En effet, au « temps des troubles », entre la mort du dernier héritier d'Ivan IV, en 1598, et l'avènement de la dynastie des Romanov, en 1613, la vie religieuse avait périclité. Cette Fraternité comptait notamment l'higoumène du monastère Novospasski de Moscou, le prêtre Nikon, l'évêque Paul de Kolomien et des archiprêtres, dont Stéphane Vonifatjev, le confesseur du tsar.

Lorsque Nikon monta sur le trône patriarcal, en 1652, il se voulut réformateur radical de la liturgie et, ce faisant, s'aliéna Avvakoum et la Fraternité. En effet, radicalement et dès les débuts de sa vie pastorale, Avvakoum, en toute indépendance et inflexiblement, avait défendu le rituel traditionnel et la morale orthodoxe, à ses yeux manifestations conjointes et inséparables de la théologie des conciles et de la pensée des Pères de l'Église, formes absolues et définitives de la vérité. Dans son esprit, la liturgie orthodoxe, forme et substance, est manifestation universelle et mystique de la réalité divino-humaine qui imprègne et mesure étroitement la vie quotidienne de chaque chrétien. Mais, par son immobilisme, Avvakoum s'opposait aux hauts fonctionnaires de la hiérarchie de l'Église et au tsar lui-même, qui s'efforça en vain de l'amener à un compromis. Exilé en 1653 à Tobolsk (Sibérie orientale), avec sa famille, il y passa dix ans et demi, dans des conditions extrêmement dures. Après la déposition de Nikon, il put revenir à Moscou, où son enseignement conduisit à une progressive désertion des églises « réformée » et à l'émigration massive de fidèles vers le sud de la Russie, provoquant, en dépit des persécutions, un véritable schisme (*raskol*). Exilé à nouveau dans le grand Nord, emprisonné, excommunié et enfin condamné à mort, Avvakoum fut brûlé à Pustozerk après la mort du tsar Alexis Mikhaïlovitch. *Mutatis mutandis*, la destinée d'Avvakoum présente, près de deux siècles plus tard, des analogies avec celle de Savonarole (cf. *P.L.E.* 6, pp. 613-622).

Synthèse des potentialités de la littérature russe ancienne, l'œuvre d'Avvakoum exprime la mentalité russe traditionnelle, fondée sur la théologie des premiers conciles et, au XVIIe siècle, opposée à la manière occidentale et analytique de penser qui prévalait chez les clercs formés au collège de Kiev. Mentalité qui, dès le XVIe siècle, craignit la sécularisation de la culture et l'affranchissement de la science. Conjoignant, paradoxalement, la tendance à l'individualisme, dominante au XVIIe siècle, l'attitude d'« athlète du Christ » et l'affirmation absolue de la tradition, l'œuvre d'Avvakoum appartient au baroque russe. Sa thématique eschatologique, qui fait écho à l'optimisme de l'eschatologie orthodoxe médiévale, se distingue cependant très nettement du naturalisme baroque des poèmes eschatologiques d'Europe occidentale connus en Russie grâce aux œuvres d'André Balobocki.

Les événements et les polémiques entourant la réforme de la liturgie conduisirent Avvakoum à créer une théologie destinée à exposer aux croyants l'ordre de la vie et de la foi, où la liturgie, aspect fondamental de la Révélation, est icône authentique de la Sainte Trinité. Son interprétation de la main qui effectue le signe de la croix est emblématique de sa théologie fixiste et normative du symbole : les trois doigts (auriculaire, annulaire et pouce) pliés vers le bas actualisent l'être de la Sainte Trinité, alors que les deux (index et majeur) levés vers le haut sont « l'image de la double nature du Christ, Dieu et homme ». On comprend dans cette mesure que tout ce qui entend préserver le sens essentiel de la vérité acquiert et continue de revêtir, indéfiniment, un caractère absolu et obligatoire, qui s'impose donc formellement, aujourd'hui encore, aux *vieux-croyants*.

Avvakoum écrivit quelque quatre-vingt-dix ouvrages. Il prononça des sermons enflammés, écrivit des homélies, des suppliques au tsar, des traités de polémique religieuse, des interprétations de l'Écriture Sainte et des lettres à ses cinq cents enfants spirituels. Néanmoins, son œuvre la plus connue, celle qui possède la plus grande valeur artistique, est *La Vie de l'archiprêtre Avvakoum écrite par lui-même* (vers 1672-1673), son autobiographie, rédigée afin de conforter les fidèles dans la vraie foi. Avvakoum y raconte ses premiers emprisonnements, ses exils, les persécutions dont lui-même et ses compagnons furent victimes, montrant comment Dieu le conduit, lui et les siens, et punit finalement ses adversaires. Son style vigoureux en fait un monument de la littérature de combat.

Altrussischer Glaube. Der Kampf des Protopopen Avvakum gegen die Kirchenreformen des 17. Jhs. / P. Hauptmann. – Göttingen : Vandenhoeck und Rupert, 1963. – 152 p. – (*Kirchen im Osten Monographienreihe* ; 4).

Pierre Pascal, "La Personnalité d'Avvakum". – In : *The Religious World of Russian Culture, Russia and Orthodoxy*. – La Haye ; Paris : Mouton, 1975. – [Vol. II, pp. 207-222].

V.V. Vinogradov : "On the Tasks of Stylistics. Observations regarding the Style of the Life of the Archpriest Avvakum". – In : *The Life written by Himself* / Archpriest Avvakum. – Ann Arbor, 1979.

Avvakum et les débuts du raskol. La crise religieuse au XVIIe siècle en Russie / Pierre Pascal. – 2e édition. – Paris : Mouton, 1983. – XXV-623 p. – (*Études sur l'histoire, l'économie et la sociologie des pays slaves* ; 8).

LA VIE DE L'ARCHIPRÊTRE AVVAKUM 281

P. Pascal — 1938

Préface. — Défense de la langue russe populaire et défiance pour ce qui est savant selon le monde.

[Ma vie, écrite, avec la bénédiction de mon père, l'ancien Épiphane[1], de ma main pécheresse, à moi, l'archiprêtre Avvakum[2].]

---

1 Moine du grand couvent de Solovki, dans la mer Blanche, de 1645 à 1657, Épiphane vécut ensuite dans divers ermitages antiniconiens du Pomorje, puis, vers 1666, se rendit à Moscou dans l'espoir de ramener le tsar à la vieille foi. Inébranlable dans ses opinions, il fut condamné par le concile le 17 juillet 1667, eut la langue coupée, et fut expédié à Pustozerk avec Avvakum. Dès lors se noua entre eux une inaltérable amitié : Épiphane soutint sans réserves l'archiprêtre dans les discussions théologiques qui ne tardèrent pas à s'engager entre les déportés ; Avvakum prit le moine pour directeur, et dans ses lettres il invoque souvent son autorité. Ils devaient périr sur le même bûcher. (N.d.t.)

2 Avvakum était un nom rare, mais non exceptionnel. C'est celui d'un des douze petits prophètes, que nous appelons Habacuc. Le calendrier russe admet beaucoup de personnages de l'Ancien Testament. (N.d.t.)

Si quelque chose y est dite vulgairement, eh bien ! pour l'amour du Seigneur, vous qui lisez et écoutez, ne méprisez pas notre vulgaire[1], car j'aime ma langue russe maternelle et n'ai pas coutume d'orner mon discours de vers philosophiques[2] ; ce ne sont pas les belles paroles que Dieu écoute, mais nos œuvres qu'il veut. Et Paul écrit : si je parle les langues des hommes et des anges, mais n'ai pas la charité, je suis néant. Mais à quoi bon de longues raisons ? Dieu n'attend pas de nous des phrases en langue latine, ni grecque, ni hébraïque, ni en aucune autre langue, il veut la charité avec les autres vertus ; c'est pourquoi je n'ai cure de beau parler, et n'humilie pas ma langue russe[3].

La Vie de l'archiprêtre Avvakum écrite par lui-même / traduite du vieux russe avec une introduction et des notes par Pierre Pascal. – 5e édition. – Paris : Gallimard, 1938. – [Pp. 60-61].

LA VIE DE L'ARCHIPRÊTRE AVVAKUM 282

P. Pascal — 1938

La poulette noire et la guérison des poules de Thècle. — Les affinités de nature et de grâce entre l'homme et les animaux assurent l'évidence des synergies providentielles.

Nous avions une poulette noire : elle pondait chaque jour deux œufs pour la pitance des enfants ; par ordre divin, pour subvenir à notre détresse, Dieu en avait ainsi disposé. Pendant le transport en narte, elle fut étouffée, pour nos péchés. Encore maintenant, je la regrette, cette poulette, toutes les fois que j'y pense. Ce n'était pas une poulette, mais une merveille : tout le long de l'année elle donnait ses deux œufs chaque jour. Cent roubles auprès d'elle, bagatelle, ferraille ! Cet oiselet doué d'âme, créature du bon Dieu, nous nourrissait. Avec nous elle picorait dans la marmite la bouillie de pin[4] ; s'il y avait par hasard du poisson, elle picorait

---

1 La langue russe parlée par opposition à la langue littéraire. (N.d.t.)

2 Vers syllabiques rimés savants, introduits en Russie au début du XVIIe siècle, à l'imitation de la Pologne. Ils avaient un grand succès, depuis Siméon de Polock. (N.d.t.)

3 On trouve la même idée exprimée dans des termes analogues dans un passage du *Livre des Commentaires* où Avvakum s'adresse au tsar Alexis, avec la même citation de saint Paul sur l'airain sonnant et la charité (I Cor. XIII. 1-8). Avvakum en a contre la tendance, de plus en plus forte depuis le milieu du siècle, à étudier les langues étrangères et contre le style ampoulé des auteurs formés à Kiev. Il vise tout particulièrement Siméon de Polock, fondateur de l'école du monastère du Sauveur, où l'on enseignait la latin, peut-être même la rhétorique et la poétique, et lui-même auteur de vers qui faisaient fureur au Kremlin. (N.d.t.)

4 On broyait l'écorce de pin pour en faire une sorte de bouillie. (N.d.t.)

le poisson ; et en échange elle nous donnait ses deux œufs par jour. Dieu soit loué, qui a tout ordonné pour le mieux !

Et ce n'est pas de façon banale que nous l'avions eue. Toutes les poules de notre dame avaient perdu la vue et crevaient les unes après les autres ; elle les mit dans une corbeille et me les envoya : « Que le père veuille bien prier pour mes poules. » Et je songeai : c'est notre nourricière, elle a des petits enfants, il lui faut ses poules. Je chantai un office, bénis de l'eau, aspergeai et encensai les poules ; puis j'allai au bois, je leur fis une auge pour manger et l'aspergeai d'eau ; ensuite je renvoyai le tout à la dame. Les poules, par la volonté divine, recouvrèrent la santé et la force en raison de sa foi. C'est de cette race qu'était notre poulette. Mais assez dit ! Ce n'est pas d'aujourd'hui que le Christ agit de la sorte. Déjà Cosme et Damien faisaient du bien aux hommes et aux bêtes et les guérissaient par le Christ[1]. À Dieu tout est bon : la bête et l'oiseau sont pour Sa gloire, au très saint et Très-Haut, et aussi à cause de l'homme.

La Vie de l'archiprêtre Avvakum écrite par lui-même / traduite du vieux russe avec une introduction et des notes par Pierre Pascal. – 5e édition. – Paris : Gallimard, 1938. – [Pp. 125-126].

LA VIE DE L'ARCHIPRÊTRE AVVAKUM 283

P. Pascal — 1938

La condamnation. — « À Moscou, 30 avril - 27 août 1667. »

Je vais vous reparler de mes tribulations. Du monastère de Saint-Paphnuce, on m'amena à Moscou, et on m'installa à la procure.

Devant le concile, 17 juin 1667.

Bien des fois on me traîna au Miracle. Nous nous chamaillions tels des chiens, les prélats et moi[2]. Puis, je comparus devant les patriarches

---

1 La légende des saints Cosme et Damien porte qu'ils avaient « reçu de Dieu le don de guérison, qu'ils donnaient la santé aux âmes et aux corps..., qu'ils ne soulageaient pas seulement les hommes, mais aussi le bétail et pour cela n'acceptaient rien de personne » (*Synaxaire*, 1er novembre). Dans le peuple russe, ces saints sont considérés comme les protecteurs des poules et leur fête est dite la « fête des poules ». (N.d.t.)

2 Le 3 mai on l'amena au monastère du Miracle, sur l'ordre du tsar, et les archimandrites Joachim, du Miracle, et Serge Loup, du Sauveur de Jaroslavl, l'exhortèrent et le tentèrent. Le 11 du même mois, par ordre du tsar et des patriarches œcuméniques, les mêmes archimandrites le firent comparaître pour l'exhorter encore. (N.d.t.)

œcuméniques — les nôtres aussi, tels des renards, y siégeaient tous[1]. L'Écriture à la bouche, je conversai longtemps avec les patriarches. Dieu ouvrit mes lèvres pécheresses[2], et le Christ les confondit ! Voici les dernières paroles qui me furent adressées : « Pourquoi es-tu opiniâtre ? Toute notre Palestine, et les Serbes, et les Albanais, et les Valaques, et les Romains et les Polaques, tous se signent avec trois doigts[3] ; toi seul demeures dans l'opiniâtreté et te signes avec les cinq doigts[4] ! Cela ne convient pas ! » Et je leur répondis devant le Christ comme ceci :

« Docteurs œcuméniques ! Rome depuis longtemps a chu et gît sans redressement[5], les Polaques ont péri avec elle et sont devenus à jamais ennemis des Chrétiens. Et chez vous aussi l'orthodoxie s'est tachée sous les violences du Mahomet des Turcs[6]. Et il n'y a pas à s'ébahir de vous : vous êtes tombés en faiblesse. Continuez à venir chez nous vous instruire[7] : grâce à Dieu, nous avons notre indépendance. Jusqu'à Nicon l'Apostat, dans notre Russie, chez les princes et tsars très chrétiens l'orthodoxie fut toujours pure et sans tache[8], et l'Église sans trouble. Le loup Nicon avec le diable ont commandé de se signer avec trois doigts, mais nos premiers pasteurs se signaient eux-mêmes avec les cinq doigts, tout comme ils bénissaient aussi des cinq doigts[9], selon la tradition de nos saints pères : Mélèce d'Antioche et le bienheureux Théodoret, évêque de Cyrénaïque, Pierre Damascène et Maxime Grec[10]. Et aussi le concile natio-

---

1 Les patriarches œcuméniques étaient Macaire d'Antioche et Paisios d'Alexandrie : ils étaient arrivés le 2 novembre 1666 et le nouveau concile s'était ouvert le 1er décembre. Il avait d'abord jugé et déposé Nicon, élu Josaphat II patriarche à sa place, puis avait abordé (en avril 1667) la question du raskol et anathématisé le 13 mai les anciens rites. (N.d.t.)

2 Souvenir de Ps. L, 16. (N.d.t.)

3 Le signe de croix se faisait alors en effet, dans les pays orthodoxes, avec les trois premiers doigts, les deux autres étant rabattus contre la paume, et c'était cet usage relativement moderne (apparu au XIIIe siècle en Grèce) que Nicon avait rendu obligatoire en Russie. (N.d.t.)

4 Les patriarches disent, et Avvakum avoue, que le signe de croix des vieux-croyants est tracé avec cinq doigts, parce que, si l'index et le majeur tendus symbolisent les deux natures du Christ, les trois autres doigts joints ont aussi une signification : les trois personnes de la Trinité. (N.d.t.)

5 Avvakum répète la doctrine, admise depuis Philothée de Pskov, que « toute la grande Rome a chu, malade irrémédiablement de l'erreur de l'hérésie apollinarienne » (*Épître au grand prince Jean de Basile*, dans *Interlocuteur orthodoxe*, 1863, I). (N.d.t.)

6 C'est l'opinion commune sur les Grecs, également depuis Philothée. Les Turcs avaient en effet infligé à l'Église grecque des humiliations visibles : interdiction des croix, des processions, etc. (N.d.t.)

7 De nombreux prélats venaient en Russie, plus pour recueillir des aumônes que pour s'instruire ; mais, avec plus ou moins de sincérité, ils se déclaraient émerveillés de la piété des Russes. (N.d.t.)

8 Cette idée que la Russie est demeurée le seul pays de pure orthodoxie remonte également à Philothée : c'est la doctrine de Moscou troisième Rome. (N.d.t.)

9 Nicon avait conservé les « cinq doigts » pour la bénédiction de l'évêque ou du prêtre. (N.d.t.)

10 Ce sont les autorités classiques alléguées en faveur du signe de croix avec deux doigts. Mélèce, patriarche d'Antioche au IVe siècle, aurait par ce seul signe attiré le feu du ciel sur les Ariens.

nal tenu à Moscou sous le tsar Jean[1] ordonne de joindre les doigts, pour se signer et bénir, tout comme les saints pères d'autrefois, Mélèce et autres, l'ont enseigné[2]. Alors, sous le tsar Jean, étaient au concile les crucigères[3] Gourie et Barsanuphe, thaumaturges de Kazan'[4], et Philippe abbé de Solovki[5], entre les saints russes. »

Cela fit réfléchir les patriarches. Mais les nôtres, comme louveteaux, bondirent, hurlèrent et se mirent à vomir sur leurs pères : « Ils étaient bêtes et n'entendaient rien, nos saints russes ! Des gens sans instruction ! Comment les croire ? Ils ne savaient pas lire[6] ! » Dieu saint ! Comment souffris-tu pareille dérision de tes saints ! Moi, pauvre homme, j'en avais mal. Mais rien à faire ! Je les tançai tant que je pus et mes derniers mots furent : « Je suis pur, quant à moi, et je secoue devant vous la poussière de mes pieds, selon ce qui est écrit : Mieux vaut un seul faisant la volonté de Dieu, que des nuées d'impies[7] ! » Alors ils crièrent de plus belle contre moi : « Prenez-le[8], il nous a tous outragés ! » Et de me frapper, de me battre. Les patriarches eux-mêmes se jetèrent sur moi. Ils étaient bien, je pense, une quarantaine : nombreuse se trouve l'armée de l'Antéchrist ! Le secrétaire Jean de Varus me saisit et m'entraîna. Et je criai : « Holà, ne tapez pas ! » Tous, d'un bond, reculèrent. Et je parlai à l'archimandrite trucheman Denys[9] : « Dis aux patriarches : L'apôtre Paul écrit : Tel est le

---

Théodoret, évêque de Cyr (et non de Cyrénaïque) au Ve siècle est supposé être l'auteur d'un sermon dont le texte slavon se rencontre depuis le XVe siècle, sous des formes diverses. Pierre Damascène, auteur du XIIe siècle (on croyait alors qu'il s'agissait d'un martyr du VIIIe siècle), aurait dit : « Deux doigts et une main symbolisent Jésus-Christ crucifié dans sa double nature ». De Maxime le Grec, savant moine de l'Athos appelé à Moscou en 1518, le *Livre de Cyrille*, le *Livre de la Foi*, etc., citaient un *Sermon sur le signe de croix*, très nettement en faveur des « deux doigts ». (N.d.t.)

1 Il s'agit du concile réuni par Ivan le Terrible en 1551, dont les actes nous sont connus par le *Stoglav*. On peut soupçonner qu'Avvakum veut suggérer cette idée : sous le tsar Ivan, et *lui présent*. La présence du tsar, protecteur de l'Église, était en effet un argument invoqué par les vieux-croyants en faveur des décisions du concile du *Stoglav*. (N.d.t.)

2 Au chap. XXXI du *Stoglav*, on lit : « Si quelqu'un ne bénit pas ou ne se signe pas avec deux doigts, comme le Christ, qu'il soit anathème ! ». (N.d.t.)

3 Portant le grand habit monacal. (N.d.t.)

4 Gourie, qui fut le premier archevêque de Kazan', du 7 février 1555 à sa mort le 4 déc. 1563, assistait au concile comme évêque de Smolensk et Brjansk. Barsanuphe fut le fondateur en 1556 et le premier archimandrite du monastère de la Transfiguration de Kazan', puis en 1562 évêque de Tver', et mourut à Kazan' en avril 1576. Leurs corps furent retrouvés ensemble et non corrompus le 4 octobre 1595. Les deux saints furent alors canonisés. (N.d.t.)

5 Avant d'être métropolite de Moscou, Philippe avait été abbé de Solovki de 1548 à 1556. (N.d.t.)

6 Le reproche d'ignorance est adressé constamment aux Pères de 1551 et aux vieux-croyants. (N.d.t.)

7 Ecclésiastique, XVI, 3. (N.d.t.)

8 Souvenir du récit de la Passion : Lc. XXIII, 18. (N.d.t.)

9 Denys, archimandrite du couvent des Ibériens sur l'Athos, séjourna à Moscou de 1655 à 1669 comme supérieur du monastère grec de Saint-Nicolas et recenseur à l'Hôtel de la presse à partir

pontife qui nous convenait, saint, innocent, et la suite[1]. Et vous, qui avez assommé un homme, comment irez-vous chanter messe ? » Alors ils s'assirent. Et moi je me retirai jusqu'à la porte et me laissai choir sur le côté : « Soyez assis, moi je serai couché », leur dis-je[2]. Ils rient : « Imbécile d'archiprêtre ! Il ne respecte même pas les patriarches. » Moi, je dis : « Nous sommes fols pour l'amour du Christ ! Vous êtes honorés et nous sommes méprisés ! vous êtes forts, et nous sommes faibles[3]. » Ensuite les prélats revinrent à moi et se mirent à traiter avec moi de l'Alleluia. Et, le Christ aidant, je confondis chez eux l'erreur romaine, par Denys l'Aréopagite, comme il a été dit plus haut, au début. Et Euthyme, le cellerier du Miracle, prononça : « Tu as raison, inutile de parler plus longtemps avec toi. » Et on me conduisit à mes ceps.

La Vie de l'archiprêtre Avvakum écrite par lui-même / traduite du vieux russe avec une introduction et des notes par Pierre Pascal. – 5e édition. – Paris : Gallimard, 1938. – [Pp. 167-172].

ÉPÎTRE CONTRE LES NOVATEURS — 284

M. Laran, J. Saussay — 1975

Spiritualité de l'icône et grossièreté des images réalistes. — Cette épître, dont l'argumentation répond à celle de Vladimirov et autres novateurs en art, n'est pas exactement datée ; mais elle est forcément postérieure à 1667, puisqu'elle mentionne *Le Sceptre* de Siméon de Polotsk.

Dieu a permis la multiplication sur notre terre russe de peintres d'icônes au style indécent. Ils sont eux-mêmes de condition modeste mais les hautes autorités les favorisent, si bien que tous ils s'avancent vers l'abîme de la perdition, s'accrochant les uns aux autres comme il est dit dans l'Écriture : « Si l'aveugle guide l'aveugle, ils tomberont tous deux dans un trou car ils titubent dans la nuit de l'ignorance ; mais celui qui avance au jour ne trébuchera pas car il voit la lumière de ce monde »[4] [...]

---

de 1663. Il donnait des consultations sur les rites, enseignait le grec à Hilarion de Rjazan' ; connaissant bien les choses russes, il fut nommé interprète du Concile. Les vieux-croyants attribuèrent à son influence les décisions prises contre eux. En tout cas, on a de lui tout un traité réfutant leurs thèses. Avvakum et ses amis l'accusent d'avoir souillé la cathédrale de l'Assomption par un acte de sodomie. (N.d.t.)

1 Hebr., VII, 26. (N.d.t.)

2 Avvakum, autrement, aurait dû rester debout. (N.d.t.)

3 I Cor. IV, 10. (N.d.t.)

4 Matthieu (XV, 14) écrit seulement, à propos des Pharisiens : « Laissez-les ; ce sont des aveugles guides d'aveugles. Or, si l'aveugle guide l'aveugle, tous les deux tomberont dans un trou ». (N.d.t.)

On peint l'image du Sauveur Emmanuel avec un visage rebondi, des lèvres rouges, des cheveux bouclés, des mains et des bras puissants, de gros doigts, des hanches grasses : bref tout comme un Allemand corpulent et ventru, à qui il ne manque qu'un sabre au côté ! Tout cela est inspiré par des pensées charnelles, car les hérétiques adorent la puissance de la chair et se détournent des pensées élevées. Cependant Notre Seigneur Jésus-Christ était toute finesse, comme nous l'enseignent les théologiens. Lis dans le *Margarit* ce que Bouche-d'Or dit sur la nativité de la Vierge[1] : il y décrit la ressemblance du Christ et de la Vierge, et c'est très éloigné de ce qu'imaginent maintenant les hérétiques.

Et tout cela, c'est une trouvaille de ce chien courant de Nikon, notre ennemi, qui réclame une peinture vivante et qui veut que tout soit fait à la franque, ou à l'allemande, c'est tout comme[2]. Quand les Francs représentent en peinture l'Annonciation de la Très Sainte Vierge, ils la montrent grosse, avec un ventre qui lui descend sur les genoux : en un clin d'œil le Christ se trouve complètement développé dans le sein maternel ! D'ailleurs chez nous aussi, à Moscou, c'est écrit mot pour mot dans le livre *Le sceptre*[3] : dès sa conception, le Christ est un être achevé, comme s'il était prêt à naître ! Et même, à un autre endroit : comme un homme de trente ans ! Voyez cela, bonnes gens : comme si un être humain naissait avec des dents et une barbe ! Je vous le demande, à vous tous, du plus petit jusqu'au plus grand : en a-t-il jamais été ainsi depuis le commencement des temps ? Ils en ont écrit encore plus que ces Francs, nos ennemis de Dieu.

Mais nous, vrais croyants, nous professons ce que nous ont enseigné les saints, Jean Damascène et d'autres[4] : dans ses membres et dans tout son corps, Notre Seigneur Jésus-Christ était un être achevé dès la conception, mais sa chair très sacrée s'est développée selon l'habitude pendant neuf mois et il est né sous la forme d'un enfant et non d'un adulte de

---

1 Les *Margaritæ* (« Les Perles ») de saint Jean Chrysostome (« Bouche d'Or ») avaient été éditées à Moscou en 1641 dans un livre comprenant, outre ces 30 sermons, 14 autres et une vie du saint par Georges, archevêque d'Alexandrie. (N.d.t.)

2 Les « Francs » (*Friazi*) étaient dans l'ensemble les étrangers d'origine latine (notamment les Italiens qui avaient travaillé au Kremlin depuis la fin du XVe s.). Les « Allemands » (*Niemtsy*) désignaient les originaires d'Europe centrale et septentrionale et de plus en plus, par extension, les étrangers en général. (N.d.t.)

3 Ouvrage écrit par Siméon de Polotsk sur commande du concile de 1666 pour réfuter les thèses des Vieux-croyants. (N.d.t.)

4 Saint Jean de Damas a vécu dans la 1re moitié du VIIIe s. et écrit de nombreux ouvrages de théologie ; le plus important est *La source de la connaissance* dont une partie a été traduite en russe au XVIe s. par André Kourbski. (N.d.t.)

trente ans. Et voici que les peintres d'icônes vont représenter le Christ nouveau-né avec une barbe [...]. Et le Christ en croix avec un visage tout rond ; celui que nous chérissons débordera de graisse et ses jambes seront des troncs ! Oh, oh, pauvre Rous', qu'as-tu besoin d'aller chercher les mœurs et les coutumes des Allemands !...

La Russie ancienne / M. Laran, J. Saussay. – Paris : Masson, 1975. – [Pp. 310-311].

THOMAS BROWNE

ANGLAIS **1605-1682**

Dans un âge déchiré par les controverses et les conflits sociaux, politiques et philosophiques, la réputation de Sir Thomas Browne dépassa largement les frontières de l'Angleterre. Anglican, il fut pris entre le catholicisme et la puissance grandissante du mouvement puritain qui devait culminer lors de la guerre civile anglaise. Royaliste, il fut confronté au parlementarisme qui prédominait dans la ville de Norwich où il passa le plus clair de sa vie active. Docteur et homme de sciences enfin, il dut faire face à l'opposition croissante que rencontrèrent les conceptions religieuse et rationnelle de la vie résultant de la découverte de la méthode empirique et expérimentale dans les sciences, conceptions qui ne s'imposèrent que lentement dans le monde intellectuel (la fondation de la *Royal Society* en 1660 représente à cet égard un tournant capital en Angleterre).

Né à Londres, Browne fréquente l'école de Winchester et Pembroke College à Oxford avant de parcourir l'Irlande et d'étudier la médecine à Montpellier et à Padoue. Docteur en médecine de l'Université de Leyden, il s'installe à Oxford comme praticien pendant quatre ans et y est reçu docteur en médecine. La première version de son livre de réflexions, *Religio medici,* qui devait le rendre célèbre, semble avoir été rédigée au cours de cette période (1634-1637). En 1637, il est médecin à Norwich, alors l'un des plus grands centres commerciaux de l'Angleterre. Il ne quittera pratiquement plus cette ville jusqu'à sa mort : il y repose dans l'église Saint Peter Mancroft. Browne entretint une correspondance suivie avec quelques-uns des plus grands esprits de son temps et sa réputation grandissante d'écrivain et de docteur lui valut d'être fait chevalier lors d'une visite royale à Norwich en 1671. De son mariage, en 1641, naquirent dix enfants (douze selon d'autres sources).

Nourri de ses expériences européennes, *Religio medici*, qui n'était pas destiné à la publication, ne dut d'être édité, en 1643, que pour corriger une version publiée sans autorisation (1642). Dans cette réflexion d'un chrétien et d'un homme de science cosmopolite sur Dieu, l'Église, l'opposition entre raison et foi, les rivalités entre sectes et religions, sont reconnus le caractère irrationnel et mystérieux de toute religion révélée et la nécessité de distinguer science et religion : « Croire en des objets ordinaires et visibles ne relève pas de la foi mais de la persuasion ». Mais la religion doit pouvoir compter sur le soutien de la science et de la philosophie puisqu'elles sont contemplation de la création divine. Là où elles semblent contredire la doctrine chrétienne, Browne s'en remet à l'autorité de l'Église. Il fait preuve de beaucoup d'ouverture d'esprit et de tolérance envers les différentes églises non-anglicanes et les sectes, une attitude de tolérance qui caractérise également la seconde partie de son œuvre dédiée plus spécialement à l'humanité. Il y exprime l'universalité de son amour pour l'homme, anglais ou étranger, riche ou pauvre, cultivé ou ignorant, bon ou mauvais. Son œuvre révèle sa grande culture classique mais aussi l'influence de la Bible, des Pères de l'Église, du néoplatonisme de la Renaissance autant que de disciplines plus obscures mais répandues à son époque, le symbolisme des nombres et la tradition hermétique. Son attitude pragmatique et son goût pour le paradoxe, qui firent chez lui le mélange, apparemment heureux, de la science, du scepticisme, de la piété et de la fascination pour le mystérieux et l'occulte, le rendirent célèbre à travers l'Europe. Bien que condamné par l'Église catholique, qui le mit à l'Index en 1745, *Religio medici* connut une grande diffusion tant dans sa version latine (1644) que dans ses traductions française et néerlandaise. Le succès du livre déclina au XVIIIe siècle pour connaître un regain d'intérêt après que des auteurs romantiques tels Lamb, Coleridge et Hazlitt eurent vanté ses qualités de style.

L'œuvre la plus longue et la plus ambitieuse de Browne reste *Pseudodoxia Epidemica* (*Fausses opinions courantes*) plus connue sous le titre de *Error Vulgaris*, publiée en 1646 et suivie d'éditions révisées et augmentées en 1650, 1658 et 1672. Elle répond en partie à la nécessité exprimée par Francis Bacon dans le *Traité de la valeur et de l'avancement des sciences* (1605) d'un catalogue des fausses croyances, superstitions et erreurs communes. Nonobstant, tout en attaquant les idées reçues, son amour du mystère lui fit accepter autant d'affirmations hasardées qu'il en rejeta.

Hydriotaphia (ou *Urn Burial*, 1658) est considéré comme le premier traité d'archéologie en anglais. C'est une large méditation sur la vie et la mort, faisant suite à la découverte d'urnes funéraires dans un champ de Norfolk. Son œuvre jumelle, *Les Jardins de Cyrus*, publiée la même année, retrace l'histoire de l'horticulture, du jardin d'Éden aux jardins persans, avant de démontrer, tant dans la nature que dans la culture, l'omniprésence du nombre 5, révélatrice d'un ordre sous-jacent à la création. Le style complexe, paradoxal et brillant de ces œuvres reflète une personnalité spirituelle et excentrique mais aimablement tolérante. Les œuvres posthumes comprennent principalement *Morale chrétienne*, œuvre au style gnomique et lapidaire, et *Lettre à un ami*, écrite à l'occasion du décès d'un ami intime.

La Personnalité de Sir Thomas Browne : essai d'application de la caractériologie à la critique et à l'histoire littéraires / Jean-Jacques Denonain. – Paris : Presses Universitaires de France, 1959. – 144 p. – (*Publications de la Faculté des lettres et sciences humaines d'Alger* ; 33).

Sir Thomas Brown : a Doctor's Life of Science and Faith / Jeremiah S. Finch. – New York (N.Y.) : Collier, 1961. – 251 p. – (*Collier Books* ; 32).

Sir Thomas Brown : a Man of Achievement in Literature / Joan Bennett. – Cambridge : Cambridge University Press, 1962. – VII-254 p.

The Strategy of Truth : a Study of Sir Thomas Browne / Leonard Nathanson. – Chicago (Ill.) : University of Chicago Press, 1967. – IX-241 p.

Sir Thomas Browne als Virtuoso : die Bedeutung der Gelehrsamkeit für sein literarisches Alterswerk / Arno Loffler. – Nurnberg : Carl Erlanger, 1972. – X-173 p. – (*Erlanger Beitrage zur Sprach- und Kunstwissenschaft* ; 43).

Sir Thomas Brown's Religio Medici and Two Seventeenth Century Critics / James N. Wise. – Columbia (Mo.) : University of Missouri Press, 1973. – 208 p. – (*University of Missouri Studies* ; 59).

Intertraffic of the Mind : Studies in Seventeenth-Century Anglo-Dutch Translation with a Checklistof Books Translated from English into Dutch, 1600-1700 / C.W. Schoneveld. – Leiden : E.J. Brill & Leiden University Press, 1983. – VIII-270 p.

LA RELIGION DU MÉDECIN 285

Ch. Chassé — 1947

Protestant et tolérant (Partie I, sections 4-5). — L'auteur exprime ici sa loyauté inconditionnelle envers l'Église anglicane, sans que sa foi semble exclure pour autant une attitude essentiellement tolérante, fondée sur un relativisme historique extraordinaire à une époque de guerres de religion.

Comme il y a eu beaucoup de réformateurs, il y a eu également beaucoup de réformes diverses, chaque pays procédant de façons et méthodes particulières, selon que son intérêt national, son tempérament et aussi son climat l'y inclinaient ; certains agissant dans la colère et se portant à des extrémités, d'autres dans le calme et avec modération, ne s'attachant pas à déchirer la communauté mais à la diviser avec douceur, de manière à laisser aux partis une honnête possibilité de réconciliation. Cette réconciliation, des esprits pacifiques la désirent incontestablement et il leur est permis de concevoir que le temps, en ses révolutions, et Dieu, en sa générosité, l'amèneront peut-être à se réaliser. Mais, d'autre part, si, en sa pensée, l'on considère les motifs d'antipathie aujourd'hui existant entre les deux extrêmes, leur opposition de constitution, d'humeur et d'opinion, autant vaudrait espérer qu'une union s'établirait entre les deux pôles du ciel.

Mais, pour me différencier encore d'un peu plus près et me confiner dans un cercle plus resserré, je dirai qu'il n'y a pas d'Église qui, autant que l'Église d'Angleterre, celle de qui je tiens mes croyances, s'adapte étroitement, sur tous ses points, à ma conscience ; il n'en est point dont les articles, les règlements et les coutumes semblent s'accorder autant avec la raison et cadrent autant, pour ainsi dire, avec ma dévotion particulière. C'est de la confession anglicane que je me tiens pour féal sujet et, en conséquence, lié par la double obligation de souscrire aux articles de sa foi comme de m'essayer à observer ses règles. Pour tout ce qui est au delà de sa juridiction, j'obéis, puisqu'il s'agit de points qui lui sont indifférents, à des commandements de ma raison personnelle ou aux tendances et aux goûts de ma piété ; ni croyant en ceci parce que Luther l'a affirmé ni le désapprouvant parce que Calvin l'a désavoué. Je ne condamne pas tout ce qui s'est fait au Concile de Trente ni n'approuve tout dans le Synode de Dort[1]. En bref, là où l'Écriture est silencieuse, l'Église est le texte auquel

[1] Le Synode de Dort (1618-1619) : assemblée de l'Église réformée des Pays-Bas, où des observateurs des Églises réformées des autres pays avaient été invités, qui fut réunie pour débattre du différend théologique, à incidences socio-politiques, entre Remontrants et Contre-Remontrants. Les Remontrants, partisans d'Arminius, guidés par Oldenbarnevelt et Grotius et soutenus par les milieux bourgeois et républicains, soutenaient que le Christ était mort pour tous les hommes, alors que les Contre-Remontrants, calvinistes de stricte observance soutenus par la maison d'Orange,

je me réfère ; si l'Église parle, mon commentaire ne fait que confirmer le sien ; là où l'Écriture et l'Église se taisent en commun, je ne vais pas emprunter à Rome ou à Genève les règles de ma religion mais je les puise dans les ordres de ma propre raison. C'est une injuste et scandaleuse imputation de la part de nos adversaires (et une grossière erreur chez nous, si nous l'acceptons) que de vouloir faire dater d'Henri VIII la nativité de notre religion, car, quoique le roi eût rejeté l'autorité du Pape, il ne refusa pas la foi de Rome ; il n'accomplit point davantage que n'avaient désiré et essayé ses propres prédécesseurs dans les siècles passés, rien de plus que ce que l'État de Venise a voulu, à ce qu'on imagine, s'efforcer d'effectuer de nos jours.

C'est chez nous une coutume tout aussi dépourvue de charité que de se laisser aller à tant de bouffonneries vulgaires et à tant de railleries insultantes contre l'évêque de Rome, alors que, en sa qualité de prince temporel, nous avons pour devoir de parler de lui en termes honnêtes.

Je reconnais qu'il existe entre nous matière à irritation : par sentence qu'il a prononcée, je suis frappé d'excommunication ; hérétique, telle est l'épithète la plus favorable qu'il m'accorde ; cependant, nul ne peut, m'ayant entendu, témoigner que je lui aie jamais décoché en retour l'appellation d'antéchrist, d'homme du péché ou de prostituée de Babylone. La charité a, pour méthode, de supporter sans réagir ; il se peut que ces satires et invectives continuellement lancées du haut de la chaire produisent par hasard un bon effet sur la populace dont les oreilles s'ouvrent plus aisément à la rhétorique qu'à la logique. Mais elles ne consolident en aucune façon la foi des croyants plus avisés qui savent qu'une bonne cause n'a pas besoin d'être patronnée par la passion mais se peut entretenir par des débats d'un ton plus modéré.

Religio medici / Thomas Browne ; précédé d'une lettre à l'éditeur de Daniel Halévy ; d'une Préface de Louis Cazamian ; traduit de l'anglais par Charles Chassé. – Paris : Éditions Stock, 1947. – (*À la Promenade*). – [Pp. 7-10].

étaient partisans d'une Prédestination stricte. Le Synode, convoqué par Maurice de Nassau, se solda par une large condamnation des Remontrants.

LA RELIGION DU MÉDECIN 286

Ch. Chassé — 1947

L'amour sans frontière (II, 1, 1re moitié). — Les convictions religieuses de Browne inspirent son amour de la création tout entière, transcendant coutumes, goûts et nationalités.

Quant à cette autre vertu de charité, sans laquelle la foi n'est qu'une notion sans consistance et sans existence, je dirai que je me suis toujours efforcé de cultiver en moi les dispositions généreuses et les tendances à la bonté que j'ai empruntées à mes parents et de les ordonner selon les lois écrites et prescrites de l'amour divin. Et si j'arrive à établir bien fidèlement l'anatomie de mon âme, je confesserai que je suis organisé et naturellement constitué pour l'exercice d'une telle vertu ; car mon tempérament dans son ensemble est tel qu'il s'accorde et qu'il sympathise avec toutes choses. Je n'ai en moi aucune antipathie ou plutôt aucune idiosyncrasie, que ce soit en matière de nourriture ou de goûts, qu'il s'agisse de respirer tel ou tel air ou de tout autre sujet. Je ne m'étonne pas que les Français apprécient les plats de grenouilles, d'escargots ou d'agarics, ni que les Juifs aiment les criquets et les sauterelles, mais lorsque je suis parmi ces gens, je fais de ces mets, tout comme eux, ma nourriture ordinaire et je m'aperçois qu'ils s'accordent avec mon estomac aussi bien qu'avec le leur. Je digérerais une salade qui aurait été cueillie dans un cimetière tout aussi bien que si elle avait été cueillie dans un jardin. Je ne ressens point de sursaut en présence d'un serpent, d'un scorpion, d'un lézard ou d'une salamandre ; si j'aperçois un crapaud ou une vipère, je ne découvre pas en moi le moindre désir de ramasser une pierre pour les détruire. Je n'éprouve dans mon cœur aucune de ces antipathies habituelles que je distingue chez les autres ; je ne suis hanté par aucune des répugnances qu'inspire souvent le sentiment patriotique ; je contemple Français, Italiens, Espagnols ou Hollandais sans aucune idée préconçue, et même lorsque je compare leurs actions à celles de mes concitoyens, j'ai pour tous la même révérence, le même amour et la même affection. Je suis né dans le huitième climat[1] mais il me semble que j'ai été formé dans tous et sous l'influence de toutes leurs constellations. Je ne suis pas une de ces plantes qui se refusent à prospérer hors d'un jardin particulier. Tous les lieux du monde, toutes les atmosphères m'apparaissent comme un seul et même pays. Je suis en Angleterre partout où je suis et sous n'importe quel

[1] Selon une conception qui divisait le globe terrestre en plusieurs « ceintures », le huitième climat se trouvait entre les deux parallèles où se situe l'Angleterre.

méridien. J'ai été victime de naufrages ; cependant je ne suis ennemi ni de la mer ni des vents ; je peux étudier, jouer ou dormir au milieu d'une tempête. En bref, je ne suis opposé à rien : ma conscience me démentirait si je disais que je déteste ou que je hais absolument un être quelconque, sauf le diable ; tout au moins, il n'est pas dans le monde de personne que je déteste au point de ne pouvoir en venir avec elle à un arrangement.

Religio medici / Thomas Browne ; précédé d'une lettre à l'éditeur de Daniel Halévy ; d'une Préface de Louis Cazamian ; traduit de l'anglais par Charles Chassé. – Paris : Éditions Stock, 1947. – (*À la Promenade*). – [Pp. 139-141].

ESSAI SUR LES ERREURS POPULAIRES 287

J.-B. Souchay — 1733

Du loup et du bœuf sur la langue (III, 8). — Après une introduction aux causes générales des fausses croyances vient l'analyse d'erreurs sur les plantes, le règne animal, l'histoire, etc. Ici, est réfutée une croyance populaire sur les loups : tout en manifestant son respect pour les sources antiques, l'auteur a recours à l'étymologie et à l'approche empirique pour désamorcer les faussetés.

On debite par rapport au loup une fable à peu près semblable à celle que nous avons refutée touchant le basilisc. Si le loup apperçoit un homme avant qu'il en soit apperçu, incontinent cet homme devient enroué, ou perd la voix. C'est du moins ce que Pline assure qui étoit communément reçu en Italie : *in Italia, ut creditur, luporum visus est noxius, vocem que homini, quem prius contemplatur adimere*[1]. Et c'est encore ce qui éclaircit cet endroit de Virgile :

Vox quoque mœrin
Jam fugit ipsa, lupi mœrin videre priores[2],

aussi-bien que le proverbe, *lupus in fabula*, proverbe dont on se sert, lorsque celui qui étoit la matiere de la conversation arrive, & qu'il suit tout à coup un profond silence. Nous ne nous arrêterons pas à refuter une

1 « En Italie on croit aussi que le regard des loups est nuisible, et que s'ils fixent un homme avant d'en être vus, ils lui enlèvent momentanément l'usage de la voix. » (*Histoire naturelle. Livre VIII* / Pline l'Ancien ; texte établi, traduit et commenté par A. Ernout. – Paris : Les Belles Lettres, 1952. – [P. 51 (XXXIV)].)

2 « [...] la voix même, déjà, manque à Mœris, les loups ont les premiers aperçus Mœris. » Virgile, *Bucoliques*, 9, v. 53-54 (*Bucoliques* / Virgile ; texte établi et traduit par E. de Saint-Denis. – Nouvelle édition revue et augmentée d'un commentaire. – Paris : « Les Belles Lettres », 1970. – (*Collection des Universités de France*). – [P. 93].

opinion qui l'a déjà été par Scaliger[1], par Riolan[2] & par beaucoup d'autres, & qui partout excepté en Angleterre peut aisément être reconnue pour fausse. Elle est née sans doute de l'étonnement & du silence que cause d'ordinaire aux voyageurs la vue inopinée des loups : non qu'il sorte de ces animaux aucune vapeur nuisible, comme on le suppose ; mais c'est qu'alors on est saisi de frayeur, & que la frayeur produit communément le silence ; & qu'elle ôte quelquefois l'usage de la voix pour toujours. Les oiseaux se taisent à la vue d'un faucon : & l'ombre même de l'hyæne rend les chiens muets, si nous en croyons Pline[3].

Cette expression de Théocrite, *vous ne pourrez parler, vous avez vû Lycus*, a beaucoup contribué à répandre cette erreur. Ce Lycus étoit le rival d'un autre berger, & ce berger à la vue de Lycus avoit été muet. Or le mot en grec signifiant aussi *un loup*, au lieu de s'en tenir au nom propre d'un berger, ce qui est plus naturel, par Lycus on a entendu un loup : équivoque trompeuse, & qui a fait croire aux romains que leurs fondateurs avoient été allaités par une louve, parce que leur nourrice s'appelloit *lupa*. La fable d'Europe enlevée & transportée par un taureau n'a d'autre fondement qu'une équivoque semblable. Elle traversa la mer dans un vaisseau qui portoit le nom de Taurus, ou dont le Pilote s'appelloit ainsi. De même le proverbe *bos in lingua* adapté autrefois à ceux qui ne veulent point s'expliquer en de certaines occasions, a été quelquefois entendu dans ce sens, qu'il y avoit un bœuf sur sa langue. Or ce proverbe signifie seulement que l'on avoit acheté son silence avec de la monnoye dont l'empreinte étoit un *bœuf*, & qui d'abord eut cours chés les Athéniens, & dans la suite à Rome.

Essai sur les Erreurs populaires ou examens de plusieurs opinions reçues comme vrayes, qui sont fausses et douteuses / Traduit de l'Anglois de Thomas Brown. – A Paris : Chez Pierre Witte : chez Didot, 1733. – [Tome premier, pp. 278-280].

---

1 Jules-César Scaliger (1484-1558), célèbre philologue et médecin italien.

2 Jean Riolan (1539-1606), médecin français, ou son fils, Jean également (1577-1657).

3 « On raconte encore maintes merveilles au sujet de la hyène : [...] qu'en outre, les chiens au contact de son ombre perdent la voix, et que, grâce à certains procédés magiques, elle fixe sur place tout animal dont elle a fait trois fois le tour. » (*Histoire naturelle. Livre VIII* / Pline l'Ancien ; texte établi, traduit et commenté par A. Ernout. – Paris : Les Belles Lettres, 1952. – [P. 60 (XLIV)].)

HYDRIOTAPHIA 288

D. Aury — 1970

Rites anciens, espoir d'une résurrection ? (Chapitre IV, début). — L'écrivain propose quelques réflexions personnelles et tirées de la tradition philosophique sur la façon dont les soins apportés au corps inanimé s'inscrivent dans une conception de l'immortalité et de la nature de l'homme.

Les Chrétiens ont superbement atténué la difformité de la mort en prenant un soin particulier du corps par des rites qui adoucissent la brutalité de la fin. Et bien qu'ils aient pensé que tout se répare par une Résurrection ils n'ont pas rejeté tout souci d'enterrement. Et puisque les cendres des Sacrifices consumés sur l'Autel de Dieu étaient soigneusement recueillies par les Prêtres, et déposées dans un champ nettoyé ; puisqu'ils reconnaissaient que leur corps était la demeure du Christ et le Temple du Saint-Esprit, ils n'accordaient donc pas absolument tout à l'existence suffisante de l'âme ; et terminaient par conséquent leurs dernières obsèques par de longs services et des cérémonies plénières parmi lesquelles la dévotion Grecque semble entre toutes particulièrement pathétique et solennelle[1].

L'invention Chrétienne a surtout été dirigée vers les Rites qui parlent de l'espoir d'une autre vie, et font songer à la Résurrection. Si les anciens Gentils n'ont pas tenu que la meilleure part d'eux-mêmes fût immortelle, ni qu'il en subsistât quelque chose après la mort, ils ont en plusieurs rites, coutumes, actions et expressions, contredit leurs propres opinions : en quoi *Démocrite* alla très loin et jusqu'à penser à une résurrection, comme *Pline* le rapporte avec sarcasme. Quoi de plus explicite que ce qu'exprime *Phocyllides*[2] ? Ou qui attendrait de *Lucrèce*[3] une phrase de l'Ecclésiaste ? Avant que *Platon* pût parler, l'âme avait des ailes dans *Homère*, et ne tombait pas, mais s'envolait du corps pour entrer dans les demeures des morts ; il faisait aussi le beau départ entre *Demas* et *Soma*, le corps conjoint à l'âme et le corps séparé d'elle. *Lucien* parlait vrai par plaisanterie lorsqu'il disait que la part d'*Hercule* qui procédait d'*Alcmène* était périssable, et celle qui procédait de *Jupiter* immortelle. Ainsi *Socrate*[4] était-il

1 « C'est encore la vanité qui a incité Démocrite à préconiser la conservation des corps humains et à promettre la résurrection, alors qu'il n'a pas su ressusciter lui-même. Ô misère, qu'est-ce donc que cette folie, qui veut renouveler la vie par la mort ! » (*Histoire naturelle. Livre VII* / Pline l'Ancien ; texte établi, traduit et commenté par R. Schilling. – Paris : Les Belles Lettres, 1977. – [P. 111].)

2 « Et vite de la terre espérons-nous à la lumière sont allés les restes de ceux qui partent ». (Pseudo-Phocyllides).

3 Lucrèce, *De rerum natura*, II, 999-1000 : *Cedit item retro de terra quod fuit ante in terras* : De même, tout ce qui est sorti de la terre s'en retourne à la terre.

4 *Plato* in *Phœd.* (N.d.t.)

heureux que ses amis enterrent son corps parce qu'ils ne penseraient pas enterrer *Socrate*, et que ne considérant seulement sa part immortelle, il lui était indifférent d'être brûlé ou enseveli. Partant de telles Réflexions, *Diogène* pouvait mépriser la Sépulture. Et étant assuré que l'âme ne saurait périr, ne se soucier pas de l'enterrement du corps. Les *Stoïques* qui pensaient que les âmes des sages avaient leur demeure autour de la *lune* pouvaient tenir peu de compte de leur situation sur la terre ; tandis que les *Pythagoriciens* et les Philosophes de la transmigration, qui se faisaient souvent ensevelir, attachaient une grande importance à leur enterrement. Et les Platoniciens ne refusaient pas de s'occuper de leur tombe, tout en plaçant en leurs cendres le déraisonnable espoir de leur longue et fixe révolution et de leur fatigant retour éternel.

Hydriotaphia ou discours sur les urnes funéraires récemment découvertes dans le Norfolk / par Sir Thomas Browne ; traduit de l'anglais par Dominique Aury. – Paris : Gallimard, 1970. – [Pp. 83-86].

CORNEILLE

FRANÇAIS **1606-1684**

Né à Rouen, dans une famille de magistrats, Pierre Corneille est destiné à une carrière d'avocat. Mais, peu doué pour l'éloquence, il renonce bientôt à plaider et s'engage, à l'âge de 23 ans, dans l'écriture dramatique. Gagné au théâtre dès le collège — la pédagogie jésuite avait mis la scène à l'honneur —, stimulé par la présence à Rouen de nombreux éditeurs de théâtre, il voit désormais la vie paisible qu'il mène, tantôt à Rouen, tantôt à Paris, rythmée par la succession de ses pièces et les incertitudes du succès.

Le bon accueil réservé à sa première œuvre, *Mélite* (1629), le conduit à persévérer dans une écriture encore proche du baroque et de l'irrégularité. Les critiques du *Cid* (1637) auxquelles se livrent les théoriciens, partisans des règles, l'incitent à garder, durant 3 ans, le silence, avant de revenir à la scène avec *Horace* (1640), une tragédie régulière. De 1640 à 1651, il va de triomphes en triomphes, avec notamment *Cinna* (1641), *Polyeucte* (1642) et *Nicomède* (1651). C'est durant cette époque qu'il se marie, en 1640 — il aura sept enfants —, et qu'il entre, en 1647, à l'Académie française.

1651 marque la fin de cette période faste. Tirant les leçons de l'échec de *Pertharite*, il prend, à 45 ans, une retraite prématurée. Cependant l'appel du théâtre est fort et, en 1659, il renoue avec l'écriture dramatique, en donnant *Œdipe*. Mais il doit alors affronter la rude concurrence de Racine. Il essaie de se distinguer de lui, en opposant aux sujets raciniens, marqués par la concentration, des intrigues plus complexes, souvent empreintes de romanesque. Le combat est inégal. Supplanté par Racine, comme il avait supplanté, au début de sa carrière, ses rivaux Mairet et Rotrou, le vieil auteur dramatique abandonne la partie en 1674, à 68 ans.

Durant sa longue carrière dramatique de quelque 45 ans, Pierre Corneille s'est révélé inventif, éclectique et, de façon expérimentale, s'est essayé à toute une gamme de genres, de tonalités, de structures. Jusqu'au *Cid* (1637), il pratique l'irrégularité baroque, refuse de s'enfermer dans les impératifs des règles naissantes ou les interprète avec une grande liberté. C'est durant cette période qu'il compose la plupart de ses comédies (*Mélite*, 1629 ; *La Veuve*, 1631 ; *La Place royale*, 1634). S'inspirant des auteurs espagnols, il est alors l'un de ceux qui sortent l'écriture comique des gros effets de la farce. Dans cette production, se distingue *L'Illusion comique* (1636), véritable somme, en acte, de l'art dramatique du temps. Parallèlement, Corneille s'adonne à la tragi-comédie, genre irrégulier par excellence, en composant *Clitandre* (1631) et, surtout, *Le Cid* (1637), un tournant dans son œuvre et, plus généralement, dans l'histoire du théâtre français. Corneille y exprime son goût pour une dramaturgie éclatée et met au point le dilemme cornélien, balancement des héros entre deux impulsions égales et contraires : ainsi Rodrigue hésite entre son amour pour Chimène, et son honneur, qui le pousse à tirer vengeance du père de celle qu'il aime. Cette tragi-comédie produira, par ailleurs, ce qu'on appelle la *Querelle du Cid*, qui opposa partisans et adversaires des règles.

La victoire des premiers conduisit Corneille à écrire une longue série de tragédies régulières. Tirant ses sujets de l'histoire de l'antiquité romaine, il conçoit des œuvres d'une grande simplicité d'intrigue, où s'impose une conception tendue de l'héroïsme. La grandeur du héros consiste à remplir les conditions posées par sa gloire, c'est-à-dire à se réaliser dans l'accomplissement de son honneur, dans le respect de l'image qu'il a de lui-même. Pour parvenir à ce but, il convient de conquérir la maîtrise de ses impulsions, de faire triompher le sentiment noble de l'honneur au détriment du sentiment faible de l'amour. Le dilemme laisse toute liberté au héros, qui choisit en connaissance de cause, à l'issue d'une décision plus proche de la conviction intime que de la détermination raisonnée. Ainsi la fatalité aliénante et contraignante se trouve-t-elle contrecarrée par la tension d'une volonté sans failles. C'est sans états d'âme que le héros d'*Horace* (1640) choisit de combattre les Curiaces. C'est animé par la certitude : « Je suis maître de moi comme de l'univers ; / Je le suis, je veux l'être. » (*Cinna*, Acte V, scène 3), que l'empereur Auguste préfère pardonner au comploteur Cinna et à ses complices.

Cette conception de l'héroïsme se maintient dans la troisième partie de la carrière de Corneille. Mais dans le cadre d'une action dramatique beaucoup plus complexe, le héros devient plus hésitant, moins convaincu, sinon de la validité, du moins de l'utilité de ses choix. C'est que la monarchie absolue ne laisse plus beaucoup de place à l'expression de l'héroïsme. Le personnage central de *Sertorius* (1662), par exemple, englué dans la complexité des faits, est contraint de composer avec les événements, d'accepter des compromissions, voire d'utiliser des moyens contestables. Et ce désenchantement s'accentuera encore dans les dernières pièces.

Pierre Corneille dramaturge / Bernard Dort. – Paris : Éditions de l'Arche, 1957. – 156 p. – (*Les grands dramaturges* ; 16).

Corneille, l'homme, l'œuvre / Georges Couton. – Paris : Hatier, 1963. – 222 p. – (*Connaissance des lettres* ; 52).

L'Héroïsme cornélien : genèse et signification / André Stegmann. – Paris : A. Colin, 1968. – VI-772 p. – (*Faculté des Lettres et Sciences humaines de l'Université de Paris, thèse*).

Corneille et la dialectique du héros / Serge Doubrovski. – Paris, Gallimard, 1982. – 588 p. – (*Tel* ; 64). – [1re éd. 1963].

Amour, pouvoir et transcendance chez Pierre Corneille : dix essais / Jean-Claude Joye. – Berne ; New York : P. Lang, 1986. – 212 p. – (*Publications universitaires européennes* ; 105).

Le Héros et l'État dans la tragédie de Pierre Corneille / Michel Prigent. – Paris : P.U.F., 1986. – VIII-571 p. – (*Écrivains*).

Corneille : Biographie, étude de l'œuvre / Marc Vignes. – Paris : Albin Michel, 1994. – 192 p. – (*Classiques*).

L'ILLUSION COMIQUE 289

Hableur et couard (Acte III, scène 9, v. 911-950). — La pièce repose, tout entière, sur le jeu des apparences et de la réalité. Le bourgeois Pridamant, inquiet de la disparition de son fils Clindor, consulte le magicien Alcandre, qui lui permet, dans une grotte, de contempler les aventures du fugueur. Ainsi peut-il assister à l'intrigue amoureuse qui lie Clindor à la jeune Isabelle, elle-même courtisée par le faux brave Matamore et par le noble Adraste, tandis que Clindor est lui-même aimé de la servante Lyse. Condamné à mort pour avoir mortellement blessé Adraste, Clindor réussit à s'échapper, mais est, à son tour, tué par un rival. Heureusement, ce dernier épisode fait partie d'une pièce de théâtre jouée par Clindor devenu comédien. Dans *L'Illusion comique*, Corneille introduit le personnage pittoresque de Matamore, faux brave ridicule, courageux seulement en paroles. Ici, il renonce bien vite à demander des comptes à son valet Clindor dont il vient de s'apercevoir qu'il est son rival.

MATAMORE

Ah, traître !

CLINDOR

Parlez bas : ces valets…

MATAMORE

Eh bien, quoi ?

CLINDOR

Ils fondront tout à l'heure et sur vous et sur moi.

MATAMORE[1]

Viens çà. Tu sais ton crime, et qu'à l'objet que j'aime,
Loin de parler pour moi, tu parlais pour toi-même.

CLINDOR

Oui, j'ai pris votre place et vous ai mis dehors[2].

MATAMORE

Je te donne le choix de trois ou quatre morts.
Je vais d'un coup de poing, te briser comme verre,
Ou t'enfoncer tout vif au centre de la terre,
Ou te fendre en dix parts d'un seul coup de revers[3],
Ou te jeter si haut au-dessus des éclairs,
Que tu sois dévoré des feux élémentaires.
Choisis donc promptement, et songe à tes affaires.

CLINDOR

Vous-même choisissez.

MATAMORE

Quel choix proposes-tu ?

CLINDOR

De fuir en diligence, ou d'être bien battu.

MATAMORE

Me menacer encore ! Ah, ventre, quelle audace !
Au lieu d'être à genoux et d'implorer ma grâce !

---

1 Matamore le tire à un coin du théâtre.

2 Variante : Pour me rendre heureux j'ai fait quelques efforts.

3 Coup d'épée donné du côté opposé à la main qui la tient.

Il a donné le mot, ces valets vont sortir !
Je m'en vais commander aux mers de t'engloutir.

CLINDOR

Sans vous chercher si loin un si grand cimetière,
Je vous vais de ce pas jeter dans la rivière.

MATAMORE

Ils sont d'intelligence, ah, tête !

CLINDOR

Point de bruit !
J'ai déjà massacré dix hommes cette nuit,
Et si vous me fâchez, vous en croîtrez le nombre.

MATAMORE

Cadédiou ! ce coquin a marché dans mon ombre !
Il s'est fait tout vaillant d'avoir suivi mes pas.
S'il avait du respect, j'en voudrais faire cas.
Écoute, je suis bon, et ce serait dommage
De priver l'univers d'un homme de courage :
Demande-moi pardon et quitte cet objet
Dont les perfections m'ont rendu son sujet ;
Tu connais ma valeur, éprouve ma clémence.

CLINDOR

Plutôt, si votre amour a tant de véhémence,
Faisons deux coups d'épée au nom de sa beauté.

MATAMORE

Parbleu, tu me ravis de générosité !
Va, pour la conquérir n'use plus d'artifices,
Je te la veux donner pour prix de tes services.
Plains-toi dorénavant d'avoir un maître ingrat !

CLINDOR

À ce rare présent d'aise le cœur me bat.
Protecteur des grands Rois, guerrier trop magnanime,
Puisse tout l'univers bruire de votre estime !

Œuvres complètes. I. / Corneille ; textes établis, présentés et annotés par Georges Couton. – Paris : Gallimard, 1980. – (*Bibliothèque de la Pléiade* ; 19). – [Pp. 651-653, 1439 pour les notes].

LE CID 290

Dilemme (Acte I, scène 6, v. 291-350). — La pièce développe le schéma des amours contrariées par des situations familiales engageant l'honneur. L'infante aime Rodrigue, mais ne peut songer à l'épouser, étant donné la différence de leurs rangs. Rodrigue, de son côté, aime d'un amour partagé Chimène dont Sanche est amoureux. Rien ne s'oppose au mariage de Rodrigue et de Chimène, jusqu'à l'altercation qui oppose les deux pères, don Diègue et le comte de Gormas ; Gormas, ulcéré du choix que le roi a fait de don Diègue pour assurer l'éducation de son fils, le soufflette. Rodrigue, décidé à venger son père, tue le comte en duel, puis part combattre les Maures sur lesquels il remporte une éclatante victoire. À son retour, Chimène obtient du roi l'organisation d'un duel entre Rodrigue et son champion, don Sanche. Rodrigue l'emporte, obtenant ainsi une promesse de mariage, après un délai exigé par la décence. Ici, Rodrigue s'interroge : doit-il choisir son honneur ou son amour, préférer son père ou Chimène ?

D. RODRIGUE

Percé jusques au fond du cœur,
D'une atteinte imprévеuë aussi-bien que mortelle,
Misérable vangeur d'une juste querelle,
Et malheureux objet d'une injuste rigueur :
Je demeure immobile, & mon ame abatuë
Céde au coup qui me tuë.
Si près de voir mon feu récompensé,
O Dieu ! l'étrange peine !
En cét affront mon pére est l'offensé,
Et l'offenseur le pére de Chiméne !

Que je sens de rudes combats !
Contre mon propre honneur mon amour s'intéresse :
Il faut vanger un pére, & perdre une Maîtresse,
L'un m'anime le cœur, l'autre retient mon bras.
Réduit au triste choix ou de trahir ma flame,
Ou de vivre en infame,
Des deux costez mon mal est infiny.
O Dieu ! l'étrange peine !
Faut-il laisser un affront impuny ?
Faut-il punir le pére de Chiméne ?

Pére, Maîtresse, honneur, amour,
Noble & dure contrainte, aimable tyrannie,
Tous mes plaisirs sont morts, ou ma gloire ternie.
L'un me rend malheureux, l'autre indigne du jour.
Cher & crüel espoir d'une ame généreuse,
Mais ensemble amoureuse,
Digne ennemy de mon plus grand bonheur,

Fer[1], qui causes ma peine,
M'ès-tu donné pour vanger mon honneur ?
M'ès-tu donné pour perdre ma Chiméne ?

Il vaut mieux courir au trépas,
Je dois à[2] ma Maîtresse aussi-bien qu'à mon pére :
J'attire en me vangeant sa haine & sa colére ;
J'attire ses mépris en ne me vangeant pas.
A mon plus doux espoir l'un me rend infidelle,
Et l'autre indigne d'elle.
Mon mal augmente à le vouloir guérir ;
Tout redouble ma peine.
Allons, mon ame, & puisqu'il faut mourir,
Mourons du moins sans offenser Chiméne.

Mourir sans tirer ma raison[3] !
Rechercher un trépas si mortel à ma gloire !
Endurer que l'Espagne impute à ma mémoire
D'avoir mal soûtenu l'honneur de ma maison !
Respecter un amour dont mon ame égarée
Voit la perte asseurée !
N'écoutons plus ce penser suborneur
Qui ne sert qu'à ma peine,
Allons, mon bras, sauvons du moins l'honneur,
Puisqu'après tout il faut perdre Chimène.

Ouy, mon esprit s'étoit déçeu[4].
Je doy tout à mon pére avant qu'à ma Maîtresse :
Que je meure au combat, ou meure de tristesse,
Je rendray mon sang pur, comme je l'ay receu.
Je m'accuse déjà de trop de négligence,
Courons à la vangeance,
Et tout honteux d'avoir tant balancé,
Ne soyons plus en peine,
(Puisqu'aujourd'huy mon pére est l'offensé)
Si l'offenseur est pére de Chiméne.

---

1 Épée.
2 J'ai des devoirs envers.
3 Sans obtenir justice.
4 S'était trompé.

Le Théâtre / de P. Corneille ; reveu & corrigé par l'Autheur. – A Rouen ; A Paris : Chez Guillaume de Luyne, 1668. – [IIe partie, pp. 10-11].

HORACE 291

Honneur contre honneur (Acte II, scène 1, v. 347-408). — Le schéma est simple. Albe et Rome sont cités rivales. Sabine, sœur de l'Albain Curiace, a épousé le Romain Horace, tandis que Camille, sœur d'Horace, est fiancée à Curiace. Mais les deux villes sont bientôt en conflit et décident que le différend sera réglé par un combat entre les trois frères Horaces et les trois frères Curiaces. L'époux de Sabine, qui, après la mort de ses deux frères, tue les trois Curiaces, est le seul survivant. Excédé par les reproches de sa sœur Camille, il la met à mort. Jugé pour ce meurtre, il est finalement acquitté, après un vibrant plaidoyer de son père. Dans cette pièce, deux conceptions de l'honneur s'opposent, celle d'Horace, fanatique, et celle de Curiace, empreinte d'humanité, opposition qui apparaît clairement lors de la confrontation entre Horace et Curiace, après qu'ont été désignés les champions des deux cités.

CURIACE

Ainsi Rome n'a point séparé son estime,
Elle eust crû faire ailleurs un choix illégitime,
Cette superbe ville en vos fréres & vous
Trouve les trois guerriers qu'elle préfére à tous,
Et son illustre ardeur d'oser plus que les autres,
D'une seule maison brave toutes les nostres.
Nous croirons, à la voir toute entiére en vos mains,
Que hors les fils d'Horace il n'est point de Romains.
Ce choix pouvoit combler trois familles de gloire,
Consacrer hautement leurs noms à la mémoire ;
Ouy, l'honneur que reçoit la vostre par ce choix
En pouvoit à bon titre immortaliser trois ;
Et puisque c'est chez vous que mon heur[1] & ma flame
M'ont fait placer ma sœur & choisir une femme,
Ce que je vay vous estre & ce que je vous suis
Me font y prendre part autant que je le puis :
Mais un autre intérest tient ma joye en contrainte,
Et parmy ses douceurs mesle beaucoup de crainte.
La guerre en tel éclat a mis vostre valeur
Que je tremble pour Albe & prévoy son malheur.
Puisque vous combatez, sa perte est asseurée,
En vous faisant nommer le Destin l'a jurée,
Je voy trop dans ce choix ses funestes projets
Et me conte déjà pour un de vos Sujets.

1 Mon bonheur.

HORACE

Loin de trembler pour Albe il vous faut plaindre Rome,
Voyant ceux qu'elle oublie & les trois qu'elle nomme.
C'est un aveuglement pour elle bien fatal,
D'avoir tant à choisir & de choisir si mal.
Mille de ses enfans beaucoup plus dignes d'elle
Pouvoient bien mieux que nous soûtenir sa querelle ;
Mais quoy que ce combat me promette un cercueil,
La gloire de ce choix m'enfle d'un juste orgueil,
Mon esprit en conçoit une masle asseurance,
J'ose espérer beaucoup de mon peu de vaillance,
Et du sort envieux quels que soient les projets,
Je ne me conte point pour un de vos Sujets.
Rome a trop crû de moy, mais mon ame ravie
Remplira son attente ou quittera la vie.
Qui veut mourir ou vaincre est vaincu rarement,
Ce noble desespoir périt malaisément,
Rome, quoy qu'il en soit, ne sera point Sujette,
Que mes derniers soûpirs n'asseurent ma défaite.

CURIACE

Hélas ! c'est bien icy que je dois estre plaint !
Ce que veut mon païs, mon amitié le craint.
Dures extrémitez, de voir Albe asservie,
Ou sa victoire au prix d'une si chére vie,
Et que l'unique bien où tendent ses desirs
S'achète seulement par vos derniers soûpirs !
Quels vœux puis-je former & quel bonheur attendre ?
De tous les deux costez j'ay des pleurs à répandre ;
De tous les deux costez mes desirs sont trahis.

HORACE

Quoy ! vous me pleureriez mourant pour mon païs !
Pour un cœur généreux ce trépas a des charmes,
La gloire qui le suit ne souffre point de larmes,
Et je le recevrois en benissant mon sort,
Si Rome & tout l'Etat perdoient moins en ma mort.

CURIACE

A vos amis pourtant permettez de le craindre,
Dans un si beau trépas ils sont les seuls à plaindre,

La gloire en est pour vous & la perte pour eux,
Il vous fait immortel & les rend malheureux,
On perd tout quand on perd un amy si fidelle.
Mais Flavian[1] m'apporte icy quelque Nouvelle.

Le Théâtre / de P. Corneille ; reveu & corrigé par l'Autheur. – A Rouen ; A Paris : Chez Guillaume de Luyne, 1668. – [IIe partie, pp. 72-74].

CINNA 292

La clémence d'Auguste (Acte V, scène 3, v. 1693 à 1741). — *Cinna* mêle intrigue amoureuse et sujet politique. Émilie, la fille adoptive d'Auguste, veut venger l'assassinat de son père naturel dans lequel Auguste a trempé. Elle prépare un complot contre l'empereur, y entraîne Cinna, qu'elle aime d'un amour partagé, et Maxime, lui-même amoureux de la jeune femme. Les deux hommes agissent, à la fois pour lui plaire et par haine de la tyrannie. Dépité de voir Émilie lui préférer Cinna, Maxime dénonce la conspiration. Mais Auguste, au lieu de se venger, considère que sa gloire est de faire preuve de magnanimité. Il pardonne aux conjurés et donne son accord au mariage entre Émilie et Cinna.

AUGUSTE

En est-ce assez, ô Ciel ! et le Sort pour me nuire
A-t-il quelqu'un des miens qu'il veuille encor séduire ?
Qu'il joigne à ses efforts le secours des Enfers,
Je suis maître de moi comme de l'Univers.
Je le suis, je veux l'être. Ô Siècles, ô Mémoire,
Conservez à jamais ma dernière victoire,
Je triomphe aujourd'hui du plus juste courroux
De qui le souvenir puisse aller jusqu'à vous.
Soyons amis, Cinna, c'est moi qui t'en convie :
Comme à mon ennemi je t'ai donné la vie,
Et malgré la fureur de ton lâche destin[2],
Je te la donne encor comme à mon assassin.
Commençons un combat qui montre par l'issue
Qui l'aura mieux de nous, ou donnée, ou reçue.
Tu trahis mes bienfaits, je les veux redoubler,
Je t'en avais comblé, je t'en veux accabler.
Avec cette beauté que je t'avais donnée
Reçois le Consulat[3] pour la prochaine année.

---

1 Soldat de l'armée romaine.

2 De ton lâche projet.

3 Cette charge n'avait plus, sous l'Empire, qu'une valeur honorifique.

Aime Cinna, ma fille, en cet illustre rang,
Préfères-en la pourpre à celle de mon sang,
Apprends sur mon exemple à vaincre ta colère,
Te rendant un époux, je te rends plus qu'un père.

ÉMILIE

Et je me rends, Seigneur, à ces hautes bontés,
Je recouvre la vue auprès de leurs clartés,
Je connais mon forfait qui me semblait justice,
Et ce que n'avait pu la terreur du supplice,
Je sens naître en mon âme un repentir puissant,
Et mon cœur en secret me dit qu'il y consent.
Le Ciel a résolu[1] votre grandeur suprême,
Et pour preuve, Seigneur, je n'en veux que moi-même ;
J'ose avec vanité me donner cet éclat,
Puisqu'il change mon cœur, qu'il veut changer l'État[2].
Ma haine va mourir, que j'ai crue immortelle,
Elle est morte, et ce cœur devient Sujet fidèle,
Et prenant désormais cette haine en horreur,
L'ardeur de vous servir succède à sa fureur.

CINNA

Seigneur, que vous dirai-je après que nos offenses
Au lieu de châtiments trouvent des récompenses ?
Ô vertu sans exemple ! ô clémence qui rend
Votre pouvoir plus juste et mon crime plus grand.

AUGUSTE

Cesse d'en retarder un oubli magnanime,
Et tous deux avec moi faites grâce à Maxime,
Il nous a trahis tous, mais ce qu'il a commis
Vous conserve innocents et me rend mes amis.

À Maxime

Reprends auprès de moi ta place accoutumée,
Rentre dans ton crédit et dans ta renommée,
Qu'Euphorbe de tous trois ait sa grâce à son tour,
Et que demain l'Hymen couronne leur amour.
Si tu l'aimes encor, ce sera ton supplice.

1 A décidé.

2 J'ose avec orgueil m'attribuer cette gloire de lui faire changer l'État, puisqu'il change mon cœur.

Œuvres complètes. I. / Corneille ; textes établis, présentés et annotés par Georges Couton. – Paris : Gallimard, 1980. – (*Bibliothèque de la Pléiade* ; 19). – [Pp. 966-968].

POLYEUCTE 293

Amour divin et amour humain (Acte IV, scène 3, v. 1235-1284). — *Polyeucte* allie romanesque amoureux et héroïsme religieux. D'un côté, se développe une intrigue qui voit Pauline partagée entre ses tendres sentiments pour Sévère et son devoir envers son mari Polyeucte. De l'autre, prend place la conversion de Polyeucte au christianisme. Il assumera le martyre après avoir converti à sa nouvelle foi son beau-père Félix et son épouse qu'il confie, avant de mourir, à Sévère. C'est ici le dramatique entretien entre Pauline et Polyeucte. À Pauline qui le supplie de penser à ses devoirs terrestres et de ne pas l'abandonner, Polyeucte oppose la force de son amour pour Dieu.

PAULINE

Cruel[1], car il est temps que ma douleur éclate,
Et qu'un juste reproche accable une âme ingrate,
Est-ce là ce beau feu ? sont-ce là tes serments ?
Témoignes-tu pour moi les moindres sentiments ?
Je ne te parlais point de l'état déplorable
Où ta mort va laisser ta femme inconsolable ;
Je croyais que l'amour t'en parlerait assez,
Et je ne voulais pas de sentiments forcés.
Mais cette amour si ferme et si bien méritée
Que tu m'avais promise et que je t'ai portée,
Quand tu me veux quitter, quand tu me fais mourir,
Te peut-elle arracher une larme, un soupir ?
Tu me quittes, ingrat, et le fais avec joie,
Tu ne la caches pas, tu veux que je la voie,
Et ton cœur insensible à ces tristes appas
Se figure un bonheur où je ne serai pas !
C'est donc là le dégoût qu'apporte l'Hyménée !
Je te suis odieuse après m'être donnée !

POLYEUCTE

Hélas !

PAULINE

Que cet hélas a de peine à sortir !
Encor s'il commençait un heureux repentir,

1 *Cruel* est devenu dans la tragédie classique le mot même de l'aveu d'amour.

Que tout forcé qu'il est, j'y trouverais de charmes !
Mais courage, il s'émeut, je vois couler des larmes.

POLYEUCTE

J'en verse, et plût à Dieu qu'à force d'en verser
Ce cœur trop endurci se pût enfin percer.
Le déplorable état où je vous abandonne
Est bien digne des pleurs que mon amour vous donne,
Et si l'on peut au Ciel sentir quelques douleurs,
J'y pleurerai pour vous l'excès de vos malheurs.
Mais si dans ce séjour de gloire et de lumière
Ce Dieu tout juste et bon peut souffrir ma prière,
S'il y daigne écouter un conjugal amour,
Sur votre aveuglement il répandra le jour.
Seigneur, de vos bontés il faut que je l'obtienne,
Elle a trop de vertus pour n'être pas Chrétienne,
Avec trop de mérite il vous plut la former,
Pour ne vous pas connaître, et ne vous pas aimer,
Pour vivre des Enfers esclave infortunée,
Et sous leur triste joug mourir, comme elle est née.

PAULINE

Que dis-tu, malheureux ? qu'oses-tu souhaiter ?

POLYEUCTE

Ce que de tout mon sang je voudrais acheter.

PAULINE

Que plutôt...

POLYEUCTE

C'est en vain qu'on se met en défense[1],
Ce Dieu touche les cœurs lorsque moins on y pense,
Ce bienheureux moment n'est pas encor venu,
Il viendra, mais le temps ne m'en est pas connu.

PAULINE

Quittez cette chimère et m'aimez.

POLYEUCTE

Je vous aime,
Beaucoup moins que mon Dieu, mais bien plus que moi-même.

---

1 Qu'on se défend.

PAULINE

Au nom de cet amour ne m'abandonnez pas.

POLYEUCTE

Au nom de cet amour daignez suivre mes pas.

PAULINE

C'est peu de me quitter, tu veux donc me séduire ?

POLYEUCTE

C'est peu d'aller au Ciel, je vous y veux conduire.

Œuvres complètes. I. / Corneille ; textes établis, présentés et annotés par Georges Couton. – Paris : Gallimard, 1980. – (*Bibliothèque de la Pléiade* ; 19). – [Pp. 1030-1032].

BARTOLI

ITALIEN **1608-1685**

Après avoir étudié la grammaire, les lettres et la rhétorique au Collège des jésuites de Ferrare, sa ville natale, Daniello Bartoli entre, en 1623, dans la Compagnie de Jésus. Envoyé à Plaisance en 1625 pour y achever ses études de rhétorique, il étudie ensuite la philosophie à Parme ; en 1634, il est à Milan, à l'Université de Brera, et, de 1636 à 1638, à Bologne où il suit les cours de théologie du géographe et astronome Giambattista Riccioli (1598-1671), qui l'éveille aux curiosités scientifiques. Malgré son très vif désir de partir en mission, il est affecté par ses supérieurs à la prédication. Entre 1637 et 1645, il est orateur sacré à Mantoue, Modène, Parme, Bologne, etc. Ses sermons, engloutis sans doute dans le naufrage qu'il fit en 1646, devaient être nourris de la substance qui se retrouve dans ses traités religieux et moraux. Contrairement aux prédicateurs de son temps, il prôna toujours, non la complaisance et l'ingéniosité, mais l'édification et l'élévation des sentiments et des pensées.

La carrière littéraire de Bartoli commence avec un traité, *Dell'uomo di lettere* (1645), qui définit l'idéal de l'intellectuel et aborde les thèmes de l'art d'écrire, les vices et défauts, moraux et stylistiques, à éviter, et la question du conceptisme. Pour Bartoli, l'activité littéraire doit être ouverte aux formes contemporaines, sans excès, mais liée à la tradition classique, sans pédanterie. Volonté typique de l'époque de la Contre-Réforme, il entend concilier exigences culturelles, artistiques et spirituelles : la sainteté sans les lettres lui paraît « remarquable et précieuse », mais il lui semble ridicule de penser « qu'être saint et sage n'est pas mieux qu'être saint tout court ».

Dans *Il torto e 'l diritto del « non si può » dato in giudizio sopra molte regole della lingua italiana* (*Le Pour et le contre du « ne dites pas »*, 1655), publié sous le pseudonyme de Ferrante Longobardi, il intervient dans la question de la langue. Si, typiquement baroque, il s'éloigne de la théorie aristotélicienne pour percevoir le fait linguistique comme création libre, il manifeste, par son refus des excès dans la liberté d'expression, tout ce qu'il doit à son éducation littéraire et à son humanisme. À ce parfait modéré, le « bon goût », qualité très éduquée, paraît l'arbitre suprême du style.

Totalement soumis à ses supérieurs, Bartoli, en 1645, s'installe à Rome et passe de la prédication à l'histoire de la Compagnie de Jésus, acceptant, sans enthousiasme, le rectorat du Collège Romain, de 1671 à 1673, année où il achève son *Istoria della Compagnia di Gesù*, qui fait l'apologie des missions jésuites dans le monde. Commencé en 1650 à la demande du Père Vincent Carafa, général de la Compagnie, ce chef-d'œuvre se compose de plusieurs volumes : *Della vita e dell'istituto di sant'Ignazio* (1650), *L'Asia* (1650), *La Missione al Gran Mogor e della vita e morte del P. Ridolfo d'Acquaviva* (1653, ajouté à l'édition de 1667 de *L'Asia*), *Il Giappone* (1660), La *Cina* (1663), L'*Inghilterra* (1667) et *L'Italia* (1673). Mondes pittoresques, paysages exotiques et merveilleux servent de décor à l'action des missionnaires catholiques, dont l'héroïsme est vivement loué. Souvent critiquée pour son manque de valeur historique, cette œuvre, qui fut nourrie de recherches étendues et minutieuses, pèche plutôt par idéalisme : c'est toujours l'interprétation ou le fait qui favorisent le sentiment de la foi qui finissent par prévaloir dans le jugement de l'auteur. C'est la limpidité de son style qui lui a valu l'admiration des puristes du XVIIIe siècle, et jusqu'à Leopardi (1798-1837) qui l'appelle « le Dante de la prose italienne » (*Lo Zibaldone*, posthume, 1900).

Entrecoupant l'*Istoria*, « tâche longue et terriblement ennuyeuse », Bartoli s'occupe de problèmes religieux, éthiques, rhétoriques et scientifiques sur lesquels il rédige de nombreux travaux, de valeur inégale. *L'Homme sur le point de mourir* (1668), au style clair, à l'écriture directe, s'emploie à dissiper la terreur de mourir, sans éluder le lugubre et le sinistre, s'employant, à la lumière de la foi, à présenter la mort comme une dormition.

Hagiographe de divers jésuites, Vincent Carafa, Stanislas Kostka, Robert Bellarmin, François Borgia, Nicolas Zucchi, Bartoli laisse aussi des traités scientifiques : *La tensione e la pressione* (1677), un traité *Du son* (1679) et *La Glace et la coagulation* (1681), traités plus soucieux de souligner partout la grandeur et la toute-puissance divines que de pénétrer les lois objectives des mécanismes du monde.

Parmi les œuvres les plus caractéristiques du goût baroque, on trouve *La geografia trasportata al morale* (1664) et *Dei simboli trasportati al morale* (1677), où Bartoli recherche des significations symboliques dans des exemples tirés « de l'histoire, des fables, de la nature, de l'art ». *La Récréation du sage* (1659), méditation pseudo-philosophique, approfondit le vieux thème humaniste du « livre de la nature » où se lisent les possibilités infinies de la puissance et de la magnificence de Dieu.

La fin de sa vie, qu'il achève à Rome, marquée par une paix tranquille, est tout entière consacrée à ses *Pensieri sacri*, où il donne la mesure de sa méditation et de son recueillement.

La Spiritualité de la Compagnie de Jésus : esquisse historique / Joseph de Guibert. – Roma : Institutum historicum S.I., 1953. – XXXIX-659 p. – (*Bibliotheca Istituti historici Societatis Jesu* ; 4).

Daniello Bartoli e prosatori barocchi / France Angelini, Alberto Asor Rosa. – Bari : Laterza, 1975. – 91 p. – (*LIL* ; 30).

Daniello Bartoli scritore e letterato / Atti del Convegno nazionale di studi (Ferrara 1985). – Ferrara : Accademia delle Scienze, 1986.

Il gesuita e la morte : Congetture su Daniello Bartoli / Antonio Di Grado. – Catania : CUECM, 1992. – 107 p.

Pierantonio Frare, "Ricreazione del savio e ri-creazione dell'ingegnoso : tra Bartoli e Tesauro". – In : *Testo. Studi di teoria e storia della letteratura e della critica*, 26 (1993), pp. 81-87.

L'HOMME DE LETTRES 294

D. Boillet — 1996

Du style que l'on appelle style moderne de conceptions (IIe partie, chapitre VII). — Il s'agit de qualifier les concetti, traits d'esprit chers au style baroque. La présente traduction emprunte quelques expressions à *La Guide des beaux Esprits* / composée en italien par le R. Père Daniel Bartoli de la Compagnie de Jésus, et traduite en français par un père de la même Compagnie [Le Blanc]. – Pont-à-Mousson : Gaspard Bernard, 1654.

Mais je devine que certains trouveront que, parlant des meilleures formes de l'éloquence, j'ai oublié la meilleure qui soit, puisque je n'ai pas encore parlé de ce qu'ils appellent style de concetti, dont l'emploi aujourd'hui vaut à beaucoup la louange d'esprits hors du commun. Ce style, disent-ils, n'est donné qu'aux esprits qui ont de sublimes pensées, puisque tout y est de perles liquéfiées et d'or broyé : c'est le produit des âmes élevées, puisque tel l'oiseau des Indes, qu'on appelle oiseau de paradis, jamais il ne met pied à terre, jamais il ne s'abaisse, mais toujours passe dans l'air le plus pur, dans le ciel le plus serein et le plus élevé. Ce style fait le portrait de ce qu'il représente en composant une précieuse mosaïque avec mille ingénieuses pensées, émule en cela du grand Pompée qui fit paraître, dans son triomphe — encore que *veriore luxuria quam triumpho*[1] —, une image de son visage uniquement composée de diamants, de rubis, de saphirs, d'escarboucles et de perles, et dont le dessin rivalisait si bien avec les couleurs, que l'on ne savait ce qu'il convenait d'admirer davantage, de la matière ou de l'assemblage. Cette Vénus, *quam Charita Græci vocant*[2], et qu'Apelle[3] disait se refuser à tout pinceau qui ne fût pas le sien, se refuse à toute plume qui n'est point celle du style de conceptions, dont les représentations sont d'autant plus expressives et vivantes, que l'art de la pointe lui appartient en propre. Le monde aujourd'hui n'est plus tel qu'il était lorsque les hommes, nés dans les bois, faisaient leurs délices des glands des chênes. Accoutumé à la saveur des lettres, son goût est devenu si délicat, qu'il veut que non seulement soit précieuse la liqueur qu'il boit par les oreilles (lesquelles sont les bouches de l'âme), mais que le soit également la tasse qui la lui présente, de sorte que soient dignes de lui et la matière et la manière de la présenter. Et c'est ce style ingénieux et lui seul par le moyen duquel *turba gemmarum potamus et smaragdis teximus calices*[4].

Cette oiseuse manière de dire des anciens, laquelle en un discours de plusieurs heures vous prépare une grande table, et semble vous nourrir parce qu'elle vous entretient, vous laisse non moins affamé qu'au début [...]. Mais l'éloquence moderne vous présente des mets dont la suavité est telle, dont la variété et l'abondance sont telles que, vous les ôtant pour vous en présenter d'autres, à peine y avez-vous goûté, toujours elle vous rassasie et toujours vous laisse sur votre faim, conformément à l'ancienne règle des plus nobles banquets, au cours desquels *dum libentissime edis,*

---

1 Pline, *Naturalis historia*, XXXVII, 1, 14. En fait, le texte latin dit *veriore luxuriæ triumpho* (« plutôt le triomphe du luxe », trad. E. de Saint-Denis).

2 « Que les Grecs appellent Grâce ».

3 Le plus célèbre peintre de l'Antiquité grecque (IVe siècle A.C.). (N.d.t.)

4 Pline, *Naturalis historia*, XXXIII, II. (« Nous buvons dans un amas de pierreries et nous couvrons nos coupes d'un réseau d'émeraudes », trad. H. Zehnacker).

tunc aufertur et alia esca melior atque amplior succenturiatur isque flos cœnæ habetur[1]. Les charmes et les beautés d'un style ne le rendent pas mou et efféminé, ou trop peu robuste pour réussir à persuader. La grâce n'ôte pas la force. Ces mérites sont ceux des soldats de Pompée, qui savaient *etiam unguentati bene pugnare*[2]. Qu'Ajax porte un bouclier de cuir, sans ornement et horriblement négligé ; Achille, dont le sien était recouvert d'or et semé de diamants, n'en était pas moins fort parce qu'il était beau. Imaginez-vous donc un Alcibiade[3], dont le cœur n'est pas moins généreux que le visage est beau, et qui aime paraître dans la bataille, le casque ceint d'une guirlande et la cuirasse ornée d'une broderie, et combattre ainsi paré, et comme d'autres, ainsi paré, triompher.

Ainsi parlent certains d'un style hors duquel rien ne leur plaît. Ils ne daignent pas même accorder un regard à une composition privée de ce qu'ils appellent conceptions, et qui leur semble une bouche *cui gelasinus abest*[4]. Leur palais n'aime que la saveur de ce qui pique ; tout le reste, *melimela fatuæque mariscæ*[5], est nourriture pour les enfants. [...]

Mais il convient aussi d'entendre ce que d'autres en disent à l'opposé, à savoir que ce style, considéré du point de vue de sa nature comme de son usage, ne pèse rien sur la balance du bon jugement, parce qu'il n'est que légèreté, et n'a rien de solide, parce qu'il n'est que vanité. [...] Ceux qui en usent sollicitent jour et nuit leur imagination et s'alambiquent la cervelle comme des araignées pour tisser les toiles ingénieuses et subtiles de leurs discours. Ils s'épuisent à façonner des concetti, qui la plupart du temps ne sont que disgracieux avortons, ouvrages de verre faits à la pointe d'une lampe, et qui se brisent dès qu'on les touche, pour ne pas dire dès qu'on les voit : d'autant plus beaux qu'ils sont fragiles, disent-ils, *imo quibus pretium faciat ipsa fragilitas*[6]. C'est un divertissement tout à fait amusant que de voir leurs compositions, comme les rêves des malades, passer à chaque période *de genere in genus*[7], prouvant ainsi véritablement ce

---

1 Aulu-Gelle, *Noctes atticæ*, XV, 8, 2. (« C'est là de nos jours l'ornement suprême des repas », trad. R. Marache).

2 Suétone, *Vitæ Cæsarum*, 67, 2. (« Qui savaient bien se battre, même inondés de parfums », trad. H. Ailloud).

3 Général athénien, neveu de Périclès (env. 450-404 A.C.). (N.d.t.)

4 Martial, *Epigrammata*, VII, 25, 6. (« Si le rire n'y met sa fossette », trad. H.J. Izaac).

5 Martial, *Epigrammata*, VII, 25, 7. (« les pommes mielleuses et les insipides marisques », trad. H.J. Izaac)

6 Pline, *Naturalis historia*, XXXIII, II. (« qui devaient tirer leur valeur de leur fragilité même », trad. H. Zehnacker).

7 « De genre en genre ». (N.d.t.)

qu'eux-mêmes disent, que leurs concetti sont éclairs de l'esprit, puisque non seulement ils apparaissent et disparaissent en même temps, mais bondissent en un seul instant de l'Orient à l'Occident, et maintes fois *sine medio*[1]. Leurs écrits ressemblent à la queue du paon, que Tertullien montre déployée au soleil : ses couleurs varient comme change son mouvement. *Numquam ipsa, semper alia, etsi semper ipsa quando alia. Toties mutanda, quoties movenda*[2].

Traduction inédite. — *Trattatisti e narratori del Seicento* / a cura di E. Raimondi. – Milano ; Napoli : R. Ricciardi, 1960. – (*La Letteratura italiana. Storia e testi* ; 36). – [Pp. 349-352].

LA CHINE 295

D. Boillet — 1996

Saint François Xavier, mort aux portes de la Chine, obtient pour nous qu'elles s'ouvrent (Livre I, chapitre 2). — Dans ce volume de l'*Histoire de la Compagnie de Jésus*, les « écrits originaux dont l'auteur dispose en abondance » sont essentiellement le texte manuscrit de l'*Histoire de l'introduction du christianisme en Chine* (*Storia dell'Introduzione del Cristianesimo in Cina*) du Père Matteo Ricci.

[...] Bienheureux notre siècle, auquel il échoit de voir, au prix de grandes difficultés certes, mais à la fin pourtant, non pas seulement entrer, mais largement se répandre, comme elle ne cesse de le faire, la connaissance du vrai Dieu auprès d'un peuple doté de telles qualités : et plus que le nôtre encore, bienheureux dans l'avenir ce siècle qui le premier verra qu'il ne reste pas un pouce de terre qui ne soit soumis à la monarchie de l'Église, là où cent ans plus tôt elle ne possédait rien. Car si nous ne pouvons aucunement en scruter la véritable raison, Dieu lui sait pourquoi il n'a pas été permis à saint François Xavier, apôtre de l'Orient, d'avancer le pied au delà du seuil de la Chine : au milieu des mille tourments qu'il endurait pour que s'ouvrent ces portes, jusqu'alors impénétrables, afin d'introduire, en même temps que sa personne, et quels que soient les risques, la foi, et dans ce monde immense qu'on peut bien appeler nouveau monde, recommencer de nouveau son grand apostolat, il reçut, envoyée d'en haut, l'annonce soudaine que les portes du ciel s'ouvraient pour lui, et que Dieu l'y attendait pour recevoir son âme et la couronner du prix que

1 « Sans terme intermédiaire ». (N.d.t.)

2 Pline, *De pallio*, 3, 1. « Jamais la même, toujours autre, même si toujours elle est la même quand elle est autre, et changeant autant de fois qu'elle bouge ». (N.d.t.)

méritaient, non pas tant ses grandes œuvres, que ses désirs incomparablement plus grands. Aussi le départ du saint fut-il d'un profit aussi grand que l'exigeait une entreprise telle que la conquête pour Dieu de la Chine. Ce fut là en effet le dernier d'entre tous ses désirs, pour cela même le plus cher, et qu'au moment de sa mort il emporta vivant dans son cœur avec lui jusqu'au ciel ; et là-bas, plus près du tribunal des grâces, il obtint ce que peut-être il aurait vainement attendu de l'inexorable justice des Chinois.

Et, certes, tous ceux qui entreprennent d'écrire des Mémoires de Chine reconnaissent que l'on doit à Xavier que les portes de ce pays aient commencé de s'ouvrir, l'année qui a suivi sa bienheureuse mort, ce que ne laissaient pas prévoir les faibles espoirs que l'on en avait, et que se soit aplanie une route qui n'était plus inaccessible aux étrangers, qui purent y pénétrer pour s'y installer durablement. [...] Avant quiconque, entrèrent donc dans ce royaume, comme dans l'héritage que le saint leur avait acquis, les religieux de la Compagnie : et eux seuls, durant de longues années, au milieu des peines et des souffrances, supportèrent ce dont il n'est pas donné à tous de comprendre la valeur, car les difficultés qu'on rencontre au début des grandes entreprises leur donnent plus de prix que n'a d'éclat leur apparence. Et la conquête de la Chine, bien plus que celle d'aucun autre pays au monde (comme on le verra en maints passages), a dû être menée comme celle des véritables forteresses, pouce après pouce, et en pratiquant un art subtil qui consiste à faire peu et supporter beaucoup, à la vaincre et à si bien ne pas sembler vaincre qu'elle ne s'en aperçoit pas. Ainsi, après qu'eut été rendu aisé ce qui semblait tout d'abord impossible, sont venus d'autres ouvriers pour cultiver ce peuple des gentils, dont l'innombrable multitude suffit aux peines, à l'esprit, à la gloire d'apôtres dont le nombre est celui même des quinze royaumes, non moins vastes que denses, que sous le nom de provinces compte la Chine.

Mais avant de rapporter comment est entrée et s'est répandue la connaissance de Dieu, en parlant tout de suite des personnes, des circonstances et de la diversité des événements, considérons, aussi précisément que possible, ce qui appartient à la nature du pays et à celle de ses habitants, puis son gouvernement politique ; car une compréhension superficielle ne permet pas d'en juger, sutout en ce qui concerne d'importantes et graves questions touchant à la religion, sans risquer de commettre de graves erreurs. Et pour ma part, en cette matière comme en tout le reste, je suivrai les Mémoires fidèles de personnes qui, à ne parler pour l'instant que de l'expérience, ont vécu en Chine, grâce à Dieu, non pas dix ou quinze mois, et enfermées dans une tour comme si on les y avait reléguées, mais en pratiquant son royaume dans toute son étendue, et pendant vingt, trente, quarante années et plus, qu'ont occupées non seulement les peines de leur ministère apostolique, durant le jour, mais aussi la longue et pénible étude, la nuit, des lettres et des sciences propres à ce pays, au point d'y devenir les maîtres de ses maîtres mêmes. Ainsi puis-je me prévaloir de ces écrits originaux dont je dispose en abondance ; non moins que de ce que me disent de vive voix ceux qui, venus de là-bas, d'une Chine parcourue de Macao à Pékin, c'est-à-dire d'un bout à l'autre, ont été les témoins oculaires de ce qu'ils rapportent.

Traduction inédite. — *Trattatisti e narratori del Seicento* / a cura di E. Raimondi. – Milano ; Napoli : R. Ricciardi, 1960. – (*La Letteratura italiana. Storia e testi* ; 36). – [Pp. 442-443].

LA RÉCRÉATION DU SAGE 296

D. Boillet — 1996

De la grandeur de Dieu dans ses moindres créatures (chapitre XI). — Dieu est à la fois visible et caché sous le voile transparent de sa création. À l'auteur de la décrire de manière à révéler sa présence en toute chose. Après avoir évoqué le soleil, Bartoli, passant du plus noble et du plus puissant au plus faible et au plus vil, parle des escargots et des araignées. Si leurs formes et leur matière montrent tant d'art et de finesse, qu'en sera-t-il de plus grands ouvrages divins ?

[...] Je pourrai donc, sans susciter quelque motif de moquerie, ôter la tenture qui couvre le tableau et vous faire observer les coquilles des limaçons qui, si vous vous servez de ce que Philostrate appelle « intelligence des yeux », ne vous sembleront point chose indigne d'être vue, mais vous paraîtront bien plutôt l'une des plus grandes merveilles de la nature, propre à quelque utile connaissance de la sagesse de Dieu. Mais pour ce faire, et vite et bien, il me faudrait pouvoir les exposer et vous présenter ici les milliers de coquillages que j'ai vus, trouvés dans diverses mers et réunis avec grand soin par ceux qui sont curieux de pareils miracles de la nature : entreprise aussi louable et sage que fut insensée celle de l'empereur Caïus Caligula lorsque, se flattant de traverser la mer avec son armée pour conquérir la Grande Bretagne, arrivé au bord de je ne sais quel rivage, il installa son camp et fit ranger en bel ordre ses légions en armes ; à son commandement, trompettes et tambours annoncèrent alors une bataille, qui consista pour les soldats à se ruer contre la mer avec un aspect menaçant et, en frappant dans le vide, à ramasser sur la plage, qui en était pleine, une poignée de limaçons et de coquillages, dépouilles avec lesquelles l'armée s'en revint victorieuse et triomphante ; et afin que ne pérît point dans les siècles à venir le souvenir d'un fait si mémorable, pour le cas où les historiens envieux le tairaient, Caligula fit dresser sur le lieu même où était advenue cette sanglante bataille, une très haute tour où furent accrochés les glorieux trophées de ces escargots que des mains armées arrachèrent à la mer[1]. Si peu de cervelle laissait alors aux empereurs romains ce malheureux laurier qui couronnait leur chef. Combien montraient plus de sagesse les barbares d'Occident, qui en accrochaient de longs colliers aux portes de leurs maisons pour que, agitées par le vent, ils produisent en se heurtant une musique à leurs oreilles, dont l'harmonie leur semblait plus douce qu'aucune autre[2] ! Mais personne ne les emploie en fonction de leur véritable destination, sinon qui veut montrer les ingénieux tours de la nature, ou pour mieux dire, combien Dieu se montre grand jusque dans les moindres choses.

Si différentes étaient entre elles ces coquilles dont j'ai vu une si grande multitude, et toutes d'un travail si divers, si charmant et si bien conçu que je désespère non sans raison que le souvenir universel qui m'en est resté, comme mon aptitude à en parler suffisent à montrer une seule des mille parties de leur beauté et de leur art admirables. Je dirai pourtant tout d'abord en avoir observé au microscope, qui tenaient tout entières et parfaitement formées en un petit grain de sable, soit qu'elles y fussent nées comme dans une mine, soient qu'elles s'y fussent encastrées. Quel œil à la vue perçante, quels instruments pointus, quelles mains ingénieuses, quelle matière docile, quelles matrices et quelles formes fines et délicates, quelle expérience dans un art purent suffire à réaliser une œuvre si minuscule, et néanmoins si parfaite, de la grosseur d'un point, comme l'est un limaçon, qu'un grain de sable peut tout entier contenir ? Et certes il convient ici de louer qui le premier trouva l'usage de cette goutte de cristal qui, dans un microscope, grandit non pas tant la taille que la qualité de choses invisibles à nos yeux et bien plus extraordinaires que celles immenses que nous voyons. Qui savait auparavant que ces araignées qui ne se cachent pas lâchement, ne filent pas comme les autres leurs entrailles et ne tissent pas, peureusement embusquées, des rets et des lacs pour prendre leur pâture, mais qui, chassant à découvert, sortent en quête de leurs proies et, sautillant çà et là, courant après des mouches,

1 Voir Suétone, *Vitæ Cæsarum*, Caligula, 46. (N.d.t.)

2 Les habitants des Indes occidentales. (N.d.t.)

quand elles les ont trouvées, se jettent sur elles en un bond fort rapide et furtif, les saisissent et les immobilisent, tandis qu'elles agitent en vain leurs ailes et leurs pattes, qui ne servent de rien à leur salut ; qui savait, dis-je, avant de les observer au microscope, que la tête de telles araignées présentait, ce que j'ai moi-même plusieurs fois pu compter, l'une six, l'autre huit yeux d'une extraordinaire vivacité ? Les deux principaux sont sur leur front, les autres répartis plus en arrière, faisant comme une couronne d'yeux autour de leur tête, qui certes conviendrait bien mieux aux princes que ces couronnes de joyaux qui les empêchent de voir dans leur dos ! Et, chose qui remplit d'admiration, l'on y discerne même la pupille et le petit cercle qui l'entoure : démonstration évidente, pour ceux dont l'esprit est aveugle, de la providence extrême de Dieu, qui a voulu que cette méprisable bestiole, laide comme un porc-épic et dont l'horrible face fait penser à un diable, trouve de quoi se nourrir, et l'a pourvue pour cela de tant d'yeux, placés d'une façon si bien adaptée que, lorsqu'elle se tourne ailleurs, ou sur le côté, ou vers l'arrière, feignant de ne pas voir la mouche, et de ne pas l'attendre pour l'attaquer, elle la prend dans sa visée : alors que sa proie se croit à l'abri de celle dont elle ne voit pas l'horrible face, l'araignée se jette brusquement sur elle, la saisit et la mord avec deux longues et mobiles mandibules qui sortent de sa bouche, et savoure avec le plus grand plaisir sa prise, fruit de l'industrie et de la bravoure, et partant deux fois plus délectable. Il existe maintes puissantes raisons d'ordre spéculatif aptes à convaincre ceux qui nient la providence universelle, et je ne manquerai pas d'en avancer moi-même quelqu'une en un lieu plus approprié ; mais ses œuvres stupéfiantes en font aux yeux la même démonstration qu'en font à l'intelligence de subtils arguments, et convainquent d'autant plus efficacement que sont plus viles les choses aux besoins desquels elle pourvoit.

Traduction inédite. — *Trattatisti e narratori del Seicento* / a cura di E. Raimondi. – Milano ; Napoli : R. Ricciardi, 1960. – (*La Letteratura italiana. Storia e testi* ; 36). – [Pp. 522-524].

MARINOS TZANES BOUNIALIS

GREC **? - 1686**

Crétois, Marinos Tzanes Bounialis appartenait à une famille noble de Réthymnon, où il vécut vraisemblablement jusqu'à la prise de la ville par les Turcs, en 1646. Son frère Emmanuel, auteur aussi de quelques poèmes religieux, fut un célèbre peintre d'icônes. Après 1646, Bounialis se réfugie à Castro (l'actuel Héraclion) puis dans les Îles ioniennes, et enfin à Venise, où il achève et fait publier, en 1681, son *Récit en vers de la terrible guerre qui eut lieu dans l'île de Crète*, une longue chronique qui continue une tradition déjà illustrée, dans la littérature crétoise, par Antoine Achélis, auteur d'un *Siège de Malte* (1571). Il compose ensuite un *Débat de l'âme et du corps*, poème d'inspiration eschatologique qui parut, à Venise également, en 1684.

Bounialis commença à composer sa *Guerre de Crète* en 1669, après que l'île entière, avec la capitualtion de Castro, fut tombée aux mains des Turcs. Ses sources principales sont probablement ses souvenirs personnels de la bataille de Réthymnon et les récits de la prise de La Canée et du siège de Castro obtenus de ses compatriotes réfugiés. Mais il est possible qu'il se soit également aidé de la chronique qu'avait publiée en 1667 Anthime Diacroussis, voire de *La Guerra di Candia* (1679) du Vénitien Andrea Valiero. Le poème, qui compte quelque 11 000 vers de quinze syllabes, est divisé en une série d'épisodes de longueur et de qualité inégales. Bounialis écrit le dialecte crétois, que Hortatsis, Cornaros et d'une manière générale la « Renaissance crétoise » avaient dès la fin du XVIe siècle élevé au rang de langue littéraire, mais son style est moins soigné, plus proche de la langue parlée. Hormis l'intérêt historique qu'il présente, son poème, souvent verbeux et mal construit, vaut surtout par quelques remarquables récits de batailles terrestres ou navales, et plus encore par l'élan patriotique qui l'anime. Contemporaine de la tragédie de *Zénon* et de l'*Art de la rhétorique* de Scouphos, la *Guerre de Crète* est l'une des dernières œuvres importantes du « siècle d'or » de la littérature crétoise.

Histoire de la littérature néo-grecque : la période jusqu'en 1821 / Borje Knös. – Stockholm ; Göteborg ; Uppsala : Almqvist & Wiksell, 1962. – (*Acta Universitatis Upsaliensis*). – [Pp. 231-232 ; 342].

N.B. Tomadakis, "Marinos Tzanes Bounialis". – In : *Hellénika*, 6 (1933), pp. 103-120. – [En grec].

N.B. Tomadakis, "Emmanuel, Constantin et Marinos Tzanes Bounialis". – In : *Kritika Chronika* 1 (1947), pp. 123-154. – [En grec].

LA GUERRE DE CRÈTE 297

M. Lassithiotakis — 1996

Mort d'une civilisation. — Dans une longue prosopopée, la Crète personnifiée décrit les désastres de la guerre, invite l'humanité entière à s'apitoyer sur son sort et évoque avec nostalgie l'époque désormais révolue de la prospérité et de la paix.

L'ennemi déverse sur moi une pluie de pierres, une grêle de balles,
un tonnerre sans fin de coups de canon.
Il détruit mes villes, il abat mes palais ;
il se précipite sur moi comme une tornade pour m'engloutir.
Il a terrorisé et tué mes notables
et les meilleurs parmi mes valeureux soldats.
Nul ne peut se promener sans être terrifié.
Et me voici à présent désolée, sans autre parure
que les dépouilles des chrétiens et leur sang répandu. [...]

Les chrétiens se sont mis à fuir, ils m'abandonnent,
et je n'aurai désormais que des Turcs pour habitants.
Non ! que jamais cela ne se fasse, non ! ne me reniez pas,
vous qui jusqu'ici me combliez d'honneurs.
Las ! je ne suis pas morte, je n'ai pas encore trépassé :
ne laissez pas seule l'île que vous chérissiez,
votre Crète merveilleuse, joyau de l'univers,
vous qui partagiez ma vie, qui étiez ma parure.
Quelle bête sauvage, quel lion farouche
pourrait rester de marbre en voyant l'esclavage que j'endure,
et cette plaie béante dont je souffre,
et ce mal incurable qui a frappé mon corps ?
Pleurez, amis, parents, pleurez sur mon sort malheureux,
pleurez, chrétiens de tous pays, sur ma souffrance injuste.
Terre, feu, eau, pleurez tous ensemble,
ciel, couvre-toi d'un voile de deuil,
sois déchiré par les éclairs et par la foudre, et qu'un nuage
vienne dissimuler le soleil, pour qu'il cesse de m'éclairer.
Pleurez, sources, rivières, lacs et ruisseaux,
montagnes, collines, plaines, roses et violettes.
Pleurez en ce jour à chaudes larmes, fleurs odorantes,
plaines couvertes de fleurs, arbres fleuris.
Pleurez, astres du ciel, lune et nuées ;
que les Pléiades et toutes les étoiles déplorent mon sort.
Soleil, que ta lumière se change aujourd'hui en ténèbres,

que le monde entier, depuis l'Orient jusqu'à l'Occident,
comprenne, en te voyant, que ma fin est proche,
et que tous ceux qui me connaissent se lamentent sincèrement.
Fruits et plantes, cessez de croître et de verdir,
pour partager les souffrances que l'on m'inflige.
On m'a donnée aux Turcs, on m'a livrée
aux mains des Agaréens, qui ont enterré la croix du Christ.
Que pleure aussi la mer, que les poissons se cachent,
que toutes les créatures qui y vivent s'affligent de mon sort.
Que se lamentent tous les animaux, et même les serpents
qui vivent en Crète, et qu'ils partagent ma douleur.
Que pleurent les oiseaux, les perdrix, les tourterelles,
les rossignols au doux chant et les hirondelles,
que pleurent le feu et l'air, l'eau, la terre et toutes ses beautés,
le ciel, les bâtiments, les hommes fortunés,
que toutes choses se désolent de la douleur que je ressens aujourd'hui,
de ma douleur immense et imméritée, et qu'ils prennent pitié demoi. [...]

Las ! malheureux Crétois, où sont à présent vos chevaux,
où sont vos mulets, où sont vos limiers,
où sont vos éperviers, où sont vos ouvrages,
où sont vos hautes demeures, où sont vos clercs ?
Où sont l'huile et le vin et le blé et la soie,
et vos jardins, vos vénérables monastères ?
Où est le temps où, montant vos chevaux, vous gagniez la campagne
pour y goûter le repos et les plaisirs de l'été ?
Où est l'eau de vos fontaines, où sont vos jardins pleins de fleurs ?
Quiconque les contemplait en oubliait ses peines.
Où sont les roses et les lys odorants,
les serviteurs fidèles, où sont-ils maintenant,
eux qui savaient danser si joliment, évoluer avec adresse
au son des violons, des guitares et des luths ?
Ils restaient toute la nuit à festoyer,
les rossignols chantaient, voletant autour d'eux.
De ces plaisirs, pourquoi faut-il que les Crétois soient désormais privés ?

Traduction inédite. — *O Kretikos Polemos (1645-1669) : è Syllogè ton hellenikon poematon* / Anthimos Diacroussis et Marinos Tzanès ; édité par A. Xirouchakis. – Trieste, 1908. – [Pp. 497, 551-552, 570].

LES KURANTN

YIDICH **1686-1687**

À défaut d'être le premier-né de la presse juive — qualificatif qu'il faut réserver à la *Gazeta de Amsterdam* (1674-1699) —, il s'agit bien du premier journal en langue yidich. Que cet ancêtre de la presse juive ait vu le jour à Amsterdam ne saurait étonner : la métropole hollandaise abritait à l'époque la principale communauté juive d'Europe, et les Pays-Bas ont joué un rôle capital dans la naissance de la presse.

L'unique collection conservée des *Kurantn* (*Dépêches*) couvre la période du 9 août 1686 au 5 décembre 1687. Bi-hebdomadaires, elles sont constituées d'un seul feuillet imprimé recto-verso et plié en deux. Chacune des quatre pages, divisée en deux colonnes, a une surface imprimée de 15,5 x 9 cm. L'impression est faite en caractères hébreux du type *Rashi*.

Par leur nom comme par leur contenu, les *Kurantn* s'inscrivent dans le contexte de l'ouverture du monde juif à la modernité. Le terme « courant » figure déjà dans les titres des journaux hollandais de l'époque et se retrouve dans celui du premier quotidien de langue anglaise (*Daily Courant*) et du premier journal russe (*Kuranti*). Le mot « courant » a d'ailleurs donné en néerlandais le substantif *krant* (« journal »). Quant au contenu, il se compose de nouvelles internationales, d'informations sur la vie juive, de faits divers et d'occasionnelles publicités. Les informations sont présentées d'une manière extrêmement concise et sobre, sous la forme de véritables « dépêches » anonymes. À l'exception du compte rendu du 26 juillet 1686 concernant l'autodafé de trois marranes portugais, les nouvelles ne sont suivies d'aucun commentaire. Cependant, la publication présente une unité de style manifeste et semble avoir été rédigée par un certain Moshé bar Abraham Avinou, originaire de Nikolsburg, dont le nom révèle qu'il s'agit d'un converti.

C'est sans doute par la presse que s'est maintenue le plus longtemps l'expression littéraire du yidich *occidental*. De 1860 à 1865 paraissait encore à Mulhouse un bimensuel intitulé *Israels Shtime. Journal populaire judéo-allemand pour l'Alsace et la Lorraine*. La presse yidich, largement développée en Europe de l'Est, a reconquis ensuite un public en Europe occidentale, au fil des migrations juives.

Nathan Weinstock, "À propos d'un anniversaire tombé dans l'oubli : aux origines de la presse yiddish". – In : *Traces 5347* (1986), pp. 164-174.

LES KURANTN **298**

N. Weinstock — 1996

Autodafé à Lisbonne (23 août 1686).

Portugal. Lisbonne, le 26 juillet.

Trois riches Portugais ont été tenus en suspicion ici de s'être livrés clandestinement aux pratiques de leur foi juive et on leur a offert la vie sauve s'ils consentaient — à Dieu ne plaise ! — à renier leur foi juive. Mais ils ont déclaré : « Nous sommes nés de parents juifs et nous entendons également mourir en juifs ». Et tous trois ont été brûlés.

Dieu est un juge équitable. Il saura bien trouver en son temps le sang innocent qui a été répandu[1]. Amen selah.

Traduction inédite. — Max Weinreich, "Di bobe fun der idisher prese". – In : *Di tsukunft* (1928), p. 681.

LES KURANTN 299

N. Weinstock — 1996

Des communautés juives aux Indes (27 août 1687).

Pays-Bas. Amsterdam.

On a reçu des missives des Indes Orientales, d'après lesquelles vivraient là-bas depuis près de quatorze cents ans déjà plusieurs milliers de juifs, noirs et blancs, qui s'y seraient installés après la destruction de Jérusalem. Et il se trouve parmi eux de grands sages et ils ont les mêmes livres ou Torah que l'on trouve chez nous, en ce pays.

Traduction inédite. — Max Weinreich, "Di bobe fun der idisher prese". – In : *Di tsukunft* (1928), p. 681-682.

LES KURANTN 300

N. Weinstock — 1996

Menace de pogrom à Rome (17 septembre 1687).

On mande de Rome qu'on a donné ordre aux juifs de rester dans leurs maisons à partir de six heures du soir et ce durant toute la nuit, par crainte d'un débordement populaire[2]. Car les gens du commun manifestent une grande exaspération envers les juifs.

Traduction inédite. — Max Weinreich, "Di bobe fun der idisher prese". – In : *Di tsukunft* (1928), p. 682.

---

1 Il semble qu'il faille comprendre : venger le sang innocent qui a été répandu. (N.d.t.)

2 Le terme *iberloyf* (« débordement ») désigne ce que l'on appelle aujourd'hui un pogrom. (N.d.t.)

BALBINUS

LATIN **1621-1688**

Face à la situation politique délabrée qui suivit la reprise de pouvoir, en 1620, par les Habsbourg, émergea une opposition dont le principal représentant est Bohuslaus Balbinus.

Né à Hradec Králové, le jésuite Bohuslav Balbín est le plus grand historien latin du XVIIe siècle tchèque. Avant de passer à l'historiographie, il composa des ouvrages hagiographiques consacrés à différents lieux de pèlerinage marial en Bohême, et, dans sa *Vita venerabilis Arnesti* (1664), au premier archevêque de Prague.

D'abord accueilli avec de sérieuses réserves politiques, son *Epitome historica rerum Bohemicarum*, dont la publication fut interrompue mais finit par s'achever en 1677, rassemble un riche matériau que développeront ses *Miscellanea historica regni Bohemiæ*, un ouvrage prévu en vingt Livres, dont seuls huit cahiers de la première décade et deux de la deuxième parurent de son vivant.

Riche de son expérience de travail dans les écoles de la Compagnie de Jésus, Balbín laisse aussi des écrits théoriques sur l'éducation et l'art oratoire : *Verisimilia humaniorum disciplinarum* (éditions en 1666, 1687, 1701), *Quæsita oratoria* (éditions en 1677, 1711) et *Brevis tractatio de amplificatione oratoria* (1688 et 1701).

Balbín a exprimé son patriotisme d'opposition en 1672-1673 dans sa *Brevis, sed accurata tractatio* (parue en 1775, sous le titre de *Dissertatio apologetica pro lingua slavonica, præcipue bohemica*). Dans un style oratoire plein d'émotion, il s'y livre à une analyse de la situation politique de son temps, étayée par une argumentation historique détaillée. La comparaison avec la situation précédemment favorable du Royaume de Bohême contribue à faire ressortir le caractère funeste du pouvoir de son temps qui tolère, et même encourage que l'on rogne les anciens droits d'un peuple indépendant, extrêmement cultivé et que l'on mette à mal sa langue.

Die slawische Barockwelt / Andreas Angyal. – Leipzig : E.-A. Seemann, 1961. – [Pp. 116-119].

APOLOGIE DE LA LANGUE SLAVE, ET EN PARTICULIER DU TCHÈQUE 301

P. Pietquin — 1996

Plaidoyer pour la patrie et la culture nationale (chapitre XVIII). — Dès les constitutions rénovées de 1627 et 1628 où l'allemand et le tchèque sont mis sur le même pied, la langue tchèque semblait peu à peu reléguée à un simple rôle utilitaire. Bohuslav Balbín s'insurge contre cet appauvrissement ; il s'oppose violemment et parfois avec ironie à la politique de Léopold Ier de Habsbourg, qui, durant son long règne (1657-1705) imposerait un retour en arrière à la liberté d'expression, à la culture, mais aussi à la dignité du peuple tchèque. Invocations et louanges des rois importants des dynasties antérieures (Václav — saint Venceslas — de la dynastie des Přemyslides, Charles Ier de Luxembourg) contrastent avec la description méprisante des réalités imposées par les Habsbourg. Dans ce chapitre, le dernier de l'ouvrage, l'auteur se plaint de l'oppression que le peuple subit, censément du fait des autorités intermédiaires. Mais au-delà de ce recours à l'autorité suprême, c'est à l'intercession de saint Venceslas, patron de la Bohême, qu'il en appelle.

Je n'ai perdu la tête, Excellence, que dans la mesure où je devais ma gloire à la soumission. Vous prendrez tout cela en assez bonne part, je le sais bien. J'ai même écrit avec d'autant plus d'assurance que je savais qu'à part vous, nul ne nous lirait, à moins que vous ne le mettiez dans le secret. J'ai écrit assez durement, je l'avoue, en de nombreux passages, mais c'était contre des cœurs endurcis. Un dard ne pénètre la peau d'un éléphant que si on le lance à l'aide d'une courroie, avec toute la force du bras. Qu'ils cessent une fois pour toutes d'être satisfaits d'eux-mêmes et de dédaigner le reste, que d'ailleurs ils ignorent. Nous aussi, puissions-nous cesser d'admirer ce qui est étranger et — triste destin de notre race — de mépriser ce qui nous appartient ! À nos yeux, nos foyers sont méprisables, et nous mettons un empressement de vieille femme — comment dire autrement ? — à nous lever pour saluer ceux qui nous mènent à la baguette. Nous accordons du prix à lutter pour obtenir les faveurs de la cour, plutôt qu'à toute autre perspective ou réalisation laissée par nos ancêtres, plutôt qu'à notre Patrie elle-même, que nous devrions préférer à tout le reste.

On raconte que Tibère, quittant pour rentrer chez lui la Curie romaine, où se donnaient des avis altérés par les flatteries et la crainte, avait coutume de dire : « Ô, peuple né pour se soumettre ! » Tibère aimait la soumission, il n'aimait pas les âmes soumises. C'est ce que dit aussi, je crois, celui qui est le seul dont on entend l'opinion et la voix dans nos assemblées.

Certes, si l'on rendait à César ce qui est à César, ce serait admissible. Mais en réalité, le patrimoine de César lui-même se trouve dilapidé et — préjudice irréparable pour César — ses provinces vont à leur perte, tandis que nous nous soumettons à celui dont la mère, une très sainte femme, avait annoncé qu'il serait un fléau pour sa patrie et qu'il était né pour causer la perte de la Bohême, ce dont nous nous rendons bien compte, nous qui voyons que tous ses projets ne visent qu'à apporter la désolation aux villes et à toute la Bohême. « Ô, qu'il y a en enfer des belles par milliers ! » dit le poète. Je dirais plutôt : « Ô, qu'il y a en enfer des Ardalions par centaines ! »

Quel que soit le nom dont tu te glorifies, que tu sois honoré ou aies été honoré du titre de Conseiller ou de Commissaire, d'Actuaire, de Scribe ou de Secrétaire, de Légat ou Prolégat de la Visitation ou de la Revisitation, si tu as consacré tes projets et tes activités à opprimer les pauvres, à te repaître et à t'abreuver de la sueur et du sang des malheureux paysans, à soulager les uns pour accabler les autres, si tu as gardé le silence pour gagner une faveur ou éviter la colère des princes, par flatterie, par crainte ou pour de l'argent, alors que tu aurais pu parler et dire ton avis pour défendre ta Patrie si abattue, si encore tu t'es laissé acheter la complicité de ta langue ou de ta plume : le sang des misérables sera sur toi et sur tes enfants !

Quoi que tu fasses, tu as beau multiplier jour après jour les saints sacrifices, épuiser les confesseurs, communier quotidiennement au corps et au sang du Christ, c'est ton propre jugement que tu avales, c'est sans discernement que tu absorbes le corps du Seigneur. « Le corps du Christ, ce sont les pauvres ici-bas », dit saint Augustin. Régurgite et recrache d'abord, ô malheureux, le sang des pauvres, dont tu t'es abreuvé ! Vivant comme mort, tu es exposé au couperet de la justice divine, accusé d'un si grand nombre de maux, qu'aucune pitié, si ce n'est le rétablissement de la justice, ne pourra les faire expier. Dieu agit envers chacun selon qu'il mérite bien ou mal de sa Patrie !

Je formule peut-être cette plainte avec retard, mais elle ne laisse absolument pas pourtant d'être sincère et juste. Ô, vous, Prince des Indigètes de Bohême, Très-Grand *Venceslas* ! Soyez *Vratislas*[1] et rendez à votre royaume de Bohême son ancienne gloire ! Remettez-nous à la place d'où nous sommes injustement tombés, à cause de notre paresse, à cause des prétentions criminelles d'autrui ou à cause des flatteries de plusieurs, alors que nous restons très fidèles à vous servir, à servir la très sainte religion et à servir nos rois jusqu'à la mort. Vous êtes le protecteur, le soutien de notre peuple ! Si nous perdons votre estime, nous sommes perdus. En vain attendriez-vous d'autres hommes les mêmes honneurs que ceux par lesquels la Bohême vous a témoigné tant d'années durant son attachement et son affection. Aussi, nous vous le demandons à genoux : *NEDEG ZAHYNAVTI NAM Y BVDAVCYVM*[2] *!*

Si vous ne daignez point écouter vos enfants, qui peut-être ont démérité, écoutez et exaucez la prière des anciens, qui ont prié pour leurs descendants et qui, au ciel, vous regardent ! Saint Venceslas, Martyr du Christ, unique héritier de la Bohême, priez pour nous.

Traduction inédite. — *Dissertatio apologetice pro lingua Slavonica, præcipue Bohemica* / Bohuslai Balbini. – Pragæ : s.n. , 1775. – [Pp. 118-121].

1 C'est-à-dire : « Celui qui rétablit la gloire ».

2 En tchèque dans le texte.

JOHN BUNYAN

ANGLAIS **1628-1688**

Né près de Bedford, ce fils de rétameur ambulant grandit loin des aristocrates et des intellectuels de son époque. Il fréquente l'école du village puis fait l'apprentissage du métier de son père. Profondément marqué par l'influence, croissante dans le milieu populaire, de l'esprit puritain, il prend part à la guerre civile en s'engageant, dès l'âge de 16 ans, dans les troupes de Cromwell. Il quitte cependant l'armée avant la victoire (1649) pour épouser une jeune fille très croyante, dont la dot consiste en quelques livres pieux. L'étude fervente de ces ouvrages semble être le premier signe de ce qu'il appelle lui-même sa conversion. Bien qu'il ait désavoué ce mouvement protestant lors de sa fondation, il décide d'entrer dans la jeune communauté baptiste de Bedford et y devient prêcheur itinérant. Il racontera plus tard comment, tourmenté par des rêves diaboliques et des angoisses spirituelles, il a abandonné les divertissements terrestres pour une vie de prière et d'évangélisation. Il ne cessera jamais de prêcher, même pas lorsque, à la Restauration (1660), ses activités de prédicateur dissident sont déclarées illégales par l'Église anglicane. Fidèle à ses convictions, il préfère l'emprisonnement au silence et passe 12 ans derrière les barreaux, d'où il propage son enseignement. Libéré en 1672 par la Déclaration d'Indulgence de Charles II, il passera encore quelques mois sous les verrous en 1675. C'est en prison qu'il rédige, en plus de nombreux traités religieux, des œuvres de fiction au succès immédiat et durable.

En marge des grands courants littéraires de la Renaissance, Bunyan est un écrivain populaire, qui se veut avant tout le porte-parole d'un certain protestantisme. Sa seule source textuelle est la Bible, qu'il cite beaucoup et qui lui donne, notamment, le titre du récit de sa conversion, *Grace Abounding to the Chief of Sinners* (*L'Afflux de la grâce au plus grand des pécheurs*), publié en 1666.

Ses écrits ne sont pas pour autant dénués d'intérêt artistique. Dans *The Pilgrim's Progress*(*Le Voyage du pèlerin*), son œuvre majeure, il réussit brillamment à concilier la didactique et un récit en prose vraiment captivant, parfois considéré, de nos jours, comme le premier roman anglais. La technique utilisée par l'auteur n'est pourtant pas innovatrice. *Le Voyage du pèlerin* est une allégorie dans la pure tradition du Moyen Âge. Comme Guillaume de Lorris dans *Le Roman de la Rose*, Bunyan conte au lecteur une aventure rêvée. Les motifs autour desquels celle-ci s'articule sont également typiques de l'allégorie médiévale : le narrateur décrit la vie du personnage rêvé, Christian (Chrétien), comme un voyage vers le Salut et un combat contre le Mal. La description du héros est celle d'un homme en haillons, avec un livre à la main (la Bible) et un lourd fardeau sur le dos (ses péchés). Persuadé que la colère de Dieu va bientôt s'abattre sur sa ville, la Cité de Perdition, il décide de partir pour la Cité céleste. Mais le parcours est semé d'épreuves et de rencontres avec des personnages allégoriques, comme Athée, qui voyage dans la direction opposée, ou Sagesse du monde, qui cherche à persuader le pèlerin de l'inutilité de son voyage et à le débarrasser de son fardeau (peut-être une allusion à l'expérience de Bunyan, à qui les magistrats de Bedford avaient conseillé, pour lui éviter la prison, de cesser ses prédications dissidentes). Après d'innombrables tourments, le voyageur arrive en vue de la Cité céleste, dont il ne peut franchir la porte qu'après avoir traversé le torrent de la Mort. Il y parvient grâce à

Plein-d'Espoir, et tous deux sont reçus dans la Cité.

Un tel récit n'est pas seulement un conte mettant en scène des personnages fictifs, c'est aussi une description du monde, dans laquelle chaque détail est porteur d'une signification profonde et universelle. Ainsi, Chrétien est à la fois le protagoniste d'une œuvre de fiction et l'allégorie du genre humain ou, plus exactement, de ce à quoi l'humanité devrait tendre. Œuvre romanesque, le *Voyage* reste un message religieux adressé aux fidèles par un pasteur. Et le public ne s'y trompa pas. C'est presque comme une Bible qu'il accueillit le chef-d'œuvre de celui que l'on surnomma « l'évêque Bunyan ».

Jusque dans son style, Bunyan sut associer la tradition biblique (il cite très souvent le Livre Saint) et la culture populaire (le langage est simple et contient, surtout dans les dialogues, des expressions typiquement rurales). Bien que longtemps boudé par la critique littéraire, qui le jugeait trop primitif, *Le Voyage du pèlerin* connut un succès considérable auprès des lecteurs et fut, pendant plus de deux siècles en Angleterre, le livre le plus lu après la Bible. Sa renommée ne se limita pas aux frontières nationales et religieuses. *Le Voyage* fut rapidement traduit en plusieurs dizaines de langues et dialectes. Le public français, pourtant catholique, apprécia l'allégorie du pasteur baptiste et l'on vit de nombreuses éditions de ses traductions au cours du XIXe siècle.

Face à l'engouement provoqué par le *Voyage*, Bunyan en rédigea une suite, publiée en 1684, qui retraçait l'itinéraire parallèle de Christiana, l'épouse de Chrétien, accompagnée de ses enfants et de ses voisins. Dans cette seconde partie, l'auteur aborde le sujet de la communauté religieuse dans son ensemble, et notamment de la place qu'y occupe la femme.

Bunyan, mort au cours d'un voyage à Londres, est également l'auteur, parmi de nombreuses publications, de deux autres allégories : *The Life and Death of Mr. Badman (La Vie et la mort de Monsieur Méchanthomme*, 1680) et *The Holy War* (*La Guerre sainte*, 1682), qui traitent des combats de l'âme contre le Mal.

John Bunyan : l'homme et l'œuvre / Henri A. Talon. – Paris : Éditions « Je Sers », 1948. – 399 p. – (*Études de littérature, d'art et d'histoire*).

Allégorie et réalisme dans "The Pilgrim's Progress" de John Bunyan / J. Blondel. – Paris : Lettres Modernes, 1960. – 48 p. – (*Archives des Lettres modernes* ; 28).

John Bunyan : The Pilgrim's progress. A Selection of Critical Essays / edited by R. Sharrock. – London & Basingstoke : Macmillan, 1976. – 251 p. – (*Casebook Series*).

John Bunyan : Allegory and Imagination / E.B. Batson. – London : Croom Helm, 1984. – 157 p.

LE VOYAGE DU PÈLERIN 302

Ch. A. Reichen — 1947

La geôle. — Le narrateur commence son récit en précisant que c'est un songe. Cette technique permet de proposer une allégorie peuplée de personnages fantastiques conservant une certaine vraisemblance : l'histoire, qui doit distraire, mais surtout instruire et convaincre, n'est pas imaginaire, mais rêvée.

Alors que j'errais par les déserts de ce monde, je m'arrêtai en un certain lieu. Un antre s'y trouvait et je m'y étendis pour y dormir ; et, comme je dormais, je fis un rêve. Je fis un rêve et, voyez-vous, j'aperçus un homme, vêtu de haillons, debout en un certain lieu et qui détournait sa face de sa propre demeure. Il avait un livre à la main, et sur ses épaules un pesant fardeau. Je regardai bien et le vis ouvrir le livre et y lire ; et comme il lisait, il pleurait et tremblait. À la fin, incapable de se contenir plus longtemps, il poussa un cri lamentable : « Que ferais-je, dit-il » ?[1]

En ce triste état, il rentra chez lui et se contint du mieux qu'il pût afin que sa femme et ses enfants ne s'aperçussent pas de son angoisse ; mais il ne pouvait se taire trop longtemps, car son tourment ne faisait que croître. C'est pourquoi, à la longue, il s'en ouvrit à sa femme et à ses enfants, et ainsi commença à leur parler :

— Oh ! ma chère femme, dit-il, et vous enfants de mes entrailles, je suis, moi votre ami très cher, ruiné en ma propre personne à raison d'un fardeau qui pèse sur mes épaules. Outre cela, je tiens pour assuré que cette cité où nous vivons sera consumée par le feu du ciel et que, dans cette terrible catastrophe, toi, ma femme, et vous mes pauvres enfants, partagerez misérablement mon sort, à moins que — mais je ne vois pas encore comment — il se puisse trouver quelque moyen d'évasion qui nous en préserve.

Spiritualité protestante / textes choisis et présentés par Pierre Étienne. – Namur : Éditions du Soleil Levant, 1965. – (*Les Écrits des saints*). – [Pp. 59-60].

LE VOYAGE DU PÈLERIN — 303

R. Estienne — 1820

Les obstacles du départ. — N'ayant pas réussi à convaincre sa famille du danger et de la nécessité de fuir, Chrétien doit partir seul. Un prédicateur évangéliste lui indique la direction de la Cité céleste et le pèlerin se met en route malgré la désapprobation et les critiques de son entourage.

Pourquoi, lui dit l'Evangéliste, ne vouloir pas mourir, puisque la vie est accompagnée de tant de maux ? L'Homme lui répondit : C'est que je crains que ce fardeau, qui est sur mes épaules, ne me fasse tomber plus bas que le tombeau, et ne me précipite dans l'Enfer. Or, Monsieur, si je me sens hors d'état de paroître devant le Juge, que dois-je présumer de la sentence qu'il prononcera ? Cette pensée me remplit de terreur, et c'est ce qui me fait jeter des cris.

Evangéliste lui dit : Mais si vous êtes persuadé que c'est-là le sort qui vous attend, pourquoi vous arrêtez-vous encore ? Il lui répondit : C'est que

1 Act. 2-37. (N.d.t.)

j'ignore par quel endroit il faut aller. Alors Evangéliste lui donna un rouleau de parchemin, sur lequel étoit écrit : *Fuis de la colère à venir*[1].

L'Homme le lut, et regardant Evangéliste attentivement, il lui demanda : Où faut-il fuir ? Evangéliste lui dit, en lui montrant du doigt une fort grande plaine : Voyez-vous là-bas cette petite porte ? — Non : je ne l'aperçois point. — Voyez-vous du moins cette lumière éclatante ? — Je crois l'apercevoir. — Et bien gardez ce point de vue, et allez-y tout droit, jusqu'à ce que vous voyiez la porte à laquelle vous frapperez, et là on vous dira ce que vous aurez à faire[2].

Je vis dans mon songe qu'à ces paroles l'Homme prit le chemin indiqué, et se mit à courir. Il n'étoit pas encore bien éloigné de sa maison, quand sa femme et ses enfans, s'apercevant qu'il s'en alloit, lui crièrent de retourner : mais l'Homme mit ses doigts dans ses oreilles, et n'en alla que plus vîte, en criant : La vie, la vie éternelle. Ainsi il ne regarda point derrière, et il continua son chemin en courant au milieu de la plaine.

Ses voisins et ses connoissances ayant su cette nouvelle, sortirent pour être témoins de sa fuite ; et comme il étoit encore à portée de les entendre, quelques-uns lui faisoient des menaces, d'autres le tournoient en raillerie, d'autres lui crioient de retourner. Parmi ces derniers il y en eut deux qui entreprirent de le faire revenir par force ; l'un se nommoit l'Endurci et l'autre Flexible. Quoiqu'il fût déjà éloigné d'eux d'une distance assez considérable, ils résolurent néanmoins de le poursuivre, et en peu de temps ils l'atteignirent.

Mes voisins, leur dit l'Homme, par quel motif venez-vous me trouver ? — Nous voulons vous engager de revenir avec nous. — C'est ce que je ne ferai pas. Vous demeurez dans la Cité de Destruction ; oui, je sais qu'elle doit éprouver ce triste sort, et si vous y mourez, vous tomberez tôt ou tard plus bas que le tombeau, dans un endroit terrible, où un feu de soufre brûle sans cesse : faites mieux, mes chers voisins, et venez avec moi.

[...]

L'Endurci. Il faut que les choses après lesquelles vous allez soient bien merveilleuses, puisque vous abandonnez tout le monde pour les obtenir.

Chrét. Je cherche un héritage pur, incorruptible, et qui ne passera jamais[3]. C'est dans le Ciel qu'est cet héritage[4] ; là, il est en sûreté, et il ne

---

1 *Matth.* 3.7. (N.d.t.)

2 *Jérem.* 20.10. (N.d.t.)

3 *Petr.* 1.4. (N.d.t.)

4 *Hebr.* 11.16. (N.d.t.)

doit être accordé dans le temps prescrit qu'à ceux qui l'auront cherché avec soin. Ce que je vous dis est dans mon Livre ; tenez, lisez-le.

Le Pélerinage d'un nommé Chrétien, écrit sous l'allégorie d'un songe / John Bunyan ; traduction française de Robert Estienne. – Avignon : François Seguin aîné, 1820. – [Pp. 14-18].

LE VOYAGE DU PÈLERIN 304

R. Estienne — 1820

La Foire aux Vanités. — Un autre temps fort du *Voyage* est l'arrivée de Chrétien et de son compagnon Fidèle à Vanité, une ville bien connue pour son marché, *Vanity Fair* (la Foire aux Vanités). Évangéliste les met en garde contre les dangers de cette foire, qui coûtera la vie à l'un d'entre eux. Ce décor est probablement le plus pittoresque et le plus connu de l'allégorie de Bunyan. Il symbolise la futilité et la vanité des fausses valeurs sur lesquelles repose, d'après l'auteur, la société qui l'entoure. Il a inspiré W.N. Thackeray, qui publia, en 1848, un roman intitulé *Vanity Fair.*

Evangéliste les ayant quittés, ils continuèrent leur route, et après avoir marché quelque temps ils sortirent du désert : alors ils aperçurent devant eux la ville appelée Vanité. Il y a toute l'année dans cette ville une grande Foire qu'on appelle *Marché de Vanité* ; on le nomme ainsi parce que tout ce qu'on y achète est vanité, suivant cette parole du Sage[1] : *Tout est vanité.*

L'établissement de ce marché est fort ancien, et de l'origine la plus reculée. Depuis plus de cinq mille ans les Pèlerins prennent leur route à la Cité céleste par cet endroit. Satanas, Belzébub, Légion et leurs associés, voyant que le chemin des Pèlerins à la Cité céleste traversoit la ville de Vanité, imaginèrent d'y établir ce marché qui dure toute l'année, et où on achète toutes sortes de choses vaines. Ces différentes espèces consistent en maisons, terres, places, honneurs, titres, contrées, royaumes, convoitises, plaisirs et divertissemens de toutes sortes ; de l'or, de l'argent, des pierres précieuses, du sang, des corps, des âmes ; enfin des choses de tous les genres. On y voit également, et cela en tout temps, des Comédies, des Jeux, des Baladins, des friponneries et des vols de toute espèce. Il y a comme dans nos Foires différentes rues, sous des noms propres, où on ne vend que telles et telles marchandises : on y trouve la rue de France, celle d'Angleterre, d'Italie, d'Espagne, d'Allemagne[2], où on peut acheter toutes les sortes de vanités.

---

1 *Ps.* 40, 7, *Eccl.* 1, *Chap.* 2. 31. 17. (N.d.t.)

2 Le monde apparaît ici limité aux grandes nations de l'Occident européen.

Le chemin à la Cité céleste, comme je l'ai dit, traverse la ville, précisément à l'endroit où se tient ce grand marché, et on ne peut passer par un autre endroit. Le Prince des Princes lui-même, quand il fut ici-bas, la traversa pour aller à son propre domaine. Belzébub, le premier chef de cette Foire, l'invita à faire emplette de ces vanités, et il l'auroit fait maître de tous les Royaumes du monde, s'il eût voulu lui rendre le moindre hommage ; mais cet homme vénérable n'eut pas seulement l'idée d'y prendre la moindre de ses vanités.

Il fallut donc que nos deux Voyageurs traversassent ce marché, et c'est ce qu'ils commencèrent à faire : mais à peine y furent-ils entrés, que le Peuple se mit dans un grand mouvement par rapport à eux, et les environnant avec grand bruit, les traita de fous et d'insensés. Ce qui occasionnoit tout ce tumulte, c'est qu'ils étoient habillés d'une sorte d'étoffe telle que l'on n'en vendoit aucune de cette espèce dans ce marché ; en outre, si on étoit étonné de leur extérieur, on l'étoit beaucoup plus de leur langage, car il n'y en avoit que très-peu qui l'entendissent. Ce qui déplut encore davantage aux marchands, c'est que ces Pélerins sembloient mépriser leurs marchandises, et ne tenoient pas seulement compte de les regarder : si quelques-uns les appeloient pour les engager à en acheter, ils se mettoient les doigts dans les oreilles en criant : Détournez-vous, mes yeux, pour ne point voir la vanité ; et ils regardoient vers le Ciel, pour donner à entendre que c'étoit-là qu'étoit leur commerce et leur trafic.

Il arriva qu'un particulier qui voyoit avec mépris l'extérieur de ces hommes, leur dit, pour se moquer : Que voulez-vous acheter ? Eux le regardant avec gravité, lui répondirent : *Nous voulons acheter la Vérité*. Cette réponse ne fit qu'exciter davantage l'indignation des habitans, qui se mirent à les railler, à les brocarder, et à s'exciter les uns les autres pour les maltraiter. Enfin les choses vinrent à un tel point, et le tumulte fut si grand, que toute la ville se trouva en combustion. On en fut porter la nouvelle au Commandant, qui descendit promptement, et qui députa quelques-uns de ses plus fidelles commis pour examiner quels étoient ces hommes qui causoient tant de rumeur.

Le Pélerinage d'un nommé Chrétien, écrit sous l'allégorie d'un songe / John Bunyan ; traduction française de Robert Estienne. – Avignon : François Seguin aîné, 1820. – [Pp. 116-120].

ZESEN

ALLEMAND • NÉERLANDAIS **1619-1689**

Fils d'un pasteur luthérien de Priorau, près de Dessau (Saxe), Philippe von Zesen fréquente le gymnase de Halle puis entre, en 1639, à l'université de Wittenberg où — il est peut-être aussi allé à Leipzig — il devient *Magister* (1641). Marqué à vie, en poétique et en rhétorique, par l'enseignement d'Auguste Buchner, il défendra, notamment, le dactyle en prosodie allemande.

Dès 1640, le jeune homme fait paraître un recueil de ses poèmes (*Deutscher Helikon*), qui sera réimprimé, augmenté, jusqu'en 1656. À la fin de ses études, il se rend à Hambourg, où il publie son premier grand recueil poétique (*Frühlingslust*, 1642). Ensuite, il s'établit aux Pays-Bas jusqu'en 1648. Passant l'hiver 1643-1644 à Paris, il découvre le roman héroïque et courtois, traduit en allemand trois œuvres du genre, notamment *Ibrahim ou l'illustre Bassa* de Madeleine de Scudéry (Paris, 1641 ; traduction de Zesen, Amsterdam, 1645). Véritable art de délier les doigts, ces traductions entendent démontrer que l'allemand peut rivaliser avec le français pour la souplesse et l'élégance.

Fondateur, en 1642 ou 1643, de la *Deutschgesinnte Genossenschaft*, la première Société de langue allemande, principalement soutenue par la bourgeoisie, il entre plus tard dans la célèbre *Fruchtbringende Gesellschaft*, avec laquelle il sera rapidement en désaccord, pour des raisons aujourd'hui obscures. Gêné, voire persécuté par ce conflit, il retourne aux Pays-Bas (1649-1652), se lie avec la Maison Anhalt-Dessau, et est anobli par Ferdinand III, à la Diète d'Empire de Regensburg. Après une mission diplomatique dans les pays baltes (1654-1655), il séjourne sans interruption aux Pays-Bas de 1655 à 1667 et obtient le droit de cité à Amsterdam, qu'il remercie par une monumentale *Description de la ville d'Amsterdam* (1664). En 1672, il épouse la jeune Maria Beckers, âgée de 18 ans. Il retourne en 1683 à Hambourg où il mourra quelques années plus tard.

Tandis que la plupart des poètes baroques ont occupé, à la Cour ou dans l'Administration, une position qui les a mis à l'abri du besoin, Zesen, le plus souvent, fut libre, mais livré aux aléas, et aux ressources de sa plume : honoraires pour chants de noces ou odes funèbres, jetons de présence à la Société de langue qu'il avait fondée, services de lecteur, de traducteur et de directeur de publication pour de grandes maisons d'édition d'Amsterdam, Elzevier ou Jansson, toutes fonctions sans gloire. L'extrême abondance de son œuvre n'est pas étrangère, sans doute, à la nécessité. Un catalogue de 1687 mentionne 89 imprimés et 49 manuscrits : poésie lyrique, romans, traités (poétique, grammaire, étymologie), ouvrages d'histoire, d'astronomie, de géographie, de mythologie, traductions, littérature d'édification, œuvres de circonstance.

L'originalité majeure de Zesen tient à ses romans. En 1645, c'est l'*Adriatische Rosemund* (*Rosemonde de l'Adriatique*), le premier roman héroïque allemand. L'action, loin des récits français compliqués, est linéaire. Sur le chemin de Paris, où il va pour se former, Markhold, un jeune poète à qui Zesen a prêté maints traits de sa biographie, passe par la Hollande, où il fréquente les cercles patriciens d'Amsterdam. Il s'y prend d'un amour immortel pour la fille d'un marchand vénitien, la belle Rosemonde, mais tout échoue à cause de leurs divergences religieuses. Rosemonde, malade d'amour, sombre dans la mélancolie. Alors que Markhold s'en va à Paris, elle se retire dans une cabane de berger où, loin de son orgueil d'antan, elle découvre l'humilité et l'abnégation. Amante malheureuse, elle devient l'incarnation proprement « surnaturelle » de la fidélité et de la constance.

Zesen, loin des règles de la poétique française des épopées et des romans héroïques, où l'action se limite à un an et où le passé des personnages est rapporté au cours du récit, a inséré des poèmes dans son texte et y a introduit des épisodes relevant de la tradition pastorale. En outre, il a renoncé au cadre exotique et oriental, dont *Ibrahim* avait lancé la mode, pour lui préférer Amsterdam et Paris. De plus, le caractère autobiographique du roman, fécondité certaine pour l'avenir du genre, déroge aux normes littéraires d'époque autant qu'aux bienséances. Trait inhabituel encore, l'action se déroule non dans le milieu de la noblesse mais dans la sphère de la haute bourgeoisie et prête attention — fait également présent chez Mlle de Scudéry — aux mouvements des sentiments amoureux, faisant de *Rosemonde de l'Adriatique* un roman sentimental avant la lettre, un *Werther* du XVIIe siècle.

Un autre roman de Zesen (*Assenat*, 1670) met en scène Joseph vendu par ses frères (Genèse, 37 et 39-50). Mais l'aspect patriarcal et familial du drame, mis en évidence dans la Bible, et sa signification typologique, soulignée par les Pères de l'Église, qui fait de Joseph une anticipation du Messie, passent ici au second plan. C'est la réalité politique et historique de l'Égypte ancienne, telle du moins qu'elle figurait dans l'*Œdipus Ægyptiacus* (1652-1654) d'Athanase Kircher, qui retient l'attention, avec ses cultes à mystères et toute l'aura de fantaisie prêtée à un univers encore largement ignoré. Zesen, de surcroît, recourt à diverses sources non bibliques, parmi lesquelles l'*Histoire d'Assenat*, un récit légendaire, d'époque chrétienne, sur la vie de la femme de Joseph, à propos de laquelle la Bible est restée très discrète (Genèse 41, 45 ; 41, 50). Bien que, selon une habitude baroque, ce soit la femme, Assenat, qui donne son nom au roman, c'est Joseph qui est le héros, ministre modèle, véritable « miroir » des princes et des fonctionnaires d'une Égypte où règne un ordre social absolutiste et courtisan. Tout cela est évoqué avec art et de grands raffinements rhétoriques, mais étouffé par l'abondance de la « science » archéologique.

Il y a bien loin de là au *Keuscher Joseph* (*Le Chaste Joseph*) de Grimmelshausen, que Zesen accusa cependant de plagiat. Succession d'épisodes sans prétention, *Le Chaste Joseph*, fidèle en cela au texte biblique, met en scène, de manière réaliste et populaire, *picaresque*, un Joseph modèle de la constance dans la vertu, alors que le Joseph de Zesen est le parangon du système nobiliaire.

La synthèse des aspects politiques et religieux de Joseph, telle que la montre le récit biblique, ne sera vraiment restaurée que dans la tétralogie *Joseph et ses frères* de Thomas Mann (1933, 1934, 1936, 1943).

Philipp von Zesen / Ferdinand van Ingen. – Stuttgart : Metzler, 1970. – VI-103 p. – (*Sammlung Metzler* ; 96 / *Realienbücher für Germanisten. Abt. D : Literaturgeschichte*).

Philipp von Zesen (1619-1969) : Beitrage zu seinem Leben und Werk / herausgegeben von Ferdinand van Ingen. – Wiesbaden : Steiner, 1972. – 289 p. – (*Beitrage zur Literatur des XV. bis XVIII. Jahrhunderts* ; 1).

Die Lyrik Philipp von Zesens : Praxis und Theorie / Josef Keller. – Berne : Lang, 1983. – 246 p. – (*Europäische Hochschulschriften. Reihe I : Deutsche Sprache und Literatur* ; 606).

ROSEMONDE DE L'ADRIATIQUE 305

H. Roland — 1996

Argent et mariage d'inclination (287-289).

Je dois reconnaître, reprit Rosemonde, qu'il s'agit là d'une histoire bien étonnante. Jamais je n'aurais cru qu'il existait aux Pays-Bas des parents si durs et si peu charitables. Ah, chère amie ! l'interrompit Markhold, on en trouve de bien moins charitables encore. J'ai récemment entendu parler de la cour que se faisaient un jeune homme de la noblesse et une jeune fille de la haute bourgeoisie. Comme le père ne voulait pas léguer de la sorte la partie maternelle, très élevée, de l'héritage de son unique fille, il la fit enchaîner lorsqu'il apprit qu'elle voulait se marier. L'avarice a fait tellement de ravages par ici, qu'il arrive souvent que les vieux bossus qui ne cessent d'aspirer jour et nuit à l'argent, et ce jusque dans leur tombe, finissent par descendre avec lui jusqu'en enfer.

On a l'habitude de dire des gens de Haute-Allemagne qu'ils sont ambitieux et orgueilleux, et qu'ils courent sans arrêt derrière les honneurs ; c'est la pure vérité. En revanche, ils dépensent volontiers leur argent afin de pouvoir vivre sur un bon pied. Il faut presque dire le contraire des gens de Basse-Allemagne, qui s'accrochent bec et ongles à leur richesse, dont quasi aucune violence ne les séparera. Ils s'empêtreraient volontiers dans la fange malodorante de la bassesse et du déshonneur afin de posséder le moindre morceau d'excréments or et blanc, plutôt qu'aspirer à la gloire et aux honneurs. Il arrive ainsi bien souvent qu'une jeune fille soit mal mariée par ses parents à quelqu'un en qui on ne percevait ni vertu, ni talent, seule la maudite richesse. Mariée à un tel buffle ou à un tel rustre, elle ne devra attendre aucun bonheur de son mariage, et toute joie lui sera inaccessible. De tels époux en viennent souvent à dissiper et gaspiller leur propre dot, mais aussi celle qu'ils ont reçue de leur femme, ou ils en usent de façon imprudente. Il arrivera alors à ces gens qui étaient jadis de part et d'autre si riches, de plonger dans la pauvreté la plus misérable. Régulièrement encore, telle jeune femme qui ne se venge pas de son bête et pingre mari, qui ne la satisfait pas, en cherchera un autre et le cocufiera de belle manière. Je ne peux pas lui en vouloir. La faute incombe à ses parents, qui auraient dû mieux la marier.

Vous pourriez donner de bien belles leçons aux jeunes femmes de Basse-Allemagne, reprit Rosemonde en souriant, et je sais avec certitude que les hommes vous en remercieraient grandement. Il me faudrait toutefois savoir comment une jeune fille peut, de façon si injuste, se laisser forcer la main par des parents peu soucieux. Je ne pourrais jamais épouser un homme pour qui je n'éprouve ni amour, ni amitié, ni même bienveillance ; que dire si j'y perdais en plus tous mes biens et tout mon héritage ! Plutôt passer à travers le feu et éprouver la mort que de prendre un époux sans rien y faire et contre ma volonté. Quelle vie bien misérable cela doit être ! Que Dieu m'en préserve ! J'ai peine à m'imaginer qu'on puisse trouver des parents de nature si impitoyable qu'ils en viennent à mener les enfants de leur propre chair en enfer pour la seule cause de l'argent.

Traduction inédite. — *Das Zeitalter des Barock : Texte und Zeugnisse* / Herausgegeben von Albrecht Schöne. – München : Deutscher Taschenbuch Verlag, 1988. – (*Die Deutsche Literatur vom Mittelalter bis zum 20. Jahrhundert*). – [Pp. 862-863].

ASSENAT 306

H. Roland — 1996

Joseph résiste à la tentation (136-137). — Cet épisode, repris à Genèse 39, 7 et sv., met en scène la séduction de la femme de Putiphar. La situation décrite et le débat de conscience de Joseph sont à la fois tributaires des traditions morales populaires et du dispositif propre à la psychologie des passions.

Cela faisait une bonne heure que Joseph subissait les assauts enflammés de l'amour et il lui semblait à présent dangereux de risquer ce combat plus longtemps. Sa respiration haletante le tourmentait. Il craignait que l'ennemi de l'extérieur ne cherche à pénétrer avec violence dans son cœur, à soumettre et exciter ses propres instincts pour en faire ses ennemis. Dès lors, les attaques lancées de l'intérieur s'avéreraient plus brutales que l'ennemi extérieur, et il risquerait bien de se voir conquis. Voilà pourquoi il ne voulait pas attendre cette violente guerre intestine. Il voulait fuir, avant que ce combat intérieur ne le jette à terre. Il prit donc congé avec une certaine hardiesse et prétexta devoir vaquer à ses occupations. En vain. Le jeune chat se contentait de jouer avec la souris, tant que celle-ci se tenait calme ; s'il lui prenait toutefois l'envie de bouger, le chat tapait avec sa patte et la tirait vers lui ; et si elle voulait se dérober, le chat la mordait et finissait par la dévorer. Un lion qui tient un homme sous sa griffe ne lui fait pas de mal, mais si ce dernier cherche à prendre la fuite, il est lacéré sur le champ. C'est à la manière du chat et du lion que Gésira jouait avec Joseph. Tant qu'il se tenait tranquille, elle ne lui faisait aucun mal et se contentait de le flatter et de le courtiser. Mais lorsqu'il se leva pour sortir, elle le saisit et se mit à le tâter. Comment ? dit-elle, vous voulez me laisser maintenant ? Vous voulez vous enfuir loin de moi ? Mais, mon cher Joseph, comment pouvez-vous être assez cruel pour ne même plus m'accorder le simple regard sur votre beauté ? Dans mon malheur, voudriez-vous aussi m'enlever le plaisir de voir votre visage quand je le souhaite ?

À cette première attaque, Joseph ne répondit pas et il baissa les yeux. La princesse poursuivit dès lors son discours. Vous ne voulez donc plus parler avec moi ? dit-elle. Ne suis-je même plus digne d'une réponse ? Ne réalisez-vous pas que vous usez de façon irresponsable de ma bonté, de mon amour, et même de mon humilité ? Ne savez-vous pas que je suis votre maîtresse et que vous me devez obéissance ? Ne savez-vous pas que vous êtes mon serf et que j'ai le pouvoir de vous faire libérer et de vous rendre heureux, ou de vous punir et de vous faire tuer, au moment et de la façon que je le souhaite ? Je sais tout cela, l'interrompit Joseph. Mais je ne savais que répondre à ma chère princesse, lorsqu'elle a commencé à plaisanter. Comment ? Plaisanter ? lui répliqua-t-elle. Mais j'ai parlé avec grand sérieux. Alors j'étais d'autant moins apte à répondre, poursuivit Joseph. Si votre requête s'était adressée à ma vertu, je ne me serais pas tu si longtemps ; s'il s'était agi d'un travail, j'aurais répondu tout de suite. Mais c'est la vertu qui m'a commandé le silence, parce qu'il m'était impossible de répondre comme ma chère princesse le souhaitait.

À ces mots, Gésira se tut un bon moment. Elle reprit enfin : l'obéissance n'est-elle pas aussi une vertu ? Et vous qui êtes mon serf, vous me la devez. C'est votre obstination qui vous empêche d'accomplir cette vertu qui est celle des serfs. Et parce que vous vous en empêchez, vous faites de la vertu un poids et de ce poids une vertu. L'obéissance est bel et bien une vertu, répondit Joseph. Mais nous la devons tout d'abord à Dieu, puis seulement aux hommes. Si un homme ordonne quelque chose qui va à l'encontre d'une injonction de Dieu, il nous faut avant tout obéir à Dieu. Si l'ordre de ma chère maîtresse n'allait pas à l'encontre de la volonté de Dieu, je ferais preuve d'un manque de vertu coupable en ne lui obéissant pas. Mais à présent, il ne s'agit pas de cela, parce qu'il m'est demandé et enjoint ce que Dieu interdit. Vous ne pouvez donc pas qualifier de vice mon refus de pécher contre la volonté de Dieu, ou mon obstination, comme il vous plaît de l'appeler. C'est bien davantage une vertu, qu'on peut à juste titre appeler la constance dans l'obéissance à Dieu.

Traduction inédite. — *Das Zeitalter des Barock : Texte und Zeugnisse* / Herausgegeben von Albrecht Schöne. – München : Deutscher Taschenbuch Verlag, 1988. – (*Die Deutsche Literatur vom Mittelalter bis zum 20. Jahrhundert*). – [Pp. 418-419].

POÈMES 307

M. Petit — 1977

Jouissette parle toute seule.

De la mer je suis venue
la force du sel amer
d'elle j'ai tiré mon être ;
son écume après mes boucles
comme flocons d'eau gelée
tient encore.

Mes cheveux frisés, bouclés,
la mer sauvage en colère
(comme creuse était la vague)
leur a donné sa courbure
quand l'écume d'argent cligne
vers le haut.

Maline et Ciélette[1], quand
elles virent mon image,
ont dit : sûr, cette Écumette,
oui, Jouissette[2] l'écumeuse
les fera toutes rougir :
trop jolie.

Poètes baroques allemands / traduits et présentés par Marc Petit. – Paris : Maspéro, 1977. – (*Action poétique*). – [P. 64].

1 *Kluginne* (Maline) et *Himmelinne* (Ciélette) : respectivement Minerve et Junon. (N.d.t.)

2 *Schauminne, Lustinne* (Écumette, Jouissette) : germanisations de Vénus. (N.d.t.)

MIRON COSTIN

POLONAIS • ROUMAIN **1633-1691**

Issu d'une célèbre descendance de boyars moldaves (apparentés aux voïévodes Movilă et au prince Barnovski) connus pour leur politique favorable aux Polonais et soucieux d'émanciper la Moldavie du joug ottoman, Miron Costin voit sa famille obtenir la citoyenneté polonaise en 1638 et entrer dans la noblesse de ce pays. La famille entière retournera cependant en Moldavie.

Après des humanités au Collège jésuite de Bar, où l'Antiquité classique, l'histoire et la géographie sont largement à l'honneur, l'humaniste roumain fait une brillante carrière : chargé de hautes fonctions militaires et diplomatiques, il entretiendra des relations et une correspondance avec des dignitaires et des lettrés de marque, notamment Jean Sobieski, roi de Pologne, et l'archevêque italien Vito Pilusio. Pourtant, lors du siège de Vienne, le boyar roumain doit lutter, avec l'armée de Moldavie, aux côtés des Turcs, alors suzerains de la Moldavie, contre les armées conduites par le roi Sobieski.

Apparenté aux Cantacuzène installés en Moldavie, il collabore, sur le plan politique et culturel, avec l'érudit Constantin Cantacuzène (voir p. 977), *Stolnic* de Valachie. Alors que l'idée d'une solidarité orthodoxe dominait la mentalité d'alors, les deux érudits s'emploient à souligner l'appartenance des Roumains à la communauté des peuples romans et, par là, à la civilisation occidentale, conception non exempte d'arrière-pensées politiques, qu'ils paieront de leur vie : Miron Costin, quant à lui, sera assassiné sur l'ordre du voïévode Constantin Cantemir, le père de Dimitri Cantemir.

Outre deux courtes chroniques en polonais, Costin rédige en roumain, vers 1690, la chronique *Letopisețul Țării Moldovei (Histoire du Pays de Moldavie)*. Elle sera traduite en latin vers la fin du XVIIe siècle. En 1729, elle est reprise dans une compilation, à côté des chroniques de Grégoire Ureche, de Nicolas Costin et d'autres, anonymes. Elle sera ensuite traduite du roumain en grec, et du grec en français, à Ankara, en 1741. Les manuscrits grec et français sont conservés à la Bibliothèque Nationale de Paris.

M. Hase, "Notice d'un manuscrit de la Bibliothèque du roi contenant une histoire de la Moldavie". – In : *Notices et extraits des manuscrits de la Bibliothèque du roi*, XI (1827), pp. 366-369.

Missions archéologiques françaises en Orient aux XVIIe et XVIIIe siècles / H. Omont. – Paris : Imprimerie nationale, 1902. – (*Collection de documents inédits sur l'histoire de France. Série in-4*). – [Pp. 139-140, 741].

Romanian Humanists and European Culture : a Contribution to comparative cultural History / Alexandru Duțu. – București : Ed. Academiei Republicii Socialiste România, 1977. – 196 p. – (*Bibliotheca historica Romaniæ. Studies* ; 55).

C. Velculescu, "Die ersten rumänischen Chronisten an der Grenze zwischen Schrifftum und Oralität". – In : *Dacoromania* VI (1981-1982), pp. 81-88.

Intre scriere și oralitate / C. Velculescu. – București : Ed. Minerva, 1988. – [Pp. 161-170 ; résumé en anglais, p. 208].

HISTOIRE DU PAYS DE MOLDAVIE 308

Le châtiment de l'orgueil (chapitre XVI, § 24-25). — Tout en suivant l'ordre chronologique, de 1594 à 1661, la chronique souligne dans chaque épisode l'un ou l'autre motif ou thème de réflexion. L'extrait ci-dessous relève à la fois du motif de l'*ubi sunt ?* (sur lequel Miron Costin écrivit son poème *Viata lumii*, première œuvre de grandes proportions de la poésie roumaine) et du motif de l'inévitable châtiment que méritent l'orgueil et la convoitise (présent aussi dans le *De rebus Alexandri regis Macedonum* de Quintus Curtius Rufus, traduit en roumain par Miron Costin). Le manuscrit de la B.N. contient ce texte, mais sous une forme abrégée et adaptée par son intermédiaire grec.

Oh ! comme elle est insatiable, l'avidité des princes régnants à posséder des fortunes immenses. Plus ils ont, plus ils veulent avoir. La convoitise des princes et des empereurs est sans limites. Même s'ils ont trop, à plus forte raison, il leur semble n'avoir rien. Plus Dieu leur donne, plus leur soif est inaltérable. Bien qu'ayant un trône et des honneurs, ils aspirent à d'autres territoires. Détenteurs de leur pays, ils veulent aussi celui d'autrui, et arrivent ainsi à perdre le leur.

Nombre de royaumes ont ainsi dû rétrécir leurs territoires après avoir tenté d'en accaparer d'autres. Ce fut le cas du royaume de Darius, vaincu par Alexandre, roi de Macédoine : alors qu'il tâchait de conquérir les territoires grecs et la Macédoine tout entière, il est tombé entre les mains d'Alexandre, qui soumit son pays. Ce fut aussi le cas de Carthage qui, voulant soumettre Rome, fut réduite en esclavage par les Romains. Et il en fut de même de Pyrrhus, l'empereur qui perdit son pays pour avoir voulu conquérir l'Italie. Et aussi pour Michel [le Brave], lequel perdit le trône de Valachie pouir avoir visé la possession des zones hongroises.

Rappelons-nous aussi le voïévode Basile [Lupu], au règne heureux, en paix avec ses voisins : le pays n'avait aucune dette et était épargné de toute chicanerie avec les Turcs, occupés à résoudre leurs dissensions avec les Perses. C'est cela même qui produisit dans la région une certaine instabilité et suscita un conflit entre Basile et le voïévode Matei, prince régnant de Valachie, dont il jalousa le trône, soit que la Moldavie ne lui suffît plus et qu'il se trouvât trop doué pour y régner seulement, soit qu'il voulût y installer son fils, le voïévode Ion, car il était enclin, comme tous les parents, à voir son fils couvert d'honneurs.

Les princes régnants aspirent à voir leurs fils devenir des princes régnants, les boyars à les voir devenir des boyars, les petits boyars à les voir investis de hautes dignités, et les agriculteurs à voir leurs fils tirer profit des dons de la terre.

Traduction inédite. — *Opere* / Miron Costin ; ed. P.P. Panaitescu. – Bucureşti : Editura de Stat pentru literatură şi Artá, 1958. – [P. 113].

DE LA NATION DES MOLDAVES 309

Au lecteur. — Écrit polémique, *De la nation des Moldaves, de quel pays proviennent leurs ancêtres* répond à de fausses affirmations concernant les Roumains, contenues soit dans des cosmographies et des chroniques médiévales, soit dans des histoires rédigées par des humanistes étrangers et, parfois même, par des auteurs roumains. L'ouvrage inspira le *stolnic* Constantin Cantacuzène dans l'élaboration de l'*Istoria Tării Românesti*.

Après avoir longuement hésité, j'ai décidé d'écrire au sujet de ces pays et des peuples moldave et valaque ainsi que de tous ceux qui vivent dans les zones habitées par les Hongrois, et portent, tous, le nom de Roumains ; j'ai décidé de préciser d'où ils viennent, quelle est leur ethnie, quand et comment ils se sont installés ici, depuis les débuts de leur histoire jusqu'à nos jours.

Commencer cela maintenant, tant de siècles après la fondation du pays par Trajan, empereur de Rome, alors qu'un millénaire et quelques centaines d'années se sont déjà passées, effraye mon esprit. Cependant, ne pas écrire, laisser ce peuple exposé à l'amère risée de certains écrivains, afflige profondément mon cœur. L'esprit l'emporte, et voilà que je m'efforce de présenter ce peuple au monde, d'expliquer les origines et l'ethnie des habitants de notre pays, de la Moldavie, de la Valachie et des Roumains qui vivent dans les zones habitées par les Hongrois, ainsi que nous l'avons rappelé plus haut, de démontrer qu'ils sont tous d'une seule et même ethnie, qu'ils sont arrivés en même temps ; j'expliquerai quels sont leurs ancêtres, sous quel nom ils sont arrivés, quand ils se sont séparés en prenant ces noms différents de Moldaves et de Valaques, où se trouve cette Moldavie, et jusqu'où s'étendaient, au début, ses frontières, quelle langue ces gens parlent depuis les premiers commencements jusqu'à nos jours, qui habitait avant nous ces territoires et sous quel nom. Voilà ce que je mettrai en lumière, à l'intention de tous ceux qui souhaiteront connaître le peuple de ce pays.

Traduction inédite. — *Opere* / Miron Costin ; ed. P.P. Panaitescu. – Bucureşti : Editura de Stat pentru literatură şi Artá, 1958. – [P. 241].

MARANA

FRANÇAIS • ITALIEN **1648-1693**

Noble génois d'origine, Jean Paul Marana s'exila en France, probablement pour avoir participé dans les années 1670 à la conjuration de Raffaello della Torre.

Partant des deux genres typiques de la prose du XVIIe siècle, l'historiographie (qui s'intéresse résolument à l'Europe et à la chronique immédiate plutôt qu'à l'histoire locale et passée) et le roman de divertissement (souvent situé dans un Orient imaginaire), il fonde un genre littéraire nouveau, le roman épistolaire pseudo-oriental.

Contrastant avec sa production historiographique — *Histoire de la conjuration de Raffaello della Torre* (Lyon,1682), *Le Triomphe de Paris* (1687), *Les Plus Nobles Actions de la France, de la Chrétienté, de 1637 à 1682* (1687) et *Les Événements les plus considérables du Règne de Louis le Grand* (1690) — paraît, en deux parties (la première publiée simultanément en italien et en français entre 1684 et 1689 ; la seconde dans une édition anglaise de 1687 à 1692), *L'Espion du Grand-Seigneur et ses relations secrètes*, composé de 644 lettres — seules les 68 premières sont d'attribution certaine, les 34 suivantes n'étant que très probablement de sa main ; les quelque 500 qui restent sont incertaines.

Ce recueil se présente comme l'ensemble des comptes rendus sur la politique française et européenne que rédigea un agent secret ottoman résidant à Paris de 1637 à 1682, dissimulé sous le faux nom de Titus de Moldavie, et que l'auteur aurait retrouvés, dans une armoire de son logis, traduits en italien. Ces rocambolesques précautions de véracité putative ne sont là sans doute que pour masquer le fait que Marana fut chargé par Louis XIV d'écrire une histoire flatteuse de son règne qui parût impartiale. C'est ce que donne à penser le fait que l'auteur génois perçut une pension royale.

L'artifice de l'espion turc, qui loue l'œuvre du Roi-Soleil, avec une impartialité que lui vaut son état d'ennemi de la foi catholique et de l'Europe, ne peut éviter la nécessité concordante d'égratigner de temps en temps les institutions et les coutumes occidentales. La louange objective s'équilibre de critiques ouvertes, voire d'une once de satire et semble ainsi répondre à une suggestion de Pierre Bayle, en pleine vogue de la littérature orientale en France : « Si ceux qui viennent à Paris avec les ambassadeurs osaient publier, quand ils sont retournés chez eux, des relations aussi libres que celles que les Français publient touchant les pays étrangers, je ne doute pas qu'ils n'eussent bien des choses à dire. » (*Pensées sur la comète*, 1682.) Les pointes satiriques valurent à son auteur des problèmes avec la censure en 1686, ce qui explique sans doute que, dès 1687, Marana reprenne pour ses œuvres suivantes le modèle historiographique classique.

L'Espion du Grand-Seigneur connut durant la fin du XVIIe et la première moitié du XVIIIe siècle une fortune extraordinaire en France, en Hollande et en Grande-Bretagne. De nombreuses « Suites » et « Continuations » s'ensuivirent, parmi lesquelles une *Continuation des lettres écrites par un espion turc* (1718) attribuée à De Foe. En France, Montesquieu développa la puissance satirique du modèle de Marana et accentua la dialectique de l'impartialité critique consentie à l'étranger dans ses *Lettres persanes* (1721). La filiation se poursuivra avec *L'Ingénu* de Voltaire (1767) et, au XXe siècle, jusqu'à *La Tentation de l'Occident* d'André Malraux (1926).

Guido Almansi, "*L'esploratore turco* e la genesi del romanzo epistolare pseudo-orientale". – In : *Studi Secenteschi*, v.7 (1967), pp. 35-65.

Sulle tracce dell Esploratore turco. *Letteratura e spionaggio nella cultura libertina del Seicento* / Gian Carlo Roscioni. – Milano : Rizzoli, 1992. – 520 p.

L'ESPION DU GRAND-SEIGNEUR 310

Épître au Roi. — Ce grand souci de précision, dans une dédicace au Roi, ne peut qu'emporter la conviction : les textes qui seront donnés ne sauraient être qu'authentiques. On ne sait, en l'occurrence, ce qui l'emporte en réalité : l'habileté flatteuse, le souci de déguiser la fiction ou l'ingénue subtilité du faiseur de vraisemblance.

A Loüis le Grand

SIRE,

Il est bien juste que les choses extraordinaires se découvrent dans un Regne aussi extraordinaire que celui de VOSTRE MAJESTÉ, & que celuy que la Fortune a choisi pour les trouver, luy en fasse une offrande.

MAHMUT Arabe de Nation s'est caché dans Paris pendant quarante-cinq années, où il servoit d'Espion à l'Empereur des Turcs, il s'est gouverné de sorte qu'on n'a jamais descouvert qu'il y eut vescu, & il y est mort dans un âge fort avancé.

Il a laissé beaucoup de Memoires écrits en Langue Arabe, qui contiennent ce qu'il a pû remarquer de plus considerable parmy les Chrestiens, & particulierement pendant le Regne de VOSTRE MAJESTÉ, dont il informoit les Ministres de la Porte à qui il donnoit des conseils, & des avis. Ce qu'il a écrit pourroit passer pour des Annales de la Chrétienté, si le fil n'en estoit souvent interrompu, parce que ses Lettres estoient adressées à plusieurs personnes differentes.

J'ay commencé, SIRE, à traduire en ma langue maternelle les Relations de cet Arabe qui me sont tombées entre les mains, & je prens la liberté d'en presenter à V.M. la premiere Partie.

J'ose esperer que VOSTRE MAJESTÉ se pourra divertir quelques momens à la lecture de cet Ouvrage, si elle en peut dérober quelques-uns au soin des affaires de son Estat, d'où dépendent toutes celles de la Terre.

Il me restera encore beaucoup à faire, SIRE, pour achever la traduction de tant de Lettres ; mais si V.M. agrée mon travail que ne feray-je pas heureusement ?

Je suplie tres-humblement V.M. de recevoir ce que j'ose luy offrir comme un tribut, non pas comme un present, & de le recevoir avec cette bonté qui la fait autant aimer, comme sa Puissance & ses Conquestes la font craindre.

La matiere que je traiteray dans les autres Volumes sera plus grave, plus ample, & en quelque façon plus digne de l'attention de VOSTRE MAJESTÉ. Et sans blesser la modestie qu'ELLE fait paroître en toutes choses malgré l'élévation qui la met au dessus de Tout, V.M. y verra l'Histoire de sa vie, & de ses Triomphes ; dont l'Arabe qui a fait ses relations, comme Ennemy, n'a pû parler en Flateur.

Ce MAHMUT a sceu si bien vivre, & a parlé si justement des Rois, des Royaumes, & des autres Estats, qu'il n'a jamais rien avancé que de veritable, & ayant rendu justice à tous ceux dont il a parlé, il a eslevé V.M. au dessus de tous les autres.

Je ne dis point à V.M. de quelle Nation je suis, ni quelle est ma condition, parce que les Hommes qui ont peu de fortune ne sont d'aucun Païs.

Mais si V.M. aprend que je suis né à Gennes, je la suplie de me vouloir honorer de sa Royale Protection, telle que la peut esperer un Homme, qui en laissant sa Patrie, s'est entierement dévoüé au service de VOSTRE MAJESTÉ, aux pieds de laquelle je me jette pour l'assurer que je suis avec le plus profond respect,

De V. Sacrée Majesté,
Le tres-humble, tres-obeïssant, & tres-fidele Serviteur, & Sujet,
JEAN-PAUL MARANA.

A Paris le premier jour de janvier de l'An 1684.

L'Espion du Grand-Seigneur et ses relations secretes / envoyées au divan de Constantinople, découvertes à Paris, pendant le règne de Louys le Grand ; traduites de l'arabe en italien par le Sieur Jean-Paul Marana ; et de l'italien en François par ***. – A Paris : Chez Claude Barbin, 1684. – [Tome I, n.p.].

L'ESPION DU GRAND-SEIGNEUR 311

À Guillaume Vopsel, chrétien d'Autriche (Lettre 14). — Les critiques ici adressées à l'état monastique peuvent être imputées au fait que celui qui écrit, et qui se fait passer pour un Moldave chrétien, n'est en réalité qu'un espion turc qui, en bon musulman, ne peut concevoir, ni donc fondamentalement admettre, l'utilité d'une vie de célibat consacré et la nécessité de l'obéissance conventuelle, parfaitement étrangères à l'islam. Le lecteur chrétien, cependant, est subtilement mis au défi des légitimités de ses certitudes religieuses et existentielles et invité à un relativisme dont l'enracinement conceptuel n'est pas essentiellement différent de celui qui ordonne les différents relais fictionnels de la voix qui se fait finalement entendre dans le texte. À qui ne maîtrise pas les procédures et les instances de l'énonciation du discours, et tout ce qu'impliquent leurs dérivations sophistiques, l'appareil fictionnel ici mis en place à la base des ressorts sémantiques du propos ouvre un double dilemme, idéologique (le rejet obstiné dans la fiction, ou la béance du scepticisme et de l'agnosticisme) et esthétique (la jouissance analytique, toute baroque, d'un équilibre d'apories, ou la lassitude devant une complexité sans accomplissement).

Je te suis obligé de la confiance que tu as en moy, de me vouloir declarer tes pertes, & je prens part à la nouvelle acquisition que tu as faite. Un autre auroit eû de la joye en apprenant tes deux avantures ; mais comme je ne croy pas que ce soit un grand mal d'avoir perdu sa femme, de mesme je ne pense pas que ce soit un bien considerable de s'estre fait Moine.

Il m'est impossible de m'empescher de te dire que je trouve ta resolution trop prompte pour la pouvoir approuver, tu n'és point cause de la perte que tu as faite, & tu te retires dans un Convent pour en faire Penitence, comme si c'estoit une faute que tu eusses commise.

Faut-il faire souffrir ton corps pour la mort de ta femme, si tu ne l'as pas fait mourir ? Si tu l'aimois parce qu'elle estoit sage, il n'estoit pas impossible d'en trouver une autre de même. Si ton amour venoit de sa beauté, on en trouve assez qui plaisent ; mais si tu t'ennuyois d'estre mary, pourquoy te lasses-tu d'estre vœuf ? Dis-moy, que feras tu presentement dans le Convent où tu t'és renfermé ? Les Carmes sont sages à la verité ; mais ils ne sçavent pas toutes choses. Il est vray qu'ils ont beaucoup de devotion, mais ils ne sont pas exempts de pechez ; ils sont hommes enfin, & sont trop austeres : comment pourras-tu si-tost t'accoûtumer au genre de vie que tu choisis, & devenir tout d'un coup chaste & sobre ? Pour moy qui suis Chrestien comme toy, & qui suis plus retenu dans les plaisirs que tu n'as esté jusques icy, je ne comprens pas ce que je voy dans l'Ordre où tu es entré, & je ne puis me figurer comment un homme pieds nuds, sans chemise, vêtu d'un gros habit de laine, qui n'est point le Maistre d'un Royaume, & qui n'a point de forces, commande absolument, non seulement à un autre homme, mais à plusieurs, qui obéïssent aveuglement à ce qu'il ordonne. Pour mieux vivre dans ta Religion il faut jeusner, on ne pardonne pas les moindres fautes, il faut remercier alors qu'on est offencé, enfin, on y trouve un combat assuré & continuel, & il n'y a guere de certitude pour la couronne qui en doit estre le prix. Ton plus grand amy est obligé de te trahir, & d'estre ton accusateur, & on te privera pour ainsi dire des élemens pour te faire plus souhaiter l'usage de l'eau, de l'air, du feu & de la Terre. Je ne puis me persuader qu'il faille tant de choses pour estre saint, & quand tu aimeras Dieu autant qu'il est en ton pouvoir, & que tu passeras tous les jours comme si tu devois mourir, je suis persuadé que tu vivras & mourras en juste. Fais-moy réponse, & m'apprens si ce que je t'écris est conforme à la droite raison, ou si je me trompe dans mon opinion. L'amitié que j'ay pour toy m'oblige à t'écrire comme je fais, & à te dire tout ce que je pense sur ce qui te regarde, parce que lors que tu auras pris ta derniere resolution, j'aimeray beaucoup mieux te voir souffrir avec fermeté tous les maux possibles, que de te voir changer honteusement. Il y a beaucoup de gens qui sont sortis avec confusion des lieux où ils estoient entrez comme en triomphe, & combien le desespoir a-t'il fait faire de folies qui paroissoient des actions de pieté, qu'on n'auroit jamais entrepris, si l'on avoit esté dans son bon sens ?

Nous voyons dans nos histoires que beaucoup de grands hommes se sont fait circoncire pour avoir du commerce avec les Juifs, & s'instruire dans leur doctrine, tant ils trouvoient leur ancien Temple magnifique, venerable, saint & plein de Majesté. Nous lisons encore que Pytagore s'habilla de blanc, & demeura quelque temps parmy les Solitaires du Mont-Carmel pour apprendre les misteres de leur Religion. La curiosité fut la cause du voyage de ce grand homme, comme l'ignorance avoit fait choisir le mesme party aux autres. Ce n'est point l'envie de t'instruire qui t'a fait entrer dans le Convent, l'affliction de la perte que tu as faite, t'a fait prendre cette resolution, prens garde à n'en pas sortir par un repentir qui seroit un excés de folie. Les Juifs sont à present vagabonds, sans Loy, sans Royaume & sans Autels, & selon l'Alcoran ils sont devenus les Asnes qui transportent en Enfer les ames des mauvais Mahometans. Qui sçait ce que deviendront les Carmes ? Ils disent qu'Elie n'est pas mort, & qu'il doit revenir sur la terre combattre des gens qui s'éleveront pour y apporter du trouble parmy les hommes par l'établissement de quelque nouvelle Religion. Demeure toûjours où tu es, ou retourne promptement où tu estois, de crainte que si aprés y avoir trop demeuré, pour en sortir dans les formes, tu ne commettes une faute que Dieu te pardonnera mal-aisément ; ce qui t'arrivera sans doute si tu es persuadé que tu ne sçaurois trouver le chemin du Ciel qu'en t'éloignant des embaras de ce monde.

Si tu trouves que je ne te parle pas bien, fais mieux, mais sur tout gouverne toy de sorte que Dieu ne te reproche pas un jour qu'un Moldave t'a donné de bons avis, & que tu les as méprisez. Le plus mauvais des Turcs te pourroit donner les conseils que je te donne comme un bon Chrêtien, & ce ne seroit pas une chose estonnante que tu en reçeusses de meilleurs d'un Mahometan. Ces Barbares sont assez instruits de la Morale pour enseigner aux autres ce qu'ils ne pratiquent pas toûjours eux-mêmes.

La vertu & la verité sont respectées par tout. Tourne toy de l'Orient à l'Occident, du Midy au Septentrion, tu découvriras de tous costez des impies qui blasphement contre la Divinité ; mais la veritable vertu a cela de singulier qu'elle est toûjours reverée, & mesme des hommes les plus perdus.

Consulte encore une fois tes forces avec ton courage, & prens une meilleure resolution, si tu n'es pas encore bien affermy dans la premiere. Tite te saluë de ce monde cy, & prie le Ciel qu'il te donne les plaisirs des bien-heureux dans ta solitude si tu n'es point un hipocrite, & si tu n'es point encore repenty de la resolution que tu as prise.

A Paris, le 28. de la troisiéme Lune de l'an 1638.

L'Espion du Grand-Seigneur et ses relations secretes / envoyées au divan de Constantinople, découvertes à Paris, pendant le règne de Louys le Grand ; traduites de l'arabe en italien par le Sieur Jean-Paul Marana ; et de l'italien en François par ***. – A Paris : Chez Claude Barbin, 1684. – [Tome I, pp. 129-139].

BUSSY-RABUTIN

FRANÇAIS **1618-1693**

Rien ne prédisposait Roger de Rabutin, comte de Bussy, à devenir un homme de lettres. Engagé dès seize ans dans la vie militaire, ce gentilhomme bourguignon, de très ancienne noblesse, aurait dû poursuivre dans les armées de Louis XIV une carrière de grand officier. À trente-cinq ans, malgré quelques « folies » de jeunesse punies de cinq mois d'embastillement, il parvient à la charge prestigieuse de maître de camp général de la cavalerie légère. Une brouille virulente avec Condé pendant la Fronde, et un ralliement, opportun et enthousiaste, au parti du roi, ont facilité cette ascension.

Cet homme de guerre, qui a fait d'excellentes quoique rapides « humanités » chez les jésuites, possède un goût inné pour l'écriture. Les portraits et les géographies fictives sont à la mode. Avec le prince de Conti, frère de Condé, il compose la *Carte du Pays de Braquerie*, où des dames qui font parler d'elles deviennent des forteresses faciles à prendre. Il invente des couplets moqueurs. Turenne, qui ne l'aime pas, le décrète meilleur officier de son armée… pour les chansons. Il a le goût de la satire.

Il compose en se jouant des *Maximes d'amour*, car pour lui l'écriture ne peut alors être qu'un jeu. Elles plaisent assez à Louis XIV pour qu'il les lise en tête à tête avec Mlle de La Vallière, sa maîtresse (été 1664). En vers libres, bien timbrées, elles résument agréablement la morale galante d'une époque qui ne confond pas la passion et les plaisirs de l'amour, mais qui sait d'expérience qu'on passe facilement de l'une aux autres et réciproquement. En janvier 1665, soucieuse d'honorer conjointement un homme d'esprit et un grand officier valeureux, l'Académie française accueille Bussy dans son vingtième fauteuil. En avril, il est arrêté et conduit à la Bastille. Il n'en sortira que pour un long exil, sa carrière brisée. Le Roi le punissait d'avoir écrit et laissé se répandre son *Histoire amoureuse des Gaules*.

En mai 1658, il s'était fâché avec Madame de Sévigné, pour une question d'intérêt. Il s'en était vengé en joignant au portrait satirique de sa cousine l'« histoire », pleine de verve, d'esprit et de malice, de ses relations avec le couple Sévigné, dont il se peint doublement confident. Le mari lui confiait ses aventures avec Ninon. Il essayait de persuader la femme de s'en venger avec lui. En avril 1659, à Roissy, il participe le vendredi saint à une débauche entre amis libertins. Il y écrit des couplets orduriers, sur une musique religieuse, les « Alleluia ». Cela se sait. On l'exile dans ses terres de Bourgogne. Il y reste seize mois. Pour se distraire, il écrit deux autres « histoires amoureuses », particulièrement bien remplies, celles de Madame d'Olonne et de Madame de Châtillon. Aux récits qui en forment la trame, il mêle de brefs portraits satiriques et toutes sortes de lettres où il s'adapte parfaitement aux situations, aux sentiments et au style des personnages censés les avoir écrites. Il y confond avec un art consommé le réel et l'imaginaire. Il y ose, l'un des tout premiers, raconter de brèves aventures de son temps (ou supposées telles), sans les transposer (sauf au titre) ailleurs et dans le passé. En renouvelant ainsi et la forme et le fond du long récit romanesque traditionnel, il a, en se jouant, inventé une nouvelle sorte de roman.

Pour faire bonne mesure, aux deux histoires de dames galantes, Bussy ajoute la sienne, passant du roman objectif à la troisième personne au roman-confession à la première pour conter la partie de Roissy, puis le début de ses amours avec Madame de Monglas. Entre ces deux sortes de récits, il inclut son premier essai, contre Madame de Sévigné. De la fusion de ces éléments disparates, unifiés par la présence d'un conteur au style vif et à l'esprit satirique, naît l'*Histoire amoureuse des Gaules*, composée sous le regard et pour le divertissement de sa maîtresse et d'une amie de celle-ci, Madame de la Baume. Par vanité d'auteur, Bussy lisait parfois en confidence à des amis choisis, dont il aimait les belles louanges, tout ou partie de son roman satirique que son contenu lui défendait de communiquer plus largement. Un jour, il commit l'imprudence de prêter son manuscrit à Madame de La Baume pour qu'elle le lise et l'admire tranquillement. Elle le copia et fut à l'origine de sa divulgation, malgré les efforts de Bussy pour l'empêcher. En 1665, des copies s'en répandirent dans le monde, avec, prétendra-t-il, des ajouts qui en empiraient le contenu.

Ce tourbillon d'histoires drôles et coquines, où sont alertement notés les travers de maints contemporains aisément identifiables, choque et irrite tous ceux qui en sont les victimes ou qui redoutent de l'être. Cette peinture allègre du désordre des mœurs de la Fronde et des temps qui l'ont immédiatement suivie (car l'essentiel des histoires date de ce temps-là) s'inscrit résolument à contre-courant du régime d'ordre que Louis XIV veut alors instaurer. Pis encore, on disait, sans avoir lu le livre, que Bussy s'y était moqué du roi, de la reine, de l'entourage royal. Il l'avait fait dans les « Alleluia ». La colère du monarque provoqua sa disgrâce, définitive. Embastillé en avril 1665, il doit à la maladie la permission d'aller, treize mois plus tard, se faire soigner chez un chirurgien, puis, en août 1666, celle de se retirer dans ses terres de Bourgogne. Il n'aura celle de revenir à la cour qu'en avril 1682.

La guerre et la fréquentation du roi lui manquent cruellement. Il s'occupe à décorer son château, collectionnant, pour en faire une galerie, les portraits de ses amis et relations de Paris, femmes à la mode, doctes et galants, militaires ou grands seigneurs. Pour se distraire, pour se justifier, pour montrer la grandeur de sa maison, il écrit ses mémoires. Il y décrit ses débuts militaires, ses premières amours, ses campagnes, ses heurs et malheurs jusqu'à son embastillement. Précurseur de Rousseau, il annonce : « Je parlerai moi-même de moi », et déclare qu'il pourrait appeler son récit sa « confession générale » s'il n'y disait de lui du bien comme du mal.

Pour se distraire dans ses châteaux de Bussy ou de Chaseu et dans sa maison de ville d'Autun, il entretient avec ses amis de Paris et de la cour une correspondance assidue — plus de 155 lettres avec Madame de Sévigné, née Rabutin-Chantal, sa cousine, ou avec Madame de Scudéry, ses principales correspondantes et les plus fidèles. Avec l'une cet échange a duré 47 ans, 17 avec l'autre. Malgré l'exil, il reste un arbitre du bon goût. Pour l'abbé de Brosse en 1672, et plus tard les savants jésuites Rapin et Bouhours, il est « l'oracle ». À l'Académie, « on parle souvent de vous, on cite l'autorité de vos pensées et de vos paroles », lui assure Charpentier, qui en est le doyen. Les nouveaux venus lui soumettent leur discours de réception. Il écrit personnellement à Furetière sur le conflit qui l'oppose à ses confrères, prend la peine de lire ses arguments, mais le condamne pour avoir attaqué Benserade et La Fontaine. Quand Furetière meurt, il propose Fontenelle pour lui succéder, au lieu de l'obscur La Chapelle. Il n'a pas son pareil pour découvrir les talents nouveaux. Il soutient la candidature (discutée) de La Bruyère et prend parti pour Perrault et les Modernes contre les Anciens.

De ses amis mondains, il attend des nouvelles, car « si l'on est curieux à Paris, on l'est quatre fois davantage à la campagne ». En échange, il leur envoie de belles réflexions, qui témoignent de son esprit et de sa sagesse. Il a bientôt l'idée de copier dans des registres les meilleures des missives qu'il envoie et même qu'il reçoit. Friand à son ordinaire du travail sur les mots, il les corrige, modifiant un peu, abrégeant souvent, les unissant par des textes de liaison plus ou moins longs, plus ou moins originaux. Cette correspondance devient ainsi ce qu'il appelle une « histoire en lettres », la suite de ses Mémoires, avec lesquels elle n'a pas de solution de continuité. Comme il y a récupéré le matériau considérable de ses informations, elle offre un témoignage varié, multiple et passionnant des événements et des modes de vie et de pensée sous le règne de Louis XIV. Elle donne un sens à son exil. Elle prépare sa revanche posthume, quand les lecteurs à venir découvriront à la fois l'injustice de sa punition, sa grandeur d'âme et l'excellence de sa plume.

Sa hiérarchie des valeurs en est bouleversée. Il avait cru, il le dit dans son discours de réception à l'Académie française, que les écrivains sont utiles pour chanter et répandre les exploits du roi, mais qu'importent surtout les hommes de guerre qui les réalisent. Dans son exil, il comprend que les travaux de plume valent les autres, et que « l'esprit » est d'un mérite aussi grand que le courage. En 1690, pour sa grande joie, Louis XIV l'a enfin cité en modèle pour son « esprit ». Cela compense le cordon bleu qu'il n'a pas obtenu.

Cet esprit lui a notamment permis de reconnaître et d'apprécier, parmi ses très nombreux correspondants, la valeur littéraire exceptionnelle des lettres de sa cousine. Marie de Rabutin, marquise de Sévigné, la seule avec qui il peut « rabutiner » c'est-à-dire se comprendre à demi-mot, se sentir à part, se moquer des autres, aller jusqu'au bout de son esprit. Surtout, qu'elle ne meure pas, lui écrit-il car « avec qui pourrais-je avoir de l'esprit ? » Il copia sa correspondance avec la marquise dans deux registres à part. Ses enfants la publièrent dans deux volumes séparés. C'est ainsi que les Lettres de la marquise furent pour la première fois connues (1697), admirées, sauvées de l'oubli. On doit Madame de Sévigné à Bussy. « L'histoire, lui avait-elle prédit, vous fera la justice que la fortune vous a si injustement refusée. » Elle se trompait. Il avait tout pour rester le modèle des écrivains mondains, le plus parfait de nos épistoliers : elle lui a ravi sa place.

Bussy-Rabutin, épistolier / Claude Rouben. – Paris : Nizet, 1975. – 288 p.
Bussy-Rabutin mémorialiste et épistolier / F.A. Mertens. – Louvain-la-Neuve : Cabay, 1984. – 262 p.
Bussy-Rabutin, biographie / Jacqueline Duchêne. – Paris : Fayard, 1992. – 437 p.
Rabutinage, bulletin annuel ; D.H. Vincent. – Société des Amis de Bussy-Rabutin, 1986 ->

HISTOIRE AMOUREUSE DES GAULES 312

Portrait de Madame de Sévigné sous le nom de Madame de Cheneville.

Mme de Cheneville, continua [Bussy], a d'ordinaire le plus beau teint du monde, les yeux petits et brillants, la bouche plate, mais de belle couleur, le front avancé, le nez semblable à soi, ni long ni petit, carré par le bout et la mâchoire comme le bout du nez. Et tout cela, qui en détail n'est pas beau, est, à tout prendre, assez agréable. Elle a la taille belle, sans avoir bon air. Elle a la jambe bien faite et la gorge, les bras et les mains mal taillés. Elle a les cheveux blonds, déliés et épais. Elle a bien dansé, et l'oreille encore fort juste ; elle a la voix agréable, elle sait un peu chanter. Voilà, pour le dehors, à peu près comme elle est faite. Il n'y a point de femme en France qui eût plus d'esprit, et fort peu qui en aient autant. Sa manière est vive et divertissante. Il y en a qui disent que, pour une femme de qualité, son caractère est un peu trop badin. Du temps que je la voyais, je trouvais ce jugement-là un peu ridicule, et j'admirais son burlesque sous le nom de gaieté ; aujourd'hui que, ne la voyant plus, son grand feu ne m'éblouit pas, je demeure d'accord qu'elle veut être trop plaisante. Si on a de l'esprit, et particulièrement de cet esprit gai et enjoué, on n'a qu'à la voir, on ne perd rien avec elle. Elle vous entend, elle entre juste dans tout ce que vous dites ; elle vous devine et vous mène quelquefois bien plus loin que vous ne pensez aller. Quelquefois aussi, on lui fait bien voir du pays ; la chaleur de la plaisanterie l'emporte et, en cet état, elle reçoit avec joie tout ce qu'on lui veut dire de libre, pourvu qu'il soit enveloppé. Elle y répond même avec usure, et croyant qu'il irait du sien si elle n'allait pas au-delà de ce que l'on lui a dit. Avec tant de feu, il n'est pas étrange que le discernement soit médiocre, les deux choses étant d'ordinaire incompatibles[1] et la nature n'ayant pas fait de miracle en sa faveur. Un sot éveillé l'emportera toujours auprès d'elle sur un honnête homme sérieux. La gaieté des gens la préoccupe. La plus grande marque d'esprit qu'on lui peut donner, c'est d'avoir de l'admiration pour elle. Elle aime l'encens ; elle aime d'être aimée, et pour cela, elle sème[2] beaucoup afin de recueillir ; elle donne des louanges pour en recevoir et aime généralement tous les hommes, quelque âge, quelque naissance et quelque mérite qu'ils aient et de quelque profession qu'ils soient ; tout lui est bon, depuis le manteau royal jusqu'à la soutane, depuis le sceptre jusqu'à l'écritoire. Entre les hommes[3], elle aime mieux un amant qu'un ami, et parmi les amants, les gais que les tristes. Les mélancoliques flattent sa vanité ; et les éveillés

---

1 « Ces esprits de feu n'ont pas grande cervelle », dit pareillement Tallemant à propos de Mme de Sévigné.

2 Variante : « Elle s'aime beaucoup... ».

3 En octobre 1655, dans une lettre à sa cousine, Bussy avait décrit la même situation en termes louangeurs, à la limite pourtant déjà de la satire : « On se contente de dire qu'il n'y a point de femme de votre âge plus aimable ni plus vertueuse que vous. Je connais des princes du sang, des princes étrangers, des grands seigneurs façon de princes, des grands capitaines, des ministres d'État, des gentilshommes, des magistrats et des philosophes qui fileraient, si vous les laissiez faire, pour vous. En pouvez-vous souhaiter davantage ? À moins que d'en vouloir à la liberté des cloîtres, vous ne sauriez aller plus loin. »

son inclination. Elle se divertit avec ceux-ci, et se flatte de l'opinion qu'elle a bien du mérite d'avoir pu causer de la langueur à ceux-là.

Elle est d'un tempérament froid, au moins si l'on en croit feu son mari. C'est en quoi il avait obligation à sa vertu, comme il disait. Toute sa chaleur est à l'esprit. À la vérité, elle récompense bien la froideur de son tempérament. Si l'on s'en rapporte aux actions, la foi conjugale n'a point été violée ; si l'on regarde l'intention, c'est une autre chose. Pour en parler franchement, je crois que son mari s'est tiré d'affaire devant les hommes, mais je le tiens cocu devant Dieu.

Cette belle, qui veut être à tous les plaisirs, a trouvé un moyen sûr, à ce que lui semble, pour se réjouir sans qu'il en coûte rien à sa réputation. Elle s'est faite amie de quatre ou cinq demi-prudes[1], avec lesquelles elle va dans tous les lieux du monde. Elle ne regarde pas tant ce qu'elle fait qu'avec qui elle est. En ce faisant, elle se persuade que la compagnie rectifie ses actions et, pour moi, je pense que l'heure du berger, qui ne se rencontre d'ordinaire que tête à tête avec toutes les autres femmes, se trouverait plutôt, avec celle-ci, au milieu de sa famille. Quelquefois elle refuse hautement une partie de promenade publique pour s'établir, à l'égard de tout le monde, dans une opinion de grande régularité, et quelque temps après, croyant marcher à couvert sur ce refus qu'elle aura fait éclater, elle fera cinq ou six parties de promenades particulières. Elle aime naturellement le plaisir. Deux choses l'obligent quelquefois de s'en priver : la politique et l'inégalité ; et c'est par l'une ou par l'autre de ces raisons-là que, bien souvent, elle va au sermon le lendemain d'une assemblée. Avec quelque façon qu'elle donne de temps en temps au public, elle croit préoccuper tout le monde, et s'imagine qu'en faisant un peu de bien et un peu de mal, tout le pire que l'on pourrait dire, c'est que l'un portant l'autre, elle est honnête femme. Les flatteurs, dont sa petite cour est pleine, lui en parlent d'une autre manière ; ils ne manquent jamais de lui dire qu'on ne saurait mieux accorder ce qu'elle fait, la sagesse avec le monde, le plaisir avec la vertu.

Pour avoir de l'esprit et de la qualité, elle se laisse un peu trop éblouir aux grandeurs de la cour. Le jour que la Reine lui aura parlé, et peut-être demandé seulement avec qui elle sera venue, elle sera transportée de joie, et longtemps après, elle trouvera moyen d'apprendre à tous ceux desquels

---

1 Bussy vise ici les dames de la famille Coulanges, et particulièrement Henriette, veuve de la Trousse, sœur de la mère de Mme de Sévigné, avec laquelle celle-ci vécut après son propre veuvage en 1651 et qui lui servait de chaperon.

elle se voudra attirer du respect la manière obligeante avec laquelle la Reine lui aura parlé. Un soir que le Roi la venait de faire danser, s'étant remise à sa place, qui était auprès de moi : « Il faut avouer, me dit-elle, que le Roi a de grandes qualités ; je crois qu'il obscurcira la gloire de ses prédécesseurs. » Je ne pus m'empêcher de lui rire au nez, voyant à quel propos elle lui donnait ses louanges, et de lui répondre : « On n'en peut pas douter, madame, après ce qu'il vient de faire pour vous. » Elle était alors si satisfaite de Sa Majesté que je la vis sur le point, pour lui témoigner sa reconnaissance, de crier *Vive le Roi !*

Il y a des gens qui ne mettent que les choses saintes pour bornes à leurs amitiés, et qui feraient tout pour leurs amis, à la réserve d'offenser Dieu. Ces gens-là s'appellent amis jusques aux autels. L'amitié de Mme de Cheneville est d'autre nature. Cette belle n'est amie que jusques à la bourse. Il n'y a qu'elle de jolie femme au monde qui se soit déshonorée par l'ingratitude. Il faut que la nécessité lui fasse grand'peur, puisque pour en éviter l'ombre seulement, elle n'appréhende pas la honte. Ceux qui la veulent excuser disent qu'elle défère en cela au conseil de gens qui savent ce que c'est que la faim et qui se souviennent encore de leur première pauvreté[1]. Qu'elle tienne cela d'autrui, ou qu'elle ne le doive qu'à elle-même, il n'y a rien de si naturel que ce qui paraît dans son économie.

La plus grande application qu'a Mme de Cheneville est à paraître tout ce qu'elle n'est pas. Depuis le temps qu'elle s'y étudie, elle a déjà appris à tromper ceux qui ne la voient guère, ou qui ne s'appliquent pas à la connaître. Mais comme il y a des gens qui ont pris en elle plus d'intérêt que d'autres, ils l'ont découverte et se sont aperçus, malheureusement pour elle, que tout ce qui reluit n'est pas or.

Mme de Cheneville est inégale jusqu'aux paupières et aux prunelles de ses yeux. Elle les a de différentes couleurs, et les yeux étant les miroirs de l'âme, ces égarements sont comme un avis que donne la nature à ceux qui l'approchent de ne pas faire un grand fondement sur son amitié.

Je ne sais si c'est parce que ses bras ne sont pas trop beaux qu'elle ne les tient pas trop chers, ou qu'elle ne s'imagine pas faire une faveur, la chose étant si générale, mais enfin les prend et les baise qui veut. Je pense

---

[1] Les Rabutin avaient mal accepté le mariage de l'un des leurs, père de Mme de Sévigné, avec une Coulanges, fille de financiers enrichis dans les gabelles. Leur promotion sociale étant assez ancienne pour qu'ils n'aient pas personnellement souffert de la faim, ce trait rappelle symboliquement la bassesse de leur condition d'origine. En refusant de prêter à Bussy l'argent dont il avait besoin, Mme de Sévigné s'était conformée aux instructions de son oncle, l'abbé de Coulanges, qui géra sa fortune après la mort de son mari, la sortant de « l'abîme » où il l'avait laissée.

que c'est assez pour lui persuader qu'il n'y a point de mal qu'elle croit qu'il n'y a point de plaisir. Il n'y aurait plus que l'usage qui la pourrait contraindre, mais elle ne balance pas à le choquer plutôt que les hommes, sachant bien qu'ayant fait les modes, la bienséance ne sera plus, quand il leur plaira, renfermée dans des bornes si étroites. Voilà, mes chers, le portrait de Mme de Cheneville.

Son bien, qui accommodait fort le mien, parce qu'il était en partage de ma maison[1], obligea mon père de souhaiter que je l'épousasse, mais quoique je ne la connusse pas alors si bien que je fais aujourd'hui, je ne répondis pourtant point au dessein de mon père. Certaine manière effrontée que je lui voyais me la faisait appréhender, et je la trouvais la plus jolie fille du monde pour être femme d'un autre. Ce sentiment-là m'aida fort à ne la point épouser, mais comme elle fut mariée un peu de temps après, j'en devins amoureux, et la plus forte raison qui m'obligea d'en faire ma maîtresse[2] fut celle qui m'avait empêché d'être son mari.

Histoire amoureuse des Gaules / Roger de Bussy-Rabutin ; éd. Roger Duchêne ; avec la collaboration de Jacqueline Duchêne. – Paris : Gallimard, 1993. – (*Folio* ; 2443). – [Pp. 152-157, 303-304 pour les notes].

---

1 Les biens ont été partagés depuis Christophe Ier de Rabutin. Bussy s'est marié pour la première fois en janvier 1643, plus d'un an avant sa cousine, qui épousa Henri de Sévigné en août 1644. Il était remarié depuis quelques mois avec Louise de Rouville quand sa cousine devint veuve en 1651.

2 Pour un homme, *faire l'amour* signifie surtout faire la cour ; pour une femme « se laisser aller à quelque galanterie illicite » (Furetière). Il faut se rappeler aussi que maîtresse et amant désignent alors la femme ou l'homme aimé indépendamment de l'existence ou non de rapports sexuels.

MADAME DE LA FAYETTE

FRANÇAIS **1634-1693**

On la croyait née au Havre. On sait maintenant qu'elle est née à Paris. Elle reçut le baptême à Saint-Sulpice le 18 mars 1634, dans l'église ou s'étaient mariés, en février 1633, Marc Pioche de la Vergne, un militaire cultivé de fort petite noblesse, et Isabelle Péna, « domestique » de Mme de Combalet, nièce de Richelieu, logée chez elle au Petit-Luxembourg. Ils feront construire tout auprès plusieurs maisons mitoyennes rue Férou, dont l'une formait le coin de la rue Vaugirard. C'est là que Marie-Madeleine Pioche de La Vergne habitera jusqu'au début de 1653, puis de la fin de 1658 à sa mort. Le 15 février 1655, elle s'était mariée à Saint-Sulpice avec François, comte de La Fayette, d'une famille d'excellente noblesse. Mariage bâclé entre une héritière riche mais sans naissance et un gentilhomme au bord de la ruine. Mariage disparate entre une Parisienne qui aimait le monde et un provincial qui préférait vivre dans ses terres.

Marie-Madeleine n'avait pas eu de chance. Le 20 décembre 1649, elle avait perdu son père, mort pour avoir été fidèle au Roi dans la première Fronde. Un an plus tard, sa mère s'était remariée à René-Renaud de Sévigné, un oncle du mari de la célèbre marquise. Comme les Sévigné étaient du côté de Gondi, bientôt cardinal de Retz, René-Renaud fut emporté dans sa défaite. On l'exila dans sa terre de Champiré, en Anjou. Mademoiselle de La Vergne dut l'y accompagner avec sa mère. Puis son mari l'emmena chez lui en Auvergne, à Espinasse et à Nades. Pendant cinq ans, la brillante jeune fille dont on avait commencé à admirer l'esprit dans le salon de sa mère se trouva presque constamment exilée en province. Heureusement, après le retour à Paris fin 1658, le comte de La Fayette (auquel sa femme avait donné deux fils) repartit seul. Il ne fit plus que de brefs passages rue de Vaugirard. On avait quasi oublié son existence quand il mourut effectivement en juillet 1683.

Dès le début de son mariage, la jeune Madame de La Fayette perdit sa bonne santé. Dans l'ennui de la province, elle serait morte d'ennui si elle n'en avait profité pour se cultiver en lisant les ouvrages à la mode, poèmes galants de Sarasin, romans de Mademoiselle de Scudéry, *Défense* de Voiture par Costar. Un abbé savant et galant, Gilles Ménage, son aîné de 21 ans, la fournit en livres, correspond avec elle, écrit en son honneur des poèmes en trois langues. Elle est sa « Madame Laure ». Après son retour à Paris, il l'aide à s'occuper de ses procès, l'accompagne dans ses visites et promenades, développe sa culture italienne et l'initie à la latine, lui forme l'esprit et le cœur. Pendant douze ans, ils ont effectivement vécu l'« amour tendre » dont *Clélie* fait la théorie.

Avec l'aide de son ami, Madame de La Fayette écrit une nouvelle tragique, *La Princesse de Montpensier*, procès de l'ennemi de la tendresse : la passion. Au lieu de raconter les choses « comme notre imagination se les figure », elle les donne « comme d'ordinaire nous les voyons arriver », sans souci de morale ni d'idéalisation, selon des principes posés en 1656 par Segrais, qui n'avait pas osé les appliquer pleinement dans ses *Nouvelles françaises*. Publiée en 1662, sa « nouvelle », qui raconte un adultère manqué, renouvelle le roman français. Malgré son succès, la comtesse adjure Ménage de nier partout qu'elle soit l'auteur de ce petit chef-d'œuvre, incompatible avec son sexe et son rang.

En 1669, on publie sous le nom de Segrais un roman plus traditionnel, *Zaïde, histoire espagnole*, œuvre collective dont elle a écrit l'essentiel. Fortement inscrite dans l'histoire par le contexte où se déroule l'intrigue, cette fine étude des méandres de la jalousie était accompagnée d'une importante préface théorique, une *Lettre* de Huet à Segrais *sur l'origine des romans.* Sous le voile de l'anonymat, la comtesse se trouvait, par ses savants amis, au cœur d'un des plus importants débats littéraires du temps, à la charnière de l'ancien et du nouveau roman.

Elle fréquentait aussi des milieux plus mondains, le salon de Mme du Plessis-Guénégaud par exemple. Elle y connut et apprécia La Rochefoucauld, largement son aîné. Dès 1662, ils éprouvent de la sympathie l'un pour l'autre. Puis ce sera une longue « liaison » (le mot est de Mme de Sévigné), qui les attachera l'un à l'autre sentimentalement et intellectuellement, dans des rencontres quotidiennes chez la comtesse, jusqu'à la mort du duc. C'est sous son influence, dans ce climat plus aristocratique, mais assez pessimiste, qu'elle écrit *La Princesse de Clèves*, parue en 1678.

Bien préparée par une habile campagne de presse (première du genre), la parution du livre fut un immense succès. Le *Mercure galant* ouvrit ses colonnes à une enquête générale invitant le public à lui écrire ce qu'il pensait de la conduite d'une femme qui, pour lutter contre sa passion, avouerait à son mari qu'elle en aime un autre. Il publia les réponses. On imprima par ailleurs une longue et sérieuse « Critique du roman », et une réponse à cette critique. Par ces discussions comme par sa technique (un récit linéaire, enraciné dans l'histoire récente), l'œuvre anonyme de Madame de La Fayette (qui en refuse expressément l'attribution dans une lettre) est une étape capitale dans l'histoire du roman français. Belle histoire d'amours manquées, *La Princesse de Clèves* semble vanter les mérites de la vertu et du repos, préférés à la passion par une héroïne exemplaire, mais qui meurt de les avoir choisis contre les risques de la vie...

Écrivain d'occasion, Mme de La Fayette n'écrira plus, sauf, peut-être, la brève *Comtesse de Tende*, œuvre posthume publiée en 1718. Elle entretient d'étroites relations avec la duchesse régente de Savoie, autrefois connue au couvent de Chaillot quand elle allait y voir sa belle-sœur, la Mère de La Fayette, qu'avait aimée Louis XIII. Avec l'accord de Louvois, pendant onze ans (1678-1689), son salon est un important centre de diplomatie parallèle.

Parue en 1720, la *Vie d'Henriette d'Angleterre*, que Mme de La Fayette avait également connue à Chaillot, est une œuvre composite et inachevée, probablement authentique, qui conte les amours de Madame, puis sa mort. Parus en 1731, les *Mémoires pour la cour de France pour les années 1688 et 1689* sont au contraire sûrement une compilation de faussaire.

La créatrice du roman français moderne n'a signé qu'un seul texte : le « Portrait de Madame de Sévigné par Mme de La Fayette sous le nom d'un Inconnu », paru en 1659 dans un recueil de *Divers portraits* édités confidentiellement à Caen par Huet pour le compte de Mlle de Montpensier, cousine germaine de Louis XIV. Il fallait à Mme de La Fayette cette princière garantie pour s'avouer auteur. À sa mort, Madame de Sévigné, son amie depuis quarante ans et la « plus tendre consolation » de ses maux, car elle était toujours malade, a écrit à son tour un magnifique éloge de celle, qui, dit-elle, n'a « jamais été sans cette divine raison, qui était sa qualité principale ».

Lectures de Mme de La Fayette / Maurice Laugaa. – Paris : A. Colin, 1971. – 352 p. – (*Collection U2. Lectures* ; 173).
La Princesse de Clèves, le roman paradoxal / Alain Niderst. – Paris : Larousse, 1973. – 191 p. – (*Thèmes et textes).*

Mme de La Fayette, la romancière aux cent bras / Roger Duchêne. – Paris : Fayard, 1988. – 534 p.

LA PRINCESSE DE CLÈVES 313

Malheureuse d'être abandonnée à elle-même. — Une jeune femme perd sa mère alors qu'elle prend conscience d'une passion naissante et qu'elle a besoin d'une confidente et d'un appui pour conforter sa vertu.

Mme de Chartres n'avait pas voulu laisser voir à sa fille qu'elle connaissait ses sentiments pour ce prince de peur de se rendre suspecte sur les choses qu'elle avait envie de lui dire. Elle se mit un jour à parler de lui ; elle lui en dit du bien et y mêla beaucoup de louanges empoisonnées sur la sagesse qu'il avait d'être incapable de devenir amoureux et sur ce qu'il ne se faisait qu'un plaisir et non pas un attachement sérieux du commerce des femmes. « Ce n'est pas, ajouta-t-elle, que l'on ne l'ait pas soupçonné d'avoir une grande passion pour la reine dauphine ; je vois même qu'il y va très souvent, et je vous conseille d'éviter autant que vous pourrez de lui parler, et surtout en particulier, parce que, Madame la Dauphine vous traitant comme elle fait, on dirait bientôt que vous êtes leur confidente, et vous savez combien cette réputation est désagréable. Je suis d'avis, si ce bruit continue, que vous alliez un peu moins chez Madame la Dauphine, afin de ne vous pas trouver mêlée dans des aventures de galanterie. »

Mme de Clèves n'avait jamais ouï parler de M. de Nemours et de Madame la Dauphine ; elle fut si surprise de ce que lui dit sa mère, et elle crut si bien voir combien elle s'était trompée dans tout ce qu'elle avait pensé des sentiments de ce prince, qu'elle en changea de visage. Mme de Chartres s'en aperçut ; il vint du monde dans ce moment. Mme de Clèves s'en alla chez elle et s'enferma dans son cabinet.

L'on ne peut exprimer la douleur qu'elle sentit de connaître, par ce que lui venait de dire sa mère, l'intérêt qu'elle prenait à M. de Nemours : elle n'avait encore osé se l'avouer à elle-même. Elle vit alors que les sentiments qu'elle avait pour lui étaient ceux que M. de Clèves lui avait tant demandés ; elle trouva combien il était honteux de les avoir pour un autre que pour un mari qui les méritait. Elle se sentit blessée et embarrassée de la crainte que M. de Nemours ne la voulût faire servir de prétexte à Madame la Dauphine, et cette pensée la détermina à conter à Mme de Chartres ce qu'elle ne lui avait point encore dit.

Elle alla le lendemain matin dans sa chambre pour exécuter ce qu'elle avait résolu, mais elle trouva que Mme de Chartres avait un peu de fièvre, de sorte qu'elle ne voulut pas lui parler. Ce mal paraissait néanmoins si peu de chose que Mme de Clèves ne laissa pas d'aller l'après-dînée chez Madame la Dauphine. Elle était dans son cabinet avec deux ou trois dames qui étaient le plus avant dans sa familiarité.

« Nous parlions de M. de Nemours, lui dit cette reine en la voyant, et nous admirions combien il est changé depuis son retour de Bruxelles. Devant que d'y aller, il avait un nombre infini de maîtresses, et c'était même un défaut en lui, car il ménageait également celles qui avaient du mérite et celles qui n'en avaient pas. Depuis qu'il est revenu, il ne connaît ni les unes ni les autres ; il n'y a jamais eu si grand changement. Je trouve même qu'il y en a dans son humeur, et qu'il est moins gai que de coutume. »

Mme de Clèves ne répondit rien, et elle pensait avec honte qu'elle aurait pris tout ce que l'on disait du changement de ce prince pour des marques de sa passion si elle n'avait point été détrompée. Elle se sentait quelque aigreur contre Madame la Dauphine de lui voir chercher des raisons et s'étonner d'une chose dont apparemment elle savait mieux la vérité que personne. Elle ne put s'empêcher de lui en témoigner quelque chose, et, comme les autres dames s'éloignèrent, elle s'approcha d'elle et lui dit tout bas :

« Est-ce aussi pour moi, madame, que vous venez de parler, et voudriez-vous me cacher que vous fussiez celle qui a fait changer de conduite à M. de Nemours ?

— Vous êtes injuste, lui dit Madame la Dauphine, vous savez que je n'ai rien de caché pour vous. Il est vrai que M. de Nemours, devant que d'aller à Bruxelles, a eu, je crois, intention de me laisser entendre qu'il ne me haïssait pas. Mais, depuis qu'il est revenu, il ne m'a pas même paru qu'il se souvînt des choses qu'il avait faites, et j'avoue que j'ai de la curiosité de savoir ce qui l'a fait changer. Il sera bien difficile que je ne le démêle, ajouta-t-elle. Le vidame de Chartres, qui est son ami intime, est amoureux d'une personne sur qui j'ai quelque pouvoir et je saurai par ce moyen ce qui a fait ce changement. »

Madame la Dauphine parla d'un air qui persuada Mme de Clèves, et elle se trouva malgré elle dans un état plus calme et plus doux que celui où elle était auparavant.

Lorsqu'elle revint chez sa mère, elle sut qu'elle était beaucoup plus mal qu'elle ne l'avait laissée. La fièvre lui avait redoublé, et, les jours suivants, elle augmenta de telle sorte qu'il parut que ce serait une maladie considérable. Mme de Clèves était dans une affliction extrême. Elle ne sortait point de la chambre de sa mère ; M. de Clèves y passait aussi presque tous les jours, et par l'intérêt qu'il prenait à Mme de Chartres, et pour empêcher sa femme de s'abandonner à la tristesse, mais pour avoir aussi le plaisir de la voir. Sa passion n'était point diminuée.

M. de Nemours, qui avait toujours eu beaucoup d'amitié pour lui, n'avait pas cessé de lui en témoigner depuis son retour de Bruxelles. Pendant la maladie de Mme de Chartres, ce prince trouva le moyen de voir plusieurs fois Mme de Clèves en faisant semblant de chercher son mari ou de le venir prendre pour le mener promener. Il le cherchait même à des heures où il savait bien qu'il n'y était pas, et, sous le prétexte de l'attendre, il demeurait dans l'antichambre de Mme de Chartres, où il y avait toujours plusieurs personnes de qualité. Mme de Clèves y venait souvent et, pour être affligée, elle n'en paraissait pas moins belle à M. de Nemours. Il lui faisait voir combien il prenait d'intérêt à son affliction, et il lui en parlait avec un air si doux et si soumis qu'il la persuadait aisément que ce n'était pas de Madame la Dauphine dont il était amoureux.

Elle ne pouvait s'empêcher d'être troublée de sa vue et d'avoir pourtant du plaisir à le voir. Mais quand elle ne le voyait plus, et qu'elle pensait que ce charme qu'elle trouvait dans sa vue était le commencement des passions, il s'en fallait peu qu'elle ne crût le haïr par la douleur que lui donnait cette pensée.

Mme de Chartres empira si considérablement que l'on commença à désespérer de sa vie ; elle reçut ce que les médecins lui dirent du péril où elle était[1] avec un courage digne de sa vertu et de sa piété. Après qu'ils furent sortis, elle fit retirer tout le monde et appeler Mme de Clèves.

« Il faut nous quitter, ma fille, lui dit-elle, en lui tendant la main ; le péril où je vous laisse et le besoin que vous avez de moi augmentent le déplaisir que j'ai de vous quitter. Vous avez de l'inclination pour M. de Nemours ; je ne vous demande point de me l'avouer : je ne suis plus en état de me servir de votre sincérité pour vous conduire. Il y a déjà longtemps que je me suis aperçue de cette inclination, mais je ne vous en ai pas voulu parler d'abord, de peur de vous en faire apercevoir vous-même. Vous ne la connaissez que trop présentement ; vous êtes sur le bord du

1 Les médecins avaient alors obligation absolue de prévenir le malade dès qu'ils désespéraient de son état. Le mourant devait pouvoir se préparer à comparaître devant Dieu par la prière et les sacrements.

précipice. Il faut de grands efforts et de grandes violences pour vous retenir. Songez ce que vous devez à votre mari ; songez ce que vous vous devez à vous-même, et pensez que vous allez perdre cette réputation que vous vous êtes acquise et que je vous ai tant souhaitée. Ayez de la force et du courage, ma fille, retirez-vous de la cour, obligez votre mari de vous emmener ; ne craignez point de prendre des partis trop rudes et trop difficiles. Quelque affreux qu'ils vous paraissent d'abord, ils seront plus doux dans les suites que les malheurs d'une galanterie. Si d'autres raisons que celles de la vertu et de votre devoir vous pouvaient obliger à ce que je souhaite, je vous dirais que, si quelque chose était capable de troubler le bonheur que j'espère en sortant de ce monde, ce serait de vous voir tomber comme les autres femmes ; mais si ce malheur vous doit arriver, je reçois la mort avec joie pour n'en être pas le témoin[1]. »

Mme de Clèves fondait en larmes sur la main de sa mère, qu'elle tenait serrée entre les siennes, et Mme de Chartres se sentant touchée elle-même :

« Adieu, ma fille, lui dit-elle, finissons une conversation qui nous attendrit trop l'une et l'autre, et souvenez-vous, si vous pouvez, de tout ce que je viens de vous dire. »

Elle se tourna de l'autre côté en achevant ces paroles, et commanda à sa fille d'appeler ses femmes, sans vouloir l'écouter ni parler davantage. Mme de Clèves sortit de la chambre de sa mère en l'état que l'on peut s'imaginer, et Mme de Chartres ne songea plus qu'à se préparer à la mort. Elle vécut encore deux jours, pendant lesquels elle ne voulut plus revoir sa fille, qui était la seule chose à quoi elle se sentait attachée.

Mme de Clèves était dans une affliction extrême. Son mari ne la quittait point, et sitôt que Mme de Chartres fut expirée, il l'emmena à la campagne pour l'éloigner d'un lieu qui ne faisait qu'aigrir sa douleur. On n'en a jamais vu de pareille ; quoique la tendresse et la reconnaissance y eussent la plus grande part, le besoin qu'elle sentait qu'elle avait de sa mère pour se défendre contre M. de Nemours ne laissait pas d'y en avoir beaucoup. Elle se trouvait malheureuse d'être abandonnée à elle-même dans un temps où elle était si peu maîtresse de ses sentiments et où elle eût tant souhaité d'avoir quelqu'un qui pût la plaindre et lui donner de la

---

1 Ce chantage à la mort montre le prix que Mme de Chartres, mère chrétienne, met à la vertu de sa fille. La présence de la religion, discrète mais capitale, est une des originalités (et une des audaces) de *La Princesse de Clèves*.

force[1]. La manière dont M. de Clèves en usait pour elle lui faisait souhaiter plus fortement que jamais de ne manquer à rien de ce qu'elle lui devait. Elle lui témoignait aussi plus d'amitié et plus de tendresse qu'elle n'avait encore fait ; elle ne voulait point qu'il la quittât, et il lui semblait qu'à force de s'attacher à lui il la défendrait contre M. de Nemours.

Ce prince vint voir M. de Clèves à la campagne. Il fit ce qu'il put pour rendre aussi une visite à Mme de Clèves, mais elle ne le voulut point recevoir, et, sentant bien qu'elle ne pouvait s'empêcher de le trouver aimable, elle avait fait une forte résolution de s'empêcher de le voir et d'en éviter toutes les occasions qui dépendraient d'elle.

Œuvres complètes / Marie-Madeleine Pioche de Lavergne, comtesse de La Fayette ; préface de Michel Déon ; édition de Roger Duchêne. – Paris : François Bourin, 1990. – [Pp. 295-299, 395-396 pour les notes].

1 L'éducation donnée à Mme de Clèves a échoué : elle ne l'a pas rendue capable de se gouverner elle-même. D'où, bientôt, l'aveu au mari, substitut de la mère disparue.

CATHARINA REGINA VON GREIFFENBERG

ALLEMAND **1633-1694**

Le plus grand poète du XVIIe siècle allemand, avec Andreas Gryphius, est une femme, autrichienne, protestante et quasiment inconnue : Catharina Regina von Greiffenberg, auteur de *Sonnets, chants et poèmes spirituels* (1662).

Née à Seyssenegg, en Basse-Autriche, d'une famille de petite noblesse luthérienne, Catharina connaît une double illumination, mystique et poétique, en 1651, peu après la mort de sa sœur, alors qu'elle assiste à un office religieux à Presbourg, à l'extérieur des « territoires héréditaires » d'où le protestantisme a été banni.

Sa vie mouvementée se déroule au rythme chaotique des persécutions, procès, saisies qui sans cesse l'accablent, entrecoupés de fuites, à Nuremberg surtout, et d'étonnants accès d'exaltation poético-mystique au cours desquels elle se voit appelée à convertir l'empereur et, telle une autre Jeanne d'Arc, à sauver l'Autriche et la chrétienté du péril ottoman.

Disciple de Wilhelm von Stubenberg (1619-1663), traducteur de la littérature « précieuse » française, puis amie et correspondante de Sigmund von Birken (1626-1681), successeur de Georg Philipp Harsdörffer à la tête de la société poétique nurembergeoise des « Bergers de la Pegnitz », elle voit paraître, publiés à son insu par son oncle et futur époux, ses *Sonnets, chants et poèmes spirituels* qui lui assurent une certaine renommée. Le reste de son œuvre est fait principalement de méditations en prose sur des thèmes religieux (*Rien que Jésus*, 1672 ; *Six nouvelles méditations*, 1693).

En 1680, Catharina devenue presque aveugle s'installe définitivement à Nuremberg. Elle s'y adonne en paix à la méditation spirituelle et à l'étude des langues anciennes et meurt le 10 avril 1694, à l'heure où le baroque littéraire germanique, né comme elle dans les années trente du XVIIe siècle, touche à sa fin, discrédité et voué à l'oubli, de l'aube des « Lumières » jusqu'à nos jours, où l'on commence à le redécouvrir sporadiquement.

La poétique de Greiffenberg est l'héritière de celle des « Bergers de la Pegnitz », Harsdörffer (l'auteur de l'*Entonnoir poétique*), Klaj et Birken. La virtuosité verbale des poètes du Sud, du Bartas et Marino en tête, s'allie chez elle à une réflexion véritablement philosophique, proche de celle de Justus Georg Schottelius, sur la nature et les pouvoirs du langage. Mais surtout, et c'est là la marque de son originalité, Catharina prend à bras-le-corps la langue, dépoussière les tropes, invente des mots et des combinaisons d'images inouïes, force l'emblème, non plus seulement à vouloir dire quelque chose, mais à agir, témoin, lieu et instrument de la secrète métamorphose d'un monde en l'autre :

Papier-floraison de craie !
Sur toi la beauté de Dieu
S'écrira cerises noires
Pour incarner la douceur.
Chaque pétale, muet,
À voix haute dit sa gloire.

(« Sur les arbres en fleurs », strophe 4.)

Les deux cent cinquante sonnets au cœur de l'œuvre majeure de Catharina Regina von Greiffenberg sont groupés autour d'un noyau relativement compact d'une centaine de poèmes sur la vie de Jésus, sa mort et sa résurrection ; mais les textes les plus remarquables traitent de l'art poétique et des saisons — le printemps surtout, emblème sans cesse réinventé du renouveau.

L'agencement métaphorique et rhétorique extrêmement complexe du sonnet des *Larmes*, la virtuosité de celui sur « l'inspiration de l'Esprit Saint », bâti de bout en bout sur quatre mots à la rime, se rattachent, certes, à l'esthétique la plus sophistiquée du maniérisme ; les cris de révolte et la sereine affirmation de soi des deux sonnets sur le Destin et le « noble art de Poésie » montrent que la pratique de cette écriture n'exclut nullement une expression sincère, presque au sens où l'entendraient les Romantiques. Dans les sonnets sur les saisons, on voit comment l'un et l'autre s'articulent : l'ingéniosité verbale n'a d'autre but que d'exprimer la vérité intérieure ; l'image forgée, comme butinée d'un monde à l'autre, méta-phorique, opère une transfiguration où Terre et Ciel s'échangent.

Par son insoumission à l'usage, son goût du concret, la hardiesse allant jusqu'à l'extravagance de ses compositions, mais en même temps, la rigueur et l'abnégation avec laquelle elle s'adonne à son « divin passe-temps », Catherine de Greiffenberg a, toutes proportions gardées, quelque chose d'un Hölderlin du baroque : décalée par rapport à son temps, singulière, irrécupérable, elle fait partie de ces artistes qui ne deviennent visibles que beaucoup plus tard, des siècles après leur mort parfois, dans la grâce de leur éternelle fraîcheur.

Catharina Regina von Greiffenberg : Leben und Werk der barocken Dichterin / H.J. Frank. – Göttingen : Sachse und Pohl, 1967. – 185 p. – (*Schriften zur Literatur* ; Bd. 8).

Dichtung und Emblematik bei Catharina Regina von Greiffenberg / Peter M. Daly. – Bonn : Bouvier, 1976. – 262 p. – (*Studien zur Germanistik, Anglistik und Komparatistik* ; 36).

Flambée et agonie : mystiques du XVIIe siècle allemand / Bernard Gorceix. – Sisteron : Présence, 1977. – 363 p. – (*Le Soleil dans le cœur* ; 10).

Poètes baroques allemands / traduits et présentés par Marc Petit. – Paris : François Maspero, 1977. – 222 p. – (*Action poétique*).

Das Wörterwerk der Catharina Regina von Greiffenberg / Ruth Liwerski. – Berne ; Francfort : P. Lang, 1978. – 2 vol. – (*Europäische Hochschulschriften. Reihe 1. Deutsche Sprache und Literatur*).

Die Lyrischen Sonette der Catharina Regina von Greiffenberg / Elisabeth Bartsch-Siekhaus. – Berne ; Francfort : P. Lang, 1983. – 180 p. – (*Berner Beiträge zur Barockgermanistik*).

Ouroboros / roman, par Marc Petit. – Paris : Fayard, 1989. – 504 p.

SONNETS, CHANTS ET POÈMES SPIRITUELS 314

M. Petit — 1993

Sur les larmes. — Ce texte traduit, admirablement, l'expérience paradoxale, mystiquement unie, du feu rafraîchissant des larmes, repentir et grâce conjoints qui découvrent à l'homme le lieu central d'où son être, microcosme parfait, mesure sa souveraineté promise et déplore, cependant, sa présente infortune.

Comme le faix des nues en gouttes se résout,
Ainsi mon infortune en pluie de larmes tombe.
Pléiades de la tête, elles arrosent la terre
De la bonté de Dieu où fleurira son aide.
Cette mer de tourment au port souvent conduit.
L'huître perlière du repentir est dans son sein,
À laquelle, ambre, l'oraison vient s'associer.
Souvent je me tiens là comme au milieu du roc ;

Mais l'art des eaux sait aussi faire tourner les rouages.
Ah si mes pleurs mouvaient la roue de la providence,
S'ils prescrivaient au cours des astres un bon destin !
Ah, larmes, si vous aviez la force de brûler
Les liens de l'infortune ! Vous-mêmes si bouillantes,
Rafraîchissez un tant soit peu le feu, filles des glaces !

Par le destin le plus contraire. / Catharina Regina von Greiffenberg ; poèmes traduits en français et préfacés par Marc Petit. – Paris : La Différence, 1993. – (*Orphée* ; 157). – [P. 45].

SONNETS, CHANTS ET POÈMES SPIRITUELS 315

M. Petit — 1977

Par le destin le plus contraire. — Toute chrétienne est cette relance constante de l'infini de la Gloire de Dieu par l'infinie humilité d'une victoire constamment écrasée par le Mal apparemment vainqueur.

Ah, peux-tu regarder, mon cœur, le ciel sans larmes,
Dedans sans désespoir, dehors sans flots de pleurs,
De douleur se peut-il que je ne meure pas
Quand je le vois acier et pierre devant moi ?
Ah, sur tant de misère le soleil peut-il luire ?
Mon cœur, durcis ton cœur. Tiens-toi comme le lion
Au centre du malheur, debout. Chacun verra
Comme dans l'affliction s'affine ta vertu.
Accepte ce qu'Il veut. Tais-toi, même brisé :
Pourvu que ton désir de servir Dieu demeure !
Lutte avec toi pour Lui, afin que de ta gloire
Sorte plus que le sang ; brûle ta vie, chandelle,
Dans la ferveur fidèle ! Songe : quelle victoire,
Si mon Dieu a la gloire, fussé-je moi vaincue !

Par le destin le plus contraire / Catharina Regina von Greiffenberg ; poèmes traduits de l'allemand et préfacés par Marc Petit. – Paris : La Différence, 1993. – (*Orphée* ; 157). – [P. 47].

SONNETS, CHANTS ET POÈMES SPIRITUELS 316

M. Petit — 1977

Sur Dieu, étrange gouverne de l'esprit. — La folie évangélique et les paradoxes tragiques qu'elle induit se fondent sur le mystère absolu, absurde s'il n'est point éprouvé par l'humilité mystique, de la continuité entre le créé et l'incréé, le fini et l'infini, le néant et le tout de l'être.

Silence et force, espérer, clandestin vivre au secret ;
Ne pas bouger quand le fond de toutes les terres tremble ;
Être invinciblement fort à l'heure de la faiblesse ;
Toutes les troupes du monde en armes, les vaincre seul ;
Dans l'abîme obscur du cœur, cacher la clarté du vrai ;
Souffrir que le mal, fumée, ruine l'honneur, cette flamme ;
Qu'au lieu de bourgeons de roses, l'épine orne la vertu,
Est l'effet d'un cœur céleste, non une peine commune.
Seigneur ! Aide ma faiblesse ; elle est sans toi comme unverre :
Image sur son écu, qui te voit l'effroi le fige.
Verse l'indomptable sève dans ce tonneau de coquille !
L'araignée de ma faiblesse, si ta force la clôture,
Peut attraper les baleines. Mon néant ne trompe pas :
Il est cause que l'Immense agit grand à travers moi.

Par le destin le plus contraire / Catharina Regina von Greiffenberg ; poèmes traduits de l'allemand et préfacés par Marc Petit. – Paris : La Différence, 1993. – (*Orphée* ; 157).– [P. 49].

SONNETS, CHANTS ET POÈMES SPIRITUELS 317

M. Petit — 1977

Sur la nature irrépressible du noble art de Poésie. — Le langage, quand il se sait création et se veut tendu vers sa source, trouve sa fin. Par lui, Dieu parle de sa Gloire.

On m'interdit les dons cléments du ciel, qu'importe !
L'invisible rayon, le sonore secret,
L'angélique œuvre humaine qui dans et hors le temps,
Quand tout aura été, seule aura consistance,
Qui entrera en lice avec l'éternité,
Le miracle d'esprit franc de la force obscure,
Le soleil à minuit qui sème ses rayons,
Ce qui à contre-monde en tout état persiste,
Cela seul me demeure, quand la force contraire
Du hasard plus puissant me tient presque asservie.
Même ici mon esprit, libre, veut démontrer
Ce que je voudrais faire si j'étais à moi seule :
Mon Dieu, j'exalterais ta gloire contre tout.
Délivre-moi ! À toi ma louange éternelle !

Par le destin le plus contraire / Catharina Regina von Greiffenberg ; poèmes traduits de l'allemand et préfacés par Marc Petit. – Paris : La Différence, 1993. – (*Orphée* ; 157).– [P. 53].

SONNETS, CHANTS ET POÈMES SPIRITUELS 318

M. Petit — 1977

Sur l'indicible inspiration de l'Esprit Saint. — Quand l'Esprit de Dieu, insaisissable, tout l'Être, révèle, en s'y posant, l'étoile de l'âme, soudain noyée de lumière.

Éclair non vu, ô toi claire-obscure lumière,
Force pleine de cœur, insaisissable l'être,
Quelque chose de Dieu dans mon esprit vient d'être
Qui m'éveille : je sens une étrange lumière.
La seule âme ne peut jeter cette lumière.
C'est un miracle-vent, esprit, tisserand-être,
Force-souffle éternelle, noyau même de l'être,
Qui pour lui lance en moi, flamme-ciel, sa lumière.
Toi regard-prisme, ô toi couleur-merveille, éclat !
Lueur qui va et vient insaisissable et claire,
Vol d'oiseau de l'esprit, au soleil vrai l'éclat.
L'étang que Dieu agite est, même troublé, clair !
Qu'au soleil de l'esprit renaisse son éclat :
La lune vers la terre alors se tourne, claire.

Par le destin le plus contraire / Catharina Regina von Greiffenberg ; poèmes traduits de l'allemand et préfacés par Marc Petit. – Paris : La Différence, 1993. – (*Orphée* ; 157). – [P. 63].

SONNETS, CHANTS ET POÈMES SPIRITUELS 319

M. Petit — 1977

Joie de printemps loue-Dieu (II). — Printemps, analogie parfaite du désir infini grandissant de ses saveurs.

La belle armée des fleurs est rentrée en campagne
Pour faire triompher le parfum, la couleur.
Les lauriers des feuillages : des couronnes partout.
Dryades ont monté de fraîches tentes d'ombre.
La douceur de l'amour dore le monde entier.
Les esprits de la joie se déploient dans les airs.
La force souveraine veut le bonheur de tout.
Le doux trop-plein du ciel s'incline vers la terre :
L'éternité fait signe avec une étincelle,
Une goutte de sève, un pollen de sa gloire.
Voici, je l'ai goûtée, à présent que j'ai soif !
Ma langue est sèche, avide je brûle de désir :

Printemps, source-miroir qui arrose et contente,
Transporter l'âme, change la terre contre le ciel !

Par le destin le plus contraire / Catharina Regina von Greiffenberg ; poèmes traduits de l'allemand et préfacés par Marc Petit. – Paris : La Différence, 1993. – (*Orphée* ; 157). – [P. 73].

SONNETS, CHANTS ET POÈMES SPIRITUELS 320

M. Petit — 1977

Joie de printemps loue-Dieu (III). — Autre métaphore d'une sève sans fin.

Pas seulement les arbres, mon cœur aussi bourgeonne.
L'espoir fait éclater les feuilles consolantes
Que la haute bonté, la fournaise, a soufflées.
Le vent d'ouest de l'esprit les chasse çà et là.
La floraison des joies suit aussi, plein bonheur,
Sûre de pressentir le fruit sucré de l'acte.
La faiseuse de miel a bon espace et lieu,
L'âme exaltant le Dieu, de lui dire louanges.
Sève et force elle suce au sein de la fleur-livre,
Porte au palais de cire la leçon lumineuse,
Emplit d'esprit-rosée, de moût de miel céleste
L'âme-gorge, douceur, et fuit honorer Dieu.
Ce qui sur terre a lieu, mon esprit le transpose :
Seule l'éternité est fin où je commence.

Par le destin le plus contraire / Catharina Regina von Greiffenberg ; poèmes traduits de l'allemand et préfacés par Marc Petit. – Paris : La Différence, 1993. – (*Orphée* ; 157).– [P. 75].

SONNETS, CHANTS ET POÈMES SPIRITUELS 321

M. Petit — 1977

Joie de printemps loue-Dieu (IV). — Discrètement ici, c'est le bon temps qui se dit métaphore de l'Infini.

Adorable musique : quand temps et joie s'accordent,
Air et cœur sont ensemble aussi calmes, limpides,
Que soleil et bonheur touchent d'un même éclat,
Les pensées-hirondelles montent vers les nuées

Et qu'avec les étoiles brille l'âme étincelle.
Alors le laurier tresse aux cordes sa louange
Et le seigneur des cœurs sur son trône seul règne,
L'aile de la vertu vole le célébrer.
Ce temps, il me le faut, ô merveille éternelle,
Amour cœur partagé et brasier dans le cœur !
Ah, source inépuisable, parfaite mais ensemble !
Je sens et je voudrais mais ne peux comme on doit
Te louer : donne-moi la force débordante
De célébrer autant que sève tu m'inondes !

Par le destin le plus contraire / Catharina Regina von Greiffenberg ; poèmes traduits de l'allemand et préfacés par Marc Petit. – Paris : La Différence, 1993. – (*Orphée* ; 157). – [P. 77].

SONNETS, CHANTS ET POÈMES SPIRITUELS 322

M. Petit — 1989

Sur le temps d'automne fructifère. — Inaccompli, l'automne du temps terrestre symbolise et appelle de ses prémices les fruits mûrs du Paradis de la fin.

Verse-joie, porte-récolte, heureux cuisinier des jours,
But de flor- et véraison, désir que son œuvre anime !
Longue espérance est en toi parvenue à se faire acte.
Sans toi, le regard contemple, mais rien encore n'a goût.
Toi l'achèvement des ères, achève et parfais bientôt
Ce qui de croître et fleurir a reçu moitié de l'être !
Ta vigueur n'aura d'orgueil qu'à la fin de cet ouvrage.
Trésor des temps, ah, exalte l'autre floraison aussi,
Fais de ta corne tomber les fruits de joie qu'on espère !
Doux délice dans la bouche, régale aussi notre esprit :
Ainsi lui, avec les siens, des tiens haussera la gloire.
Mûris les temps désirables dans l'empire suzerain !
Rends noirs les grains circonstants, juteuses les pommes neuves :
Les fruits de Dieu, qu'on en jouisse et les mange sur la terre !

Par le destin le plus contraire./ Catharina Regina von Greiffenberg ; poèmes traduits en français et préfacés par Marc Petit. – Paris : La Différence, 1993. – (*Orphée* ; 157). – [P. 87].

CHRISTIAN HUYGENS

FRANÇAIS • LATIN • NÉERLANDAIS **1629-1695**

Constantin Huygens, le père de Christian, a joué un rôle important dans la formation de son fils. Diplomate au service de la maison d'Orange, homme de grande culture, poète et musicien comme le père de Galilée, il lui a donné personnellement une éducation poussée avant de l'envoyer à l'université de Leiden, où van Schooten enseignait les mathématiques, puis à Breda, où il entendra le mathématicien Pell. Émerveillé par l'esprit logique de son fils, si différent du sien, Constantin Huygens le mit en rapport avec de nombreux savants de son époque, dont Descartes.

Dès l'âge de 17 ans, le jeune Christian montre que, contrairement à l'affirmation de Galilée, la courbe caténaire n'est pas une parabole, et compose, sur la suggestion de Mersenne, un petit traité axiomatique sur ce problème. Un des axiomes auquel il fait appel est celui de Torricelli qui veut que le centre de gravité soit le plus bas possible. Axiome qu'il continuera à utiliser vers la fin de sa vie lorsqu'en 1690 Jacob Bernoulli proposa ce même problème à la communauté scientifique afin de développer le calcul différentiel récemment dû à Leibniz.

Le traitement axiomatique des lois du choc l'occupe également très jeune. Selon Descartes, qui refusait le vide, les effets étaient transmis uniquement par choc ou pression. Toute théorie du mouvement devait donc commencer par rendre compte des chocs. Dès 1652, Huygens observe que la loi de conservation de la quantité de mouvement telle qu'énoncée par Descartes est fausse. Son énoncé ne tient pas compte de la direction de la quantité de mouvement, de son caractère vectoriel. Bien avant 1668, date à laquelle la *Royal Society* de Londres lui demande, ainsi qu'à Wallis et à Wren, de donner les lois du mouvement, donc les lois du choc, Huygens avait exprimé correctement la loi de la conservation de la quantité de mouvement. Sa théorie des lois du choc est fondée sur le principe de relativité dont il perfectionna l'énoncé proposé par Galilée. Dans les mains d'Huygens, ce principe, qui n'était qu'un argument explicatif chez Stevin, devient l'instrument de la solution.

La connaissance de la solution dans les cas les plus simples exprimés sur la terre ferme (dans un repère au repos), conduisent, par application de ce principe, à la solution de problèmes plus complexes exprimés sur le bateau qui se meut (dans un repère en mouvement). À l'occasion d'une nouvelle réflexion sur les lois du choc occasionnée par la question de la *Royal Society*, il ajoute une deuxième loi de conservation, celle de l'énergie. Malheureusement, Huygens ne parviendra pas à donner une forme axiomatique à l'ensemble de la théorie du mouvement et c'est la raison pour laquelle il laissera sous forme manuscrite la plus grande partie de ses travaux dans ce domaine. Il a mieux réussi avec le mouvement du pendule et la mesure du temps qui font l'objet de l'une de ses œuvres principales, l'*Horologium oscillatorium.* Il fonde ce travail sur trois axiomes qui préfigurent d'un point de vue plus restreint, ceux des *Principia* de Newton : I *En l'absence de pesanteur et si l'air n'offrait pas de résistance au mouvement des corps, ceux-ci poursuivraient toujours en ligne droite et à vitesse constante le mouvement qu'ils auraient acquis à un certain moment.* II *Mais en présence de la gravité, d'où qu'elle provienne, les corps se meuvent d'un mouvement composé, d'un mouvement uniforme dans l'une ou l'autre direction d'une part et d'un mouvement vers le bas dû à la gravité.* III *Et chacun de ces mouvements peut être étudié indépendamment car l'un ne perturbe pas l'autre.*

Huygens ne considère qu'une force particulière, la gravitation, alors que Newton généralisera ses axiomes à une force quelconque, rendue abstraite grâce à sa caractérisation par un vecteur.

L'*Horologium* contient le calcul de la période d'oscillation d'un pendule en fonction de la longueur de ce dernier et corrige Galilée qui affirmait que la courbe isochrone était le cercle alors que, comme le montre Huygens, il s'agit de la cycloïde.

Ses manuscrits permettent encore de voir qu'il fait les premiers pas vers l'expression mathématique du théorème des travaux virtuels.

Tout comme pour Kepler, Galilée et Descartes, l'étude de l'optique, la fabrication de lentilles, la réflection et la réfraction au sein de ces dernières sont pour lui des phénomènes qu'il convient de comprendre si l'on veut avoir confiance dans les observations astronomiques. En 1653, il écrit un *Tractatus de refractione et telescopiis* qui restera manuscrit. Dans ces domaines aussi, Huygens apporte de nombreuses connaissances importantes. Il fabrique des lentilles, observe que les satellites de Saturne forment un anneau et donne un traité de la lumière. Ce dernier est considéré par certains comme le fondement de l'optique ondulatoire, par d'autres de l'optique géométrique.

Certes, dans la description du principe qui porte son nom, Huygens qualifie d'onde la propagation d'un ébranlement sans considération de périodicité. Il lui manque la notion fondamentale de longueur d'onde ou de fréquence qui sera introduite par Newton. Pourtant son principe ouvre la voie vers le principe de superposition des ondes. Au moyen de son principe, Huygens élabore l'optique géométrique en commençant par les lois de réflection et de réfraction. Autre aspect de ses recherches en mathématiques, Huygens, dans son *De ratiociniis in ludo aleæ,* introduit la notion d'espérance mathématique dans les problèmes de jeu, qui ont ouvert la porte à l'étude des probabilités.

H.J.M. Bos, "Huygens, Christiaan". – In : *Dictionary of Scientific Biography* / ed. Ch.C. Gillispie. – New York : Charles Scribner's sons, 1970. – [Tome VI, pp. 597-613].

P. Dupont, C.S. Roero, "Il trattato *De ratiociniis in ludo aleæ* di Christiaan Huygens con les *annotationes* di Jakob Bernoulli (*Ars conjectandi*, Parte I) presentati in traduzione italiana, con commento storico-critico e risoluzioni moderne". – In : *Memorie della Accademia delle Scienze di Torino, I. Classe di Scienze Fisiche, Matematiche e Naturali*, Serie V, Volume 8 (1984).

D. Speiser, "*L'Horologium Oscillatorium* de Huygens et les *Principia* de Newton". – In : *Revue Philosophique de Louvain*, 86 (novembre 1988), pp. 485-504.

DU MOUVEMENT DES CORPS PAR PERCUSSION 323

Anonyme — 1929

Mathématiser le mouvement (III). — Dans ce manuscrit de 1656, Huygens utilise le principe de relativité pour déterminer les lois de chocs complexes à partir des cas simples. Ce principe affirme que les équations qui décrivent un même phénomène dans deux repères en mouvement rectiligne uniforme l'un par rapport à l'autre sont les mêmes. Ainsi les mêmes collisions décrites par l'homme qui se trouve sur la rive et celles décrites par l'homme qui se trouve dans le bateau qui se meut à vitesse constante seront les mêmes. Ce principe lui permet d'abord de décrire la collision de deux billes dont l'une est au repos puis de passer de ce cas simple au cas plus difficile de deux billes en mouvement.

Le mouvement des corps, et les vitesses égales, ou inégales, doivent être entendus respectivement comme ayant égard à leur relation avec d'autres corps qui sont supposés comme étant en repos, quoique, peut-être, ceux-ci comme ceux-là soient sujets à quelque autre mouvement qui leur est commun. Par conséquent, lorsque deux corps se rencontrent, quoique les deux ensemble éprouvent quelque autre mouvement égal, ils n'agiront pas autrement l'un sur l'autre par rapport à celui qui est entraîné par le même mouvement commun, que comme si ce mouvement accessoire fût absent dans tous.

Ainsi, lorsque quelqu'un transporté par un bateau qui s'avance d'un mouvement uniforme fait entrechoquer deux boules égales animées d'égale vitesse, savoir par rapport à lui-même et aux parties du bateau, nous disons que chacune d'elles devra rejaillir avec égale vitesse, par rapport au même navigateur, tout-à-fait comme il arriverait si dans un bateau en repos ou sur la terre ferme il fît entrer en collision les mêmes boules avec des vitesses égales.

Ceci étant supposé, nous allons démontrer pour le choc des corps égaux suivant quelles lois ceux-ci sont poussés l'un par l'autre, nous proposant d'insérer en propre lieu d'autres hypothèses, dont nous aurons besoin pour le cas de corps inégaux.

Première Proposition

Lorsqu'un corps en repos est rencontré par un autre, qui lui est égal, après le contact ce dernier entrera bien en repos, mais celui qui était en repos acquerra la même vitesse qui était dans le corps poussant.

Imaginons que quelque bateau près de la rive soit emporté par le courant, si près de la rive, qu'un navigateur, qui s'y tient debout, puisse tendre la main à un compagnon se trouvant sur la rive. Que le navigateur tienne dans ses mains, A et B, deux corps égaux E, F, suspendus à des fils, et dont la distance EF soit divisée en deux parties égales par le point G, et que rapprochant par un mouvement égal les deux mains, savoir par rapport à lui-même et au bateau, jusqu'à se toucher, il fasse ainsi d'une vitesse égale s'entrechoquer les deux boules, lesquelles doivent donc nécessairement rejaillir de même de leur contact mutuel avec une vitesse égale par rapport au navigateur et au bateau. Or, nous supposons que le navire soit porté en même temps vers la gauche avec la vitesse GE, c'est-à-dire avec la même vitesse avec laquelle la main gauche fut transportée vers la droite.

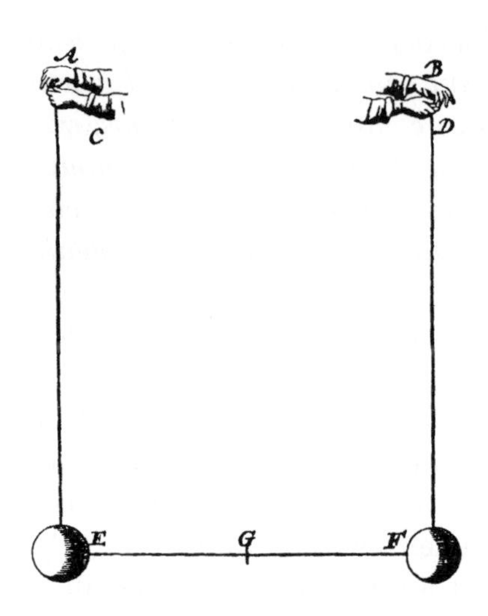

Il est donc clair que la main A du navigateur, par rapport à la rive et au compagnon qui s'y trouve, est restée immobile, mais que la main B, par rapport au même compagnon, a été mue d'une vitesse FE, double de celle GE ou FG. Donc, si le compagnon sur la rive est supposé avoir pris de sa main C la main A du navigateur et avec elle la tête du fil qui soutient la boule E, mais de l'autre main D la main B du navigateur, laquelle porte le fil d'où pend F, il paraît que, tandis que le navigateur fait s'entrechoquer les boules E, F d'une vitesse égale par rapport à lui-même et au bateau, le compagnon sur la rive a, en même temps, poussé la boule F contre la boule E en repos avec une vitesse FE par rapport à la rive et à lui-même. Et il est évident, toutefois, que pour le navigateur, qui, comme il a été dit, fait mouvoir ses deux boules, il ne fait rien que son compagnon sur la rive ait pris ses mains et les têtes des fils, puisqu'il accompagne seulement leur mouvement et ne leur cause aucun empêchement. Pour la même raison le compagnon sur la rive qui fait mouvoir la boule F vers E immobile n'est gêné en rien de ce que le navigateur a les mains jointes avec les siennes, puisque les mains A et C sont toutes les deux en repos par rapport à la rive et au compagnon, et que les deux D et B se meuvent avec la même vitesse FE. Mais comme, ainsi qu'il fut dit, les boules E, F, après leur contact mutuel, rejaillissent avec une vitesse égale par rapport au navigateur et au bateau, savoir la boule E avec la vitesse GE, et la boule F avec la vitesse GF, et que, en même temps, le bateau s'avance vers la gauche avec la vitesse GE ou FG, il en résulte que, par rapport à la rive et au compagnon qui s'y trouve, la boule F, après le choc, reste immobile, l'autre

E, au contraire, par rapport au même, se transporte vers la gauche avec une vitesse qui est le double de GE, c'est-à-dire avec la vitesse FE avec laquelle il poussa la boule F vers E. Nous avons donc montré que, pour celui qui se trouve sur la terre ferme et qui fait choquer contre un corps immobile un corps égal, ce dernier, après le contact, perd tout mouvement, tandis que l'autre acquiert le tout. Ce qu'il fallait démontrer.

Œuvres complètes. Tome XVI : Percussion ; Question de l'existence et de la perceptibilité du mouvement absolu ; Force centrifuge ; Travaux divers de statique et de dynamique de 1659 à 1666 / Christiaan Huygens ; publiées par la Société hollandaise des Sciences. – La Haye : Martinus Nijhoff, 1929. – [Pp. 32-35].

L'HORLOGE À PENDULE 324

Anonyme — 1934

Isochronisme de la cycloïde (Introduction). — Lorsque le centre de gravité d'un pendule se déplace sur une cycloïde, la période, c'est-à-dire le temps qu'il emploie pour effectuer un battement, est indépendante de l'amplitude du balancement. Dans ce travail de 1673, Huygens exploite cette propriété pour construire une bonne horloge. Pour mener cette tâche à bien, il développe à la fois l'étude de la chute des corps de Galilée et la théorie mathématique des enveloppes et développées.

Quinze années se sont écoulées depuis celle où nous avons fait connaître par la publication d'une brochure[1] la construction des horloges que nous avions récemment inventée à cette époque. Attendu que depuis ce temps nous avons trouvé plusieurs choses qui regardent la perfection de cet ouvrage, nous nous sommes résolus à les expliquer en particulier dans ce livre-ci.

Ces choses sont si intimement liées à la perfection de cette invention qu'elles peuvent être considérées comme la principale partie et pour ainsi dire le fondement, qui y manquait auparavant, de tout ce mécanisme. En effet, le pendule simple ne possédait pas de mesure du temps certaine et égale, puisqu'on observe que les plus larges mouvements sont plus tardifs que les plus étroits ; or, nous avons trouvé par le moyen de la géométrie une facon différente, inconnue jusqu'ici, de suspendre ce pendule : nous avons découvert une ligne possédant une courbure telle qu'elle se prête d'une façon entièrement admirable à lui donner l'égalité désirée. Depuis notre application de cette ligne aux horloges leur mouvement est devenu si constant et si certain qu'ensuite de plusieurs expériences faites par terre et par mer il est maintenant manifeste que ces horloges sont très

1 En 1658, Huygens avait publié la description de l'horloge de conception entièrement nouvelle qu'il avait construite.

utiles et à l'astronomie et à l'art de naviguer. C'est cette ligne que décrit en l'air par sa circonvolution continuelle un clou attaché à une roue courante. Les géomètres de notre temps l'ont appelée cycloïde et l'ont examinée avec soin à cause de ses diverses autres propriétés. Quant à nous, nous l'avons considérée à cause de cette faculté dont nous parlions, savoir celle de mesurer le temps, laquelle nous y avons trouvée sans en avoir le moindre soupçon, rien qu'en raisonnant suivant les méthodes de l'art. Ayant depuis longtemps fait connaître cette propriété à quelques amis versés en ces matières (car c'est peu de temps après la première édition de l'horloge que nous l'avons aperçue), nous la proposons maintenant à lire à tous confirmée par la démonstration la plus exacte que nous ayons pu trouver. Ainsi ce sera en cette démonstration que consistera la principale partie de ce livre. Pour la donner, il a été nécessaire tout d'abord de corroborer et d'amplifier la doctrine du grand Galilée touchant la chute des corps graves, doctrine dont le fruit le plus souhaité et pour ainsi dire le sommet le plus élevé est précisément la propriété de la cycloïde que nous avons découverte.

Au reste, afin qu'on pût rapporter cette propriété à l'usage des pendules, il nous a fallu établir une nouvelle théorie des lignes courbes, savoir la théorie des courbes qui par leur évolution en engendrent d'autres. Ceci conduit à la comparaison de la longueur des lignes courbes et des lignes droites entre elles que j'ai poursuivie même au-delà de ce que mon sujet demandait : je l'ai fait à cause de la beauté et de la nouveauté apparentes de cette théorie.

Pour expliquer la nature du pendule composé, dont je démontre l'utilité dans la construction de ces automates, il a été nécessaire d'y ajouter ensuite la théorie des centres d'oscillation, dont plusieurs se sont occupés jusqu'ici sans beaucoup de succès ; on y trouvera, si je ne me trompe, quantité de propositions remarquables relatives à des figures linéaires, planes et solides.

Mais devant toutes ces choses je mets la construction mécanique de l'horloge, et l'application du pendule, dans la forme qu'on a trouvée la plus propre aux usages astronomiques et à l'instar de laquelle on peut facilement fabriquer toutes les autres, en y apportant les changements nécessaires.

Œuvres complètes. Tome dix-huitième : L'horloge à pendule ou à balancier de 1666 à 1695. Anecdota / Christiaan Huygens ; publiées par la Société hollandaise des Sciences. – La Haye : Martinus Nijhoff, 1934. – [Pp. 87-90].

L'HORLOGE À PENDULE 325

Anonyme — 1934

De la chute des corps pesants et de leur mouvement cycloïdal (2e Partie). — Après avoir énoncé d'autres découvertes dans l'introduction, Huygens progresse dans l'élaboration axiomatique de la mécanique. Stevin a commencé à établir, sur de telles bases, la statique et l'hydrostatique. Huygens est le premier à tenter de construire de cette manière un problème dynamique, celui du pendule, qui fait intervenir une force motrice particulière, la pesanteur. Newton complétera son œuvre en élaborant une construction axiomatique de la dynamique du point massif et en considérant des forces plus générales. Dans le passage qui suit, Huygens énonce les axiomes auxquels il va faire appel. Le premier axiome est ce que l'on appelle aujourd'hui le principe d'inertie. Il a déjà été énoncé par Descartes et sera repris pour des forces plus générales par Newton. Le deuxième axiome se trouvera amélioré chez Newton, sous forme d'un corollaire très important. Il s'agit chez ce dernier de ce que l'on appelle aujourd'hui la loi de composition ou parallélogramme des forces. Huygens parle de composition de mouvements, et il y a rapprochement avec des vitesses. Dans les deux cas, on doit y voir la loi de la composition de vecteurs. Le troisième axiome est indispensable au calcul de la chute parabolique d'un grave et avait été utilisé par Galilée. Il avait déjà été énoncé auparavant par Grégoire de Saint-Vincent.

Hypothèses

I

Si la gravité n'existait pas et qu'aucune résistance d'air ne s'opposait au mouvement des corps, chacun d'eux continuerait son mouvement avec une vitesse uniforme en suivant une ligne droite.

II

Mais maintenant il arrive par l'action de la gravité, de quelque cause qu'elle provienne, que les corps se meuvent d'un mouvement composé de leur mouvement uniforme dans une direction quelconque et de celui de haut en bas qui est dû à la gravité.

III

On peut considérer ces deux mouvements séparément et l'un n'est pas empêché par l'autre.

Supposons qu'un corps pesant C, partant du repos, parcoure en un certain temps F, grâce à la force de la gravité, un espace CB. Supposons de plus que le même corps pesant ait reçu d'ailleurs un mouvement par lequel, s'il n'y avait aucune gravité, il parcourrait dans le même temps F d'un mouvement uniforme la ligne droite CD. La force de la gravité s'y ajoutant le corps pesant ne parviendra donc pas de C en D dans le dit temps F mais en un certain point E situé verticalement au-dessous de D de telle sorte que l'espace DE est toujours égal à l'espace CB ; en effet, de cette facon le mouvement uniforme et celui qui provient de la gravité auront chacun leur part, l'un n'empêchant pas l'autre. Quant à la ligne que le corps parcourt de ce mouvement composé lorsque la direction du mouvement uniforme n'est pas verticale mais oblique, sa nature apparaîtra par nos considérations ultérieures. Mais lorsque le mouvement uniforme CD a lieu de haut en bas suivant une verticale, il est clair que la ligne CD est augmentée d'une droite DE par l'effet de la gravité. De même, lorsque le mouvement uniforme CD est dirigé de bas en haut, il est évident que la même longueur CD est diminuée de la longueur DE de sorte qu'après le temps F le corps se trouve toujours au point E. Que si, dans l'un et l'autre cas, nous considérons séparément les deux mouvements en admettant, comme nous l'avons dit, que l'un n'est nullement empêché par l'autre, il nous sera possible d'en déduire la cause et les lois de l'accélération des corps pesants.

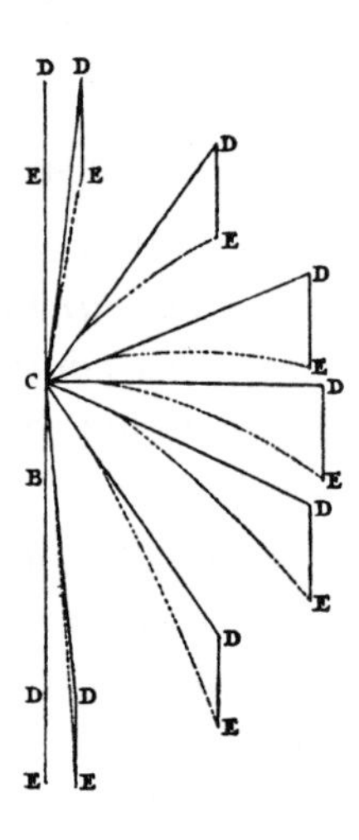

Œuvres complètes. Tome dix-huitième : L'horloge à pendule ou à balancier de 1666 à 1695. Anecdota / Christiaan Huygens ; publiées par la Société hollandaise des Sciences. – La Haye : Martinus Nijhoff, 1934. – [Pp. 125-126].

TRAITÉ DE LA LUMIÈRE 326

Propagation de la lumière. — Ce traité de 1690 écrit en français souligne le caractère fini de la vitesse de la lumière en expliquant sa propagation par la collision de particules d'une matière subtile : l'éther. Il est montré ici que cette propagation ne suppose pas de notions telles que fréquence ou longueur d'onde, liées à la périodicité de tout phénomène ondulatoire mais qu'il rend compte d'un phénomène de superposition des ondes, le principe de Huygens, qui est lui aussi caractéristique de ces phénomènes.

Mais l'extreme vitesse de la lumière, & d'autres proprietez qu'elle a, ne sçauroient admettre une telle propagation de mouvement, & je vais monstrer icy de quelle maniere je conçois qu'elle doit estre. Il faut expliquer pour cela la proprieté que gardent les corps durs à transmettre le mouvement les uns aux autres.

Lorsqu'on prend un nombre de boules d'égale grosseur, faites de quelque matiere fort dure, & qu'on les range en ligne droite, en sorte qu'elles se touchent ; l'on trouve, en frappant avec une boule pareille contre la premiere de ces boules, que le mouvement passe comme dans un instant jusqu'à la derniere, qui se separe de la rangée, sans qu'on s'apperçoivent que les autres se soient remuées. Et mesme celle qui a frappé demeure immobile avec elles. Où l'on voit un passage de mouvement d'une extreme vitesse & qui est d'autant plus grande que la matiere des boules est d'une plus grande dureté.

Mais il est encore constant que ce progrez de mouvement n'est pas momentané, mais successif & qu'ainsi il y faut du temps. Car si le mouvement ou, si l'on veut, l'inclination au mouvement ne passoit pas successivement par toutes ces boules, elles l'acquerroient toutes en mesme temps, & partant elles avanceroient toutes ensemble ; ce qui n'arrive point : mais la derniere quitte toute la rangée, & acquiert la vitesse de celle qu'on a poussée. Outre qu'il y a des expériences qui font voir que tous ces corps que nous comptons au rang des plus durs, comme l'acier trempé, le verre, et l'Agathe, font ressort, & plient en quelque façon, non seulement quand ils sont étendus en verges, mais aussi quand ils sont en forme de boules ou autrement. C'est à dire qu'ils rentrent quelque peu en eux mesmes à l'endroit où ils sont frappés, & qu'ils se remettent aussi tost dans leur premiere figure. Car j'ay trouvé qu'en frappant avec une boule de verre, ou d'Agathe, contre un gros morceau & bien epais de mesme matiere, qui avoit la surface plate & tant soit peu ternie avec l'haleine ou autrement, il y restoit des marques rondes, plus ou moins grandes, selon que le coup avoit esté fort ou foible. Ce qui fait voir que ces matieres obeissent à leur rencontre, & se restituent ; à quoy il faut qu'elles emploient du temps.

[...]

Et il faut sçavoir que quoique les particules de l'ether ne soient pas rangées ainsi en lignes droites comme dans notre rangée de boules, mais confusement en sorte qu'une en touche plusieurs autres, cela n'empesche pas qu'elles ne transportent leur mouvement, & qu'elles ne l'etendent tousjours en avant. En quoy il y a à remarquer une loy du mouvement qui sert à cette propagation, & qui se verifie par l'experience. C'est que quand une boule, comme icy A, en touche plusieurs autres pareilles CCC, si elle est frappée par une autre boule B, en sorte qu'elle fasse impression sur toutes les CCC qu'elle touche, elle leur transporte tout son mouvement, & demeure apres cela immobile, comme aussi la boule B. Et sans supposer que les particules etherées soient de forme sphérique, (car je ne vois pas d'ailleurs qu'il soit besoin de les supposer telles) l'on comprend bien que cette proprieté de l'impulsion ne laisse pas de contribuer à ladite propagation de mouvement.

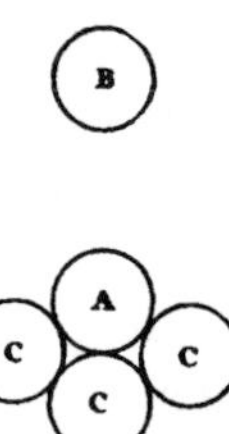

L'Egalité de grandeur semble y estre plus necessaire, parce qu'autrement il doit y avoir quelque reflexion de mouvement en arriere quand il passe d'une moindre particule à une plus grande, suivant les Regles de la Percussion que j'ay publiées il y a quelques années. [...]

J'ay donc monstré de quelle façon l'on peut concevoir que la lumiere s'etend successivement par des ondes spheriques, & comment il est possible que cette extension se fasse avec une aussi grande vitesse, que les experiences, & les observations celestes la demandent. Ou il faut encore remarquer que quoique les parties de l'ether soient supposées dans un continuel mouvement, (car il y a bien des raisons pour cela) la propagation successive des ondes n'en sçauroit estre empeschée, parce qu'elle ne consiste point dans le transport de ces parties, mais seulement dans un petit ebranlement, qu'elles ne peuvent s'empescher de communiquer à celles qui les environnent, non obstant tout le mouvement qui les agite & fait changer de place entr'elles. [...]

Il y a encore à considerer dans l'émanation de ces ondes, que chaque particule de la matiere, dans laquelle une onde s'etend, ne doit pas communiquer son mouvement seulement à la particule prochaine, qui est dans la ligne droite tirée du point lumineux ; mais qu'elle en donne aussi necessairement à toutes les autres qui la touchent, & qui s'opposent à son mouvement. De sorte qu'il faut qu'autour de chaque particule il se fasse une onde dont cette particule soit le centre. Ainsi, si DCF est une onde emanée du point lumineux A, qui est son centre ; la particule B, une de celles qui sont comprises dans la sphere DCF, aura fait son onde particuliere KCL, qui touchera l'onde DCF en C, au mesme moment que l'onde principale, emanée du point A, est parvenuë en DCF ; & il est clair qu'il n'y aura que l'endroit C de l'onde KCL qui touchera l'onde DCF, sçavoir celuy qui est dans la droite menée par AB. De mesme, les autres particules comprises dans la sphere DCF, comme *bb*, *dd*, &c., auront fait chacune son onde. Mais chacune de ces ondes ne peut-estre qu'infiniment foible comparée à l'onde DCF, à la composition de laquelle toutes les autres contribuent par la partie de leur surface qui est la plus éloignée du centre A.

L'on voit de plus que l'onde DCF est determinée par l'extremité du mouvement ; qui est sorti du point A en certain espace de temps.

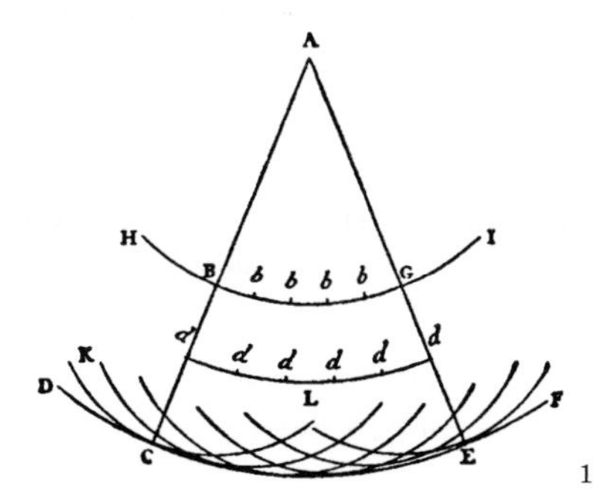

[1]

Œuvres complètes. Tome dix-neuvième : Mécanique théorique et physique de 1666 à 1695 / de Christiaan Huygens ; publiées par la Société hollandaise des Sciences. – La Haye : Martinus Nijhoff, 1937. – [Pp. 471-475].

1 Cette figure montre le front d'onde qui est l'enveloppe des ondes issues des différentes particules à un moment donné. L'étude des développées et des enveloppes figure au centre des préoccupations mathématiques de Huygens.

KEUMURDJIAN

ARMÉNIEN • TURC **1637-1695**

De 1512 à 1639, l'Arménie fut déchirée, ravagée et démembrée par le conflit turco-persan. Le XVIIe siècle, marqué par une forte émigration, vit le territoire se dépeupler, et fleurir peu à peu les foyers de l'émigration, manifestant à l'Europe les trésors de la tradition culturelle arménienne et suscitant en elle la conscience d'affinités mutuelles.

Bien que très largement empêchée par la situation nationale, la production littéraire arménienne sa maintint quelque peu, fidèle aux grands genres et aux ressources tradionnelles de la poésie lyrique médiévale, religieuse ou profane, écrite en *grabar*, la langue classique, ou en arménien vulgaire.

Jérémie Keumurdjian, ou Kyomourdjian, est l'un des plus grands représentants de la poésie de l'époque. Il a vécu à Constantinople, un des foyers importants de la survie culturelle arménienne où, très versé dans les sciences et la littérature, il s'est mis tout entier au service de l'enseignement de ses compatriotes, notamment en fondant une imprimerie et en traduisant en arménien des œuvres du latin et du grec. Il traduisit aussi en turc divers ouvrages historiques et religieux destinés à maintenir la conscience nationale des Arméniens turcophones.

Il laisse notamment une déploration de la grande détresse du peuple arménien dans son poème *Histoire de Stamboul*.

POÈMES 327

L.-A. Marcel — 1953

Ma mort profonde ressuscite. — Dans ce chant d'amour, traduit de l'arménien vulgaire, les fébriles précautions du raffinement amoureux révèlent soudain les dimensions tragiques de l'éros.

Le grand Soleil, ombre de Dieu, te sert
avec très humble courtoisie.

La jeune lune, tend ton sourcil
et, mûrie, ta figure ronde.

Je vois rubis, perles, saphirs
brûler, s'éteindre, s'émietter.
Mais ton délice vainc la pierre.

Ces longs parfums, le vent les tue.
Jour et nuit, ta senteur demeure.

Tu es icône aux mains malades.
Source de fleurs miraculeuses.

Le pin, le buis et le cyprès
je leur chante gloire et louange,

mais l'ondoiement de ta cambrure,
qui de tel en surprit au monde ?

L'éclatante rose et cruelle
dedans ses cheveux de verdure
sèche de dépit si ton œil
la mire en sa rondeur marine.

Fil de ton cil quand tu le meus
le jalouse le mince lys.

Ô tes yeux tirés de la mer
mais bien plus clair que son brasier,
Ô ta si délicate oreille
comme calcédoine brûlée !

Les chers pétales de tes ongles
les jalousent le perroquet,
la pie, le paon et le phénix.

Le radieux palmier d'étoiles,
ma bouche brûle de sa gloire
quand s'y dépose ton baiser.

Et quand te pénètre mon corps
ma mort profonde ressuscite.

Grégoire de Narek et l'ancienne poésie arménienne / présentés et traduits par Luc-André Marcel. – Paris : Éditions des Cahiers du Sud, 1953. – [Pp. 119-120].

POÈMES 328

A. Tchobanian — 1906

Éloge de l'eau. — Théologie et métaphysique sont au terme d'une exploration enveloppante des mouvances poétiques de ce qui vit, bouge, orne, se donne et satisfait.

Eau ! toi qui rafraîchis les assoiffés,
Toujours je te désire tendrement :
Tu minaudes, tu joues dans ta course rapide ;
Tu nous réjouis le cœur en déroulant tes flots.

Dis-moi où se trouve la source où tu nais,
Ton nid béni et ta demeure ?
Cacherais-tu dans ton sein des monceaux de neige ?
Tu es si fraîche, si douce, si amie !

Toi de qui jaillissent des biens innombrables,
Si tu as une nouvelle de mes bien-aimés,
Si tu m'apportes d'eux des saluts ou des présents,
Je te chanterai des hymnes et des cantilènes.

Eau, comblée de gloires diverses,
Tu es vénérée à ta gauche comme à ta droite ;
Sur les deux rives que frôlent tes flots,
Les bipèdes se tiennent debout comme tes serviteurs et tes
[gardiens.

Les plantes et les arbustes forment la haie,
Revêtus de jeune verdure ;
Les arbres se rangent sur ton fier passage :
Ils te saluent humblement en inclinant la tête.

Les roseaux de tes rives t'applaudissent avec joie,
Ils composent des chants pour glorifier ta marche ;
Les arbres fruitiers secouent sur toi
Leurs prémices, en hommage à ta gracieuse venue.

Le vent au souffle doux te chante des mélodies ;
Les fleurs t'offrent leurs exquises senteurs,
Et t'aspergent d'eau de roses en rosée menue ;
Toi tu passes, onduleux, en jouant et flânant.

Tu es couronnée par les fleurs, tu es parée par les arbres
Qui se tiennent en bouquets sur tes bords ;
Tu passes en dansant pour leur faire honneur ;
Tu te replies et tu te déroules en des jeux rapides.

Les fauves, les bêtes des bois et les hommes
Courent vers toi assoiffés : tu rafraîchis leur cœur !
Tu effaces et purifies toutes les ordures ;
C'est pourquoi tous bénissent Celui qui t'a créée.

Les Trouvères Arméniens... / traduction française avec une introduction par Archag Tchobanian. – Paris : Société du Mercure de France, 1906. – [Pp. 235-236].

LA FONTAINE

FRANÇAIS **1621-1695**

Né en Champagne, à Château-Thierry, où son père exerce les fonctions de maître des Eaux et Forêts, Jean de La Fontaine vit une enfance champêtre. Après ses études secondaires, il songe à s'engager dans une carrière ecclésiastique et, en 1641, entre au séminaire où il suit, notamment, l'enseignement de Desmares, un disciple des jansénistes. Mais il abandonne rapidement cette voie et commence, vers 1645, des études de droit à Paris qui lui permettent, en 1649, de devenir avocat au Parlement. À 26 ans, il a épousé une jeune fille de 14 ans dont il aura un fils en 1653. Mais la mésentente s'installe bien vite à l'intérieur du couple : la jeune femme ne supporte pas les infidélités de son mari et ses dépenses excessives qui le conduisent à vendre ses biens et à puiser dans la fortune de son épouse. En 1652, il succède à son père dans ses fonctions de maître des Eaux et Forêts, charge qu'il vendra en 1671, sans pour autant résoudre ses problèmes d'argent.

En 1658, La Fontaine se sépare de sa femme et s'installe à Paris. Il a déjà, en 1654, écrit une pièce de théâtre, *L'Eunuque*. Dès son arrivée dans la capitale, il compose un poème, *Adonis*. Le surintendant des Finances, Nicolas Fouquet, amateur éclairé et protecteur des arts, le remarque alors. La Fontaine devient son poète personnel et, en 1660, compose à sa gloire *Le Songe de Vaux*, poème consacré au château de Vaux-le-Vicomte, que Fouquet s'est fait construire aux environs de Paris. Mais, en 1661, Louis XIV, inquiet de la puissance de son ministre, le fait arrêter. La Fontaine est entraîné dans sa disgrâce : accusé, en 1662, d'avoir usurpé le titre nobiliaire d'écuyer, il est condamné à une lourde amende et juge prudent de partir pour le Limousin. De retour à Paris, il mène une vie mondaine brillante, au service de protecteurs successifs, la duchesse douairière d'Orléans (de 1664 à 1672), Madame de La Sablière avec laquelle il se lie d'une tendre amitié (de 1673 à 1693), le conseiller au Parlement d'Hervart (de 1693 à 1695). C'est durant ces trois décennies qu'il produit l'essentiel de son œuvre et que se succèdent les éditions, sans cesse augmentées, de ses *Contes* et de ses *Fables*.

La Fontaine participe activement à la vie littéraire de son temps : il fréquente les écrivains les plus renommés, Madame de Sévigné, La Rochefoucauld, Molière, Racine, Boileau ; il est élu à l'Académie française en 1683 et, au cours de la Querelle des Anciens et des Modernes, se manifeste comme un partisan de la tradition.

À partir de 1692, La Fontaine modifie profondément sa façon de vivre. La maladie s'abat sur lui. Sa grande amie, Madame de La Sablière, meurt en 1693. Il décide alors de se convertir, renonce à la vie libertine, renie ses *Contes* licencieux, dont l'édition de 1674 avait été interdite, et mène une existence consacrée à la piété et à la rédaction de poésies religieuses.

S'il est surtout connu pour ses *Fables*, Jean de La Fontaine, contrairement à la plupart de ses contemporains, ne s'est pas spécialisé dans un seul type d'écriture. Il a, au contraire, pratiqué de nombreux genres. Il a abordé le théâtre, avec une adaptation de *L'Eunuque* de Térence (1654) ou la comédie-ballet *Les Rieurs du Beau-Richard* (1659). Il a cultivé le genre narratif, avec ses *Contes* (1665-1674) ou le roman *Psyché* (1669). Il a donné dans le didactisme, avec la *Relation d'un voyage de Paris au Limousin* (1663) ou la *Comparaison d'Alexandre, de César et de Monsieur Le Prince* (publiée en 1696). Quant à son inspiration poétique, elle est également d'une grande variété, tour à tour mythologique (*Adonis*, 1658), allégorique (*Le Songe de Vaux*, 1660), religieuse (*Saint Malc*, 1673), scientifique (*Poème du Quinquina*, 1682), satirique (*Le Florentin*, 1686).

Mais son œuvre essentielle est évidemment les *Fables*. C'est l'ouvrage de toute une vie, dont les éditions se succèdent de 1668 jusqu'à celle, posthume, de 1696. Ce qui frappe dans les *Fables*, c'est le bonheur évident que La Fontaine éprouve à écrire. Il communique cette alacrité au lecteur séduit par la variété de l'expression, par la souplesse du vers libre, par la construction qui fait de chaque composition une petite pièce de théâtre. À travers hommes, animaux, végétaux ou objets qui peuplent ses créations, il sait exprimer ses sentiments personnels, son lyrisme face au spectacle de la nature ou au temps qui passe. Il a évité le didactisme propre à la fable, en traitant la morale finale avec humour, en la condensant en un bref précepte. Les *Fables* n'en renferment pas moins une philosophie, un art de vivre, fait d'un mélange complexe d'épicurisme et de stoïcisme : profiter de la vie en proscrivant les excès, tenir compte des autres en évitant de trop s'engager, accepter l'inévitable en s'efforçant de faire reculer l'aliénation inhérente à la nature humaine, tel est le comportement que doit adopter le sage. Il pourra alors constater, satisfait, au crépuscule de sa vie : « Quand le moment viendra d'aller trouver les morts, / J'aurai vécu sans soins, et mourrai sans remords. » (*Le Songe d'un habitant du Mogol*).

Les *Fables* contiennent également une prise de parti politique. La Fontaine y dénonce les injustices et les abus qui pervertissent la société de son temps. Il ne se borne pas à révéler les ridicules des comportements. Plus profondément, il montre la perversion du pouvoir. En une analyse toute moderne, il dévoile comment les puissants exercent leur autorité pour défendre des intérêts individuels au lieu d'assurer le salut collectif, tandis que fonctionne, de façon perverse, la connivence des opprimés acceptant, en une infernale dialectique qui unit le maître et l'esclave, les exactions des oppresseurs.

La Poétique de La Fontaine. Deux études : La Fontaine et l'art des emblèmes ; Du pensum aux fables / Georges Couton. – Paris : P.U.F., 1957. – 38 p. – (*Publications de la Faculté des lettres de l'Université de Clermont-Ferrand* ; 2e série ; 4).

La Politique de La Fontaine / Georges Couton. – Paris : Les Belles Lettres, 1959. – 152 p. – (*Bibliothèque de la Faculté des lettres de Lyon* ; 2).

Jean de La Fontaine / Pierre Clarac. – Paris : Seuil, 1979. – 192 p. – (*Microcosme. Écrivains de toujours* ; 55).

La Fable et l'intertexte / Pierre Malandain. – Paris : Temps actuels, 1981. – 127 p. – (*Entailles*).

La Fontaine fabuliste / Costi Aquistapace et Pierre Bornecque. – 3e éd., rev. et corrigée. – Paris : S.E.D.E.S., 1983. – 370 p.

Jean de La Fontaine / Roger Duchêne. – Nouv. éd. – Paris : Fayard, 1995. – IX-559 p.

ODE AU ROI POUR M. FOUQUET 329

Grandeur de la fidélité et du pardon. — Fidèle et reconnaissant, La Fontaine, dans cette ode de 1663, n'hésite pas, malgré les dangers, à supplier le roi de se montrer magnanime et de se rappeler les services rendus par son ancien ministre.

Prince, qui fais nos destinées,
Digne Monarque des François,
Qui du Rhin jusqu'aux Pirénées
Portes la crainte de tes Loix,
Si le repentir de l'offense
Sert aux coupables de défense
Près d'un courage[1] généreux ;
Permets qu'Apollon t'importune,
Non pour les biens de la fortune,
Mais pour les jours d'un malheureux.

Ce triste objet de ta colére
N'a-t-il point encore effacé
Ce qui jadis t'a pû déplaire
Aux emplois où tu l'as placé ?
Depuis le moment qu'il soûpire,
Deux fois l'hiver en ton Empire
A ramené les Aquilons ;
Et nos climats ont vû l'année
Deux fois de pampre couronnée
Enrichir côteaux & valons.

Oronte[2] seul, ta créature,
Languit dans un profond ennui[3],
Et les bienfaits de la nature
Ne se répandent plus pour lui.
Tu peux d'un éclat de ta foudre
Achever de le mettre en poudre :
Mais si les Dieux à ton pouvoir
Aucunes bornes n'ont prescrites,
Moins ta grandeur a de limites,
Plus ton courroux en doit avoir.

1 Cœur.
2 Désigne Fouquet.
3 Au sens fort de tourment.

Réserve-le pour des rébelles ;
Ou si ton peuple t'est soûmis,
Fais-en voler les étincelles
Chez tes superbes ennemis.
Déjà Vienne est irritée
De ta gloire aux astres montée ;
Ses Monarques en sont jaloux :
Et Rome t'ouvre une carriere
Où ton cœur trouvera matiere
D'exercer ce noble courroux.

Va-t'en punir l'orgueil du Tybre ;
Qu'il se souvienne que ses Loix
N'ont jadis rien laissé de libre
Que le courage des Gaulois :
Mais parmi nous sois débonnaire :
A cet Empire si sévere
Tu ne te peux accoûtumer,
Et ce seroit trop te contraindre :
Les étrangers te doivent craindre,
Tes Sujets te veulent aimer.

L'Amour est fils de la Clémence ;
La Clémence est fille des Dieux ;
Sans elle toute leur puissance
Ne seroit qu'un titre odieux.
Parmi les fruits de la victoire,
César environné de gloire,
N'en trouva point dont la douceur
A celui-ci pût être égale,
Non pas même aux champs où Pharsale[1]
L'honora du nom de Vainqueur.

Je ne veux pas te mettre en compte
Le zèle ardent ni les travaux
En quoi tu te souviens qu'Oronte
Ne cédoit point à ses rivaux.
Sa passion pour ta personne,
Pour ta grandeur, pour ta couronne,
Quand le besoin s'est vû pressant,
A toûjours été remarquable ;

---

1 Victoire remportée par César sur Pompée en 48 A.C.

Mais, si tu crois qu'il est coupable,
Il ne veut pas être innocent.

Laisse-lui donc pour toute grace
Un bien qui ne lui peut durer,
Après avoir perdu la place
Que ton cœur lui fit espérer.
Accorde-nous les foibles restes
De ses jours tristes & funestes,
Jours qui se passent en soûpirs ;
Ainsi les tiens filez de soie,
Puissent se voir comblez de joie,
Même au-delà de tes desirs !

Œuvres diverses / de Mr de La Fontaine, de l'Academie Françoise. – Nouvelle édition. – A Amsterdam : Chez Meinard Uytwert, 1744. – [Pp. 50-52].

CONTES 330

Le mari confesseur (1re partie, 4e conte). — Les *Contes* (1665 à 1674) s'inscrivent dans la tradition licencieuse du Moyen Âge et de la Renaissance. Celui-ci (1665) s'inspire d'une des *Cent Nouvelles nouvelles* (1455), recueil anonyme français d'histoires libertines. En un style alerte et malicieux, La Fontaine y montre la ruse d'une jeune femme qui réussit à convaincre son mari déguisé en prêtre, auquel elle s'était confessée, qu'elle avait découvert son déguisement et que ses révélations, fausses, étaient destinées à se venger d'une suspicion non fondée.

Messire Artus[1] sous le grand roi François
Alla servir aux guerres d'Italie ;
Tant qu'il se vit, après maints beaux exploits,
Fait chevalier en grand'cérémonie.
Son général lui chaussa l'éperon :
Dont il croyait que le plus haut baron
Ne lui dût plus contester le passage.
Si s'en revient tout fier en son village,
Où ne surprit sa femme en oraison.
Seule il l'avait laissée à la maison ;
Il la retrouve en bonne compagnie,
Dansant, sautant, menant joyeuse vie,

1 Dans les *Cent Nouvelles nouvelles*, le personnage n'est pas nommé. Le nom choisi par La Fontaine évoque le prince des chevaliers de la Table ronde.

Et des muguets[1] avec elle à foison.
Messire Artus ne prit goût à l'affaire ;
Et ruminant sur ce qu'il devait faire :
Depuis que j'ai mon village quitté,
Si j'étais crû, dit-il, en dignité
De cocuage et de chevalerie :
C'est moitié trop, sachons la vérité.
Pour ce s'avise, un jour de confrérie[2],
De se vêtir en prêtre, et confesser.
Sa femme vient à ses pieds se placer.
De prime abord sont par la bonne dame
Expédiés tous les péchés menus ;
Puis à leur tour les gros étant venus,
Force lui fut qu'elle changeât de gamme.
Père, dit-elle, en mon lit sont reçus
Un gentilhomme, un chevalier, un prêtre.
Si le mari ne se fût fait connaître,
Elle en allait enfiler beaucoup plus ;
Courte n'était pour sûr la kyrielle.
Son mari donc l'interrompt là-dessus ;
Dont bien lui prit : Ah, dit-il, infidèle !
Un prêtre même ! À qui crois-tu parler ?
À mon mari, dit la fausse femelle,
Qui d'un tel pas se sut bien démêler.
Je vous ai vu dans ce lieu vous couler,
Ce qui m'a fait douter du badinage[3].
C'est un grand cas qu'étant homme si sage
Vous n'ayez su l'énigme débrouiller.
On vous a fait, dites-vous, chevalier :
Auparavant vous étiez gentilhomme :
Vous êtes prêtre avecque ces habits.
Béni soit Dieu ! dit alors le bon homme :
Je suis un sot de l'avoir si mal pris. »

Œuvres complètes. I. Fables, Contes et Nouvelles / La Fontaine ; édition établie, présentée et annotée par Jean-Pierre Collinet. – Paris : Gallimard, 1991. – (*Bibliothèque de la Pléiade* ; 10). – [Pp. 582-583, 1359-1360 pour les notes].

---

1 Des galants.

2 Un jour de confession réservé aux membres de la confrérie dont sa femme faisait partie.

3 Ce qui m'a fait réaliser qu'il s'agissait d'une plaisanterie.

FABLES 331

Le loup et le chien (Livre I, 5). — Parue dans le recueil des six premiers Livres (1668), cette fable développe le thème du bonheur, au centre de toute l'œuvre. Y est montré que l'homme, inévitablement, doit choisir entre le confort, ses compromissions, et la liberté qui impose une vie rude, voire misérable.

Un Loup n'avait que les os et la peau ;
Tant les Chiens faisaient bonne garde.
Ce Loup rencontre un Dogue aussi puissant que beau,
Gras, poli[1], qui s'était fourvoyé par mégarde.
L'attaquer, le mettre en quartiers,
Sire Loup l'eût fait volontiers.
Mais il fallait livrer bataille
Et le Mâtin était de taille
À se défendre hardiment.
Le Loup donc l'aborde humblement,
Entre en propos, et lui fait compliment
Sur son embonpoint, qu'il admire.
Il ne tiendra qu'à vous, beau sire,
D'être aussi gras que moi, lui repartit le Chien.
Quittez les bois, vous ferez bien :
Vos pareils y sont misérables,
Cancres, haires, et pauvres diables,
Dont la condition est de mourir de faim.
Car quoi ? Rien d'assuré ; point de franche lippée.
Tout à la pointe de l'épée.
Suivez-moi ; vous aurez un bien meilleur destin.
Le Loup reprit : Que me faudra-t-il faire ?
Presque rien, dit le Chien ; donner la chasse aux gens
Portants bâtons, et mendiants ;
Flatter ceux du logis, à son maître complaire ;
Moyennant quoi votre salaire
Sera force reliefs de toutes les façons :
Os de poulets, os de pigeons,
Sans parler de mainte caresse.
Le Loup déjà se forge une félicité
Qui le fait pleurer de tendresse.
Chemin faisant il vit le col du Chien, pelé :
Qu'est-ce là ? lui dit-il. Rien. Quoi ? rien ? Peu de chose.
Mais encor ? Le collier dont je suis attaché

---

1 Le poil luisant.

De ce que vous voyez est peut-être la cause.
Attaché ? dit le Loup : vous ne courez donc pas
Où vous voulez ? Pas toujours, mais qu'importe ?
Il importe si bien que de tous vos repas
Je ne veux en aucune sorte,
Et ne voudrais pas même à ce prix un trésor.
Cela dit, maître loup s'enfuit, et court encor.

Œuvres complètes. I. Fables, Contes et Nouvelles / La Fontaine ; édition établie, présentée et annotée par Jean-Pierre Collinet. – Paris : Gallimard, 1991. – (*Bibliothèque de la Pléiade* ; 10). – [Pp. 35-36].

FABLES 332

Le lion et le moucheron (Livre II, 9). — La puissance, dans ce monde d'apparences, n'est souvent qu'illusion. Voici le roi des animaux ridiculisé par le moucheron, image de la faiblesse. L'ironie est à son comble : ce vainqueur d'un moment trouve, à son tour, son maître, qui le dévore.

Va-t-en chetif Insecte, excrement de la terre
C'est en ces mots que le Lion
Parloit un jour au Moûcheron.
L'autre luy déclara la guerre.
Penses-tu, luy dit-il, que ton titre de Roy
Me fasse peur, ny ne me soucie ?
Un Bœuf est plus puissant que toy ;
Je le meine à ma fantaisie.
A peine il achevoit ces mots,
Que luy-mesme il sonna la charge,
Fut le Trompette & le Heros.
Dans l'abord il se met au large ;
Puis prend son temps, fond sur le coû
Du Lion, qu'il rend presque foû.
Le Quadrupede écume, & son œil étincelle ;
Il rugit ; on se cache, on tremble à l'environ ;
Et cette alarme universelle
Est l'ouvrage d'un Moûcheron.
Un avorton de Moûche en cent lieux le harcelle ;
Tantost picque l'échine, & tantost le museau,
Tantost entre au fonds du nazeau.
La rage alors se trouva à son faiste montée.
L'invisible ennemy triomphe, & rit de voir,
Qu'il n'est griffe ny dent en la Beste irritée,

Qui de la mettre en sang ne fasse son devoir.
Le malheureux Lion se déchire luy-mesme,
Fait resonner sa queuë à l'entour de ses flancs,
Bat l'air qui n'en peut mais, & sa fureur extrême
Le fatigue, l'abbat ; le voila sur les dents.
L'Insecte du combat se retire avec gloire :
Comme il sonna la charge, il sonne la victoire ;
Va par tout l'annoncer ; & rencontre en chemin
L'embuscade d'une Araignée ;
Il y rencontre aussi sa fin.
Quelle chose par là nous peut estre enseignée ?
J'en vois deux ; dont l'une est qu'entre nos ennemis
Les plus à craindre sont souvent les plus petits :
L'autre, qu'aux grands perils tel a pû se soustraire,
Qui perit pour la moindre affaire.

Fables choisies / Mises en vers par M. de la Fontaine. – A Paris : chez Denys Thierry, 1668. – [Pp. 66-68].

FABLES 333

Les animaux malades de la peste (Livre VII, 1). — Dans la 2e édition des *Fables* (1679), les Livres VII à XI développent une réflexion plus amère, plus grave. La fable devient tragique. La cruauté des puissants se manifeste dans toute son ampleur : ainsi le texte qui suit souligne qu'en cas de difficultés les gouvernants fuient leurs responsabilités et trouvent des boucs émissaires pour payer à leur place.

Un mal qui répand la terreur,
Mal que le Ciel en sa fureur
Inventa pour punir les crimes de la terre,
La Peste (puisqu'il faut l'appeler par son nom)
Capable d'enrichir en un jour l'Achéron,
Faisait aux animaux la guerre[1].
Ils ne mouraient pas tous, mais tous étaient frappés :
On n'en voyait point d'occupés
À chercher le soutien d'une mourante vie ;
Nul mets n'excitait leur envie ;
Ni Loups ni Renards n'épiaient

---

1 Outre I Rois, 12, cette évocation de la peste rappelle Homère (*Iliade*, I, v. 8-10 et 43-53), Sophocle (*Œdipe roi*, v. 22-30), Thucydide (*Histoire de la guerre entre les Péloponnésiens et les Athéniens*, II, 11, 47-54), Lucrèce (*De natura rerum*, VI, v. 1135-1283, sur la peste d'Athènes, reprenant Thucydide), Virgile (*Géorgiques*, III, v. 474-566), Boccace (*Le Décaméron*, début).

La douce et l'innocente proie.
Les Tourterelles se fuyaient ;
Plus d'amour, partant plus de joie.
Le Lion tint conseil, et dit : Mes chers amis,
Je crois que le Ciel a permis
Pour nos péchés cette infortune ;
Que le plus coupable de nous
Se sacrifie aux traits du céleste courroux,
Peut-être il obtiendra la guérison commune.
L'histoire nous apprend qu'en de tels accidents
On fait de pareils dévouements :
Ne nous flattons donc point ; voyons sans indulgence
L'état de notre conscience.
Pour moi, satisfaisant mes appétits gloutons,
J'ai dévoré force moutons ;
Que m'avaient-ils fait ? Nulle offense :
Même il m'est arrivé quelquefois de manger
Le Berger.
Je me dévouerai donc, s'il le faut ; mais je pense
Qu'il est bon que chacun s'accuse ainsi que moi
Car on doit souhaiter selon toute justice
Que le plus coupable périsse.
Sire, dit le Renard, vous êtes trop bon Roi ;
Vos scrupules font voir trop de délicatesse ;
Eh bien, manger moutons, canaille, sotte espèce,
Est-ce un péché ? Non non. Vous leur fîtes Seigneur,
En les croquant beaucoup d'honneur.
Et quant au Berger, l'on peut dire
Qu'il était digne de tous maux,
Étant de ces gens-là qui sur les animaux
Se font un chimérique empire.
Ainsi dit le Renard, et flatteurs d'applaudir.
On n'osa trop approfondir
Du Tigre, ni de l'Ours, ni des autres puissances,
Les moins pardonnables offenses.
Tous les gens querelleurs, jusqu'aux simples Mâtins,
Au dire de chacun, étaient de petits saints.
L'Âne vint à son tour et dit : J'ai souvenance
Qu'en un pré de Moines passant,
La faim, l'occasion, l'herbe tendre, et je pense,

Quelque diable aussi me poussant,
Je tondis de ce pré la largeur de ma langue.
Je n'en avais nul droit, puisqu'il faut parler net.
À ces mots on cria haro sur le Baudet.
Un Loup quelque peu clerc prouva par sa harangue
Qu'il fallait dévouer[1] ce maudit Animal,
Ce pelé, ce galeux, d'où venait tout leur mal.
Sa peccadille fut jugée un cas pendable.
Manger l'herbe d'autrui ! quel crime abominable !
Rien que la mort n'était capable
D'expier son forfait : on le lui fit bien voir.
Selon que vous serez puissant ou misérable,
Les jugements de Cour[2] vous rendront blanc ou noir.

Œuvres complètes. I. Fables, Contes et Nouvelles / La Fontaine ; édition établie, présentée et annotée par Jean-Pierre Collinet. – Paris : Gallimard, 1991. – (*Bibliothèque de la Pléiade* ; 10). – [Pp. 249-250, 1169-1170 pour les notes].

FABLES 334

Premier discours à Madame de La Sablière (Livre IX, v. 1-81). — Inséré dans le Livre IX des *Fables* (1679), ce texte occupe une place à part. La Fontaine y expose sa conception de l'intelligence animale : rejetant la position de Descartes, il estime que si les bêtes ne sont pas douées de la faculté de réfléchir, elles ne sont pour autant dénuées ni de sensibilité ni d'intelligence.

Iris[3], je vous louerais, il n'est que trop aisé ;
Mais vous avez cent fois notre encens refusé,
En cela peu semblable au reste des mortelles,
Qui veulent tous les jours des louanges nouvelles.
Pas une ne s'endort à ce bruit si flatteur.
Je ne les blâme point, je souffre cette humeur ;
Elle est commune aux Dieux, aux Monarques, aux Belles.
Ce breuvage vanté par le peuple rimeur,
Le Nectar que l'on sert au Maître du Tonnerre,
Et dont nous enivrons tous les dieux de la terre,
C'est la louange, Iris. Vous ne la goûtez point ;
D'autres propos chez vous récompensent[4] ce point,

1 Sacrifier.
2 Voir Juvénal (*Satires* XIII, v. 103-105).
3 Nom donné par La Fontaine à Madame de La Sablière.
4 Remplacent, compensent.

Propos, agréables commerces,
Où le hasard fournit cent matières diverses :
Jusque-là qu'en votre entretien
La bagatelle a part : le monde n'en croit rien.
Laissons le monde et sa croyance :
La bagatelle, la science,
Les chimères, le rien, tout est bon. Je soutiens
Qu'il faut de tout aux entretiens :
C'est un parterre, où Flore épand ses biens ;
Sur différentes fleurs l'Abeille s'y repose,
Et fait du miel de toute chose.
Ce fondement posé, ne trouvez pas mauvais
Qu'en ces fables aussi j'entremêle des traits
De certaine Philosophie[1]
Subtile, engageante et hardie.
On l'appelle nouvelle[2]. En avez-vous ou non
Ouï parler ? Ils disent donc
Que la bête est une machine ;
Qu'en elle tout se fait sans choix et par ressorts :
Nul sentiment, point d'âme, en elle tout est corps.
Telle est la montre qui chemine,
À pas toujours égaux, aveugle et sans dessein.
Ouvrez-la, lisez dans son sein ;
Mainte roue y tient lieu de tout l'esprit du monde.
La première y meut la seconde,
Une troisième suit, elle sonne à la fin.
Au dire de ces gens, la bête est toute telle :
L'objet[3] la frappe en un endroit ;
Ce lieu frappé s'en va tout droit,
Selon nous, au voisin en porter la nouvelle.
Le sens de proche en proche aussitôt la reçoit.
L'impression se fait, mais comment se fait-elle ?
Selon eux, par nécessité,
Sans passion, sans volonté :
L'animal se sent agité
De mouvements que le vulgaire appelle
Tristesse, joie, amour, plaisir, douleur cruelle,

1 Le cartésianisme.
2 Par opposition à l'aristotélisme.
3 La donnée sensible.

Ou quelque autre de ces états.
Mais ce n'est point cela ; ne vous y trompez pas.
Qu'est-ce donc ? Une montre. Et nous ? C'est autre chose.
Voici de la façon que Descartes l'expose :
Descartes, ce mortel dont on eût fait un dieu
Chez les païens, et qui tient le milieu
Entre l'homme et l'esprit, comme entre l'huître et l'homme
Le tient tel de nos gens, franche bête de somme.
Voici, dis-je, comment raisonne cet auteur.
Sur tous les animaux, enfants du Créateur,
J'ai le don de penser ; et je sais que je pense[1].
Or vous savez, Iris, de certaine science,
Que, quand la bête penserait,
La bête ne réfléchirait
Sur l'objet, ni sur sa pensée.
Descartes va plus loin, et soutient nettement
Qu'elle ne pense nullement.
Vous n'êtes point embarrassée
De le croire, ni moi. Cependant, quand au bois
Le bruit des cors, celui des voix,
N'a donné nul relâche à la fuyante proie,
Qu'en vain elle a mis ses efforts
À confondre et brouiller la voie,
L'animal chargé d'ans, vieux Cerf, et de dix cors,
En suppose[2] un plus jeune, et l'oblige par force
À présenter aux chiens une nouvelle amorce.
Que de raisonnements pour conserver ses jours !
Le retour sur ses pas, les malices, les tours,
Et le change[3], et cent stratagèmes
Dignes des plus grands chefs, dignes d'un meilleur sort !
On le déchire après sa mort ;
Ce sont tous ses honneurs suprêmes.

Œuvres complètes. I. Fables, Contes et Nouvelles / La Fontaine ; édition établie, présentée et annotée par Jean-Pierre Collinet. – Paris : Gallimard, 1991. – (*Bibliothèque de la Pléiade* ; 10). – [Pp. 383-385, 1242 pour les notes].

---

1 Distinction capitale entre la simple sensation et la conscience réfléchie, qui renvoie au *cogito* de Descartes (*Discours de la méthode*, IVe partie).

2 Met à sa place.

3 Le fait de tromper les chasseurs.

MADAME DE SÉVIGNÉ

FRANÇAIS • ITALIEN **1626-1696**

Madame de Sévigné est un cas unique. Elle n'a écrit que des lettres, des lettres privées. Elle meurt sans en avoir publié ni recueilli une seule. Trente ans après, elle devient le symbole de l'art épistolaire français. Contre Balzac, Voiture, Bussy, qui l'avaient successivement incarné, elle en impose un nouveau modèle, jamais remplacé. C'est un certain ton, une voix qu'on entend « causer » ou raconter, une façon de dire naturelle et surprenante.

Elle était née à Paris d'un noble bourguignon, Celse-Bénigne de Rabutin, fils de Jeanne de Chantal, la fondatrice avec François de Sales de l'ordre de la Visitation. Il avait épousé la belle dot de Marie de Coulanges, fille de Philippe, un financier enrichi dans la perception des impôts. Marie de Rabutin perdit son père à un an, sa mère à sept. Elle fut élevée dans sa famille maternelle, par les Coulanges.

Elle reçut une éducation libérale. Elle ne sut jamais le latin, mais connaissait l'italien. Elle lut l'Arioste et le Tasse, et aussi, dès leur parution, les longs romans de La Calprenède et de Mademoiselle de Scudéry. La marquise — et le style original de ses lettres en résultera — est avec son amie, Madame de La Fayette, le meilleur exemple de l'excellent résultat que donnent, chez de jeunes femmes surdouées, une culture acquise par la pratique, dans la conversation de gens intelligents et cultivés et la lecture des livres français et italiens à la mode. Privée de la formation initiale classique réservée aux hommes, Marie de Rabutin la compensa par un constant désir de s'instruire, une curiosité intellectuelle qui dura toute sa vie.

En 1644, on maria cette héritière richement dotée à Henri de Sévigné, un orphelin comme elle, jeune écervelé séduisant. Elle en eut deux enfants. En février 1651, alors qu'il songeait à s'établir en Bretagne, ce mari volage fut tué en duel, à Paris, pour les beaux yeux d'une maîtresse. Cet événement rendit sa veuve aux salons parisiens. Elle y brilla et s'y rendit célèbre par son esprit et des façons de dire originales qui surprenaient agréablement ceux qui l'entendaient converser.

La plupart de ses correspondants n'ont pas gardé ses lettres : de toutes celles qu'elle a écrites à ses quatre meilleures amies, il n'en subsiste qu'une à Madame de La Fayette et une à Madame d'Huxelles (en italien). On n'a aucune de ses lettres au cardinal de Retz, deux seulement à son fils, à qui elle a beaucoup écrit. Sur 1 120 lettres conservées, à partager entre 31 personnes (dont 16 avec une seule lettre), 764 sont adressées à sa fille, 136 à son cousin Bussy, 68 à ses amis Guitaut (la plus belle série d'autographes connue).

Bussy, auquel elle a écrit le plus longtemps (de 1648 à sa mort en 1693), est le seul de ses partenaires dont on ait aussi les réponses (171). C'est lui qui les a conservées, choisies, abrégées, corrigées. Il n'en reste aucun autographe.

La première suite de lettres continue de la marquise (14, entre novembre 1664 et janvier 1665) est un journal épistolaire sur le procès Fouquet, le surintendant des Finances. Elle écrit après chaque audience à son ami Arnaud de Pomponne, exilé dans ses terres parce qu'il était l'obligé du ministre déchu.

En fait, malgré tout ce qu'elle a pu écrire auparavant à Pomponne, à Bussy ou à d'autres, Madame de Sévigné naît à l'écriture en février 1671, dans les larmes et le désespoir, quand elle commence avec sa fille, devenue comtesse de Grignan deux ans plus tôt, une correspondance régulière, qui ponctue désormais chacune de leurs neuf séparations, d'une durée totale de 8 ans et 5 mois répartie sur 25 années.

Désormais, chaque fois que sa fille est en Provence avec son mari, nommé lieutenant-général représentant le roi dans cette province, la marquise lui écrit à chaque courrier, deux ou trois fois par semaine selon les époques et les lieux où elle se trouve. La comtesse lui répond au même rythme des lettres qui ont malheureusement été détruites, sans une seule exception. À la différence de toutes les lettres publiées jusqu'alors, les lettres de Madame de Sévigné sont filles de la poste. À tel point qu'on peut, d'après les rythmes des courriers, calculer qu'on devrait en avoir 900 au lieu des 764 qui subsistent, dans un texte plus ou moins fidèle (moins de 5% d'autographes).

Madame de Sévigné a écrit à sa fille des lettres d'amour. « Ce sont, dira un de leurs premiers lecteurs, des lettres où il y a plus de passion que les amants n'en ont dit depuis que l'on a commencé d'aimer. » C'est ce qui fait leur originalité. De cette passion, contrariée parce que sa fille l'aimait mais sans aimer les épanchements, naît un ton unique, que l'épistolière a dû inventer pour concilier sa tendance spontanée à étaler ses sentiments et la réserve qu'il lui fallait s'imposer pour ne pas déplaire. L'art sévignéen naît de cette tension entre facilité et retenue.

Chaque séparation a sa couleur, avec presque toujours l'alternance du temps passé à Paris, parmi parents et amis, et des mois passés aux Rochers où, sauf quand les États lui attirent des visites, l'épistolière vit dans la solitude, se distrayant par la promenade et la lecture.

Elle meurt sans avoir vu une seule de ses lettres publiée. Si quelques-unes de celles qu'elle a écrites à Bussy ou à ses cousins Coulanges ont pu (rarement) être vues en confidence de quelques amis privilégiés (mais quasi jamais lues « dans les salons »), celles qu'elle a envoyées en Provence à sa fille ont été des lettres privées, écrites pour elle seule, comme le sont toutes les lettres d'amour. On ne les découvrira en partie qu'en 1726, trente années après sa mort. La famille en donnera une édition « complète », mais revue, corrigée et expurgée en 1734. Elles ne sont correctement publiées que depuis moins de cinquante ans.

Françoise de Grignan ou le mal d'amour / par Jacqueline Duchêne. – Paris : Fayard, 1985. – 336 p. – [Réimpr. 1995].

Madame de Sévigné ou la chance d'être femme / par Roger Duchêne. – Nouvelle édition, revue et augmentée. – Paris : Fayard, 1996. – VI-495 p. – [1re édition, 1982].

Naissances d'un écrivain : Madame de Sévigné / Roger Duchêne. – Paris : Fayard, 1996. – 360 p.

LETTRES 335

À Bussy-Rabutin. — Des Rochers, le [dimanche] 15e mars [1648].

Je vous trouve un plaisant mignon de ne m'avoir pas écrit depuis deux mois. Avez-vous oublié qui je suis, et le rang que je tiens dans la famille ? Ah ! vraiment, petit cadet, je vous en ferai bien ressouvenir ; si vous me fâchez, je vous réduirai au lambel[1]. Vous savez que je suis sur la fin d'une

[1] Le *lambel* est une brisure dans les armoiries des cadets. Roger de Bussy-Rabutin et Celse-Bénigne de Rabutin, père de Mme de Sévigné, étaient tous deux arrière-petits-fils de Christophe de Rabutin, mais Celse-Bénigne descendait de son fils aîné, Roger d'un fils cadet. Né en 1618, il avait

grossesse, et je ne trouve en vous non plus d'inquiétude de ma santé que si j'étais encore fille. Eh bien, je vous apprends, quand vous en devriez enrager, que je suis accouchée d'un garçon[1], à qui je vais faire sucer la haine contre vous avec le lait, et que j'en ferai encore bien d'autres, seulement pour vous faire des ennemis. Vous n'avez pas eu l'esprit d'en faire autant, le beau faiseur de filles.

Mais c'est assez vous cacher ma tendresse, mon cher cousin ; le naturel l'emporte sur la politique. J'avais envie de vous gronder de votre paresse depuis le commencement de ma lettre jusqu'à la fin ; mais je me fais trop de violence, et il en faut revenir à vous dire que M. de Sévigné[2] et moi vous aimons fort, et que nous parlons souvent du plaisir qu'il y a d'être avec vous.

Lettres choisies / Madame de Sévigné ; édition de Roger Duchêne. – Paris : Gallimard, 1988. – (*Folio* ; 1935). – [P. 25, 313 pour les notes].

LETTRES 336

À Madame de Grignan. — À Paris, ce [mercredi] 6 mai 1671.

Je vous prie, ma bonne, ne donnons point désormais à l'absence le mérite d'avoir remis entre nous une parfaite intelligence et, de mon côté, la persuasion de votre tendresse pour moi. Quand elle aurait part à cette dernière chose, puisqu'elle l'a établie pour jamais, regrettons un temps où je vous voyais tous les jours, vous qui êtes le charme de ma vie et de mes yeux ; où je vous entendais, vous dont l'esprit touche mon goût plus que tout ce qui m'a jamais plu. N'allons point faire une séparation de votre aimable vue et de votre amitié ; il y aurait trop de cruauté à séparer ces deux choses. Et quoi que M. de Grignan dise, je veux plutôt croire que le temps est venu que ces deux choses marcheront ensemble, que j'aurai le plaisir de vous voir sans mélange d'aucun nuage, et que je réparerai toutes les injustices passées, puisque vous voulez les nommer ainsi. Après tout,

---

épousé Gabrielle de Toulongeon, fille de Françoise de Rabutin (la sœur de Celse-Bénigne) et cousine germaine de Mme de Sévigné, morte en 1646 après lui avoir donné trois filles et pas de garçon.

1 Charles de Sévigné, deuxième enfant de la marquise, né au château des Rochers, près de Vitré, le 12 mars 1648.

2 Henri de Sévigné, marié en 1644 à Marie de Rabutin, gentilhomme breton, possédait plusieurs terres en Bretagne, dont celle des Rochers, près de Vitré, où sa femme résida souvent.

combien de bons moments que je ne puis assez regretter, et que je regrette aussi avec des larmes et des tendresses qui ne peuvent jamais finir ! Ce discours même n'est pas bon pour mes yeux, qui sont d'une faiblesse étrange, et je me sens dans une disposition qui m'oblige à finir cet endroit. Il faut pourtant que je vous dise encore que je regarde le temps où je vous verrai comme le seul que je désire à présent et qui peut m'être agréable dans la vie. Dans cette pensée, vous devez croire que, pour mon intérêt et pour diminuer toutes mes inquiétudes, qui vont être augmentées jusqu'à devenir insupportables, je ne trouverais aucun trajet qui ne fût court. Mais j'ai de grandes conversations avec d'Hacqueville ; nous voyons ensemble d'autres intérêts, et les miens le cèdent à ceux-là[1]. Il est témoin de tous mes sentiments. Il voit mon cœur sur votre sujet ; c'est lui qui se charge de vous les faire entendre et de vous mander ce que nous résolvons. Dans cette vue, c'est lui qui veut que j'avale toute l'amertume d'être loin de vous plutôt que de ne pas faire un voyage qui vous soit utile. Je cède à toutes ces raisons, et je crois ne pouvoir m'égarer avec un si bon guide.

Parlons de votre santé. Est-il possible que le carrosse ne vous fasse point de mal ? Du moins, ma bonne, n'y allez point longtemps de suite ; reposez-vous souvent. Je vis hier Mme de Guise ; elle me chargea de vous faire mille amitiés, et de vous dire comme elle a été trois jours à l'extrémité, Mme Robinet[2] n'y voyant plus goutte, et tout cela pour s'être agitée, sur la foi de sa première couche, sans se donner aucun repos. L'agitation continuelle, qui ne donne pas le temps à un enfant de se pouvoir remettre à sa place, quand il a été ébranlé, fait une couche avancée, qui est très souvent mortelle. Je lui promis de vous donner toutes ces instructions pour quand vous en auriez besoin, et de vous dire tous les repentirs qu'elle avait d'avoir perdu l'âme et le corps de son enfant. Je m'acquitte exactement de cette commission, dans l'espérance qu'elle vous sera utile. Je vous conjure, ma bonne, d'avoir un soin extrême de votre santé ; vous n'avez que cela à faire.

Votre monsieur, qui dépeint mon esprit juste et carré, « composé », « étudié », l'a très bien *dévidé*, comme disait cette diablesse. J'ai fort ri de ce que vous m'en écrivez et vous ai plainte de n'avoir personne à regarder pendant qu'il me louait si bien ; je voudrais au moins avoir été derrière la

---

1 D'Hacqueville, l'ami de Mme de Sévigné et le confident de son amour maternel, lui a fait comprendre que la grossesse de Mme de Grignan, qu'elle vient d'apprendre, ne doit pas la faire renoncer à son projet d'aller en Bretagne régler ses affaires, dont la bonne marche importe aussi à sa fille.

2 Sage-femme à la mode qui avait accouché Mme de Grignan en 1670.

tapisserie. Je vous remercie, ma bonne, de toutes les honnêtetés que vous avez faites à La Brosse. C'est une belle chose qu'une vieille lettre ! Il y a longtemps que je les trouve encore pires que les vieilles gens ; tout ce qui est dedans est une vraie radoterie. Vous êtes bien en peine de ce rhume. Ce fut aussi dans cette lettre-là que je voulus vous en parler[1].

Il est vrai que j'aime votre fille, mais vous êtes une friponne de me parler de jalousie. Il n'y a ni en vous ni en moi de quoi la pouvoir composer. C'est une imperfection dont vous n'êtes point capable, et je ne vous en donne non plus de sujet que M. de Grignan. Hélas ! quand on trouve en son cœur toutes préférences et que rien n'est en comparaison, de quoi pourrait-on donner de la jalousie à la jalousie même ? Ne parlons point de cette passion ; je la déteste. Quoiqu'elle vienne d'un fonds adorable, les effets en sont trop cruels et trop haïssables.

Je vous prie, ma bonne, de ne point faire des songes si tristes de moi ; cela vous émeut et vous trouble. Hélas ! ma bonne, je suis persuadée que vous n'êtes que trop vive et trop sensible sur ma vie et sur ma santé (vous l'avez toujours été), et je vous conjure aussi, comme j'ai toujours fait, de n'en être point en peine. J'ai une santé au-dessus de toutes les craintes ordinaires ; je vivrai pour vous aimer, et j'abandonne ma vie à cette occupation, et à toute la joie et à toute la douleur, à tous les agréments et à toutes les mortelles inquiétudes, et enfin à tous les sentiments que cette passion me pourra donner.

Lettres choisies / Madame de Sévigné ; édition de Roger Duchêne. – Paris : Gallimard, 1988. – (*Folio* ; 1935). – [Pp. 48-50, 319 pour les notes].

LETTRES 337

À Madame de Grignan. — <Aux Rochers,> dimanche 14e juillet [1680].

Enfin, ma bonne, j'ai reçu vos deux lettres à la fois. Ne m'accoutumerai-je jamais à ces petites manières de peindre de la poste ? et faudra-t-il que je sois toujours gourmandée par mon imagination ? Ma bonne, il faut dire toutes ses sottises. La pensée du moment où je saurai le oui ou le non d'avoir ou de n'avoir pas de vos nouvelles me donne une émotion dont je ne

---

1 Madame de Sévigné est souvent revenue sur la différence des sentiments consécutifs aux décalages dans le temps et dans l'espace entre la lettre écrite et la lettre reçue.

suis point du tout la maîtresse. Ma pauvre machine en est tout ébranlée, et puis je me moque de moi. C'était la poste de Bretagne qui s'était fourvoyée pour le paquet de Dubut[1] uniquement, car j'avais reçu toutes celles dont je ne me soucie point. Voilà un trop grand article. Ce même fonds me fait craindre mon ombre toutes les fois que votre amitié est cachée sous votre tempérament ; c'est la poste qui n'est pas arrivée. Je me trouble, je m'inquiète, et puis j'en ris, voyant bien que j'ai eu tort. M. de Grignan, qui est l'exemple de la tranquillité qui vous plaît, serait fort bon à suivre si nos esprits avaient le même cours et que nous fussions jumeaux. Mais il me semble que je me suis déjà corrigée de ces sottes vivacités, et je suis persuadée que j'avancerai encore dans ce chemin où vous me conduisez en me persuadant bien fortement que le fonds de votre amitié pour moi est invariable. Je souhaite de mettre en œuvre toutes les résolutions que j'ai prises sur mes réflexions ; je deviendrai parfaite sur la fin de ma vie. Ce qui me console du passé, ma très chère et très bonne, c'est que vous en voyez le fonds : un cœur trop sensible, un tempérament trop vif et une sagesse fort médiocre. Vous me jetez tant de louanges au travers de toutes mes imperfections que c'est bien moi qui ne sais qu'en faire ; je voudrais qu'elles fussent vraies et prises ailleurs que dans votre amitié. Enfin, ma très chère, il faut se souffrir, et l'on peut quasi toujours dire, en comparaison de l'éternité : *Vous n'avez plus guère à souffrir*, comme dit la chanson.

Je suis effrayée comme la vie passe. Depuis lundi, j'ai trouvé les jours infinis à cause de cette folie de lettres. Je regardais ma pendule, et prenais plaisir à penser : voilà comme on est quand on souhaite que cette aiguille marche. Et cependant elle tourne sans qu'on la voie, et tout arrive. Il y eut hier neuf mois[2] que je vous menai à ce corbillard[3]. Il y a des pensées qui me font mal ; celle-là est amère, et mes larmes l'étaient aussi. Je suis bien aise présentement de cette avance ; elle m'approche un temps que je souhaite avec beaucoup de passion. Plût à Dieu que votre séjour eût été plus utile à vos affaires, ou que je pusse faire un meilleur personnage que celui de désirer simplement ! [...]

---

[1] Le paquet renvoyé de Paris par Dubut, maître d'hôtel de Mme de Sévigné. Les courriers sont les mêmes depuis 1671.

[2] En fait dix.

[3] Au coche d'eau. Il devait ce nom au service régulier établi d'abord par cette voie entre Paris et Corbeil.

Vous me demandez, ma bonne, ce qui a fait cette solution de continuité entre La Fare et Mme de La Sablière[1]. C'est la bassette ; l'eussiez-vous cru ? C'est sous ce nom que l'infidélité s'est déclarée ; c'est pour cette prostituée de bassette qu'il a quitté cette religieuse adoration. Le moment était venu que cette passion devait cesser et passer même à un autre objet. Croirait-on que ce fût un chemin pour le salut de quelqu'un que la bassette ? Ah ! c'est bien dit ; il y a cinq cent mille routes où il s'est attaché. Elle regarda d'abord cette distraction, cette désertion ; elle examina les mauvaises excuses, les raisons peu sincères, les prétextes, les justifications embarrassées, les conversations peu naturelles, les impatiences de sortir de chez elle, les voyages à Saint-Germain où il jouait, les ennuis, les ne savoir que dire. Enfin, quand elle eut bien observé cette éclipse qui se faisait et ce corps étranger qui cachait peu à peu tout cet amour si brillant, elle prend sa résolution. Je ne sais ce qu'elle lui a coûté, mais enfin, sans querelle, sans reproche, sans éclat, sans le chasser, sans éclaircissement, sans vouloir le confondre, elle s'est éclipsée elle-même, et sans avoir quitté sa maison où elle retourne encore quelquefois, sans avoir dit qu'elle renonçait à tout, elle se trouve si bien aux Incurables qu'elle y passe quasi toute sa vie, sentant avec plaisir que son mal n'était pas comme ceux des malades qu'elle sert. Les supérieurs de cette maison sont charmés de son esprit ; elle les gouverne tous. Ses amis vont la voir ; elle est toujours de très bonne compagnie. La Fare joue à la bassette :

Et le combat finit faute de combattants[2].

Voilà la fin de cette grande affaire qui attirait l'attention de tout le monde ; voilà la route que Dieu avait marquée à cette jolie femme. Elle n'a point dit les bras croisés : « J'attends la grâce. » Mon Dieu, que ce discours me fatigue ! eh, mort de ma vie ! elle saura bien vous préparer les chemins, les tours, les détours, les bassettes, les laideurs, l'orgueil, les chagrins, les malheurs, les grandeurs. Tout sert, et tout est mis en œuvre par ce grand ouvrier qui fait toujours infailliblement tout ce qui lui plaît.

Comme j'espère que vous ne ferez pas imprimer mes lettres, je ne me servirai point de la ruse de *nos frères* pour les faire passer. Ma bonne, cette lettre devient infinie ; c'est un torrent retenu que je ne puis arrêter. Répondez-y trois mots, et conservez-vous et reposez-vous, et que je puisse vous revoir et vous embrasser de tout mon cœur ; c'est le but de mes dé-

---

1 Leur longue liaison était notoire. La bassette était un jeu de cartes importé d'Italie, très à la mode à partir de 1678.

2 Vers célèbre du *Cid*.

sirs. Je ne comprends pas le changement de goût pour l'amitié solide, sage, et bien fondée, mais pour l'amour, ah ! oui, c'est une fièvre trop violente pour durer.

Adieu, ma très chère bonne. Adieu, Monsieur le Comte. Je suis à vous ; embrassez-moi tant que vous voudrez. Que j'aime Mlles de Grignan de parler et de se souvenir de moi ! Je baise les petits enfants. J'aime et honore bien la solide vertu de Mlle de Grignan.

Lettres choisies / Madame de Sévigné ; édition de Roger Duchêne. – Paris : Gallimard, 1988. – (*Folio* ; 1935). – [Pp. 185-186, 191-192, 350-352 pour les notes].

ROBERT GROVE

LATIN **1634-1696**

Robert Grove est issu d'une famille aisée du Dorsetshire, installée depuis peu à Londres. Il reçoit une éducation conforme à son origine. En 1645, il est envoyé à Winchester College ; il est admis comme pensionnaire à Saint John's College, Cambridge, en octobre 1652, et en parcourt toute la hiérarchie universitaire, reçu *fellow* le 23 mars 1658. Il y enseigne pendant une vingtaine d'années. Le style élégant de ses productions érudites remporte un certain succès, dépassé encore par les compositions en vers latins qu'il présente à l'Académie de Cambridge. C'est en 1659 qu'il y donne lecture de son *Carmen de circuitu sanguinis*. Il devient en 1691 évêque de Chichester ; il meurt en 1696, presque ruiné. Robert Grove fut cependant l'un des plus importants collectionneurs de livres médicaux au XVIIe siècle : il possédait 1 473 livres de médecine, dont la première édition du *De motu cordis* de Harvey (1628), les éditions de 1648 et 1649 du *De circulatione sanguinis*, et la première édition (1651) du *De generatione animalium*. Le *Carmen de circuitu sanguinis* constitue ainsi un vibrant hommage à Harvey, rendu par un de ses plus fidèles admirateurs.

De 1642 à 1646 à Oxford, où il enseignait la médecine, William Harvey se livra aux expériences de dissection qu'on lui connaît, prouvant ainsi la circulation sanguine. Trop jeune pour avoir assisté à la scène, Robert Grove donne cependant à son poème un ton véritablement enthousiaste et l'allure d'un témoignage pris sur le vif. Cette qualité du texte attirera l'attention, à partir de la fin du XIXe siècle, de différents historiens des sciences aux États-Unis (une première traduction en anglais, partielle, est réalisée par A.P.C. Ashurst en 1912, à Philadelphie).

Au caractère anecdotique indéniablement attachant, le texte joint le souffle de l'épopée qui y est présentée. Le *Carmen* de Grove offre une des réalisations les plus achevées du grand genre de la littérature néo-latine du XVIe au XVIIIe siècle, le long poème didactique, joignant à la fascination pour les découvertes scientifiques la fougue et la densité d'un grand modèle latin : le *De natura rerum* de Lucrèce. Il décrit d'abord la démonstration de la circulation du sang que fit Harvey devant ses collègues d'Oxford, en éviscérant un chien ; il donne ensuite la parole au savant, figure moderne d'Épicure, qui commente sa découverte en forme de profession de foi médicale et en transmet le bénéfice scientifique à la postérité.

The Great Medical Bibliographers : a study in humanism / J.F. Fulton. – Philadelphia : University of Pennsylvania Press, 1951. – XV-107 p.

L.R.C. Agnew, M.A., M.D., "Robert Grove Bishop of Chichester and his *Carmen de Sanguinis Circuitu, etc*". – In : *The Chichester Paper*, n° 21 (1961), pp. 1-11.

LA DÉCOUVERTE DE LA CIRCULATION SANGUINE 338

V. Zarini — 1995

Une dissection magistrale. — L'extrait retenu se situe à la charnière des deux mouvements du texte. Le rythme à la fois emporté et rigoureux des hexamètres favorise l'exacte précision de la description médicale, qui permet de suivre parfaitement chacune des opérations ; en même temps, l'évocation de Harvey, qui y trouve une grande solennité, donne au médecin la valeur paradigmatique de la figure du savant, presque annonciatrice de l'esprit des Lumières.

Muse, rappelle-moi les causes : quel feu fait bouillonner le sang ; quel impétueux torrent l'emporte dans ses débordements ; ce qui remplit la veine ; pourquoi, sous tension, l'artère palpite d'un battement perpétuel, alternativement s'affaissant et se gonflant ; ce qui frappe la poitrine par intermittence. Cela, si savante qu'elle fût, l'époque des Anciens ne le savait pas, ni le Philyride Chiron[1], ni Machaon[2] lui-même, ni l'Amythaonide[3] ; ces infinies beautés, il ne les a pas vues, bien qu'en disséquant les entrailles il investigât toute chose, le cultivateur si célèbre du jardin d'Abdère[4]; ni toi, grand vieillard qui, envoyé par la ville de Cos[5] pour chasser par tes herbes une folie bien à tort suspecte, t'es à juste titre moqué des délires de la populace insane ; non plus que l'habile Galien, né en terre phrygienne, que Rome sa parente admira longtemps comme médecin, et qu'avec gratitude la postérité en tout temps vénérera ; ni le Cisalpin, ni toi, illustre fils de Soave, autrefois si fameux parmi la foule des disciples de Phébus[6], là où le Pô féconde les plaines irriguées par son flot, et où Neptune protège la citadelle d'Anténor[7] et l'embrasse, pour sa sécurité, dans les eaux répandues à l'entour.

Mais c'est l'homme que la Grande-Bretagne, joyeuse de cet heureux enfantement, mit au monde, Harvey, nom bien connu à travers les siècles,

---

1 Le centaure Chiron, qui éleva le jeune Achille, est le fils de Cronos et de la nymphe Philyra, fille de l'Océan, changée en tilleul ; il soigne les blessés et les malades, et il passe dans l'Antiquité pour avoir été l'un des inventeurs de la médecine et de la chirurgie. (N.d.t.)

2 Fils d'Esculape et médecin des Grecs au siège de Troie. (N.d.t.)

3 Mélampe, médecin et devin d'Argos. (N.d.t.)

4 Plutôt que de Démocrite, il pourrait s'agir de Protagoras, auteur d'un traité *Sur l'Être* où il explique que l'homme n'est pas unitairement constitué, et d'un traité *Sur la lutte*, où il s'intéresse à la « mécanique » humaine. (N.d.t.)

5 Le célèbre médecin grec Hippocrate était originaire de Cos. (N.d.t.)

6 Grove fait ici vraisemblablement allusion à Gaspare Aselli, dont il est question plus bas, avec l'épithète de « Cisalpin » : ce médecin né à Crémone autour de 1581, et mort à Milan en 1626, observa les vaisseaux chylifères en 1622. Soave est une toute petite ville proche de Vérone ; le second personnage pourrait donc bien être le fameux médecin, astronome et véronais Fracastor (1478-1553), auteur, en 1530, d'un célèbre poème latin sur la syphilis (*Syphilis sive de Morbo Gallico*) et qui étudia à Padoue. Phébus, père d'Esculape, est le dieu tutélaire de la médecine et de la poésie. (N.d.t.)

7 Prince troyen, ancêtre légendaire des Vénètes, ici érigé en fondateur mythique de Venise. (N.d.t.)

c'est Harvey qui en fit la démonstration, et qui le premier en débrouilla les causes cachées, arracha aux ténèbres des savoirs ignorés des siècles jadis, fit reculer la nuée de l'obscurantisme, et porta la lumière dans le noir. C'est lui, en effet, qui examine avec application les divers usages des membres, qui soumet chaque organe l'un après l'autre à son acuité intellectuelle, avec grande attention, et qui, en disséquant des êtres vivants, observe tous les lieux où les maladies siègent en silence. Il cherche en luimême d'où les fièvres traînardes tirent leurs incendies renouvelés ; de quelle source et de quels liquides procèdent les gonflements de l'hydropisie ; ce qui apporte la maigreur, ce qui élève la rate à un poids indû ; quel agent provoque la lithiase rénale. Ces manières de mourir, et mille autres encore, il enquête sur elles en son esprit ; il écarte bien loin les périls de mort, et aux Parques pressantes il oppose les arts de la médecine avec compétence, et roule tous les sujets possibles en sa tête. Or il ne pense pas que le liquide vital reste immobile dans les membres, ni s'étende en stagnant paresseusement à travers de longs canaux, mais qu'il se précipite, et circule en un prompt tourbillon.

Cependant il convoque sous son toit des confrères choisis, qui avaient à cœur les arts illustres et les cultes d'Épidaure, et leur déclare : « Je vais soumettre à l'expérience ce qui me semble assuré : est-ce assez manifeste, et le connaît-on par des signes certains, ou ne sont-ce que de vaines apparences, qu'une aimable erreur qui m'abuse sous le fallacieux prétexte de chercher à savoir ce qu'il en est ? » Il se saisit de son chien, lui tord le cou pour le prendre, le soulève de terre et le place sur une table, allongé sur le dos. Les poils de la bête se hérissent et se dressent, elle cherche à mordre les bras du médecin, et fait partout retentir de grands hurlements, en se débattant avec ses pattes. Mais elle ne peut offrir assez de résistance : Harvey, dans une puissante étreinte, pèse sur elle, et la malheureuse, qui lutte beaucoup mais en vain, se retrouve étendue au milieu de la table ; alors, à l'aide d'une cordelette, il lui étire et noue les pattes, et serre les liens pour qu'ils tiennent bon. Puis, alors que cette pauvre bête, ainsi étendue, gît dans la crainte et l'effroi, les membres trépidants et la poitrine haletante, Harvey jette un regard serein à l'animal attaché, et de sa bouche tombent ces paroles prophétiques :

« Ce n'est pas, dit-il, la dureté de mon âme, ce n'est pas une funeste passion qui me rendent cruel, non plus que l'inclémence d'un cœur barbare ; non, c'est, au plus profond de mon esprit et dans toutes mes moelles, une terrible soif de gloire qui me pousse malgré moi à mettre en œuvre un tel projet, et chasse de mon être toute douceur. Je brûle d'ouvrir les cachettes obscures de la nature, de traquer les causes autrefois dissimulées des phénomènes, et d'affranchir de ses liens la vérité longtemps captive. J'ai résolu de poursuivre de grandes recherches, et de reconnaître des voies qui sont à couvert et fort à l'écart : par quel flux le sang est charrié, à quelle instigation une pourpre nouvelle teint la veine livide. Quant à toi, bien que tu doives supporter, malheureux, d'indicibles douleurs, et subir un châtiment immérité, console-toi de ta mort en songeant que tu n'as pas été étranglé, victime d'un destin inique, que tu n'as pas péri déchiré par les crocs d'un molosse enragé, et que la vieillesse ne te consumera pas à petit feu. Car tu ne seras pas jeté sans gloire, comme un chien, dans un fossé, sur l'ulve repoussante ; tes membres ne se décomposeront et ne se liquéfieront pas ; tu ne seras pas la proie que dilacèrent les monstres de la nuit, et le corbeau ne ravagera pas ton corps en putréfaction. Mais si, comme j'en ai bon espoir, la docte Minerve me sourit complaisamment, et si Apollon, que j'appelle de mes vœux, donne son assentiment à mon entreprise, jamais ta renommée ne périra, mais partout où s'étendra la gloire de mon acte, toi aussi tu seras connu ; dans tout l'univers on lira ton nom illustre, et éternellement tu vivras, toi qui dois mourir, Lyciscus[1] ! »

Voilà ce qu'il racontait au chien, qui restait sourd ; et de sa dextre il saisit un scalpel étincelant, et dresse ce glaive brillant. Mais lorsque la bête s'est sentie blessée, de tout son corps elle se contorsionne, et dans la gravité de sa situation fait entendre un grondement puissant. En même temps elle grince des dents, qu'elle découvre, écumante, dans un rictus ; et du croc et de l'œil elle menace inutilement. La crainte soulève ses flancs ; farouche, le chien privé de forces se livre vainement à la colère, car, alors qu'en un suprême effort il tâche de se redresser, il en est empêché par les nœuds serrés et les chevilles de fixation. Cependant le vieillard, sans se laisser troubler par aucune protestation, poursuit et conduit son épée rigide, son fer inexorable, à travers les minces tuniques comme à travers les ultimes viscères. Attentif à sa tâche, il ouvre jusqu'au tréfonds l'abdomen et, se hâtant de déchirer les chairs incisées, il les écarte vivement de part et d'autre avec les mains ; dès lors, à l'intérieur, en multipliant les signes de tête, il aperçoit les entrailles fumantes.

Ici le foie énorme étale orgueilleusement son vaste poids ; tout gonflé, il l'emporte par son éclat sur le suc tyrien, tant il brille dans sa beauté et

1 *Lyciscus* signifie « chien-loup » en latin. (N.d.t.)

resplendit de sa pourpre originelle. C'est la demeure mélancolique, à ce que l'on dit, des tendres amours ; c'est à partir de là que le cruel Cupidon, qui de loin darde ses traits, allume dans les cœurs sensibles une flamme langoureuse, soit qu'en cet endroit les aliments, cuits par des agents puissants et une forte chaleur, se modifient et prennent une rougeur nouvelle, soit plutôt que le sang, qu'embrase une température excessive, décharge ici une lie nocive, l'ardente bile aigre et jaune, et y abandonne ses humeurs amères. Ce qui reste, engourdi par de l'huile et de la graisse molle, conserve longtemps le feu et le prend facilement.

En face de cet organe, dans la zone opposée, repose la rate, de moindre masse, d'aspect et d'usage obscurs. On rapporte que c'est elle qui agite le poumon lors des éclats de rire insouciants, à moins qu'elle ne collecte le suc âpre et les humeurs noires, à moins qu'elle n'apprivoise la nourriture, et ne déverse dans l'estomac de l'acide.

[...] Harvey, plongeant ses mains ensanglantées dans la poitrine de l'animal, se hâte de déchirer tous les tissus avec son fer cruel. Il force le passage, fait céder les barrières et les arrache ; et c'est alors que se montre le siège caché et le repaire de la vie, et que s'ouvre la haute demeure du cœur. [...]

Tout cela, d'autres l'ont autrefois suffisamment exploré : il le laisse de côté ; quant à lui, qui brûle de désir, c'est un souci nouveau qui le presse : quelle énergie meut la masse du cœur, d'où il reçoit le chaud liquide et en quelles zones il le refoule, dans quelle direction coule le sang qui passe à gros bouillons par les orifices ouverts, ce sang qui, enfermé dans la gaine protectrice des veines, part dans on ne sait quels replis, et dont le mouvement nous abuse. Ainsi, lorsqu'avec nonchalance la Saône sans bruit serpente à travers les grasses cultures, et erre à travers les pâtures en ruisseau insouciant, on ne sait si elle va s'écouler par ici ou par là ; mais lorsqu'elle a reçu dans son lit les masses qui s'y déversent, et que ses eaux sont freinées par des barrages, son débit devient plus violent ; elle change et gronde, passe par-dessus les levées et se déchaîne, écumante, pour jeter dans le Rhône des ondes véhémentes. Ainsi donc, Harvey décide d'obstruer le tiède écoulement et le cours du sang qui se précipite, et de serrer un nœud autour des veines.

Il en est deux qui, plus que les autres, sont remarquables par leur taille et leur dimension ; l'une est appelée à bon droit « cave » par les fils des Romains, l'autre fut autrefois baptisée par les Grecs du nom d'aorte. De façon contiguë et identique, des flux s'écoulent en toutes deux, et toutes deux répandent de par le corps des ramifications conjointes. L'une et l'autre, Harvey les mesura visuellement et mentalement ; il se trouva que tout d'abord il passa autour de la cave une bride menue ; il ferme ce large canal par un fil qui le bloque, et coupe la voie. Et là, vision stupéfiante, le sang qui est plus près du cœur s'écoule de lui-même dans l'oreillette du cœur et, n'étant plus remplie par le sang, la veine s'affaisse, et laisse se rejoindre ses rives vides où plus rien ne coule. Mais celui qui était plus éloigné du haut siège de la vie, arrêté par le fil resserré, cesse de suivre son chemin, et soulève les vaisseaux en les gonflant grandement : sa tunique distendue et les barrières qui lui font obstacle, il les bat, brûlant vainement du désir de rompre les liens qui l'emprisonnent. Après avoir soigneusement noté ce phénomène, Harvey, de sa propre main, défait le nœud et la ligature de lin. Alors soudain le sang, franchissant les clôtures supprimées, revient dans la vaste salle du cœur et dans sa demeure. Lorsque le sagace vieillard a observé et longuement pesé le phénomène, il se saisit de l'énorme aorte et la ligature par une bride. Il constate à présent tout le contraire ; à présent apparaît l'autre face de la nature. Car là où l'immense artère s'allongeait et s'étendait au delà de l'enchevêtrement des nœuds, elle se ramollit et devient flasque, car le sang lui échappe ; mais là où elle regarde vers l'intérieur du cœur, attachée qu'elle est à sa partie gauche, elle se dresse toute dure, et le suc en affluant la fait gonfler. En affluant, ce liquide, enfermé dans un espace trop étroit, bouillonne à l'intérieur, élargit la zone vitale, et tend les attaches du cœur, qui manque d'éclater. Après avoir dûment examiné ce phénomène également, le vieillard relâche en même temps toutes les ligatures à l'entour ; en même temps, avec un vif élan, le sang jaillit, et son flot suit sa pente en toute hâte ; le cœur accomplit ses fonctions, l'artère se remet à battre, pour autant que les membres alanguis de la bête moribonde peuvent évacuer le sang. Harvey, qui abordait tout sujet l'esprit serein, resta comme frappé de stupeur ; et après avoir laissé passer un court instant, il s'adresse enfin à ses chers amis en ces termes : « Vous qui avez souci de la santé bienfaisante, qui mélangez les breuvages sacrés des médecins et qui, par des herbes puissantes, retardez les destins et prolongez une misérable existence, gravez cela dans votre esprit et gardez-en le souvenir ; et apprenez à connaître les véritables causes de la vie. »

Traduction inédite. — *Musarum anglicanarum analecta*. – Oxford : John Crosley & Sam. Smith, 1692. – [Pp. 145-150, 152-154].

ANTÓNIO VIEIRA

PORTUGAIS **1608-1697**

Né à Lisbonne, parti pour le Brésil à l'âge de 6 ans, quand son père fut nommé greffier à la Cour d'Appel de Bahia, António Vieira entre au noviciat des jésuites de cette ville à 15 ans. Il mène ensuite la vie militante des fils de saint Ignace sur trois plans : comme missionnaire, comme homme politique et comme orateur sacré.

D'abord missionnaire auprès des Indiens dans le Reconcavo bahianais, puis en Amazonie, il parcourt plus de six cents lieues dans le nord du Brésil, parlant la langue tupi et le kimbunda des esclaves africains. Il est aussi professeur de rhétorique au Collège d'Olinda, puis de théologie à celui de Bahia. Excellent latiniste, il rédige un cours de philosophie thomiste à son usage personnel. On a aussi retrouvé de lui un commentaire sur les tragédies de Sénèque et un autre sur les *Métamorphoses* d'Ovide.

Les tentatives hollandaises pour s'implanter militairement au Brésil, puis la Restauration portugaise de 1640 le conduisent à l'action politique. D. João IV fait de lui son conseiller, puis le prédicateur de la chapelle royale, et lui confie l'éducation du prince héritier D. Teodosio. Il l'envoie en missions diplomatiques officieuses : à Paris pour obtenir la médiation de la France dans le conflit armé qui oppose le Portugal et la Hollande (1646) ; plus tard, il obtient de Louis XIV l'appui d'un corps expéditionnaire commandé par le duc de Schomberg. À La Haye, où il s'est rendu pour négocier la paix outremer, il rencontre la communauté judéolusitanienne d'Amsterdam et discute théologie avec les rabbins. Entre temps, il est parvenu à faire créer par la couronne portugaise la Compagnie des Indes Occidentales, destinée à protéger des corsaires les marchandises venant du Brésil. La Compagnie sera financée en partie par les « nouveaux chrétiens » qui, ce faisant, échappent, en cas de procès, à la confiscation de leurs biens par l'Inquisition.

Les premiers sermons du Père Vieira sont le reflet de sa double activité, missionnaire et politique. Il prêche dès 1633 devant une confrérie d'esclaves africains, comparant leurs souffrances à celles du Christ aux mains de ses bourreaux. En 1634, il exhorte les Portugais de Bahia à croire à la résurrection de la patrie ensevelie sous l'occupation étrangère. Son discours religieux s'élève à plusieurs reprises en faveur de l'émancipation des esclaves indiens — injustement réduits à l'état servile, alors qu'ils sont sujets du roi — et pour défendre les Africains de l'esprit de lucre de leurs maîtres entêtés dans l'exercice et le maintien de l'odieux trafic. Il entretient enfin la ferveur patriotique, allant jusqu'à se faire le porte-parole d'une mystique nationale au cours des campagnes militaires de la Restauration. À Lisbonne, ses sermons au verbe plein de spontanéité, au rythme marqué, à la pensée hardie, attirent les foules et exercent une sorte de fascination, atteignant les consciences par leur sincérité poignante. Ses adversaires, les grands propriétaires du Brésil, ne s'y étaient pas trompés lorsque, en 1661, après un sermon prêché dans la Maranhão où il les engageait à libérer leurs esclaves sous peine de mettre en péril leur salut éternel, ils embarquèrent le religieux et les autres jésuites *manu militari* sur un vaisseau en partance pour le Portugal.

Le Père Vieira eut d'autres détracteurs. En 1663, l'Inquisition lui fit un procès, lui reprochant d'être intervenu fréquemment en faveur des « nouveaux chrétiens » et, surtout, d'avoir produit un écrit aux allures prophétiques, au sujet du « Cinquième Empire du Monde ». Le pouvoir sur l'univers entier y était dévolu, disait-il, au Portugal, royaume messianique et prédestiné entre tous les royaumes chrétiens. Le procès dura un peu plus de quatre ans. Absous et relevé de ses peines en 1668, après une sévère mise en garde, il partit pour Rome en 1669. Il y prêcha en italien avec le même succès qu'en portugais, comptant dans son auditoire et dans le cercle de ses pénitents Christine de Suède convertie au catholicisme.

Après avoir reçu de Clément X un bref l'exemptant définitivement de la juridiction de l'Inquisition portugaise, il retourne à Lisbonne en 1675. Mais l'atmosphère n'y est plus la même depuis la mort de D. João IV. En 1681, il rentre au Brésil, pour ne plus revenir en Europe. Ses supérieurs lui confient de nouvelles activités missionnaires. Il prononce des sermons, entretient une large correspondance, rédige des mémoires, toujours pour défendre les Indiens et les Africains. Son premier plaidoyer datait de 1652, le dernier est de 1694. Souffrant de paludisme, peut-être atteint de tuberculose, António Vieira s'éteint à 90 ans, contrit de n'avoir pu achever certaines œuvres. Cet homme animé des plus hautes convictions, en qui s'accordaient sans faille la réflexion et l'action, laissait 15 volumes de sermons, dont la publication s'étendit de 1679 à 1748.

História de António Vieira / João Lúcio de Azevedo. – 2e édition. – Lisboa : Livraria classica editora, 1931. – 2 vol.

P. A. Vieira : Estudo biográfico e crítico / Hernani Cidade. – Lisbonne : Agência Geral das Colónias, 1940. – 4 vol.

Aspectos do Padre Antônio Vieira / Ivan Lins. – Rio de Janeiro : Sao Jose, 1956. – 390 p.

Prophétisme et messianisme dans l'œuvre d'António Vieira / Raymond Cantel. – Paris : Ediciones hispano-americanas, 1960. – 280 p.

SERMONS 339

A. Gallut-Frizeau — 1996

De l'esclavage (Sermon 27). — Inacceptable, scandaleux, péché pour un chrétien.

L'une des grandes choses que l'on voit aujourd'hui dans le monde, et dont nous autres ne nous étonnons pas, par la force quotidienne de l'habitude, c'est l'immense déplacement de peuples et de nations du monde noir qui passent, sans discontinuer, de l'Afrique à notre Amérique. De la flotte d'Énée, le prince des poètes a dit qu'elle emportait Troie en Italie, *Ilium in Italiam portans*, et des nefs qui depuis les ports de la mer Atlantique entrent l'une après l'autre dans nos ports, à plus juste titre nous pouvons dire qu'elles apportent l'Éthiopie au Brésil. Un banc monstrueux de baleines franchit cette barre, saluant par des coups de canon et par des jets d'écume nos forteresses, et chacune d'elles met bat un baleineau ; une nef d'Angola entre, et le jour-même elle pond cinq cents, six cents et peut-être mille esclaves. Les enfants d'Israël ont traversé la Mer Rouge et ils sont passés d'Afrique en Asie, fuyant l'esclavage ; ceux-ci ont traversé la mer Océane en sa plus grande largeur et ils passent de cette même Afrique en Amérique pour y vivre et pour y mourir esclaves. *Infelix genus hominum* (dit justement Maffeo en parlant d'eux) *et ad servitudinem natum*[1]. Les autres naissent pour vivre, ceux-ci pour être esclaves ; dans les autres pays, de ce que labourent les hommes et de ce que filent et tissent les femmes on fait des échanges ; dans ce pays, ce qu'engendrent les pères et ce que nourrissent de leur sein les mères est ce que l'on vend et ce que l'on achète. Oh ! l'inhumain commerce où la marchandise est faite d'hommes ! Oh ! la diabolique marchandise où l'on tire profit des âmes d'autrui, et où les périls sont pour nos propres âmes !

À présent, si une fois arrivés, nous considérons ces malheureux et ceux qui se disent leurs maîtres, ce que l'on a vu dans les deux états de Job est ce que la fortune fait figurer ici, en plaçant côte à côte le bonheur et le malheur sur la même scène. Peu de maîtres, beaucoup d'esclaves. Les maîtres portant de riches vêtements, les esclaves dépouillés et nus ; les maîtres font bonne chère, les esclaves meurent de faim ; les maîtres nagent dans l'or et dans l'argent, les esclaves sont chargés de fers ; les maîtres les traitent comme des bêtes, les esclaves adorent les maîtres et les craignent comme des dieux ; les maîtres, debout comme les statues de l'orgueil et de la tyrannie, les désignent pour le fouet, les esclaves prostrés, les mains liées derrière le dos, comme les figures les plus viles de la servitude et comme les exemples du malheur le plus extrême. Ô Dieu ! Que de grâces nous devons rendre à la foi que tu nous as donnée, car elle seule tient captif notre entendement pour que, devant le spectacle de ces inégalités, nous reconnaissions cependant ta justice et ta providence ! Ces hommes ne sont-ils pas les fils du même Adam et de la même Ève ? Ces âmes n'ont-elles pas été rachetées par le sang du même Christ ? Ces corps ne naissent-ils et ne meurent-ils pas comme les nôtres ? Ne respirent-ils pas le même air ? N'est-ce pas le même ciel qui les couvre ? N'est-ce pas le même soleil qui les réchauffe ? Quel astre est donc celui qui les domine, si triste, si hostile, si cruel ?

Et si l'influence de leur étoile est aussi contraire et aussi néfaste, comment ne se transmet-elle pas du moins aux travaux de leurs mains, et, comme la malédiction d'Adam, aux terres qu'ils cultivent ? Qui irait penser que les plantes arrosées de tant de sang innocent puissent pousser et

---

1 Malheureuse race d'hommes, née pour l'esclavage. (N.d.t.)

prospérer, et produire autre chose que des épines et des ronces ? Mais elles sont si abondantes et si douces les bénédictions que le Ciel répand sur elles, que ces mêmes plantes sont ce fruit, ce fruit si précieux, si abondant, si doux qu'à lui seul il est le chargement de grandes flottes, il enrichit de trésors le Brésil et remplit de délices le Monde. Quelque grand mystère se cache donc dans ce déplacement ; et surtout si nous remarquons qu'il est favorisé et aidé par Dieu d'une façon si particulière qu'il n'y a pas sur l'Océan tout entier de traversée sans péril et sans vents contraires ; seule la traversée qui arrache ces peuples à leurs patries et les conduit à l'état de l'esclavage se fait toujours le vent en poupe et sans changer de voile.

Traduction inédite.

SERMONS 340

J. Haupt — 1970

Heureux poissons, loin des hommes. — Dans ce *Sermon de saint Antoine aux poissons* sont soulignées les diverses affinités qui lient la vocation spirituelle de l'homme et l'emblématique du poisson.

Parlant des poissons, Aristote dit qu'ils sont les seuls entre tous les animaux qui ne se laissent ni dompter ni domestiquer. Parmi les animaux terrestres, le chien est serviable, le cheval docile, le bœuf soumis, le babouin familier ou câlin, et il n'est jusqu'aux lions et aux tigres que l'on ne parvienne à apprivoiser avec de l'habileté et des faveurs. Parmi les animaux de l'air, outre les oiseaux qui sont élevés et qui vivent avec nous, le perroquet nous parle, le rossignol chante pour nous, le faucon nous aide et sert à notre divertissement, et les grands oiseaux de proie eux-mêmes, rentrant leurs serres, reconnaissent la main dont ils reçoivent leur subsistance. Les poissons, au contraire, vivent retirés dans leurs mers et dans leurs rivières, plongent au fond de leurs abîmes, se cachent dans leurs grottes, et il n'en est aucun, si grand soit-il, qui se fie à l'homme, et il n'en est aucun, si petit soit-il, qui ne le fuie ! Les Auteurs condamnent généralement cette condition des poissons et l'attribuent à leur manque de docilité ou à leur extrême bêtise ; mais moi je suis d'opinion différente. Je ne les condamne pas, je loue au contraire chez les poissons cette retraite qui, si elle n'était pas naturelle, serait grande prudence. Poissons ! Plus vous serez loin des hommes, mieux cela vaudra. Dieu vous préserve de leur fréquentation et de toute familiarité avec eux ! Si les animaux de la terre et de l'air veulent être leurs familiers, libre à eux, mais ils le seront à leurs dépens : que le rossignol chante pour les hommes, mais dans sa cage ; que le perroquet leur raconte des histoires, mais dans sa prison ; que le faucon aille avec eux à la chasse, mais la longe à la patte ; que le babouin les amuse par ses bouffonneries, mais attaché à son pieu ; que le chien se contente de ronger l'os qu'ils lui jettent, s'il accepte d'être mené en laisse là où il ne lui plaît point d'aller ; que le bœuf soit fier de s'entendre appeler noble et bel animal, mais le joug sur la nuque, traînant le char et la charrue ; que le cheval se glorifie de ronger son frein doré, mais sous le fouet et l'éperon ; et si les tigres et les lions veulent manger la ration de viande qu'ils n'ont pas chassée dans la forêt, qu'ils soient capturés et emprisonnés derrière des barreaux de fer ! Pendant ce temps, vous, poissons, loin des hommes, et méprisant ces courtisaneries, vous vivrez, seuls, sans doute, mais comme poissons dans l'eau. Bien à l'abri dans vos retraites, ne perdez pas de vue toutes ces vérités que je tiens à vous rappeler, parce que certains philosophes disent que vous n'avez pas de mémoire.

Au temps de Noé se produisit le déluge, qui recouvrit et inonda le monde. Et, entre tous les animaux, quels sont ceux qui s'en tirèrent à meilleur compte ? Parmi tous les lions, deux en réchappèrent : un lion et une lionne ; et il en fut ainsi des autres animaux de la terre : parmi les aigles, deux en réchappèrent, mâle et femelle. Et les poissons ? Tous en réchappèrent ; et non seulement tous en réchappèrent mais ils furent encore plus nombreux qu'auparavant ; car, la terre et la mer, tout n'était que mer. Or bien, si tous les animaux de la terre et tous les oiseaux moururent dans ce châtiment universel, pourquoi les poissons ne périrent-ils pas, eux aussi ? Savez-vous pourquoi ? Saint Ambroise nous le dit : c'est parce que les autres animaux, plus familiers ou plus proches des hommes, avaient plus de rapports avec eux ; tandis que les poissons vivaient éloignés et retirés. Dieu aurait pu facilement faire en sorte que les eaux fussent empoisonnées et tuassent tous les poissons, comme elles noyèrent les autres animaux. Vous connaissez bien, par expérience, le pouvoir de ces herbes qui, infectant les puits et les lacs, font que les eaux mêmes vous tuent. Mais, comme le déluge était un châtiment universel que Dieu envoyait aux hommes pour leurs péchés, et au monde pour les péchés des hommes, c'est un signe de Sa très haute providence et de Sa divine justice qu'Il y ait mis cette différence ou cette distinction, afin que le monde pût voir que tout le mal lui était advenu de la compagnie des hommes, et que pour cela même les animaux qui vivaient le plus près de ces derniers ont été punis, tandis que ceux qui vivaient retirés ont échappé au châtiment. Voyez, poissons, l'immense avantage de pouvoir vivre loin des hommes ! Un grand philosophe à qui l'on demandait quel était le meilleur pays du monde, répondit que c'était le désert, parce que le plus loin des hommes. Si c'est cela que vous a prêché également saint Antoine, et si c'est un des bienfaits dont il vous a exhortés à rendre grâce au Créateur, il aurait bien pu se donner en exemple, lui qui, plus il cherchait Dieu, plus il fuyait les hommes. Pour fuir les hommes, il quitta la maison de ses parents et se retira ou se réfugia dans un ordre religieux où il put faire vœu de réclusion perpétuelle. Mais comme, là encore, ceux qu'il avait laissés ne voulaient pas le laisser, il quitta d'abord Lisbonne, puis Coimbra, et finalement le Portugal. Pour fuir et se cacher des hommes, il changea d'habit, il changea de nom[1] et il se changea lui-même, cachant sa grande sagesse sous une réputation d'ignare, afin qu'il ne fût ni recherché, ni connu, mais bien plutôt abandonné de tous, comme cela lui arriva avec ses propres frères, au Chapitre Général d'Assise. De là, il se retira pour mener une vie solitaire en un lieu désert, d'où il ne serait jamais sorti, si Dieu ne l'y avait pour ainsi dire obligé. Et finalement, il passa les derniers jours de sa vie en un autre désert, d'autant plus uni à Dieu qu'il était séparé des hommes.

Sermon de saint Antoine aux poissons / sermon prononcé par le P. António Vieira en 1654 en la ville de São Luiz du Maranhão-Brésil ; traduit du portugais par Jean Haupt. – Paris : Bordas, 1970. – [Pp. 16-18].

SERMONS 341

A. Poiret — 1869

Il n'y a pas de grand profit qui soit juste (VIII). — Dans ce *Sermon pour le samedi saint*, le Père condamne toute importante richesse, qui ne peut s'obtenir, à ses yeux, qu'au détriment d'autrui. Seul le pouvoir suprême, imparfaitement, et la rigueur absolue de l'Évangile, parfaitement, sont susceptibles de faire régner la justice.

Lorsque les industriels dont nous parlons reviennent des pays où ils ont exercé leur art, par cela seul qu'ils ramènent avec eux de riches cargaisons, il est clair qu'il s'agit là d'un bien mal acquis. Ainsi ils vous reviendront de l'Inde avec cinq cent mille écus ; d'Angola, avec deux cent

1 Le véritable nom de saint Antoine, avant qu'il prononçât ses vœux, était Fernando de Bulhões. (N.d.t.)

mille ; du Brésil, avec trois cent mille, et même du pauvre Maragnon ils iront jusqu'à tirer des sommes fabuleuses. Or, quel est le meilleur usage à faire de cet argent ? c'est tout simple, le roi n'a qu'à l'appliquer au profit de son âme et des âmes de ceux qui l'ont volé ; par là sera assuré le salut des uns et des autres. Des gouverneurs qu'il envoyait dans les diverses provinces, l'empereur Maximin disait, non sans une certaine finesse, que c'étaient des éponges ; et de fait, il s'en servait fort bien au gré de l'inépuisable soif de sa cupidité : car, après que ces gouverneurs s'étaient gonflés, comme des éponges, de tout ce qu'ils avaient pu soutirer de leurs provinces, lui, empereur, à son tour les pressait comme des éponges, et leur faisait dégorger dans ses coffres tout ce qu'ils avaient extorqué au loin, et par là, du même coup, il s'enrichissait et châtiait les exacteurs. Or, en cela, cet empereur sur un point faisait mal, sur un autre faisait bien ; et ce qu'il y eût eu de mieux à faire, il l'omettait complétement. En envoyant, pour gouverner les provinces, des hommes qu'il savait ne devoir être que des éponges, il faisait mal ; en pressant ces éponges pour confisquer tout leur contenu, il faisait bien ; mais, injuste et pervers comme il l'était, il ne pouvait qu'omettre le principal, qui, à l'égard de l'argent volé, eût été de le rendre aux provinces dépouillées, et non de se l'approprier. Oui, rendre leurs biens aux provinces dépouillées, voilà ce qu'en conscience doit faire tout roi qui veut sauver son âme ; et ce lui serait une illusion de croire qu'il a assez fait pour la justice en condamnant à quelques mois de prison celui qui a gaspillé toutes les ressources d'une ville, d'une province et même de l'Etat tout entier. Qu'importe un semblant de châtiment, si, quelques mois après, les larrons n'en peuvent pas moins jouir à leur aise du fruit de leurs vols, et si les dépouillés n'en restent pas moins dépouillés ?

Sous cette apparence de justice, il y a une erreur très-grave, qui consiste en ce que, par ces demi-mesures, ni les châtiés, ni ceux qui les châtient n'échappent à la damnation éternelle. En effet, à quiconque a pris le bien d'autrui incombent deux satisfactions urgentes : l'une est la peine qu'entraîne avec elle l'infraction de la loi, l'autre est la restitution à faire de ce qui a été volé. Quant à la peine à subir pour violation de la loi, libre au roi d'en faire grâce en sa qualité de législateur ; mais, quant à la restitution, rien au monde ne saurait en dispenser.

Sermons / du R.P. Antoine Vieyra, jésuite portugais ; traduits par l'abbé A. Poiret. – Nouvelle édition. – Lyon ; Paris : H. Pélagaud fils et Roblot, 1869. – [Tome troisième, pp. 312-314].

SERMONS 342

I. Oséki-Dépré — 1989

Prédications mondaines. — Dans ce sermon de la Sexagésime, le portrait est féroce, mais l'intention reste toute spirituelle.

Pauvres de nous, pauvres temps que les nôtres ! Car la prophétie de St. Paul est venue s'accomplir : *Erit tempus, cum sanam doctrinam non sustinebunt*[1] : « Viendra le temps, dit St. Paul, où les hommes ne souffriront pas la saine doctrine ». *Sed ad sua desideria coacervabunt sibi magistros prurientes auribus*[2] : « au contraire ayant une extrême démangeaison d'entendre ce qui les flatte ». *A veritate quidem auditum avertent, ad fabulas autem convertentur*[3] : « fermant l'oreille à la vérité, ils l'ouvriront à des fables ». Le mot fable a deux significations : cela veut dire simulation et comédie ; à quoi se ramènent les prédications de ces temps-ci. Elles sont simulation, parce que ce sont des subtilités et des pensées nébuleuses, sans fondement de vérité ; elles sont comédie, parce que les auditeurs viennent au prêche comme à la comédie et il est des prédicateurs qui viennent en chaire comme des comédiens. L'un des bonheurs que l'on comptait parmi ceux de notre époque, c'était la fin des comédies au Portugal, mais tel n'est pas le cas. Elles n'ont pas pris fin, elles ont changé : elles sont passées du théâtre vers la chaire. Ne croyez pas que je me moque des comédies en appelant ainsi bien des prédications contemporaines. Pussions-nous avoir ici les comédies de Plaute, de Térence, de Sénèque, et vous verriez si vous n'y trouveriez pas bien des désillusions sur la vie et la vanité du Monde ; bien des points de doctrine morale, nettement plus vrais et plus solides que ce qu'on entend aujourd'hui en chaire. Grande misère, pour sûr, que l'on vienne à trouver de plus grands enseignements pour la vie dans les vers d'un poète profane et païen que dans les prédications d'un orateur chrétien, souvent, en plus de chrétien, religieux !

St. Paul n'a pas exagéré en les appelant comédies, car il est bien des sermons qui ne sont même pas des comédies mais des farces. Il monte quelquefois en chaire un prédicateur de ceux qui prétendent être morts pour le monde, habillé ou enveloppé dans des habits de pénitence (et tous, plus ou moins grossiers, sont des habits de pénitence ; tous, depuis le jour

1 Épître de St. Paul à Timothée, IV, 3. (N.d.t.)

2 *Ibidem.* (N.d.t.)

3 *Ibid.*

où nous les endossons, des linceuls) ; la vision provoque l'horreur ; le nom, la révérence ; la matière, la componction ; la dignité est d'oracle ; le lieu et l'expectative, de silence ; mais lorsque celui-ci est rompu, qu'entend-on ? Si, parmi l'auditoire se trouvait un étranger qui ne nous connaissait pas, et qui voyait entrer cet homme pour parler au public dans une telle parure et en un tel lieu, il penserait devoir entendre une trompette du Ciel ; que chaque parole sienne va être un rayon de lumière pour les cœurs ; qu'il s'apprête à prêcher avec le zèle et la ferveur d'un Élie ; que de sa voix, de ses gestes, de ses actions il va transformer en poussière, en cendres, les vices. C'est ce que penserait l'étranger. Mais nous, que voyons-nous ? Nous voyons sortir de la bouche de cet homme, ainsi accoutré, une voix très affectée et très polie, et qui tout de suite, avec beaucoup d'impudence, commence à quoi ? À chercher des attentions, à croire à des entreprises, à raffiner des délicatesses, à flatter des précipices, à étinceler des aurores, à fondre des cristaux, à évanouir des jasmins, à jouer des printemps, et mille autres indignités du genre. N'est-ce pas cela la farce la plus digne de rires, si elle ne nous faisait autant pleurer ?

Le Ciel en damier d'étoiles : Sermon de la Sexagésime (1655), Sermon du Mandat (1645) / Padre António Vieira ; traduction de Inès Oséki-Dépré ; introduction de Inès Oseki-Dépré et Françoise Douay Soublin. – Grenoble : Cent pages, 1989. – [Pp. 71-73].

UNE BELLE PIÈCE DE POURIM

YIDICH **1697**

L'évolution, en littérature allemande, du *Fastnachtspiel* (« fête du mardi gras ») et celle du *Pourim Spiel* en littérature yidich sont parallèles. D'abord dit par une seule personne durant le repas de *Pourim* (« fête des sorts », en février-mars, où est lu publiquement, à la synagogue, le livre d'Esther), le texte, par la suite, est prononcé, tout en restant un monologue de propos quelque peu parodique, par plusieurs récitants qui se concurrencent. Plus tard seulement, les textes témoigneront d'un début d'action dramatique.

Premier témoignage du théâtre yidich, création originale ou simple transcription d'une pièce représentée, *Une belle pièce de Pourim*, dont la dramaturgie est encore élémentaire, était jouée dans une maison et non dans un théâtre par six comédiens seulement, des étudiants d'écoles rabbiniques ou des chantres — les femmes ne monteront sur la scène qu'au XIXe siècle. Le texte en a été copié en 1697 pour Christophe Wagenseil (1633-1705), hébraïste chrétien qui employa une partie de sa vie à rassembler des textes en yidich et à les publier.

Dans cette pièce au comique de connivence, perceptible aux seuls spectateurs coutumiers de la vie religieuse et traditionnelle juive, la charge parodique, qui touche le rituel, les prières et les textes canoniques, est tout entière portée par Mardochée, le seul personnage qui, dans l'histoire d'Esther, puisse assurer cette fonction, encore que cette utilisation irrespectueuse du personnage, par la bouche duquel passent des propos très grossiers et des allusions sexuelles, ait suscité une opposition violente.

Si les propos de Mardochée sont en prose yidich — langue considérée alors comme bâtarde et accentuant le comique de dérision —, le texte, sans doute chanté, de tous les autres personnages est écrit, par contraste, en vers et dans une langue proche de l'allemand. Quant aux indications de mise en place des comédiens, elles sont écrites en hébreu.

UNE BELLE PIÈCE DE POURIM **343**

Th. Gutmans — 1993

Assuérus cherche une nouvelle épouse (v. 38-161). — Conseiller du roi Assuérus, Aman ne tolère pas que Mardochée refuse de se courber devant lui, au point de vouloir sa mort. Il représente, dans l'histoire des communautés juives, l'ennemi d'Israël. Ses propos antisémites reflètent ceux qu'entendaient les juifs de la part des non-juifs.

AMAN

Que Dieu vous accorde une soirée agréable,
suivie d'une année tout aussi bienheureuse.
Je vais vous exposer mon désir
et préciser ce qui m'a amené ici,
car les sacrés Hébreux circoncis

je ne puis les souffrir.
C'est bien à cause d'eux que je dois fuir le monde.
Le meilleur d'entre eux
mérite une exécution à l'arme blanche.
J'en suis bien heureux et tout aise. —
Et à présent, faites vite entrer le roi.
Entrez, entrez,
tous ceux qui sont dehors.

HITOUKH

Bonus dies, tous ces messieurs,
qu'ils soient riches ou pauvres,
grands ou petits,
tous ensemble.
Je m'en vais expliquer à ces messieurs ce que je désire
et pourquoi je me trouve ici.
Mon nom c'est Hitoukh.
On me connaît fort bien chez le roi Assuérus.
Écartez-vous donc,
écartez-vous, chers ami.
Entrez, entrez,
tous ceux qui sont dehors.

LES CHANTRES

Nous faisons notre entrée
bien gentiment.
Nous servirons notre noble roi et sa reine.

Entrée du roi.

SCRIBE

Monseigneur, votre Majesté,
vous êtes sans pareil dans le monde entier.
Nous y avons placé un siège,
il s'assiéra où cela lui plaît.
Maintenant il pénètre plus avant.
Il y a poulet et poisson ainsi que du vin d'Espagne.
Vin et poisson
ne sont pas encore servis.

TOUS EN CHŒUR

Bienvenu soit notre noble roi.
Nul au monde ne saurait lui être comparé.
Asseyez-vous, Monseigneur.
Votre siège représente le royaume.
Il est sans pareil dans l'univers.

LE ROI

Je vous salue, seigneurs, dames et hommes de troupe.
et tous ceux qui sont assemblés ici,
les grands et les petits,
et tous ensemble.
Riches et pauvres,
tous pareillement.
Je vous exposerai mes vœux
et vous dirai pourquoi je suis venu.
On me nomme roi Assuérus,
je règne sur cent vingt-sept pays.
Que j'ai conquis tous ces pays
nul être ici-bas ne l'ignore.
J'ai fait dresser un banquet pour tout le monde,
pour tous ensemble,
mais les Hébreux se sont mis à part,
ne voulant point goûter à notre chère.
Pourtant, ils ont bien bu de notre vin,
se créant ainsi de gros ennuis.
Alors que je me grisais avec du vin,
j'ai ordonné que la reine me soit amenée toute nue.
Comme elle proférait des mots moqueurs
j'ai décrété qu'elle soit mise à mort.
Aussi, je te charge, mon fidèle serviteur,
de me trouver une épouse jeune et jolie,
qui soit plus belle et meilleure que Vasthi.
Elle sera, bien sûr, de noble descendance
et mon égale à n'importe quel égard.
Je lui ferai don de ma couronne de roi ;
en admettant que j'en sois satisfait,
je la respecterai plus que toute autre femme.

AMAN (au scribe)

Tu détiens bien le décret signé par le monarque ?
Il faudra le répandre dans tout le territoire.
Et ne manque pas de clamer d'une voix puissante
les termes de l'ordonnance royale.
[...]

AMAN

Salut à notre noble roi.
Que sa vie soit éternelle !
J'entends que l'on annonce partout
qu'il faut au roi une jeune et belle épouse.
Impressionné par l'appel du monarque,
j'ai pris la liberté de l'approcher
afin qu'il sache que je lui cherche une jeune femme jolie
qui jamais ne grognera ni ne pestera contre lui
mais nuit et jour fera sa volonté,
tout comme le souverain pourrait le souhaiter.

LE ROI

Aman, tu resteras à mon service
si tu t'attelles aux tâches dont je te charge.
Tu t'en trouveras bien mais veille toujours
à ce que le tout se passe comme il faut.

AMAN (s'en va, puis revient et déclare :)

Altesse sérénissime,
je vous ai en tout temps servi assidûment
courant sans cesse la nuit et le jour
pour parvenir à vous trouver une femme.
De son petit nom cette femme s'appelle Esther
mais elle se refuse à nommer frères et sœurs.
Hadassa (son autre nom) embaume l'onguent pimenté.
Elle ne dévoile sa face devant personne
mais se découvrira sûrement devant le roi
car, à coup sûr, elle se plaira ici.

MARDOCHÉE (apparaissant à la porte)

Mais oui, je vais m'en délecter aussi.

Il continue à s'entretenir avec Hitoukh au fond de l'entrée.

MARDOCHÉE

Enfer et damnation ! Quatre-Vingt-douze damnations ! Nom d'un tailleur et d'un chaudronnier ! Nom d'un rafistoleur, d'un aplaneur et d'un maçon ! Je pense oue ma femme a par trop rétréci le trou de la porte, comment la cuvée de Moïse pourrait-elle y pénétrer, je veux dire dans la porte. Aussi pur qu'il soit, il m'a trop raccourci — aussi pur qu'il soit, il l'a fait trop chic, je veux dire « chiche ». Par la bouche du puits, comment entre-t-on dans la vigne ?

Traduction inédite.

FRANÇOIS SCOUPHOS

GREC

1644-1697

Originaire de La Canée (Crète), François, neveu du peintre d'icônes Philothée Scouphos, entre, à 13 ans, au Collège grec de Rome. Ordonné en 1666, il achève la même année ses études, obtenant le titre de docteur en philosophie et en théologie.

À la fin de 1666, il quitte Rome pour Venise, où il se heurte à l'hostilité déclarée de l'archevêque orthodoxe de Philadelphie, Mélétios Hortatsis, qui lui reproche d'avoir été ordonné par un prélat catholique et le considère comme un « papiste ». En 1669, il est professeur pendant une brève période à l'école de la Communauté grecque de Venise. Mais les persécutions et la tension qu'il y subit précipitent son retour à Rome. En 1675, un bref du pape Clément X l'autorise à devenir catholique et, vers la même époque, il remplace pour un temps son oncle maternel Georges Gripari dans ses fonctions de *scriptor græcus* à la Bibliothèque Vaticane.

En 1678, il devient vicaire général de l'archevêque latin de Corfou, Marcantonio Barbarigo, qu'il accompagne en Grèce. À Corfou, où il déploie pendant 18 ans une intense activité missionnaire au service de l'Église romaine, un violent conflit l'oppose, de 1682 à 1685, aux Orthodoxes de l'île, qui lui reprochent son prosélytisme abrupt. Malade, il se réfugie en 1697 à Zante, où il meurt.

Scouphos est le premier grand représentant de la rhétorique néohellénique, et sans doute le prosateur grec le plus important de son siècle. Après une œuvre de jeunesse, un *Discours panégyrique sur la Nativité du Précurseur*, publié en 1670, il travailla à son ouvrage le plus original, un traité intitulé *Art de la Rhétorique*, paru à Venise en 1681, qui constitue la première œuvre du genre jamais composée en grec vulgaire. Ce manuel, qui s'inscrit dans le courant de la rhétorique ecclésiastique baroque et des *concetti predicabili*, fut très probablement composé sous l'influence des principaux représentants de la prose d'art italienne antérieure : Francesco Fulvio Frugoni (1620-1686) et les grands jésuites Daniello Bartoli (1608-1685) et Paolo Segneri (1624-1694).

L'œuvre de Scouphos, qui s'oppose par là aux manuels de rhétorique que d'autres auteurs grecs, comme Théophile Corydalée, avaient auparavant composés en langue savante, est en fait bien moins un *traité* qu'un recueil d'*exempla*, dans lequel la définition des figures est souvent réduite à sa plus simple expression. Le livre entier, dont les grandes divisions reproduisent celles qu'adopte la rhétorique italienne humaniste et baroque, se présente donc à la fois comme un précis et comme une anthologie, agencée par l'auteur lui-même, de sa propre prose. Les développements qui servent à l'illustration de chaque procédé empruntent souvent leurs sujets à la littérature chrétienne (récits bibliques, et surtout épisodes de vies de saints), plus rarement au monde de l'antiquité païenne : prêtre et missionnaire, Scouphos juge qu'il est tenu de « parler des choses sacrées ».

L'œuvre de Scouphos n'est certes pas le premier exemple de prose démotique ou de prédication en grec vulgaire : Ioannikios Kartanos, Cyril Lucar ou Mélétios Pigas illustrent, dès avant le Concile de Trente ou sous son influence indirecte, la tendance, de plus en plus marquée au cours du XVIe siècle et au début du XVIIe, à faire de la langue vernaculaire l'instrument privilégié de la rhétorique ecclésiastique. Mais aucun de ces précurseurs n'avait su conférer à l'idiome vulgaire la richesse et la souplesse que lui donna Scouphos, sans l'exemple duquel l'homilétique grecque moderne n'aurait pu atteindre à l'épanouissement qu'elle connut au début du siècle suivant, avec les *Sermons* d'Ilias Miniatis, imitateur et continuateur avoué de l'œuvre de Scouphos.

Les mêmes préoccupations pédagogiques, littéraires et linguistiques conduisirent Scouphos à rassembler vers la fin de sa vie le meilleur de sa correspondance en un copieux recueil, inédit à ce jour, de 152 lettres, qu'accompagne un court traité *Sur la composition des lettres*, pendant vulgaire du manuel archaïsant de Corydalée.

Bibliographie hellénique ou description raisonnée des ouvrages publiés par des Grecs au XVIIe siècle / Émile Legrand. – Paris : Picard, 1903. – [Tome 5, pp. 374-377].

Œuvres patriotiques et morales de F. Scouphos / C. Cairophylas. – Athènes, 1940. – [En grec, pp. 3-50].

Le Collège grec de Rome et ses élèves (1576-1700) / Zacharias N. Tsirpanlis. – Thessaloniki : Patriarchikon idhrima paterikon meleton, 1980. – 935 p. – (*Analekta Vlatadhon* ; 32). – [Pp. 608-610, n° 523]. – [En grec].

M. Lassithiotakis, "Grec et barbare dans l'*Art de la Rhétorique* de Scouphos". – In : *Cahiers Balkaniques*, 5 (1983), pp. 167-175.

Recherches sur la vie et l'œuvre de François Scouphos, prédicateur et écrivain / M. Lassithiotakis. – [Thèse de 3e cycle, Université de Paris IV, 1985, ex. dactylographié].

DISCOURS PANÉGYRIQUE SUR LA NATIVITÉ DU PRÉCURSEUR 344

M. Lassithiotakis — 1996

Il n'est pas d'homme né d'une femme qui soit plus grand. — L'antithèse est le principal ressort rhétorique de ce texte, qui oppose les traits célestes de Jean et les pesanteurs terrestres de ses persécuteurs.

On dira enfin que Jean, qui, comme le raconte l'évangéliste Matthieu, *ne mangeait ni ne buvait*, Jean vécut dans le corps d'un homme mortel l'existence immatérielle d'un ange : *il n'avait besoin ni de toit ni de lit*, a proclamé avec son étincelante éloquence la bouche d'or, *il n'avait pas besoin de table, il vivait comme un ange dans sa chair de mortel*. Et s'il lui arrivait parfois de prendre quelque nourriture, il le faisait assurément pour montrer qu'il restait un homme, et n'était ange que par l'effet de la grâce, non par sa nature, comme l'ont imaginé certains ; il le faisait bien plus afin d'assoupir la chair par quelques frugaux repas, que pour la satisfaire : aussi bien ne se nourrissait-il que de sauterelles et de miel, *sa nourriture était de sauterelles et de miel sauvage*.

Le Précurseur se nourrissait donc de miel ? Mais alors comment Hérode put-il trouver si amères à son goût les fameuses paroles que Jean lui lança : *il ne t'est pas permis d'avoir la femme de ton frère* ? La chasteté, Seigneurs, la sainteté de Jean étaient pour Hérode le débauché un affront permanent. Incapable d'écouter cette voix qui méprisait ses désirs charnels, il l'enferme dans un obscur cachot, emprisonnant ainsi celui qui avait apporté au genre humain la nouvelle de son commun salut, condamnant ainsi l'astre, qui transmettait la lumière du soleil mystique, aux ténèbres d'une sombre geôle. Erreur ! Hérode, erreur ! la prison empêchera certes Jean de mouvoir librement son corps, elle ne l'empêchera point de mouvoir sa langue. Car depuis ce lieu obscur, il continuera de te reprocher bien haut tes impudentes turpitudes, de railler tes abjects et infâmes desseins, de flétrir l'incorrigible immoralité de ta vie, de hurler à tes oreilles ces mots dont les épines acérées perceront la carapace de ton cœur : *il ne t'est pas permis, il ne t'est pas permis*.

Mais quel est ce bourreau à l'aspect effrayant, au couteau plus effrayant encore, qui se précipite vers la prison ? Arrête, brute impitoyable ! Où, mais où donc vas-tu ? Las ! il va décapiter Jean, et donner ensuite sa vénérable tête à Hérodiade pour prix de sa danse, qui avait enchaîné le cœur d'Hérode d'autant de liens qu'elle comportait de tours. Que pouvait évidemment souhaiter d'autre une femme aussi impure, que la mort de celui qui était la pureté même ? Jean meurt, et la glorieuse tête qui méritait une couronne d'amarante, n'est auréolée que du sang pourpre qui dégoutte. Aux pieds d'un bourreau abject s'écroule l'homme qui, immortel déjà, posait son pied sur les astres du ciel. Et tandis qu'il se meurt, Hérode exulte, comme les nations avaient exulté lorsqu'il était né. L'homme qui avait bondi de joie en venant au monde, cet homme meurt à cause des bonds que fait une femme débauchée. Mais si son corps s'écroule à terre, son âme, elle, s'envole vers les cieux : là, elle resplendit d'autant de rayons de gloire, que son corps perdait de gouttes de sang ; là, elle jouit, *dans le faste des saints*, d'une lumière infinie, alors que Jean, dans les ténèbres de l'obscur cachot où on le tenait enfermé, n'apercevait pas le moindre rayon de soleil ; là, elle devient un astre éclatant et plus grand que tout autre, l'âme de celui qui était apparu *le plus grand de ceux qui sont nés d'une femme*. Depuis cet océan céleste de plaisirs où il est plongé, Jean répandra plus d'eau en ondées de grâces pour le bien des hommes, qu'il n'en avait versé sur leur tête dans les flots du Jourdain.

Traduction inédite. — *Discours panégyrique sur la Nativité du Précurseur*. – Venise : Orsino Albrizzi, 1670. – [Ff. D 2r-D 3r].

ART DE LA RHÉTORIQUE 345

M. Lassithiotakis — 1996

Admonestation salutaire (Livre I, chapitre 14). — Face à la souveraineté de l'âme, le mépris du corps rappelle une hiérarchie que seules les faiblesses de la nature humaine permettent de contester.

La couronne que Dieu te prépare n'est point faite de lauriers ni de fleurs qui se fanent, elle est composée d'étoiles, fleurs du ciel qui ne se peuvent ni corrompre ni flétrir. Efforce-toi donc de l'obtenir, car ta tête en sera ceinte pour l'éternité. C'est pour cette chose mortelle et éphémère, le corps fait de fange, le corps, ce monceau d'ordures en quoi l'âme est logée, que l'on dépense tant de peine, que l'on fait tant d'efforts, que l'on verse tant de sueur. Insensé donc celui qui ne donne pas tout son soin à l'âme : elle est immortelle et éternelle, elle est l'image vivante du Créateur.

Traduction inédite. — *Art de la Rhétorique* / Scouphos. – Venise : Michelangelo Barboni, 1681. – [Pp. 78-79].

ART DE LA RHÉTORIQUE 346

M. Lassithiotakis — 1996

Seigneur, libérez la Grèce du joug ottoman (Livre IV, chapitre 23). — En expiation de ses péchés, le peuple grec a subi le joug turc. Mais toute peine a une fin. Le Plan de Dieu et sa Promesse ne sauraient faillir et laisser durablement les ennemis du Christ triompher de ses premiers et de ses meilleurs fidèles, les martyrs, docteurs et hiérarques que la Grèce a donnés à son Église pour l'établissement, la prospérité et l'expansion de la chrétienté.

Je désire prier le Christ, libérateur du monde, de délivrer enfin le peuple grec de la servitude où le tiennent les fils d'Agar et de l'emprise du Briarée[1] ottoman.

C'en est trop, juge très équitable, c'en est trop. Jusqu'à quand les Grecs infortunés devront-ils supporter les fers de l'esclavage, et laisser le barbare de Thrace leur piétiner la gorge d'un pied arrogant ? Jusqu'à quand une race si glorieuse et noble devra-t-elle se prosterner devant ce trône royal qu'occupe le turban impie, jusqu'à quand ces contrées sur lesquelles se lève le soleil visible et sur lesquelles, soleil invisible ayant pris forme humaine, tu t'es toi-même levé, seront-elles gouvernées par le croissant de lune ? Souviens-toi, je t'en prie, que tu n'es pas seulement juge mais aussi père, et que si tu corriges tes enfants, tu ne les tues point. Si donc les Grecs ont, par leurs péchés, provoqué ta juste colère, s'ils ont eux-mêmes fabriqué, dans le brasier de leurs fautes, la foudre qui doit te servir à les faire disparaître de la surface de la terre, absous, toi qui n'est que compassion, leurs péchés, lave-les dans l'océan de ton infinie miséricorde. Souviens-toi, Jésus, Dieu fait homme, que le peuple grec fut le premier à

---

1 Géant mythologique, fils du Ciel et de la terre, qui avait cinquante têtes et cent bras. (N.d.t.)

recevoir à bras ouverts ton divin Évangile ; le premier à renverser les idoles et à t'adorer comme un Dieu, lorsque tu étais sur la croix ; le premier à résister aux tyrans, qui par tant et tant de sévices s'évertuaient à extirper la foi du monde et du cœur des chrétiens. C'est grâce à la sueur versée par les Grecs, ô mon Christ, que ton Église put s'élargir aux dimensions du monde : les Grecs l'ont enrichie de tous les trésors de leur science. Ce sont eux qui l'ont défendue, par la parole, par la plume, et même au prix de leur vie, affrontant, avec une infinie force d'âme, la prison, le fouet, la roue, l'exil, les flammes du bûcher et la poix brûlante, avec l'unique dessein d'éliminer l'erreur et de propager la foi, de te proclamer Dieu fait homme, et de faire briller, partout où brille le soleil, la gloire et le mystère de la croix. Aussi te priai-je, toi qui es miséricordieux, d'user de ta divine omnipotence pour secouer le joug d'une si barbare servitude, de rétribuer généreusement ces services, en puisant largement dans le trésor de ta grâce divine, de rétablir notre nation dans son ancienne gloire, de la tirer de la fange où elle est plongée pour lui rendre son sceptre et son royaume. Ah ! je t'en supplie, par ce « Je vous salue » qui apporta le salut au monde, par l'incarnation qui t'a permis, étant Dieu, de te faire homme et de témoigner ainsi aux humains ton humanité, par le baptême qui nous a lavés du péché ; par la croix qui nous a ouvert les portes du paradis ; par ta mort qui nous a donné la vie et par ta glorieuse résurrection qui nous a fait monter aux cieux. Et si ma voix ne parvient point à te convaincre, que tentent de le faire ces larmes qui coulent de mes yeux, et, si rien de cela ne suffit, alors entends la clameur et les prières des saints qui s'élèvent de toutes parts dans la Grèce malheureuse. Depuis la Crète, André te crie et te supplie d'éliminer les loups agaréens de ce royaume où il conduisit les brebis chrétiennes de son troupeau. De Constantinople Chrysostome te crie et te supplie de ne pas laisser les ennemis du Fils dominer une région autrefois vouée à la Vierge Mère. Catherine crie, et, te montrant la roue de son martyre, supplie que la roue de la Fortune favorise à nouveau Alexandrie. D'Antioche s'élèvent les cris d'Ignace, de Smyrne ceux de Polycarpe, d'Athènes ceux de Denys, de Chypre ceux de Spyridon, qui, te montrant les lions qui les ont lacérés, les flammes qui les ont consumés, le fer qui les a décapités, espèrent obtenir de ton infinie miséricorde la délivrance des villes de Grèce et de la Grèce entière.

Traduction inédite. — *Art de la Rhétorique* / Scouphos. – Venise : Michelangelo Barboni, 1681. – [Pp. 371-375]

LÉONORE CHRISTINE

DANOIS **1621-1698**

Léonore Christine est la fille du roi Christian IV (1577-1648) et de son épouse morganatique Kirstine Munk. Après une éducation aussi soignée que variée, la jeune fille, très douée, épouse, à 15 ans, le comte Corfitz Ulfeldt qui, de 1643 à 1651, sera grand maître du Royaume, charge la plus élevée de l'État. En visite diplomatique à Paris, en 1647, sa grâce et son intelligence font l'admiration de la cour.

Lorsqu'en 1648 Frédéric III succède à Christian IV, il réduit les pouvoirs d'Ulfeldt. Celui-ci, dont l'ambition est sans bornes, se range parmi les ennemis du roi. En 1660 et 1661, lui et Léonore Christine sont détenus dans la forteresse de l'île de Bornholm. En 1662, le bruit court à Copenhague qu'Ulfeldt a offert la couronne de Danemark à l'électeur de Brandebourg. Au cours d'un voyage à Londres, où Léonore Christine va réclamer une somme d'argent que Charles II a empruntée à Ulfeldt, le roi livre la comtesse à l'envoyé de Danemark. Conduite à Copenhague, elle est enfermée au Château. Elle y restera 22 ans, du 8 août 1663 au 19 mai 1685.

C'est à l'intention de ses enfants que Léonore Christine rédige ses *Souvenirs de misère*. Le manuscrit resta en la possession de la famille jusqu'en 1868. Il fut édité en 1869 par S. Birket Smith.

Les *Souvenirs* comptent deux parties. La première, rédigée au Château en 1673-74, raconte le procès d'août 1663. La deuxième, écrite à Maribo peu avant la mort de Léonore Christine, relate les années de détention. Bien qu'une vingtaine d'années séparent la rédaction des deux parties du texte, celui-ci forme un tout. Procès et prison vont ensemble, comme la problématique de la culpabilité et la signification de la punition, questions auxquelles les *Souvenirs* entendent répondre.

Accusée, avec son mari, de haute trahison, Léonore Christine se défend de cette accusation, mais surtout — les deux choses sont liées à ses yeux — contre l'image qu'on lui présente de son mari, toute différente de celle qu'elle a de lui, et qu'au début de son récit, elle a donnée à ses enfants. Induite en erreur, victime d'un séducteur qu'elle aime et admire ? La perplexité, continûment, guette ses certitudes acquises. Jusqu'au jour où « Dieu accomplit un grand miracle, car il soutint ma faiblesse de sa force, préserva mon cerveau de l'égarement et empêcha ma langue de céder aux débordements ! » En restant fidèle à son mari, Léonore est restée fidèle au serment du mariage : elle a obéi à la loi de Dieu et non à celle du roi ! Ainsi, Léonore Christine peut interpréter sa vie à la lumière du *Livre de Job* : « six fois de l'angoisse il te délivrera, et une septième le mal t'épargnera. » Léonore Christine enchaîne : « Considérez qu'il m'a délivrée de six épreuves et soyez assurés que, dans la septième, il ne m'abandonnera ni ne me laissera mourir. » En assumant absolument la pleine responsabilité du lien sacré de son mariage avec Corfitz Ulfeldt, qui n'est alors ni son malheur, ni une erreur, Léonore arrive à donner un sens à ce qui paraissait en être totalement dépourvu et à envisager ses 22 années de détention avec fierté, fermeté et sérénité. À partir de cette conviction, son autobiographie change de caractère et de style. Le regard de Léonore se tourne vers l'extérieur de sa cellule, vers les gens qui l'entourent et dont elle donne des portraits étonnamment vivants. Elle relate les événements, grands et petits, de la vie quotidienne avec un rare réalisme impressionniste qui fait échapper son texte au documentaire pour en faire une émouvante œuvre d'art et d'humour.

Jens Aage Doctor, “Sandhedens rolle”. – In : *Kritik*, n°16 (1970).

SOUVENIRS DE MISÈRE 347

É. Eydoux — 1985

Interrogatoire (10 Août 1663). — Au fil de divers interrogatoires, le comte Rantzau et le chancelier Peter Reedtz tentent d’obtenir les « aveux » de Léonore Christine. Peine perdue : du premier au dernier jour de sa détention, celle-ci niera formellement toute complicité en un quelconque complot et clamera l’innocence de son mari.

Le 10 août à six heures du matin, l’intendant ouvrit. N’ayant cessé de l’attendre, ces femmes en furent fort aises, tout particulièrement la grassette Catherine, qui ne pouvait supporter l’air renfermé et avait été malade presque toute la nuit. L’intendant s’enquit de leur santé, leur demanda comment elles se portaient, si elles étaient encore en vie ; et, comme elles se plaignaient de leur état, il leur offrit de l’eau-de-vie, qu’elles acceptèrent avec empressement. À sept heures, elles purent, à leur demande, rentrer chez elles, mais non sans avoir donné à la reine une relation de la demi-journée et de la nuit qui venaient de s’écouler.

Quant à l’intendant, il resta avec moi et, comme neuf heures s’approchaient, il apporta une chaise sans rien dire. J’en conclus que j’allais recevoir de la visite. Et, de fait, entrèrent, peu après, le comte Rantzau, premier ministre, le chancelier Peter Reedtz, l’intendant des finances Christoffer von Gabel et le secrétaire Erik Krag. Après m’avoir donné la main, ils prirent place devant mon lit. Krag, qui avait apporté papier, plume et encre, s’assit à la table.

Le comte Rantzau lui ayant glissé quelques mots à l’oreille, le chancelier commença, comme la première fois, en affirmant que Sa Majesté avait d’impérieuses raisons de me traiter de la sorte. « Sa Majesté, continua-t-il, vous tient en suspicion, et ce n’est pas sans fondement. » Je m’enquis de la nature de cette suspicion. « Votre mari, répondit le chancelier, a offert le royaume de Danemark à un prince étranger. » Je demandai alors si le royaume de Danemark appartenait à mon mari pour qu’il pût ainsi en disposer et, comme personne ne disait mot, je poursuivis : « Mes bons messieurs, vous connaissez tous mon époux ; vous savez qu’on le tient pour un homme de raison, et je puis vous assurer qu’il avait encore tous ses esprits lorsque je l’ai quitté. Vous concevrez sans peine qu’aucune personne de jugement ne se hasarderait à offrir quelque chose qui ne lui appartient pas et dont il ne peut disposer. Il n’est investi d’aucune charge, n'a ni pouvoir, ni moyens. Comment aurait-il pu être assez sot pour faire une telle offre, et quel prince l'aurait acceptée ? » « Il en est pourtant ainsi, dit le comte Rantzau, il a offert le royaume de Danemark à un potentat étranger, vous le savez bien. » « Dieu m'est témoin que j'en ignore tout », affirmai-je. « Si ! Votre mari ne vous cachait rien. Vous le savez donc ! » repartit le comte Rantzau. Je repris : « Assurément, mon mari ne me cachait rien de ce qui nous regardait tous les deux. Pour ce qui est de ses affaires passées, je ne m'en suis nullement préoccupée. Mais, pour ce qui avait trait à nous deux, il ne me celait rien, et, s'il avait nourri de tels desseins, je suis assurée qu'il ne me les aurait pas tus. Or, je puis dire sans mentir que je n'ai nulle connaissance de tout ceci. » « Madame, continua le comte Rantzau, passez donc aux aveux tant que le roi vous le demande encore. » « Si je savais quelque chose, je le dirais bien volontiers mais, aussi vrai que Dieu existe, je ne sais rien et je crois tout aussi fermement que mon mari n'a pu se montrer aussi vain, car c'est un homme affaibli. C'est cette faiblesse qui m'a en grande partie incitée à accepter d'aller en Angleterre pour réclamer l'argent prêté. Sinon, je n'y serais jamais allée. Il lui était impossible de monter un escalier de quelques marches sans se reposer pour reprendre haleine. Où aurait-il donc trouvé les forces nécessaires ? Je puis affirmer sans mentir qu'il n'est pas huit jours de suite sans subir une attaque, tantôt d'une sorte, tantôt d'une autre. » De nouveau, le comte Rantzau glissa quelques mots à l'oreille du chancelier, qui reprit la parole : « Madame, dites-nous de plein gré ce qu'il en est de cette affaire et faites-nous connaître les noms de ceux qui y sont impliqués. Parlez ! Puisqu'on vous le demande. Sa Majesté le roi est un seigneur absolu, il n'est pas lié par la loi, il peut faire ce que bon lui semble. Parlez ! » « Je sais fort bien que Sa Majesté le roi est un seigneur absolu, répondis-je, je sais aussi que c'est un seigneur chrétien qui est guidé par sa conscience et qui pourra répondre de tous ses actes dans le royaume des Cieux. Me voici ici devant vous. Vous pourrez faire de moi ce qui vous plaira, mais je ne puis dire ce que je ne sais point. »

[...]

Une fois encore, le comte Rantzau glissa quelques mots à l'oreille du chancelier, qui reprit la parole : « Dans une lettre adressée à dame Else Parsberg, vous parlez d'un ordre nouveau au Danemark (en posant cette question, il se tourna vers le comte Rantzau d'un air interrogateur pour savoir s'il en était bien ainsi). Qu'entendiez-vous par là, Madame ? » Je répondis ne pas avoir souvenir de ce qui, dans sa lettre, pouvait m'avoir incitée à écrire ces mots. J'ajoutai : « À n'en pas douter, ce qui suit ou précède me permettra de préciser ma pensée. Si je puis voir le texte, je montrerai qu'il ne s'y trouve rien dont je ne puisse répondre. »

L'on n'alla pas plus avant dans la question, et le comte Rantzau me demanda quels ministres étrangers avaient rendu visite à mon époux à Bruges. « Aucun que je connaisse », répondis-je. Puis, il voulut savoir si aucun seigneur holsteinois n'était venu le voir. « Pas que je sache », fis-je. Il cita ensuite tous les princes d'Allemagne, de l'Empereur au duc de Holstein, me demandant, à propos de chacun d'eux, si aucun de leurs ministres n'avait été reçu par mon mari. À chaque question *à part*, je fis la même réponse que précédemment : à ma connaissance, aucun d'entre eux n'avait été reçu chez lui. Là-dessus, il insista encore : « Madame, avouez maintenant, je vous en prie, pensez au maréchal de Biron. C'est la dernière fois que nous vous le demandons. » Je me lassai d'entendre parler si souvent du maréchal de Biron, et répliquai avec quelque vivacité : « Je n'ai que faire du maréchal de Biron ; je ne puis dire ce que j'ignore. »

À ce qu'il me semble, le secrétaire Krag avait écrit assez hâtivement, car lorsque, sur ma demande, il dut lire ce qu'il avait rédigé, les réponses ne correspondaient pas aux questions. Peut-être fallait-il, pour partie, y voir une précipitation excessive, mais peut-être la malice n'y était-elle pas non plus étrangère, car Krag était mal disposé à l'endroit de feu mon époux. Après avoir entendu lecture du procès-verbal, j'élevai une protestation et, comme le chancelier m'approuva en tous points, le secrétaire dut écrire de nouveau le texte. Là-dessus ils se levèrent et prirent congé. Je les priai de supplier Sa Majesté de faire preuve de clémence et de ne pas croire ce que l'on disait sur mon époux ; je ne pouvais imaginer qu'il eût un seul instant failli à son devoir. « Eh bien, madame, dit le comte Rantzau, si vous consentez à avouer, à nous expliquer ce qu'il en est de cette affaire et à nous révéler le nom des complices, peut-être votre seigneur et roi usera-t-il de clémence. » Je jurai par le Dieu vivant que je ne savais rien, que je n'avais jamais eu connaissance de rien de semblable et encore moins de l'existence de complices. Ayant passé presque trois heures chez moi, ils se levèrent alors et s'en allèrent, tandis que l'intendant entrait en compagnie des femmes.

Souvenirs de misère : Mémoires / de la comtesse emprisonnée Léonore Christine ; introduction, traduction et notes par Éric Eydoux. – Paris : Aubier-Unesco, 1985. – (*Collection Unesco d'œuvres représentatives. Série européenne*). – [Pp. 53-57].

SOUVENIRS DE MISÈRE 348

É. Eydoux — 1985

La crise (17 août 1663). — Le 17 août, Léonore Christine fut transférée au troisième étage de la tour du Château. Après les interrogatoires et après avoir pris connaissance du sort de son mari, Léonore traverse une crise profonde.

Je vais maintenant donner une description de la pièce où je suis emprisonnée. C'est une chambre longue de sept de mes pas et large de six, où se trouvent deux lits, une table et deux chaises. Comme elle venait d'être chaulée, elle dégageait une forte puanteur. Quant au sol, il était recouvert d'une telle épaisseur de saletés que je crus qu'il était en argile, alors qu'il était en briques. En hauteur, elle mesure 9 aunes. Elle est voûtée et, tout en haut, il y a une fenêtre carrée d'une aune de côté, qui est pourvue de barreaux de double grosseur et aussi d'un grillage aux mailles si serrées que les trous ne laissent pas passer le petit doigt. C'est le comte Rantzau (comme devait plus tard me le révéler l'intendant) qui l'avait fait mettre par surcroît de précautions. Il voulait, en effet, empêcher qu'un pigeon puisse m'apporter des lettres, comme cela s'était passé dans un roman qu'il avait lu.

[...]

Je savais fort bien que je ne reverrais plus mon mari et je le recommandai au Très-Haut qui connaissait mon innocence. Je priai seulement Dieu de m'accorder une fin bienheureuse et de me faire quitter cette vallée de larmes. Au pasteur, je ne demandais rien d'autre que de se souvenir de moi dans ses prières et d'intercéder auprès de Dieu pour que la mort mette fin à mes tourments. Il promit de me donner satisfaction. Dieu ne voulut cependant pas nous exaucer. Désirant encore éprouver ma foi, il m'a imposé depuis nombre de tourments, d'épreuves, de motifs d'affliction. Mais il m'a aussi aidée à porter ma croix, dont il a pris l'extrémité la plus lourde. Que son nom soit loué à jamais ! M'ayant confessée, le magister Fosse m'apporta sa consolation et prit congé.

Je restai alors allongée trois jours durant, me nourrissant à peine. L'intendant me demandait souvent si je désirais quelque chose. Voulais-je boire ? manger ? faire dire quelque chose au roi ? Je le remerciais. Non, je ne désirais rien.

Le 25 août, l'intendant m'importuna beaucoup avec un discours qu'il tint pour me démontrer que j'étais injuste envers la reine. La raison de son propos était un épisode qui avait eu lieu la veille. En, effet, comme il m'avait fait savoir que le roi avait demandé que l'on m'apportât de la cuisine et de la cave tout ce que je pourrais demander, j'avais eu cette remarque : « Que Dieu protège sa Majesté ! C'est un bon seigneur. Puisse-t-il se montrer bon pour les méchants. » « La reine est bonne, elle aussi », avait-il alors affirmé. Et, comme je n'avais rien répondu, il avait voulu mettre la conversation sur celle-ci pour voir s'il ne pourrait me soutirer quelque parole. Il avait dit ainsi : « La reine vous plaint de vous être laissée séduire de la sorte. C'est vous-même qui êtes à l'origine de votre malheur, et elle en souffre. Elle ne vous en tient pas rigueur ; elle a pitié de vous. » N'obtenant pas de réponse, il m'avait répété ses propos, glissant entre deux phrases : « Oui, oui, ma chère Demoiselle, c'est bien comme je le dis. » Son bavardage m'ayant profondément irritée, j'avais répliqué (en français) : « Dieu vous punisse ». « Oh, oh ! elle veut pisser », s'était-il alors exclamé. Là-dessus, il avait appelé Karen et était sorti après avoir fermé les portes. De cette manière inattendue, j'avais pu ainsi me débarrasser de lui. Le plus ridicule de l'affaire est que la femme avait voulu m'obliger à m'exécuter, puisque l'intendant l'avait décrété. Je l'avais alors priée de se souvenir qu'elle ne gardait pas des enfants (car telles avaient été auparavant ses fonctions). Mais elle ne devait pas se défaire tout de suite de ses anciennes habitudes et continua longtemps de me traiter en enfant, jusqu'à ce que je réussisse à lui faire comprendre qu'elle devait en user autrement.

Constatant que j'avais le ventre qui criait famine et que, maintenant je ne rejetais plus la nourriture que je prenais, je conçus de l'impatience de ce que, ne pouvant mourir, il me fallût vivre dans une si grande misère. Lors, je commençai à disputer avec Dieu et voulus entrer avec lui en procès. J'estimais ne pas avoir mérité le sort qui m'était réservé ; je croyais avoir sur la conscience de moins grands péchés que David, qui, pourtant, osait dire : « En vérité, c'est en vain que j'ai gardé mon cœur pur et lavé mes mains en signe d'innocence. J'étais frappé chaque jour, corrigé chaque matin[1]. » Je ne pensais pas avoir mérité une peine aussi démesurée que celle qui m'était infligée. Citant Job, je disais : « Fais-moi connaître tes griefs contre moi. Prends-tu plaisir à m'accabler, à mépriser l'œuvre de tes mains[2] ? » Pensant que je pouvais l'appliquer à moi, je n'oubliais rien de ce qu'il avançait pour se justifier ; avec lui et Jérémie, je maudis le jour de ma naissance et témoignai, ce faisant, d'une grande vivacité. Cependant, je gardais tout ceci pour moi, car je ne parlais pas à voix haute. Et s'il

---

1 *Psaumes* : 73 (13 et 14). (N.d.t.)

2 *Job* ; 10 (2 et 3). (N.d.t.)

m'arrivait parfois de lâcher un mot sans y prendre garde, c'était en allemand (car j'avais surtout lu la Bible dans cette langue), de sorte que la femme ne comprenait pas. Me retournant en tous sens dans mon lit, je me montrais très agitée, et celle-ci me demandait souvent comment j'allais. Je la priais de me laisser en paix, de ne point parler. Jamais je ne me sentais mieux que la nuit, lorsque je voyais qu'elle dormait. Car, dans ces moments, je pouvais laisser mes larmes couler à loisir et donner libre cours à mes pensées. Alors seulement je pouvais entrer en procès avec Dieu. Je recensais tout ce que j'avais souffert et supporté innocemment au cours de mon existence et présentais mes griefs : m'étais-je donc écartée de mon devoir ? Aurais-je dû faire pour mon époux moins que je n'avais fait ? Était-ce donc là mon salaire pour ne l'avoir point quitté dans l'adversité ? Était-ce pour cela que l'on me martyrisait, que l'on me tourmentait, que l'on me tournait en dérision ? Fallait-il donc que j'eusse enduré tant d'indicibles malheurs pour ne finalement connaître que ce dernier, qui était irrémédiable ? Je ne veux point dissimuler ma déraison, je veux reconnaître mes péchés. Et je demandais : la vie allait-elle me réserver quelque chose de pire encore ? Était-il dans le monde une détresse comparable à la mienne ? Je priais Dieu d'y mettre fin, car il ne pouvait tirer aucune gloire de me laisser vivre ainsi de continuels tourments. Je n'étais ni de fer ni d'acier, mais de chair et de sang. Qu'il me fasse comprendre ou me suggère dans un songe comment je pourrais abréger ma détresse. Après avoir longuement disputé, m'être épuisé le cerveau et avoir tant pleuré qu'il me semblait avoir tari mes larmes, je m'endormais. Mais c'était pour me réveiller terrorisée, car mes rêves étaient hantés de visions inimaginables, affreuses. Redoutant le sommeil, je me remettais alors à déplorer ma misère.

Enfin, le Seigneur me toucha de sa grâce et, la nuit du 31 août, je dormis tranquillement. À l'aube je me réveillai en prononçant les paroles suivantes : « Mon fils, ne te décourage pas quand le Seigneur te reprend. Car il corrige celui qu'il aime. Il corrige tout fils qu'il accueille[1]. »

Souvenirs de misère : Mémoires / de la comtesse emprisonnée Léonore Christine ; introduction, traduction et notes par Éric Eydoux. – Paris : Aubier-Unesco, 1985. – (*Collection Unesco d'œuvres représentatives. Série européenne*). – [Pp. 77-81 et 239 pour les notes].

---

1 *Épître aux Hébreux* : 12 (5 et 6). (N.d.t.)

SOUVENIRS DE MISÈRE 349

P. Naërt — 1964

La sortie de prison (19 mai 1685). — Après la mort de Frédéric III, en 1670, Léonore Christine voit son sort quelque peu adouci grâce aux faveurs que lui accordent les nouveaux souverains. Mais elle n'obtiendra la liberté qu'après la mort de Sophie-Amélie, reine douairière, en 1685. Christian V, le roi, ordonne sa liberté à la veille de son voyage en Norvège.

[Le 19 mai 1685, à 8 heures du matin, le mandataire de l'intendant du château, qui se nommait] Tødsløf monta dans ma chambre et me fit savoir que le grand chancelier comte Ahlefeldt avait envoyé à l'intendant une ordonnance royale selon laquelle je devais être libérée de ma prison et en sortir quand je le voudrais (cette ordonnance était signée de Sa Majesté la veille de son départ). Sa Haute Excellence était partie avec le roi. Tødsløf demanda si je voulais qu'il verrouille la porte, puisque maintenant j'étais libre. Je répondis : « Tant que je suis à l'intérieur des murs de cette prison je ne suis pas libre, et je désire en sortir décemment. Verrouillez la porte et allez demander à ma nièce, Mademoiselle Anne Catherine Lindenow, si sa Haute Excellence ne lui a pas envoyé un message (comme il l'avait promis) avant de partir ». Tødsløf verrouilla la porte et fit ma commission. Pendant son absence je dis à Jonatha : « Dieu soit loué, ce soir je serai libre ! Rassemblez vos effets et enfermez-les ; je vais faire de même des miens et les laisserai ici jusqu'à ce que je puisse les envoyer chercher ». Elle fut un peu décontenancée mais non affligée, remercia Dieu avec moi, et lorsque la porte fut ouverte pour le repas de midi et que j'étais en train de manger, elle rit de Olle, qui était très attristé. Je lui dis que Olle avait bien lieu de soupirer : c'était un gras morceau de lard qui tombait de son chou.

Tødsløf me rapporta la réponse de ma nièce, selon laquelle sa Haute Excellence lui avait fait savoir qu'elle était libre de m'accompagner à ma sortie de la tour si elle le voulait. Nous décidâmes alors qu'elle viendrait me trouver tard le soir du même jour.

L'intendant du château avait grand-hâte d'être débarrassé de moi et envoya sur le soir le garde de la tour me demander si je ne voulais pas sortir. Je lui fis répondre qu'il faisait encore trop jour (peut-être y avait-il des curieux qui voulaient me voir).

Par un de mes amis je fis savoir à Sa Majesté la reine que je demandais la faveur d'aller me jeter à ses pieds (je pouvais parvenir dans la chambre de la reine par le passage secret, si bien que personne ne pourrait me voir). Sa Majesté me fit savoir qu'elle n'osait pas me parler.

Lorsqu'il fut près de 10 heures du soir, l'intendant du château ouvrit ma porte pour laisser entrer ma nièce (je ne l'avais pas vu de deux ans). Son compliment fut : « Alors, nous allons nous séparer ? » Je répondis : « Oui, l'heure est venue ». Il me tendit alors la main et dit « Adieu !» Je répondis par le même mot et ma nièce rit de bon cœur.

Dès que l'intendant du château fut parti, je quittai la tour avec ma nièce. Sa Majesté la reine voulait me voir sortir et s'était postée sur un balcon. Mais il faisait assez sombre et de plus j'avais un voile noir sur le visage. La place du château le long du pont et à l'extérieur était si pleine de monde que nous pûmes à peine nous frayer un passage jusqu'à notre carrosse.

Ma détention avait duré 21 ans, 9 mois et 11 jours.

Anthologie de la littérature danoise / édition bilingue publiée par F.J. Billeskov Jansen. – Paris : Aubier-Montaigne, 1964. – [Pp. 61-63].

REDI

ITALIEN **1626-1698**

Riche de son passé artistique, la Toscane traverse mal l'âge du baroque. Le XVIIe siècle est pour elle un siècle de décadence. Une atmosphère de formalisme et d'hypocrisie pèse sur la vie quotidienne. Mais ce qu'il y avait de vif et de librement créateur dans l'esprit toscan se perpétue avec l'admirable école de science expérimentale fondée par Galilée.

Celui-ci vient de mourir quand Francesco Redi commence ses études médicales et philosophiques à Pise. Ferdinand II ne lui ménagera ni les honneurs ni les moyens de poursuivre ses recherches. Surintendant de l'office pharmaceutique, il a le loisir d'étudier les produits, les plantes et les animaux qui parviennent à la cour des Médicis de tous les pays du monde et particulièrement d'Afrique du Nord. Le Grand-Duc met à la disposition de son familier ses précieux microscopes, les trésors de sa bibliothèque et le musée d'histoire naturelle. Il assiste parfois en personne aux expériences, qui ont lieu au palais même ou à l'*Accademia del Cimento* ; l'esprit de cette institution s'exprime dans la devise « *Provando e riprovando* ».

Cosme III n'a pas les mêmes intérêts que son prédécesseur ; mais il confirme Redi dans sa charge de médecin principal. Il semble avoir accepté de bonne grâce le surcroît de charges courtisanes qu'entraînait la faveur de ce maître aux vues étroites.

Comme Galilée, Redi eut l'amour des lettres en général et de la langue italienne en particulier. L'illustre savant avait, malgré les critiques, renoncé à l'usage du latin ; il composa, lui aussi, en toscan des œuvres dont certaines furent traduites en latin par la suite. Membre de la *Crusca*, il collabora à la troisième édition du grand dictionnaire de cette Académie. Quelques falsifications dont il se rendit responsable par facétie ou par vanité ne doivent pas nous faire oublier la passion de lexicologue qui anima la plus grande partie de son travail de dépouillement et de correction. Il a communiqué de nombreuses étymologies italiennes à Gilles Ménage, son correspondant parisien, et préparé un petit lexique du parler d'Arezzo, sa ville natale. « Vous y verrez, précise-t-il en linguiste averti, comme les termes les plus désuets restent longtemps familiers dans les villes éloignées de la métropole. » Il est admirable de constater que cet homme qui connaissait l'hébreu et l'arabe (ne l'a-t-on pas chargé de traduire des interrogatoires de prisonniers musulmans ?) en plus des langues classiques et des langues romanes, et qui demandait aux dialectes des indications complémentaires sur l'histoire des mots, avait une méfiance instinctive pour les termes savants qui servent si souvent de masques à la fausse science : son attention aux mots est presque toujours liée à son intérêt pour les choses. Il réussit de la même manière à concilier érudition et liberté d'esprit ; la passion d'humaniste qu'il éprouve pour l'écrit n'aliène jamais son indépendance. L'ami a, en lui, plus de faiblesses. Les louanges hyperboliques qu'il adresse sont bien dans le goût d'un temps où il fallait étonner à tout prix. Mais Redi sacrifie rarement à la préciosité : ses préférences vont à la simplicité et à la clarté, deux qualités qui, jointes à la grâce et à l'esprit, font le charme des poésies sans grande originalité qu'il disait avoir écrites pendant ses déplacements et ses attentes de courtisan et qui lui valurent d'entrer en 1685 à l'*Accademia di Camera* de Christine de Suède, la future *Arcadie*.

En cette même année voyait le jour le dithyrambe *Bacchus en Toscane*. Quelque vingt ans plus tôt, lors d'un joyeux banquet d'académiciens, Francesco s'était livré à une brillante improvisation à la gloire du vin. Ce court poème de circonstance s'est amplifié progressivement au point de compter finalement 980 vers. Redi imagine que Bacchus goûte à tous les crus de Toscane et tient à sa compagne un discours dont l'incohérence augmente en proportion de son ivresse. Les vertiges qui saisissent le dieu ne l'empêchent pas de proclamer roi des vins le Montepulciano ; celui-ci provoque l'effondrement final des satyres dans l'herbe tendre. Chargé d'innombrables allusions personnelles et accompagné de trois cents pages d'annotations pédantes, le *Bacchus* n'en demeure pas mois un chef-d'œuvre de virtuosité technique : il étourdit par la richesse de ses créations verbales et par ses jeux de sonorité, il emporte le lecteur — ou plutôt l'auditeur — dans la sarabande de sa forme métrique en continuelle évolution.

En Redi, l'homme de lettres n'est pas aussi loin qu'il y paraît de l'homme de science. Les cloisons qui compartimentent aujourd'hui le savoir n'existaient pas alors. Même les œuvres scientifiques de Redi sont farcies d'allusions et de citations littéraires. Si l'amour des anciens n'égare pas notre auteur, il n'aborde aucun sujet sans les consulter. Dante, Pétrarque, l'Arioste fournissent l'occasion d'une halte heureuse ; Redi se plaît à retrouver chez eux l'expression poétique d'une opinion ancienne ou d'une croyance populaire qu'il est en train de discuter, ou bien il applique avec un humour facile à une situation très concrète telle ou telle formule célèbre.

Il procède ainsi dès sa première grande œuvre de naturaliste, les *Observations sur les vipères* (1664), où il démontre que le venin de ces serpents n'est dangereux qu'introduit dans le circuit sanguin. À l'agrément d'une vaste culture toujours présente, à la vivacité du récit (que l'on songe à l'intervention du chasseur de vipères qui réduit à néant tant d'autorités scolaires), à la netteté de l'exposition s'ajoute le charme un peu mystérieux des légendes évoquées.

Quelques années plus tard, le savant reprendra ses expériences pour confondre deux chercheurs étrangers qui avaient, assez légèrement, discuté ses affirmations. (*Lettre de F.R. sur quelques objections faites à ses Observations sur les vipères*, 1670).

Entretemps avaient vu le jour ces *Expériences sur la génération des insectes* (1668) qui font date dans l'histoire de la biologie. On croyait alors que la Nature — dont Redi évoque avec une poésie puissante les fabuleuses enfances — avait gardé de son premier âge le pouvoir d'engendrer les insectes. En prévenant toutes les objections possibles et sans se lasser jamais de réexpérimenter avec une rigueur de méthode étonnante pour l'époque, Redi démontre que toute vie procède d'une autre vie.

La lutte contre les superstitions qui dominaient la science officielle prend des formes plus pittoresques dans les *Expériences sur diverses choses de la Nature et particulièrement sur celles qui nous sont rapportées des Indes* (1671). Il y est question d'herbe d'immortalité, de pierres miraculeuses, de cornes d'animaux susceptibles de prendre racine, du sang de certain poisson qui permet de marcher sur les eaux...

Les *Observations sur les animaux vivants qui se trouvent dans les animaux vivants* (1684) constituent le premier traité de parasitologie animale ; comme dans ses autres ouvrages, le naturaliste s'est permis de nombreuses digressions, dont l'une, particulièrement intéressante, concerne le cerveau et la motilité des animaux.

Des rapports d'expériences destinés non à quelques spécialistes mais à toute la République des lettres, et accompagnés d'un examen critique minutieux de la bibliographie des sujets traités, voilà à quoi se ramène l'essentiel de la production de

Francesco Redi. Mais ce savant qui vivait surtout pour la recherche pure a donné également de nombreuses consultations médicales par correspondance ; le recueil publié au siècle suivant ne révèle pas un praticien aussi hardiment novateur que le fut le biologiste, mais il le montre infiniment plus humain qu'on ne l'eût cru. Celui qui sacrifiait des animaux par légions pour observer les effets de la faim sur leur comportement et noter le nombre de jours qu'ils y résistaient avant de mourir apparaît ici capable des attentions les plus délicates. Ses conseils sont surtout d'ordre psychologique : faire confiance au médecin traitant, l'aider en se forçant à la sérénité et à la bonne humeur. Que de fois ne revient-il pas sur le rôle déterminant de la suggestion ! Pour que ses patients se prennent un peu moins au sérieux, eux et leurs maladies, Francesco les plaisante gentiment et ironise sur ses propres infirmités et la faiblesse de sa constitution. Pour le reste, ce qu'il ordonne se ramène souvent à un programme de vie saine assorti d'un régime bien équilibré ; cela suppose déjà chez lui une rare indépendance à l'égard des idées reçues. Redi médecin se méfie des remèdes de son temps, préparations compliquées où entraient un grand nombre de produits savamment choisis.

Les lettres de Redi, enfin, le dépeignent tout entier. Qu'elles défendent une opinion qui lui est chère ou accompagnent un envoi de vins, que le correspondant appartienne au monde scientifique ou à quelque Cour étrangère, le ton reste le même : détendu, élégant et familier à la fois, plein de vivacité et d'esprit. Ici, quelques points remplacent la formule d'affectueuse reconnaissance que Francesco dit n'avoir pu trouver, là il s'interrompt parce qu'un visiteur inattendu s'est présenté chez lui. Les proverbes et, plus généralement, les traits de langue populaire et concrète, fourmillent. Atténués comme il convient, en fonction du genre pratiqué, ces caractères sont ceux de toute l'œuvre de Redi, qui a fait pour la lettre ce que Galilée avait fait pour le dialogue d'exposition scientifique : il lui a rendu sa vigueur et sa pleine justification. Et, juste retour des choses, le genre épistolaire a permis à cet homme consciencieux jusqu'à la minutie d'aérer ses très exactes descriptions d'expériences : les parenthèses qu'il ouvre sont autant de moments d'humour ou de poésie. Pour susciter l'intérêt, il accumule les petits faits vécus, évoque des amis, des personnes rencontrées, des souvenirs de lecture. L'aisance d'un exposé sans prétention ne doit pas nous tromper : elle s'explique par une longue patience. « Le style est l'homme même », dira Buffon, un autre naturaliste ; entendant par là que les écrits scientifiques, qui vieillissent vite, quelle qu'en soit l'originalité, survivent par leur forme.

Il Bacco in Toscana di F. Redi e la poesia ditirambica / Gaetano Imbert. – Città di Castello : Lapi, 1890. – XX-213 p.

Francesco Redi / Massimiliano Cardini. – Firenze : Istituto micrografico italiano, 1914. – 117 p.

La Genèse de la vie. Histoire des idées sur la génération spontanée / Jean Rostand. – Paris : Hachette, 1943. – 203 p. – [Chapitre 2 : *Les mouches de Redi*, pp. 19-29].

Lingua e cultura di F. Redi, medico / Maria Luisa Altieri Biagi. – Firenze : Olschki, 1968. – 116 p.

LETTRES 350

A. Sempoux — 1970

Expérience sur la génération des insectes. — Cette lettre de 1668, qui fait suite à des observations expérimentales, est adressée à Carlo Dati, professeur de lettres grecques et latines à l'université de Florence et secrétaire de l'Académie de la *Crusca*. Dati (1619-1676) s'intéressait, comme Redi, à l'étymologie italienne. Il publia divers écrits scientifiques ainsi que des *Vies de peintres anciens*.

Monsieur[1],

Il ne fait aucun doute que l'Architecte suprême donne les sens à la raison comme autant de fenêtres par lesquelles elle puisse regarder les choses de la nature, ou que celles-ci aient la faculté d'utiliser pour se faire connaître. Mieux même, les sens sont autant de vigies ou d'éclaireurs qui cherchent à découvrir la nature des choses et rapportent leurs observations à la raison ; renseignée par eux, celle-ci forme à propos de chaque objet un jugement d'autant plus clair et assuré que les sens sont plus sains, plus vigoureux et libres de toute entrave. Aussi nous arrive-t-il très souvent de nous approcher ou de nous éloigner de ce que nous observons, d'en modifier la place et l'éclairage et de nous livrer à bien d'autres opérations destinées à satisfaire non seulement la vue, mais encore l'odorat, le goût, l'ouie et le tact ; en sorte qu'il n'est homme d'esprit qui demande à sa raison un jugement sur les choses sensibles en suivant une autre voie que celle — la plus facile et la plus sûre — que ses propres sens ont ouverte et aplanie. C'est pourquoi je donne raison à celui qui a dit que si on offrait le choix à notre nature ou que quelque esprit supérieur cherchât à savoir d'elle si elle préférerait quoi que ce soit à des sens incorrompus et entiers, il ne voyait pas ce qu'elle pouvait demander de mieux. Qui ne comprend combien l'homme, doté d'instruments perfectionnés, se fourvoierait si, dans sa recherche anxieuse de la vérité en fait d'histoire naturelle, il négligeait d'utiliser ses sens en toute clarté et s'il faisait, sur une perception superficielle des siens propres ou sur une relation insincère et partisane de ceux des autres, faire son office à la raison ? Trompée par des sens mal informés, celle-ci pourrait prononcer une sentence précipitée et injuste. Personne n'est aujourd'hui si novice dans les études philosophiques qu'il n'ait pareil avis. La nature même le suggère, et il nous est dicté par ces sages anciens qui poussèrent si loin la réflexion philosophique ; parmi eux,

---

1 L'édition originale porte en exergue un proverbe arabe : *Celui qui fait des expériences accroît le savoir ; celui qui est crédule augmente l'erreur*, et un passage de Pline : *La nature n'est tout entière nulle part davantage que dans les êtres les plus petits. C'est pourquoi je prie les lecteurs, malgré le mépris dans lequel ils tiennent beaucoup d'entre eux, de ne pas condamner déjà avec dédain les faits que je vais rapporter ; dans la contemplation de la nature rien ne peut paraître superflu* (XI, 1).

ce très grand esprit qui a tout connu et qui a su parler à merveille de tout s'exprime ainsi au Chant II du *Paradis* :

Elle sourit un peu, puis elle me dit : « Quoi d'étonnant à ce que les mortels se trompent quand la clé des sens ne leur ouvre pas la porte puisque derrière eux, tu le vois, la raison a les ailes courtes ».[1].

La raison a les ailes courtes quand elle est conduite par les sens ; parce que dans une telle enquête elle ne peut aller au-delà de ce qu'ils apprennent. Et si elle se montre si faible, même avec l'appui des sens, pour pénétrer dans le secret des choses du monde, combien pire sera sa condition quand elle en sera privée ! Si les sens ne préparent pas convenablement le terrain, s'ils n'étudient pas bien le pays, s'ils ne s'informent pas avec soin de tout ce qui se passe dans la nature et s'ils ne tendent pas la main à la raison, quoi d'étonnant à ce qu'elle procède par sauts énormes dans le noir ou se trouve prise dans les lacs des tromperies et les pièges des erreurs ? C'est pourquoi, bien que j'aie poursuivi mes études philosophiques avec plus de ferveur d'âme que de hauteur d'intelligence, j'ai toujours pris toutes les précautions possibles pour que mes yeux, en particulier, aient d'abord pleine satisfaction à la suite d'expériences bien menées et continues, et qu'ils fournissent alors les matériaux au travail de l'esprit. Quoique cette voie ne m'ait conduit à la connaissance parfaite d'aucun objet, elle m'a permis de me rendre compte que j'étais tout à fait ignorant de bien des choses que je croyais savoir ; et quand il m'arrive de découvrir quelque mensonge dans les écrits des anciens ou les croyances des modernes, j'ai besoin du conseil d'amis sages et prudents pour oser en dire un mot, tant me dominent le doute et l'irrésolution.

J'ai récemment fait de nombreuses expériences sur l'origine de ces êtres vivants dont toutes les écoles ont cru jusqu'à ce jour qu'ils s'engendraient au hasard et par leur propre force, sans semence paternelle. Ne me fiant pas à moi-même et voulant toutefois communiquer mes observations à autrui, il m'est venu à l'esprit, cher Monsieur Dati, d'avoir recours à vous qui, dans votre bonté, m'avez accueilli parmi vos amis les plus chers ; à vous, dis-je, en qui tous les savants voient resplendir un savoir souverain qu'affermit la philosophie, et dont l'érudition est telle que notre Toscane qui s'en honore n'envie pas les Varron au Latium et les Plutarque à la Grèce. Je vous prie donc de prendre la peine de lire la présente lettre à vos heures les moins chargées. Donnez-moi votre avis en toute sincérité

---

1 V. 52-7. (Dante vient d'interroger Béatrice à propos des taches de la lune et a évoqué la croyance populaire qui y reconnaît la silhouette de Caïn).

et joignez-y, je vous le demande, ces conseils affectueux et, comme de coutume, pleins de science qui me permettront de supprimer le superflu et d'ajouter le nécessaire ;

Peut-être des études plus diligentes encore me permettront-elles ensuite de rendre ce travail parfait.[1]

Beaucoup ont cru que cette belle partie de l'univers que nous appelons la terre, à peine sortie toute formée de la main du Maître éternel (ou dès qu'elle eut reçu l'existence de quelque manière que de folles imaginations aient pu le concevoir), commença à se revêtir d'une mousse verte très semblable à ce léger duvet et à ce premier poil dont sont recouverts à leur naissance les oiseaux et les quadrupèdes ; et que cette mousse, rendue peu à peu plus vigoureuse par la lumière du soleil et l'aliment maternel, forma en grandissant les herbes et les arbres fruitiers capables de nourrir les animaux que la terre allait produire ensuite. Il en serait sorti de toutes les espèces, de l'éléphant jusqu'aux organismes presque invisibles ; mais la terre ne se serait pas contentée de donner naissance aux animaux non raisonnables et aurait voulu que les hommes eux-mêmes la reconnussent pour mère. Selon Lactance, les stoïciens affirmaient qu'on avait vu naître les hommes dans les montagnes, les collines et les plaines comme nous voyons sortir les champignons. Il est vrai que tous ne partagèrent pas l'opinion selon laquelle les humains surgirent indifféremment sur la terre entière. D'aucuns assignèrent à leur naissance une région déterminée : les Égyptiens, les Éthiopiens et les Phrygiens revendiquaient cette gloire pour leur propre pays, de même que les Arcadiens, les Phéniciens et les habitants de l'Attique. Pour montrer que les premiers hommes étaient nés en Grèce spontanément, comme les cigales naissent de la terre (on le croit encore aujourd'hui), les Athéniens ornaient, on le sait, leurs cheveux d'agrafes d'or en forme de cigales ; Platon, dans le *Ménexène,* et Diogène Laërce, dans le proème des *Vies des philosophes,* accordent eux aussi à la terre grecque l'honneur d'avoir enfanté les premiers hommes. Quoi qu'il en soit, Archélaus, disciple d'Anaxagore, professa qu'un désert ne faisait pas l'affaire et qu'il y fallait un type de terrain non point maigre et sablonneux, mais chaud et vif, apte naturellement à germer et produisant certaine bouillie semblable au lait qui pût, à défaut de celui-ci, offrir aux bêtes et aux hommes le premier aliment.

---

1 L'Arioste, *Orlando Furioso*, III, 4.

Aux premiers jours du monde, ces vivants naissaient — selon Empédocle et Épicure — pêle-mêle, sans ordre et sans loi, des entrailles d'une terre qui n'était pas encore très experte en son métier de mère. Cette étrange opinion fut partagée par de nombreux anciens et, en particulier, par Apollonius de Rhodes qui écrit au quatrième livre des *Argonautiques* :

Les bêtes féroces ne se ressemblaient pas entre elles, ni les hommes entre eux ; tous allaient, avec un assemblage confus de membres, comme les troupeaux vont au pâturage en suivant leur berger ; c'est ainsi que la terre engendra du limon ses premiers habitants aux membres mêlés ajustés entre eux.[1]

En sorte qu'il se voyait parfois des animaux sans bouche et sans bras et d'autres sans yeux et sans jambes. Quelques-uns allaient à tâtons, assemblages étranges de mains et de pieds, privés de ventre comme de tête ; beaucoup naissaient avec une tête d'homme sur un corps de bête ; certains étaient animaux à l'avant et hommes à l'arrière. Et peut-être y avait-il parmi eux des créatures semblables à celles que les poètes ont décrites : le Minotaure de Crète, le Sphinx, la Chimère, les sirènes et le cheval ailé de Persée. Voire à ce fabuleux Atlante de Carène que l'Arioste présente ainsi :

Le destrier n'est pas une fiction, mais un être naturel : une jument l'engendra d'un griffon. De son père il tenait les plumes et les ailes, les pieds de devant, la tête et les griffes, mais pour le reste il était semblable à sa mère. Son nom est : Hippogriffe. [2]

Mais la Nature mère se rendit compte que des ébauches monstrueuses de ce genre n'étaient ni bonnes ni durables ; et comme elle s'était suffisamment fait la main avec elles et avait acquis plus d'habileté, elle produisit ensuite les hommes et les autres animaux, tous parfaits selon leur espèce. Au dire de Démocrite, de petits vers prenaient insensiblement forme humaine ; pour Anaximandre, c'est enfermés dans de grossières enveloppes armées de piquants — analogues peut-être à celles dont le marronnier revêt ses fruits — que les hommes s'échappaient du sein maternel. Épicure et ses disciples voulurent, eux, que les hommes et les autres animaux se fussent tenus dans les entrailles de la terre tout enveloppés dans des tuniques et des membranes qu'ils déchiraient, le terme venu, et dont ils sortaient nus, pour aller au hasard, sans subir les atteintes de la chaleur ni du gel, en puisant chez leur mère les premiers aliments. Celle-ci, après s'être montrée pendant quelque temps féconde en d'aussi merveil-

---

1 V. 672-677.

2 *Orlando Furioso*, IV, 18.

leuses créations, sembla vieillir et s'épuiser. Elle perdit la force de produire les hommes et les grands animaux parfaits ; mais il lui resta assez de vigueur pour donner naissance aux plantes (on suppose qu'elles se formèrent sans semence) et à d'autres petits animaux comme les mouches, les guêpes, les cigales, les araignées, les fourmis, les scorpions et tous les autres insectes terrestres et aériens auxquels les Grecs donnèrent le nom d'*entoma zoa* et les Latins celui *d'insecta animalia.* Sur ce point, toutes les écoles s'accordent, anciennes et modernes ; et les philosophes enseignent qu'elle a continué ensuite à en produire et qu'elle ne cessera de le faire qu'à sa mort. De quelle manière ces insectes naissent-ils ? Comment la vie pénètre-t-elle en eux ? Je ne suis pas d'accord avec la réponse que l'on donne à de telles questions.

Expériences sur la génération des insectes, et autres écrits de science et de littérature / Francesco Redi ; traduction, introduction et notes par André Sempoux. – Louvain : Bibliothèque de l'Université, 1970. – [Pp. 1-5].

LETTRES 351

A. Sempoux — 1970

Les tarets. — Ce remarquable document d'observation qui date de 1682 est adressé au Comte Lorenzo Magalotti, lettré et homme de sciences (1637-1712), confrère de Redi aux Académies du *Cimento* et de la *Crusca*.

Profitant du séjour de la Cour à Livourne, j'ai fait depuis hier quelques petites observations en passant ; vous pourrez en lire ci-dessous le compte rendu, rédigé au fil de la plume et non amélioré. Allons-y. Imaginez que vous avez devant les yeux un fragment de planche appartenant à la partie immergée du bateau. Observez bien sa surface : à première vue, elles vous paraîtra lisse et sans aucune ouverture. Et pourtant, elle est criblée de petits trous presque invisibles par où se sont introduits les tarets peu après leur naissance, quand ils étaient encore minuscules. Le jeune taret s'accroche à la planche et, y forant un petit trou, pénètre progressivement dans l'épaisseur du bois ; il progresse tout d'abord droit devant lui, puis se met de travers et se creuse, dans le sens de la longueur, un habitacle allongé qui a parfois, à l'intérieur du bois, une circonférence telle que mon petit doigt y entrerait aussi facilement que dans le doigt d'un gant ; mais la longueur et la largeur des réduits varient selon la taille des tarets. Ceux-ci peuvent avoir une longueur environ égale à l'épaisseur de douze, dix, huit ou quatre doigts, voire moins, et leur grosseur est en proportion : elle peut dépasser de beaucoup celle de la grande plume de l'aile d'un cygne ou n'atteindre qu'à peine l'épaisseur d'une plume de colombe. Mais ne croyez pas que les tarets soient nus dans leur abri de bois. Non, Monsieur. Ils s'y tiennent enveloppés dans une longue canule de matière croûteuse, d'une vague couleur de rouille et un tantinet plus dure qu'une coquille d'œuf ; cette canule s'adapte si bien à la trace faite dans le bois — sans pour autant y être attachée — qu'elle semble y avoir été coulée d'un seul jet. À l'intérieur, elle est toute lisse, sauf à l'endroit où elle s'amincit, face au petit trou de la planche. Là, quelques saillies circulaires rendent rugueux l'intérieur de la canule. Le taret se tient dans cette enveloppe, à laquelle il n'est pas attaché (sauf, très légèrement, à l'extrémité qui s'amincit vers l'ouverture) allongé et étendu ; mais il se raccourcit et se blottit à sa guise. Représentez-vous donc le taret comme un ver, de la grosseur d'une plume de cygne et long comme l'épaisseur de dix ou douze doigts ; une extrémité mince, se présente à l'ouverture de la planche tandis que l'autre, plus grosse, se trouve au fond de l'habitacle creusé dans le bois. L'extrémité mince porte, accrochées extérieurement sur la peau, deux plumes ou palettes osseuses qui ont la forme des palettes d'un jeu de balle. Elles ont deux offices : d'une part, le taret s'en sert pour tenir ouvert ou fermé le trou extérieur de la planche, afin que l'eau de la mer y pénètre ou pas, suivant la nécessité ; d'autre part, elles couvrent l'extrémité la plus mince du taret, qui est fourchue (chaque fourchon est ouvert à sa pointe et percé d'un canal ; par l'un d'eux, le taret se libère des excréments de couleur noire de son intestin, par l'autre il prend l'eau de mer dans laquelle ses viscères trempent comme dans une flaque). Ici, je dois ajouter que j'ai vu des palettes osseuses de trois types, ou plutôt de trois formes différentes ; mais je ne sais pas encore si ces variations servent à la distinction des sexes ou correspondent à des différences de races. L'autre extrémité, la plus grosse, est armée de deux os concaves ; pour vous représenter leur forme, pensez à une de ces bourguignottes de fer que portent les soldats à cheval, et imaginez-la fendue ou divisée en deux, avec un creux en forme de demi-lune sur le haut de chaque partie. Ces deux os très durs ont la couleur de la coquille des escargots communs ; ils possèdent des muscles puissants et sont disposés de telle manière que l'un correspondant à l'autre, ils parviennent à forer ou à percer les planches les plus résistantes et les plus noueuses. Le taret n'a pas d'autre os que ceux des extrémités que je viens de mentionner. Du reste, il s'agit d'un ver long et flasque, beaucoup plus mollasse que n'importe quel lombric et qui se déchire à la moindre traction. Il est blanchâtre, mais près de la plus grosse extrémité se remarque une longue et large tache noire ; ce n'est que la couleur du foie, transparaissant sous une peau très mince et diaphane : si diaphane, en vérité, qu'elle permet de voir l'estomac, le canal des intestins, le cœur et un long corps blanc, juteux et glanduleux, qui, à mon avis, doit être l'un des organes servant à l'œuvre de la génération, encore que je n'aie pu jusqu'ici découvrir s'il y avait une différence quelconque entre les organes des mâles et ceux des femelles. Pour le moment, je n'ai rien à ajouter à ce compte rendu sec et ennuyeux, si ce n'est un détail fort étonnant. En dépit du nombre élevé des tarets qui nichent dans une planche, occupés à ronger le bois et à agrandir leur habitacle à mesure que leur taille augmente, il n'arrive jamais, ou alors très rarement, que les traces ou galeries de deux tarets se rencontrent : entre l'une et l'autre subsiste toujours une lamelle de bois, mince ou épaisse, et ceci quel que soit le nombre des tarets ; j'ai observé le fait sur plusieurs planches, dont l'une en particulier hébergeait certainement plus de quatre cents tarets, grands et petits. Il ne conviendrait pas, selon moi, de faire faire à ces bestioles le métier de contre-mineurs en temps de guerre : elles ne se rencontreraient jamais pour éventer les mines ou emporter les barils de poudre que l'ennemi a placés sous terre. Mais trêve de plaisanteries : voici le meilleur ! Et si vous m'avez écouté jusqu'ici sans prêter trop d'attention à mes paroles, suivez-moi bien désormais. Aucun fruit de mer, ni le couteau, ni la grande coque, ni le ricardeau, ni la praire, ni la palourde, ni l'huître, n'a une saveur aussi délicate, aussi fine, aussi parfumée que ces tarets, qu'on les mange cuits ou crus. Si je n'avais découvert que cela, c'en serait assez pour rendre mon nom immortel — surtout si revenaient à la vie les Sardanapale et autres princes de cet acabit. Passons à autre chose. Les nombreuses occupations qui me lient cette année font que j'ai oublié de composer des vers : je me trouve d'une sécheresse d'âme et de corps indicible. Pourtant, alors que je me rendais seul de Pise à Livourne, en litière, un sonnet m'est venu ; si en le lisant vous vous exclamez : « Allons donc ! », je l'aurai mérité. Vous ne diriez pas : « Allons donc ! », si vous goûtiez de bon appétit la saveur exquise des tarets.

Expériences sur la génération des insectes, et autres écrits de science et de littérature / Francesco Redi ; traduction, introduction et notes par André Sempoux. – Louvain : Bibliothèque de l'Université, 1970. – [Pp. 108-110].

RACINE

FRANÇAIS • LATIN **1639-1699**

Orphelin dès le bas âge, élevé dans l'esprit de Port-Royal où sa grand-mère se retire avec lui et où sa tante est religieuse, Jean Racine y devient l'élève des Messieurs jansénistes. Sur l'enfant, sur le jeune homme, les zélateurs du Dieu caché ne pouvaient avoir une emprise plus forte, moins austère toutefois qu'on ne l'a dite et savamment tutélaire. C'est à leurs Petites Écoles qu'il doit la base de cette formation classique si utile à son art.

Mais de l'emprise à l'empreinte, bien des déviations sont possibles. Après la parenthèse d'Uzès, où le jeune Racine brigue un bénéfice auprès de l'oncle Sconin (1662), avec le triste épisode des lettres dites des « Imaginaires » (1665) où il s'en prend à ses anciens maîtres, c'est la rupture avec le milieu nourricier, le temps du moins de réussir au théâtre et à la cour, où quelques poésies mondaines lui ont ouvert la faveur du roi, une « carrière » (R. Picard) fort rapide d'auteur tragique et de courtisan. De 1664 à 1677, neuf tragédies profanes se succèdent. Après *La Thébaïde* et *Alexandre*, honorable début, se pressent *Andromaque*, l'unique comédie des *Plaideurs*, *Britannicus*, *Bérénice*, *Bajazet*, *Mithridate*, *Iphigénie* et *Phèdre*, autant de perles du collier. Faut-il à nouveau parler de parenthèse ? Notre Racine a duré dix ans.

Après quoi, il s'occupe : poésies, livrets de divertissements musicaux, rééditions de ses œuvres complètes (1687, 1697). Mais surtout il a été, avec Boileau, chargé de l'historiographie du roi — promotion et lourde tâche, dont presque rien ne nous est parvenu. Le silence de Racine après *Phèdre* peut n'être dû qu'à cela, mais le psychocritique l'attribue à l'aggravation d'un mal d'être dont l'écriture tragique avait été jusque-là l'« autothérapie » (Ch. Mauron). La concurrence de la *Phèdre* de Pradon, la querelle mesquine qui a suivi ont pu y contribuer. Racine toutefois n'est abandonné ni du public, ni du roi. On continue de jouer ses œuvres. Quand, au procès de la Voisin (1679), l'empoisonneuse l'accuse du meurtre de la comédienne Du Parc, autrefois sa maîtresse, l'affaire reste sans suites. On peut comprendre et pour une part déplorer que le poète célèbre son royal protecteur, au lendemain de quelques victoires militaires, par une *Idylle sur la paix* (1685).

Il faudra l'instance de Mme de Maintenon, soucieuse d'édifier ses demoiselles de Saint-Cyr en leur faisant jouer des tragédies bibliques, pour qu'*Esther* (1689) et *Athalie* (1690) s'ajoutent tardivement à la série tragique. La première fit grand bruit. Aujourd'hui seule compte la seconde, qui détourna la commanditaire de continuer l'expérience. Quoi qu'en dise la préface de *Phèdre*, Racine à la scène n'est pas édifiant. Il l'est pourtant dans ses poésies religieuses, *Hymnes*, *Cantiques spirituels*, une *Ode*, voire même dans ces *Odes* sur les jardins du monastère ou dans son *Abrégé de l'histoire de Port-Royal*. Car il s'est rapproché, peu à peu, et discrètement, de ses premiers maîtres.

En somme, une œuvre mince. Avec les poésies de jeunesse, françaises ou latines, la poésie de cour, quelques épigrammes, une *Alceste* projetée au temps d'*Iphigénie* et dont on ne sait rien, ni si elle exista vraiment, ni s'il en fit par dévotion l'autodafé, c'est tout Racine, que ses lettres, la plupart postérieures à sa carrière dramatique, ne sauraient prétendre étoffer. Et c'est néanmoins une des œuvres les plus importantes du Grand Siècle.

On a dit que Racine, le bon élève, n'avait fait que porter à la perfection un modèle façonné par d'autres : cette tragédie classique en vers et verbeuses tirades, respectueuse des bienséances d'alors, soucieuse d'apparente vraisemblance, et qui est alors le « grand genre ». Mais il ne se soumet aux règles des doctes qu'en leur donnant une justification qui lui soit propre, utilisant l'unité de temps, de lieu et d'action à un surcroît d'intensité du conflit. Dans l'univers étroit des royales familles, l'action se resserre, elle n'est plus que la crise dernière d'une situation dès longtemps compromise. En outre le moule hérité s'ouvre çà et là à une intuition du tragique anachronique pour cette littérature de cour, au point que les historiens du siècle hésitent à la reconnaître. Tragique radical, dans ce cas, où l'antique fatalité se confond avec les déchaînements intérieurs. Délivrés du quotidien, comme le genre le demande, mais livrés d'autant plus à leurs passions, des héros sans héroïsme, solitaires par nature, monologuent devant des sourds. Leur lucidité n'éclaire pas, leur virulence est destructrice.

L'art racinien est néanmoins construction, maîtrise de l'expression versifiée. Un verbe épuré, frôlant l'abstrait, où l'héritage précieux masque l'irrationnel à l'œuvre et la primitivité de la violence sous-jacente, emprunte à la rhétorique de l'éloquence. Les mots du dépouillement, çà et là, n'en ressortent que mieux. Du « dramatique » de l'action au « pathétique » du dénouement (E. Vinaver), la progression équilibrée des actes donne à chaque pièce une perfection de « cérémonie » (J. Scherer). Mais c'est un cérémonial de mort, expression spectaculaire de la catastrophe intérieure, où transparaît une crise de civilisation : la « démolition du héros » (P. Bénichou).

Racine, toutefois, n'est un que dans les mouvements de son évolution, laquelle conjugue aspects anecdotiques et profondeurs. Romains et historiques, les sujets traités rivalisent avec le grand prédécesseur, Corneille ; orientaux, ils concèdent à une mode, mais où s'aiguise la cruauté ; dans ces deux cas, il arrive que le tragique soit dominé. Grecs et mythiques, ouverts à cette mythologie que le siècle n'autorise qu'à titre d'ornement et d'imitation de l'antique, ils se prêtent au contraire à compromettre le sacré dans une projection anthropomorphique qui fait brutalement défaut à qui s'y fie.

Divers structuralismes, après 1950, ont volontiers superposé à l'œuvre de Racine, pour l'unifier, des modèles d'ordre sémiotique, psychanalytique ou sociologique. Mais en tracer l'« itinéraire poétique » (M. Gutwirth), à la fois « diversité et unité » (A. Niderst), pour y analyser « l'évolution du tragique » (J. Rohou) a rencontré davantage la spécificité de son écriture.

La Carrière de Jean Racine / Raymond Picard. – Paris : Gallimard, 1961. – 719 p.

Jean Racine : un itinéraire poétique / Marcel Gutwirth. – Montréal : Presses de l'Université, 1970. – 178 p.

Racine / édité par Wolfgang Theile. – Darmstadt : Wissenschaftliche Buchgesellschaft, 1976. – 452 p.

Racine et / ou la cérémonie / Jacques Scherer. – Paris : Presses Universitaires de France, 1982. – 237 p.

L'Évolution du tragique racinien / Jean Rohou. – Paris : SEDES, 1991. – 386 p.

Parole, personnage et référence dans le théâtre de Racine / Christian Surber. – Genève : Droz, 1992. – 255 p.

Jean Racine entre sa carrière, son œuvre et son Dieu / Jean Rohou. – Paris : Fayard, 1992. – 484 p.

Racine aux miroirs / Jean Dubu. – Paris : SEDES, 1992. – 561 p.

ANDROMAQUE 352

La dernière entrevue (Acte IV, scène V, v. 1275-1386). — Pyrrhus, le vainqueur de Troie, a décidé d'épouser Andromaque, sa captive, et de protéger son fils. Il bafoue ainsi tous les Grecs, qui réclamaient l'enfant, et surtout Hermione, venue en Épire pour l'épouser. Il lui rend néanmoins une dernière visite.

PYRRHUS

Vous ne m'attendiez pas, Madame ; et je vois bien
Que mon abord ici trouble votre entretien.
Je ne viens point, armé d'un indigne artifice,
D'un voile d'équité couvrir mon injustice :
Il suffit que mon cœur me condamne tout bas ;
Et je soutiendrais mal ce que je ne crois pas.
J'épouse une Troyenne. Oui, Madame, et j'avoue
Que je vous ai promis la foi que je lui voue.
Un autre vous dirait que dans les champs troyens
Nos deux pères sans nous formèrent ces liens,
Et que sans consulter ni mon choix ni le vôtre,
Nous fûmes sans amour engagés l'un à l'autre ;
Mais c'est assez pour moi que je me sois soumis.
Par mes ambassadeurs mon cœur vous fut promis ;
Loin de les révoquer, je voulus y souscrire.
Je vous vis avec eux arriver en Épire ;
Et quoique d'un autre œil l'éclat victorieux
Eût déjà prévenu le pouvoir de vos yeux,
Je ne m'arrêtai point à cette ardeur nouvelle :
Je voulus m'obstiner à vous être fidèle,
Je vous reçus en reine ; et jusques à ce jour
J'ai cru que mes serments me tiendraient lieu d'amour.
Mais cet amour l'emporte, et par un coup funeste
Andromaque m'arrache un cœur qu'elle déteste.
L'un par l'autre entraînés, nous courons à l'autel
Nous jurer, malgré nous, un amour immortel.
Après cela, Madame, éclatez contre un traître,
Qui l'est avec douleur, et qui pourtant veut l'être.
Pour moi, loin de contraindre un si juste courroux,
Il me soulagera peut-être autant que vous.
Donnez-moi tous les noms destinés aux parjures :
Je crains votre silence, et non pas vos injures ;
Et mon cœur, soulevant mille secrets témoins,
M'en dira d'autant plus que vous m'en direz moins.

HERMIONE

Seigneur, dans cet aveu dépouillé d'artifice,
J'aime à voir que du moins vous vous rendiez justice,
Et que voulant bien rompre un nœud si solennel,
Vous vous abandonniez au crime en criminel.
Est-il juste, après tout, qu'un conquérant s'abaisse
Sous la servile loi de garder sa promesse ?
Non, non, la perfidie a de quoi vous tenter ;
Et vous ne me cherchez que pour vous en vanter.
Quoi ? sans que ni serment ni devoir vous retienne,
Rechercher une Grecque, amant d'une Troyenne ?
Me quitter, me reprendre, et retourner encor
De la fille d'Hélène à la veuve d'Hector ?
Couronner tour à tour l'esclave et la princesse ;
Immoler Troie aux Grecs, au fils d'Hercule la Grèce ?
Tout cela part d'un cœur toujours maître de soi,
D'un héros qui n'est point esclave de sa foi.
Pour plaire à votre épouse, il vous faudrait peut-être
Prodiguer les doux noms de parjure et de traître.
Vous veniez de mon front observer la pâleur,
Pour aller dans ses bras rire de ma douleur.
Pleurante après son char vous voulez qu'on me voie ;
Mais, Seigneur, en un jour ce serait trop de joie ;
Et sans chercher ailleurs des titres empruntés,
Ne vous suffit-il pas de ceux que vous portez ?
Du vieux père d'Hector la valeur abattue
Aux pieds de sa famille expirante à sa vue,
Tandis que dans son sein votre bras enfoncé
Cherche un reste de sang que l'âge avait glacé ;
Dans des ruisseaux de sang Troie ardente plongée ;
De votre propre main Polyxène égorgée
Aux yeux de tous les Grecs indignés contre vous :
Que peut-on refuser à ces généreux coups ?

PYRRHUS

Madame, je sais trop à quels excès de rage
La vengeance d'Hélène emporta mon courage.
Je puis me plaindre à vous du sang que j'ai versé ;
Mais enfin je consens d'oublier le passé.
Je rends grâces au ciel que votre indifférence

De mes heureux soupirs m'apprenne l'innocence.
Mon cœur, je le vois bien, trop prompt à se gêner,
Devait mieux vous connaître et mieux s'examiner.
Mes remords vous faisaient une injure mortelle ;
Il faut se croire aimé pour se croire infidèle.
Vous ne prétendiez point m'arrêter dans vos fers :
J'ai craint de vous trahir, peut-être je vous sers.
Nos cœurs n'étaient point faits dépendants l'un de l'autre ;
Je suivais mon devoir, et vous cédiez au vôtre.
Rien ne vous engageait à m'aimer en effet.

HERMIONE

Je ne t'ai point aimé, cruel ? Qu'ai-je donc fait ?
J'ai dédaigné pour toi les vœux de tous nos princes,
Je t'ai cherché moi-même au fond de tes provinces ;
J'y suis encor, malgré tes infidélités,
Et malgré tous mes Grecs honteux de mes bontés.
Je leur ai commandé de cacher mon injure ;
J'attendais en secret le retour d'un parjure ;
J'ai cru que tôt ou tard, à ton devoir rendu,
Tu me rapporterais un cœur qui m'était dû.
Je t'aimais inconstant, qu'aurais-je fait fidèle ?
Et même en ce moment où ta bouche cruelle
Vient si tranquillement m'annoncer le trépas,
Ingrat, je doute encor si je ne t'aime pas.
Mais, Seigneur, s'il le faut, si le ciel en colère
Réserve à d'autres yeux la gloire de vous plaire,
Achevez votre hymen, j'y consens. Mais du moins
Ne forcez pas mes yeux d'en être les témoins.
Pour la dernière fois je vous parle peut-être :
Différez-le d'un jour ; demain vous serez maître.
Vous ne répondez point ? Perfide, je le voi,
Tu comptes les moments que tu perds avec moi !
Ton cœur, impatient de revoir ta Troyenne,
Ne souffre qu'à regret qu'un autre t'entretienne.
Tu lui parles du cœur, tu la cherches des yeux.
Je ne te retiens plus, sauve-toi de ces lieux :
Va lui jurer la foi que tu m'avais jurée,
Va profaner des Dieux la majesté sacrée.
Ces Dieux, ces justes Dieux n'auront pas oublié
Que les mêmes serments avec moi t'ont lié.

Porte aux pieds des autels ce cœur qui m'abandonne ;
Va, cours. Mais crains encor d'y trouver Hermione.

Œuvres complètes : I. Théâtre, poésies / Racine ; présentation, notes et commentaires par Raymond Picard. – 1re édition, 1950. – Paris : Gallimard, 1990. – (*Bibliothèque de la Pléiade* ; 1). – [Pp. 307-310].

BRITANNICUS 353

Monstre naissant amoureux de l'innocence (Acte II, scène II, v. 385-406). — Pour la soustraire à Britannicus, Néron, le « monstre naissant » (R. Picard), vient de faire enlever Junie. Il raconte à Narcisse cette première rencontre.

NERON

Excité d'un desir curieux
Cette nuit je l'ai vûe arriver en ces lieux,
Triste, levant au Ciel ses yeux mouillez de larmes,
Qui brilloient au travers des flambeaux & des armes.
Belle, sans ornemens, dans le simple appareil
D'une Beauté qu'on vient d'arracher au sommeil.
Que veux-tu ? Je ne sai si cette negligence,
Les ombres, les flambeaux, les cris, & le silence,
Et le farouche aspect de ses fiers ravisseurs
Relevoient de ses yeux les timides douceurs.
Quoi qu'il en soit, ravi d'une si belle vûë,
J'ai voulu lui parler & ma voix s'est perduë ;
Immobile, saisi d'un long étonnement
Je l'ai laissé passer dans son appartement.
J'ai passé dans le mien. C'est là que solitaire
De son image en vain j'ai voulu me distraire.
Trop presente à mes yeux je croiois lui parler.
J'aimois jusqu'à ses pleurs que je faisois couler.
Quelquefois, mais trop tard, je lui demandois grace.
J'emploiois les soûpirs, & même la menace.
Voilà comme occupé de mon nouvel amour
Mes yeux sans se fermer ont attendu le jour.

Œuvres / de Racine. – Nouvelle Edition revûe, corrigee & augmentée. – A Amsterdam : Chez Henri Schelte, 1709. – [Tome premier, pp. 27-28].

BÉRÉNICE 354

« *Malgré lui, malgré elle* » (Acte IV, scène V, v. 1062-1117). — Ils s'aiment. Mais à Rome, un empereur ne peut épouser une reine. Titus renvoie Bérénice « malgré lui et malgré elle » (c'est l'*invitus invitam* de Suétone). Tragédie faite de rien, sinon des atermoiements de ce renvoi, que Titus vient d'annoncer à Bérénice.

BÉRÉNICE

Ah cruel ! Est-il temps de me le déclarer ?
Qu'avez-vous fait ? Hélas ! je me suis crue aimée.
Au plaisir de vous voir mon âme accoutumée
Ne vit plus que pour vous. Ignoriez-vous vos lois,
Quand je vous l'avouai pour la première fois ?
À quel excès d'amour m'avez-vous amenée !
Que ne me disiez-vous : « Princesse infortunée,
Où vas-tu t'engager, et quel est ton espoir ?
Ne donne point un cœur qu'on ne peut recevoir. »
Ne l'avez-vous reçu, cruel, que pour le rendre,
Quand de vos seules mains ce cœur voudrait dépendre ?
Tout l'Empire a vingt fois conspiré contre nous.
Il était temps encor : que ne me quittiez-vous ?
Mille raisons alors consolaient ma misère :
Je pouvais de ma mort accuser votre père,
Le peuple, le sénat tout l'empire romain,
Tout l'univers, plutôt qu'une si chère main.
Leur haine, dès longtemps contre moi déclarée,
M'avait à mon malheur dès longtemps préparée.
Je n'aurais pas, Seigneur, reçu ce coup cruel
Dans le temps que j'espère un bonheur immortel,
Quand votre heureux amour peut tout ce qu'il désire,
Lorsque Rome se tait, quand votre père expire,
Lorsque tout l'univers fléchit à vos genoux,
Enfin quand je n'ai plus à redouter que vous.

TITUS

Et c'est moi seul aussi qui pouvais me détruire.
Je pouvais vivre alors et me laisser séduire.
Mon cœur se gardait bien d'aller dans l'avenir
Chercher ce qui pouvait un jour nous désunir.
Je voulais qu'à mes yeux rien ne fût invincible,
Je n'examinais rien, j'espérais l'impossible.
Que sais-je ? j'espérais de mourir à vos yeux,

Avant que d'en venir à ces cruels adieux.
Les obstacles semblaient renouveler ma flamme.
Tout l'Empire parlait ; mais la gloire, Madame,
Ne s'était point encor fait entendre à mon cœur
Du ton dont elle parle au cœur d'un Empereur.
Je sais tous les tourments où ce dessein me livre ;
Je sens bien que sans vous je ne saurais plus vivre,
Que mon cœur de moi-même est prêt à s'éloigner ;
Mais il ne s'agit plus de vivre, il faut régner.

BÉRÉNICE

Hé bien ! régnez, cruel ; contentez votre gloire :
Je ne dispute plus. J'attendais, pour vous croire,
Que cette même bouche, après mille serments
D'un amour qui devait unir tous nos moments,
Cette bouche, à mes yeux s'avouant infidèle,
M'ordonnât elle-même une absence éternelle.
Moi-même j'ai voulu vous entendre en ce lieu.
Je n'écoute plus rien ; et pour jamais, adieu.
Pour jamais ! Ah ! Seigneur, songez-vous en vous-même
Combien ce mot cruel est affreux quand on aime ?
Dans un mois, dans un an, comment souffrirons-nous,
Seigneur, que tant de mers me séparent de vous ?
Que le jour recommence et que le jour finisse,
Sans que jamais Titus puisse voir Bérénice,
Sans que de tout le jour je puisse voir Titus !

Œuvres complètes : I. Théâtre, poésies / Racine ; présentation, notes et commentaires par Raymond Picard. – 1re édition, 1950. – Paris : Gallimard, 1990. – (*Bibliothèque de la Pléiade* ; 1). – [Pp. 523-524].

BAJAZET 355

La jalousie de la sultane (Acte III, scène VII, v. 1065-1096). — Le sultan a laissé à sa favorite la surveillance de ce frère que le trône pourrait tenter. Mais Roxane aime Bajazet. Quand l'ordre vient de le faire mourir, elle le couronnerait si, le surprenant auprès d'Atalide, un soupçon ne s'éveillait.

ROXANE, *seule*.

De tout ce que je voy que faut-il que je pense ?
Tous deux à me tromper sont-ils d'intelligence ?

Pourquoy ce changement, ce discours, ce départ ?
N'ay-je pas mesme entre eux surpris quelque regard ?
Bajazet interdit ! Atalide étonnée !
O Ciel ! A cet affront m'auriez-vous condamnée ?
De mon aveugle amour seroient-ce là les fruits ?
Tant de jours douloureux, tant d'inquietes nuits,
Mes brigues, mes complots, ma trahison fatale,
N'aurois-je tout tenté que pour une Rivale !
Mais peut-estre qu'aussi trop promte à m'affliger
J'observe de trop prés un chagrin passager.
J'impute à son amour l'effet de son caprice.
N'eust-il pas jusqu'au bout conduit son artifice ?
Prest à voir le succés de son déguisement,
Quoy ne pouvoit-il pas feindre encore un moment ?
Non, non, rassurons-nous. Trop d'amour m'intimide.
Et pourquoy dans son cœur redouter Atalide ?
Quel seroit son dessein ? Qu'a-t-elle fait pour luy ?
Qui de nous deux enfin le couronne aujourd'huy ?
Mais helas ! De l'amour ignorons-nous l'empire ?
Si par quelque autre charme Atalide l'attire,
Qu'importe qu'il nous doive, & le Sceptre, & le jour ?
Les bienfaits dans un cœur balancent-ils l'amour ?
Et sans chercher plus loin, quand l'Ingrat me sceut plaire,
Ay-je mieux reconnu les bontez de son Frere ?
Ah ! si d'une autre chaisne il n'estoit point lié,
L'offre de mon hymen l'eust-il tant effrayé ?
N'eust-il pas sans regret secondé mon envie ?
L'eust-il refusé mesme aux despens de sa vie ?
Que de justes raisons… Mais qui vient me parler ?
Que veut-on ?

Bajazet : tragédie / Par Mr de Racine. – A Paris : s.n., 1690. – [Pp. 52-53].

IPHIGÉNIE 356

Le message de l'aube (Acte I, scène I, v. 1-12). — La bonace empêche la flotte grecque de partir vers Troie. Pour libérer les vents, les dieux exigent le sacrifice d'Iphigénie. Agamemnon dépêche Arcas à la rencontre de sa fille, pour l'empêcher de venir.

AGAMEMNON.

Ouy, c'est Agamemnon, c'est ton Roy qui t'eveille.
Vien, reconnoy la voix qui frappe ton oreille.

ARCAS.

C'est vous-mesme, Seigneur ! Quel important besoin
Vous a fait devancer l'Aurore de si loin ?
A peine un foible jour vous éclaire & me guide.
Vos yeux seuls & les miens sont ouverts dans l'Aulide.
Avez-vous dans les airs entendu quelque bruit ?
Les Vents nous auroient-ils exaucez cette nuit ?
Mais tout dort ; & l'Armée, & les vents, & Neptune.

AGAMEMNON.

Heureux ! qui satisfait de son humble fortune,
Libre du joug superbe où je suis attaché,
Vit dans l'estat obscur où les Dieux l'ont caché.

Iphigénie : tragédie / Par Mr de Racine. – A Amsterdam : Chez Antoine Schelte, 1698. – [Pp. 13-14].

PHÈDRE 357

Les détours de la passion (Acte II, scène V, v. 634-711). — Au labyrinthe de Crète, Thésée a tué le Minotaure. Le fil d'Ariane lui a permis d'en ressortir. Mais c'est Phèdre qu'il a ramenée en Grèce. Et les années ont passé. Phèdre s'interdit en vain d'aimer Hippolyte, le fils du premier lit. Mais on annonce la mort du roi. Forcée de revoir son beau-fils, elle montre un trouble qu'il attribue à son amour pour Thésée.

PHEDRE

Oui, Prince, je languis, je brûle pour Thesée.
Je l'aime, non point tel que l'ont vû les Enfers,
Volage adorateur de mille objets divers,
Qui va du Dieu des Morts deshonorer la couche ;
Mais fidelle, mais fier, & même un peu farouche,
Charmant, jeune, traînant tous les cœurs après soi,
Tel qu'on dépeint nos Dieux, ou tel que je vous voi.

Il avoit vôtre port, vos yeux, vôtre langage.
Cette noble pudeur coloroit son visage,
Lors que de nôtre Crete il traversa les flots,
Digne sujet des vœux des Filles de Minos.
Que faisiez-vous alors : Pourquoi sans Hippolyte
Des Heros de la Grece assembla-t-il l'élite ?
Pourquoi trop jeune encor ne pûtes-vous alors
Entrer dans le Vaisseau qui le mit sur nos bords ?
Par vous auroit peri le Monstre de la Crete
Malgré tous les détours de sa vaste retraite.
Pour en développer l'embarras incertain
Ma Sœur du fil fatal eût armé vôtre main.
Mais non, dans ce dessein je l'aurois devancée.
L'Amour m'en eût d'abord inspiré la pensée.
C'est moi, Prince, c'est moi dont l'utile secours
Vous eût du Labyrinthe enseigné les détours.
Que de soins m'eût coûté cette Tête charmante !
Un fil n'eût point assez rassuré vôtre Amante.
Compagne du peril qu'il vous falloit chercher,
Moi-même devant vous j'aurois voulu marcher ;
Et Phedre au Labyrinthe avec vous descendue,
Se seroit avec vous retrouvée, ou perdue.

HIPPOLYTE

Dieux ! Qu'est-ce que j'entens ? Madame, oubliez-vous
Que Thesée est mon Pere, & qu'il est vôtre Epoux ?

PHEDRE

Et sur quoi jugez-vous que j'en perds la memoire,
Prince ? Aurois-je perdu tout le soin de ma gloire ?

HIPPOLYTE

Madame, pardonnez. J'avoue en rougissant,
Que j'accusois à tort un discours innocent.
Ma honte ne peut plus soûtenir votre vûe.
Et je vais...

PHEDRE

Ah ! cruel, tu m'as trop entendue.
Je t'en ai dit assez pour te tirer d'erreur.
Hé bien, connois donc Phedre & toute sa fureur.
J'aime. Ne pense pas qu'au moment que je t'aime,
Innocente à mes yeux je m'approuve moi-même,

Ni que du fol amour qui trouble ma Raison
Ma lâche complaisance ait nourri le poison.
Objet infortuné des vengeances celestes,
Je m'abhorre encor plus que tu ne me detestes.
Les Dieux m'en sont témoins, ces Dieux qui dans mon flanc
Ont allumé le feu fatal à tout mon sang ;
Ces Dieux qui se sont fait une gloire cruelle
De séduire le cœur d'une foible Mortelle.
Toi-même en ton esprit rappelle le passé.
C'est peu de t'avoir fui, Cruel, je t'ai chassé.
J'ai voulu te paroître odieuse, inhumaine.
Pour mieux te resister, j'ai recherché ta haine.
De quoi m'ont profité mes inutiles soins ?
Tu me haïssois plus, je ne t'aimois pas moins.
Tes malheurs te prêtoient encor de nouveaux charmes.
J'ai langui, j'ai seché, dans les feux, dans les larmes.
Il suffit de tes yeux pour t'en persuader,
Si tes yeux un moment pouvoient me regarder.
Que dis-je ? Cet aveu que je te viens de faire,
Cet aveu si honteux, le crois-tu volontaire ?
Tremblante pour un Fils que je n'osois trahir,
Je te venois prier de ne le point haïr.
Foibles projets d'un cœur trop plein de ce qu'il aime !
Helas ! je ne t'ai pû parler que de toi-même.
Vange-toi, puni-moi d'un odieux amour.
Digne Fils du Heros qui t'a donné le jour,
Delivre l'Univers d'un Monstre qui t'irrite.
La Veuve de Thesée ose aimer Hippolyte ?
Croi-moi, ce Monstre affreux ne doit point t'échaper.
Voilà mon cœur. C'est là que ta main doit frapper.
Impatient déja d'expier son offense
Au devant de ton bras je le sens qui s'avance.
Frappe. Ou si tu le crois indigne de tes coups,
Si ta haine m'envie un supplice si doux,
Ou si d'un sang trop vil ta main seroit trempée,
Au défaut de ton bras prête moi ton épée.
Donne.

Œuvres / de Racine. – Nouvelle Edition revûe, corrigée & augmentée. – A Amsterdam : Chez Henri Schelte, 1709. – [Tome second, pp. 34-37].

ATHALIE 358

Un songe prémonitoire (Acte II, scène V, v. 490-506). — Pour que la lignée d'Achab règne, Athalie, fille de Jézabel, a fait exterminer la descendance de David. Mais le grand-prêtre a sauvé Joas, fils d'Ochosias. Un rêve avertit Athalie.

ATHALIE

[...]
C'était pendant l'horreur d'une profonde nuit.
Ma mère Jézabel devant moi s'est montrée,
Comme au jour de sa mort pompeusement parée.
Ses malheurs n'avaient point abattu sa fierté ;
Même elle avait encor cet éclat emprunté
Dont elle eut soin de peindre et d'orner son visage,
Pour réparer des ans l'irréparable outrage.
Tremble, m'a-t-elle dit, *fille digne de moi.*
Le cruel Dieu des Juifs l'emporte aussi sur toi.
Je te plains de tomber dans ses mains redoutables,
Ma fille. En achevant ces mots épouvantables,
Son ombre vers mon lit a paru se baisser ;
Et moi, je lui tendais les mains pour l'embrasser.
Mais je n'ai plus trouvé qu'un horrible mélange
D'os et de chair meurtris, et traînés dans la fange,
Des lambeaux pleins de sang, et des membres affreux,
Que des chiens dévorants se disputaient entre eux.

Œuvres complètes : I. Théâtre, poésies / Racine ; présentation, notes et commentaires par Raymond Picard. – 1re édition, 1950. – Paris : Gallimard, 1990. – (*Bibliothèque de la Pléiade* ; 1). – [Pp. 910-911].

ATHALIE 359

Inexorable Providence (Acte V, scène VI, v. 1768-1790). — À la suite de ce rêve, Athalie s'est introduite dans le Temple, elle a vu l'enfant, qui ajoute à son trouble. Mais le grand-prêtre l'attire dans un guet-apens. Se voyant perdue, elle prophétise à son tour.

ATHALIE

Dieu des Juifs, tu l'emportes !
Oui, c'est Joas, je cherche en vain à me tromper.
Je reconnois l'endroit où je le fis frapper ;

Je vois d'Ochosias et le port et le geste :
Tout me retrace enfin un sang que je déteste.
David, David triomphe ; Achab seul est détruit.
Impitoyable Dieu, toi seul as tout conduit.
C'est toi qui me flattant d'une vengeance aisée,
M'as vingt fois en un jour à moi-même opposée,
Tantôt pour un enfant excitant mes remords,
Tantôt m'éblouissant de tes riches trésors,
Que j'ai craint de livrer aux flammes, au pillage.
Qu'il règne donc ce fils, ton soin et ton ouvrage ;
Et que pour signaler son empire nouveau,
On lui fasse en mon sein enfoncer le couteau.
Voici ce qu'en mourant lui souhaite sa mère.
Que dis-je, souhaiter ? je me flatte, j'espère
Qu'indocile à ton joug, fatigué de ta loi,
Fidèle au sang d'Achab, qu'il a reçu de moi,
Conforme à son aïeul, à son père semblable,
On verra de David l'héritier détestable
Abolir tes honneurs, profaner ton autel,
Et venger Athalie, Achab et Jézabel.

Œuvres complètes : I. Théâtre, poésies / Racine ; présentation, notes et commentaires par Raymond Picard. – 1re édition, 1950. – Paris : Gallimard, 1990. – (*Bibliothèque de la Pléiade* ; 1). – [Pp. 959-960].

KOCHOWSKI

LATIN • POLONAIS **1633-1700**

Wespazjan Kochowski est né à Gaj, un petit village des environs de Sandomierz. Étudiant à l'université de Cracovie, il y aurait fréquenté l'Académie et aurait écrit un éloge de l'Alma Mater. Pendant quelque dix ans à partir de 1651, il est sur les champs de bataille, où il chevauche notamment contre les Suédois et les Cosaques. Il se retire ensuite à la campagne et s'installe, en 1663, dans le village de Goleniowy. Il participe de temps à autre à la vie politique et se trouve ainsi aux côtés du prince Jerzy Lubomirski, dont il louera les vertus dans un poème, en 1668, au cours du conflit qui oppose ce dernier au roi Jean-Casimir. Dès le début, Kochowski rédige ses œuvres en latin et en polonais.

Poète religieux, dans un registre familier parfois, il est l'auteur du *Rosaire de la Sainte Vierge Marie* (1668) suivi, en 1681, du *Jardin de la Vierge* et du *Christ douloureux*.

Mêlé d'éléments religieux, *Laborieuse paresse* (1674), le recueil poétique le plus important de Kochowski, est cependant d'un lyrisme profane et épigrammatique typique de la mentalité polonaise de l'époque. Si Kochowski s'y fait le chantre des sanctuaires consacrés à la Vierge, spécialement de Studzianna (entre la Vistule et la Pilica), qu'il place aussitôt après Czestochowa, c'est qu'il entend d'abord célébrer cette région des montagnes de Swietokrzyskie (Stefan Zeromski fera de même au début du XXe siècle). Poète de la nature, passé maître dans l'art de la métaphore et le rendu des couleurs, cet éminent représentant du baroque sarmate surpasse, sur ce point, Jean Kochanowski, le plus grand poète polonais de la Renaissance. Versificateur fécond, Kochowski a aussi fait l'éloge de divers hommes célèbres, écrivains et savants surtout, notamment son contemporain Samuel Twardowski, le « Virgile polonais » auteur du poème épique *La Guerre civile avec les Cosaques, les Tatars, les Moscovites et les Suédois*.

Sous le règne de Jean III Sobieski, Kochowski devient historiographe du roi et rédige, en latin, *Annalium poloniæ ab obitu Vladislai IV Climacteres* (1663-1698) dont chaque partie couvre une période de sept ans (*Climacter I*, 1648-1654) ; *II*, 1655-1661 ; *III*, 1662-1668). De la quatrième partie (*Climacter IV*), inachevée, n'existe qu'une brève version, en polonais, couvrant les années 1668-1673. C'est l'époque que présentera Henryk Sienkiewicz dans sa trilogie *Par le fer et par le feu ; Le Déluge ; Pan Michaël, Messire Volodyovski*, où de nombreux personnages des chroniques de Kochowski paraîtront.

Dans son poème intitulé *Une œuvre divine ou les chants de Vienne sauvée* (1684), Kochowski célèbre la plus grande victoire obtenue par les Polonais au XVIIe siècle : celle de Vienne en 1683. Pour ce poème inachevé dont seul le premier chant fut publié, Kochowski s'est inspiré de la *Jérusalem délivrée* du Tasse, que Piotr Kochanowski avait traduite en polonais en 1618, ce qui y explique le recours à l'octosyllabe.

Dix ans plus tard, Vespasien Kochowski publie une *Psalmodie polonaise*, émouvante paraphrase de trente-six psaumes. Œuvre la plus éminente du messianisme polonais avant Mickiewicz, ces poèmes en prose, très rares au XVIIe siècle, sont une sorte de confession où le poète présente la victoire comme l'œuvre de Dieu.

Histoire de la littérature polonaise / Gzeslaw Milosz ; trad. par André Kozimor. – Paris : Fayard, 1986. – 794 p.
Wespazjan Kochowski / Jerzy Starnawski. – Wroclaw, 1988. – [Pp. 57-60].

LABORIEUSE PARESSE 360

W. Roszczynowa — 1993

Offrande de la poésie polonaise à la Sainte Vierge Marie (Livre II, chant I).

Je vous salue, Vierge, courrier divin,
Aurore matinale avant le soleil ;
Je dépose mes vers à vos pieds,
Capitale de la sagesse.

Je ne veux ni de Castalia[1], ni d'Hippocrène[2] ;
Épigramme à Pégase[3] et aux neuf Camènes[4] ;
De cette source vient ma Muse
Puisant lettre par lettre,
Comme l'eau de la fontaine,
Pour créer mon idée.

Qu'un autre gagne pour sa tête
Une couronne de laurier superbe,
Je n'ai pas besoin de cet arbre,
Je n'attends pas les faveurs
Qui se fanent vite.

J'ai assez de tout, ou je ne suis pas digne,
Si ton regard doux, ô Mère,
Vient vers moi, même dans le cercueil,
J'aurai le teint vivant
Et je vaincrai la mort trompeuse.

Nous pourrions mesurer tes bienfaits,
Quand tu les distribues :
Plus un homme est petit, plus il est aimé,

---

1 Fontaine de Delphes consacrée aux Muses. (N.d.t.)

2 Fontaine « du cheval » jaillissant des flancs de l'Hélicon. (N.d.t.)

3 Cheval ailé qui d'un coup de pied fit sortir de l'Hélicon la fontaine d'Hippocrène où les poètes allaient puiser l'inpiration. (N.d.t.)

4 Divinités protégeant les sources, assimilées ensuite aux Muses romaines. (N.d.t.)

Mais les arrogants — ressens du mépris,
Vierge — sont tous à ta merci.

Le richard devient miséreux, le pauvre riche,
De ta grâce divine arrive la chance du bonheur,
Le rassasié demande à manger,
Le riche malveillant désire boire pour se rafraîchir,
Pauvre dans son abondance.

Et moi le misérable, maigrichon éternel,
De tous tes serviteurs, ô Vierge, je suis le dernier,
Je sais qu'en ce temps,
À cause de mes crimes,
Je suis indigne, Mère, à tes yeux.

Ton œil charitable regarde ses serviteurs fidèles
Avec bienveillance.
Il n'attriste pas, il ne rejette pas,
Ni le bon, ni le mauvais.
Il console chacun d'en haut.

Qui fut plus grand ignorant que moi ?
Et pourtant mes œuvres ont paru imprimées,
Et aujourd'hui elles veulent, par ta grâce,
Sortir plus vite — pour s'exposer à la vue publique.

Tu as donné la parole aux miséreux, ô Mère !
Grâce à toi ma plume est au travail,
Alors, ces dons comme une offrande
Mon cœur te les apporte, et mon luth t'adore
Éternellement.

Je mets cette rime médiocre à tes pieds,
Ne la méprise pas, ô Mère, malgré la pauvreté
de mon idée !
Le serviteur offre à sa Patronne, à sa Tutrice,
Un don convenable, selon ses moyens.

Pour ta dignité, ô Vierge, je suis prêt
Non seulement à écrire mais aussi à te défendre.
Dans cet espoir, je verse mon sang,
Et je crois que tu ne m'abandonneras jamais.

Traduction inédite.

LABORIEUSE PARESSE 361

W. Roszczynowa — 1993

Le vert (Livre III, chant XII).

Vient le Mai joyeux
Les vergers et les bois verdissent
Le printemps gronde l'hiver paresseux,
Et répand le vert dans les mains.
  Les beaux colchiques fleurissent,
  Le monde entier a changé,
  Flore, la patronne des jardins,
  Fait des miracles devant les yeux étonnés des gens.
Regarde comme le platane hautain
S'est couvert de feuillage touffu,
L'amant de Phébus en laurier
A tout le vêtement qu'il lui faut.
  Le pommier est emprisonné
  Dans ses propres branches.
  Les feuilles épaisses se pressent
  Sur les citrons, les poires et les cerises.
Et les plantes, poussant plus bas,
Ne peuvent pas voir le sommet des arbres d'en bas.
En même temps les saules, accusés de stérilité,
Verdissent avant les autres.
Alors, je leur vole leurs branches nouvelles,
Et je les envoie à Marinette.
Qu'elle joue avec la verdure
Et fasse un pari convenable.
  Ce jeu a un règlement :
  Celui chez qui se fane la branche, ou qui la perd,
  Ou encore, celui qui l'échange contre autre chose,
  Doit payer le pari à forfait.
Donc moi, je mets ma chaîne d'or
ciselée en petits grains,
Ce n'est pas un collier de pierres précieuses,
Ni ma fortune mise en gage.
  Et ma demoiselle va s'offrir
  Elle-même, non un minerai précieux.
  Le pari de sa propre personne
  Est plus cher que l'or hongrois de la meilleure qualité.
Elle prend la loi et les branches,

Elle les lie avec des rubans,
Elle les introduit dans un étui de cuir
Pour ne pas leur permettre de se faner.
Ces feuilles lui sont agréables,
Elle les cache, elle dort avec, elle se promène aussi.
Regarde ce qu'elle fait avec ce bois !
Et comme je la suis depuis longtemps,
Je veux la surprendre dans ce jeu.
Il m'est arrivé de la trouver tôt le matin,
Quand elle dormait.
— Bonjour Mademoiselle, et le vert ?
Elle frotte ses yeux fatigués encore par le sommeil
Et comme c'est encore l'aube, elle ne voit pas très bien.
Elle touche le drap autour d'elle.
Et moi de nouveau : Marinette, et le vert ?
En vain tu me le demandes : je l'ai perdu !
Elle a tout avoué ensuite
Et, comme gage, j'ai eu sa faveur.

Traduction inédite.

PSALMODIE POLONAISE 362

J. Grosjean — 1981

Chant de grâces pour la Victoire de Vienne (Psaume XXVI).

Dieu, ce qu'entendaient nos oreilles, ce que nous racontaient nos pères, voici que ton peuple l'a vu de ses yeux et il est consolé.

Ce que de leur temps ta force avait accompli contre Pharaon[1], ta main toujours puissante et merveilleuse l'a fait de nouveau.

Ta main terrible a réduit les nations en poussière. L'orgueil d'Assur s'est enfui dans la honte, lui dont le cœur impudent venait nous perdre[2].

Avec lui s'est enfui à tire-d'aile Édom le gras[3]. Pris d'épouvante, ils couraient tous deux plus agiles que les flots agiles du Danube.

Le Parthe à l'arrière ne s'est pas retourné pour un suprême combat, ni le Musulman n'a plus osé se dire enfant du Seigneur.

1 Exode 5-14.

2 Paraphrase de Ps. 43/44, 3.

3 Habitant du pays d'Édom, au bord de la Mer Morte.

Le soleil en se levant contemplait leur orgueil, le même soleil à son coucher a vu leur défaite et leur honte.

La lune a rougi de son croissant. Elle s'est voilée de peur de luire sur la nuit de la déroute.

Leur faux prophète n'a pu remédier à leur effroi. Les ablutions n'ont pu laver de leurs péchés les impies.

Ils gisaient à travers champs comme taureaux gras à l'abattoir et le vainqueur, par pitié, recouvrit de terre les charognes immondes.

On laissa la vie aux captifs. On remit, refroidie, au fourreau l'épée de la victoire.

Notre Seigneur Dieu, ton décret a fait merveille : les ravageurs ont été ravagés.

Ceux qui venaient priver de pain les pauvres n'ont plus eu de pain, le faible a pris le butin du fort.

Ce fut peu de trois jours pour pareille récolte. Ce fut peu des guerriers pour ramasser de pareilles dépouilles, enfants et manants y vinrent.

Les pavillons d'orgueil que Tyr ou Sidon avaient tissés d'or n'étaient plus que huttes de jardin dans un champ de concombres[1].

Leurs chevaux, le vainqueur les monte. Leurs lances, on les a brisées sur leur dos. Le poursuivant a criblé de mitraille les fuyards.

Ils ont péri vêtus de pourpre leurs princes qui disaient : Nous prendrons la terre chrétienne.

Le vizir a péri en hongre, étranglé par la corde[2]. Et Jaël lui a vite planté le clou dans la tempe, lui qui jetait bas les temples du Seigneur[3].

Ils ont eu le même sort que Madian[4] et que le roi Jabin au torrent de Cison[5].

Tu les as renversés Seigneur, comme une roue qui se couche, et le vent les a emportés comme une paille.

La rougeur de la honte sur leur face est un embrasement de forêt que rien n'apaise.

Qu'ils connaissent que ton nom est seul Seigneur, ô Éternel, car tu te montras grandement grand quand tu jetas à la mer le cheval et le cavalier.

---

1 Paraphrase de Ps. 78/79/,1.

2 Il s'agit de Kara Mustafa, étranglé par l'ordre du Sultan.

3 Jaël est la juive qui a planté un clou dans la tempe de Sizar. Cf. Juges 4, 15-22.

4 Ils furent vaincus par le juge israélien Gédéon.

5 C'est au bord de la rivière Cison que Sizar, commandant de l'armée de Jabin, fut battu. Cf. Juges 4, 7-15.

Tel est le Seigneur que nous venons adorer, le Dieu de nos pères que nous glorifierons.

L'Éternel est homme de guerre et son nom est victorieux. Devant lui les armées et les chars de Pharaon s'engloutissent dans la mer des Roseaux[1].

Ta droite, Seigneur, a combattu pour nous. Ta main, Très-Haut, a vaincu l'adversaire. Ô Tout-Puissant, ta force a foudroyé nos ennemis.

Qui est comme toi, Seigneur, parmi les Puissances ? aussi puissant dans sa force, aussi terrible, aussi glorieux dans ses merveilles ?

Non pas à nous, peuple obscur, mais à ton saint nom qui fait merveille, soient la gloire, l'action de grâces et l'honneur à jamais dans les siècles. Amen[2].

Anthologie de la poésie polonaise (1400-1980) / Constantin Jelenski ; nouvelle édition, réalisée en collaboration avec Zofia Bobowicz. – Lausanne ; l'Âge d'homme, 1981. – [Pp. 82-84].

1 Exode 15, 1-11.
2 Paraphrase de Ps. 113/114, 2.

DRYDEN

ANGLAIS **1631-1700**

John Dryden, qui repose à l'abbaye de Westminster entre Chaucer et Abraham Cowley, dans le *Poets' Corner*, est traditionnellement présenté comme la plus grande figure littéraire de la *Restauration*, ces décennies politiquement troublées (1660-1770) qui suivirent la restauration de la monarchie et de l'Église anglicane, à partir du retour de France de Charles II. Beaucoup d'historiens, d'ailleurs, appellent cette période *the Age of Dryden*.

Issu d'une famille de gentilshommes campagnards de petite fortune, sympathique aux Puritains et anti-royaliste, John Dryden bénéficie d'une excellente éducation. Il a à peine 11 ans lorsque la guerre civile éclate (1642). Admis à la fameuse Westminster School de Londres vers 1644, il y rencontre John Locke et y reçoit une instruction brillante, principalement classique. En 1650, il entre à Trinity College, à Cambridge, et y obtient son diplôme de Bachelier-ès-Arts (1654). On sait peu de choses sur les années qui suivent, jusqu'à la restauration de Charles II.

Bien que son premier poème majeur, *Stances héroïques* (1659), soit dédié à la mémoire de Cromwell, Dryden donne, en 1660, *Astrea Redux*, 150 distiques en l'honneur du retour de Charles II et, un an plus tard, un panégyrique (*To his Sacred Majesty*) à l'occasion du couronnement du roi. Fidèle à Charles II comme, plus tard, à son successeur catholique, Jacques II, il est nommé, à la mort de Sir William Davenant (1668), historiographe du roi et poète lauréat, deux fonctions généreusement rétribuées. Bien qu'il ait défendu la *via media* de l'Église anglicane dans un poème antérieur (*Religio Laici*, 1682), Dryden et ses deux fils se convertissent au catholicisme peu après le couronnement de Jacques II. Dans le poème allégorique *La Biche et la panthère* (1687), il prend la défense de l'Église catholique persécutée. Cela, entre autres, explique qu'il ait été taxé d'opportunisme, mais il semble que l'accueil qu'il réserva à Jacques II et sa conversion au catholicisme ont été le résultat d'une profonde réflexion et de convictions sincères. Ainsi, lorsqu'en 1688, Jacques II est déposé et remplacé par sa fille protestante Mary et son époux Guillaume d'Orange (*La Glorieuse ou Pacifique Révolution*) Dryden reste fidèle à ses convictions, une fidélité qui lui coûte, notamment, la perte de ses deux fonctions royales.

La plupart des poèmes non-dramatiques que Dryden donna au cours de sa carrière sont des poèmes de circonstance célébrant des événements publics : un couronnement, une victoire militaire, un décès ou une crise politique. Le fameux long « poème historique » *Annus Mirabilis* (1667) célèbre ainsi la victoire navale anglaise sur les Hollandais, ainsi que la force morale du roi et des Londoniens pendant le grand incendie de Londres, deux événements de cette « année prodigieuse ».

Entre 1664 et 1681, Dryden se concentre sur le théâtre, qui sortait d'une longue éclipse imposée par les Puritains. La création d'un nouveau répertoire s'imposait pour répondre aux attentes d'un public distingué issu de la Cour et des classes élevées. Pour plaire, Dryden écrit, dans un style rhétorique souvent ampoulé, des pièces héroïques, tragédies artificielles et spectaculaires, souvent fondées sur le conflit entre amour et honneur, comme *L'Empereur indien* (1665), *La Conquête de Grenade* (1670) et *Aureng-Zebe* (1675). Il s'essaye également à l'opéra et crée des comédies à l'intrigue élaborée, aux dialogues spirituels et suffisamment licencieux pour plaire. Sa meilleure pièce, *Tout pour l'amour*, est une tragédie basée sur *Antoine et Cléopâtre* de Shakespeare mais récrite selon les canons néo-classiques. Il adaptera encore deux pièces de Shakespeare, *La Tempête* (1667) et *Troïlus et Cressida* (1679). Au total, il laisse près de trente pièces.

De 1678 à 1681, Dryden s'est adonné avec talent à la satire en vers : son chef-d'œuvre dans le genre, *Absalon et Achitophel* (1681), l'a engagé dans l'arène politique, assez logiquement pour un poète lauréat dans le camp du roi contre les Whigs, plus particulièrement le comte de Shaftesbury. Il y reviendra encore en 1682 avec *Mac Flecknoe*, où il ridiculise son rival Thomas Shadwell.

Après la glorieuse révolution de 1688, la perte de ses deux fonctions force Dryden à reprendre sa carrière théâtrale. En même temps, pour gagner sa vie, il se tourne vers l'art, politiquement neutre, de la traduction : Juvénal, Perse, Horace, Lucrèce, Théocrite, Homère et Virgile, dont la traduction des *Œuvres* a fait date dans l'histoire de la traduction anglaise. L'année de sa mort parurent ses *Fables*, traductions en vers de Chaucer, Boccace et Ovide, dont la préface reste l'un de ses textes critiques les plus fameux. Sa réputation de père de la critique anglaise remonte toutefois à un texte bien plus ancien, *Essay of Dramatic Poesy* (1668), un dialogue en prose qui met en scène différents points de vue sur les mérites respectifs des théâtres anglais et français et défend une position modérément néo-classique. Dans ces textes s'impose une prose non-fictionnelle d'une grande clarté, marquée par l'aisance naturelle et une élégance simple.

Sa réputation ne faiblit pas après sa mort. Même la réaction romantique ne fut jamais aussi virulente contre lui que contre Alexandre Pope. Mais bien que de nos jours son génie littéraire soit presque universellement reconnu, il reste plus étudié que lu ou mis en scène.

Dryden : the Critical Heritage / edited by James and Helen. – London : Routledge & Kegan Paul, 1971. – X-414 p. – (*The Critical Heritage Series*).

Science et poésie de Dryden à Pope / Guy Laprevotte. – Université de Paris III-Université de Lille III : Service de reproduction des thèses, 1981. – III-763 p.

L'Influence française et le rôle de Dryden dans l'évolution des idées générales et de la rhétorique en Occident / Virginia M. Shaddy. – Lille : Atelier National de reproduction des Thèses, 1983. – 1008 p.

P. Danchin, "À propos de l'*All for Love* de John Dryden". – In : *XVIIe-XVIIIe : Bulletin de la Société d'Études anglo-américaines du XVIIe et XVIIIe siècles*, 21 (1985), pp. 109-116.

Dryden in Revolutionary England / David Bywaters. – Berkeley : University of California Press, 1991. – XIII-196 p.

When Beauty Fires the Blood : Love and the Arts in the Age of Dryden / James Anderson Winn. – Ann Arbor (Mich.) : University of Michigan Press, 1992. – XVIII-474 p.

TOUT POUR L'AMOUR 363

A.-Fr. Prévost — 1784

Des adieux trop faibles (Acte II, scène 6). — Bien que passé maître dans l'art du couplet héroïque (pentamètre iambique, rimant par paire), Dryden utilise dans cette adaptation libre d'*Antoine et Cléopâtre* de Shakespeare le vers blanc (non rimé) de façon très efficace. C'est la pièce la plus connue et la plus jouée de Dryden ; elle se concentre sur les dernières heures de la vie du héros et de l'héroïne. Contrairement à la pièce de Shakespeare, c'est un exemple de tragédie néo-classique. Dans ce fragment, encouragé par Ventidius qui l'exhorte à rejoindre douze légions prêtes à se battre pour lui, mais non pour Cléopâtre, Antoine se résout à quitter la reine et se laisse gagner par la raison que défend son conseiller. Il affronte cependant Cléopâtre pour lui faire ses adieux. mais le faible Antoine, qui ne cesse de reporter sur autrui sa propre responsabilité, soutenu seulement par la force de Ventidius, se laisse bien vite attendrir et regagner par l'amour.

ANTOINE

Vous êtes satisfaite, madame, je ne suis pas parti sans vous voir.

CLÉOPATRE

Hélas ! est-ce nous voir, que de nous séparer au même moment ?

ANTOINE

Il le faut.

CLÉOPATRE

Qui l'ordonne, seigneur ?

ANTOINE

La rigueur de nos propres destins.

CLÉOPATRE

C'est nous qui les faisons nous-mêmes.

ANTOINE

Il est vrai ; nos malheurs sont notre ouvrage. Nous nous sommes aimés mutuellement pour notre ruine commune.

CLÉOPATRE

Les dieux ont vu mon bonheur avec des yeux d'envie. Je n'ai plus d'amis au ciel, & toute la terre est armée contre mon amour. Vous-même, seigneur, vous vous joignez à ceux qui me haïssent. Vous avez pris parti contre moi.

ANTOINE

Je veux justifier ma conduite aux yeux de la postérité. Ecoutez-moi, si je m'écarte de la vérité, reprochez-le moi hardiment ; mais si je ne dis rien qui ne soit certain, je vous demande de ne pas m'interrompre.

CLÉOPATRE

J'entends vos ordres, seigneur, vous serez obéi.

VENTIDIUS[1], *à part*

Ce début me satisfait assez ; il prend un ton d'autorité.

ANTOINE

Que ma ruine vienne de vous seule.

CLÉOPATRE

O justes dieux ! je cause votre ruine !

ANTOINE

Vous m'avez promis de garder le silence, & vous commencez à le rompre avant que j'aie parlé.

CLÉOPATRE

Eh bien ! vous serez obéi.

ANTOINE

C'est en Egypte que je vous ai vue pour la première fois. Vous m'inspirâtes de l'amour avant que César vous eût connue ; mais vous étiez trop jeune encore pour vous en appercevoir. Si je rétablis votre père sur le trône, ce fut pour l'amour de vous. César parut, vint ravir le fruit avant sa maturité. Il étoit mon maître, & d'ailleurs trop grand pour craindre un rival. Mais quoiqu'il vous ait enlevée à mes désirs, je vous ai méritée le premier. Lorsque je vous vis ensuite en Cilicie, vous étiez l'ennemie de Rome ; je vous pardonnai.

CLÉOPATRE

Je prouvai mon innocence.

ANTOINE

Vous oubliez encore votre promesse. Je vous aimai plus que jamais, j'acceptai vos foibles excuses. Je vous pris dans mon sein toute souillée par César, & diminuée de la moitié de votre prix. Je me rendis en Egypte avec vous, & je m'y dérobai aux yeux de l'univers. J'écartai de ma vue des nations entières, qui étoient empressées de me voir, pour me livrer au plaisir de vous posséder sans partage.

VENTIDIUS, *à part*

Oui, tout cela est certain, confessez-le à votre honte.

---

1 Général de Marc-Antoine.

ANTOINE

Pour témoins de la violence de mon amour, je n'appelle que les jours & les nuits employés dans mes transports, & les heures qui sembloient n'être occupées qu'à compter les degrés de ma passion. Un jour passoit, & n'avoit vu que de l'amour ; il en venoit un autre, qui ne voyoit point autre chose. Le soleil se lassoit peut-être de voir toujours la même constance, & je ne me lassois pas d'aimer. Je vous voyois chaque jour, & pendant toute la durée du jour, & chaque jour me paroissoit semblable au premier, tant je trouvois sans cesse de plaisir à vous voir.

VENTIDIUS

Tout cela n'est que trop vrai.

ANTOINE

Fulvie, mon épouse, en conçut une mortelle jalousie. Direz-vous qu'elle fut injuste ? Elle fit naître la guerre en Italie, pour me donner occasion de quitter l'Afrique.

VENTIDIUS

Oui, & vous n'en fûtes pas plus disposé à la quitter.

ANTOINE

Pendant que je languissois dans vos bras, l'univers s'est échappé peu à peu de mes mains. Il ne me reste pas aujourd'hui de quoi en remplir une. Voilà les obligations que j'ai à votre amour

VENTIDIUS, *à part*

Bon ; ce dernier trait me charme.

CLÉOPATRE, *éplorée*

M'est-il permis de parler ?

ANTOINE

Oui, si je vous ai fait un seul reproche qui ne soit pas juste ; autrement non. Votre silence marque que la vérité vous confond. Fulvie mourut. Dieux ! Pardonnez-moi sa mort ; car c'est ma dureté qui lui ôta la vie ; elle mourut pour rendre la paix à l'univers. Je pris Octavie sœur de César ; je l'épousai dans la fleur de sa jeunesse & de sa beauté, & je ne puis condamner son ressentiment, puisque c'est faire le dernier outrage à une femme, que de l'abandonner pour une autre. Vous m'appelâtes : ô foiblesse ! l'amour me fit ouvrir l'oreille à cette voix fatale. Je revins me précipiter dans vos bras. Voilà l'origine de la guerre ; vous seule en êtes la cause. Je voulois combattre par terre, où j'étois beaucoup plus fort : vous

vous y opposâtes ; & quand j'ai combattu par mer, vous m'avez abandonné dans la chaleur de l'action. Que dis-je ; j'ai fui moi-même. O honte éternelle ! J'ai su que je fuyois ; mais je n'ai fui que pour vous suivre.

VENTIDIUS

Souvenez-vous, seigneur, que pour tendre seulement ses voiles de pourpre, & donner un air de magnificence à sa suite, elle nous débaucha la moitié de nos gens.

ANTOINE

Je vous rappelle tous les maux que vous m'avez causés ; voulez-vous donc les augmenter encore, & mettre le comble à mon infortune & à mon désespoir ? Cet honnête homme, mon meilleur, mon seul ami, s'est efforcé de rassembler les débris de ma fortune. Il ne me reste que douze légions, qui brûlent de répandre leur sang pour ma querelle. Votre curiosité a trouvé le moyen de pénétrer mon dessein, & vous me ramenez vos yeux pour le rompre & pour achever de me perdre. Si vous avez quelque chose à répondre, parlez à présent, je vous donne une entière liberté.

ALEXAS[1], *à part*

Elle paroît confondue ; le désespoir est dans ses yeux.

VENTIDIUS

Allons, madame, jetez quelques soupirs sur son chemin pour l'arrêter. Donnez-lui une larme pour ses douze légions ; je suis trompé, s'il ne vous les vend à ce prix.

CLÉOPATRE

Que dirai-je pour ma défense, lorsque je suis déjà condamnée par mon juge ? Prendrai-je pour avocat l'amour que vous m'avez porté ? Il est aujourd'hui contre moi ; il cherche à me détruire. Car tout ce qu'on peut attendre de plus favorable d'un amour passé, c'est qu'il soit oublié ; mais il arrive bien plus souvent qu'il se change en haine. Puisqu'il plaît donc à mon maître de me perdre, je veux lui paroître coupable. Mais, seigneur, (pardonnez l'abondance de mes larmes) l'aurois-je jamais cru que vous eussiez un jour pris plaisir à faire la recherche de mes fautes, & à prendre avantage des moindres choses pour m'ôter cruellement la vie ? Parlez, cruel Antoine ; car je m'arrête ici. Quand j'aurois mérité ce traitement, étoit-ce de vous que je devois l'attendre ?

---

1 Eunuque de Cléopâtre.

ANTOINE, *embarrassé*

Au reste, vous me feriez tort, si vous m'accusiez d'avoir cherché des prétextes pour vous quitter, ou d'avoir voulu vous charger plus qu'il n'étoit nécessaire pour me purger moi-même, & pour justifier mon départ.

CLÉOPATRE

Je vous remercie, seigneur, de cette favorable explication ; & puisque vous ne serez point offensé de mon innocence, je ne rougirai point de vous la faire connoître.

VENTIDIUS

Après cette hardiesse, je ne vois plus rien dont elle puisse rougir.

CLÉOPATRE

Vous paroissez fâché, & cette colère est obligeante. Que César ait obtenu mon premier amour quoique vous le méritassiez beaucoup mieux, j'en suis bien plus fâchée que vous, seigneur ; car si vous l'aviez eu, vous m'auriez épargné un second choix. Je n'aurois pas été à César, & je n'aurois jamais été qu'à vous ; mais César, dites-vous, a possédé le premier mon cœur. Que vous êtes loin de la vérité, seigneur ; il a possédé ma personne, & vous mon amour. César m'a aimée ; mais j'ai aimé Antoine. Si je l'ai souffert, c'est que je me suis cru obligée à ce sacrifice pour le plus redouté de tous les hommes ; & moitié contrainte, je lui ai cédé, comme à un tyran, ce qu'il auroit emporté par la force.

VENTIDIUS

O Syrène, Syrène ! Mais supposons que tout l'amour dont elle se vante pour vous, soit sincère, est-il moins vrai qu'elle est la cause de votre ruine ? C'est à ce repproche qu'il faut qu'elle réponde nettement.

CLÉOPATRE

Dans quelle justice peut-on me charger des conséquences ; mais je défie Ventidius, lui, mon plus grand ennemi, de soutenir que j'y aye eu part, ou que je les aye prévues. Il est vrai que je vous ai aimé, & que j'ai causé votre séparation d'avec une femme chagrine & incommode ; car telle étoit Fulvie. Vous avez quitté ensuite Octavie pour l'amour de moi ; mais pouvez-vous me blâmer d'avoir été sensible au sacrifice que vous faisiez d'elle à mes foibles charmes ? Combien de fois ai-je souhaité qu'un autre César, aussi grand que le premier, & aussi jeune que le second, vînt m'offrir son cœur, pour vous le sacrifier à mon tour ?

VENTIDIUS

Chimères, chimères. Mais Actium, seigneur, n'oubliez pas Actium.

CLÉOPATRE

Eh bien, là même, j'ose défier sa malice. Je confesse que je vous ai conseillé de combattre sur mer ; mais je ne vous ai point trahi : j'ai fui ; mais c'étoit la crainte qui m'avoit troublée. Que n'étois-je homme ! On m'auroit envié votre amitié, comme on m'envie aujourd'hui votre amour.

ANTOINE

Nous sommes malheureux l'un & l'autre, & n'y eut-il point d'autre raison que notre mauvaise fortune, il faut nous séparer. Dites, madame, voudriez-vous rendre ma ruine certaine, en m'arrêtant ici ?

CLÉOPATRE

Si c'est comme un ami que vous me demandez mon sentiment, partez : si c'est mon amant qui m'interroge, demeurez. S'il faut périr, horrible pensée ! nous périrons ; mais ne me quittez pas.

VENTIDIUS

L'entendez-vous, seigneur, voyez les effets de cet amour si vanté. Elle ne cherche qu'à vous entraîner dans le précipice avec elle ; mais si elle pouvoit échapper sans vous, vous la verriez bientôt vous quitter, sans tourner la tête derrière elle.

CLÉOPATRE

Jugez donc de mon amour par ce témoignage. (*Elle donne une lettre à Antoine.*) Si je pouvois supporter sans vous ou la vie ou la mort, ou le bonheur ou la misère, on m'en offre les moyens.

ANTOINE

Par Hercules, c'est l'écriture d'Octave. Je ne connois que trop cette main souillée par ses proscriptions, qui, toute jeune qu'elle étoit, conduisoit sans trembler la mienne, & ne me laissoit que le second rang pour le meurtre. Lis, lis, Ventidius. Il lui offre l'Egypte, & il y joint la Syrie, comme un présent, si elle veut renoncer à mes intérêts, & joindre ses armes aux siennes.

CLÉOPATRE

Et vous m'abandonnez ! Vous doutez de mon amour !... Antoine, je vous aime. J'ai rejeté l'offre d'un royaume ; c'est un sacrifice si léger, que je ne le fais pas valoir ; mais je suis résolue de ne pas vivre un moment, s'il faut vous perdre. Oh ! permettez-moi de mourir avec vous. Est-ce vous demander plus que vous ne devez m'accorder ?

ANTOINE, *d'un ton passionné*

Mourir avec vous, c'est tout ce que le ciel peut accorder dans sa bonté, après le bonheur d'y vivre.

ALEXAS, *à part*

Il s'attendrit ; notre cause est gagnée.

CLÉOPATRE

Non, seigneur, vous partirez ; votre intérêt vous appelle. Ces malheureuses mains sont trop foibles pour vous retenir. (*Elle le prend par les mains.*) Partez, guerrier, car vous avez renoncé au titre d'amant. Laissez-moi mourante ; repoussez-moi de votre sein, pâle & sans force, telle que vos duretés m'ont rendue. Vous n'aurez pas été longtems en marche, que vous entendrez vos soldats crier joyeusement l'un à l'autre : elle est morte. Peut-être vous échappera-t-il alors un soupir ; mais Ventidius sera près de vous pour vous faire honte de votre pitié, & vous serez bientôt aussi tranquille, que si la malheureuse Cléopatre n'avoit jamais vécu.

ANTOINE

Dieux ! c'est trop ; c'est plus que le cœur d'un homme n'est capable de supporter.

CLÉOPATRE

Eh ! quelle raison reste-t-il de vivre à une femme misérable & abandonnée ? Laissez-moi rendre ici le dernier soupir à vos yeux. Ne m'enviez pas le seul moment dont j'ai besoin pour expirer. Je le hâterai autant qu'il m'est possible, & ma mort finira toutes vos peines.

ANTOINE

Vous, mourir à mes yeux ! je périrois plutôt mille fois. Je laisserois périr toute la nature, & tomber le ciel pour écraser la terre. Ah ! ma reine ! mon âme ! (*Il l'embrasse.*)

VENTIDIUS

O ! comble de honte. Qu'est-ce donc que votre puéril amour, en comparaison de votre fortune, de votre gloire, de votre réputation ?

ANTOINE

Tu le demandes, Ventidius ? Apprends qu'il surpasse tout. Va, nous avons fait plus aujourd'hui que de vaincre César. Non seulement ma reine est innocente, mais elle m'aime. Diras-tu à présent que c'est elle qui cause ma ruine, & que si elle pouvoit se sauver sans moi, elle ne tourneroit pas la tête derrière elle ? A genoux, blasphémateur. Demande pardon à l'innocence outragée.

Tout pour l'amour et le monde bien perdu, ou la mort d'Antoine et de Cléopatre, tragédie / Traduite de l'Anglois de Dryden ; par l'abbé Prévost. – In : *Œuvres choisies* / Abbé Antoine-François Prévost. – Amsterdam : 1784. – [Tome XXXIII, pp. 59-72].

L'ANNÉE DES PRODIGES 364

P. Legouis — 1960

Le roi et l'incendie de Londres (strophes 226-243). — Ce poème, paru en 1667, décrit la guerre hollandaise (1665-1666) et le grand incendie de Londres (1666) qui dura quatre jours et détruisit 13 000 maisons. L'extrait présente le roi Charles II comme un monarque noble et compatissant, mais aussi efficace. Le poème original est en quatrains rimant abab ; la traduction de Pierre Legouis, renonçant au caractère mélodieux de la poésie de Dryden, choisit la précision philologique.

Les spectres des traîtres descendent du pont de Londres[1]
pour se réjouir avec d'effrontés revenants puritains ;
tout autour du foyer ils forment une ronde
et chantent d'une voix débile leurs airs dignes du sabbat.

Notre ange gardien les vit du lieu où il siégeait,
au-dessus du palais de notre Roi endormi ;
il poussa un soupir, abandonnant au destin le peuple qui lui était
[confié,
et, découragé, regarda souvent derrière lui dans son vol.

Enfin le crépitement et la lueur terrible
appelèrent sur ce spectacle l'attention de quelque amant qui veillait ;
et cela lui prit longtemps pour faire lever les autres habitants
dont les paupières pesantes étaient encore pleines d'ombre.

Les plus proches du danger, chaudement poursuivis par le destin,
mi-vêtus, mi-nus, se retirent en hâte ;
et des mères effrayées se frappent le sein, trop tard,
pour des nourrissons laissés à leurs seules forces dans l'incendie.[2]

1 Où l'on fixait la tête des criminels, par exemple celle de certains régicides exécutés à la Restauration. (N.d.t.)

2 S'il est vrai, comme certains le rapportent, que personne ne périt dans l'incendie, ceci est un ornement poétique. (N.d.t.)

Leurs cris bientôt éveillent tous les voisins ;
maintenant des rumeurs s'élèvent dans chaque rue ;
ceux qui habitent plus loin s'enfuient et trébuchent de peur,
et dans l'obscurité des hommes se heurtent en se croisant.

Ainsi des abeilles lasses se reposent dans leurs cellules,
mais, si des voleurs nocturnes pillent la ruche bien garnie,
un bourdonnement grandit à travers leur cité de cire
et sur les ailes l'une de l'autre elles se ruent dehors.
Maintenant les rues sont pleines d'une foule affairée comme en
[plein jour ;
les uns courent chercher des seaux dans le chœur consacré[1] ;
d'autres percent les conduites d'eau, d'autres encore font jouer les
[pompes ;
d'autres enfin, plus hardis, dressent des échelles contre le brasier.

En vain, car de l'est un vent batave
envoyait son souffle hostile à travers les chevrons secs ;
les flammes sous cette impulsion laissèrent bientôt leurs ennemis
[derrière elles
et allèrent de l'avant, avec une fureur effrénée.

Un quai de feu courut tout le long du rivage
et éclaira tout le fleuve d'un flamboiement[2] ;
les flots réveillés recommencèrent à rugir
et des poissons ébahis, dans les eaux qui brillent, ouvrirent de
[grands yeux[3].

L'antique dieu du fleuve souleva sa tête vénérable
mais craignit que ne recommencât le sort du Simoïs[4].
Au fond de son limon il chercha son lit de joncs
et rétracta ses eaux dans son urne.

Le feu, cependant, marche en corps de bataille élargi ;
de chaque côté il étend ses ailes ;
les rues sont pour lui guéables ; d'un seul coup il les franchit
et fait jouer de l'autre côté ses flammes impatientes.

---

1 On conservait dans l'église paroissiale les seaux destinés à la lutte contre l'incendie. (N.d.t.)

2 *Sigæa igni freta lata relucent*. Virgile, *Énéide*, II, 312. (N.d.t.)

3 Le lecteur français songe à Saint-Amant : « Les poissons esbahis le regardent passer », *Moyse sauvé* (1653), V^{e} partie (que Boileau n'a pas encore raillé). Mais la rencontre est probablement fortuite car nous avons lu toute l'« idylle héroïque » sans faire aucun autre rapprochement significatif avec l'œuvre de Dryden. (N.d.t.)

4 Ce n'est pas le Simoïs mais le Scamandre que brûle Héphæstos, *Iliade*, XXI. (N.d.t.)

D'abord elles réchauffent, puis elles roussissent, enfin elles
[embrasent ;
grâce à leur long cou elles happent d'un côté, de l'autre ;
enfin, ayant pris des forces, elles abandonnent la fournaise
[maternelle
et une nouvelle colonie de flammes en résulte.

Vers toutes les plus nobles parties de la ville
les vagues onduleuses roulent sans trêve leurs marées :
en détachements, maintenant, elles se répandent çà et là,
comme des armées qui ne rencontrent pas de résistance se
[divisent pour piller.

Un puissant escadron favorisé par un vent de côté
presse à travers d'étroites ruelles son feu qui s'y embarrasse ;
conduit par les charmes puissants de l'or et de l'argent
il veut saccager les banques de la rue des Lombards et la Bourse.

Un autre voudrait aller à reculons vers la Tour ;
lentement il progresse contre le vent en rongeant les maisons.
Mais le corps principal de l'ennemi en marche
est destiné à l'attaque du palais impérial.

Maintenant paraît le jour, et avec le jour le Roi
que le souci a de bonne heure privé de son repos ;
au loin résonne le fracas des maisons qui s'écroulent
et les cris aigus des sujets percent sa tendre poitrine.

Comme il approche, d'épaisses fumées avant-courrières
couvrent tout le terrain de lugubres colonnes
entre lesquelles d'étroits intervalles d'obscurité sont coupés
d'étincelles qui se précipitent contre sa face sacrée.

Plus qu'à ses gardes on le reconnaissait à sa douleur,
aux pieuses larmes qui ruisselaient le long de ses joues ;
les malheureux devant sa peine oubliaient la leur ;
tel est le pouvoir de la pitié d'un roi !

Il pleura sur l'incendie de ce qu'il aimait si bien
et qui avait si bien mérité son amour,
car jamais prince n'a poussé plus loin la bienveillance
ni royale cité fait plus d'efforts pour remplir ses devoirs.

Mais elle ne fut pas vaine, sa douleur devant ce spectacle :
les sujets peuvent s'affliger mais les rois doivent remédier ;

il réconforte les timides et loue les hardis
et inspire aux découragés l'espoir d'une heureuse issue.

En personne il indique ce qu'il faut faire d'abord
et dispose tous les secours que l'on amène ;
les gens serviables et bons s'empressent autour de lui
et forment une armée digne d'un tel roi.

Poèmes choisis / Dryden ; traduction, préface et notes par Pierre Legouis. – Paris : Aubier-Éditions Montaigne, 1960. – [Pp. 163-169, 425 pour les notes].

LA RELIGION DU LAÏQUE 365

L. Cazamian — 1946

Pour l'essentiel, la raison doit céder à la foi (v. 1-41). — Limitée est la Raison, relatives et aléatoires les voies qu'elle trace dans les énigmes de la Nature. Seuls la Foi et l'univers divin auquel elle permet d'assentir sont capable d'indiquer la vraie voie qui mène à la vraie lumière.

Tels les rais empruntés de la lune et des astres
Aux yeux du voyageur fatigué, seul, errant,
Telle est pour l'âme la Raison ; et, comme au ciel
Ces feux mouvants ne font qu'en révéler la voûte,
Ne nous éclairent point, la lueur vacillante
De la Raison nous fut prêtée, non pour guider
Nos pas douteux, mais nous conduire au jour d'en haut.
Et, comme ces flambeaux nocturnes disparaissent
Quand le clair roi du jour gravit notre hémisphère,
Ainsi pâlit notre Raison devant la Foi,
Et meurt, et se dissout en son éclat céleste.
Peu, munis d'une lampe meilleure, ont été
De cause en cause au fond secret de la Nature,
Et trouvé qu'il doit être un principe premier ;
Mais ce qu'est, ou qui est, ce Moi de l'Univers,
Soit qu'une sorte d'âme entoure notre sphère,
Incréée, immobile, et créant, mouvant tout,
Ou que des bonds croisés d'atomes variés
Une forme ait jailli — noble effet du hasard ;
Ou soit que ce grand Tout ait toujours existé,
Aristote n'en a lui-même rien pu voir,
Et, s'il faut supposer, Épicure le vaut.

À l'aveugle ils cherchaient aussi la vie future,
Et tranchaient de la Providence et du Destin.
Mais leurs efforts pouvaient moins encor découvrir
Ce qui le plus importe au bien de notre espèce ;
Car le bonheur jamais ne put être trouvé,
Mais à leurs yeux s'évanouissait comme un mirage.
L'un faisait du Contentement le bien unique ;
Ce bien, chaque accident menu le détruisait.
D'autres, moins fous, donnaient à la Vertu leur peine,
Terrain couvert de ronce, ou du moins infertile ;
D'aucuns gorgeaient de volupté leur âme avide,
Mais trouvèrent le puits profond, la corde courte,
Et que d'un seau troué le bonheur s'échappait.
Donc dans l'angoisse leurs pensers roulent en cercle,
Sans un centre solide auquel l'âme s'appuie.
Vaine entreprise, et qui s'achève au labyrinthe :
Comment le moins pourrait-il comprendre le plus ?
Ou la raison finie atteindre l'Infini ?
Qui pourrait sonder Dieu serait plus grand que lui.

Anthologie de la poésie anglaise / choix, traduction et commentaires par Louis Cazamian. – Paris : Éditions Stock, 1946. – [Pp. 126-128].

SABBAS GRUDCYN

VIEUX RUSSE **Env. 1685-1700**

Rédigé dans le dernier tiers du XVIIe siècle, probablement par quelqu'un qui connaissait bien le milieu marchand et les vieux-croyants, *Sabbas Grudcyn*, récit encore largement inspiré du cycle inauguré par *Malheur-Infortune*, marque la deuxième étape dans le processus de sécularisation de la littérature russe du siècle.

Le fils d'un riche marchand tombe amoureux de la jeune femme d'un barbon. Torturé par le remords, le jeune homme se sépare d'elle, mais elle, incitée par le démon, lui verse un philtre qui le rend fou de passion, après quoi elle l'éconduit. Malheureux à en mourir, il vend son âme à un pseudo-frère qui, en réalité, est un démon. Obligé de partir, il a de nombreuses aventures : il visite la capitale infernale, sert d'espion, devient champion des troupes russes, etc. Tombé gravement malade, et craignant d'être emmené définitivement en enfer, il se tourne vers la Mère de Dieu, qui promet de la sauver à la condition qu'il se fasse moine.

À la différence de celle de *Malheur-Infortune*, encore très schématique, l'action de *Sabbas Grudcyn* se déroule dans un contexte historique précis, le « temps des troubles » et des guerres russo-polonaises. Si les caractères des personnages qui, pour la plupart, ont existé, ne sont pas beaucoup plus fouillés, les aventures qu'ils subissent sont plus variées, parfois rehaussées de merveilleux. On y notera l'importance accordée à la luxure et à la femme comme être maléfique.

SABBAS GRUDCYN 366

J.-Cl. Roberti — 1996

Le royaume infernal. — Cet ajout, probablement dû à un rédacteur à la fois proche des vieux-croyants et de la cour, présente Moscou comme la capitale du diable — trait typique de qui, à la fin du XVIIe siècle, voyait dans le tsar un Antéchrist. De plus la description de la réception de Sabbas et de son pseudo-frère rappelle celle des envoyés étrangers à la cour moscovite.

Après un certain temps le démon prit Sabbas avec lui et ils sortirent tous deux de la ville. Le démon dit à Sabbas : « Frère Sabbas, sais-tu qui je suis ? Tu crois que je suis de la famille des Grudcyn, mais je n'en suis pas. Maintenant, par amour pour toi, je vais te dire la vérité, tu ne craindras pas ni n'auras honte de m'appeler ton frère. Je t'ai aimé parfaitement pour te prendre comme mon frère. Mais si tu veux savoir, je suis fils de roi. Allons et je te montrerai la gloire et la richesse de mon père ».

Et disant cela, ils arrivèrent dans un lieu désert sur une petite colline et il montra dans une vallée une grande ville très glorieuse ; les murs, le sol et les toits brillaient d'un or fin. Et le démon lui dit : « Ceci est la ville créée par mon père. Allons donc le saluer ensemble. Et le parchemin que tu m'as donné, je le remettrai moi-même à mon père et il sera lu par lui. » Et ayant dit cela, le démon rendit à Sabbas le papier avec l'apostasie.

Ô folie de jeune homme ! Sais-tu qu'aucun royaume n'est proche de celui de Moscou, mais que tout fait partie des possessions du tsar de Moscovie. Si alors tu avais imaginé faire le signe de la sainte croix, tous ces rêves diaboliques auraient disparu comme une ombre. Mais revenons à ce qui était précédemment[1].

Lorsqu'ils arrivèrent à cette ville imaginaire et s'approchèrent des portes de la ville, des jeunes gens au visage sombre dans des robes et des ceintures rehaussées d'or les accueillirent, les saluant avec respect et rendant les honneurs au fils de leur roi, c'est-à-dire au démon. Puis les accueillirent d'autres jeunes gens dont les robes brillaient plus que celles des premiers, les saluant de même. Lorsqu'ils entrèrent dans le palais royal, d'autres jeunes gens les accueillirent avec honneur. Lorsque les démons passaient, ils rendaient dignement honneur au fils du roi et à Sabbas. Après être entré dans le palais, le premier dit à Sabbas « Frère Sabbas, attends-moi un peu ici. Je vais t'annoncer à mon père et je t'amènerai à lui. Lorsque tu seras devant mon père, ne réfléchis pas et ne crains pas, donne lui ton écrit ». Et ayant dit cela, le diable alla dans le palais intérieur, laissant Sabbas seul. Après un peu de temps il revint auprès de Sabbas, le prit avec lui et l'amena devant le visage du roi[2].

Revêtu d'une grande gloire et d'un vêtement brillant, il était assis sur un grand trône, rehaussé d'or et de pierres précieuses. Autour de lui, il y avait une multitude de jeunes gens ailés, dont les visages étaient soit bleu-sombre, soit pourpres, d'autres noirs comme la suie. Sabbas, arrivé devant le visage du tsar, tomba à terre, le saluant. Le tsar lui demanda : « D'où viens-tu et quelle est ton affaire ? » Ce fou de Sabbas lui donna la lettre de renonciation, il dit : « Je suis venu, grand roi, pour te servir ». L'antique serpent Satan prit la lettre et la lut. Il regarda les guerriers aux visages sombres : « Si je prends ce jeune homme, je ne sais s'il sera ou non solide envers vous ? » Ayant appelé auprès de lui son fils, le frère aimé de Sabbas, il lui dit : « Va, attends, mange avec ton frère ». Ainsi, après avoir salué le roi, ils sortirent dans le vestibule et commencèrent à déjeuner. On apporta des mets à l'odeur délicieuse et des boissons étonnantes. Sabbas

1 Ce sont les premières interventions d'auteur dans les œuvres d'imagination russes. (N.d.t.)

2 Expression consacrée : on était admis à voir le visage du tsar et, plus souvent encore, ses yeux clairs. (N.d.t.)

dit que, dans la maison de son père, il n'avait jamais mangé de tels mets ni bu de telles boissons.

Après le repas, le démon prit de nouveau Sabbas, ils sortirent de la ville du roi et partirent. Sabbas interrogea son frère le démon : « Pourquoi, frère, ai-je vu auprès du trône de ton père une multitude de jeunes gens ailés ? » Le démon, en ricanant, lui dit : « Ne sais-tu pas que beaucoup de peuples servent mon père, Perses, Turcs, Arabes[1] et beaucoup d'autres. Tu n'as pas à t'en étonner et à douter que je sois ton frère. Je suis ton frère cadet. Je te dis seulement de m'être obéissant en toute chose. Je serai heureux de te faire toute sorte de bien et de t'aider en tout ». Sabbas lui promit d'être obéissant en tout et ils échangèrent des serments.

Traduction inédite. — *Povest' o Savve Grudcyne*. – In : *Pamjatniki literatury drevnej Rusi. XVII vek. Kniga pervaja*. – Moscou, 1988. – [Pp. 39-54].

SABBAS GRUDCYN 367

J. Cl. Roberti — 1996

La rédemption du héros.

Et lorsqu'arriva la fête de la Mère de Dieu de Kazan[2] qui est dans la Ville du Milieu[3], le 8 juillet, le tsar ordonna d'amener le malade en son église, celle de notre très sainte souveraine, la Mère de Dieu, appelée de Kazan. Comme s'il n'avait jamais été malade, il s'approcha de l'icône et tomba à terre et commença à parler avec des larmes et il dit le cœur brisé : « Ô très pure, toute bénie et toute bonne Mère du Christ notre Dieu ! Je te remercie pour ta miséricorde ineffable. Tu m'as délivré de la perte, maintenant enseigne-moi, mets-moi sur la voie du repentir. » Les gens qui voyaient Sabbas et entendaient ses paroles s'étonnaient. Le tsar aussi le regardait. Et lorsqu'on commença à chanter la divine liturgie, Sabbas était étendu au milieu de l'église sur un tapis et il vit une femme s'approcher, vêtue de vêtements blancs et brillant de toutes splendeurs et qui lui dit : « Sabbas, désormais sois en bonne santé ; de plus ne pèche plus et exécute mon commandement : sois moine. » À cet instant, Sabbas recouvra la santé et cela [la maladie] ne fut plus visible. Sabbas reçut la gloire inef-

1 Ou « Nègres », les Russes de cette époque ne faisant pas la distinction. (N.d.t.)

2 Fête de l'une des icônes célèbres de la Mère de Dieu. (N.d.t.)

3 La Ville du Milieu, ou Kitaj Gorod. (N.d.t.)

fable et reprit ses esprits et ne sentit plus de maladie, comme s'il n'avait jamais été malade et il se mit sur ses pieds.

Le tsar dit : « N'est-ce pas celui qui souffrait de maladie et qui fut amené sur mon ordre dans l'église ». Un de ses boyars, qui se tenait là, répondit que c'était bien Sabbas. Le tsar demanda de l'interroger pour savoir comment il s'était levé d'une maladie si grave. Interrogé, Sabbas se mit à raconter tout ce qui lui était arrivé, le miracle ineffable de l'apparition de l'icône de notre souveraine la Mère de Dieu, et comme elle l'avait délivré des abîmes du péché.

Le tsar, ayant remercié Dieu et sa très sainte Mère, se réjouit d'une grande joie. La sainte liturgie étant terminée, Sabbas commença un office d'action de grâce à la très sainte Mère de Dieu et, peu de jours après, il alla à l'église du saint archistratège Michel et fit profession monastique, en remerciant la Mère de Dieu. Il vécut de nombreuses années et il mourut, ayant remis son âme à Dieu.

Gloire à notre Dieu maintenant et toujours et dans les siècles des siècles. Amen.

Traduction inédite. — *Povest' o Savve Grudcyne*. – In : *Pamjatniki literatury drevnej Rusi. XVII vek. Kniga pervaja*. – Moscou, 1988. – [Pp. 39-54].

SABBAS GRUDCYN 368

A. Robin — 1954/1986

Accomplissement d'une destinée. — Il est intéressant de voir ce qu'un écrivain russe, A. Rémizov (1877-1957), fait de ce récit dans une libre adaptation.

Le 8 juillet, une procession chemine vers la cathédrale de Kazan sur la place du Marché-aux-Guenilles.

On a déposé Savva[1] sur son tapis, à l'écart, dans le bas côté de l'église, et la messe commence solennelle. Savva traqué prête secrètement l'oreille.

La cathédrale regorge de monde mais garde un calme pieux, et même nul cri d'enfant ! Ce n'est qu'à la bénédiction du Saint-Sacrement[2] que tout se déchaîna !

---

1 Le traducteur conserve la forme slavonne du nom.

2 Réalité totalement inconnue dans la chrétienté orthodoxe. Il s'agit d'une audacieuse adaptation du traducteur.

Au milieu d'un tumulte de tous les bruits, roucoulements, cacardements, hurlements canins, soupirs de coucou, Savva fut projeté contre le candélabre de cristal puis cogna fortement de sa tête la fenêtre. Tandis que résonnaient funestement les éclats de vitre, Savva retomba sur le tapis avec un cri éperdu, un cri à rompre sa poitrine.

« Stéphanide ! »[1]

C'était une voix en sang, semblable à une main écorchée et saignante se levant du fond de la gorge...

Et il resta prostré jusqu'à l'Hymne des Chérubins[2].

Et voici que de nouveau se lèvent des recoins les plus secrets les cris de toutes les âmes possédées du démon. Et de tous leurs appels le plus hurlant est celui de crapauds claironnant bizarrement une sorte de sibilement de serpent.

Et toute la matière visible et invisible, la matière du sang et celle de la pierre, dans tous les sens, de haut en bas, de toutes parts, bouillonne. Et par-dessus tous ces tumultes lointains mais audibles (tout le monde l'entend), différent et autoritaire, retentit un appel non pas ordinaire, mais solennel, un appel sur le ton du parler ecclésiastique :

« Savva, Savva ! lève-toi et prends le chemin de mon temple. »

Réveillé par cet appel au ton inébranlable, Savva se soulève sans peine et, marchant d'un pas ferme sur le genièvre craquant, traverse toute l'église. Il s'arrête devant l'image de la Vierge et, sous les rayonnements surgissant de la source des douleurs, pour éclairer notre monde malheureux, pour nous aider nous tous qui peinons sur cette terre de Dieu, sans savoir pourquoi, il aspire à pleine bouche, comme s'il pouvait la humer avec l'air, son âme perdue.

Un craquetis de paille déchirée, la paille de gerbe céleste, et voici que tombe sur Moscou un tonnerre à mille voix d'airain. Il semble — et c'est peu dire — que des clochers de Saint-Nicolas, de Sainte-Barbe et des monastères Simonov, Donskoy, Novospasky et Androniev[3], aient croulé à terre toutes les cloches en un tintamarre inutile !

Alors de la plus haute partie de l'église, tombe en voletant — vous la voyez ! — une feuille de papier, qui s'abat aux pieds de Savva. Savva se baisse et la relève, il la reconnaît : mais c'est une page de son carnet de

---

1 Dans le texte original, la jeune femme dont Sabbas est amoureux ne porte pas de nom.

2 Dans la Liturgie orthodoxe, hymne chantée avant la Grande Entrée, procession circumambulatoire des éléments et des instruments du sacrifice eucharistique, qui englobe, en pénétrant par les portes royales dans le sanctuaire, toute l'assemblée des fidèles pour l'offertoire.

3 Il s'agit plus probablement du monastère de saint Andronic (Andronikov).

comptes ! Et merveille ! elle ne porte aucun paraphe, aucun signe crocheté. Tout est effacé, tout est lisse ! c'est une feuille de papier vierge. Et Savva entend un air connu depuis son enfance : *ô Vierge très sainte... Qui te magnifiera ?*

« Frère Savva, te souviens-tu de moi ? » Quelqu'un le prend par la main. Il revient à lui ; des yeux irradiant la lumière des fleurs bleues, regardent droit dans son âme.

« Siméon-Escorte-l'Été »[1] s'écrie Savva, mais il parla comme dans l'autre monde.

« Ainsi quitterons-nous ce monde ! » Et des larmes scintillent dans ses yeux rayonnants.

Ils traversent toute l'église en se dirigeant vers la sortie, lui le fol et lui le possédé. À la porte le Fol en Christ se retourne, face aux icônes, se met droit et entonne le chant du coucou. Et tout ce qu'il y avait d'amer dans cet adieu à la terre se perdit dans le règne de l'Angélique... Saint ! Saint ! Saint ! »

Savva Groudzine / Alexeï Rémizov ; traduction d'Armand Robin. – Rennes : Éd. Ubacs, 1986. – [Pp. 60-62].

1 Personnage inventé par A. Rémizov.

PASEK

POLONAIS **Env. 1638 - 1700/1701**

Né près de Rawa, en Mazovie, d'une famille de petite noblesse, Jean-Chrysostome Pasek reçoit sa formation au collège jésuite de la ville. En 1655 ou 1656, il s'enrôle dans l'armée comme cuirassier, sous les ordres de l'hetman Stefan Czarniecki et combat contre les Suédois et les Transylvains de Rakoczy. Il prend part aussi à l'expédition danoise (1657-1659) de Czarniecki et aux batailles contre les Moscovites (1660, 1664-1665). Pendant la rébellion de Jerzy Lubomirski (1666), Pasek se range, sans enthousiasme, sous les drapeaux du roi Jean-Casimir et participe à la bataille de Matwy. En 1667, il se retire et vit à la campagne, dans la région de Cracovie, en modeste propriétaire foncier, marié à une veuve, Anna de Remiszowski Lacka. Dans la dernière période de sa vie, il joue un certain rôle dans la vie publique et prend part, en 1669, à l'élection du roi Michel Korybut Wisniowiecki et à celle du roi Auguste II de Saxe, en 1697. Chicanier, intransigeant, enferré, depuis 1685, dans divers procès contre voisins et parents, il est finalement condamné, pour violences contre ses adversaires, au bannissement perpétuel, perdant et ses biens et son honneur. On ignore le lieu et la date exacts de sa mort : probablement en Pologne, dans le village Niedzieliska, à l'été 1701.

Pasek a composé des *Mémoires*, sa seule œuvre, vers la fin de sa vie, sous le règne de Jean III Sobieski : ils couvrent la période de 1656 à 1688. Publiés, partiellement (1821) ou expurgés (1821), ils seront connus en France par deux conférences d'Adam Mickiewicz données au sein de son cours de littérature slave au Collège de France. Ces *Mémoires* ont beaucoup inspiré la littérature polonaise, les œuvres de Slowacki, qui mettent en scène *Beniowski* ou *Mazeppa*, et surtout celles des prosateurs du XIXe siècle, Henryk Rzewuski, Ignacy Chodzko, Jozef Ignacy Kraszewski et Henryk Sienkiewicz qui s'inspirent de sujets historiques.

Dans le manuscrit qu'on en conserve, manquent le début et la fin du texte, qui commence par un poème consacré au cheval favori de Pasek. Courante et vigoureuse, notamment dans les scènes de batailles, pleine de verve savoureuse (un lexique de la langue de Pasek a paru entre 1965 et 1971), la narration expose les mœurs de la noblesse polonaise en un style proche de la langue parlée du XVIIe siècle, émaillée de citations latines et de références antiques, reflet de l'esthétique baroque.

Dans la multitude des quelque 400 mémoires du XVIIe siècle polonais, parmi lesquels ceux de Stanislaw Zolkiewski, Stanislaw Niemojewski, Samuel Maskiewicz, Wojciech Dembołęcki, Jerzy Ossolinski, Albrecht Stanislaw Radziwill, ceux de Pasek émergent, pittoresques et brutaux, à l'image de la noblesse nationale : les scènes de genre y sont admirablement croquées, pleines d'humour, semblables aux épigrammes de Waclaw Potocki.

Jerzy Peterkiewicz, "A Polish 17th Century Diarist". – In : *The Slavonic Review* t. 32 (1954), pp.438-448.

MÉMOIRES 369

P. Cazin — 1922

L'An du Seigneur 1669. — Une leçon de politesse. — Convocation de la diète ; les candidats au trône. — Séances orageuses. — Élection et mariage de Michel Wisniowiecki.

Comme j'habitais à Milawczyce, en faisant valoir Smogorzow, mes collatéraux commencèrent par faire fi de moi, sous prétexte que j'étais un *advena* d'un autre palatinat. Je le souffrais patiemment, n'ayant pas l'occasion de satisfaire mon ressentiment, et je temporisais, me disant qu'il en est toujours ainsi quand on vient d'un autre palatinat, *inter semipatriotas*, et me promettant, quand l'occasion de me venger se présenterait, de ne pas la négliger.

Un jour, arrivèrent, chez moi, des parents de ma femme du côté de sa mère, M. Stanislas Szembek, burgrave de Cracovie, et M. Zelecki François. Ils avaient amené avec eux je ne sais quel parent, vrai suppôt de Bacchus. Je les reçus avec plaisir, mais je ne me sentais pas de fureur contre ce Kardowski. Il ne cessait de se moquer des Mazoviens, qui naissaient aveugles, qui venaient au monde sous une mauvaise étoile, et autres sornettes. Ses compagnons se délectaient à l'entendre, le soutenaient pour m'humilier, et l'excitaient à dessein. Apportait-on sur la table une tête de veau, il disait que c'était le pape de Mazovie ; voyait-il la pâte jaune qu'on met sous la viande, il disait que c'était pour la communion des Mazoviens. Bref, il me cherchait noise en toute occasion. Voyant où tout cela tendait, je lui dis : « Monsieur mon frère, ne parlez pas des Mazoviens le soir, vous pourriez en rêver. Il n'y en pas ici, mais comme je suis leur voisin, il faut que je réponde pour eux. » Mais il n'en continuait pas moins. Après souper, Szembek se met à danser. Zelecki me dit : « Aide-le donc. » — « Fort bien », lui dis-je, et je m'y mets aussi. Comme nous entamions le « wielki », mon plaisantin qui était là debout entonne la chanson :

Nos braves Mazoviens empiffrés de gruau,
Dans la bière s'en vont dessaler leur museau.

Il répète ce refrain à plusieurs reprises, si bien que la moutarde me monte au nez. Je prends Zelecki dans mes bras, comme on porte les enfants, car c'était un tout petit bonhomme, et les autres crurent que je le faisais par amitié, je m'avance, et en passant devant Kardowski, occupé à sa chanson, je le lui envoie en pleine poitrine. Kardowski, gros gaillard solide comme un chêne, tombe à la renverse, va donner de la tête contre un banc et s'évanouit du coup. Zelecki que j'avais lancé de toutes mes forces ne pouvait plus se relever. Alors, au sabre ! Ils avaient quelques valets dans la chambre, les autres dormaient, dans les coins, ivres-morts. Je les jette dehors, reviens à Zsembek et lui applique ma pointe sur son gros ventre. Il me crie : « Holà ! que t'ai-je fait ? » Et les deux autres étaient toujours par terre. Je lui dis : « Vos fièvres quartaines ! N'êtes-vous donc venus ici que pour me faire des affronts, que vous passez vos jours à me rire au nez avec cet ivrogne ! J'ai eu trop de patience, je ne le supporterai pas davantage. » Les femmes accourent : « Arrêtez ! Arrêtez ! » On s'en tint là. On releva M. Zelecki, on fit revenir à lui M. Kardowski, en lui versant de l'eau dans le nez et en lui desserrant les dents, puis on courut chercher le barbier, car il s'était fendu la tête contre le banc. Szembek et Zelecki allèrent dormir ; je me mis à boire de bon cœur et j'en fis donner à mes gens. Après quoi, ils firent des merveilles avec les valets des autres qui dormaient comme des souches, dans le vestibule et n'importe où. Ils leur allumèrent du papier dans le nez, ils leur barbouillèrent les moustaches de différents ingrédients, ils leur jouèrent tous les tours qu'ils purent imaginer. Le lendemain, on se réconcilia, mais dans la suite, chaque fois qu'ils me rencontraient, ils se tenaient toujours avec révérence et modestie, honteux de l'aventure qui s'était ébruitée parmi les voisins. Force leur était bien de se tenir tranquilles, et désormais on me respecta mieux.

Durant mon séjour à Milawczyce, le fermage fut lourd et les années mauvaises. J'y perdis plus de 2 000 florins. Je n'eus de contentement qu'avec les renards que je chassai sans chiens courants avec trois lévriers ; j'en ramenais trois ou quatre par jour.

Vint ensuite l'élection du roi. L'archevêque envoya des lettres aux palatinats pour chauffer les états de la République à une prompte élection. Il eût souhaité que cet acte pût s'accomplir *per deputatos*, mais les palatinats ne voulurent rien entendre. Tous montèrent à cheval comme pour une guerre. Ils savaient quel esprit animait l'archevêque ; ils savaient qu'il soutiendrait jusqu'à la mort le parti français et que nombre de nouveaux prétendants se préparaient pour cette épousée : le duc de Longueville, le duc de Neubourg, le prince de Lorraine[1]. Tous les palatinats s'assemblent alors en bon ordre, chacun chez soi, puis se mettent en route pour Varsovie. Comme je m'étais marié dans celui de Cracovie, je suivis la bannière du district, où Pisarski Achacy était capitaine. Nous arrivâmes devant Wysmierzyce[2], où nous restâmes plus d'une semaine, et les premiers jours

---

1 Charles de Longueville, neveu du grand Condé ; Philippe-Guillaume de Neubourg, Palatin du Rhin ; Charles de Lorraine. (N.d.t.)

2 Au nord-ouest de Radom, sur la Pilica. (N.d.t.)

de juin nous étions sous Varsovie. Alors, comme par enchantement, tous les palatinats débordèrent : grandes armées, cortèges de seigneurs, infanterie, bref une foule énorme de gens et superbement équipés. Le seul Radziwill Boguslas avait derrière lui près de 8 000 hommes et très beaux. C'est alors qu'on entendit pour la première fois, en Pologne, la musique prussienne qu'on joue sur les bassons devant les reîtres.

L'archevêque baissa les oreilles. Il commençait à douter de ses plans, mais n'en continuait pas moins ses menées et gardait bon espoir. Les délibérations s'ouvrent, les avis se partagent : Tel et tel, dit-on, sera roi, et personne ne parle de celui que Dieu a déjà élu. Les autres, qui ont envoyé leurs émissaires, tracassent, intriguent et comptent arriver au but ; lui ne s'attend à rien, sachant qu'il n'a jamais eu ni n'a aucune chance de succès. Les agents de France travaillent en dessous, tortueusement ; ceux de Neubourg ou de Lorraine, ouvertement. Du candidat polonais, personne ne dit mot. Les autres s'épuisent en cadeaux, en présents, en festins, en largesses, en promesses ; lui, ne donne ni ne promet rien, il ne demande quoi que ce soit, et c'est pourtant lui qui reçoit.

Après plusieurs séances, quand on eut reçu la légation des envoyés étrangers, et que chacun eut offert à la République les bons offices de son maître, ce fut le Lorrain qui nous tint le plus à cœur, parce que c'était un seigneur belliqueux et jeune, et que son envoyé termina sa harangue par cette péroraison : « *Quotquot sunt inimici vestri, cum omnibus in hac arena certabit*[1] ». Puis la séance fut renvoyée au lendemain : *Soluta sessio ad cras*.

Le jour suivant, on se rendit à la *szopa*[2]. Les armées couvraient la plaine. Des opinions diverses se déclaraient, tel proposait celui-ci, un autre celui-là, quand un gentilhomme du palatinat de Lenczyca, qui se tenait à cheval près de l'enceinte avec les gens de sa bannière, s'écrie : « Pas un mot, ceux de Condé, ou les balles vont vous siffler aux oreilles ! » Un sénateur lui répond quelque chose de cru. Aussitôt, ils font feu. Les sénateurs prennent leurs jambes à leur cou, ou se fourrent, qui parmi les carrosses, qui sous les fauteuils : émoi, tumulte. Alors, les autres bannières s'élancent, refoulent l'infanterie, l'écrasent, la dispersent. Le *kolo* est cerné de toutes parts, des menaces retentissent : « Traîtres, nous vous hache-

---

1 *Quel que soit le nombre de vos ennemis, il leur tiendra tête sur ce terrain.* (N.d.t.)

2 Le champ électoral, établi entre le village de Wola et Varsovie, était délimité par un fossé et un retranchement percé de trois portes. Dans la partie nord, on élevait, pour les sénateurs, un édifice carré, ordinairement de planches, appelé *szopa*. Le reste de l'enceinte, à découvert, était le *Kolo rycerskie* (cercle de la chevalerie), où se tenaient les nonces et les nobles. (N.d.t.)

rons en morceaux, pas un de vous ne sortira d'ici. C'est en vain que vous bouleversez la République, nous constituerons d'autres sénateurs, nous choisirons dans notre sein, *ex gremio*, le roi que Dieu nous mettra au cœur ! » Ainsi cette séance s'acheva sur un spectacle tragique. Les officiers cependant continrent leurs hommes ; les bannières revinrent dans la plaine ; MM. les évêques et sénateurs sortirent de dessous leurs fauteuils ou leurs carrosses, à demi morts, et s'en retournèrent à leur logis, ou, ceux qui campaient, à leurs tentes. Le lendemain, il n'y eut pas de séance, car après pareille secousse ces Messieurs durent se frotter d'onguents, prendre des huiles et boire de la jacinthe pour se remettre de leur frayeur. Les palatinats ne vinrent pas au champ d'élection, mais restèrent dans leurs campements. Le 19 juin, ils envoyèrent demander à l'archevêque de venir siéger et de diriger, suivant la loi, *continuationem operis*[1]. Il répondit : « Je n'irai point. Ma vie est en danger. Les autres sénateurs s'abstiendront eux aussi. » On revint lui dire que les armées s'avançaient déjà vers la *szopa*, et l'on ajouta : « Que les sénateurs qui ont la vertu et le veulent viennent avec nous. Nous élirons un maître. Quiconque s'y refusera sera tenu par nous pour traître à la patrie ; qu'il en devine les conséquences. » Les palatinats étaient alors à un quart de mille de la *szopa*. Les sénateurs ne s'y rassemblèrent point, mais vinrent à nous, entre autres notre castellan de Cracovie, Warszycki. On se met alors à discuter sur ce que chacun pensait *de præteritis*[2]. M. de Cracovie dit : « Par son saint nom ! (c'était son mot favori), je loue ce procédé. C'est là que doit apparaître la *generositas* polonaise. La noblesse tout entière prend part à l'élection du roi, *non certus numerus personarum*[3]. Je ne me plains point d'avoir entendu les balles me siffler aux oreilles ; je sais que tout gentilhomme a sur le cœur la méchanceté de ces gens qui a déjà éclaté aux yeux du monde. Si je vis, je m'emploierai à ce que les diètes se tiennent à cheval, car les nonces ne sauront jamais surveiller les libertés que nos ancêtres nous ont gagnées au prix de leur sang. » Et il montrait par d'anciens exemples que tant que les Polonais en agirent ainsi, la « liberté dorée » fleurissait parmi eux ; qu'il fallait donc sortir à tout prix de notre torpeur en abandonnant, *pro tempore*, les loisirs domestiques. Là-dessus, les gens de Grande-Pologne nous envoient dire : « Qu'avons-nous à faire, puisque MM. les sénateurs ne se soucient pas de nous ? » Nos messagers

---

1 *La suite des opérations électorales.* (N.d.t.)

2 *De ce qui s'était passé.* (N.d.t.)

3 *Et non un nombre déterminé d'électeurs.* (N.d.t.)

allèrent aussitôt leur répondre : « Nous avons nos sénateurs, nous partons pour la *szopa* et pourvoirons à nos affaires. » Et aussitôt de nous diriger *ad locum electionis*. Oh ! si vous aviez vu alors cette nuée de carrosses sortant de Varsovie, les uns au trot, les autres au galop, gagnant le *kolo* au plus vite ! Car ils avaient espéré que les palatinats les supplieraient et ne commenceraient pas sans eux. Puis, l'archevêque arriva, voyant que nul ne songeait à se courber devant lui et à lui demander pardon du dernier esclandre. Ils prirent place, mais en moins grand nombre qu'auparavant, les plus poltrons se disant malades, dans la crainte d'un tapage pareil sinon pire, certains même l'étant réellement de la peur qu'ils avaient eue et qui avait trop secoué leur gros ventre. On racontait que l'un d'eux s'était jeté sur un brancard, en s'enfuyant, au risque de se rompre le cou, et que ses heiduques l'avaient ramassé et remis sur pied à grand'peine. Ils s'assoient donc dans le *kolo*, restent là, comme s'ils relevaient de maladie, sans souffler mot. Quelqu'un de la foule leur crie : « Messieurs, nous ne sommes pont venus ici pour muser. Nous ne ferons rien si nous continuons à nous regarder et à nous taire. Puisque Monseigneur de Prazmow ne satisfait pas aux fonctions de sa charge, nous prions M. le castellan de Cracovie, comme premier sénateur *in regno*, de diriger les débats. Ce n'est pas un pape que nous élisons, nous pouvons nous passer de prêtre. » L'archevêque bondit : « Ah ! Messieurs, tant que Dieu me prêtera vie, je ne cesserai, *non desinam*, de servir la patrie et chacun de vous *specialiter*, en toutes les choses *quæ sunt mei muneris*[1]. Commençons donc avec la bénédiction de Dieu. J'ai imploré aujourd'hui, *cum toto clero*[2], sa sainte Majesté, afin que, par la grâce de son Saint-Esprit, il daigne inspirer à nos cœurs ce qui convient à sa gloire et au bien de notre patrie. Nommez celui qui vous plaît de tant d'illustres candidats, et moi, comme votre frère aîné et serviteur, je suis à vos ordres. »

Des voix s'élèvent *pro et contra* ; des opinions diverses se croisent : « Je veux celui-ci. » — « Je veux celui-là. » — « Voilà celui qui me plaît ! » — « Voilà mon homme ! » Tel invoque une raison, tel une autre. Au milieu de la discussion, les gens de Grande-Pologne crient déjà : « *Vivat rex !* » Certains des nôtres courent à eux, et reviennent nous dire qu'il s'agit du Lorrain. Cependant, ceux des palatinats de Lenczyca et de Brzesc-Kujavie déclarent : « Nous n'avons que faire d'un seigneur riche, il sera assez riche en devenant roi de Pologne. Avec un prince allié aux autres monarques, il

---

1 *Qui relèvent de ma charge.* (N.d.t.)

2 *Avec tout le clergé.* (N.d.t.)

y aurait *periculum libertatis*. Il nous faut *virum fortem, virum bellicosum*. Si nous avions Czarniecki, c'est lui qui monterait sur le trône ; puisque Dieu nous l'a pris, choisissons son élève, choisissons Polanowski. » Tandis que ce débat continue, moi, *per curiositatem*, je saute vers les Sandomiriens qui étaient les plus proches de nous, et tombe au milieu d'une discussion où l'on souhaitait un roi *de sanguine gentis*[1]. On disait : « Nous n'avons pas à le chercher beaucoup, le roi, nous l'avons au milieu de nous. Quand on se rappelle la vertu et les grands mérites du feu prince Jérémie Wisniowiecki envers la patrie, il n'est que raison d'en savoir gré à sa postérité. Or nous avons ici M. Michel, pourquoi ne le nommerions-nous pas ? N'est-il point d'une vieille famille princière ? Est-il indigne de la couronne ? » Et lui était assis au milieu des gentilshommes, se faisant tout humble, tout petit, ne soufflant mot. D'un saut, je reviens vers les miens : « Messieurs, dans quelques palatinats, les choses tournent déjà pour un Piast. » — « Lequel ? » me demande M. de Cracovie. « Polanowski, et là, Wisniowiecki. » Cependant les Sandomiriens crient à tue-tête : *Vivat Piast !* » Le chambellan Dembicki jette son bonnet en l'air et clame à pleine gorge : « *Vivat Piast ! Vivat Michael !* » Et nos Cracoviens de leur côté : « *Vivat Piast !* » Quelques-uns d'entre nous se dispersent parmi les autres palatinats, portant le nouveau cri : « *Vivat Piast !* » Ceux de Lenczyca et de Kujavie, croyant qu'il s'agissait de leur Polanowski, répondent aussi ; les autres palatinats les imitent. Je reviens vers les miens et les trouve qui prennent Wisniowiecki sous les bras et le mènent au *kolo*. Nos anciens de Cracovie s'opposent, protestent ; car ils avaient reçu beaucoup d'argent des autres et de grandes promesses, Pisarski et Lipski surtout : « Pour Dieu ! Que faisons-nous ? Avons-nous perdu le sens ? Arrêtez ! Cela ne peut pas être ! » M. de Cracovie nous avait déjà quittés, car l'élu était son parent et il avait voulu le rejoindre. Beaucoup d'autres sénateurs s'approchent, les uns répétant *Vivat* ! certains se taisant. Pisarski me dit (car aussi bien il faisait quelque cas de moi !) : « Monsieur mon frère, qu'en pensez-vous ? » — « J'en pense lui dis-je, ce que Dieu me souffle au cœur : *Vivat rex Michael !* » Puis, je m'élance hors des rangs du côté des Sandomiriens. Tous me suivent, les porte-enseignes même avec leurs bannières. Pisarski, de dépit, enfonce sa toque sur sa tête et se met de côté. Alors nous introduisons heureusement le nouvel élu au *kolo*. On le félicite ; les bons se réjouissent, les méchants s'affligent. L'archevêque dut accomplir

---

1 *De sang polonais.* (N.d.t.)

les cérémonies appartenant à sa charge, telles que la proclamation, les actions de grâces dans les églises, mais de quel cœur et avec quel entrain ! Tout de même que si vous attachiez un loup à la charrue et le forciez à labourer. Mais plus tard, que ne vit-on point éclater au grand jour ! Que ne se permit-on contre ce bon roi ! Il en sera question plus loin.

Dès le lendemain, le roi valait quelques millions de plus, tant on lui fit de cadeaux, en voitures, équipages, tentures, argenterie et autres splendeurs. Les envoyés même des princes ses concurrents le comblèrent de présents. Suffit que Dieu inclina si bien vers lui le cœur des hommes, que chacun lui apportait et lui donnait ce qu'il pouvait avoir de plus précieux, non seulement des chevaux, de beaux coursiers, mais des harnais, bref ce qu'on avait, ne fût-ce qu'une paire de pistolets montés sur ébène ou sur ivoire[1].

Alors la noblesse regagna ses foyers, non plus sous ses bannières, mais *sparsim*. Pour moi, après quelque temps passé avec mes compatriotes de Rawa, je revins à la maison. Le couronnement eut lieu ensuite à Cracovie, le 29 de septembre, au milieu d'un grand concours de gens, et la diète de couronnement commença aussitôt après ; mais elle fut rompue par Olizar, nonce du palatinat de Kiew, procédé qui était déjà entré en usage. Dans le même temps, l'armée était sous Bochryn[2], et n'eut aucune rencontre avec l'ennemi. Après cette diète rompue, on envoya André Olszowski, évêque de Culm, à Sa Majesté Impériale, lui demander la main de sa sœur[3] pour le roi. Il l'obtint aisément, car l'Empereur désirait ce mariage et l'avait proposé lui-même.

Les Mémoires (1656-1688) / de Jean-Chrysostome Pasek, gentil-homme polonais ; traduits et commentés par Paul Cazin. – Paris : Les Belles Lettres, s.d. [1922] – (*Collection de littérature polonaise*). – [Pp. 252-262].

1 « On pouvait bien nommer le roi Michel un véritable roi de théâtre, puisque de pauvre gentilhomme qu'il était il devint en un instant un des plus riches princes de l'Europe. Il se vit superbement meublé et servi en vaisselle d'argent. Tous les sénateurs et gentilshommes qui se crurent en état de lui donner quelque chose s'empressèrent à l'envie l'un de l'autre de lui faire des présents. Le jour de son élection, il se trouva tant de richesses qu'il en fut surpris. » Brégy, t. II, p. 339. — Voir encore, sur cette coutume, Mme de Motteville, *Mémoires*, éd. de 1822, t. II, p. 149. (N.d.t.)

2 Palat. de Volhynie. (N.d.t.)

3 Éléonore-Marie. (N.d.t.)

MADELEINE DE SCUDÉRY

FRANÇAIS

1607-1701

Née au Havre, tôt orpheline, Madeleine de Scudéry est recueillie par un oncle ecclésiastique dont elle reçoit un enseignement approfondi, exceptionnel pour une jeune fille de l'époque. Cette formation lui donnera un appétit de savoir qui marquera toute sa vie. Elle sera bientôt une autorité intellectuelle et littéraire incontestée.

Après avoir participé aux activités de l'Hôtel de Rambouillet, salon mondain au centre de la vie culturelle parisienne de la première moitié du siècle, elle anime, à partir de 1650, son propre cercle littéraire. Madame de La Fayette, Madame de Sévigné, La Rochefoucauld, Chapelain, entre autres, fréquentent assidûment ce salon, qui devient le lieu privilégié de la préciosité. Madeleine de Scudéry préside en effet à l'élaboration de ce style raffiné cher aux précieux qui donne la priorité aux expressions élégantes, proscrit les mots grossiers, procède par métaphores, répugne aux affirmations trop directes et exprime, en amour, une préférence pour le spirituel au détriment du sensuel. Féministe avant la lettre, elle lutte pour l'égalité de la femme, revendique son accès à l'instruction, rejette la domination de l'homme, proscrit le mariage et les relations sentimentales, qu'elle juge aliénants. Très sensible cependant, elle est fort attachée à son frère Georges.

Durant sa longue existence, Madeleine de Scudéry, souvent en collaboration avec son frère, élabore une œuvre romanesque d'une grande importance. Auteur à succès, fortement marquée par la tradition du roman grec, elle compose, dans la veine héroïque, des romans-fleuves qu'elle met plusieurs années à écrire : *Ibrahim, ou L'Illustre Bassa* (1641) en 4 volumes ; *Le Grand Cyrus* (1649-1653) en 10 volumes et 13 095 pages ; *Clélie* (1654-1660), également en 10 volumes. Les personnages y évoluent sur un fond historique d'antiquité grecque et latine ou dans le contexte de l'empire ottoman. Ce décor n'empêche pas l'auteur de faire du récit la substance d'un roman à clefs, de mettre en scène l'époque où elle vit et des personnages connus de son temps. S'appuyant sur le schéma convenu des amours contrariées et décalées, elle multiplie les développements romanesques et les aventures invraisemblables en un style précieux où abondent les images, les périphrases, les antithèses, les hyperboles. Illustrant une conception raffinée de l'amour, elle se livre dans son œuvre à une analyse psychologique complexe et énonce les grands principes qui doivent, à ses yeux, guider l'itinéraire amoureux, exclusivement spirituel, tel que le symbolise la fameuse carte du pays de Tendre, dans *Clélie*.

À partir des années 1660, Madeleine de Scudéry, sous la pression du classicisme naissant, modifie sensiblement sa manière. Tout en conservant le schéma des amours contrariées et fidèle à son expression précieuse, elle se rallie au roman bref, à la nouvelle, avec notamment *Célinte* (1661), annonçant la manière plus dépouillée du roman historique que devait illustrer Madame de La Fayette.

Madeleine de Scudéry, Paul Pellisson et leur monde / Alain Niderst. – Paris : P.U.F., 1976. – 575 p. – (*Publications de l'Université de Rouen*).

Les Romans de Mademoiselle de Scudéry / René Godenne. – Genève : Droz, 1983. – 388 p. – (*Publications romanes et françaises* ; 164).

Le Roman jusqu'à la Révolution. 1. Histoire du roman en France / Henri Coulet. – 8e édition. – Paris : A. Colin, 1991. – 559 p. – (*Collection U Lettres*). – [1re édition, 1967].

Du cœur à l'esprit : Mademoiselle de Scudéry et ses samedis / Barbara Krajewska. – Paris : Éditions Kimé, 1993. – 189 p.

LE GRAND CYRUS 370

Coup de foudre (3e Partie, Livre I). — Ce roman se déroule en Perse, au Ve siècle A.C. Amoureux de Mandane, le héros est à la recherche de sa bien-aimée, qui est convoitée et enlevée par des rivaux successifs. Cette intrigue est prétexte à des aventures militaires et amoureuses dans des contrées exotiques, à de subtiles analyses de la passion, à de nombreuses histoires secondaires, comme ici, où Timocrate raconte à Martésie sa rencontre avec Télésile.

Mais comme la ceremonie fut achevée[1], & que pour voir encore mieux toutes les Dames, Melesandre[2] & moy fusmes allez nous mettre assez prés de la porte, à parler à deux ou trois de ses Amis, qui nous vinrent joindre : je vy sortir d'entre des Colomnes de Marbre qui soûtiennent la voûte du Temple, une Personne que ces Colomnes m'avoient sans doute cachée, tant que la ceremonie avoit duré : mais une Personne si admirablement belle, que j'en fus esbloüy, tant elle avoit d'esclat dans les yeux & dans le teint. Je ne la vy pas plus tost, que, cessant d'escouter ceux qui parloient, je tiray Melesandre par le bras : & sans cesser de regarder ce merveilleux Objet dont mes yeux estoient enchantez : Melesandre, luy dis-je en la luy monstrant, aprenez-moy le nom de cette miraculeuse Personne. Elle s'apelle Telesile, me repliqua-t'il ; de qui le nom n'est pas moins celebre par les charmes de son esprit, & par la complaisance de son humeur, que par les attraits de son visage. Au nom de Telesile, ceux avec qui nous estions interrompirent leur conversation ; & la regardant passer aupres de nous, nous la salüasmes, & la suivismes, afin de la voir plus long temps. Comme elle connoissoit fort Melesandre, & qu'elle l'estimoit mesme beaucoup, elle luy rendit son salut avec un sousrire si agreable, & avec un air si aimable & si obligeant ; que sa beauté en augmentant encore, mon admiration s'en augmenta aussi : & je sentis dans mon cœur je ne sçay quelle joye inquiette, & je ne sçay quel tumulte interieur dans mon ame, que je ne connoissois point du tout, ne l'ayant jamais senty jusques alors. Et certes je suis obligé de dire, pour excuser ma foiblesse en cette rencontre ; que

1 Timocrate se trouve à la porte du temple où une cérémonie religieuse vient de s'achever.

2 Un ami de Timocrate.

peu de cœurs ont jamais esté attaquez avec de plus belles ny de plus fortes armes que celles qui blesserent le mien. Telesile estoit dans sa dix-septiesme année : elle avoit la taille noble & bien faite : le port agreable : & quelque chose dans l'action, de si libre, de si naturel & qui sentoit si fort sa personne de qualité ; qu'elle ne laissoit pas lieu de douter de sa condition dés qu'on la voyoit. Elle avoit les cheveux du plus beau noir du monde : & le teint d'une blancheur si vive & si surprenante ; que l'on ne pouvoit la voir, sans avoir l'imagination toute remplie de Neige & de Cinabre[1], de Lis & de Roses : tant il est certain que la Nature a mis sur son visage de belles & d'éclatantes couleurs. De sorte que joignant à ce que je dis, des yeux doux & brillants tout ensemble ; une bouche admirable ; de belles dents ; & une fort belle gorge ; il n'y a pas lieu de s'estonner si mon cœur en fut surpris.

Artamène ou le Grand Cyrus. Troisiesme partie / dedie à Madame la Duchesse de Longueville par Mr de Scudéry. – A Paris : Chez Augustin Courbé, 1655 – [Tome III, pp. 124-127].

CLÉLIE 371

Éloge de la tendresse (1re Partie, Livre I). — La révolution qui renversa le roi de Rome Tarquin, en 509 A.C., sert de toile de fond au roman. Clélie, fille du noble romain Clélius, et Aronce, fils du roi des Étrusques Porsenna, s'aiment. Mais la jeune fille est enlevée par Tarquin, dont Porsenna est l'allié. Le double obstacle, celui du rival et celui du père, sera finalement surmonté grâce à la rupture de l'alliance entre Porsenna et Tarquin, qui permettra aux deux jeunes gens de connaître le bonheur. Dans le passage qui suit, Clélie se livre, avec deux de ses amoureux, Aronce et Horace, à une subtile analyse de l'amour, dont l'essence est tendresse, que n'auraient pas reniée les habitués du salon de Mlle de Scudéry.

Ce sont, dis-je, de ces Amans qui ne lisent qu'une fois les Lettres de leur Maistresse, de qui le cœur n'a nulle agitation quand ils la rencontrent ; qui ne sçavent ny resver, ny soupirer agreablement ; qui ne connoissent point une certaine melancolie douce qui naist de la tendresse d'un cœur amoureux ; & qui l'occupe quelquesfois plus doucement que la joye ne le pourroit faire. Ce sont, dis-je encore une fois, de ces Amans, de grand bruit qui ne font consister toutes les preuves de leur amour, qu'en despenses excessives ; & qui ne sentent rien de toutes les delicatesses que cette passion inspire. Leur jalousie mesme est plus brutale, que celle des Amans qui ont le cœur tendre ; car ils passent bien souvent de la haine

1 Substance de couleur rouge que les dames mettaient sur leur visage.

qu'ils ont pour leurs Rivaux, à haïr mesme leur Maistresse. Où au contraire les Amans dont l'amour est meslée de tendresse, peuvent quelquesfois respecter si fort leurs Maistresses, qu'ils s'empeschent de nuire à leurs Rivaux en certaines occasions, parce qu'ils ne le pourroient faire sans les irriter. Pour moy, dit Horace, je ne sçay point discerner la tendresse d'avec l'amour, dans un cœur amoureux ; car cette passion, quand elle est violente, occupe si fort ceux dont elle s'empare, que toutes les qualitez de leur âme deviennent ce qu'elle est, ou prennent du moins quelque impression amoureuse. Il est vray que l'amour occupe entierement le cœur d'un Amant, reprit Aronce, mais il est vray aussi que si un Amant a le cœur naturellement tendre, il aimera plus tendrement que celuy qui sera d'un temperamment plus fier, & plus rude. Ainsi je soutiens, que pour bien aimer, il faut qu'un Amant ait de la tendresse naturelle, devant que d'avoir de l'amour ; & cette precieuse & rare qualité qui est si necessaire à bien aimer, a mesme cét advantage qu'elle ne s'acquiert point, & que c'est veritablement un present des Dieux, dont ils ne sont jamais prodigues. On peut en quelque façon aquerir plus d'esprit qu'on n'en a ; on peut presques se corriger de tous les vices, & aquerir toutes les vertus ; mais on ne peut jamais aquerir de la tendresse. On peut sans doute se desguiser quelquesfois ; mais ce ne peut estre pour long temps : & ceux qui se connoissent en tendresse, ne s'y sçauroient jamais tromper. En effet toutes les paroles, tous les regards, tous les soins, & toutes les actions d'un Amant qui n'a point le cœur tendre, sont entierement differentes de celles d'un Amant qui a de la tendresse ; car il a quelquesfois du respect sans avoir d'une espece de soumission douce, qui plaist beaucoup davantage ; de la civilité, sans agréement ; de l'obeïssance, sans douceur ; & de l'amour mesme, sans une certaine sensibilité délicate, qui seule fait tous les suplices, & toutes les felicitez de ceux qui aiment ; & qui est enfin la plus veritable marque d'une amour parfaite. Je pose mesme pour fondement, qu'un Amant tendre ne sçauroit estre, ny infidelle, ny fourbe, ny vain, ny insolent, ny indiscret ; & que pour n'estre point trompé, ny en amour, ny en amitié, il faut autant examiner si un Amant ou un Amy, ont de la tendresse, que s'ils ont de l'amour ou de l'amitié.

Clelie, Histoire romaine. Première partie / dediee à Mademoiselle De Longueville par Mr de Scudéry. – A Paris : Chez Augustin Courbé, 1660. – [Pp. 217-221].

CLÉLIE 372

La Carte de Tendre (1re Partie, Livre I). — Célère, qui narre à une princesse les amours d'Aronce et de Clélie, décrit l'itinéraire que les parfaits amants doivent suivre, en évitant embûches et obstacles.

Vous vous souvenez sans doute bien, Madame, qu'Herminius avoit prié Clelie de luy enseigner par où l'on pouvoit aller de *Nouvelle Amitié* à *Tendre* : de sorte qu'il faut commencer par cette premiere Ville qui est au bas de cette Carte, pour aller aux autres ; car afin que vous compreniez mieux le dessein de Clelie, vous verrez qu'elle a imaginé qu'on peut avoir de la tendresse par trois causes differentes ; ou par une grande estime, ou par reconnoissance, ou par inclination ; & c'est ce qui l'a obligée d'establir ces trois Villes de Tendre, sur trois Rivieres qui portent ces trois noms, & de faire aussi trois routes differentes pour y aller. Si bien que, comme on dit Cumes sur la Mer d'Ionie, & Cumes sur la Mer Thyrrene[1], elle fait qu'on dit Tendre sur Inclination, Tendre sur Estime, & Tendre sur Reconnoissance. Cependant, comme elle a presuposé que la tendresse qui naist par inclination, n'a besoin de rien autre chose pour estre ce qu'elle est ; Clelie, comme vous le voyez, Madame, n'a mis nul Village, le long des bords de cette Riviere, qui va si viste, qu'on n'a que faire de logement le long de ses Rives, pour aller de Nouvelle Amitié à Tendre. Mais pour aller à Tendre sur Estime, il n'en est pas de mesme : car Clelie a ingenieusement mis autant de Villages qu'il y a de petites & de grandes choses, qui peuvent contribuer à faire naistre par estime, cette tendresse dont elle entend parler. En effet vous voyez que de Nouvelle Amitié on passe à un lieu qu'elle apelle Grand esprit, parce que c'est ce qui commence ordinairement l'estime : en suite vous voyez ces agreables Villages de Jolis Vers, de Billet galant, & de Billet doux, qui sont les operations les plus ordinaires du grand esprit dans les commencemens d'une amitié. En suitte, pour faire un plus grand progrés dans cette route, vous voyez Sincerité, Grand Cœur, Probité, Generosité, Respect, Exactitude, & Bonté, qui est tout contre Tendre : pour faire connoistre qu'il ne peut y avoir de veritable estime sans bonté : & qu'on ne peut arriver à Tendre de ce costé là, sans avoir cette precieuse qualité. Apres cela, Madame, il faut s'il vous plaist retourner à *Nouvelle Amitié*, pour voir par quelle route on va de là à *Tendre sur Reconnoissance*. Voyez donc, je vous en prie, comment il faut aller d'abord de Nouvelle Amitié à Complaisance : en suitte à ce petit Village qui se

1 Sur la mer Tyrrhénienne.

nomme Soumission ; & qui en touche un autre fort agreable, qui s'apelle Petits Soins. Voyez, dis-je, que de là, il faut passer par Assiduité, pour faire entendre que ce n'est pas assez d'avoir durant quelques jours tous ces petits soins obligeans, qui donnent tant de reconnoissance, si on ne les a assidûment. En suite vous voyez qu'il faut passer à un autre Village qui s'apelle Empressement : & ne faire pas comme certaines Gens tranquiles, qui ne se hastent pas d'un moment, quelque priere qu'on leur face : & qui sont incapables d'avoir cét empressement qui oblige quelquesfois si fort. Apres cela vous voyez qu'il faut passer à Grands Services : & que pour marquer qu'il y a peu de Gens qui en rendent de tels, ce Village est plus petit que les autres. En suite, il faut passer à Sensibilité, pour faire connoistre qu'il faut sentir jusques aux plus petites douleurs de ceux qu'on aime. Apres il faut pour arriver à Tendre, passer par Tendresse, car l'amitié attire l'amitié. En suite il faut aller à Obeïssance : n'y ayant presques rien qui engage plus le cœur de ceux à qui on obéït, que de le faire aveuglément : & pour arriver enfin où l'on veut aller : il faut passer à Constante Amitié, qui est sans doute le chemin le plus seur, pour arriver à Tendre sur reconnoissance. Mais Madame, comme il n'y a point de chemins où l'on ne se puisse esgarer, Clelie a fait, comme vous le pouvez voir, que si ceux qui sont à Nouvelle Amitié, prenoient un peu plus à droit, ou un peu plus à gauche, ils s'esgareroient aussi : car si au partir de Grand Esprit, on alloit à Negligence, que vous voyez tout contre sur cette Carte ; qu'en suite continuant cét esgarement, on allast à Inesgalité ; de là à Tiedeur ; à Legereté ; & à Oubly ; au lieu de se trouver à Tendre sur Estime, on se trouveroit au Lac d'Indifference que vous voyez marqué sur cette Carte ; & qui par ses eaux tranquiles, represente sans doute fort juste, la chose dont il porte le nom en cét endroit. De l'autre costé, si au partir de Nouvelle Amitié, on prenoit un peu trop à gauche, & qu'on allast à Indiscretion, à Perfidie, à Orgueil, à Medisance ou à Meschanceté ; au lieu de se trouver à Tendre sur Reconnoissance, on se trouveroit à la Mer d'Inimitié, où tous les Vaisseaux font naufrage ; & qui par l'agitation de ses Vagues, convient sans doute fort juste, avec cette impetueuse passion, que Clelie veut representer.

Clelie, Histoire romaine. Première partie / dediee à Mademoiselle De Longueville par Mr de Scudéry. – A Paris : Chez Augustin Courbé, 1660. – [Pp. 399-404].

CÉLINTE 373

Un dessein extrême et déchirant. — Dans cette nouvelle, qui se déroule en des temps antiques de fantaisie, Célinte, aimée de Méliandre et d'Ariston, aime Poliante d'un amour partagé, malgré l'opposition de son frère et de la mère du jeune homme. Tombé aux mains de Méliandre, qui le tient emprisonné et menace de le mettre à mort, Poliante apprend à Célinte le chantage imposé par Méliandre : que Poliante renonce à Célinte (que Méliandre souhaite épouser), et il sera libre... Dans le passage qui suit, Célinte confie à Mélise, une amie sûre dont elle sollicite la complicité, le plan par lequel elle espère sauver Poliante de la mort tout en lui restant fidèle.

Celinte s'en alla retrouver la plus chere de ses amies chez qui elle logeoit, cette Dame qui se nommoit Melise, luy vit sur le visage une pasleur mortelle qui l'effraya & qui l'obligea à l'entretenir en particulier. De grace, Celinte, luy dit-elle, servez vous de vostre esprit à surmonter vostre douleur ; elle est grande, elle est juste, & par consequent elle est raisonnable, & innocente. Mais puisque votre malheur n'a point de remede, il faut se resoudre courageusement à le souffrir avec constance. Si le mal que je crainds m'arrive, repondit Celinte, la mort m'en delivrera bien-tost. Mais ma chere Melise, je veux faire toutes choses pour faire reüssir un dessein que j'ay imaginé. Mais pour l'executer j'ay absolument besoin de vous. Cependant devant que je vous die ce que c'est, il faut que vous me promettiez de me servir comme je veux estre servie. Pourveu que vous n'attendiez rien contre vostre vie, reprit Melise, je vous promets tout ce que vous vouslez. Quand mesme il faudroit hazarder la mienne ; car j'ay beaucoup d'amitié pour Poliante, & une tendresse extreme pour vous. Dittes moy donc promptement quel est ce dessein qui demande tant de precaution. C'est un dessein qui vous paroistra sans doute fort bizarre, reprit Celinte, mais enfin je ne laisse pas d'esperer qu'il pourra servir à Poliante. Ne pensez pas, luy dit-elle, que ce que je veux tenter, me puisse jamais rendre heureuse, car je ne feray que changer de malheur. Mais en l'estat qu'est mon ame, je ne cherche qu'a sauver la vie à Poliante, & qu'a m'empescher de me pouvoir reprocher que je suis cause de sa mort. Servez-moy donc genereuse Melise, poursuivit-elle, servez-moy, & pour meriter de n'estre jamais malheureuse, servez une infortunée qui a besoin de toute vostre tendresse, & de toute vostre fidelité. Mais pour vous servir, reprit Melise, il faut dire ce que vous voulez que je fasse. Je veux, dit-elle que vous me meniez à une petite maison que je sçay que vous avez à une journée d'icy comme si ce n'estoit que pour fuir le monde durant les huit jours qu'on ne travaillera point au jugement du mal-heureux Poliante[1]. Il faut qu'en ce

---

1 Un délai de huit jours s'écoule avant le procès de Poliante, durant lequel Célinte veut feindre de se retirer du monde.

lieu là je feigne de tomber malade, que mon Médecin, de la fidelité dont je suis assurée, me vienne voir, qu'en une nuit on die que je suis morte, qu'on feigne de me mettre dans un cercüeil, que je parte la mesme nuit secrettement, pour m'aller cacher en quelque coin du monde parmy des vierges voilées ; que je porte toutes mes pierreries pour m'en servir selon l'occasion, que je change de nom, que je laisse un testament qui serve à confirmer la croyance de ma mort, & que vous fassiez porter le cercüeil ou l'on croyra que sera mon corps, dans le tombeau que feu mon pere avoit fait bastir à la campagne, & qu'il n'occupa pourtant point, par ce qu'il perit par un naufrage sur la mer. Tout ce que vous me dites, reprit Melsie, est tres difficile à faire ; mais quand nous en viendrons à bout, à quoy pensez vous que cela serve ? Je pense, reprit Celinte, que Meliandre ne se resolvant à faire une horrible mechanceté, que parce qu'il veut ou se vanger de moy, ou m'espouser, sera si fasché de voir qu'il m'aura mise au tombeau, qu'il donnera la liberté à Poliante, & que voulant profiter de cette occasion, par des interests de Politique, il luy proposera une seconde fois d'epouser Artesie. Mais pensez-vous, repliqua Melise, que Poliante le veüille ! helas ma chere Melise que me demandez-vous ? repliqua Celinte. En effet si je vous parle sincerement, je vous diray que je le desire, que je le crainds, que je le veux, & ne le veux pas ; je vous diray que je le croy, que j'en doute, & qu'enfin, mes sentiments sont si confus sur ce sujet là, que je ne les puis bien connoistre. Mais ce qu'il y a de constamment vray, c'est que plustost que de causer la mort à Poliante, je suis capable de me priver pour jamais de sa veuë, de luy donner la plus aigre douleur qu'il puisse sentir, en luy donant lieu de croire que je suis morte, de m'exposer moy mesme au plus grand de tous les suplices, en me mettant en estat d'apprendre que Poliante se consolera de ma mort, que pour vivre il sera infidelle à ma memoire, & qu'il aimera peut-estre mesme plus Artesie, qu'il ne m'aura aimée. Tous ces sentimens la, ma chere Melise, sont desja dans mon cœur, & de quelque façon que puisse agir Poliante, il est tousjours certain que je seray toute ma vie la plus mal-heureuse personne du monde. Mais apres tout il faut executer mon dessein. Car rien ne me paroist plus effroyable que de m'imaginer la mort de Poliante, causée par Celinte. Mais reprit Melise puisque vous estes persuadée avec raison que Meliandre se repentira de l'injuste persecution qu'il fait à Poliante, s'il vous croit morte, feignez de mourir j'y consents, mais advertissés Poliante de la vérité. Ah ! non non Melise, repliqua Celinte, en soupirant ce n'est point assez de tromper tout le monde, il faut tromper Poliante. Car si Meliandre croyoit ne pouvoir l'attacher à ses interests par l'alliance d'Artesie, il ne le delivreroit pas, & il ne voudroit jamais donner la liberté à un ennemy qui pourroit se vanger un jour de ce qu'il l'auroit voulu faire perir comme un criminel. Ainsi il faut necessairement le tromper comme les autres, & mesme s'il se peut mieux que les autres ; & il faut enfin que je donne en cette occasion, la plus grande marque d'amour que personne ait jamais donnée. En effet, mourir pour ce qu'on aime, n'est rien en comparaison de ce que je veux faire, puis qu'il est certain qu'une longue souffrance est bien plus cruelle que la mort la plus violente. Melise dit encore cent choses à Celinte ; mais trouvant en effet qu'il y avoit beaucoup d'apparence que si son dessein reüssissoit, Meliandre ne feroit point mourir Poliante, elle se resolut de servir son Amie, de la maniere qu'elle le vouloit.

Célinte, nouvelle première / Madeleine de Scudéry ; édition critique, avec une introduction et des notes par Alain Niderst. – Paris : Nizet, 1979. – [Pp. 112-115].

OLOF RUDBECK

LATIN • SUÉDOIS **1630-1702**

Neuvième enfant de l'évêque de Västerås Johannes Rudbeckius, le jeune Olof est élevé dans la plus stricte orthodoxie luthérienne. Lorsqu'à l'âge de dix-huit ans, il s'inscrit à l'Université d'Upsal, ce n'est cependant pas la théologie qui l'attire, mais la médecine, discipline alors très peu développée en Suède. Dès 1650, il entreprend de nombreuses dissections, et il rend compte de sa découverte des vaisseaux lymphatiques dans *Nova exercitatio anatomica* (1653), après en avoir fait la démonstration en présence de la reine Christine au printemps 1652. Il effectue ensuite sa *peregrinatio academica* en Hollande et parfait ses études à l'Université de Leyde, alors foyer actif de cartésianisme. De retour en 1654, il accède à la chaire upsalienne de médecine théorique six ans plus tard, enseignant avant tout l'anatomie et la botanique, ses matières favorites, mais s'intéressant aussi à l'astronomie et à la chimie. Champion du nouvel esprit scientifique, et ennemi juré de toute forme scolastique de pensée, il se trouve engagé dès l'année suivante dans les « luttes cartésiennes » qui pendant trois décennies vont provoquer de vifs affrontements au sein de l'*Alma mater* suédoise. Résolument empiriste, il tourne en dérision la vieille physique aristotélicienne dont il dénonce la stérilité. Homme d'action autant que de pensée, il met la mécanique scientifique au service de l'économie et s'illustre de mille manières comme entrepreneur et ingénieur.

C'est toutefois à un autre titre que son nom est passé à la postérité. À l'âge de 39 ans, il se lance dans la rédaction d'un ouvrage d'historiographie patriotique qui va requérir l'essentiel de ses forces jusqu'à sa mort. Quatre volumes verront le jour (1679, 1689, 1698, 1702), le premier assorti d'un *Atlas*, mais le monument qu'il entendait édifier ne demeurera pas moins inachevé. Cette somme rédigée en suédois, *Atland eller Manhem,* a été pourvue d'une version parallèle en latin, *Atlantica*. L'ambition de l'auteur est de démontrer, force arguments à l'appui, que sa patrie nordique n'est autre que cette *deorum insula* attestée par les sages de l'Antiquité. Ainsi donc, l'Atlantide qu'on croyait engloutie ne ferait qu'un avec la Suède. Rudbeck procède par amalgame entre mythologie nordique et mythologie antique à l'aide d'étymologies aventureuses — à une époque où la philologie comparée est encore dans l'enfance. Il puise aussi abondamment dans une tradition ancienne, hermétique, mais parvient à lui conférer une allure nouvelle, délibérément rationnelle. C'est ainsi qu'il mobilise les méthodes scientifiques les plus modernes, procède à des datations en fonction de l'épaisseur de la couche d'humus et se livre sur le terrain à des recherches archéologiques qui font de lui un des pionniers de cette science. Si la thèse soutenue par Rudbeck est déraisonnable, il n'en va pas de même de la démarche qu'il adopte.

Déjà constitué lors du premier millénaire, le mythe gotique qui affirmait la supériorité du Nord et faisait état d'un transfert culturel nord-sud connaît une vigoureuse reviviscence au XVIIe siècle. La Suède, soudain promue au rang de grande puissance, se montre soucieuse d'assurer son rang dans tous les domaines, y compris en se dotant d'un passé glorieux. L'ouvrage de Rudbeck s'inscrit dans cette perspective. L'auteur excelle à verser le vin nouveau dans les vieilles outres, et il faut bien admettre qu'il parvient à donner une certaine apparence de rationalité au mythe national. Au demeurant, *Atlantica* fut dans l'ensemble bien accueilli non seulement en Suède mais aussi à l'étranger. La vigueur intellectuelle de l'auteur, la saveur de la langue, l'habile utilisation des procédés de l'esthétique baroque et un robuste humour y sont sans sans doute pour beaucoup.

À une époque où la prose suédoise demeurait en friche, Rudbeck en a donné le premier chef-d'œuvre, et c'est à ce titre qu'il s'inscrit dans l'histoire de la littérature suédoise. Quant à ses idées, raillées au siècle des Lumières, elles allaient connaître un certain regain d'actualité à l'époque du romantisme.

Atlantica : Svenska originaltexten / Olof Rudbek ; svenska originaltexten på uppdrag av Lärdomshistoriska Samfundet utgiven av Axel Nelson. – Uppsala ; Stockholm : Almqvist & Wiksells, 1937-1950. – 5 volumes. – (*Lychnos-bibliotek,* I-V). – [Édition moderne, qui comporte également *De Olavi Rudbeckii Atlantica diversorum testimonia*, 1691-1692].

Réveil national et culture populaire en Scandinavie : la genèse de la « højskole » nordique, 1844-1878 / Erica Simon. – Paris : Presses Universitaires de France, 1960. – XXVI-766 p.

Les Chemins du savoir en Suède : de la Fondation de l'Université d'Upsal à Jacob Berzelius : études et portraits / Sten Lindroth ; traduit par Jean-François Battail ; avec une introduction sur Sten Lindroth par Gunnar Eriksson. – Dordrecht ; Boston ; Lancaster : Martinus Nijhoff, 1988. – XX-242 p. – (*Archives internationales d'histoire des idées = International archives of the history of ideas* ; vol. 126).

Les Sociétés scandinaves de la Réforme à nos jours. II, « Entre Réforme et romantisme » / J.-F. Battail, R. Boyer, V. Fournier. – Paris : Presses Universitaires de France, 1992. – 596 p.

The Atlantic Vision : Olaus Rudbeck and Baroque Science / Gunnar Eriksson. – Canton (U.S.A.) : Science History Publications, 1994. – 196 p. – (*Uppsala Studies in History of Science* ; 19).

ATLANTICA 374

J.-Fr. Battail — 1996

Ce qui a incité l'être humain à habiter les contrées les plus septentrionales (Ire partie, chapitre IV). — La supériorité de l'hémisphère nord est originelle et naturelle : l'humanité y a été créée et les espèces animales y trouvent leur lieu de croissance. Le climat nordique est plus sain et plus favorable à l'humanité, tant au physique qu'au moral : il assure la force, la longévité et la fécondité. C'est ce qui oblige périodiquement les peuples méridionaux à venir s'y régénérer.

J'ai montré précédemment en invoquant la parole de Dieu, qui constitue un fondement inébranlable et irrévocable, que la confusion babélienne des langues constitua le moyen essentiel (bien évidemment) pour éloigner les peuples les uns des autres. J'ai également montré que ceux qui s'étaient dispersés ne pouvaient avoir été nombreux, du fait que la famille humaine, dont l'accroissement demeurait limité, n'était pas en mesure d'occuper la terre entière. On peut clairement en conclure qu'il existait de grandes étendues désertes entre tel clan et tel autre, ce qui était encore le cas du temps de Hérodote, comme il ressort de ses récits et d'autres sources antiques.

J'ai encore montré que l'être humain cherchait alors (car la terre était couverte de grandes forêts qui après le déluge avaient poussé au cours des siècles précédant la confusion des langues) à se nourrir de poissons, préservés par l'inondation, alors que les autres animaux ne s'étaient encore guère reproduits et que l'agriculture et le commerce demeuraient dans l'enfance. Car il faut maintenant se demander pourquoi quelques êtres humains seraient finalement venus chercher leur nourriture et leur gîte dans ces contrées nordiques, alors que beaucoup d'étrangers tiennent ces régions pour stériles, pierreuses, rébarbatives et très froides, si bien que personne ne pourrait avoir envie d'y élire domicile. Nous voulons examiner s'il existe quelque fondement à une telle opinion.

1. Quiconque s'est quelque peu intéressé à la description de la terre (*Geographia*) sait qu'elle est entièrement ronde et se compose de terre et de mers, comme il est dit dans la Genèse, et que l'un des hémisphères est situé au nord, l'autre au sud. Fait particulièrement remarquable, bien que le soleil séjourne la moitié de l'année dans la partie sud et l'autre moitié dans la partie nord, de sorte que sa chaleur semble favoriser la croissance de tous les animaux, poissons, arbres et plantes aussi bien dans un hémisphère que dans l'autre, Dieu, comme chacun sait, a fait en sorte que la partie nord de la terre soit plus peuplée que la partie sud.

2. Dieu plaça lui-même Adam au paradis que les doctes s'accordent à situer en Syrie là où l'Euphrate coule près des trois autres bras du fleuve d'Eden : soit au nord de l'axe central.

3. De même, l'arche de Noé s'arrêta près des monts Ararat, dans la partie nord.

4. Les juifs, le propre peuple de Dieu, se virent attribuer la terre promise, noyau du monde entier qui était situé dans l'hémisphère nord.

5. Toutes les monarchies se sont rencontrées dans la moitié nord. Ainsi, cette partie du monde a été en quelque sorte jugée plus digne d'abriter les hommes et les animaux que la moitié sud.

6. J'ai montré que les poissons avaient initialement constitué la nourriture principale de l'homme après le déluge. Si l'on examine où ils se plaisent le plus et où la nature favorise leur épanouissement, aucun lieu au monde ne peut se mesurer avec ces contrées nordiques ; tous ces harengs, saumons, harengs de la Baltique, lavarets, morues, baleines et autres semblables, qui sont tous du côté hollandais et se rencontrent jusqu'en Islande à travers la mer de l'est et de l'ouest, défient toute énumération, et nul ne saurait préciser combien de pays et de peuples s'en nourrissent.

7. Si l'on examine quels sont de par le monde les oiseaux qui servent essentiellement à l'alimentation humaine, comme les canards, oies,

cygnes, étourneaux, etc., et d'autres, comme grues, lummes, macreuses : c'est ici en Suède et dans les contrées nordiques qu'ils s'accroissent le plus, spécialement grâce aux innombrables mers, lacs, marais, tourbières, cours d'eau, îlots et baies. Ils sont ici plus nombreux que nulle part ailleurs, comme il ressort d'une comparaison avec la Suède de n'importe quelle partie du monde de grandeur équivalente.

Oui, il est clair comme le jour qu'il existe quelque force naturelle qui, alors qu'elle favorise plus la croissance des plantes, fruits et racines en tous genres dans les pays chauds que dans les régions septentrionales, confère en revanche aux animaux, oiseaux, poissons et êtres humains une fécondité, une prospérité et une santé qui sont bien supérieures au nord qu'au sud : car Dieu n'a rien institué de plus suave dans la nature que l'amour qui préside à la reproduction et à la conservation du monde tout entier. On sait que *sine Cerere & vino friget Venus*, autrement dit que l'amour est froid sans vin et sans pain — bref, qu'il ne peut s'épanouir qu'en temps et en lieu opportuns. Car on constate que pour la grande majorité de tous les animaux, poissons et oiseaux, les amours ont lieu au printemps, lorsque la douce chaleur du soleil pénètre dans ces contrées nordiques et met leur sang en mouvement. Qu'est-ce qui incite alors d'innombrables animaux à quitter les pays plus chauds pour se rendre dans les régions septentrionales ? En vérité, il doit y avoir dans ces terres nordiques quelque force émanant de la nature qui les pousse plus qu'ailleurs à consommer leurs amours, et ce pour le maintien du monde tout entier.

8. Si l'on parle maintenant de la lumière et de sa douceur, rien n'est plus faux que l'opinion des anciens selon laquelle des ténèbres sans fin auraient régné ici. Car il y a pendant toute l'année plus de jour chez nous que chez ceux qui habitent près de l'axe central, ce dont il sera question dans un autre chapitre.

9. Au moment de l'hiver, les terres, montagnes, forêts et vallées sont ici entièrement couvertes de neige, et il en résulte une telle luminosité qu'on peut voyager nuit et jour alors que dans d'autres pays, il fait si sombre qu'on ne peut s'orienter lorsque fait défaut la clarté provenant des étoiles ou de la lune : et ici, au clair de lune, et même par temps nuageux au moment de la pleine lune, le reflet sur la neige permet de lire ce qui est écrit ou imprimé en gros caractères. Oui, ici, on peut voyager jour et nuit dans les campagnes, les lacs et les cours d'eau avec le plus grand profit et agrément, alors que dans d'autres pays comme l'Allemagne, la France, l'Espagne, l'Italie, etc., on doit se déplacer dans la plus grande obscurité,

sur un cheval dont le ventre se couvre d'immondices, et au sein de brouillards et de miasmes malsains. En préservant la chaleur de la terre, la neige profite à de nombreuses plantes importées de l'étranger alors que celles-ci sont abîmées par le froid sec qui règne en Allemagne, Hollande et France, ce que j'ai moi-même expérimenté dans bien des cas. Parmi tous nos ancêtres, et les vieux médecins et philosophes comme Esculape, Hippocrate, Platon et Aristote, qui pourrait croire qu'à 60 degrés sous l'étoile polaire, des oranges amères, citrons, *Laurus*, *Myrtus*, *Ficus Indica* et autres pourraient croître et fleurir. On peut tenir pour remarquable ce qui nous vient de l'extérieur sous forme de belles pierres précieuses, vêtements, tissus et animaux, ainsi que d'ouvrages exquisément travaillés en argent, en or, en ivoire et dans des bois exotiques — que le froid ne peut toutefois abîmer. Mais tout cela n'est pas aussi remarquable que la concentration sous nos cieux de milliers de plantes du monde entier qui ont pu se conserver et prospérer grâce à la nature et à l'art. On peut dire à coup sûr que s'accomplit ici la parole de Dieu — je leur donnerai l'hiver en temps et l'été en temps. Quand l'hiver règne ici, il est clair, sain, bienfaisant et tonique ; quant à l'été, ses délices sont telles, de jour comme de nuit, qu'il n'a son pareil dans aucun lieu situé plus au sud.

10. Si l'on examine l'être humain lui-même et l'état de santé dont il jouit ici, il y a lieu de remercier Dieu que des maladies contagieuses comme la peste, la lèpre, la fièvre éruptive, etc. soient si peu fréquentes alors que les pays du sud en sont affectés presque chaque année. C'est pourquoi l'être humain est promis ici en moyenne à une longévité bien supérieure à celle des habitants du sud, ce dont les anciens Grecs et Romains avaient témoigné, qui les appelaient *Macrobios* après qu'ils eurent vécu 100 ans, voire 1000 ans, comme on peut le constater avec Orphée, Festus et d'autres. La terre et l'air qui caractérisent la nature de ces lieux, de même que la richesse de la nourriture, leur donnent plus de force que dans les pays méridionaux, et également des corps plus puissants, ce dont les écrits étrangers portent témoignage et qui sera montré plus en détail dans le chapitre sur le Jotunheim. Strabon ne dit-il pas explicitement (lib.4, f. f. 196) « que plus on remonte vers le nord, plus les peuples sont virils et combatifs » ?

11. Si l'on examine la subsistance de l'être humain et les saines nourritures dont il dispose en ces lieux, on constate qu'il mange deux ou trois fois plus que l'habitant du sud et dispose d'aliments plus consistants. Car celui-ci mange toutes sortes de fruits comme les châtaignes, les pommes,

les noix, les carottes, et des salades en tous genres, mais rarement de la viande et du poisson. Ici, on consomme quantité de gibier, viande de bœuf, mouton, porc, jambon, ainsi que du poisson à profusion. Si les Suédois devaient passer une journée en Italie, ils auraient assurément (par comparaison avec des nourritures aussi substantielles) le sentiment de ne disposer que d'un petit déjeuner.

12. En ce qui concerne la fécondité, il est rare dans les pays du sud, comme dans le propre peuple de Dieu, qu'une femme ait 4, 5, 6 enfants ; mais ici, il est courant d'engendrer 5, 6, 8, 12, 14 enfants, et dans bien des cas ce nombre atteint 18, 20, 24, 28, voire 30. Quand on réfléchit soigneusement à tout cela, on découvre qu'il existe à l'évidence dans les contrées nordiques quelque force particulière qui pousse les êtres humains et de nombreux animaux à prospérer. Et il y a bien plus ; les bêtes sont attirées par ces terres à partir des pays du sud qui sont réputés pour être plus beaux et plus plaisants que les contrées nordiques. Encore les animaux sont-ils dépourvus d'entendement. Mais l'être humain, lui, peut prendre en considération ce qui est utile et profitable à la force, la puissance, la santé et l'équilibre de son corps. Il convient de remarquer que tous les pays possèdent des propriétés naturelles particulières, de sorte que ni les animaux ni les hommes ne se plaisent partout de la même manière. En Hongrie et autres lieux semblables, on élève les chevaux les plus grands et les puissants, en Hollande, les vaches laitières les plus imposantes, en Perse, les meilleurs moutons, et ainsi de suite ; et si ces bêtes réputées dans leur milieu d'origine pour leur beauté, leur taille et autres qualités sont transplantées ailleurs, elles gardent certes pour un temps leurs propriétés spécifiques, mais de génération en génération, elles tendent à devenir plus petites. Comme nous le constatons quotidiennement ici en Suède : les chevaux, les bœufs, les moutons, les pommes, les poires rapetissent, et il faut donc après 100 ans, 200 ans ou plus introduire de nouveaux spécimens là où l'on veut maintenir la taille et les caractéristiques de l'espèce. Pareillement, la nature a donné au peuple got ou scythe, qu'il s'agisse du corps ou de l'âme, une robustesse et une virilité supérieures à celles des peuples méridionaux ; ceux-ci, comme il sera prouvé en lieu et place, ont toujours dû au bout de quelques siècles organiser de grandes expéditions pour régénérer l'espèce affaiblie par les grandes chaleurs et des nourritures débilitantes, ce qui ressort à l'évidence de toutes les Histoires. Ce n'est pas un hasard si Jordanes et d'autres ont appelé la Suède *Vaginam gentium*, c'est-à-dire la mère de nombreux peuples.

Il est dûment établi, et pas seulement à partir de la parole divine, que ce pays, comme tous les autres, ne fut habité que par quelques êtres humains après la confusion des langues ; mais il est également établi que la nature particulière de ces lieux a attiré les hommes ; ceux-ci ignoraient les vastes palais, les vêtements magnifiques, les grandes richesses et les sacs à écus, mais vivaient dans une nature propice à leur subsistance, assurée par la chasse et le tir, et surtout grâce aux ressources exceptionnelles de la pêche — domaine dans lequel la Suède l'emporte sur tout autre pays du monde. Il en sera question plus en détail dans le chapitre consacré à la fécondité de la Suède.

Traduction inédite. — *Atlantica : Svenska originaltexten* / Olof Rudbek ; svenska originaltexten på uppdrag av Lärdomshistoriska Samfundet utgiven av Axel Nelson. – Uppsala ; Stockholm : Almqvist & Wiksells, 1937. – (*Lychnos-bibliotek* ; I). – [Vol. I, pp. 55-59].

LUBOMIRSKI

LATIN • POLONAIS **1641-1702**

Descendant d'une famille de vieille noblesse polonaise, Stanisław Herakliusz Lubomirski fait ses études, de 1659 à 1662, dans les universités et les centres intellectuels des Pays-Bas, de France, d'Espagne et d'Italie et est reçu notamment par Mazarin et Louis XIV. En 1674, il s'établit à Jazdów (aujourd'hui Ujazdów, près de Varsovie) où, en 1683, il fait bâtir par Tylman van Gameren une somptueuse résidence, renommée pour son théâtre, où il donne des comédies. La cour de Lubomirski à Jazdów est un foyer de la culture de son temps. Fils de Jerzy Sebastian, le séditieux Grand Maréchal de la Couronne et « hetman de compagnie » — Lubomirski fait aussi une longue carrière politique : il appuie l'élection de Jean III Sobieski, qui le fait Grand Maréchal de la Couronne (1676). Après la mort du roi (1698), il soutient Auguste II de Saxe.

L'œuvre littéraire de Lubomirski reflète sa vaste culture, son érudition et l'isolement intellectuel de ce poète-philosophe dans la culture « sarmate » de la Pologne contemporaine du déferlement des conquérants suédois (2e moitié du XVIIe siècle). Influencé par les Anciens et par des modernes (Boccace, L'Arioste, Marino, Le Tasse), il étonne par son indépendance et est le grand auteur du baroque polonais finissant. Ainsi, sa paraphrase de l'*Orphée* de Marino, publiée posthume en 1754, témoigne de sa mentalité intertextuelle : l'auteur polonais émaille son texte de trouvailles de Piotr Kochanowski (voir son *Gofrod abo Jeruzalem wyzwolona* (*Godefroid [de Bouillon] ou la Jérusalem délivrée*, 1618). Ses paraphrases bibliques, comme le poème *Tobie libéré* (*Tobiasz wyzwolony*, 1683) et l'*Ecclésiaste* (1702), nous prouvent son habileté à se servir de la traduction de la Bible en polonais du jésuite J. Wujek (1599) en même temps qu'elles témoignent de son individualité d'artiste.

Ses autres œuvres philosophiques, *Rozmowy Artaksesa i Ewandra* (*Entretiens d'Artaxerxès et d'Évendre*, 1694) et *De vanitate consiliorum* (*La Vanité des conseils*, 1699-1700) reflètent le scepticisme profond de l'auteur et sa solitude intellectuelle.

Penseur néo-stoïcien, influencé par Sénèque et par Juste Lipse, Lubomirski a écrit aussi, en latin, une série de quinze éloges emblématiques illustrés par Tylman van Gameren (1688), les *Adverbia moralia,* consacrés à la dignité de l'homme. Lubomirski a composé aussi quelques œuvres dramatiques : *Ermida*, une pastorale écrite en 1664, et des comédies en prose, *Don Alvares* et *Lopez.*

Panorama de la poésie polonaise à l'âge baroque / Claude Backvis. – Bruxelles : Académie royale de Belgique, 1995. – 2 vol. – (*Académie royale de Belgique. Mémoire de la classe des Beaux-Arts. Collection in 8°* ; 3e série ; 12).

ORPHÉE

375

Fr. Lhoest — 1996

Les effets du chant d'Orphée. — La contemplation d'Eurydice, ombre renaissant à la vie, vaut à Orphée le malheur de tout perdre. Cette perte et l'infinie nostalgie qui en résulte sont cependant la clé d'un chant nouveau, qui réconcilie la nature et la convoque au lieu où prend forme sa secrète harmonie.

Les Danaïdes cessèrent de puiser l'eau
avec des tonneaux sans fond ;
Ixion[1] cessa de tourner sa roue de ses larges mains
et essuya son front tout mouillé de sueur ;
Sisyphe, sur sa pierre, se reposa lui aussi
sans plus penser à la mettre en mouvement.
L'aigle rapace lâcha la bride à Tityos[2]
et ne l'attaqua plus de sa griffe acérée ;
Tantale, l'insatiable, se trouva rassasié,
et Radamant[3] lui-même, bien que juge sévère,
pencha pour la clémence.
Les Parques, qui avaient autrefois
souillé les anciennes lois,
en firent de meilleures, de plus heureuses.
Même le cœur de la sévère Proserpine
s'adoucit tant qu'elle ne lui refusa pas son aide,
ne le méprisa point et plaida sa cause auprès de Pluton.
On vit même pleurer le roi des ténèbres,
triste, compatissant, tout ému
et, ô prodige! — l'inflexible,
à cette heure adouci, partagea la douleur commune.
Il consola Orphée aux larmes abondantes,
et ce furent les premières larmes
qu'on ait jamais vu couler de ses yeux,
baignant ses joues grêlées
et les vilaines touffes de sa barbe indomptée.

C'est ainsi qu'Orphée retrouva sa nymphe aimée,
qu'elle lui revint par un prodige,
à cette seule condition que,

1 Ixion, roi de Thessalie, pour avoir voulu enlever Junon, fut attaché par Zeus à une roue en mouvement perpétuel. (N.d.t.)

2 L'un des Titans.

3 Radamant, fils de Zeus et d'Europe, frère de Minos avec lequel, après sa mort, il juge les morts dans l'Aïs. Sur sa vie bienheureuse sur les Champs Élysées, et sur sa rencontre avec le géant Tityos dans l'île d'Eubée, voir au livre IV de l'Odyssée. (N.d.t.)

quand derrière lui elle ferait son entrée dans ce monde
après avoir traversé tout l'enfer,
sous peine d'y retourner,
il ne porterait pas son regard sur elle.
La contrainte est trop dure ; je la crois inhumaine.
Qui va prendre les rênes de l'amour ?
Là où la patience de l'amour est si forte,
l'incertitude est trop cruelle.

Déjà, sortant des ténèbres infernales,
il emmenait derrière lui sa bien-aimée, sa flamme,
son doux incendie, le trésor céleste arraché à l'enfer,
glorieuse proie de son luth victorieux,
quand, oubliant l'avertissement des mégères,
l'amoureux fou, n'y tenant plus,
regarde en arrière :
il tourne ses yeux pleins d'affliction,
vers l'objet de ses regards, il le perd aussitôt.
Il veut la saisir, elle périt.
Il est coupable en soi, et la coupable l'accuse.
Ô cruelle sentence !
Les portes d'airain se referment sur elle,
laissant la douleur. Et s'éloignant,
au terme de sa vie, Eurydice dit :

« À peine suis-je remontée sur la terre
à l'intercession de la sombre maîtresse des lieux[1]
que je retourne en enfer d'où je suis venue.
Rude est la loi, infâmes sont les sentences.
De quoi suis-je coupable ?
Et pourquoi dois-je compter les pas contraints
qui mènent mon âme au deuil éternel ?
Sois bon, mon doux époux,
car les ombres m'entraînent en arrière.
Sache que tes yeux avides ont causé ma perte.
Si tu t'étais arrêté, tu m'aurais obtenue.
Ah ! Si tu t'étais maîtrisé,
si tes yeux n'avaient pas regardé de côté [...]
j'aurais pu ne pas mourir
et toi ne pas vivre dans la peine.

---

1 Proserpine. (N.d.t.)

Mais désormais n'attends plus
de voir mon regard.
Je m'en vais. Profite de la lumière.
Adieu donc, mon mari. Adieu,
ciel, soleil, étoiles, plantes, forêts, montagnes et vallées. »

Cela dit, elle disparut, comme la fumée se disperse au vent,
échappant à l'œil ardent du triste Orphée, à sa prunelle vive,
pour rejoindre l'enfer.
Par trois fois il voulut la retenir, mais il ne saisit que du vent
en tentant de capturer sa proie perdue ;
il voulait venir la rechercher, mais une immense nuée,
d'où avaient surgi des tourbillons puissants,
l'empêchait de faire un seul pas :
Cerbère ouvrit l'œil et lui interdit l'accès des portes,
Charon lui défendit de monter dans sa barque ;
des mégères le menaçaient,
des ombres noires lui barraient le chemin.
La terre se mit à trembler
et les antres déserts furent ébranlés,
là où Éole souffle en rafales,
le fameux vent vaillant
avec les portes infernales
dans les fosses, les ravins, les grottes, les cavernes. [...]

Il n'a pas abrégé sa peine infinie
et le jour joyeux n'a pas consolé le cœur du demi-mort.
Quelles fables eussent pu le consoler ?
Il courait dans la forêt, fou de douleur,
réservant aux seuls animaux
les sons plaintifs de son luth désaccordé,
de sorte que tous s'habituèrent à lui,
les oiseaux et les affreux reptiles, ne lui firent aucun mal ;
ils n'avaient peur de rien
mais souvent l'écoutaient, attentifs.
Tout ce que la forêt abrite de bêtes sauvages
tendait le cou vers lui :
les énormes bisons et les buffles puissants
se faisaient tous dociles ;
les bœufs pesants, les ânes paresseux
bondissaient gaiement ;

le cheval fougueux, au rapide galop, gardait la cadence :
comme dans la danse
nul besoin de canne, ni de pied exercé,
de rênes ni d'éperons.
Le lièvre craintif et même le lapin agile
dansaient hardiment, faisaient des cabrioles ;
le lion fougueux et le léopard trop subtil,
le tigre prédateur amateur de grands sauts. [...]
Le sanglier sauvage refermant ses crocs acérés
balançait sa hure muette à des rythmes charmants,
écoutait et lappait goulûment,
afin que chacun le caresse sans crainte.
Le loup, bien qu'affamé, bête rapace
méprise les oies mais ne fuit pas le luth
dont le son joyeux le touche au fond du cœur.
Il dansait si vite qu'il s'écroula :
tandis que le cerf rapide arrivait sans retard,
préférant le son du luth à l'eau des sources, claire et limpide,
il tournait en mesure sa corne ramurée.
L'élan, qui détient dans sa patte la clé du haut mal[1]
accourait silencieux, sans rugir, sans hurler, sur deux pattes.
L'ours ébouriffé dansait mieux qu'à la foire de Vilna.
Le chevreuil, le mouton, le bouc,
accordant leurs prompts sabots
et la licorne (que personne ne peut capturer,
s'il n'est pur dans sa virginité)
donnait de sa corne tordue la mesure évidente.

Que d'animaux s'amusaient avec lui !
En leur compagnie il passa des années d'errance
sans vouloir d'autre consolation du monde.
Il restait longuement dans la forêt profonde,
au milieu d'eux, même avec les chiens,
et telle fut sa vie jusqu'au terme de ses jours.

Traduction inédite.

1 Une croyance populaire veut que le sabot de l'élan soit une amulette contre l'épilepsie. (N.d.t.)

TOBIE LIBÉRÉ 376

Fr. Lhoest — 1996

Supplications de Tobie et de Sara (Chant III, strophes 1-26). — Apparemment isolés dans leur malheur et les injustices qu'ils subissent, Tobie et Sara demeurent sous le regard de Dieu, qui a prévu de couronner leur longue patience de la pureté et de la joie qu'elle leur a, providentiellement, valu.

C'est un vieux proverbe, et il a sa raison,
que l'homme est un loup pour l'homme.
Jusqu'où la colère peut-elle mener ?
Quant à la pensée corrompue,
elle ressemble à un serpent venimeux !
Une femme, même mariée,
que ne dit-elle pas à son saint mari
quand, ivre de méchanceté et de colère,
elle blasphème et crache son venin jusqu'au ciel !

Tobie, donc, soupirant de tout son cœur
aux propos de la bouche débridée,
supplie le ciel, paisiblement,
pour s'attirer par sa prière ardente
la consolation du Seigneur éternel.
Il se retire, il tombe à genoux
et, retenant son chagrin, prie Dieu en ces termes :

« Créateur Tout-Puissant,
Dieu que l'univers entier ne peut contenir !
Qui exprimera Ta justice ?
La langue ne peut prononcer Tes sentences,
nulle pensée ne peut atteindre Ta sainteté,
la raison la plus parfaite ne pourra
pénétrer Ta justice absolue et Tes voies éternelles
sont miséricorde, vérité, et jugement.

Pourtant, regarde, Seigneur, Ta créature,
et souviens-Toi maintenant de moi, l'affligé,
fais entendre la gloire de Ton jugement,
pour mon salut, non pour ma damnation.
Ne Te souviens pas des injustices
commises par la génération de mes pères[1],

1 Tb 3, 2. (N.d.t.)

mais seulement de ce que la Divinité ordonne dans Sa bonté,
et qu'elle efface jusqu'au souvenir de nos crimes !

Hélas, malheureux que nous sommes,
nous avons vécu indociles à Tes commandements
Et c'est pourquoi, maintenant, dispersés,
nous gémissons dans un rude exil.
Nous endurons la captivité, la mort,
le mépris des peuples étrangers, et, sans cesse décriés,
nous sommes devenus la risée des nations[1].

Mais Tes jugements, là encore, sont parfaits :
que nous souffrions, cela est juste
— et nous le reconnaissons, —
pour des méfaits anciens ;
que nous regrettons de tout cœur, trop tard, hélas !
Tes châtiments nous sembleront bien faibles,
sentant que plus nous sommes coupables,
moins nous endurons ;
que nous sommes indignes de la vie, mais que nous vivons,
insoumis, hypocrites, infidèles, mauvais.

Maintenant, Seigneur, fais descendre sur moi
la grâce de Ta source de bonté,
afin que je puisse mourir, moi misérable ;
ordonne de recevoir mon âme en paix,
qu'en récompense de mon travail fidèle
je puisse éponger de mon front la chaleur mortelle
car la mort est moins ingrate et vaut mieux que la vie.

À l'heure où Tobie prononçait ces tristes paroles,
en la lointaine ville de Rhagès,
Sara, la fille de Ragouël,
adressait à Dieu une émouvante supplique,
alors que les paroles de la servante de son père
lui devenaient pénibles, quand de sa langue de vipère,
celle-ci la piquait, non qu'elle eût commis de faute,
mais pour la raison que voici :

Sept fois cette sainte jeune fille
avait été donnée en mariage, à un mari puis à un autre,

---

1 Tb 3, 4. (N.d.t.)

mais, chaque fois, elle fut accablée :
Dieu permit qu'à chaque fois qu'un mari
s'approchait de sa couche,
l'esprit mauvais — si des noms du diable il faut se souvenir,
il avait nom Asmodée — le frappait de mort.

Quand avec juste raison, un jour
elle blâma, pour sa faute, une mauvaise servante,
celle-ci ne le supporta point, prit pour suprême insulte
le tourment de Sara et lui dit :
« Qu'il ne nous échoie pas de voir
des enfants de toi, tueuse de maris[1],
portée par un esprit mauvais.
Sept maris ne te suffisent donc pas
que tu t'en prennes à moi ? »

Ô, avec quelle douleur — aurait-elle épargné
les entrailles blessées d'une bête de somme ? —
Sara entend ces paroles et monte se cloîtrer
en ses appartements[2], pleine d'une sainte résolution
tant que Dieu Lui-même n'essuiera pas ses larmes :
elle pleure et jeûne trois jours et trois nuits,
implorant du ciel et la grâce et l'appui.

Plongée dans ses pensées,
toute à son repentir, elle prie, elle veille
— sans même songer à se sustenter,
mais de tout son cœur contemplant le ciel —,
elle supplie Dieu à genoux,
et au terme de trois jours en prière,
elle L'implore en ces termes :

« Que Ton nom soit béni, Dieu de nos pères, ô Très-Bon,
qui apaises Ton cœur offensé par nos péchés,
miséricordieux dans Ta colère,
qui punis non pour la mort, mais pour le repentir,
dont la justice ignore la colère,
qui pardonnes ses péchés à l'âme affligée
de celle qui, pétrie de douleur, tombe à tes pieds.

---

1 Tb 3, 9. (N.d.t.)

2 Tb 7, 10. (N.d.t.)

Je tourne mon visage vers Toi, Seigneur,
comme la fleur se tourne vers le soleil,
je lève vers Toi mes yeux pleins d'espérance,
comme le pélican qui cherche ses enfants,
comme l'aigle rapide qui vole vers le soleil,
vers Toi, comme le cerf vers la source,
comme le torrent vers la mer,
mes pensées me fuient, je tourne vers Toi mon cœur.

Donne-moi, Seigneur miséricordieux,
à moi, misérable, de vivre délivrée
de la raillerie cruelle que je supporte,
car on me persécute.
Telle est la prière que je fais monter vers Toi,
et si je ne suis pas digne d'être exaucée,
alors, je T'en supplie, reprends mon âme,
donne-moi Ta grâce ou la mort.

Tu le sais, ô mon Dieu, je n'ai pas souhaité
d'un désir débridé le mariage,
je n'ai pas poursuivi la volupté,
je n'ai pas cherché à tout prix un mari,
ni usé les flatteries, les atours, les fards, ou les yeux doux ;
non, à cent lieues des pensées légères,
j'ai gardé mon esprit loin du feu des passions.

Je n'ai pas partagé la table des joueurs,
je n'ai pas regardé les galants, j'ai toujours évité les jeux,
les danses, les plaisanteries, les petits cris,
les clins d'œil, les grimaces.
Ma voix et mes cheveux
ne sont point des appâts digne d'un Israélite,
et je n'ai pas tapi ces pensées dans mon cœur.

Mais j'ai voulu dans Ta crainte
prendre un mari, selon les règles ;
aucune passion, ô mon Dieu, ne m'a éloignée de Ta volonté ;
ai-je été indigne de les connaître, ou eux de me fréquenter,
ou as-Tu prévu un bien supérieur pour moi
en me gardant pour un autre mari ?

Car Tes jugements échappent aux hommes
et rien ne fait obstacle à Ta volonté.

C'est grâce à Toi, l'inexorable, que tout tient ou s'effondre.
Ni les menaces, ni les consignes n'y changent rien.
Le plus obstiné est amené à céder. Ta volonté fait loi.

Mais celui qui met son espoir en Toi, mon Dieu,
peut avoir la ferme assurance
que si jamais il ne T'oublie, il sauvera sa vie,
et que s'il est semblable au chevalier
sans peur et sans reproche,
il sera rendu digne de la couronne.

Et si, accablé d'afflictions,
il n'oublie pas Tes commandements, qu'il porte sa croix
et assume vaillamment les souffrances,
alors, comme les étincelles du silex dur
qui meurent là où elles tombent, les soucis le quitteront
et, comme les vagues de l'océan sous l'effet de la tempête,
se brisent sur les rochers,
c'est ainsi qu'il sera délivré de l'épreuve.

Et pour le reste, si, ô Seigneur miséricordieux,
comme un père, Tu fais descendre sur Ton fils
ton doux châtiment, si Ta parole l'effleure comme un fouet
et que le pauvre hère crie vers Toi,
Tu tendras les mains vers lui,
dans Ton amour Tu lui pardonneras ses fautes ;
ses prières, ses afflictions ou la prédication
porteront témoignage de Ta compassion.

Car Tu ne cherches pas Ta gloire dans notre perte,
la vengeance rancunière ne te réjouit pas,
mais comme un pasteur hardi défend
ses brebis lorsque les loups attaquent,
Tu nous arraches à l'empire de la mort.
Même l'homme endurci dans ses péchés
s'adoucit quand Tu Te penches vers lui.
C'est pourquoi Tu ne Te hâtes jamais à la vengeance,
mais Tu Te réjouis de la délivrance des hommes.

Tu envoies après les pleurs la joie, après la tempête le calme,
après la pluie le doux zéphir ;
et, quand le ciel se couvre,
un clair rayon de soleil entre les nuages ;

Tu arraches à la noyade celui qui s'enfonçait,
Tu réconfortes les cœurs amers en y versant le miel.
Que Ton nom soit béni dans les siècles, à jamais. »

En deux lieux éloignés, mais d'une égale vertu,
deux cœurs affligés font entendre la même prière,
Tobie et Sara, à la même heure,
font monter leur supplication devant le Seigneur,
et leur sacrifice est agréé.
Dieu prête l'oreille à l'un et ne méprise pas l'autre,
Il leur accorde une égale attention.

Ainsi, quand leur demande est agréée,
Dieu envoie des cieux Son grand Ange
pour délivrer et Tobie et Sara.
Je dis l'Ange, qui non seulement les délivre,
mais qui d'un geste pourrait briser le monde,
son nom est Raphaël.
La Muse stupéfaite, à ce nom, tombe en arrêt,
interdite, et cy falt la geste.

Traduction inédite.

SAMUEL PEPYS

ANGLAIS **1633-1703**

Si Pepys est surtout aujourd'hui l'auteur du *Journal* qu'il tint de 1660 à 1669, il ne fut, pour ses contemporains, que le grand administrateur naval dont l'énergie, la probité et la compétence furent cruciales aux temps de la guerre contre les Hollandais et des menaces extérieures.

Né à Londres, fils d'un tailleur, Pepys étudie à l'école de Huntingdon, à l'école St. Paul et au Collège Magdalene de Cambridge. Une fois diplômé, en 1654, il entre au service d'un parent, Édouard Montagu, Conseiller d'État sous Cromwell. Devenu amiral, Montagu contribuera à la Restauration de Charles II, en 1660, et sera fait comte de Sandwich. Quant à Pepys, il accède à la fonction clé de Secrétaire du Conseil de la Marine. En dépit de la disgrâce de son patron, en 1667, il continue à être la « main droite de la force navale » jusqu'à ce qu'il soit obligé de démissionner, en 1679, lors de ce qu'on appelle le « complot papiste ». S'il réintègre sa fonction en 1684, ses rapports étroits avec Jacques II l'amènent à se retirer de la vie publique, en 1689. Il continue alors à s'intéresser par lui-même à la Science nouvelle (il est président de la Société Royale de 1684 à 1686) et rassemble une bibliothèque impressionnante qui nous est parvenue intacte.

Le *Journal* de Pepys fut tenu en sténographie ; quelques passages, à caractère plus privé, ont été codés en français. Publié pour la première fois au XIXe siècle, quelque peu expurgé et édulcoré, le *Journal* intégral ne sera transcrit et édité par W.R. Matthews et Robert Latham qu'en 1970-1983.

Le texte conjoint divers propos, de statuts différents. Rédigé par un témoin oculaire, il commente les principaux événements, comme la Restauration, le grand incendie de Londres ou la reconstruction de la Marine, et donne les fines analyses politiques, parfois anxieuses, d'un homme averti et très proche des instances du pouvoir. La rigueur domine ce registre du texte, comme elle régit la vie publique de Samuel Pepys : « Nul en Angleterre n'avait plus d'ordre que lui », atteste Clarendon. Et le *Journal* de Pepys observe avec un luxe de détails comment, dans la société, prospère un ménage de classe moyenne, mais aussi bien comment on se rend au cabaret, on assiste à un sermon, on participe à un jeu ou à une danse. Mais le *Journal* marque aussi très clairement une étape dans l'élaboration du concept moderne de conscience individuelle. À cet égard, il présente de lointaines affinités avec le « livre de raison spirituel » recommandé par les Puritains : à la fin de chaque année, en effet, Pepys fait le bilan de la fortune familiale, de ses progrès professionnels ou autres, en musique par exemple, résume ses vues sur le monde politique, puis rend grâces à Dieu. Il prend aussi la résolution d'amender sa vie, surtout de limiter les dépenses d'argent excessives. En matière religieuse, le *Journal* montre la nette préférence de Pepys pour les sermons, dont il est bien plus soucieux que du message spirituel de contemporains comme Bunyan ou Traherne. Le *Journal* intégral met aussi clairement en lumière les affres de Pepys en matière sexuelle. Ses rapports avec sa femme sont rapportés en anglais, mais lorsqu'il commet l'adultère ou avoue qu'il lit, puis brûle, un livre pornographique, il le fait dans un mélange quelque peu singulier d'espagnol ou de français et d'anglais. Dans un *Journal* qui n'était apparemment conçu ni pour la postérité ni pour la publication (ce qui le différencie nettement du *Journal* d'Evelyn), pareil déguisement linguistique traduit, outre la discrétion, un sentiment de gêne à fond de culpabilité. Pour le reste et le plus souvent, comme dans le récit des funérailles de son frère Tom, Pepys est sincère, presque désinvolte à propos de ses défauts : il met à évoquer l'état de ses sentiments la même spontanéité juvénile qu'à décrire les détails de la vie de Londres ou les chantiers des docks. Le style télégraphique, fait d'omissions de verbes, par exemple, renforce son sens étonnant de l'écriture vigoureuse.

En 1669, à 36 ans, à cause de troubles de la vue, Pepys abandonne son *Journal*. En 1683, il tiendra à nouveau un journal, mais ce sera, d'un bien moindre intérêt, celui d'une mission, à Tanger, où il va aider à évacuer la colonie. Ses autres écrits comptent un rapport sur la fuite de Charles II après la bataille de Worcester, dicté par le roi, et une série de pamphlets sur le Christ's Hospital.

Pepys'Diary and the New Science / Marjorie Hope Nicolson. – Charlottesville : University of North Carolina Press, 1965. – 217 p.

Pepys : a Biography / Richard Ollard. – Oxford : Oxford University Press, 1984. – 368 p.

The Tremulous Private Body : Essays on Subjection / Francis Barker. – [2e édition]. – London : Routledge, 1992. – 124 p.

JOURNAL 377

G. Laprevotte — 1994

Foire de la Saint-Barthélemy et bilan du mois (31 août 1661).

À la maison et au bureau toute la matinée ; à midi vint me voir Llewellyn ; tous deux à la taverne, puis à la foire de la Saint-Barthélemy[1] ; et là, il m'entraîna dans un misérable cabaret, où nous abordèrent une ou deux guenipes, des catins, qui m'inspirèrent d'emblée une telle aversion que je n'éprouvai aucun plaisir, mais grande contrariété à me trouver là et à devoir sortir, de crainte d'être aperçu. De là, nous nous rendîmes lui et moi à pied à Ludgate, où nous nous quittâmes. Retournai à la foire seul et y rencontrai Milady Jemima et Paulina, en compagnie de Mr Pickering et de Mademoiselle[2], qui regardaient danser les singes. Intéressant de voir ce qu'on arrive à leur faire faire, mais cela m'indisposa d'avoir à m'asseoir en si vile compagnie. Après cela, avec eux à l'hospice du Christ, où Mr Pickering leur acheta des petits cadeaux et où je leur offris à chacune une babiole ; c'étaient des petites boules avec des choses pendues à l'intérieur, dont les dames furent charmées.

1 Dans la partie ouest de Smithfield ; seule fête foraine de l'époque, elle se tenait pendant une quinzaine de jours à partir du 23 août (veille de la Saint-Barthélemy) et fut réduite dans les années 1690 à sa durée originelle de trois jours ; tombée en désuétude après les années 1830. (N.d.t.)

2 Mlle Le Blanc, gouvernante des demoiselles. (N.d.t.)

[...]

Voici donc la fin du mois. Ma servante Jane vient de partir, et c'est sur Pall que retombe maintenant tout le travail, en attendant l'arrivée d'une autre servante, ce qui ne se fera avant son départ pour la campagne avec ma mère. Ma femme et moi en bonne santé. Milord Sandwich dans le détroit de Gibraltar, et tout juste rétabli d'une grave maladie à Alicante. Mon père parti s'installer à Brampton, et moi accablé de travail et de tracas pour régler, à notre satisfaction, certaines affaires se rapportant à la succession. Mais le pire est que je me trouve, ces derniers temps, trop friand de théâtre, de dépenses et de plaisirs, au point de négliger mon travail ; il faudra que je m'efforce d'y remédier.

Aucune rentrée d'argent, si bien qu'il m'a fallu emprunter quantité d'argent pour mes propres dépenses et pour mon père, afin qu'il ait les moyens de laisser ses affaires en bon ordre. Je m'inquiète un peu pour mon frère Tom, qui se trouve maintenant à la tête de l'affaire de mon père, et je crains fort qu'il n'échoue, faute d'esprit et de zèle.

À la Cour, les choses sont dans une fort mauvaise passe ; les rivalités, la pauvreté et les vices — blasphèmes, ivrognerie et débauche — y sont tels que je ne vois pas comment cela finira, sinon dans la confusion. Et le clergé si arrogant que tous ceux que je rencontre se plaignent de sa conduite. Bref, je ne vois chez personne satisfaction ni contentement.

[...]

Saison fort malsaine, avec partout des fièvres étranges et mortelles.

Journal I. 1660-1664 / Samuel Pepys ; édition complète publiée sous la direction de Robert Latham et William Matthews ; adaptation française publiée sous la direction de André Dommergues ; traduit de l'anglais par Pierre Arnaud, Lucien Carrive, Françoise Deconinck, Bernard Dhuicq, André Dommergues, Danièle Frison, Marie-Dominique Garnier, Suzy Halimi, Pascale Hubert-Leibler, Guy Laprevotte, Roger Lejosne, Alain Morvan, Jean-Pierre Naugrette, François Piquet. – Paris : Robert Laffont, 1994. – (*Bouquins*). – [Pp. 402-404].

JOURNAL 378

R. Villoteau — 1940

Funérailles de mon frère Tom (18 mars 1664).

Levé tôt, je me suis rendu chez mon frère pour régler les préparatifs des funérailles, puis chez le cordonnier pour faire noircir les semelles des souliers que je porterai cet après-midi. Ensuite j'ai été à l'église avec le fossoyeur, choisir une place pour y enterrer mon frère, juste au-dessous du banc de mes parents. Mais il faut voir comme les tombes sont à la merci d'un tel personnage qui, pour six pence, allait, selon ses propres paroles, « les bousculer tous un peu pour lui faire de la place », faisant allusion à l'encombrement de la nef centrale. Par égard pour mon père il tenait à témoigner à mon frère toute la civilité possible : cela consistait à déranger d'autres cadavres, qui n'étaient pas encore tout à fait pourris, pour lui faire de la place. Ce qui me frappa, ce fut sa façon d'envisager cela comme une marque de politesse. Je suis rentré chez moi pour m'habiller, ainsi que ma femme et sa servante Bess, et nous sommes retournés chez mon frère. Les gens étaient invités pour une heure selon la coutume, mais ils n'arrivèrent pas avant quatre ou cinq heures. À la fin ils vinrent, plus nombreux que je n'avais calculé. Je comptais sur cent vingt personnes, il en vint à peu près cent cinquante. On leur offrit à chacun six biscuits et du vin cuit à volonté. Les hommes étaient réunis dans plusieurs pièces et les femmes dans d'autres. Ils étaient très serrés mais il y avait la place suffisante. Ensuite tout le monde suivit le corps à pied jusqu'à l'église. Le docteur Pierson, ministre de la paroisse, lut le service funèbre. Je vis déposer mon pauvre frère au tombeau. Puis l'assistance se dispersa. Avec ma femme, Mme Turner et sa famille, je suis rentré chez mon frère où nous nous sommes attablés devant un baril d'huîtres, un gâteau et du fromage, bien trop gais pour des gens à peine revenus d'une triste cérémonie. Seigneur, comme le monde fait peu de cas de la mémoire d'un homme une heure après sa mort ! J'ai vraiment des reproches à m'adresser. Certes, quand je le vis mourant, puis mort, j'éprouvai un réel chagrin pendant un moment, tant que je l'eus sous les yeux. Mais aussitôt après, et depuis lors, j'ai eu, à la vérité, bien peu de peine pour lui. Comme il se faisait tard, j'ai mis des choses en ordre dans la maison et je suis rentré chez moi avec ma femme et Bess (qui m'a rendu grand service à tout nettoyer, à préparer ce qu'il fallait et à servir le vin et les biscuits tout à l'heure, c'est une brave fille, bonne et fidèle, que j'aime beaucoup). Au bureau avant de souper, puis au lit.

Journal / de Samuel Pepys ; traduction de Renée Villoteau ; préface de Jean-Louis Curtis de l'Académie française. – Paris : Mercure de France, 1987. – (*Le Temps retrouvé* ; 42). – [Pp. 199-200].

JOURNAL 379

Fr. Piquet — 1994

Le Grand Incendie de Londres (2 septembre 1666). — « [Le] Grand Incendie de Londres [éclata] dans Pudding Lane, près de Fleet Street, non loin du Pont de Londres. Il devait faire rage quatre jours et quatre nuits durant. Provoqué par un incendie accidentel dans une boulangerie, il se propagea rapidement du fait de la sécheresse et il fut généralement imputé à des agents étrangers hostiles ou à des papistes. Il ne déclina qu'après que le vent d'est retomba dans la nuit du 4 au 5. À cette date, le feu avait détruit environ treize mille deux cents maisons et sinistré une zone d'environ 435 arpents, soit quelque 200 hectares, ne laissant debout qu'un cinquième de la ville. Si l'on déplora peu de pertes en vies humaines, le nombre des sans-abri s'éleva à environ cent mille personnes. Parmi les édifices célèbres qui furent sinistrés figurent Saint-Paul dont seuls les murs subsistèrent (il en alla de même pour quatre-vingt-quatre églises paroissiales), l'Hôtel de Ville et la Bourse. Quatre ponts de pierre (dont le Pont de Londres) furent endommagés. La maison de Pepys et les bureaux de la Marine ne furent pas atteints, mais sa maison natale dans Salisbury Court, à proximité de Fleet Street, fut détruite. En l'absence d'assurance contre l'incendie (qui ne vit le jour en Angleterre qu'après le sinistre), l'administration municipale joua un rôle décisif dans la reconstruction de la ville. Processus nécessairement lent et qui se déroula au coup par coup, ce qui explique qu'une partie du négoce émigra vers le West End ; pourtant, dès 1670, la reconstruction de la plupart des logements des particuliers était achevée ou sur le point de l'être ; vingt-cinq des églises détruites avaient été reconstruites en 1683, la Bourse et l'Hôtel de Ville le furent en 1671 et Saint-Paul fut rebâti en 1710. » (Argument des traducteurs).

Jour du Seigneur. Quelques-unes de nos servantes veillèrent tard la nuit dernière pour préparer la fête d'aujourd'hui et Jane nous réveilla à environ 3 heures du matin, pour signaler un grand incendie qu'elle avait remarqué dans la Cité. Je me levai, passai ma robe de chambre et, de sa fenêtre, je fus à même de situer l'incendie au-delà du quartier de Mark-lane, tout au plus. Mais, n'étant pas accoutumé à des incendies tels que celui qui suivit, j'estimai qu'il était suffisamment loin et regagnai mon lit pour m'y rendormir. Vers 7 heures, je me levai pour m'habiller et, lorsque je regardai par la fenêtre, il me sembla que l'incendie s'était réduit et éloigné. Je gagnai mon cabinet pour le remettre en ordre après le nettoyage de la veille. Jane ne tarda pas à venir me dire que, selon la rumeur, environ 300 maisons avaient brûlé cette nuit du fait de l'incendie que nous avions observé, et que le feu faisait présentement rage tout au long de Fish Street, près du Pont de Londres. Je me hâtai de me préparer et marchai jusqu'à la Tour où je gagnai un point d'observation élevé en compagnie du petit garçon de sir John Robinson. De là, je vis les maisons à ce bout du Pont en proie aux flammes et un immense brasier de part et d'autre de la rue conduisant au Pont — ce qui ne laissa pas de m'alarmer sur le sort du pauvre petit Mitchell et de notre chère Sarah sur le Pont. Une fois redescendu, et l'angoisse au cœur, je me rendis chez le lieutenant de la Tour, qui me dit que tout avait commencé ce matin dans la boulangerie royale de Pudding Lane, que les flammes avaient déjà détruit l'église de St Magne et la plus grande partie de Fish Street. Me rendis alors au bord du fleuve et, à bord d'une barque, passai le Pont et là, un tableau désolant s'offrit à mes yeux. La maison du malheureux Mitchell et tout le quartier adjacent jusqu'à l'Ancien Cygne étaient déjà la proie des flammes et le feu se propageait si vite que, durant le temps que j'observai la scène, il atteignit le Steelyard. Chacun tentait d'emporter ses biens, de les jeter dans le fleuve ou de les porter dans des chalands à quelque distance de la rive. Des malheureux refusaient de quitter leurs logis jusqu'à ce qu'ils fussent léchés par les flammes, pour enfin se ruer dans les embarcations ou, à force de bras, passer d'une volée d'escalier à une autre, du côté du fleuve. J'observai, en particulier, que les malheureux pigeons, qui répugnaient à abandonner leur séjour, voletaient à l'entour des fenêtres et des balcons jusqu'à ce que nombre d'entre eux, les ailes brûlées, chutent comme des pierres. [...]

Sur le fleuve d'innombrables chalands qui s'emplissaient de biens et des objets de valeur flottaient sur l'eau ; et j'observai que, dans une sur trois environ des embarcations ou barques emportant les biens d'une famille, se trouvait un virginal. Ayant vu tout ce que je voulais voir, gagnai Whitehall comme convenu et me rendis à pied au parc de St James, où je retrouvai ma femme en compagnie de Creed, de Wood et de la femme de ce dernier ; puis regagnai mon embarcation avec eux et de nouveau, nous descendîmes et remontâmes le fleuve, en longeant l'incendie qui, sous un vent violent, redoublait d'intensité. Nous nous approchâmes du feu d'aussi près que le permettait la fumée ; et sur toute la Tamise, dès lors qu'on était vent debout, on était presque brûlé par une pluie de gouttelettes de feu — le fait est absolument véridique —, ces gouttes et ces flocons de feu incendiant les maisons par groupes de trois ou quatre, voire de cinq ou six, le feu se communiquant de l'une à l'autre. Lorsqu'il ne nous fut plus possible de tenir sur l'eau, nous gagnâmes une petite taverne à Bankside, à la hauteur des Trois Grues, et y restâmes, presque jusqu'à la tombée de la nuit, à observer l'extension de l'incendie ; et à mesure qu'il faisait plus sombre, il apparaissait dans toute son ampleur, faisant rage aux carrefours, sur les clochers, dans l'espace entre les églises et les maisons, et aussi loin que le regard pouvait porter en remontant la colline de la Cité, tout était la proie d'une flamme monstrueuse, maléfique, rouge sang, toute différente de la flamme claire d'un feu ordinaire. Barbara[1] et son mari partirent avant nous. Nous sommes restés jusqu'à ce qu'il fasse presque

1 Barbara Sheldon (N.d.t.)

nuit noire et vîmes l'incendie former comme une seule arche de feu sur toute la longueur du Pont et dessiner sur la colline un arc ou une arche de plus d'un mille de long ; à cette vue, je fondis en larmes. Les églises, les maisons et tout le reste en feu ou s'embrasant instantanément dans le vacarme épouvantable des flammes et le fracas des maisons qui s'effondraient.

Journal II. 1665-1669 / Samuel Pepys ; édition complète publiée sous la direction de Robert Latham et William Matthews ; adaptation française publiée sous la direction de André Dommergues ; traduit de l'anglais par Pierre Arnaud, Lucien Carrive, Françoise Deconinck, Bernard Dhuicq, André Dommergues, Danièle Frison, Marie-Dominique Garnier, Suzy Halimi, Pascale Hubert-Leibler, Guy Laprevotte, Roger Lejosne, Alain Morvan, Jean-Pierre Naugrette, François Piquet. – Paris : Robert Laffont, 1994. – (*Bouquins*). – [Pp. 497-498, 500-501].

KINGO

DANOIS **1634-1703**

Ecclésiastique et poète danois, né à Slangerup, Thomas Hansen Kingo fait ses études à Frederiksborg, puis à la Faculté de théologie de l'université de Copenhague. Après des années comme précepteur, il est nommé vicaire à Kirke Helsinge en 1661, pasteur à Slangerup en 1668, et, en 1677, évêque de Fionie.

Inspiré du baroque allemand, mais parfaitement original, Kingo porte la poésie danoise du baroque à sa perfection. Bien qu'il ait produit pratiquement dans tous les genres de l'époque (poésie de circonstance, pompeux poèmes à la gloire du puissant Christian V, poésie topographique), Kingo est avant tout le poète de la nouvelle Église réformée.

Son œuvre se divise essentiellement en deux parties : l'une, profane et de jeunesse, comporte des poèmes satiriques et érotiques écrits en un style léger et d'une étonnante sensualité, que la deuxième partie de son œuvre, religieuse celle-là, ne démentira pas. Avant d'être pasteur en effet, Kingo se veut homme, totalement et pleinement homme, car l'homme est *dans* ce monde, sinon *de* ce monde. Telle est la thématique sous-jacente à sa poésie religieuse, qui englobe tout le registre des expériences humaines et les regarde à travers la double référence de la vanité du monde et de la stabilité du ciel. Une optique que vinrent confirmer et authentifier, jusqu'à lui conférer une autorité rarement atteinte dans la littérature religieuse danoise, ses propres expériences, comme la déchéance brutale de son protecteur Peder Griffenfeld, dont la carrière fulgurante avait laissé croire que, sous les auspices de la monarchie, l'intelligence avait enfin gagné droit de cité sur terre. Dans les textes de Kingo, l'espérance chrétienne n'est pas lettre morte, mais réalité existentielle, menacée, comme la vie elle-même, chèrement acquise mais partout soutenue par les rythmes de la nature et du cosmos. Aussi la lumière a-t-elle toujours le dernier mot chez Kingo : l'aurore, le printemps, Pâques sont les thèmes majeurs de sa poésie.

Les psaumes de Kingo, l'essentiel de son œuvre, sont contenus dans trois livres : les *Chœurs spirituels I* (*Aandeligt Sjungekors første Part*, 1674) et *II* (*Aandeligt Sjungekors anden Part*, 1681), et *L'Hiver* (*Vinterparten*, 1689), première et unique partie rédigée par Kingo d'un nouveau livre de psaumes pour l'Église danoise. À la suite d'intrigues, en effet, où l'on accusa Kingo d'avoir laissé trop de place à ses propres psaumes et d'avoir modernisé trop radicalement les anciens, le travail fut confié à Søren Jonæsen, pasteur à Roskilde et poète à ses heures, puis finalement à une commission où ne siégeaient ni Kingo, ni Jonæsen. Cela aboutit, en 1699, à la publication du *Livre de psaumes de la commission* (*Den forordnede ny Kierke-Salmebog*). Dans ce recueil (réimprimé au Danemark jusqu'en 1930, en Norvège jusqu'en 1950, sous le titre de *Livre de psaumes de Kingo*), 85 des 301 psaumes sont de la main de Kingo.

La position de Kingo face à la poésie religieuse est à la fois ambiguë et réservée : à ses yeux, comme il le dit dans la Préface des *Chœurs spirituels*, celui qui, séduit par la mélodie, écoute avec plaisir un chant sur Sodome, se devrait de préférer, s'il était pieux comme il faut, un chant sur Sion. La poésie, quel qu'en soit le sujet, a quelque chose de profane, que sa beauté déguise et sert tout à la fois. Aussi Kingo compose-t-il ses psaumes sur des mélodies profanes qu'il s'efforce de rendre « célestes au possible ».

Histoire de la littérature danoise / Frédéric Durand. – Paris : Aubier-Montaigne ; Copenhague : Gylendal, 1967. – [Pp. 79-82].

CHŒUR SPIRITUEL 380

P. Naërt — 1964

Chacun a son destin (IIe partie). — Le dualisme du Ciel et de la Terre fait désirer le Ciel comme un idéal à venir, hors d'accès pour l'ici-bas, où l'homme ne connaît que l'ambivalence des réalités contingentes, le hasard et les avanies. La sagesse du monde ne conduit qu'au dos-à-dos des heurs et des malheurs ; la sagesse du Ciel, au contraire, invite à la résignation, à la patience, et nourrit l'espérance.

Douleur et plaisir ensemble font chemin
Bonheur, malheur se suivent pas à pas
Succès et insuccès se tendent la main,
Soleil sans nuages n'existe pas !
L'or de la terre
N'est que poussière,
Seul le ciel est plein d'une joie entière.

Sur couronnes et sceptres joue la lumière,
Mais le manteau royal n'est pas un jeu !
Mille fardeaux dans les couronnes s'insèrent,
Mille soucis dans le sceptre pompeux !
Le toit des rois
Abrite émoi !
Seul le ciel paix et vrai bonheur octroie !

Rien ne connaît ici qu'un bonheur changeant !
Chacun peut sentir son deuil au cœur !
Plus d'une poitrine où brille des diamants
Dans son secret déborde de douleur !
Chacun son lot,
Petit ou gros !
Au ciel seul on n'entend pas de sanglots !

Empire et sagesse et temporel honneur,
Vigueur du corps, florissante jeunesse,
Peuvent porter haut leur front dominateur,
Tôt ou tard sans merci ils disparaissent !
Tout ici-bas
A son trépas,
Seule la joie du ciel demeurera !

La plus belle rose a la plus dure épine,
Les plus belles fleurs un fatal venin,
Un cœur se flétrit sous la plus fraîche mine,
Qu'étrange est le partage du destin !
Notre barque est
Des flots le jouet,
Seul le ciel offre une rade de paix.

Eh bien ! jamais plus je ne veux m'épuiser
À tout diriger selon mon désir !
Nul souci jamais ne pourra me briser,
Et rien ne fera mon cœur défaillir !
Au loin ma pein'
De joie la grain'
Bientôt germera aux jardins d'Éden !

Le chagrin fera naître une joie constante,
La quenouille des pleurs se videra !
Misère vêtira la plus riche mante,
Le malade guéri se lèvera !
Envie va seoir
Dans un coin noir,
Mais seul le ciel possède un tel pouvoir !

Que donc mon destin et ma fortune soient
Ce que les veut mon Seigneur et mon Dieu,
Laissons l'envie cracher son fiel sur sa proie,
Le monde finir de jouer son jeu !
Au temps rapide,
L'ensouple vide
Le ciel à jamais fera tourner bride !

Anthologie de la littérature danoise / édition bilingue publiée par F.J. Billeskov Jansen. – Paris : Aubier-Éditions Montaigne, 1964. – [Pp. 87-91].

BOSSUET

FRANÇAIS • LATIN **1627-1704**

C'est à l'œuvre et à la personnalité de Jacques-Bénigne Bossuet — écrivain et penseur majeur de l'époque classique, ou « siècle de Louis XIV » — que la prédication doit d'être, au XVIIe siècle, comptée parmi les genres littéraires. Les sermons jouaient alors un rôle capital dans les offices liturgiques : ceux-ci étaient dits en latin — et les théologiens catholiques ayant réaffirmé l'opposition de Rome non seulement à la traduction de la Bible mais aussi à celle de l'ordinaire de la messe —, seule la prédication permettait aux fidèles de recevoir un enseignement religieux en français. Des modes fort divers d'éloquence religieuse coexistaient à l'époque, et l'on débattait pour savoir si le prédicateur devait utiliser les ressources de la rhétorique antique, ou au contraire prendre pour modèle la simplicité évangélique. Saint Vincent de Paul (1581-1660) était connu pour sa « petite méthode », qui consistait en une parole familière, simple, qui vient du cœur et va au cœur. Bossuet partageait l'idéal de saint Vincent de Paul ; cependant, son génie et — progressivement — la qualité et l'importance de son public le conduisirent à ne pas refuser les moyens de l'art oratoire.

Né à Dijon, élève des jésuites dans cette ville puis étudiant au collège de Navarre à Paris, ordonné prêtre en 1652, il partage d'abord son temps entre Metz et la capitale, où il devient rapidement l'orateur religieux le plus réputé. Protégé par Anne d'Autriche, il est nommé évêque de Condom en 1669, mais renonce à cette fonction dès l'année suivante car il est choisi comme précepteur du Dauphin. À la cour, il joue un rôle important, notamment au moment de la condamnation de Richard Simon, et manifeste vis-à-vis de Louis XIV une indépendance remarquée : ainsi, il admoneste publiquement le roi, qu'il veut arracher à ses maîtresses. Bossuet quitte la Cour en 1681, lors du mariage du Dauphin, et devient évêque de Meaux. Néanmoins, on ne l'oublie pas à Versailles et il est rappelé pour prononcer les oraisons funèbres des grands (ainsi celle de la reine Marie-Thérèse, en 1683) ou pour intervenir dans des questions de politique religieuse : il inspira la déclaration sur les libertés gallicanes (1682), fit condamner le quiétisme de Fénelon et appuya la révocation de l'édit de Nantes (*Histoire des variations des Églises protestantes*, 1688).

Fervent défenseur de l'autorité — sinon de la personne — de Louis XIV, Bossuet entreprit dans ses vieux jours de faire la théorie de la monarchie absolue, de droit divin et « toute catholique ». Selon la *Politique tirée des propres paroles de l'Écriture sainte* (posthume), le roi, établi par Dieu, ne doit rendre de comptes au Maître divin que dans l'au-delà et il n'est pas, ici-bas, responsable devant ses sujets ; ceux-ci — leur souverain fût-il le pire des tyrans — n'ont point d'autre droit que de souffrir avec résignation, en priant Dieu. D'où il suit que toute tentative de participation au pouvoir, de « démocratisation » (sous forme de Parlements, ou d'États généraux) constitue une impiété, une faute contre Dieu. Bossuet réprouve donc vigoureusement la révolution anglaise de 1688, déplore la domination sur l'Europe de l'Angleterre protestante et parlementaire (« Je ne fais que gémir sur l'Angleterre », écrit-il) et ressent douloureusement, dans les dernières années du XVIIe siècle, l'échec de la politique d'annexion de Louis XIV aux frontières de la France.

On a conservé de Bossuet le texte autographe de plus ou moins 200 sermons. Six de ses oraisons funèbres (Henriette de France, Henriette d'Angleterre, Marie-

Thérèse d'Autriche, Anne de Gonzague, Michel Le Tellier, Condé) ont été imprimées sur-le-champ. Un grand thème chrétien domine ces discours : le providentialisme. Aux yeux du prédicateur, tous les événements rapportés soulignent l'intervention de Dieu dans l'histoire des hommes. Le providentialisme est central également dans les ouvrages écrits par Bossuet pour l'éducation du Dauphin : ainsi, le *Discours sur l'Histoire universelle* (1681) montre que la prospérité puis la chute des Empires ne sont pas le fruit du hasard, ou d'une cause humaine, mais que c'est Dieu qui élève, puis abat les grands peuples. Cette conception prophétique de l'histoire eut une importante fortune dans la littérature française, à l'époque romantique, notamment chez Joseph de Maistre.

L'Humanisme de Bossuet / Thérèse Goyet. – Paris : Klincksieck, 1965. – 2 vol.

La Spiritualité de Bossuet / Jacques Le Brun. – Paris : Klincksieck, 1972. – 820 p.

Journées Bossuet : la Prédication au XVIIe siècle / actes du colloque tenu à Dijon les 2, 3 et 4 décembre 1977 pour le 350e anniversaire de la naissance de Bossuet, publiés par Thérèse Goyet et Jean-Pierre Collinet. – Paris : Nizet, 1980. – 416 p.

Bossuet, écho de Tertullien / René-Jean Hesbert. – Paris : Nouvelles Éditions latines, 1982. – 192 p.

Bossuet / Jean Meyer. – Paris : Plon, 1993. – 316 p.

LETTRE AU PAPE INNOCENT XI SUR L'ÉDUCATION DU DAUPHIN 381

L'enseignement de l'histoire.— Cette lettre fut publiée pour la première fois en tête de la *Politique tirée des propres paroles de l'Écriture sainte* (1709, posthume). Le texte original était rédigé en latin mais, pour Louis XIV, Bossuet en fit lui-même une traduction française. La lettre trace la méthode et le programme suivis par l'auteur dans l'éducation du Dauphin : donner les savoirs généraux indispensables, apprendre à bien parler et à bien dire. Dans tous les domaines de la connaissance, on constate le même souci d'éviter ce qui surchargerait un esprit novice, la préoccupation constante de dégager les idées fondamentales et l'effort pour aboutir à penser juste et à s'exprimer avec précision et clarté. L'apprentissage de l'histoire est particulièrement exemplaire de la pédagogie de Bossuet et des principes qui gouvernaient son enseignement.

Enfin nous lui avons enseigné l'Histoire. Et comme c'est la maîtresse de la vie humaine et de la politique, nous l'avons fait avec une grande exactitude : mais nous avons principalement eu soin de lui apprendre celle de la France, qui est la sienne. Nous ne lui avons pas néanmoins donné la peine de feuilleter les livres ; et à la réserve de quelques auteurs de la nation, comme Philippes de Commines et du Bellay[1], dont nous lui avons fait lire les plus beaux endroits, nous avons été nous-mêmes dans les sources, et nous avons tiré des auteurs les plus approuvés, ce qui pouvoit le plus

1 Martin du Bellay, seigneur de Langey, prince d'Yvetot, a laissé des *Mémoires contenant les discours de plusieurs choses adverses au royaume de France depuis l'an 1513 jusques au trépas du roi François Ier*, Paris, 1586.

servir à lui faire comprendre la suite des affaires. Nous en récitions de vive voix autant qu'il en pouvoit facilement retenir : nous le lui faisions répéter ; il l'écrivoit en françois, et puis il le mettoit en latin : cela lui servoit de thème, et nous corrigions aussi soigneusement son françois que son latin. Le samedi il relisoit tout d'une suite ce qu'il avoit composé durant la semaine ; et l'ouvrage croissant, nous l'avons divisé par livres, que nous lui faisions relire très-souvent.

L'assiduité avec laquelle il a continué ce travail l'a mené jusqu'aux derniers règnes : si bien que nous avons presque toute notre histoire en latin et en françois, du style et de la main de ce Prince. Depuis quelque temps, comme nous avons vu qu'il savoit assez de latin, nous l'avons fait cesser d'écrire l'Histoire en cette langue. Nous la continuons en françois avec le même soin ; et nous l'avons disposée de sorte qu'elle s'étendît à proportion que l'esprit du Prince s'ouvroit, et que nous voyions son jugement se former ; en récitant fort en abrégé ce qui regarde les premiers temps, et beaucoup plus exactement ce qui s'approche des nôtres. Nous ne descendons pas néanmoins dans un trop grand détail des petites choses, et nous ne nous amusons pas à rechercher celles qui ne sont que de curiosité : mais nous remarquons les mœurs de la nation bonnes et mauvaises : les coutumes anciennes, les lois fondamentales : les grands changemens et leurs causes : le secret des conseils : les événemens inespérés, pour y accoutumer l'esprit et le préparer à tout : les fautes des rois et les calamités qui les ont suivies : la foi qu'ils ont conservée pendant ce grand espace de temps qui s'est passé depuis Clovis jusqu'à nous : cette constance à défendre la religion catholique, et tout ensemble le profond respect qu'ils ont toujours eu pour le saint Siége, dont ils ont tenu à gloire d'être les enfans les plus soumis. Que ç'a été cet attachement inviolable à la religion et à l'Église, qui a fait subsister le royaume depuis tant de siècles. Ce qu'il nous étoit aisé de faire voir par les épouvantables mouvemens que l'hérésie a causés dans tout le corps de l'État, en affoiblissant la puissance et la majesté royale, et en réduisant presque à la dernière extrémité un royaume si florissant : sans qu'il ait pu reprendre sa première force qu'en abattant l'hérésie.

Mais afin que le Prince apprît de l'Histoire la manière de conduire les affaires, nous avons coutume, dans les endroits où elles paroissent en péril, d'en exposer l'état, et d'en examiner toutes les circonstances, pour délibérer, comme on feroit dans un conseil, de ce qu'il y auroit à faire en ces occasions : nous lui demandons son avis ; et quand il s'est expliqué, nous poursuivons le récit pour lui apprendre les événemens. Nous marquons les fautes, nous louons ce qui a été bien fait : et conduits par l'expérience, nous établissons la manière de former les desseins et de les exécuter.

Œuvres / de Bossuet publiées d'après les imprimés et les manuscrits originaux [...] par F. Lachat. – Paris : Louis Vivès, 1885. – [T. XXIII, pp. 22-23].

SERMONS 382

Sermon sur la mort. — Bossuet a prêché deux carêmes devant le roi : celui du Louvre en 1662 et celui de Saint-Germain-en-Laye en 1666. Du premier — qui marque l'apogée de la prédication de Bossuet —, on conserve notamment un « Sermon sur la mort », prononcé le 22 mars 1662, publié pour la première fois en 1772 par D. Deforis dans les *Œuvres de Messire Jacques-Bénigne Bossuet* (Paris, Antoine Boudet), qui montre l'effet qu'une imagination vive et forte peut produire sur les âmes. On trouve de nombreuses similitudes entre ce texte et les *Pensées* de Pascal, qui lui sont de peu postérieures.

Me sera-t-il permis aujourd'hui d'ouvrir un tombeau devant la Cour, et des yeux si délicats ne seront-ils point offensés par un objet si funèbre ? Je ne pense pas, Messieurs, que des chrétiens doivent refuser d'assister à ce spectacle avec Jésus-Christ. C'est à lui que l'on dit dans notre évangile : « Seigneur, venez et voyez » où l'on a déposé le corps du Lazare ; c'est lui qui ordonne qu'on lève la pierre, et qui semble nous dire à son tour : Venez et voyez vous-mêmes. Jésus ne refuse pas de voir ce corps mort comme un objet de pitié et un sujet de miracle ; mais c'est nous, mortels misérables, qui refusons de voir ce triste spectacle comme la conviction de nos erreurs. Allons et voyons avec Jésus-Christ, et désabusons-nous éternellement de tous les biens que la mort enlève.

C'est une étrange foiblesse de l'esprit humain, que jamais la mort ne lui soit présente, quoiqu'elle se mette en vue de tous côtés et en mille formes diverses. On n'entend dans les funérailles que des paroles d'étonnement de ce que ce mortel est mort : chacun rappelle en son souvenir depuis quel temps il lui a parlé et de quoi le défunt l'a entretenu ; et tout d'un coup il est mort : Voilà, dit-on, ce que c'est que l'homme ; et celui qui le dit, c'est un homme ; et cet homme ne s'applique rien, oublieux de sa destinée ; ou s'il passe dans son esprit quelque désir volage de s'y préparer, il dissipe bientôt ces noires idées ; et je puis dire, Messieurs, que les mortels n'ont pas moins de soin d'ensevelir les pensées de la mort que d'enterrer les morts mêmes. Mais peut-être que ces pensées feront plus d'effet dans nos cœurs, si nous les méditons avec Jésus-Christ sur le tombeau du Lazare ; mais demandons-lui qu'il nous les imprime par la grace de son Saint-Esprit, et tâchons de la mériter par l'entremise de la sainte Vierge.

Entre toutes les passions de l'esprit humain, l'une des plus violentes c'est le désir de savoir ; et cette curiosité de connoître fait qu'il épuise ses forces pour trouver ou quelque secret inouï dans l'ordre de la nature, ou quelque adresse inconnue dans les ouvrages de l'art, ou quelque raffinement inusité dans la conduite des affaires. Mais parmi ces vastes désirs d'enrichir notre entendement par des connoissances nouvelles, la même chose nous arrive qu'à ceux qui jetant bien loin leurs regards, ne remarquent pas les objets qui les environnent ; je veux dire que notre esprit s'étendant par de grands efforts sur des choses fort éloignées et parcourant pour ainsi dire le ciel et la terre, passe cependant si légèrement sur ce qui se présente à lui de plus près, que nous consumons toute notre vie toujours ignorans de ce qui nous touche, et non-seulement de ce qui nous touche, mais encore de ce que nous sommes.

Il n'est rien de plus nécessaire que de recueillir en nous-mêmes toutes ces pensées qui s'égarent ; et c'est pour cela, chrétiens, que je vous invite aujourd'hui d'accompagner le Sauveur jusqu'au tombeau du Lazare : *Veni et vide* : « Venez et voyez. » Ô mortels, venez contempler le spectacle des choses mortelles ; ô homme, venez apprendre ce que c'est que l'homme. Vous serez peut-être étonnés que je vous adresse à la mort pour vous instruire de votre être, et vous croirez que ce n'est pas bien représenter l'homme que de le montrer où il n'est plus ; mais si vous prenez soin de vouloir entendre ce qui se présente à nous dans le tombeau, vous accorderez aisément qu'il n'est point de plus véritable interprète ni de plus fidèle miroir des choses humaines.

La nature d'un composé ne se remarque jamais plus distinctement que dans la dissolution de ses parties ; comme elles s'altèrent mutuellement par le mélange, il faut les séparer pour les bien connoître. En effet la société de l'ame et du corps fait que le corps nous paroît quelque chose de plus qu'il n'est, et l'ame quelque chose de moins : mais lorsque venant à se séparer, le corps retourne à la terre et que l'ame aussi est mise en état de retourner au ciel d'où elle est tirée, nous voyons l'un et l'autre dans sa pureté. Ainsi nous n'avons qu'à considérer ce que la mort nous ravit et ce qu'elle laisse en son entier, quelle partie de notre être tombe sous ses coups, et quelle autre se conserve dans cette ruine ; alors nous aurons compris ce que c'est que l'homme : de sorte que je ne crains point d'assurer que c'est du sein de la mort et de ses ombres épaisses, que sort une lumière immortelle pour éclairer nos esprits touchant l'état de notre nature. Accourez donc, ô mortels, et voyez dans le tombeau du Lazare ce que c'est que l'humanité : venez voir dans un même objet la fin de vos desseins et le commencement de vos espérances ; venez voir tout ensemble la dissolution et le renouvellement de votre être ; venez voir le triomphe de la vie dans la victoire de la mort : *Veni et vide*.

Ô mort, nous te rendons graces des lumières que tu répands sur notre ignorance ; toi seule nous convaincs de notre bassesse, toi seule nous fais connoître notre dignité ; si l'homme s'estime trop, tu sais déprimer son orgueil ; si l'homme se méprise trop, tu sais relever son courage ; et pour réduire toutes ses pensées à un juste tempérament, tu lui apprends ces deux vérités qui lui ouvrent les yeux pour se bien connoître, qu'il est infiniment méprisable en tant qu'il finit dans le temps, et infiniment estimable en tant qu'il passe à l'éternité. Ces deux importantes considérations feront le sujet de ce discours.

PREMIER POINT

C'est une entreprise hardie que d'aller dire aux hommes qu'ils sont peu de chose. [...]

Qu'est-ce donc que ma substance, ô grand Dieu ? J'entre dans la vie pour en sortir bientôt ; je viens me montrer comme les autres ; après, il faudra disparoître. [...] Si je jette la vue devant moi, quel espace infini où je ne suis pas ! Si je la retourne en arrière, quelle suite effroyable où je ne suis plus, et que j'occupe peu de place dans cet abîme immense du temps ! Je ne suis rien ; un si petit intervalle n'est pas capable de me distinguer du néant. On ne m'a envoyé que pour faire nombre, encore n'avoit-on que faire de moi ; et la pièce n'en auroit pas été moins jouée, quand je serois demeuré derrière le théâtre. [...]

SECOND POINT

N'en doutons pas, chrétiens, quoique nous soyons relégués dans cette dernière partie de l'univers qui est le théâtre des changemens et l'empire de la mort ; bien plus, quoiqu'elle nous soit inhérente et que nous la portions dans notre sein, toutefois au milieu de cette matière et à travers l'obscurité de nos connoissances qui vient des préjugés de nos sens, si nous savons rentrer en nous-mêmes, nous y trouverons quelque chose qui montre bien par une certaine vigueur son origine céleste, et qui n'appréhende pas la corruption.

[...] voici le trait le plus admirable de cette divine ressemblance. Dieu se connoît et se contemple ; sa vie c'est de se connoître ; et parce que l'homme est son image, il veut aussi qu'il le connoisse. Être éternel, immense, infini, exempt de toute matière, libre de toutes limites, dégagé de toute imperfection, chrétiens, quel est ce miracle ? Nous qui ne sentons rien que de borné, qui ne voyons rien que de muable, où avons-nous pu comprendre cette éternité ? où avons-nous songé cette infinité ? Ô éternité ! ô infinité ! dit saint Augustin, que nos sens ne soupçonnent seulement pas, par où donc es-tu entrée dans nos ames ? Mais si nous sommes tout corps et tout matière, comment pouvons-nous concevoir un esprit pur, et comment avons-nous pu seulement inventer ce nom ?

Je sais ce que l'on peut dire en ce lieu, et avec raison que lorsque nous parlons de ces esprits, nous n'entendons pas trop ce que nous disons ; notre foible imagination ne pouvant soutenir une idée si pure, lui présente toujours quelque petit corps pour la revêtir. Mais après qu'elle a fait son dernier effort pour les rendre bien subtils et bien déliés, ne sentez-vous pas en même temps qu'il sort du fond de notre ame une lumière céleste qui dissipe tous ces fantômes, si minces et si délicats que nous ayons pu les figurer ? Si vous la pressez davantage et que vous lui demandiez ce que c'est, une voix s'élèvera du centre de l'ame : Je ne sais pas ce que c'est, mais néanmoins ce n'est pas cela. Quelle force, quelle énergie, quelle secrète vertu sent en elle-même cette ame pour se corriger, se démentir elle-même et pour oser rejeter tout ce qu'elle pense ! Qui ne voit qu'il y a en elle un ressort caché qui n'agit pas encore de toute sa force, et lequel, quoiqu'il soit contraint, quoiqu'il n'ait pas son mouvement libre, fait bien voir par une certaine vigueur qu'il ne tient pas tout entier à la matière et qu'il est comme attaché par sa pointe à quelque principe plus haut ?

[...]

Mais, hélas ! que nous profite cette dignité ? Quoique nos ruines respirent encore quelque air de grandeur, nous n'en sommes pas moins accablés dessous ; notre ancienne immortalité ne sert qu'à nous rendre plus insupportable la tyrannie de la mort ; et quoique nos ames lui échappent, si cependant le péché les rend misérables, elles n'ont pas de quoi se vanter d'une éternité si onéreuse. Que dirons-nous, chrétiens ? que répondrons-nous à une plainte si pressante ? Jésus-Christ y répondra dans notre évangile. Il vient voir le Lazare décédé, il vient visiter la nature humaine qui gémit sous l'empire de la mort. Ah ! cette visite n'est pas sans cause. C'est l'ouvrier même qui vient en personne pour reconnoître ce qui manque à son édifice. C'est qu'il a dessein de le reformer suivant son premier modèle : *secundùm imaginem ejus qui creavit illum*[1].

[...] Ne vois-tu pas le divin Jésus qui fait ouvrir le tombeau ? C'est le prince qui fait ouvrir la prison aux misérables captifs. Les corps morts qui sont enfermés dedans entendront un jour sa parole, et ils ressusciteront comme le Lazare ; ils ressusciteront mieux que le Lazare, parce qu'ils ressusciteront pour ne mourir plus, et que la mort, dit le Saint-Esprit, sera noyée dans l'abîme pour ne paroître jamais : *Et mors ultrà non erit ampliùs*[2].

Que crains-tu donc, ame chrétienne, dans les approches de la mort ? Peut-être qu'en voyant tomber ta maison tu appréhendes d'être sans retraite ? Mais écoute le divin Apôtre : « Nous savons, » nous savons, dit-il, nous ne sommes pas induits à le croire par des conjectures douteuses, mais nous le savons très-assurément et avec une entière certitude, « que si cette maison de terre et de boue dans laquelle nous habitons est détruite, nous avons une autre maison qui nous est préparée au ciel[3]. » Ô conduite miséricordieuse de celui qui pourvoit à nos besoins ! Il a dessein, dit excellemment saint Jean Chrysostome[4], de réparer la maison qu'il nous a donnée ; pendant qu'il la détruit et qu'il la renverse pour la refaire toute neuve, il est nécessaire que nous délogions ; car que ferions-nous dans cette poudre, dans ce tumulte, dans cet embarras ? Et lui-même nous offre son palais ; il nous donne un appartement pour nous faire attendre en repos l'entière réparation de notre ancien édifice.

Œuvres complètes / de Bossuet publiées d'après les imprimés et les manuscrits originaux [...] par F. Lachat. – Paris : Louis Vivès, 1880. – [T. IX, pp. 358-372].

ORAISONS FUNÈBRES 383

Oraison funèbre de Louis de Bourbon (Exorde). — L'« Oraison funèbre de Très Haut et Très Puissant Prince Louis de Bourbon, prince de Condé, premier prince du sang » est la dernière en date des grandes oraisons funèbres de Bossuet ; elle fut prononcée le 10 mars 1687, à Notre-Dame de Paris. On verra par l'extrait qui suit que, si l'orateur consent à glorifier dans la chaire le souvenir d'une créature mortelle, ce n'est là qu'une partie de sa tâche et non, il s'en faut de beaucoup, la principale. À l'occasion d'une solen-

1 *Coloss.*, III, 10.
2 *Apoc.*, XXI, 4.
3 II *Cor.*, V, 1.
4 Homil. *in Dict. Apost.*, De dormientibus, etc.

nité funèbre, Bossuet s'attache à faire pénétrer dans le cœur de son auditoire les hautes vérités religieuses sur la vie, sur la mort, sur les destinées éternelles de l'âme, — vérités qui ne sont jamais mieux écoutées qu'en présence d'un tombeau.

Au moment que j'ouvre la bouche pour célébrer la gloire immortelle de Louis de Bourbon, Prince de Condé, je me sens également confondu, et par la grandeur du sujet, et s'il m'est permis de l'avouer, par l'inutilité du travail. Quelle partie du monde habitable n'a pas ouï les victoires du Prince de Condé et les merveilles de sa vie ? On les raconte partout : le François qui les vante n'apprend rien à l'étranger ; et quoi que je puisse aujourd'hui vous en rapporter, toujours prévenu par vos pensées, j'aurai encore à répondre au secret reproche que vous me ferez, d'être demeuré beaucoup au-dessous. Nous ne pouvons rien, foibles orateurs, pour la gloire des ames extraordinaires : le Sage a raison de dire que « leurs seules actions les peuvent louer[1] : » toute autre louange languit auprès des grands noms ; et la seule simplicité d'un récit fidèle pourroit soutenir la gloire du Prince de Condé. Mais en attendant que l'histoire, qui doit ce récit aux siècles futurs, le fasse paroître, il faut satisfaire, comme nous pourrons, à la reconnoissance publique et aux ordres du plus grand de tous les rois. Que ne doit point le royaume à un Prince qui a honoré la Maison de France, tout le nom françois, son siècle et pour ainsi dire l'humanité toute entière ? Louis le Grand est entré lui-même dans ces sentimens. Après avoir pleuré ce grand homme, et lui avoir donné par ses larmes au milieu de toute sa Cour, le plus glorieux éloge qu'il pût recevoir, il assemble dans un temple si célèbre ce que son royaume a de plus auguste pour y rendre des devoirs publics à la mémoire de ce Prince ; et il veut que ma foible voix anime toutes ces tristes représentations et tout cet appareil funèbre. Faisons donc cet effort sur notre douleur. Ici un plus grand objet, et plus digne de cette chaire, se présente à ma pensée. C'est Dieu qui fait les guerriers et les conquérans. « C'est vous, lui disoit David, qui avez instruit mes mains à combattre, et mes doigts à tenir l'épée[2]. » S'il inspire le courage, il ne donne pas moins les autres grandes qualités naturelles et surnaturelles, et du cœur et de l'esprit. Tout part de sa puissante main : c'est lui qui envoie du ciel les généreux sentimens, les sages conseils et toutes les bonnes pensées. Mais il veut que nous sachions distinguer entre les dons qu'il abandonne à ses ennemis, et ceux qu'il réserve à ses serviteurs. Ce qui distingue ses amis d'avec tous les autres, c'est la piété : jusqu'à ce qu'on

---

1 *Prov.*, XXXI, 31.

2 *Psal.* CXLIII, 1.

ait reçu ce don du ciel, tous les autres non-seulement ne sont rien, mais encore tournent en ruine à ceux qui en sont ornés. Sans ce don inestimable de la piété, que seroit-ce que le Prince de Condé avec tout ce grand cœur et ce grand génie ? Non, mes Frères, si la piété n'avoit comme consacré ses autres vertus, ni ces princes ne trouveroient aucun adoucissement à leur douleur, ni ce religieux pontife aucune confiance dans ses prières, ni moi-même aucun soutien aux louanges que je dois à un si grand homme. Poussons donc à bout la gloire humaine par cet exemple : détruisons l'idole des ambitieux ; qu'elle tombe anéantie devant ces autels. Mettons ensemble aujourd'hui, car nous le pouvons dans un si noble sujet, toutes les plus belles qualités d'une excellente nature ; et à la gloire de la vérité, montrons dans un Prince admiré de tout l'univers que ce qui fait les héros, ce qui porte la gloire du monde jusqu'au comble : valeur, magnanimité, bonté naturelle, voilà pour le cœur : vivacité, pénétration, grandeur et sublimité de génie, voilà pour l'esprit, ne seroient qu'une illusion, si la piété ne s'y étoit jointe : et enfin, que la piété est le tout de l'homme. C'est, Messieurs, ce que vous verrez dans la vie éternellement mémorable de très-haut et très-puissant Prince LOUIS DE BOURBON, PRINCE DE CONDÉ, PREMIER PRINCE DU SANG.

Œuvres complètes / de Bossuet publiées d'après les imprimés et les manuscrits originaux [...] par F. Lachat. – Paris : Louis Vivès, 1879. – [T. XII, pp. 611-613].

LOCKE

ANGLAIS • LATIN **1632-1704**

Fils du XVIIe siècle, particulièrement de la tradition puritaine, John Locke eut une vie modeste placée sous le signe du travail. Né la même année que Spinoza, dans le comté de Somerset, au sein d'une famille où l'on pratiquait le négoce et la loi dans un climat d'austérité et de discipline, il fait des études arides au collège de Winchester, est étudiant à Christchurch (Oxford), un collège royaliste où il devient Bachelier en 1656, Maître ès Arts en 1658 et chargé de conférences dès 1659.

Sur fond de guerre civile, son adolescence voit le renversement de la monarchie absolue, la constitution d'une république et la victoire du Parlement, auquel on était chez lui favorable. Au moment de la Restauration (1661), Locke connaîtra une période anti-autoritariste et anti-libérale, d'où l'influence de Hobbes, qu'il ne mentionne pas, n'est peut-être pas absente.

Au cours des années 1650-1660, Locke devient l'exemple vivant d'une culture encyclopédique, tant littéraire, en latin, en grec, en hébreu, que scientifique. *Virtuoso* ouvert à la chimie, à la médecine, à l'économie, son intérêt pour ce qu'on appelle la philosophie naturelle s'accroît et s'approfondit par ses relations avec Robert Boyle, le physicien chimiste, de cinq ans son aîné. Il ne rencontrera Newton, de dix ans son cadet, qu'en 1689.

Les années 1660-1670 sont importantes à plusieurs titres : Locke est chargé d'une mission internationale au Brandebourg, qui infléchira fortement sa pensée en matière de tolérance religieuse ; en 1666, il rencontre Ashley Cooper, le futur comte de Shaftesburry, qui deviendra son protecteur ; en 1667, il lit le *De Arte Medica* de Thomas Sydenham, où s'affirme l'approche empirique de la médecine et qui le confirme dans sa défiance des hypothèses théoriques ; en 1668, il pratique sa première intervention chirurgicale, au foie, sur Ashley Cooper, et devient *fellow* de la Société Royale ; il publie un essai sur la tolérance, très différent de ses traités de 1661-1662 ; en 1669, il se voit confier des fonctions administratives d'État et son nom est associé à la Constitution de la Caroline. En 1673, il devient secrétaire aux Présentations (questions ecclésiastiques) puis secrétaire du Conseil du commerce et des colonies. En 1675, il s'installe en France, qu'il avait visitée trois ans auparavant, et y reste trois ans et demi, à Montpellier, en pays de médecine et de protestantisme, à Toulouse, à Bordeaux puis à Paris.

Rentré en Angleterre en 1679, en pleine crise politico-religieuse, il est, pour quatre ans, mêlé à la politique, suit Shaftesburry en Hollande, pour y connaître, comme Descartes, l'expérience de l'exil, mais non le refuge : penseur engagé, Locke, accusé de complot et objet d'un mandat de recherche international, est poursuivi par la police hollandaise. Cette période d'action politique réfléchie aboutit cependant à la rédaction des *Traités sur le gouvernement*, publiés anonymes seulement en 1690. Exclu de Christchurch en 1684, Locke rédige aussi, en 1685-1686, à la suite de la révocation de l'Édit de Nantes, sa *Lettre sur la tolérance*, qu'il publie, en Hollande et en latin, en 1689, année de son retour en Angleterre. Traduite en anglais la même année par William Popple, elle sera suivie de deux autres éditions, en 1690 (sous le pseudonyme de Philanthropus) et en 1692. *L'Essai sur l'entendement humain*, presque terminé à la fin de 1686, avait été publié en 1689.

Cette étonnante créativité d'un quinquagénaire pourrait occulter la faible santé de Locke ; c'est pourtant à cause d'elle qu'il refuse, en 1689, le poste d'ambassadeur en Brandebourg et qu'à partir de 1691, il vit à Oates, invité permanent de Sir Francis Masham, et auprès de ses enfants et de son épouse Damaris, la fille de Ralph Cudworth, l'un des illustres platoniciens de Cambridge.

Dès 1684 et pendant son séjour en Hollande, Locke, en médecin, en penseur, en pédagogue, avait écrit à Édouard Clarke, écuyer du roi, membre du Parlement, des lettres de conseil pour l'éducation de ses enfants, notamment de sa fille Élisabeth. Telle est l'origine des *Quelques pensées sur l'éducation*, publiées en 1693, « grossière ébauche » de ce qui fut peut-être son livre favori, qu'il ne cessa de parfaire. L'ouvrage fut très vite traduit en français par Coste, dont les traductions, parfois discutables, ont largement déterminé la postérité française et européenne de Locke.

Dans ses dernières années, Locke entra en controverse avec John Norris et se lia d'amitié avec William Molyneux. On retient, parmi ses dernières œuvres, *Le Christianisme raisonnable* (1695), les *Lettres et répliques à l'évêque de Worcester* (1697-1699) et *De la conduite de l'entendement* (1697) qui sont comme ses règles pour la conduite de l'esprit, application quasiment expérimentale de sa recherche théorique.

En déplaçant l'interrogation philosophique des objets à connaître vers l'inventaire des pouvoirs de connaissance, en rejetant la métaphysique hors les bornes d'une raison pratique et raisonnable, en instaurant une problématique de la connaissance qui combine la dérivation empirique des idées avec la systématisation rationnelle de leurs rapports grâce à la médiation d'une réflexion linguistique et sémiotique, en modulant le concept de loi selon les contextes d'application (loi de nature, loi divine, loi de croyance), Locke ménage un passage entre la réflexion sur la connaissance, la réflexion sur la morale et la réflexion sur la politique : la tolérance, exigence épistémologique et morale, s'inscrit dans un certain relativisme fonctionnel qui rend compte de l'organisation des pouvoirs et de leur séparation à partir d'un système contractuel ; ce système, tout en libérant l'homme de l'état de nature, fait accéder l'individu maître de lui-même à l'autonomie, par la puissance de lois dont nul pouvoir représentatif légitime ne saurait s'abstraire, sauf à rompre le lien fondateur de la confiance et du consentement et s'exposer aux conséquences du légitime droit de résistance.

De ce « phare du libéralisme », chef de file des philosophes des Lumières, « honneur du XVIIe siècle et précepteur du XVIIIe », « figure emblématique de la modernité anglaise », on a dit que ses *Traités du gouvernement* et ses *Pensées sur l'éducation* étaient la bible du siècle nouveau et que sa *Lettre sur la tolérance* était la charte du XVIIIe siècle. Voltaire ne tarit pas d'éloges sur Locke : il loue par-dessus tout chez lui la tolérance et la liberté de conscience et vante sa modestie, sa sagesse, sa simplicité, sa retenue, en le regardant comme le seul métaphysicien raisonnable qui ne fait pas le roman de l'âme mais en relate modestement l'histoire.

La place de John Locke dans l'histoire de la pensée anglaise et européenne est considérable. On le retrouve dans le constitutionnalisme de Montesquieu, chez Rousseau, Helvétius et chez les Constituants français. Si le parti libéral s'est inspiré de lui, c'est l'Angleterre elle-même qui, plus tard, s'est mise à lui ressembler, voulant se reconnaître dans son mélange de bourgeoisie morale et d'aristocratie de la pensée. Locke est en effet le premier philosophe à écrire comme le gentleman moderne, dont il a voulu faire, par l'éducation, le type de l'homme sociable, propriétaire et responsable, qui ne fait cas du savoir que pour son utilité, et le soumet à la vertu.

La Philosophie générale de John Locke / H.L. Ollion. – Paris : Alcan, 1908. – 482 p. – (*Faculté des Lettres de l'Université de Paris*).

La Pédagogie de John Locke / Nina Reycin. – Paris : Hermann et Cie, 1941. – 229 p. – (*Actualités scientifiques et industrielles* ; 906).

Les Relations intellectuelles de Locke avec la France d'après des documents inédits / Gabriel Bonno. – Berkeley : University of California Press, 1955. – VI-37-264 p. – (*University of California Publications in Modern Philology* ; t. XXXVIII, n° 2).

La Politique morale de John Locke / Raymond Polin. – Paris, PUF, 1960. – 320 p. – (*Bibliothèque de Philosophie contemporaine. Histoire de la philosophie et philosophie générale*).

L'Empirisme de Locke / François Duchesneau. – La Haye : Martinus Nijhoff, 1973. – XV-261 p. – (*Archives internationales d'histoire des idées* ; 57).

La Pensée libérale de John Locke. – Paris : Vrin, 1984. – 155 p. – (*Cahiers de philosophie politique et juridique de l'Université de Caen* ; 5).

John Locke et la raison raisonnable / Simone Goyard-Fabre. – Paris : Librairie Philosophique J. Vrin, 1986. – 196 p. – (*Bibliothèque d'histoire de la philosophie*).

LETTRE SUR LA TOLÉRANCE 384

R. Polin — 1965

Non à toute contrainte en matière de foi. — Afin de préserver la foi de toute contrainte et de faire d'elle la semence et le fruit de la liberté véritable de l'âme, Locke distingue rigoureusement le for civil du for religieux. Cette distinction n'est cependant possible que dans une théologie qui préfère définir le religieux et le profane comme des domaines distincts de l'existence active plutôt que comme des dimensions du sens de toute réalité. Cette distinction, pareillement, privilégie une organisation conceptuelle fondée sur les différences de nature plus que sur les différences de degré entre les réalités.

Tout ce qui va suivre me semble démontrer que toute la juridiction du magistrat concerne uniquement ces biens civils et que le droit et la souveraineté du pouvoir civil se bornent et se limitent à conserver et à promouvoir ces biens-là seulement, et qu'ils ne doivent ou ne peuvent en aucune façon s'étendre au salut des âmes.

Premièrement, parce que le magistrat civil, pas plus que les autres hommes, n'a été chargé du soin des âmes. Ni par Dieu, parce qu'il n'apparaît nulle part que Dieu ait attribué à des hommes sur des hommes une autorité telle qu'ils puissent contraindre les autres à embrasser leur religion. Ni par des hommes qui ne peuvent attribuer au magistrat un pouvoir de cette sorte ; parce que personne ne peut abandonner le soin de son salut éternel au point de laisser à un autre, qu'il soit prince ou sujet, le soin de lui prescrire un culte ou de lui imposer nécessairement une foi ; parce que personne ne peut, quand même il le voudrait, croire sur l'ordre d'autrui. Or, c'est dans la foi que consiste la force et l'efficace de la religion vraie et qui assure le salut. Quoi que l'on professe seulement des lèvres, quelque culte extérieur que l'on pratique, si l'on n'est pas persuadé du fond du cœur que telle est la vérité et que cela plaît à Dieu, non seulement cela ne contribue pas au salut, mais cela y met au contraire obstacle. En effet, de cette façon, au lieu d'expier nos péchés par la pratique de la religion, on ajoute, comme pour les couronner, la simulation de la religion et le mépris de la puissance divine ; ce qui advient lorsque l'on offre à Dieu, très grand et très bon, le culte dont nous croyons qu'il lui déplaît.

En second lieu, le soin des âmes ne saurait appartenir au magistrat civil parce que tout son pouvoir consiste dans la contrainte. Mais comme la religion vraie et salutaire consiste dans la foi intérieure de l'âme, sans quoi rien ne vaut devant Dieu, telle est la nature de l'entendement humain qu'il ne peut être contraint par aucune force extérieure ; que l'on confisque les biens, que l'on accable le corps par la prison et la torture, ce sera en vain, si l'on veut par ces supplices changer le jugement de l'esprit sur les choses.

Mais, direz-vous, le magistrat peut se servir d'arguments, de raisons pour conduire les hérétiques à la vérité et pour les sauver. Soit. Mais il a ceci en commun avec les autres hommes : s'il enseigne, s'il instruit, s'il corrige, en argumentant, celui qui se trompe, il fait seulement ce que tout homme de bien doit faire. Il n'est donc pas nécessaire au magistrat de cesser d'être un homme ou un chrétien. Mais c'est une chose de persuader et une autre de commander ; une chose d'agir par des arguments, une autre d'agir par des édits. Ceux-ci relèvent du pouvoir civil, ceux-là de la bienveillance humaine. Chaque mortel a la charge d'avertir, d'exhorter, de dénoncer les erreurs et de mener les autres à ses propres idées par des arguments ; mais il appartient en propre au magistrat d'ordonner par des édits et de contraindre par le glaive. Voici ce que je veux dire : le pouvoir civil ne doit pas prescrire des articles de foi par la loi civile, qu'il s'agisse de dogmes ou de formes du culte divin. Si, en effet, aucune peine ne leur est jointe, la force des lois périt ; si des peines sont prévues, elles sont évidemment vaines et fort peu aptes à persuader. Si quelqu'un veut, pour le salut de son âme, adopter quelque dogme ou pratiquer quelque culte, il faut qu'il croie du fond de l'âme que ce dogme est vrai et que ce culte sera accepté par Dieu et qu'il lui sera agréable ; mais aucune peine ne peut le moins du monde instiller dans les âmes une conviction de ce genre. Il faut, pour changer un sentiment dans les âmes, une lumière que ne peut en aucune façon produire le supplice des corps.

En troisième lieu, le soin du salut des âmes ne saurait appartenir au magistrat civil ; parce que, même si l'on admettait que l'autorité des lois et la force des peines étaient efficaces pour obtenir la conversion des esprits, elles ne serviraient en rien au salut des âmes. Puisque la vraie religion est unique, puisqu'il y a un seul chemin qui conduit aux demeures des bienheureux, quelle espérance y aurait-il pour qu'un plus grand nombre d'hommes y parvienne, même si l'on mettait les mortels dans une condition telle que chacun devrait rejeter au second plan les décrets de sa raison et de sa conscience et embrasser aveuglément les dogmes de son prince et adorer Dieu selon les lois de sa patrie ? Les opinions religieuses des princes sont si diverses qu'il faudrait que la voie et la porte fussent bien étroites, qui conduisent au ciel, et qu'elles fussent ouvertes pour bien peu et pour les habitants d'une seule région ; et, dans cette affaire, — ce qui serait extrêmement absurde et indigne de Dieu — la félicité éternelle ou le châtiment éternel seraient dus au hasard de la naissance.

Ces raisons seules, sans compter bien d'autres que l'on aurait pu apporter ici me paraissent suffire pour conclure que tout le pouvoir de l'État ne concerne que les biens civils, qu'il est borné au soin des choses de ce monde et qu'il ne doit toucher à rien de ce qui regarde la vie future.

Lettre sur la tolérance / John Locke ; traduction de Raymond Polin. – 1re édition, 1965. – Paris : P. U. F., 1995. – [Pp. 11-17].

ESSAI PHILOSOPHIQUE CONCERNANT L'ENTENDEMENT HUMAIN 385

P. Coste — 1740

Ce que c'est qu'identité (Livre II, chapitre XXVII, § 3 [fin]-7). — Premier concept qualifiant de la vie, au-delà de la substance, l'identité rencontre un premier degré de sa pertinence, celui de l'organisation et de la cohésion corporelle qui, jusques et y compris dans le règne animal, présente, extérieurement du moins, de frappantes analogies avec celles des machines. En tant qu'animal doué d'un corps, l'homme n'échappe pas à cette définition de l'identité. C'est, au reste, cette identité corporelle de l'homme, qui ne saurait fonder son identité sur son âme seule, qui fait de l'homme une personne.

Un *Chêne* qui d'une petite plante devient un grand arbre, & qu'on vient d'émonder, est toujours *le même Chêne* ; & un *Poulain* devenu *Cheval*, tantôt gras, & tantôt maigre, est durant tout ce tems-là *le même Cheval*, quoique dans ces deux cas il y ait un manifeste changement de parties : desorte qu'en effet ni l'un ni l'autre n'est *une même masse* de matiére, bien-qu'ils soient véritablement, l'un *le même Chêne*, & l'autre, *le même Cheval*. Et la raison de cette différence est fondée sur ce que dans ces deux cas concernant une masse de matiére, & un Corps vivant, l'*identité* n'est pas appliquée à la même chose.

Il reste donc de voir en quoi un *Chêne* différe d'une masse de matiére ; & c'est, ce me semble, en ce que la derniére de ces choses n'est que la cohésion de certaines particules de matiére, de quelque maniére qu'elles soient unies ; au-lieu que l'autre est une disposition de ces particules telle qu'elle doit être pour constituer les parties d'un *Chêne*, & une telle *organisation* de ces parties qui soit propre à recevoir & à distribuer la nourriture nécessaire pour former le bois, l'écorce, les feuilles, &c. d'un *Chêne*, en quoi consiste la vie des *Végétaux*. Puis donc que ce qui constitue l'*unité* d'une Plante, c'est d'avoir une telle *organisation* de parties dans un seul Corps qui participe à une commune vie ; une Plante continue d'être *la même Plante* aussi long-tems qu'elle a part à la même vie, quoique cette vie vienne à être communiquée à de nouvelles parties de matiére, unies *vitalement* à la Plante déjà vivante, en vertu d'une pareille *organisation* continuée, laquelle convient à cette espéce de Plante. Car cette organisation étant en un certain moment dans un certain amas de matiére, est distinguée dans ce composé particulier de toute autre organisation, & constitue cette vie *individuelle*, qui existe continuellement dans ce moment, tant avant qu'après, dans la même continuïté de parties insensibles qui se succédent les unes aux autres, unies au corps vivant de la *Plante*, par où la Plante a cette *identité* qui la fait être la même *Plante*, & qui fait que toutes ses parties sont les parties d'une même *Plante* pendant tout le tems qu'elles existent jointes à cette *organisation* continuée, qui est propre à transmettre cette commune vie à toutes les parties ainsi unies.

Le cas n'est pas si différent dans les Brutes que chacun ne puisse conclure de-là, que leur *identité* consiste dans ce qui constitue un *Animal* & le fait continuer d'être *le même*. Il y a quelque chose de pareil dans les Machines artificielles, & qui peut servir à éclaircir cet article. Car, par exemple, qu'est-ce qu'une Montre ? Il est évident que ce n'est autre chose qu'une organisation ou construction de parties propre à une certaine fin, qu'elle est capable de remplir, lorsqu'elle reçoit l'impression d'une force suffisante pour cela. Desorte que si nous supposons que cette machine fût un seul corps continu, dont toutes les parties organisées fussent réparées, augmentées, ou diminuées par une constante addition ou séparation de parties insensibles par le moyen d'une commune vie qui entretînt toute la machine, nous aurions quelque chose de fort semblable au corps d'un *Animal*, avec cette différence, que dans un Animal la justesse de l'organisation & du mouvement, en quoi consiste la vie, commence tout à la fois, le mouvement venant de dedans, au-lieu que dans les machines la force qui les fait agir, venant de dehors, manque souvent lorsque l'organe est en état & bien disposé à en recevoir les impressions.

Cela montre encore en quoi consiste l'*identité* du même *Homme*, savoir, en cela seul qu'il jouït de la même vie, continuée par des particules de matiéres qui sont dans un flux perpétuel, mais qui dans cette succession sont *vitalement* unies au même corps organisé. Quiconque attachera l'*identité de l'Homme* à quelque autre chose qu'à ce qui constitue celle des autres Animaux, je veux dire à un corps bien organisé dans un certain instant, & qui dès lors continue dans cette *organisation vitale* par une succession de diverses particules de matiére qui lui sont unies, aura de la peine à faire qu'un *Embryon*, un Homme âgé, un Fou & un Sage soient le même Homme en vertu d'une supposition, d'où il ne s'ensuive qu'il est possible que *Seth, Ismaël, Socrate, Pilate, St. Augustin*, & *César Borgia* sont un seul & *même Homme*. Car si l'*identité* de l'Ame fait toute seule qu'un Homme est *le même*, & qu'il n'y ait rien dans la nature de la matiére qui empêche qu'un même Esprit *individuel* ne puisse être uni à différens corps, il sera fort possible que ces Hommes qui ont vécu en différens siécles & qui ont été d'un tempérament différent, ayent été un seul & même Homme : façon de parler qui seroit fondée sur l'étrange usage qu'on feroit du mot *Homme*, en l'appliquant à une idée dont on excluroit le corps & la forme extérieure. Cette maniére de parler s'accorderoit encore plus mal avec les notions de ces Philosophes qui reconnoissant la *Transmigration*, croyent que les ames des Hommes peuvent être envoyées pour punition de leurs déréglemens dans des corps de Bêtes, comme dans des habitations propres à l'assouvissement de leurs passions brutales. Car je ne crois pas qu'une personne qui seroit assurée que l'ame d'*Héliogabale* existoit dans l'un de ses *pourceaux*, voulût dire que ce *pourceau* étoit un *Homme*, ou le même Homme qu'*Héliogabale*.

Ce n'est donc pas l'unité de Substance qui comprend toute sorte d'*identité*, ou qui la peut déterminer dans chaque rencontre. Mais pour se faire une idée exacte de l'*identité*, & en juger sainement, il faut voir quelle idée est signifiée par le mot auquel on l'applique ; car être la même *Substance*, le même *Homme*, & la même *Personne* sont trois choses differentes, s'il est vrai que ces trois termes, *Personne, Homme*, & *Substance*, emportent trois différentes idées ; parce que telle qu'est l'idée qui appartient à un certain nom, telle doit être l'*identité*. Cela considéré avec un peu plus d'attention & d'exactitude, auroit peut-être prévenu une bonne partie des embarras où l'on tombe souvent sur cette matiére, & qui sont suivis de grandes difficultés apparentes, principalement à l'égard de l'*identité personnelle*, que nous allons examiner pour cet effet avec un peu d'application.

Essai philosophique concernant l'entendement humain, où l'on montre quelle est l'étendue de nos connaissances certaines, et la manière dont nous y parvenons / John Locke ; traduit de l'anglois par M. Coste. – 5e édition revue et corrigée. – A Amsterdam et Leipzig : Chez J. Schreuder & Pierre Mortier le Jeune, 1740. – [Pp. 260-262].

TRAITÉ DU GOUVERNEMENT CIVIL 386

D. Mazel — 1728

Des fins de la société politique et du gouvernement (chapitre IX, § 123-128). — La nécessité sociale et l'État répondent au besoin que les hommes ont d'assurer à leurs « propriétés » (d'être et de biens) la liberté qui leur est inhérente, par une juste délégation des souverainetés et des pouvoirs qui leur appartiennent, afin que les normes de l'équité soient appliquées à l'égalité de leurs droits.

Si l'homme, dans l'*état de nature*, est aussi *libre* que j'ai dit, s'il est le seigneur absolu de sa personne et de ses possessions, égal au plus grand et sujet à personne ; pourquoi se dépouille-t-il de sa liberté et de cet empire, pourquoi se soumet-il à la domination et à l'inspection de quelque autre pouvoir ? Il est aisé de répondre, qu'encore que, dans l'*état de nature*, l'homme ait un droit, tel que nous avons posé, la jouissance de ce droit est pourtant fort incertaine et exposée sans cesse à l'invasion d'autrui. Car, tous les hommes étant Rois, tous étant égaux et la plupart peu exacts observateurs de l'équité et de la justice, la jouissance d'un bien propre, dans cet état, est mal assurée, et ne peut guère être tranquille. C'est ce qui oblige les hommes de quitter cette condition, laquelle, quelque libre qu'elle soit, est pleine de crainte, et exposée à de continuels dangers, et cela fait voir que ce n'est pas sans raison qu'ils recherchent la société, et qu'ils souhaitent de se joindre avec d'autres qui sont déjà unis ou qui ont dessein de s'unir et de composer un corps, pour la conservation mutuelle de leurs vies, de leurs *libertés* et de leurs biens ; choses que j'appelle, d'un nom général, *propriétés*.

C'est pourquoi, la plus grande et la principale fin que se proposent les hommes, lorsqu'ils s'unissent en communauté et se soumettent à un gouvernement, c'est de *conserver leurs propriétés*, pour la conservation desquelles bien des choses manquent dant l'*état de nature*.

Premièrement, il y manque des lois établies, connues, reçues et approuvées d'un commun consentement, qui soient comme l'étendard du droit et du tort, de la justice et de l'injustice, et comme une commune mesure capable de terminer les différends qui s'élèveraient. Car bien que les lois de la *nature* soient claires et intelligibles à toutes les créatures raisonnables ; cependant, les hommes étant poussés par l'intérêt aussi bien qu'ignorants à l'égard de ces lois, faute de les étudier, ils ne sont guère disposés, lorsqu'il s'agit de quelque cas particulier qui les concerne, à considérer les lois de la *nature*, comme des choses qu'ils sont très étroitement obligés d'observer.

En second lieu, dans l'état de nature, il manque un juge reconnu, qui ne soit pas partial, et qui ait l'autorité de terminer tous les différends, conformément aux lois établies. Car, dans cet état-là, chacun étant juge et revêtu du pouvoir de faire exécuter les lois de la *nature*, et d'en punir les infracteurs, et les hommes étant partiaux, principalement lorsqu'il s'agit d'eux-mêmes et de leurs intérêts, la passion et la vengeance sont fort propres à les porter bien loin, à les jeter dans de funestes extrémités et à leur faire commettre bien des injustices ; ils sont fort ardents lorsqu'il s'agit de ce qui les regarde, mais fort négligents et fort froids, lorsqu'il s'agit de ce qui concerne les autres : ce qui est la source d'une infinité d'injustices et de désordres.

En troisième lieu, dans l'*état de nature*, il manque ordinairement un pouvoir qui soit capable d'appuyer et de soutenir une sentence donnée, et de l'exécuter. Ceux qui ont commis quelque crime, emploient d'abord, lorsqu'ils peuvent, la force pour soutenir leur injustice ; et la résistance qu'ils font rend quelquefois la punition dangereuse, et mortelle même à ceux qui entreprennent de la faire.

Ainsi, les hommes, nonobstant tous les privilèges de l'*état de nature*, ne laissant pas d'être dans une fort fâcheuse condition tandis qu'ils demeurent dans cet état-là, sont vivement poussés à vivre en société. De là vient que nous voyons rarement qu'un certain nombre de gens vivent quelque temps ensemble, en cet état. Les inconvénients auxquels ils s'y trouvent exposés, par l'exercice irrégulier et incertain du pouvoir que chacun a de punir des crimes des autres, les contraignent de chercher dans les lois établies d'un gouvernement, *un asile et la conservation de leurs propriétés*. C'est cela, c'est cela précisément, qui porte chacun à se défaire de si bon cœur du pouvoir qu'il a de punir, à en commettre l'exercice à celui qui a été élu et destiné pour l'exercer, et à se soumettre à ces règlements que la communauté ou ceux qui ont été autorisés par elle, auront trouvé bon de faire. Et voilà proprement *le droit original et la source, et du pouvoir législatif et du pouvoir exécutif*, aussi bien que des sociétés et des gouvernements mêmes.

Traité du gouvernement civil / John Locke ; traduction David Mazel. – Paris : GF-Flammarion, 1992. – [Pp. 236-238].

QUELQUES PENSÉES SUR L'ÉDUCATION 387

G. Compayré — 1889

Nécessité de l'obéissance (§ 38-41).

Il me paraît évident que le principe de toute vertu et de toute excellence morale consiste dans le pouvoir de nous refuser à nous-mêmes la satisfaction de nos propres désirs, lorsque la raison ne les autorise pas. Ce pouvoir, on l'acquiert et on le développe par l'habitude, on en rend l'exercice aisé et familier, en le pratiquant de bonne heure. Si donc je pouvais me faire écouter, je dirais que, contrairement à la méthode ordinaire, les enfants doivent être accoutumés à dominer leurs désirs et à se passer de leurs fantaisies, même dès le berceau. La première chose qu'il faudrait leur apprendre, c'est que, toutes les choses qu'on leur donne, ils ne les obtiennent pas parce qu'elles leur sont agréables, mais parce qu'on juge qu'elles leur sont utiles. Si l'on avait soin, après leur avoir accordé tout ce qui est nécessaire à leurs besoins, de ne jamais leur donner ce qu'ils réclament par des cris, ils apprendraient à s'en passer ; ils ne s'aviseraient plus de vouloir être les maîtres à force de brailler et de se dépiter ; ils ne seraient pas enfin de moitié aussi importuns à eux-mêmes et aux autres, qu'ils le sont d'ordinaire, pour n'avoir pas été ainsi traités dès le début de leur éducation. Si l'on n'accordait jamais la satisfaction de leurs désirs à l'impatience qu'ils témoignent, ils ne crieraient pas plus pour avoir ceci ou cela, qu'ils ne crient pour avoir la lune.

Ce n'est pas qu'il faille, selon moi, n'avoir aucune complaisance pour l'enfant, ou espérer qu'il se comportera avec la sagesse d'un parfait magistrat. Je prends l'enfant pour ce qu'il est, pour un enfant qu'il faut traiter avec douceur, qui doit jouer et avoir des jouets. Ce que je veux dire, c'est que toutes les fois qu'il veut obtenir une chose ou faire une action qui ne lui convient pas, on ne doit pas le lui accorder sous prétexte qu'il est petit, et parce qu'il le désire ; il faut, au contraire, toutes les fois qu'il réclamera quelque chose avec importunité, lui faire comprendre que pour cette raison même elle lui sera refusée. J'ai vu à table des enfants, qui, quelques plats qu'il y eût devant eux, ne demandaient jamais rien, mais se contentaient de prendre ce qu'on leur donnait. J'en ai vu d'autres qui criaient pour avoir de tout ce qu'ils voyaient sur la table ; il fallait leur donner de chaque plat, et encore les servir les premiers. D'où provenait une telle différence ? De ce que les uns avaient été accoutumés à obtenir tout ce qu'ils demandaient avec des cris et les autres à s'en passer. Plus ils sont petits, et plus je crois nécessaire de résister à leurs appétits déréglés et désordonnés. Moins ils ont de raison par eux-mêmes, et plus ils doivent être soumis au pouvoir absolu et à la direction de ceux qui en ont la garde. Ce qui résulte de là, j'en conviens, c'est qu'il ne faut laisser auprès d'eux que des personnes sages. Si en général les choses se passent autrement, je n'y puis rien. Je dis ce que je crois nécessaire qu'on fasse. Si la mode était déjà à le faire, je n'aurais pas besoin d'importuner les gens par mes sermons. Cependant, je n'en doute pas, si l'on veut bien y réfléchir, je ne serai pas seul à penser que plus tôt on commencera à faire prendre ce pli aux enfants, mieux cela vaudra pour leurs maîtres et pour eux-mêmes, et qu'il faut observer comme une maxime inviolable de ne jamais accorder à leurs cris ou à leurs importunités ce qu'on leur a une fois refusé, à moins qu'on ne veuille leur apprendre à être impatients et fâcheux, en les récompensant de leur impatience et de leur fâcherie[1]. [...]

J'imagine que, de l'aveu de tout le monde, il est raisonnable que les enfants, tant qu'ils sont en bas âge, tiennent leurs parents pour leurs seigneurs, pour leurs maîtres absolus, et qu'en cette qualité ils les craignent, que d'autre part, à un âge plus avancé, ils ne voient en eux que leurs meilleurs amis, les seuls qui soient sûrs, et que par conséquent ils les aiment et les respectent. La méthode que j'ai proposée est, si je ne me trompe, le seul moyen d'obtenir ces résultats. Nous devons nous rappeler que nos enfants, une fois devenus grands, sont en tous points semblables à nous, qu'ils ont les mêmes passions, les mêmes désirs que nous. Or nous voulons être pris pour des créatures raisonnables ; nous voulons jouir de notre liberté ; nous détestons d'être gênés par de perpétuelles réprimandes, par un ton plein de morgue ; nous ne saurions supporter chez ceux que nous fréquentons l'humeur sévère, l'habitude de nous tenir à distance. Quiconque est ainsi traité, une fois arrivé à l'âge d'homme, s'em-

---

1 Comme l'on sait Rousseau a repris cette règle. Kant a suivi Locke et Rousseau : « Si l'on a des raisons pour ne pas céder aux prières de l'enfant, on ne doit pas se laisser toucher par beaucoup de prières. Tout refus doit être irrévocable. C'est un moyen infaillible de n'avoir pas besoin de refuser souvent. » (N.d.t.)

presse de chercher une autre société, d'autres amis, d'autres relations avec qui il puisse vivre plus librement. Si donc, dès les commencements, on tient de court les enfants qui sont faciles à gouverner durant leur bas âge, ils se soumettront sans murmure à ce régime, n'en ayant pas connu d'autre. Et si, à mesure qu'ils acquièrent l'usage de la raison, on a soin de relâcher doucement la rigueur de la discipline, si, à mesure qu'ils s'en rendent dignes, leur père les regarde d'un front moins sévère et peu à peu rapproche les distances, alors la contrainte où on les aura tenus d'abord ne fera qu'accroître leur amour pour leurs parents, parce qu'ils comprendront qu'elle n'avait pas d'autre cause que la tendresse, et qu'elle n'était qu'une précaution prise pour les rendre capables de mériter la faveur de leurs parents et l'estime de tout le monde.

Quelques pensées sur l'éducation / John Locke ; traduction de Georges Compayré. – 1re édition, 1889. – Paris : Vrin, 1966. – [Pp. 59-62].

DE LA CONDUITE DE L'ENTENDEMENT 388

Y. Michaud — 1975

De l'exercice de l'esprit et des habitudes (§ 4).

Nous naissons avec des facultés et des pouvoirs capables d'à peu près tout, tels du moins qu'ils pourraient nous mener plus loin que nous ne l'imaginons d'emblée. Mais c'est seulement l'exercice de ces pouvoirs qui nous donne aptitude et habileté en toute chose et nous mène vers la perfection. Un laboureur d'âge mûr pourra difficilement recevoir les manières et le langage d'un gentilhomme, bien que son corps soit tout aussi bien proportionné, ses jointures tout aussi souples et ses talents naturels en rien inférieurs. Les jambes d'un maître de danse et les doigts d'un musicien forment pour ainsi dire naturellement, sans pensée ni peine, des mouvements réguliers et admirables. Faites-leur changer de rôle et ils tenteront en vain de produire des mouvements de ce genre avec des membres non exercés, et il faudra beaucoup de temps et une longue pratique pour gagner ne serait-ce qu'une partie d'une semblable capacité. À quelles actions étonnantes et incroyables ne trouvons-nous pas que les danseurs de corde et les saltimbanques accoutument leur corps. Il n'y a pas que dans ces domaines : dans la plupart des arts manuels, il en va de même. Mais je cite ceux que le monde remarque et paie pour voir. Tous ces mouvements qu'on admire, qui dépassent les capacités et même l'imagination des spectateurs qui n'y entendent rien ne sont rien d'autre que les simples effets de l'habitude et de l'industrie chez les hommes dont les corps n'ont rien de particulier qui les distingue de ceux des spectateurs ébahis.

Il en est de l'esprit, à cet égard, comme du corps ; c'est l'exercice qui le fait ce qu'il est, et même la plupart de ces qualités qui sont regardées comme des dons naturels apparaîtront, quand on les examine de plus près, le produit de l'exercice, menées à ce point de perfection par des actions répétées. On remarque par exemple certains hommes pour leur capacité de railler agréablement, d'autres pour leurs apologues et leurs histoires divertissantes. On croit d'ordinaire que c'est un pur effet de la nature, et ce d'autant plus que l'on n'arrive pas à ces capacités en suivant des règles et que ceux qui y excellent n'en ont jamais entrepris expressément l'étude comme celle d'un art qu'on apprend. Mais il est pourtant vrai qu'une première tentative heureuse bien reçue par quelqu'un, qui valut des encouragements, amena à essayer encore, à incliner ses pensées et ses tentatives dans cette voie, jusqu'à ce que enfin insensiblement il disposât de cette facilité, sans s'en rendre compte. On attribue entièrement à la nature ce qui fut beaucoup plus l'effet de l'usage et de la pratique. Je ne nie pas que la disposition naturelle puisse en être souvent la première cause, mais elle ne conduit jamais un homme bien loin sans usage ou exercice. C'est la pratique seule qui porte à leur perfection les pouvoirs de l'esprit, comme ceux du corps. Bien des veines poétiques de qualité sont enterrées par une profession de commerçant et ne produisent jamais rien par manque d'exercice. Nous savons bien que les manières de discourir et de raisonner sont très différentes y compris sur le même sujet au Tribunal et à l'Université. En passant seulement de Westminster à la Bourse, on trouve un autre génie et un autre langage. Et pourtant on ne peut penser que ceux qui sont nés dans la cité ont reçu des talents différents de ceux qui ont été élevés à l'Université ou dans les Écoles de Droit.

De la conduite de l'entendement / John Locke ; Traduction, introduction et notes par Yves Michaud. – Paris : Vrin, 1975. –(*Bibliothèque des textes philosophiques*). – [Pp. 24-26].

PETTER DASS

NORVÉGIEN **1647-1707**

Tombée depuis 1380 dans l'orbe d'un Danemark qui lui a progressivement retiré sa souveraineté puis imposé sa langue, la Norvège du XVIIe siècle vit intellectuellement et spirituellement à l'heure de Copenhague. C'est là que sont formés ses lettrés, spécialement ses pasteurs, c'est là aussi qu'elle puise ses vérités, qu'elles se rapportent au dogme religieux, alors tout entier placé sous le signe de l'orthodoxie luthérienne, ou définissent les critères esthétiques qui marquent le triomphe du baroque.

Pour autant le pays, où la première imprimerie ne voit le jour qu'en 1644, est loin d'être littérairement stérile. L'inspiration est essentiellement religieuse et, comme au Danemark, le psaume y tient une place de choix. C'est ce genre qu'illustre Dorothée Engelbretsdotter (1634-1716), l'autre grand nom de la littérature norvégienne de l'époque, surtout réputée pour ses recueils *L'Offrande chantée de l'âme* (1678) et *L'Offrande des larmes* (1683).

Si Dorothée Engelbretsdotter connut, de son vivant, une véritable notoriété — Holberg (1684-1754), qui n'a guère été suivi par la postérité, voyait en elle « la plus grande poétesse qu'aient eue les royaumes nordiques » —, Petter Dass ne compta longtemps qu'au nombre des gloires régionales. Et c'est seulement quelque cent cinquante ans après sa mort que, grâce à J.S. Welhaven (1807-1873), fut révélé au grand public un auteur qui, travaillant dans l'ombre, avait su donner une forme achevée aux principaux genres littéraires de l'époque : le psaume, mais aussi le poème didactique, le poème de circonstance et l'ouvrage topographique en vers.

C'est dans la paroisse d'Alstahaug (province du Nordland) qu'il naquit. Après des études secondaires à Bergen, il alla étudier la théologie à l'Université de Copenhague puis revint s'installer dans le Nordland où, n'ayant d'autre ressource que de devenir précepteur puis pasteur suffragant, il mena longtemps une existence impécunieuse avant d'être nommé en 1689 pasteur de sa paroisse natale, un poste qu'il conserva jusqu'à sa mort. Alstahaug était alors la plus vaste et la plus riche paroisse du Nordland, et la postérité a conservé l'image de l'autoritaire et « puissant seigneur Petter », l'intrépide serviteur de Dieu qui n'hésitait pas à braver la mer pour aller voir ses ouailles disséminées entre de nombreuses îles ou se rendre à Bergen afin d'y négocier son poisson au meilleur prix.

Cette intime connaissance de sa région et de ses habitants allait être une de ses grandes sources d'inspiration littéraire, d'abord dans *La Chanson des vallées norvégiennes* (1683) où, en vers allègres, il brosse de la vie paysanne un tableau charge plein d'humour, et surtout dans *La Trompette du Nordland*, son œuvre la plus célèbre qui, composée entre 1678 et 1700, ne fut publiée que posthume (1739). Ouvrage topographique consacré au Nordland, le livre est composé selon les règles de ce genre qui jouissait d'une certaine faveur depuis le siècle précédent. En une série de courts chapitres, l'auteur traite d'abord de l'ensemble de la région sous ses différents aspects, situation géographique, climat, faune, agriculture et population lapone, puis étudie séparément chacun des districts qui la composent, du Helgeland, au sud, jusqu'au Troms, au nord, en passant par les îles Lofoten et Vesterålen.

Pour autant, Petter Dass sait éviter les écueils du genre. Son savoir n'a rien de pesant, ses descriptions rien de sec. Il voue au Nordland un amour passionné et laisse son riche tempérament parler. Le plus souvent plein de vie et d'humour, le récit peut également prendre des accents pathétiques, entre autres lorsque le pasteur évoque les dangers de la mer ou supplie le Seigneur de donner aux pauvres leur content de morue.

Au demeurant, l'auteur souligne luimême que, loin de vouloir servir des « plats étrangers », il souhaite s'en tenir aux mets locaux. Ce n'est pas un public d'érudits qu'il vise mais ses compatriotes du Nord, ces populations laborieuses qu'il connaît si bien, dont il utilise maintes expressions et qu'il salue en vers amples au début de son œuvre : « Salut à vous les bâtisseurs du Nordland... ».

Au gré des événements qui jalonnaient la vie de sa paroisse, principalement les mariages et les enterrements, Petter Dass écrivit aussi de nombreux poèmes de circonstance, le plus convaincant étant néanmoins, dans sa recherche de l'allégorie baroque, celui qu'il consacra à l'incendie de Copenhague en 1702.

Cependant, c'est avant tout à ses poèmes religieux et à ses psaumes que Petter Dass doit d'avoir été connu de son vivant dans le nord de la Norvège et d'avoir ensuite nourri une partie de la liturgie de l'ensemble du pays. Le pasteur n'est pas l'homme du doute. Ce zélé serviteur de la monarchie absolue est animé d'une foi robuste nourrie d'orthodoxie protestante. Pour autant, il n'ignore pas qu'il lui faut mettre la parole de Dieu à la portée de ses fidèles. Et c'est ce souci pédagogique qui l'anime lorsqu'il transcrit les textes sacrés en vers norvégiens destinés au chant. Plusieurs recueils paraîtront ainsi, notamment, antérieur à 1698, *Les Chants du catéchisme*, le meilleur d'entre eux qui, en une langue étonnamment fluide et expressive, reprend l'ensemble de l'austère catéchisme de Luther.

Petter Dass / H. Midbøe. – Oslo, 1947. – 182 p.

LA TROMPETTE DU NORDLAND 389

É. Eydoux — 1995

Destinées nordiques. — Après avoir brossé un tableau d'ensemble du Nordland, Petter Dass consacre la deuxième partie de son livre à l'étude des différents districts. Le passage suivant, extrait de la *Description de Salten*, traite plus spécialement de la paroisse de Gildeskaal où le pasteur, tout en ayant la chance de n'avoir qu'une église à desservir, a la charge d'une communauté passablement composite.

Le desservant n'a ici qu'une église où prêcher
Des tournées l'affreux péril lui est épargné,
À tremper sa casaque rien ne le contraint.
Alors qu'en grand nombre les prêtres sont astreints
Dans plusieurs églises à prêcher la parole de Dieu,
Et chaque dimanche à affronter les vagues bleues.
Car d'îles et d'écueils le Nordland est composé
Et, nonobstant toutes les fatigues et le danger,
Le message divin il faut aller porter.

Et fort souvent il arrive que le pasteur,
N'ayant d'autre tombe que les grandes profondeurs,
Doive chez les poissons rendre le dernier soupir.
Mais avec joie il faut cette mission accomplir,
Songer que Dieu notre conscience veut fortifier
Lorsque les flots il nous demande de défier.
Et si en route pour l'Église nous mourons
C'est sur le char d'Israël que nous monterons,
C'est aux pieds du Seigneur que nous tomberons.
Pourquoi le berger des âmes serait-il abattu
À l'idée de finir dans un lieu inconnu
Où pas un homme ne le pourrait découvrir ?
Avec Moïse il pourra par Dieu être inhumé.
Et dans la sérénité le repos goûter.
Il ne faut pas tel Jonas notre cap changer
Mais suivre Dieu au terme de notre destinée.
Et si vient le Seigneur dans la houle et le vent,
De notre suroît les deux joues nous protégeant
Comme Élie l'ultime changement attendrons,
Et à Dieu notre ultime résolution dirons :
Bienvenue, toi qui viens chercher ton épousée
Et de sa prison enfin la libérer ;
À voyager j'ai jusqu'ici passé ma vie,
Est maintenant venu le temps où je te suis.
À Gilleskaal, s'ouvre un fjord nommé Bejer,
Dont la contrée souvent accueille des Finlandais.
Du bétail et des champs ils tirent leur subsistance.
Et des Lapons se distinguent dans leur existence.
De mœurs moins rudes, ils vivent plus laborieusement
Que ceux-ci, de gibier nourris exclusivement.
Mais leur race se sert d'un dialecte très singulier
Que les paysans n'ont guère coutume de parler.
À Bejer pousse une précieuse forêt de pins,
Et autres bois dont on fait maisons et rondins.
Des cotres incomparables sachant fabriquer,
Les Finlandais se rendent là pour leurs planches découper.

Traduction inédite. — *Nordlands beskrivelse* / forfattet af Hr Petter Dass ; Trykt og tilkiøbs i kongl. Majests privil. – Bergen : Bogtryckerie i Bergen, 1739. – [Pp. 86-88].

MILESCU

GREC • LATIN • ROUMAIN • VIEUX RUSSE • SLAVON **1636-1708**

Né en Moldavie, dans une famille de boyars, Nicolas Milescu accomplit ses études à la Grande École du Patriarchat à Constantinople, puis occupe différentes charges auprès des voïévodes de Moldavie et de Valachie (1655-1664). De 1664 à 1668, il voyage en Europe, réside à Berlin et à Stettin, et accompagne l'ex-voïévode Georges Stefan qui le charge de missions diplomatiques à Stockholm (1666) et à Paris (1667).

En 1666, à Stockholm, Simon Arnauld, marquis de Pomponne, lui demande un témoignage sur la position de l'Église orthodoxe au sujet de l'Eucharistie. Désireux de faire connaître sa confession en Occident, Milescu s'exécute aussitôt, rédige un *Enchiridion* en grec et en latin, et l'envoie à Paris. Ce texte sera publié, dans sa version latine seulement, par Antoine Arnauld d'Andilly et Pierre Nicole dans leur ouvrage, largement diffusé dans les milieux catholiques et protestants, *La Perpétuité de la Foy de l'Église Catholique touchant l'Eucharistie* (Paris, 1669, vol. II ; puis 1702-1704, vol. IV, *Annexes*, avec d'autres témoignages réunis par les jansénistes en réponse au pasteur calviniste Jean Claude).

À la mort de son protecteur, Milescu revient dans sa patrie mais doit bientôt s'exiler à Constantinople (1669). Recommandé auprès du tsar Alexis Michaïlovitch par le Patriarche de Jérusalem Dosithée, Milescu est engagé à Moscou, au Département des ambassadeurs, comme interprète pour les langues latine, grecque et roumaine. Au cours d'une mission diplomatique en Chine (1675-1677), il rédige, en russe, *Voyage à travers la Sibérie depuis Tobolsk jusqu'à la frontière de la Chine*, *Journal d'État de voyage en Chine*, *Description de la Chine* (avec une partie consacrée à la *Description du fleuve Amour*) et un *Livre sur les Tatares*. Fondée sur une abondante documentation, optant pour un agencement « encyclopédique » des faits, sa *Description de la Chine* réunit des indications sur les empereurs de Chine, sur les voies d'accès, terrestres et maritimes, à ce pays, sur la religion des Chinois, sur leur caractère et leur aspect physique, sur leurs coutumes et leurs traditions, sur l'enseignement, la médecine, l'architecture des villes et l'art militaire, etc. À cela s'ajoutent des descriptions de chaque province et des villes d'une certaine importance.

Outre ces récits de voyages, son œuvre d'érudit et d'humaniste compte des écrits théologiques, ainsi que des essais esthétiques, didactiques et moraux, demeurés manuscrits. C'est de sa main qu'est la première traduction intégrale de l'*Ancien Testament* en roumain (1661-1664) et, du grec en roumain, celle du *Livre des nombreuses questions que pose la foi*, un petit traité de dogmatique et d'apologétique générale (1661). Parmi ses divers ouvrages didactiques, en russe, on compte notamment le *Livre de choix consacré aux neuf muses et aux sept arts libéraux*, le *Livre des Sybilles et de leurs prophéties*, une *Arithmologie*, le *Basilologion*, le *Chrismologion*. Pourtant, ses écrits ne se rangeaient pas dans la catégorie des « livres d'enseignement », portant sur les activités pratiques, mais plutôt dans la catégorie des « livres de délectation ».

Humaniste familier tant des anciens que des modernes, Milescu synthétise avec aisance les éléments de ses amples connaissances et conjugue avec facilité Platon et Scaliger, Aristote et Basile le Grand, ou Xanthopoulos et le Pseudo-Flavius-Josèphe. Son vaste recours aux sources antiques est une innovation dans l'écriture en slavon, et sa mention des ouvrages philosophiques de l'Occident le singularise dans la culture de l'Europe orientale de son temps. Partisan des œuvres issues des écoles d'Herborn ou d'Amsterdam, Nicolas Milescu-Spătarul, avec sa vision d'un œcuménisme d'au-delà des rigidités, anticipe une Europe intellectuelle sans frontières.

Notice biographique et bibliographique sur Nicolas Spatar Milescu, ambassadeur du tsar Alexei Michajlovich en Chine / par Émile Picot. – Paris : E. Leroux, 1883. – 60 p. – (Extrait des *Mélanges orientaux* publiés par l'École des langues orientales vivantes).

Nicolas Spathar Milescu (1636-1708) / P.P. Panaitescu. – Paris : Gamber, s.d. – (Extrait des *Mélanges de l'École Roumaine en France*, 1925).

Anthony Florovsky, "Maps of the Siberian Route of the Belgian Jesuit, A. Thomas (1690)". – In : *Imago Mundi*, VIII (1951), pp. 103-111.

Leo Bagrow, "A few Remarks on Maps of the Amur, the Tartar Strait and Sakhalin". – In : *Imago Mundi*, XII (1955), pp. 127-136.

Zamfira Mihail, "Nicolae Milescu, le Spathaire — un « encyclopédiste » roumain du XVIIe siècle". – In : *Revue des études sud-est européennes*, XVIII, n°2 (1980), pp. 265-285.

Zamfira Mihail, "La diffusion des écrits « orientaux » de Nicolas le Spathaire Milescu". – In : *Revue des études sud-est européennes*, XXIII, n°2 (1985), pp. 117-129.

LE LIVRE DES HIÉROGLYPHES... 390

C. Grecescu — 1991

Éloge du temps (Avant-propos). — Le *Livre des hiéroglyphes, empreintes sacrées, c'est-à-dire de l'écriture secrète qu'avaient en usage les Égyptiens et les Hellènes, cependant non écrite mais dessinée, à sens caché et sage, afin de mettre au jour sagesse et enseignement* est un ouvrage érudit (dont on n'a conservé que le premier chapitre) sur l'écriture de l'ancienne Égypte, avec explication de ses symboles. Il semble surtout prétexte à des considérations philosophiques en marge des concepts de temps, d'espace, de mouvement, de monde et de divinité.

Rien de plus honnête, rien de plus ancien, rien de plus heureux en conscience, que le temps, qui paraît divin face à tous les sages, anciens et modernes. Car le temps est le plus haut enseignement pour tous et le plus digne de respect. Cela d'autant plus qu'il est, aussi, le plus ancien.

C'est ce qui conduit Aristote, cet esprit sagace, à écrire dans son livre de la métaphysique qu'il convient d'honorer ce qui est le plus ancien. Or, le temps est, après Dieu, le plus ancien et, pour cette raison, le plus honoré et le plus sage, car tout se révèle et se fait connaître avec le temps.

Et Thalès de Milet, le tout premier et très sage philosophe antique, lorsque Amasis, le roi d'Égypte lui a posé cette question, très sage et très ancienne — « Qu'est-ce qu'il y a au monde de plus ancien, de plus beau, de plus grand, de plus rapide, de plus sage, de plus nécessaire et de plus puissant ? » —, Thalès le très sage lui a répondu, avec grande sagesse, que ce qu'il y a de plus ancien c'est Dieu, car, sans commencement, Il a toujours été, est et sera ; que ce qu'il y a de plus beau, c'est le monde, qui est ainsi la première image de la beauté ; que le plus grand, c'est l'espace, car il englobe tout, et rien n'est en dehors de lui ; que ce qu'il y a de plus rapide, c'est l'esprit, qui fait en un instant le tour du ciel et de la terre ; que le plus sage, c'est le temps, puisque tout s'apprend et se dévoile avec lui et qu'il n'y a pas de secret qui ne se révèle ; que la nécessité, c'est ce qui s'impose à tous, car tout le monde en a besoin, sans examen et sans jugement préalable ; et que la volonté de l'homme est ce qu'il y a de plus puissant, puisqu'elle fait librement tout ce qu'elle se propose, sans que quoi que ce soit l'arrête. Telle est la réponse, juste et digne, que donna le sage Thalès, le plus sage et le premier parmi les sept sages hellènes.

Voilà donc toutes les raisons de revenir à la question du temps et de nous mesurer ici, ni plus ni moins, avec lui.

Le temps est bien le plus sage et le plus ancien, puisque le monde lui-même, envisagé au point de vue théologique et philosophique, a été créé dans le temps (il paraît clair que le temps existait avant le monde) ; cependant, ce n'est qu'en raison du commencement du monde que le temps a commencé. De l'avis des philosophes, le temps a également une fin : c'est un passé, un présent, un futur. Ou encore, le temps est l'exigence du mouvement, la première et la dernière. C'est pourquoi Augustin écrit : nous sommes dans le temps, mais que peut être le temps, sinon une inconnue ? Et des philosophes de dire que les idées sur le temps vont plus vite que la vérité. Le temps, quelle grande énigme !

Le temps se divise en deux : passé et futur. Bien que sans véritable existence en soi, il est comme un lien entre le passé et le futur, et cela est doublement significatif. Et il importe avant tout de juger s'il s'agit d'une fin de ce qui a précédé ou d'un commencement de ce qui adviendra ; c'est une constante de chaque instant, comme la signification du commencement de l'avenir ; quand Dieu, au début, a créé le ciel et la terre, c'est alors justement qu'a commencé le temps futur, et non pas la fin du passé. Autrement, ce serait comme si le temps était infini. Le temps ne saurait être imaginé autrement que comme l'incessant début d'un autre temps.

C'est en cela que réside sa qualité, car, bien qu'il n'agisse pas directement, les gens disent que le temps fait tout : il parachève, démolit et use en égale mesure. Aussi, Scaliger le dit-il : ce n'est pas de l'activité du temps que l'on parle, mais de l'emploi du temps et aussi de ses traditions. Voilà aussi pour quelle raison on honore les personnes âgées : c'est à cause de la longue durée de leur vie. L'on dit qu'elles sont plus sages que les jeunes ; c'est que la traversée du temps enseigne beaucoup et l'homme devient plus sage avec le temps. Et, pour être bref, disons : les gens font l'éloge de ce qui est vieux et ancien et le regardent comme quelque chose de beau. Et c'est chose naturelle parmi les hommes que de s'émerveiller et d'être à l'écoute avec délice et intérêt de ce que les anciens leur ont légué, quoi que ce soit de dit, d'écrit, de peint, d'accompli ou de créé.

Zamfira Mihail, "Le sens du temps dans l'œuvre de Nicolae Spathaire Milescu". – In : *Temps et changement dans l'espace roumain* / recueil publié par Al. Zub. – Iaşi : Éditions de l'Académie Roumaine, 1991. – [Pp. 76-77]. – [Traduction revue pour la présente édition].

DIMITRI, MÉTROPOLITE DE ROSTOV

UKRAINIEN **1651-1709**

Dimitri, né Daniel Savvitch Tuptalo, fils du centenier cosaque Savva Grigoriev surnommé Tuptalo, naît dans la petite ville de Makarovo, non loin de Kiev. Il reçoit sa première instruction à la maison, puis fréquente l'école des frères ; enfin, en 1665, il entame des études à l'Académie Mohila de Kiev où il apprend la rhétorique, la poétique, le latin et le polonais, ce qui lui permettra d'exploiter de nombreuses sources théologiques et historiques (Robert Bellarmin, César Baroniusz et Corneille van den Steen) pour sa compilation des vies de saints et pour son œuvre polémique.

Dans les années 1675-1677, il est prédicateur adjoint de la cathédrale de Tchernigov et, jusqu'en 1679, prêche avec succès dans les couvents, notamment à Vilno, au couvent du Saint-Esprit, à Sluck, au couvent Préobrajenski, et au monastère des Grottes de Kiev.

Des sermons de Dimitri, notamment destinés à ramener les chrétiens uniates de Lithuanie, de Biélorussie et d'Ukraine à l'orthodoxie, seuls neuf furent imprimés. Écrits en ukrainien, dans le style de la rhétorique baroque de l'époque, ils se distinguent de la tradition homilétique orthodoxe : ils prennent en compte l'histoire de l'Europe chrétienne et la philosophie de la nature ; ils s'inspirent de Thomas Mlodziankowski (*Sermons et homélies pour les dimanches de l'année*, Poznán, 1681) et des dix volumes de commentaires de la Bible de Cornelius a Lapide. De plus, ils proposent des dialogues avec les saints, intègrent des trames de contes et, comme Mlodziankowski, contiennent des plaisanteries.

D'abord partisan de l'indépendance de l'Église d'Ukraine vis-à-vis du Patriarche de Moscou, Dimitri s'affirme promoscovite au cours de son séjour en Lithuanie.

En 1677, à la demande de l'archevêque du lieu, Dimitri écrit un recueil de récits à propos de l'image miraculeuse de la Vierge du monastère de la Sainte-Trinité à Tchernigov. En 1682, l'higoumène du monastère des Grottes de Kiev, Varlaam, propose à Dimitri de poursuivre l'édition du recueil complet des vies des saints vénérés dans l'Église orthodoxe russe, entreprise destinée à empêcher le clergé orthodoxe de se reporter aux vies de saints polonaises et latines. Après Piotr Mohila, Innocent Gizel, Lazare Baranovitch et Varlaam Jasinski, Dimitri consacre vingt ans de sa vie à ce travail, achevé en 1705, à Rostov. La difficulté était de reconstituer les biographies des saints russes, en grande partie perdues. Dimitri, à cette fin, utilise non seulement les Grandes *Tcheti Minej* (*Vies de saints*) du métropolite Macaire, mais également des recueils latins, grecs et polonais.

Entretemps, en 1688, Dimitri est entré au monastère de Saint-Cyrille à Kiev et s'est lié d'amitié avec Stéphane Javorski. En 1689, il fait partie de la délégation ukrainienne conduite par l'hetman Mazeppa. À cette occasion, il offre aux co-tsars Ivan et Pierre, à la régente Sophie et au patriarche Joachim, la première partie de ses *Tcheti Minej*. Entre 1694 et 1701, il est supérieur du monastère de Gluchov et archimandrite des monastères de Kiev et de Tchernigov.

En 1701, le tsar Pierre Ier appelle Dimitri à Moscou et le nomme métropolite de Tobolsk et de Sibérie, comptant sur ses dons de prédicateur pour assurer l'évangélisation de ces terres lointaines. Pour raisons de santé, Dimitri se retrouve cependant, en 1702, métropolite de Rostov, région peuplée de nombreux vieux-croyants, dont les pasteurs se cachaient dans les forêts de Brinsk. Afin de lutter contre les vieux-croyants, Dimitri fonde le séminaire de Rostov, une école publique où l'on enseignait le latin et le grec, et produit divers écrits missionnaires, notamment des *Considérations sur la ressemblance des humains avec Dieu*, dirigées contre les défenseurs du port de la barbe.

Outre ses écrits de catéchèse et de polémique, Dimitri laisse de la littérature historique (une *Chronique*, de la création à la naissance du Christ, et un Index des métropolites de Kiev), des drames religieux en vers syllabiques, de la poésie religieuse et des instructions morales données par ordre alphabétique. Ses œuvres illustrent le style baroque, caractéristique des écrivains du cercle de l'Académie de Kiev, au tournant du XVIIe et du XVIIIe siècle.

En 1752, 43 ans après sa mort, on ouvrit son cercueil où sa dépouille était intacte. En 1757, l'Église orthodoxe russe le canonisa.

Die Predigt Dimitrij Tuptalos : Studien zur ukrainischen und russischen Barockpredigt / Michael Berndt. – Bern : H. Lang, 1975. – XXXII-207 p. – (*Slavica helvetica* ; 6).

SERMONS

391

Fr. Lhoest — 1996

Louer Dieu, c'est le connaître supérieurement. — Dans ce sermon *Sur la descente du Saint-Esprit*, prononcé au monastère Saint-Cyrille à Kiev en 1693, le prédicateur insiste tout d'abord sur la prière du corps, attitude de louange et de crainte tout à la fois, à calquer sur le modèle de la liturgie céleste des séraphins, qui adorent un Dieu qu'ils connaissent autant que possible mais dont la connaissance acquise, à l'opposé des sagesses discursives et, a fortiori, des ratiocinations humaines, se traduit précisément par la crainte et la louange. Les analogies qui s'ensuivent entre la physiologie des attitudes séraphiques et le modèle, catéchétique, du chrétien pratiquant la piété font entendre quelques-unes des interférences entre la tradition angélologique byzantine et l'imaginaire baroque de l'au-delà.

Gloire au Père et au Fils et au Saint-Esprit.

Pour autant que quelqu'un d'entre nous soit jugé digne de louer Dieu dans la Trinité Une — le Père, le Fils et le Saint-Esprit —, de louer la Trinité avec les anges dans le ciel, alors que nous sommes sur la terre, alors que nous demeurons dans un corps, vous orthodoxes qui m'écoutez, glorifions-la assidûment et adressons-lui de dignes louanges, afin que le Créateur soit glorifié par sa créature, le Père par ses doux enfants, le Fils par ses amis très aimés, le Saint-Esprit par tous ses serviteurs. Car le Père nous a aimés comme ses enfants : Dieu a tant aimé le monde qu'il nous a donné la possibilité d'être enfants de Dieu. Le Fils nous a aimés comme ses amis, et il a donné sa vie pour nous : il n'y a pas de plus grand amour. Le Saint-Esprit a aimé notre âme comme sa fiancée, il nous a fiancés à une Vierge pure et, comme source de bienfaits, il nous a rendus serviteurs bons et fidèles de Dieu : prononçons donc un sermon digne de lui, afin que les enfants glorifient Dieu le Père comme leur Créateur, qui nous a amenés du néant à l'être, qui nous a sauvés en donnant sa vie pour nous, mes frères, afin que nous glorifiions Dieu le Fils, qui n'a pas eu honte de nous appeler frères, bons serviteurs et fidèles, et afin que nous glorifiions Dieu l'Esprit du Seigneur, en toutes choses, pour ses largesses.

Gloire au Père et au Fils et au Saint Esprit.

Il faut louer Dieu dans la Trinité, non seulement par des paroles, mais aussi en actes. Et la manière dont nous devons louer Dieu en vérité, l'apôtre des Gentils nous l'apprend, saint Paul, dans son Épître aux Corinthiens où il écrit : glorifiez Dieu dans vos corps et dans vos âmes, car ils appartiennent à Dieu.

Dans mon pauvre discours d'intention édifiante, aujourd'hui, apprenons un peu à louer le Dieu unique dans la Trinité, le Père, le Fils et le Saint-Esprit, à le louer dans nos cœurs et dans nos âmes, et toi, Très Sainte Trinité, notre Dieu, viens-nous en aide, pour la gloire de ton saint Nom.

Et tout d'abord, glorifions Dieu dans nos corps, comme nous l'enseigne l'apôtre : honorez Dieu dans vos corps, dit-il. Pour savoir comment honorer Dieu le Père dans notre corps, consultons les écrits de nos maîtres. Il est écrit dans la prophétie de Malachie que Dieu le Père exige du Fils l'honneur : « Si je suis Père, où donc est l'honneur qui m'est dû, et si je suis Seigneur, où donc est ma crainte ? »[1]

Il faut donc honorer et louer Dieu le Père, mais aussi le craindre, c'est-à-dire le servir avec crainte. Nous ne savons pas, en vérité, comment honorer et louer le Père, lui devant qui tressaillent et tremblent les chérubins, lui que louent toutes les puissances angéliques. Les armées des anges le louent et frémissent, mais nous, pour savoir ce que c'est que d'honorer Dieu dans la Trinité, nous avons à prendre conseil des saints maîtres. C'est ainsi que j'ai prié, avec ses livres devant les yeux, le plus glorieux des docteurs de l'Église, saint Jean Chrysostome, afin qu'il m'enseigne à louer Dieu, ainsi qu'il dit dans ses commentaires sur les Épîtres pauliniennes : louer Dieu, afin de ne pas éprouver Dieu. Qu'entend-on par là ? Ne pas douter de Dieu, ne pas en faire un discours, ne pas mettre à l'épreuve la richesse des mystères : ainsi tu glorifieras Dieu. Et comment, saint maître, connaîtrons-nous Dieu si nous ne le mettons pas à l'épreuve, si nous ne savons pas comment nous sommes sauvés ? Où est tout l'espoir

1 Ml 1,6. (N.d.t.)

de notre salut, qui est de connaître Dieu, car là est la vie éternelle, et la connaissance obtenue du Dieu véritable, et Jésus-Christ, celui que tu as envoyé. Il faut bien ici demander et savoir ce qu'est Dieu, quelle est sa substance et sa nature. Il faut discourir, et apprendre à connaître la pure vérité. Le saint Chrysostome, là-dessus, dans sa *Perle,* en son premier discours sur l'Inaccessible, dit : nous monterons au ciel, pourquoi là ? Parce que là nous apprendrons vraiment à nous connaître nous-mêmes en Dieu et à connaître sa substance et sa nature. Il y en a certains qui se représentent ce qu'est Dieu par essence, et ceux-là le sauraient mieux que les anges ? les anges qui se tiennent constamment devant Dieu, qui le regardent, comme dit, dans l'évangile d'aujourd'hui, le Christ en personne (« les anges dans les cieux voient en permanence la face de mon Père céleste »). C'est donc eux qu'il faut interroger en Dieu. Chrysostome dit : écoutons les anges, ne sont-ils pas dans cette essence où ils s'entretiennent avec Dieu et le cherchent en quelque façon ? Et pourtant ils le glorifient, se prosternent, chantent et lui adressent des hymnes de victoire avec une grande crainte. Cela se passe uniquement dans le ciel et notre seule source de connaissance est le ciel où ils le glorifient, le chantent avec crainte et se prosternent devant lui.

Arrêtons-nous ici et elle nous deviendra insupportable, la curiosité humaine qui aime seulement ratiociner sur Dieu et non le connaître droitement et le glorifier, la curiosité qui aime les discours, mais est peu empressée à la louange. Les anges ne font pas de discours sur Dieu et ne le mettent pas à l'épreuve : ne l'éprouve pas, toi non plus, mais crois : ne te livre pas à des considérations de haute sagesse, mais aie crainte, aie foi, glorifie, prosterne-toi avec piété au lieu de mettre à l'épreuve avec curiosité : écoute ce grand maître contempler avec toi. As-tu vu combien il y a en Haut de crainte, et combien ici-bas la crainte fait défaut : les anges le louent tandis que les hommes le mettent à l'épreuve, les anges ferment les yeux tandis que les hommes discutent à plaisir, s'opposent à Dieu, et regardent sans honte la gloire indicible. Nous te remercions, saint Jean Chrysostome, pour ton enseignement : nous n'allons pas le mettre à l'épreuve, et nous laisser aller à des discours, mais seulement glorifier. Nous connaissons la vérité de Dieu — Gloire à lui —, nous le connaissons, non tel qu'il est en lui-même, mais tel qu'il est en vous et pour nous. Nous le connaissons en partie pour ce qui a trait à notre salut, nous le connaissons par une foi sainte et éclairée, grâce à l'enseignement des saints pères, comme aussi à celui du patron de cette sainte ville, le saint et grand

Athanase d'Alexandrie[1], docteur de l'Église, qui dans son Symbole, nous catéchise abondamment sur la Sainte Trinité, nous connaissons Dieu dans la mesure où nous en sommes capables, suffisamment pour notre salut — cela nous est accordé — et nous ne devons pas tenter d'aller au-delà. Cela veut dire que nous devons glorifier Dieu et non pas le mettre à l'épreuve.

Les paroles de Dieu dans la prophétie de Malachie que nous avons rapportées plus tôt (le Fils glorifie le Père), saint Jean Chrysostome, dans la *Perle*, les lit ainsi : le fils honore le père et l'esclave révère son maître ; si je suis le père, où donc est l'honneur qui m'est dû ? car la seule chose qui importe est de glorifier et de louer : celui qui loue, celui-là honore, et celui qui honore, celui-là loue. Mais comment un fils doit-il louer son père ? Chez les hommes, le fils honore son père en ce qu'il ne se permet pas de s'asseoir en sa présence, mais il se tient devant lui avec révérence, le chef découvert, le langage déférent : c'est ainsi qu'honorent Dieu le Père ses fils aînés : les saints anges, dont saint Mitrophane, l'auteur des canons en l'honneur de la Sainte Trinité dans le livre des Huit Tons, dit au chapitre 3 qu'ils sont pleins de révérence envers la lumière inaccessible et qu'ils ne cessent de chanter, pieusement, honnêtement, justement, modestement, honorant la majesté de Dieu avec crainte et tremblement ; et c'est ainsi que, dans son corps, l'homme doit louer Dieu.

La piété de ceux qui louent Dieu au plus haut des cieux est décrite chez Isaïe : ce prophète a vu le Seigneur Sabaoth siégeant sur le trône élevé, et les séraphins[2] autour de lui, chacun ayant six ailes. Considérons donc avec quelle piété ils se tiennent, ces êtres qui louent Dieu : deux ailes leur voilent le visage, deux les pieds, et avec deux ailes ils volent et s'élèvent dans les airs, tout empreints de piété devant la lumière inaccessible. Imitons leur piété lorsque, dans notre corps, nous nous tenons devant Dieu. Écoutons à ce propos ce que dit Jean Chrysostome, et apprenons aussi avec quelle crainte de Dieu, quelle pudeur, quelle honnêteté nous devons nous approcher de Dieu dans nos prières, avec quelle humilité et quelle piété nous devons nous tenir pour le louer.

Celui qui désire apprendre un métier regarde le modèle, l'aspect et la forme. Ce que fait le peintre : il a des œuvres d'art devant lui et une esquisse pour bâtir. Si tu veux louer Dieu avec piété, il faut que tu aies le modèle de ce qui peut se bâtir dans ton âme : ce sont les séraphins à six ailes qui se tiennent autour du trône de Dieu.

---

1 Il y avait à Kiev un monastère dédié à saint Athanase d'Alexandrie. (N.d.t.)

2 Cf. Isaïe 6, 2. (N.d.t.)

Mais il ne suffit pas à l'élève de regarder le modèle, il lui faut aussi un maître qui lui fournisse des indications. Il ne suffit pas pour louer Dieu de regarder la forme des séraphins, il faut encore un maître. Prenons encore saint Jean Chrysostome qui, dans son discours 8 sur les séraphins, prêche en contemplant son modèle, les séraphins, d'un regard spirituel.

Ouvre donc tes oreilles à l'excellent prédicateur, le saint maître. Le modèle, ce sont les séraphins au ciel, et le maître enseigne par la parole. Réfléchis à cela, homme, élève-toi de la terre et monte au ciel : le disciple ne comprend pas comment monter aux cieux, en raison de la lourdeur de son corps ; il est attiré vers le bas par la terre, il irait volontiers au ciel mais l'attraction terrestre le retient, le tire, le force à rester en bas ; mais le maître aplanit la difficulté en montrant d'une manière expressive qu'on s'élève par les jeûnes, qui donnent à l'âme des ailes spirituelles et allègent le fardeau de l'âme. Jeûne, et tu seras léger pour entrer au cieux.

Le maître montre le modèle des séraphins qui chantent devant le trône de Dieu et il enseigne : toi aussi, tu te tiens avec les séraphins devant le trône de Dieu, toi aussi tu chantes avec les séraphins, lorsque tu pries Dieu, lorsque tu le loues, tu te tiens déjà au ciel parmi les séraphins. Ainsi, lorsque nous nous tenons debout dans l'église, nous imaginons être déjà dans les cieux.

Le maître montre le modèle des séraphins dont les ailes voilent le visage et les pieds, et deux sont déployées pour voler, et il enseigne que, toi aussi, tu dois déployer tes ailes pour voler autour du trône du Roi, comme il dit, et toi, imite-les et tiens-toi en toute piété devant Dieu à l'image des séraphins, déploie tes ailes et vole, et que les autres ailes te couvrent. Le saint maître n'explique pas vraiment, mais il veut que tu devines tout seul le reste, et par là il entend d'abord, évidemment, les ailes immatérielles : ce qu'il entend par ailes spirituelles, ce sont le jeûne, la prière, l'amour et la foi, la pureté de l'âme et du corps, et d'autres vertus ; et quasiment chaque vertu est une aile qui élève l'homme de la terre au ciel. Selon cet antiphone, le Saint-Esprit est celui qui sauve ; lorsqu'il souffle, il prend de la terre pour l'élever jusqu'aux cieux ; le texte dit que le Saint-Esprit est la cause du salut, le dispensateur de chaque vertu, lui qui, lorsqu'il souffle sur quelqu'un, le rend ailé, le pare de vertus et l'élève dans les hauteurs des cieux ; si bien que chaque vertu est pour nous une aile (en forme de vertu, une aile qui doit être déployée et toute tendue en avant pour louer Dieu avec la plus grande piété) ; deux ailes sont nécessaires pour se voiler le visage, et par là nous pouvons comprendre la honte devant Dieu d'avoir péché, et l'humilité ; il faut les deux pour que l'homme puisse se voiler le visage, il ne faut pas de meilleure preuve car nous voyons bien à l'expérience ce que sont l'impudicité, la fierté qui relève haut la tête et qui porte les yeux plus haut que le front. Tandis que le repentir, lui, fait baisser les yeux à celui qui s'humilie, il regarde vers la terre, celui qui se voile le visage de la main, il a honte, comme David — la honte me couvre le visage. Ces deux ailes sont absolument nécessaires si nous voulons louer Dieu dans la piété. Et savez-vous avec quoi le Publicain s'est couvert le visage lorsqu'il est arrivé devant Dieu à la suite du Pharisien qui se glorifiait ? Il s'est couvert le visage de honte et d'humilité. Deux hommes, le Pharisien et le Publicain, sont entrés dans le temple de Dieu ensemble, mais pas avec la même attitude : l'un sans aucune honte, avec orgueil et sans piété, car il s'est approché comme s'il était l'ami de celui que les armées des anges n'osent contempler et, qui plus est, en se vantant ; quant à l'autre, il était venu avec un profond repentir, c'est pourquoi il se tenait en arrière avec honte et n'osait pas lever les yeux vers le ciel ; dans sa honte, il se tenait devant le Dieu qui voit tout, et sa conscience était obscurcie par le péché ; à cause de la honte, il se voilait la face devant Dieu. Regarde comment cela lui a réussi : il s'en alla justifié plus que l'autre ; le Pharisien n'a pas plu à Dieu parce qu'il est venu sans se voiler la face avec piété, et parce qu'il a fait preuve d'orgueil ; le Publicain a plu à Dieu parce qu'il s'est présenté devant le trône de Dieu véritablement comme un séraphin qui se voile le visage. Voici déjà deux ailes pour nous voiler le visage : la honte et le repentir.

S'il faut deux ailes pour se voiler les pieds, ceux-ci, en tant que dernière partie de notre corps, touchant toujours la terre, qui est dans la fange, sont le signe de notre vilenie, comme la tête est le signe de notre honnêteté. Car de cet oiseau orgueilleux qu'est le paon on dit que, lorsqu'il regarde ses pattes viles, il tombe. Pour ce qui est de la piété dans la louange de Dieu, pour voiler nos pieds, considérons que ces deux ailes sont la connaissance de notre vilenie et la prudence, pour ne pas nous surestimer. La première, prenons-la de l'exemple d'Abraham et d'Isaïe le prophète. Le Seigneur Dieu s'est entretenu en confiance avec son serviteur fidèle Abraham, il lui a parlé doucement, comme à un ami, sans dissimuler devant lui ses divins secrets : « Je ne cacherai pas à mon serviteur Abraham ce que je fais, dit le Seigneur ». S'enhardissant, Abraham aussi a osé parler en toute sûreté avec Dieu. Il cherche à pénétrer les secrets :

« Vas-tu vraiment faire périr le juste avec l'impie?[1] » ; et si la première fois il avait été audacieux, cette fois-ci il est prudent, il parle à Dieu, et il commence par dire à son Seigneur : « Je ne suis que poussière et cendre ». C'est donc dire qu'Abraham a vu Dieu, qu'il a connu sa propre nullité et qu'il a confessé : « Je ne suis que poussière et cendre ». Abraham a contemplé Dieu, respectant la grandeur de sa puissance ; il a regardé aussi ses pieds, c'est-à-dire qu'il a contemplé son péché, sa nullité et qu'il a adopté une attitude réservée : qui est-il, lui, pour parler avec Dieu, avec le Créateur, le Tout-Puissant. Abraham en face de lui n'est rien, à peine un ver rampant devant la majesté inaccessible de sa gloire, et il se reconnaît comme poussière et cendre, il reconnaît ainsi sa nullité : cette aile fait naître en lui la connaissance de Dieu : pour connaître Dieu il faut d'abord reconnaître la propre nullité de l'homme.

Traduction inédite.

---

1 Gn 18, 23. (N.d.t.)

ESPRIT FLÉCHIER

FRANÇAIS • LATIN **1632-1710**

Ses ancêtres, de petite noblesse d'arme, ont trouvé la ruine en apportant leur secours aux armées du pape dans le Comtat venaissin. Né à Pernes, près de Carpentras, de parents de modeste extraction, Valentin-Esprit Fléchier fait ses études au collège de Tarascon chez les Pères de la Doctrine Chrétienne. À l'âge de 15 ans, il entre dans la Congrégation. Hercule Audiffret, son oncle, en est alors le Général. Il prend en charge son neveu qui, à partir de 1659, enseigne les belles-lettres au collège de l'ordre à Narbonne, et s'essaie déjà à la composition, en vers comme en prose. Fléchier prononce avec applaudissements devant les États de la Province du Languedoc l'oraison funèbre de l'archevêque de Narbonne, Claude de Rebé, mort le 17 mars 1659 (la pièce est perdue). C'est alors qu'il apprend la maladie de son oncle, à Paris ; il s'y rend en toute hâte, mais arrive trop tard. Il décide de rester à Paris. Toutefois, à la suite d'oppositions personnelles avec le successeur de son oncle, il ne peut demeurer dans la maison Saint-Charles, résidence du Général de la Doctrine où il était venu s'établir à son arrivée, et quitte l'ordre. Il prend une paroisse et, connu pour ses vers latins et français, devient en 1662 précepteur chez le duc de Caumartin. En 1665, le roi décide la tenue des grands jours d'Auvergne, et Caumartin fait partie des commissaires nommés. Fléchier l'accompagne et en écrit la relation, publiée intégralement en 1844 seulement, qui constitue un témoignage de première importance pour les historiens. En 1671, le duc de Montausier, qui goûte ses œuvres, lui procure une place de lecteur auprès du Dauphin, et sa femme, la duchesse de Montausier, « lance » Fléchier à Paris. Il devient orateur sacré et compose des oraisons funèbres, où il est plus apprécié que dans les prédications de morale, concurrençant directement le prestige de Bossuet. Fléchier, dit-on, avait une belle voix grave et profonde, d'une lenteur imposante, qui convenait parfaitement à ce premier genre. En 1673, reçu à l'Académie française à la place d'Antoine Godeau, l'ancien évêque de Grasse, le même jour que Racine et l'abbé Galloys, il remporte sous la coupole les plus vifs applaudissements — plus que Racine lui-même. En 1682, il prêche l'Avent devant la Cour, où il est très apprécié. Il est placé en 1685 à la tête d'une mission destinée à ramener dans le sein de l'Église les protestants du Poitou et de la Bretagne. En novembre de cette même année, il est nommé évêque de Lavaur. Il a toute la faveur du roi, dont il compose depuis plusieurs années différents panégyriques, en latin comme en français, et devient aumônier ordinaire de la dauphine ; à la mort de la reine-mère, il est chargé de prononcer son oraison funèbre. En 1687 (la confirmation ne sera donnée par le Saint-Siège qu'en 1692, avec l'apaisement de l'affaire de la Régale et des démêlés entre Louis XIV et Innocent XI), Fléchier est sacré évêque de Nîmes à Paris, au Val de Grâce, l'église de Marie-Thérèse d'Autriche. Il reste dans le sud de la France jusqu'à sa mort, et s'occupe presque uniquement de son diocèse, tout comme son prédécesseur à l'Académie. Il mène une action déterminante dans la conversion des protestants, en envoyant des prédicateurs dans les Cévennes et en rédigeant annuellement des instructions pastorales à destination des prêtres sous sa tutelle. Il s'attache à réduire la misère qui règne dans le Languedoc. Tombé malade, il meurt à Montpellier.

La Poésie latine sous le règne de Louis XIV / Abbé J.-A. Vissac. – Paris : A. Durand, 1862. – 311 p.
Fléchier / G. Grente. – Paris : Flammarion, 1934. – 224 p.

ORAISON FUNÈBRE DE MONSIEUR DE TURENNE 392

Sur les causes de nos malheurs. — Henri de La Tour d'Auvergne, vicomte de Turenne, né en 1611, sert d'abord en Hollande, sous les ordres de son oncle Maurice de Nassau. En vertu d'un traité conclu par Richelieu avec la duchesse de Bouillon, la mère de Turenne, dans lequel elle promettait de rester toujours attachée aux intérêts de Louis XIII, le jeune homme vient à Paris en otage et caution du traité. À 23 ans, il est fait maréchal de camp, puis reçoit à part entière, en 1643, la charge très prisée du maréchalat. Un court moment Frondeur, il se rallie à la Couronne qu'il sert jusqu'à sa mort, survenue pendant la campagne d'Alsace de 1675, et dont Madame de Sévigné évoque le choc qu'elle causa à la cour, dans une de ses lettres les plus connues. Ce protestant issu d'une des plus grandes familles de France se convertit dans sa vieillesse à un catholicisme mêlé d'augustinisme, tout comme d'autres anciens Frondeurs, tels La Rochefoucauld. On donne ici les derniers paragraphes du discours que Fléchier prononça à Saint-Eustache le 10 janvier 1676. Ils constituent un bon exemple du style qu'affectionnait l'orateur sacré et qui lui vaut encore une grande célébrité jusqu'à la fin du XVIIIe siècle, où l'on goûte fort son élégance et son harmonie, ainsi que la pureté et la simplicité de sa langue. Composant ses oraisons tout en balancements et en antithèses, il recherche le pathétique au détriment de la brièveté grandiose et de l'originalité des images, mais dans une prose vivante et fine, cultivant l'anecdote, jouant sur les sentiments immédiats de l'auditeur et le maintenant en haleine.

Qu'il est difficile, Messieurs, d'être victorieux, et d'être humble tout ensemble. Il passe le Rhin, et trompe la vigilance d'un général habile et prévoyant. Il observe les mouvemens des ennemis, il relève le courage des alliés ; il ménage la foi suspecte et chancelante des voisins. Il ôte aux uns la volonté, et aux autres les moyens de nuire ; et, profitant de toutes ces conjonctures importantes qui préparent les grands et glorieux événemens, il ne laisse rien à la fortune de ce que le conseil et la prudence humaine lui peuvent ôter. Déjà frémissoit dans son camp l'ennemi confus et déconcerté. Déjà prenoit l'essor pour se sauver dans les montagnes cette aigle dont le vol hardi avoit d'abord effrayé nos provinces[1]. Ces foudres de bronze que l'enfer a inventés pour la destruction des hommes tonnoient de tous côtés pour favoriser, et pour précipiter cette retraite ; et la France en suspens attendoit le succès de son entreprise, qui selon toutes les règles de la guerre, étoit infaillible.

Hélas ! nous savions tout ce que nous pouvions espérer ; et nous ne pensions pas à ce que nous devions craindre. La providence divine nous cachoit un malheur plus grand que la perte d'une bataille. Il en devoit coûter une vie que chacun de nous eût voulu racheter de la sienne propre ;

1 Il s'agit du général Montecuccoli, alors considéré comme le plus célèbre tacticien d'Europe.

et tout ce que nous pouvions garder ne valoit pas ce que nous allions perdre. Ô Dieu terrible ; mais juste en vos conseils sur les enfans des hommes, vous disposez et des vainqueurs et des victoires ! Pour accomplir vos volontés et faire craindre vos jugemens, votre puissance renverse ceux que votre puissance avoit élevés. Vous immolez à votre souveraine grandeur de grandes victimes ; et vous frappez, quand il vous plaît, ces têtes illustres que vous avez tant de fois couronnées.

N'attendez pas, Messieurs, que j'ouvre ici une scène tragique ; que je représente ce grand homme étendu sur ses propres trophées ; que je découvre ce corps pâle et sanglant, auprès duquel fume encore la foudre qui l'a frappé ; que je fasse crier son sang comme celui d'Abel, et que j'expose à vos yeux les tristes images de la religion et de la patrie éplorées. Dans les pertes médiocres on surprend ainsi la pitié des auditeurs, et par des mouvemens étudiés, on tire au moins de leurs yeux quelques larmes vaines et forcées. Mais on décrit sans art une mort qu'on pleure sans feinte. Chacun trouve en soi la source de sa douleur, et r'ouvre soi-même sa plaie ; et le cœur, pour être touché, n'a pas besoin que l'imagination soit émue.

Peu s'en faut que je n'interrompe ici mon discours. Je me trouble, Messieurs : Turenne meurt, tout se confond, la fortune chancèle ; la victoire se lasse, la paix s'éloigne, les bonnes intentions des alliés se ralentissent, le courage des troupes est abattu par la douleur, et ranimé par la douleur ; tout le camp demeure immobile. Les blessés pensent à la perte qu'ils ont faite, et non pas aux blessures qu'ils ont reçues. Les pères mourans envoient leurs fils pleurer sur leur général mort. L'armée en deuil est occupée à lui rendre les devoirs funèbres ; et la renommée qui se plaît à répandre dans l'univers les accidens extraordinaires, va remplir toute l'Europe du récit glorieux de la vie de ce prince, et du triste regret de sa mort.

[...][1] Pourquoi, mon Dieu, si j'ose répandre mon âme en votre présence, et parler à vous, moi qui ne suis que poussière et cendre ?

Pourquoi le perdons-nous dans la nécessité la plus pressante, au milieu de ses grands exploits, au plus haut point de sa valeur, dans la maturité de sa sagesse ? Est-ce qu'après tant d'actions dignes de l'immortalité, il n'avoit plus rien de mortel à faire ? Ce temps étoit-il arrivé où il devoit recueillir le fruit de tant de vertus chrétiennes, et recevoir de vous la couronne de justice, que vous gardez à tous ceux qui ont fourni une

1 Ici prend place la péroraison du discours.

glorieuse carrière ? Peut-être avions-nous mis en lui trop de confiance ; et vous nous défendez dans vos écritures de nous confier aux enfans des hommes. Peut-être est-ce une punition de notre orgueil, de notre ambition, de nos injustices. Comme il s'élève du fond des vallées, des vapeurs grossières, dont se forme la foudre qui tombe sur les montagnes, il sort du cœur des peuples des iniquités, dont vous déchargez les châtimens sur la tête de ceux qui les gouvernent, ou qui les défendent. Je ne viens pas, Seigneur, sonder les abymes de vos jugemens, ni découvrir ces ressorts secrets et invisibles qui font agir votre miséricorde, ou votre justice : je ne veux, et ne dois que les adorer. Mais dans un siècle aussi corrompu que le nôtre, nous ne devons chercher ailleurs que dans le dérèglement de nos mœurs toutes les causes de nos misères.

Œuvres complètes / de messire Esprit Fléchier, evesque de Nismes, et l'un des Quarante de l'Académie françoise ; Revues sur les manuscrits de l'auteur, augmentées de plusieurs pièces qui n'ont jamais esté imprimées, et accompagnées de Préfaces, d'Observations et de Notes sur les endroits qui ont paru en avoir besoin. – Nîmes : Pierre Beaune, 1782. – [Tome IV, pp. 72-75]

HISTOIRE DE FROL SKOBEEV

VIEUX RUSSE

Début du XVIIIe siècle

Avec cette *histoire*, mot encore étranger en russe, s'amorce la troisième étape de la sécularisation de la littérature d'imagination en Russie. Dans ce récit anonyme plaisamment enlevé, intitulé *Histoire de Frol Skobeev, noble russe de Novgorod, et d'Annuška, fille de l'officier de bouche, Nardin-Naščokin*, on ne parle ni de Dieu, ni de Sa très sainte Mère ni même de morale. Tout a été remplacé par le désir d'obtenir, coûte que coûte, une place au soleil.

Le héros est un petit noble de province, qui vit à Moscou d'affaires plus ou moins honnêtes. Refusant de végéter, il met au point une escroquerie de haut vol : se faire aimer de la fille d'un responsable politique et administratif, la compromettre, puis convaincre le père de la lui donner comme femme par crainte du scandale. Son plan se déroule comme prévu avec, il faut le dire, la complicité de la jeune fille qui, visiblement, s'est attachée à son séducteur.

La société russe qui est décrite est bien différente de celle du XVIIe siècle. Elle est marquée par les changements liés au début du règne de Pierre Ier : laïcisation, développement d'une nouvelle bureaucratie, apparition de responsables occidentalisés, effacement de l'ancien système et de ses responsables. C'est le triomphe des jeunes loups sans scrupules, dont fait partie Frol Skobeev.

HISTOIRE DE FROL SKOBEEV — 393

J.-Cl. Roberti — 1996

Manœuvres de séduction.

Dans le district de Novgorod, il y a avait un noble du nom de Frol Skobeev. Dans ce même district, l'officier de bouche[1] Nardin-Naščokin[2] avait des propriétés dans lesquelles sa fille habitait. Frol Skobeev ayant appris l'existence de cette personne, conçut l'intention de la voir et de s'en faire aimer. À cet effet, il inventa de faire la connaissance de l'intendant du domaine et d'aller souvent chez lui. Au bout d'un certain temps, il arriva que Frol Skobeev étant chez cet intendant, la nourrice de la fille de l'officier de bouche vint le voir. Ayant appris qu'elle vivait constamment auprès d'Annuška, Frol Skobeev la suivit lorsqu'elle s'en alla pour retourner chez sa maîtresse. Il lui fit cadeau de deux roubles. Elle lui dit : « Monsieur Skobeev, ce ne sont pas mes services qui me valent cette gen-

---

1 Il s'agissait anciennement du titulaire d'un office de table auprès du souverain. Par la suite, ce n'était plus qu'un titre à la cour. (N.d.t.)

2 L'auteur transforme à peine le nom d'un célèbre responsable des affaires étrangères d'Alexis Ier (1645-1672), Ordyn-Naščokin. (N.d.t.)

tillesse, car je ne vous en ai rendu aucun. » Frol Skobeev lui dit : « C'est comme cela » et il partit rapidement sans rien ajouter.

La nourrice revint chez sa maîtresse, mais sans rien dire de tout cela. Frol Skobeev, étant resté un peu chez l'intendant, s'en retourna chez lui.

À l'époque des Douze Jours[1], lorsqu'on organisait des soirées divertissantes pour les jeunes filles, la fille de l'officier de bouche demanda à sa nourrice d'aller chez tous les nobles qui habitaient à proximité de son domaine, et qui de plus avaient des jeunes filles non mariées, et de les inviter à venir se divertir à une soirée. [...] La nourrice savait que Frol Skobeev avait une sœur encore non mariée et se rendit chez lui pour l'inviter à venir chez Annuška. La sœur de Frol lui dit d'attendre un peu : « Je vais voir mon frère, s'il permet que j'y aille, nous vous le dirons ». Arrivée chez son frère, elle lui dit qu'une nourrice était venue de la part d'Annuška pour l'inviter. Frol lui répondit : « Va lui dire que tu ne seras pas seule, mais avec une jeune fille noble ». Sa sœur resta longtemps dans l'expectative sur ce qu'il lui demandait de dire, toutefois elle n'osa pas lui désobéir et dit qu'elle irait à la soirée avec une jeune fille noble. [...]

Frol Skobeev dit à sa sœur : « Eh bien, chère sœur, il est temps de t'habiller et de te rendre à l'invitation ». Comme elle s'était mise à mettre ses vêtements, il lui dit : « Apporte-moi, chère sœur, des habits de jeune fille, je vais les revêtir moi aussi et nous irons ensemble chez Annuška. »

[...]

Toutes les jeunes filles se mirent à s'amuser à divers jeux, Frol avec elles, personne ne pouvant le reconnaître. Ensuite, il alla aux lieux d'aisance, la nourrice restant dans le vestibule une bougie à la main. [...] Frol s'apercevant qu'elle ne pouvait le reconnaître, tomba à ses pieds et il dit qui il était et qu'il était venu habillé en jeune fille pour l'amour d'Annuška. La nourrice [...] se souvenant des deux gros cadeaux[2] qu'il lui avait faits, dit : « Monsieur Skobeev, je suis prête à faire tes volontés vu tes bontés envers moi ». Alors elle se rendit dans la pièce où s'amusaient les jeunes filles [...] Elle leur présenta un jeu : « Maîtresse, tu seras la fiancée » et montrant Frol : « Et cette fille sera le fiancé ». Toutes les jeunes filles les conduirent dans une chambre à coucher, comme cela se faisait lors des noces[3], puis revinrent dans la salle où elles s'amusaient

1 Époque entre Noël et la Théophanie, traditionnellement ponctuée de fêtes et de jeux. (N.d.t.)

2 Frol lui avait donné encore trois roubles, ce qui était à l'époque une somme importante. (N.d.t.)

3 Il s'agissait là d'une des parties du mariage païen qui était toujours en usage tant dans l'aristocratie que dans le peuple. (N.d.t.)

auparavant. La nourrice leur demanda de chanter à tue-tête pour que l'on n'entende pas les cris. [...] Frol couché avec Annuška lui déclara qui il était. [...] Annuška eut très peur, mais sans souci de sa peur, Frol la déflora.

Traduction inédite. — *Pamjatniki Literatury drevnej Rusi, XVII vek. Kniga pervaja.* – Moscou, 1989. – [Pp. 55-64].

HISTOIRE DE FROL SKOBEEV 394

J.-Cl. Roberti — 1996

La réussite. — Après l'avoir violée, Frol enlève Annuška, se marie sans la bénédiction des parents, puis la fait passer pour mourante. À la fin, son père et sa mère, fous d'inquiétude, acceptent de les revoir.

Frol et sa femme mirent leurs beaux habits et allèrent chez l'officier de bouche Nardin-Naščokin. Lorsqu'ils furent arrivés, Annuška alla vers son père et tomba à ses pieds. Celui-ci regarda sa fille et se mit, ainsi que sa femme, à lui faire des reproches et la disputer. En la regardant, ils ne pouvaient s'empêcher de pleurer amèrement de ce qu'elle avait pu agir ainsi sans l'avis de ses parents. Puis, laissant là leur colère, ils lui pardonnèrent sa faute et la firent asseoir avec eux. Ils dirent aussi à Frol : « Toi, crapule, qu'as-tu à rester debout ! Assieds-toi là. Est-ce bien à toi, crapule, d'avoir ma fille ? » Frol répondit : « Mon père et mon seigneur, elle est à celui que Dieu a choisi ! » Ils s'installèrent pour prendre le repas. L'officier de bouche ordonna à ses gens de ne faire entrer personne d'extérieur dans la maison. « Si quelqu'un arrive et demande si l'officier de bouche est chez lui, dites-lui qu'il est impossible de le voir, car il mange avec son gendre, cette crapule de Frol. » Lorsque le repas fut terminé, l'officier de bouche demanda : « La crapule, qu'est-ce que tu vas devenir ? » « Tu me connais bien. Rien de plus que de rechercher des combines dans les ministères. » « Arrête, crapule, de chercher des “affaires”. J'ai une propriété patrimoniale dans le district de Simbirsk qui selon le recensement a 300 feux. Occupe-t-en et habite là-bas de manière permanente. » Frol et sa femme Annuška le saluèrent, montrant ainsi leur reconnaissance. « Eh bien, crapule, ne fais pas de salutations, va t'occuper de ton intérêt ! » Étant resté quelque temps, Frol partit avec sa femme pour retourner à leur appartement. L'officier de bouche Nardin-Naščokin le fit revenir et lui demanda : « La crapule, comment vas-tu t'occuper de ta propriété. As-tu de l'argent ? » — « Tu sais, seigneur et père, quel argent je peux avoir. N'est-il pas possible de vendre des paysans ? » — « N'en vends pas, crapule ! Prends l'argent que je te donnerai ». Et il ordonna de lui donner 300 roubles que Frol prit, puis il rentra chez lui.

Avec le temps il s'occupa de son domaine. L'officier de bouche vécut quelque temps. Pendant sa vie, il fit de Frol son héritier pour tous les biens meubles et immeubles. Frol se mit à vivre très richement. L'officier de bouche mourut ainsi que sa femme. Après la mort de son père, Frol donna sa sœur à un fils d'officier de bouche ; celle-ci garda la nourrice qui était auprès d'Annuška, elle s'en occupa avec grande bonté et respect jusqu'à sa mort.

Ceci est la fin de l'histoire.

Traduction inédite. — *Pamjatniki Literatury drevnej Rusi, XVII vek. Kniga pervaja.* – Moscou, 1989. – [Pp. 55-64].

BOILEAU

FRANÇAIS **1636-1711**

Un préjugé défavorable entache encore la renommée de Boileau : l'auteur de *L'Art poétique* aurait été, en tant que « législateur du Parnasse », le héraut d'une « raison » sévère génératrice de règles trop étroites pour ne pas gêner l'essor de l'imagination et la libre expression des sentiments. Cette réputation repose sur des malentendus et des contresens.

Fils d'un greffier laborieux qui lui laissa de quoi vivre sans travailler, né à Paris, mort à Paris, Boileau est l'auteur de l'œuvre qui reflète le mieux le climat du règne de Louis XIV : goût amer des années troublées de la Fronde, dynamisme allègre du printemps royal, aura glorieuse des grandes années, mélancolie d'une longue fin de règne.

Cette œuvre n'est pas considérable : douze Satires (1663-1711), douze Épîtres (1669-1675), *L'Art poétique* (1674), *Le Lutrin* (1674-1683), un poème héroï-comique, des épigrammes et, en prose, l'*Arrêt burlesque* (1671), la traduction du *Traité du Sublime* (1674) attribué au rhéteur grec Longin, les *Réflexions critiques sur quelques passages du rhéteur Longin* (I-IX : 1694 ; X-XII : 1713) et le *Dialogue des héros de roman* (1688) en constituent l'essentiel.

Boileau est bien installé dans son temps, dont il partage les valeurs et, plus d'une fois, les préjugés. C'est de son siècle, où domine le prestige de la noblesse guerrière, qu'il tient, jumelé avec celui du « repos » d'esprit cher à la bourgeoisie de fonction, le culte de « l'honneur », auquel il consacre toute la satire XI. Mais de son enfance triste il garde un sentiment de frustration qui lui fait chercher sans cesse des revanches à prendre. L'association de ces deux éléments définit son inspiration satirique : un instinct vite éveillé le dresse en permanence contre la prétention de tout ce qui brille ou veut briller sans mériter de briller. L'adversaire qu'il poursuit de ses railleries pendant toute sa jeunesse est Jean Chapelain, auteur de *La Pucelle d'Orléans*, épopée ennuyeuse et rocailleuse, et pourtant conseiller de Colbert pour la distribution des pensions versées par le roi aux écrivains. L'accompagnent et l'accompagneront dans un juste discrédit écrivassiers de salon, flatteurs, financiers sans scrupules et enrichis, mondains frivoles, débauchés insolents, conquérants et fanatiques massacreurs et autres usurpateurs de gloire. La plume de Boileau forge, pour les découronner, des tirades indignées ou ironiques et, à la pointe de ces invectives ou au détour d'une phrase, les antilogies vengeresses — « un sot de qualité », « un pompeux solécisme », « un poignard catholique » — qui associent en un éclair les prétentions abusives et la tare qui les rend incongrues.

De telles agressions sont le plus souvent la contrepartie de l'adhésion ou de l'admiration chaleureuse que le poète manifeste à l'endroit de tout ce qui mérite de briller. Jeu très vif, enrichi par le dégradé des tons qui marie le grand et le familier ou suggère tour à tour la grandeur de ce qui doit être loué et la bassesse de ce qui veut usurper des louanges. Jeu de mieux en mieux adapté au goût de la société distinguée, qui, non sans quelques réserves, admet le satirique parmi les siens.

Boileau a été attaché sincèrement à son roi, qui l'a nommé son historiographe en 1677, et il a combiné avec une féconde adresse la profession de haïr la flatterie et le libre cours donné à cet attachement admiratif. Mais deux jubilations ravissent son être au premier chef : il se plaît à dire la joie dont l'emplit la rencontre d'un homme à l'âme droite et à l'esprit ouvert, et, narguant au besoin les suspicions de ses amis jansénistes, il est fasciné par la poésie, sur laquelle il concentre toute sa puissance d'aimer et dont il défend « la majestueuse et élégante obscurité » contre le rationalisme intempérant de Perrault au cours de la querelle dite « des Anciens et des Modernes », qui fut plutôt celle des classiques et des mondains.

Champion du vrai, qu'il lie au beau, au bien et au juste, Boileau n'a recours malgré lui aux froids artifices de la rhétorique que lorsqu'il se laisse entraîner hors des limites de ce qui peut venir du fond de lui-même. Or ses contemporains ont été eux-mêmes sensibles à l'étroitesse de ces limites. Non seulement celui qui a tant combattu pour la cause de la grande poésie s'est peu intéressé, comme le constatait Perrault, aux arts et aux sciences, mais aussi, plus attentif à la personnalité qu'à la personne d'autrui, il s'est toujours montré plus prompt à défendre les exigences de l'honneur qu'à faire reconnaître la dignité de tout être humain, et, quand il est devenu un polémiste chrétien, tout en dénonçant les assassins de la Saint-Barthélemy et les « dévots » sans justice, il a été happé plus spontanément par la nécessité de traiter avec mépris les fausses doctrines que par celle de donner un visage humain à la loi de charité. Bon compagnon et exempt de méchanceté, il a eu les faiblesses d'un « honnête homme » héritier d'un humanisme presque exclusivement littéraire et d'une religion à dominante dogmatique.

C'est un oiseau qui chante dans une cage, disait de lui très justement l'abbé Bremond. Mais c'est bien un oiseau fait pour chanter, un artiste original et plein de ressources délicates, maître des mots, des figures, des rythmes, des sons. Il a eu vivement conscience que la poésie devait sourdre du plus profond de l'être et qu'elle ne pouvait se réaliser que par la maîtrise parfaite des moyens d'expression. On peut aimer encore l'ardeur concentrée avec laquelle il a su débusquer les faux brillants et l'agilité d'une écriture dense qui réserve au lecteur mille surprises et, aux moments de grâce, l'enchantement du plus pur verbe poétique.

Boileau : l'homme et l'œuvre / René Bray. – Paris : Boivin, 1942. – 174 p. – (*Le Livre de l'étudiant* ; 9).

Boileau : visages anciens, visages nouveaux / Bernard Beugnot, Roger Zuber. – Montréal : Presses de l'Université de Montréal, 1973. – 174 p.

L'Univers satirique de Boileau : l'ardeur, la grâce et la loi / Joseph Pineau. – Genève : Droz, 1990. – 382 p. – (*Histoire des idées et critique littéraire* ; 278).

SATIRES 395

À Molière (II, v. 77-96). — Couplée avec l'hommage rendu à l'« esprit sublime » peu tenté par la vanité, l'ironie se joue du médiocre satisfait de lui-même. Les vers (« Et toûjours amoureux de ce qu'il vient d'écrire, / Ravi d'étonnement, en soi-mesme il s'admire ») doivent se lire de plus en plus lentement ; la phrase se gonfle du suc des mots jusqu'au verbe, sans cesse refoulé, dans lequel enfin le sens explose.

Bienheureux Scudéri[1], dont la fertile plume
Peut tous les mois sans peine enfanter un volume !

[1] Il était de tradition de se moquer de Scudéry depuis longtemps déjà.

Tes écrits, il est vrai, sans art et languissans,
Semblent estre formez en dépit du bon sens :
Mais ils trouvent pourtant, quoi qu'on en puisse dire,
Un Marchand pour les vendre et des Sots pour les lire.
Et quand la rime enfin se trouve au bout des vers,
Qu'importe que le reste y soit mis de travers ?
Malheureux mille fois, celui dont la manie
Veut aux regles de l'art asservir son genie !
Un Sot en écrivant fait tout avec plaisir :
Il n'a point en ses vers l'embarras de choisir,
Et toûjours amoureux de ce qu'il vient d'écrire,
Ravi d'étonnement, en soi-mesme il s'admire[1].
Mais un Esprit sublime en vain veut s'élever
À ce degré parfait qu'il tâche de trouver :
Et toûjours mécontent de ce qu'il vient de faire,
Il plaist à tout le monde, et ne sçauroit se plaire.
Et Tel, dont en tous lieux chacun vante l'esprit,
Voudroit pour son repos n'avoir jamais écrit.

Œuvres complètes / Boileau ; introduction par Antoine Adam ; textes établis et annotés par François Escal. – Paris : Gallimard, 1966. (*Bibliothèque de la Pléiade* ; 188) – [Pp. 19 et 883 pour les notes].

SATIRES 396

À mon esprit (IX, v. 250-274). — On a reproché à Boileau de cultiver le genre satirique, taxé d'incivilité. Toute l'œuvre est une spirituelle réplique à ces attaques. Ici, joignant l'exemple à la déclaration de principe, le poète se raille de l'infirmité des genres à la mode, auxquels il oppose, en vers fermes, sa propre conception de la satire.

Et sur quoi donc faut-il que s'exercent mes vers ?
Irai-je dans une Ode, en phrases de Malherbe,
Troubler dans ses roseaux le Danube superbe ;
Délivrer de Sion le peuple gémissant ;
Faire trembler Memphis, ou paslir le Croissant :
Et passant du Jourdain les ondes alarmées,
Cueillir, mal à propos, *les palmes Idumées* [2]?
Viendrai-je, en une Églogue, entouré de troupeaux,

1 Horace, *Épîtres, II*, II, v. 106-108.

2 Ces quelques vers sont empruntés à des poèmes de Malherbe ; repris et utilisés par Ménage, Chapelain, Fléchier et d'autres, ils devinrent rapidement des clichés de la poésie du XVIIe siècle.

Au milieu de Paris enfler mes chalumeaux,
Et dans mon cabinet assis au pied des hestres,
Faire dire aux échos des sottises champestres ?
Faudra-t-il de sens froid, et sans estre amoureux,
Pour quelque Iris[1] en l'air faire le langoureux;
Lui prodiguer les noms de Soleil et d'Aurore,
Et toûjours bien mangeant mourir par metaphore ?
Je laisse aux Doucereux ce langage affeté
Où s'endort un esprit de mollesse hebeté.
La Satire en leçons, en nouveautez fertile,
Sçait seule assaisonner le plaisant et l'utile[2],
Et d'un vers qu'elle épure aux rayons du bon sens,
Détrompe les Esprits des erreurs de leur temps.
Elle seule bravant l'orgueil et l'injustice,
Va jusques sous le dais faire paslir le vice[3] ;
Et souvent sans rien craindre, à l'aide d'un bon mot,
Va venger la raison des attentas d'un Sot.

Œuvres complètes / Boileau ; introduction par Antoine Adam ; textes établis et annotés par François Escal. – Paris : Gallimard, 1966. – (*Bibliothèque de la Pléiade* ; 188). – [Pp. 55 et 923-924 pour les notes].

ÉPÎTRES 397

Au Roi (I, v. 91-115). — Exemple typique de l'association du rejet et de l'admiration. Boileau conteste la gloire des conquérants. Il lui faudra quelques années plus tard chanter les exploits de son roi : il est difficile d'avouer son amour de la paix dans une société où les guerriers accaparent la « gloire ». Boileau écrit ces vers à l'époque où Louis XIV semble manifester une volonté de paix : il n'aura pas de mal à trouver également dans son roi le modèle qu'il admire.

Ce n'est pas que mon cœur du travail ennemi,
Approuve un Faineant sur le thrône endormi.
Mais quelques vains lauriers que promette la guerre,

---

1 Brossette dit : « Charles Perrault, de l'Académie Françoise, et Pierre Perrault son frère, étoient du nombre de ceux qui blâmoient notre auteur. Les principaux Ouvrages ausquels s'occupoient alors ces deux Poëtes étoient des Stances amoureuses, des Églogues tendres, des Élégies à Iris, etc. » Ch. Perrault avait en effet publié une *Élégie à Iris* dans *les Délices de la poésie galante* (1663-1664, t. II, p. 62). Membre de la Petite Académie depuis 1663, il était avec Cassagne au service de Chapelain et de Colbert : Boileau déteste leur coterie. Ces vers constituent le premier témoignage dans l'œuvre de Boileau de la longue querelle qui va l'opposer à Ch. Perrault et à ses frères.

2 Horace, *Art poétique*, v. 343.

3 Boileau songe ici au vers 132 de sa première *Satire*, dirigé contre Hardouin de Péréfixe, archevêque de Paris.

On peut estre Heros sans ravager la terre,
Il est plus d'une gloire. Envain aux Conquerans
L'erreur parmi les Rois donne les premiers rangs.
Entre les grands Heros ce sont les plus vulgaires[1].
Chaque siecle est fecond en heureux Temeraires.
Chaque climat produit des Favoris de Mars.
La Seine a des Bourbons, le Tibre a des Césars.
On a vu mille fois des fanges Mœotides
Sortir des Conquerans, Goths, Vandales, Gépides.
Mais un Roi vraiment Roi, qui sage en ses projets,
Sçache en un calme heureux maintenir ses Sujets,
Qui du bonheur public ayt cimenté sa gloire,
Il faut, pour le trouver, courir toute l'histoire.
La Terre conte peu de ces Rois bien-faisans.
Le ciel à les former se prépare long-temps.
Tel fut cet empereur[2], sous qui Rome adorée
Vit renaistre les jours de Saturne et de Rhée ;
Qui rendit de son joug l'Univers amoureux :
Qu'on n'alla jamais voir sans revenir heureux :
Qui soûpiroit le soir, si sa main fortunée
N'avoit par ses bienfaits signalé la journée[3].
Le cours ne fut pas long d'un empire si doux.

Œuvres complètes / Boileau ; introduction par Antoine Adam ; textes établis et annotés par François Escal. – Paris : Gallimard, 1966.– (*Bibliothèque de la Pléiade* ; 188). – [Pp. 105-106 et 956 pour les notes].

ÉPÎTRES 398

À Seignelay (IX, v. 75-100). — Pour l'« honnête homme » du XVIIe siècle, la sociabilité se définit par trois caractères : la distinction des manières, l'absence de raideur, le naturel. C'est la troisième idée que Boileau développe avec une vigoureuse conviction : pour plaire, il faut d'abord être vrai, être soi-même, pleinement soi-même.

Vois-tu cet Importun que tout le monde évite,
Cet homme à toûjours fuïr qui jamais ne vous quitte ?

1 Vulgaires : « qui est communément en usage. Il ne se dit guère que des choses morales » (*Dictionnaire de l'Académie*, 1964).

2 Titus (Note de Boileau).

3 Voir Suétone, *Titus*, VIII.

Il n'est pas sans esprit, mais né triste et pezant,
Il veut estre folâtre, évaporé, plaisant :
Il s'est fait de sa joye une loy nécessaire,
Et ne déplaist enfin que pour vouloir trop plaire.
La simplicité plaist sans étude et sans art.
Tout charme en un Enfant, dont la langue sans fard,
À peine du filet encor débarrassée,
Sçait d'un air innocent bégayer sa pensée.
Le faux est toûjours fade, ennuieux, languissant :
Mais la Nature est vraie, et d'abord on la sent.
C'est elle seule en tout qu'on admire et qu'on aime.
Un Esprit né chagrin plaist par son chagrin mesme.
Chacun pris dans son air est agreable en soy.
Ce n'est que l'air d'autrui qui peut déplaire en moy.
Ce Marquis[1] estoit né doux, commode, agreable :
On vantait en tous lieux son ignorance aimable :
Mais depuis quelques mois devenu grand Docteur,
Il a pris un faux air, une sotte hauteur.
Il ne veut plus parler que de rime et de prose.
Des Auteurs décriez il prend en main la cause.
Il rit du mauvais goust de tant d'Hommes divers,
Et va voir l'Opera, seulement pour les vers.
Voulant se redresser soy-mesme on s'estropie,
Et d'un original on fait une copie.
L'ignorance vaut mieux qu'un sçavoir affecté.
Rien n'est beau, je reviens, que par la verité.
C'est par elle qu'on plaist et qu'on peut long-temps plaire.
L'esprit lasse aisément, si le cœur n'est sincere.
Envain, par sa grimace, un Bouffon odieux
À table nous fait rire, et divertit nos yeux.
Ses bons mots ont besoin de farine et de plâtre.
Prenez-le teste à teste, ostez-lui son théâtre
Ce n'est plus qu'un cœur bas, un Coquin tenebreux.
Son visage essuyé n'a plus rien que d'affreux.
J'aime un Esprit aisé qui se montre, qui s'ouvre,
Et qui plaist d'autant plus, que plus il se découvre.

1 À en croire Brossette, ce marquis serait le comte de Fiesque († 1708), ami de Boileau.

Œuvres complètes / Boileau ; introduction par Antoine Adam ; textes établis et annotés par François Escal. – Paris : Gallimard, 1966. – (*Bibliothèque de la Pléiade* ; 188). – [Pp. 134-135 et 972-973 pour les notes].

L'ART POÉTIQUE 399

Naissance de la tragédie (Chant III, v. 61-80). — Plus qu'un code, *L'Art poétique* est un hymne à la poésie, dont sont définies les exigences. Voici un passage peu souvent cité où l'histoire du théâtre grec se déroule par vagues de plus en plus admiratives.

La Tragedie informe et grossiere en naissant[1]
N'estoit qu'un simple Chœur, où chacun en dansant,
Et du Dieu des raisins entonnant les loüanges,
S'efforçoit d'attirer de fertiles vendanges.
Là le vin et la joye éveillant les esprits,
Du plus habile Chantre un Bouc estoit le prix.
Thespis fut le premier qui barboüillé de lie,
Promena par les Bourgs cette heureuse folie,
Et d'Acteurs mal ornez chargeant un tombereau,
Amusa les Passans d'un spectacle nouveau.
Eschyle dans le Chœur jetta les personnages,
D'un masque plus honneste habilla les visages ;
Sur les ais d'un théâtre en public exhaussé,
Fit paraistre l'Acteur d'un brodequin chaussé.
Sophocle enfin donnant l'essor à son genie,
Accrut encor la pompe, augmenta l'harmonie,
Interessa le Chœur dans toute l'Action,
Des vers trop rabotteux polit l'expression ;
Lui donna chez les Grecs cette hauteur divine
Où jamais n'atteignit la foiblesse Latine.

Œuvres complètes / Boileau ; introduction par Antoine Adam ; textes établis et annotés par François Escal. – Paris : Gallimard, 1966. – (*Bibliothèque de la Pléiade* ; 188). – [Pp. 170-171 et 997 pour les notes].

---

1 Pour ce vers et les suivants : voir Horace, *Art poétique*, v. 202 et suivants. Brossette note : « Ce qui est dit ici de la naissance et du progrez de la tragédie est tiré d'Arioste et d'Horace dans leurs *Poëtiques*, et de Diogène Laërce dans la *Vie de Solon*. »

LUYKEN

NÉERLANDAIS **1649-1712**

Le père de Jan Luyken, maître d'école à Amsterdam, quitte la Remontrance, communauté protestante modérée, pour les Collégiens, communauté sans pasteur, où chacun, lors des réunions, parle librement selon ce que l'Esprit lui inspire. Élevé dans un milieu évangéliste, moralisateur et légèrement millénariste, Jan apprend à connaître l'œuvre de Jacob Bœhme. Apprenti chez un peintre, il décide de devenir graveur : il sera l'un des illustrateurs hollandais les plus talentueux et laisse plus de 3 000 eaux-fortes à son nom. Plus tard, son fils Kaspar, qui mourut avant lui à l'âge de 35 ans, le secondera dans ce travail.

Luyken, « poète né », entre très tôt en poésie. Dès 1671, paraît la *Duytse Lier* (*La Lyre néerlandaise*), un recueil de chansons d'amour de formes diverses où, malgré une certaine conscience de la précarité des choses, s'exprime une joie de vivre exubérante.

Vers 1675 cependant, Luyken se convertit, est baptisé et décide de renoncer au monde pour une vie ascétique, inspirée de la Bible et des mystiques, notamment de Jacob Bœhme. Estimant *La Lyre néerlandaise* trop mondaine, il tente alors, en vain, d'en racheter les exemplaires : le succès du recueil en avait multiplié les éditions sauvages.

En 1678 paraît *Jezus en de ziel* (*Jésus et l'âme*), un recueil d'emblèmes exprimant la montée de l'âme vers Dieu, son origine et sa réelle patrie. Ces textes qui les légendent sont mêlés avec des fragments en prose empruntés à Bœhme et à d'autres mystiques. Un second livre édifiant, où tout, vers et eaux-fortes, est de lui, paraît en 1687, *Vonken der liefde Jezu van het God-begerende zielen vuur* (*Étincelles de l'amour de Jésus venues du feu de l'âme pleine du désir de Dieu*), ouvrage d'une unité exemplaire, qui oppose la précarité du monde à la grâce de l'amour de Dieu. Viennent ensuite *Het menselyk bedryf* (1694, *Les Arts et métiers*, intitulé *Spiegel van 't menschelyk bedryf — Miroir des arts et métiers* — dans une partie de la 1re édition), un livre d'emblèmes composé de cent eaux-fortes représentant minutieusement les outils et le cadre de travail de chaque métier, où les légendes gravées établissent un lien concret entre l'activité terrestre et l'aspiration au salut céleste. Suivent encore *Beschouwing der wereld* (*Contemplation du monde*, 1708), recueil de cent gravures avec des poèmes spéculatifs et moralisateurs, et *De bykorf des gemoeds* (*La Ruche du cœur*, 1711), truffé de leçons de morale. En 1712, l'année de la mort de Luyken, paraissent enfin les considérables *Schriftuurlyke geschiedenissen en gelykennissen* (*Histoires et paraboles de l'Écriture*), avec des illustrations bibliques, et *Des menschen begin, midden en einde* (*Les Différents Âges de l'homme*), où l'enfant est très finement dessiné dans son monde. Deux recueils de lettres spirituelles furent publiés posthumes et révélèrent qu'autour de Luyken s'était rassemblé un cercle d'esprits aux tendances pieuses et mystiques.

La gloire du poète lyrique, chez Luyken, repose sur *La Lyre néerlandaise*, recueil caractérisé par sa mélodie, sa naïveté légère et sa versification habile. Mais les œuvres ultérieures ne sont pas moins marquantes, où se conjoignent poésie et image, où allégorie et symbole travaillent le sens, dans une langue à l'éloquence simple et noble.

G. A. van Es, "Wereldverzaking en protestantse mystiek". – In : *Geschiedenis van de letterkunde der Nederlanden* / F. Baur. – Antwerpen : Standaard, 1952. – [Tome V, pp. 336-375].

Jan Luyken als dichter van de Duytse Lier/ K. Meeuwesse. – Groningen : Wolters, 1952. – 316 p.

LA LYRE NÉERLANDAISE 400

P. Brachin — 1996

Surprise.

Clairette, la fière, allait se baigner,
Nue comme la main, dans un ruisselet
Aux rives parsemées de trèfle,
Sous l'ombreuse frondaison d'un saule.
Renaud, le coquin, était là qui l'épiait,
La mangeant des yeux, à travers les roseaux.
Soudain, d'une voix douce, il lance :
« Va plus profond, jusqu'aux genoux ! »
Et elle de s'esquiver, le rouge au front.

Traduction inédite. — *Duitsche Lier* / Jan Luyken. – In 's Gravenhage : By H.H. van Drecht, 1783. – [P. 76].

CHANSONS MORALES ET ÉDIFIANTES 401

P. Brachin — 1996

Dieu, éternellement, ne fait que donner. — Cette incitation à abandonner le monde en échange de l'amour de Dieu part de la conviction que tout est vanité.

Dieu, éternellement, ne fait que donner,
Ses bienfaits coulent en torrent,
Son amour entraîne vers la vie,
Laisse-toi porter par ce courant
Abandonne le monde et ses faux-semblants,
Ne résiste pas davantage,
Alors tu trouveras le bonheur.

Le bonheur est sans mesure
Pour qui choisit la volonté divine
Et entend renoncer à tout
Ce qui nous fait perdre Dieu.
Car eussions-nous tout possédé ici-bas,

Le monde n'aurait pu nous offrir
Que vanité et que néant.

Non ! Ô jours ébouissants,
C'est dans votre lumière que nous marchons,
Afin de pouvoir, porteurs de vie,
Franchir les vantaux grands ouverts :
Plus de remords dès lors pour nous ronger,
Toute souffrance s'estompera derrière nous,
Ce sera l'éternelle félicité.

Traduction inédite. — *De zedelyke en stichtelyke gezangen* / Jan Luyken. – Te Amsteldam : By de Wed. P. Arenzt en K. vander Sys, 1709. – [P. 118].

CHANSONS MORALES ET ÉDIFIANTES 402

P. Brachin — 1996

De la sérénité des hommes pieux. — Au milieu de la guerre et des désastres, l'homme pieux est en paix. Son trésor est invisible, comment pourrait-on le lui dérober ?

Que soudards et profanateurs, que brigands et incendiaires
Ravagent, oui ravagent les campagnes,
Que viennent le tonnerre, l'ouragan, les grandes eaux,
Où est le dommage, oui le dommage pour l'homme pieux ?

Lorsque des bruits sinistres font soupirer les autres,
Qu'ils se tournent, se retournent et prennent la fuite,
Lui connaît la paix, la sérénité et la joie,
À l'abri, oui à l'abri de la vertu.

Son trésor est invisible et vaut bien davantage,
Davantage, oui, que ciel et terre.
Sa force, son pouvoir sont au-dessus de tout :
Que pourrait-on, oui, que pourrait-on lui dérober ?

Vient-il à perdre ses biens et sa vie tout à la fois,
Il n'en sera que plus proche, oui plus proche
De son Seigneur, de Celui qui est son origine, sa richesse, sa vie.
Pourquoi donc, oui pourquoi vouloir demeurer ici-bas ?

Traduction inédite. — *De zedelyke en stichtelyke gezangen* / Jan Luyken. – Te Amsteldam : By de Wed. P. Arenzt en K. vander Sys, 1709. – [P. 56].

CONTEMPLATION DU MONDE 403

P. Brachin — 1996

« *Qui s'enferme, s'exclut* ». — L'aurore attend l'homme derrière des volets fermés. Devant la fenêtre du cœur humain, le créateur de l'aube attend aussi qu'on le fasse entrer.

Sois la bienvenue, belle aurore,
Qui, surgissant de ton étincelante demeure,
Fais briller sur nous l'éclat de tes rayons !
J'ouvre ma fenêtre à ta lumière,
Le visage joyeux,
Pour t'accueillir avec amour.
Tu ne tardes pas dès que j'ouvre,
Tu t'empresses d'entrer.
Que dis-je ? Avant même que je n'apparaisse à la fenêtre,
Alors que je suis encore en proie aux ténèbres,
Tu es déjà là à m'attendre
Devant la croisée close.
C'est ainsi que le Maître qui t'a créé, ô soleil,
Pour répandre ta lumière sur le monde.
Lui, le soleil des soleils,
Fait resplendir l'éternel bonheur
Devant la fenêtre fermée de l'âme
Misérable ver de terre, sous ce toit de chaume,
Entre ces murs de torchis, que fais-tu donc ?
C'est le Seigneur des Seigneurs
Qui est là devant ta pauvre hutte
Et, loin de mépriser ta petitesse,
Se tourne vers toi.
Qu'il entre, qu'il entre, l'hôte insigne,
Il te fera avancer à grands pas vers le salut.
Il arrive chargé de bénédictions,
Il apporte une joyeuse nouvelle.
Bonheur éternel plutôt que malheur éternel
Voilà pour toi tout l'enjeu.

Traduction inédite. — *Beschouwing der wereld* / Jan Luyken. – Te Amsteldam : By de Wed. P. Arentz en K. vander Sys, 1708. – [Pp. 175-176].

CONTEMPLATION DU MONDE 404

P. Brachin — 1996

« *Qui aime le bien, trouve le bien* ». — Variation sur un lieu commun de la nature, pris ici dans son sens spirituel.

L'abeille certes se pose sur mille fleurs,
Pourtant elle ne rapporte
Ni poison ni autre chose ignoble,
Son fardeau n'est que cire et que miel.
C'est ainsi que les sens de l'homme,
Lorsqu'ils prennent leur essor à partir de l'âme,
Devraient laisser le venin aux araignées
Et ne recueillir que le miel
Qui remplit le cœur de sa céleste douceur.
L'homme, dès lors, ne sera point mal partagé.
Il trouvera dans les sublimes demeures
Un pays où règne éternellement l'été.
Là il pourra s'ébattre à loisir,
Voler insouciant de ci, de là,
Et se délecter de fleurs paradisiaques,
Là il connaîtra des délices sans bornes.
Ô homme, toi qui es appelé à un plus haut destin,
Qui n'es pas fait pour récolter le mortel venin
Des vanités du monde
Sur des fleurs à la mine trompeuse,
Quitte la fatale engeance des araignées,
Rejoins les nobles abeilles
Et remplis ton cœur de ce nectar
Dont tu te nourriras pour l'éternité.

Traduction inédite. — *Beschouwing der wereld* / Jan Luyken. – Te Amsteldam : By de Wed. P. Arentz en K. vander Sys, 1708. – [Pp. 271-272].

CHRISTIAN REUTER

ALLEMAND **1665 - après 1713**

La production littéraire de Christian Reuter se place au cœur d'une période de transition longtemps négligée qui va de la fin du haut-baroque allemand à l'époque marquée par Gottsched. La plus grande partie de l'œuvre de Reuter est tombée rapidement dans l'oubli ; seul son roman *Schelmuffsky*, dont on ne connaissait plus l'auteur, eut un regain de succès au début du XIXe siècle et devint même l'objet d'un véritable culte chez les romantiques de Heidelberg. C'est Friedrich Zarncke qui, en 1884, révéla le nom du père de *Schel-muffsky* et qui apporta des renseignements fondamentaux sur sa vie et son œuvre.

Christian Reuter est né à Kütten, petit village de la région de Halle, qui à cette époque-là faisait partie de la Saxe Électorale, dans une famille de paysans peu fortunée. Grâce à l'aide du pasteur de son village et des barons qui patronnaient sa paroisse, le jeune Reuter put quitter sa ferme natale pour continuer ses études au collège. En 1682, il fut admis à la Thomasschule, l'école des pauvres de Leipzig, qui donnait la priorité à l'enseignement musical. Il en fut exclu l'année suivante pour manque d'assiduité et mauvaise conduite. Il fréquenta ensuite le collège de Merseburg où il prolongea ses études jusqu'à l'âge de vingt-trois ans dans l'attente d'une bourse d'enseignement supérieur. En 1688, Reuter put enfin entreprendre le droit à l'Université de Leipzig. En 1695, l'éternel étudiant, qui menait une vie déréglée et avait de graves difficultés financières, fut mis à la porte par sa logeuse, la veuve Müller. Il écrivit pour se venger une comédie satirique *L'Honnête Femme de Plissine* et la publia la même année sous le pseudonyme d'Hilarius.

Cette œuvre allait au-delà du simple pamphlet. Reuter y faisait un portrait impitoyable des nouveaux riches de l'époque qui cherchaient à copier la noblesse et ne parvenaient qu'à se rendre ridicules. À cette bourgeoisie ignare et vaniteuse, Reuter opposait les étudiants cultivés qui incarnaient la vraie honnêteté et le sens de la mesure. La veuve Müller, qui se reconnut dans le personnage principal, déposa une plainte auprès du tribunal universitaire. La commission de censure interdit la vente de l'ouvrage et Reuter fut incarcéré pendant quelques semaines en 1696. Peu après sa sortie de prison, l'imprudent étudiant récidiva. Il composa un sermon satirique *Monument en l'honneur de l'honnête femme* (imprimé l'année suivante) et publia la première version de son roman *Schelmuffsky* dont le héros principal avait été inspiré, à l'origine, par le fils aîné des Müller. L'irascible aubergiste déposa une nouvelle plainte contre Reuter. En réalité, dans ce roman, la satire personnelle s'effaçait presque entièrement devant la satire sociale et littéraire. Au cours de cette même année 1696 parurent également une suite de la première comédie, *La Maladie et la mort de l'honnête femme*, et un opéra bouffe *Le Jouvenceau charmant seigneur Schelmuffsky*. En juillet 1697, la justice réussit à mettre la main sur Reuter qui était resté jusque-là introuvable. Il passa à nouveau huit semaines dans un cachot sordide. À sa sortie, il fut exclu pour six ans de l'Université et interdit de séjour à Leipzig. Il se réfugia alors à Merseburg et tenta en vain, avec l'appui de nobles des branches cadettes saxonnes, de faire revenir l'Université sur sa décision. Cette même année parut une deuxième version remaniée et étoffée de son roman *Schelmuffsky*. Bravant les décisions de l'Alma mater, Reuter fit en 1699 un bref séjour à Leipzig au cours duquel il fut reconnu. Le

Conseil des Professeurs décida alors de l'exclure définitivement.

En mars 1700, Reuter, qui avait trouvé d'influents protecteurs à la Cour, vint s'installer à Dresde où il devint le secrétaire privé du chambellan R.G. von Seyfferditz. Dès le mois de mai parut, « avec l'autorisation spéciale du Prince Électeur de Saxe, Roi de Pologne » une nouvelle comédie, *Le Comte Ehrenfried*, dont le héros principal avait été inspiré à Reuter par un curieux personnage de la Cour, un noble ruiné et extravagant qui jouait les bouffons. L'auteur y ridiculisait par la même occasion sous les traits d'Injurius un avocat de Leipzig avec lequel il avait eu des démêlés. La pièce fut représentée au théâtre de la ville universitaire malgré les efforts que déploya son adversaire pour la faire interdire.

En 1703, nous retrouvons Reuter à Berlin où il a décidé de tenter sa chance comme poète de cour. La première année, il y compose deux divertissements pour la cour prussienne : *La Spree en liesse* et *Mars et Irène*, commandés spécialement par la reine Sophie Charlotte. Il semble être ensuite tombé en disgrâce, car ses œuvres de circonstance s'espacent et deviennent de plus en plus insignifiantes. Ses nombreux échecs semblent l'avoir conduit alors vers la résignation et la religion. La seule œuvre marquante de cette période est un oratorio, *Pensées de la Passion* (1708), où il essaie de renouer avec la simplicité des anciennes Passions. À partir de 1713, on perd la trace de Christian Reuter. Il est possible qu'il soit retourné dans sa Saxe natale.

Parmi les productions de Reuter, le *Schelmuffsky* occupe indéniablement la première place. Difficile à ranger dans une catégorie bien précise, ce roman est tout d'abord une parodie des récits de voyage tant prisés à l'époque. Il doit aussi beaucoup au roman picaresque auquel il emprunte sa forme et de nombreux motifs. L'œuvre de Reuter ne partage pas toutefois la vision pessimiste du monde qui caractérise le roman picaresque allemand. Son intention n'est pas de faire découvrir au lecteur le *mundus perversus*, de lui faire prendre conscience de l'instabilité des choses humaines, mais de démasquer un petit bourgeois inculte, un simple picaro qui veut faire passer ses dérisoires expériences pour des aventures héroïques. Dans ce but, Reuter utilise d'autres genres romanesques, les romans courtois et les romans galants qu'il tourne par la même occasion en dérision. Schelmuffsky puise dans ses souvenirs de lecture pour embellir la vérité, mais son récit, produit d'une imagination limitée, laisse transparaître à tout instant la banale réalité. Reuter renouvelle ainsi le roman mensonger allemand.

Ce qui différencie de façon générale l'œuvre de Reuter de celles des générations précédentes, c'est l'absence de didactisme et de moralisme. Reuter se moque certes de la folie sociale de ses personnages, mais il le fait sans sévérité. On sent même qu'il a pour eux de la compréhension, voire de la sympathie. À tout moment percent un humour et une joie de vivre que l'on chercherait en vain chez les auteurs du haut-baroque en Allemagne.

Christian Reuter, der Verfasser des Schelmuffsky : sein Leben und seine Werke / Friedrich Zarncke. – Leipzig : Hirzel, 1884. – 207 p. – (*Leipzig Sächsische Akademie der Wissenschaften, Abhandlungen [...] Philosophisch-historische Klasse* ; Bd 9).

Christian Reuter / Wolfgang Hecht. – Stuttgart : Metzler, 1966. – VI-69 p. – (*Sammlung Metzler* ; 46 / *Realienbücher für Germanisten. Abt. D : Literaturgeschichte*).

Christian Reuter / Yves Montanier. – 1981. – 768 p. – [Thèse de Doctorat d'État, Paris-Sorbonne, en dactylographie].

SCHELMUFFSKY 405

Y. Montanier — 1996

Le Grand Mogol, sapristi ! (Chapitre V). — Schelmuffsky est venu prématurément au monde à cause de l'apparition d'un rat qui avait effrayé sa mère. Cette « naissance merveilleuse » est pour lui une sorte de succédané de noblesse. Ce petit bourgeois borné et hâbleur décide très tôt de quitter son village natal pour partir à la découverte du vaste monde. En compagnie d'un comte, dont il fait la connaissance peu après son départ, il se rend d'abord à Hambourg, puis à Stockholm et en Hollande où, selon ses dires, il fréquente la haute société et où les dames les plus distinguées tombent follement amoureuses de lui. Les deux compagnons décident ensuite de partir pour les Indes. Voici la fin du voyage et l'arrivée dans l'empire du Grand Mogol. Reuter parodie les récits de voyage qui regorgeaient d'imprécisions, d'inexactitudes, voire de grossières invraisemblances. Le motif de la mer figée est un vieux motif légendaire emprunté à un roman du Moyen Âge, le *Duc Ernst*, qui la situa pour la première fois en Orient. L'Inde ici décrite ressemble étrangement à la Saxe, avec prairies, gardeur d'oies et rémouleur. À Agra, l'illustre inconnu est accueilli par le Grand Mogol comme un véritable prince, dans un décor oriental de pacotille.

Nous poursuivîmes notre voyage et arrivâmes au bout de quelques jours en vue de la mer figée tout près de laquelle nous devions passer. Sapristi, combien de bateaux étaient immobilisés dans cette mer figée ! Le diable m'emporte, on aurait dit une grande forêt morte dont les arbres auraient été calcinés et il n'y avait âme qui vive sur ces bateaux. Je demandai au capitaine pour quelle raison il y avait tant de bateaux en cet endroit. Il me répondit qu'ils y avaient été poussés au cours de fortes tempêtes quand les marins qui voulaient aller en Inde avaient fait fausse route. Toutes les personnes qui se trouvaient sur ces bateaux étaient donc vouées à une mort lamentable.

Lorsque nous eûmes dépassé la mer figée, nous franchîmes l'équateur. Ah sapristi, quelle chaleur ! Le soleil nous brûla à tel point que nous fûmes bientôt, tous sans exception, noirs comme du charbon. Mon ami le comte, qui était un homme corpulent, tomba malade près de l'équateur à cause de cette horrible chaleur ; il s'alita et mourut, le diable m'emporte, avant même que nous ayons eu le temps de nous en apercevoir. Sapristi ! Comme je fus affecté par la mort de ce gaillard qui était mon meilleur compagnon de voyage ! Mais que pouvais-je faire ? Il était bel et bien mort et même si je m'étais rongé de chagrin à son sujet, je ne l'aurais pas fait revenir. J'agis donc avec promptitude. Je l'attachai très gracieusement à une planche selon la coutume des marins, lui mis deux ducats dans son pantalon de velours noir et l'expédiai ainsi sur les eaux. Le diable m'emporte, je serais bien incapable de dire à quiconque où il peut bien être enterré à présent.

Trois semaines après sa mort, nous arrivâmes par vent favorable en Inde où nous débarquâmes dans une belle prairie ; nous réglâmes au capitaine le prix du voyage, après quoi chacun partit de son côté. Je cherchai tout de suite à savoir où résidait le Grand Mogol. J'interrogeai d'abord un petit garçon coiffé d'un bonnet vert qui promenait ses jeunes oies dans la prairie où nous avions débarqué. Je m'adressai à lui en ces termes : « Écoute, petit, peux-tu m'indiquer où le Grand Mogol habite dans ce pays ? » Mais le jeune garçon ne savait même pas parler, il se contenta de faire un signe du doigt en disant « ...a, ...a ! ». Je poursuivais mon chemin dans la prairie quand un rémouleur vint à ma rencontre ; je l'interrogeai à son tour : Pouvait-il me faire savoir où habitait le Grand Mogol ? Le rémouleur me renseigna tout de suite ; il me dit qu'en Inde résidaient deux Mogols ; on appelait l'un le Grand Mogol, mais l'autre simplement le petit. Quand il apprit que je voulais me rendre chez le grand, il me dit tout de suite que j'étais encore à une heure environ de sa résidence ; je n'avais qu'à poursuivre mon chemin dans la prairie, je ne pouvais pas me tromper ; à l'extrémité de celle-ci, j'arriverais devant un grand mur d'enceinte, je n'aurais qu'à le contourner et il me mènerait jusqu'à la porte du château où résidait le Grand Mogol ; sa résidence s'appelait Agra. Après que le rémouleur m'eut donné ce renseignement, j'avançai dans la prairie et pensai en chemin au petit garçon au bonnet vert qui disait « ...a, ...a ». J'étais tout à fait convaincu que ce petit galopin, même s'il était incapable de parler, m'avait très bien compris et qu'il savait où habitait le Grand Mogol, seulement il ne pouvait pas encore prononcer Agra mais n'arrivait qu'à balbutier « ...a, ...a ». Les renseignements du rémouleur étaient, le diable m'emporte, rigoureusement exacts, car à l'extrémité de la prairie j'arrivai devant un grand mur d'enceinte que je contournai et quand il se termina, je me trouvai face à une porte d'une hauteur effroyable devant laquelle se trouvaient d'après mes calculs plus de deux cents trabans, l'épée nue à la main ; ils avaient tous des pantalons bouffants et des manteaux avec des manches à gigots. J'éventai tout de suite la mèche et pensai que c'était là que devait résider le Grand Mogol. Je m'empressai de demander aux trabans si leur maître était à la maison, sur quoi les gaillards se mirent à crier tous ensemble : « oui », puis il me demandèrent ce que je désirais. Je racontai alors sur le champ à ces trabans que j'étais un brave gars qui avait accumulé les expériences dans le monde et qui avait l'intention de continuer ; ils n'avaient qu'à prévenir le Grand Mogol de ma visite, lui faire savoir que j'étais Monsieur Untel et que je voulais lui dire quelques mots. Sapristi, douze d'entre eux gagnèrent aussitôt à toute allure l'appartement du Grand Mogol et lui annoncèrent mon arrivée. Ils revinrent bientôt au pas de course et me dirent d'entrer ; leur maître serait enchanté qu'un étranger l'honore de sa visite. Là-dessus, je passai entre les deux haies de la garde. J'avais à peine fait six pas que le Grand Mogol leur cria du haut de son appartement de me présenter les armes. Sapristi, lorsque les trabans entendirent cet ordre, ils bondirent sur leurs fusils et mirent leurs chapeaux sous le bras en me regardant avec la plus grande admiration. Je passai avec tant de distinction entre les deux files de gardes que cela produisit, le diable m'emporte, une forte impression sur le Grand Mogol. Lorsque j'arrivai au pied d'un grand escalier de marbre que je devais gravir, le grand Mogol vint à ma rencontre ; il descendit, le diable m'emporte, l'escalier jusqu'à mi-chemin pour m'accueillir, puis il me conduisit jusqu'en haut en me tenant par le bras. Sapristi, quelle belle salle se présenta alors à ma vue ! Elle scintillait et flamboyait d'or pur et de joyaux. Dans cette même salle, il me souhaita la bienvenue, se félicita de ma bonne santé et me dit qu'il n'avait pas eu depuis longtemps le bonheur de recevoir la visite d'un Allemand ; il s'informa ensuite de ma condition et de mes origines et me demanda qui j'étais. Je lui racontai alors très gracieusement ma naissance et l'histoire du rat et lui dis que j'étais un des plus braves gars du monde, un gars qui avait vu tant de choses et essuyé tant d'épreuves. Sapristi, avec quelle attention le Grand Mogol m'écoutait quand je racontais toutes ces choses ! Après ce récit, il me conduisit tout de suite dans une salle délicieusement décorée ; il me dit qu'elle était à mon entière disposition et que je pouvais rester chez lui aussi longtemps que je voudrais ; lui-même et sa femme en seraient ravis. Il appela aussi immédiatement des pages et des laquais qu'il souhaitait attacher à mon service. Sapristi, lorsqu'ils arrivèrent, ces gaillards firent devant moi de drôles de révérences ! Tout d'abord ils inclinèrent devant moi la tête jusqu'à terre, ensuite ils me tournèrent le dos et grattèrent le sol vers l'arrière avec les deux pieds à la fois. Le Grand Mogol leur donna l'ordre de bien me servir ; si la moindre plainte lui parvenait, aussi bien les laquais que les pages seraient envoyés aux cuisines. Là-dessus, il prit congé de moi et retourna dans ses appartements.

Traduction inédite. — *Schelmuffsky* / Christian Reuter ; zweite verbesserte Auflage ; Abdruck der Erstausgaben (1696-97) im Paralleldruck, hrsg. von Wolfgang Hecht. – Halle : Niemeyer, 1956. – (*Neudrucke deutscher Literaturwerke des XVI. und XVII. Jahrhunderts* ; 57/59). – [Pp. 55-58].

L'HONNÊTE FEMME DE PLISSINE 406

Y. Montanier — 1996

Il cause, il cause... (Acte III, scène 10). — Schlampampe, une matrone fruste et avare, qui se targue sans cesse d'honnêteté, est la patronne d'une auberge à Plissine. Ses deux filles, Charlotte et Clarille, qui sont aussi grossières et vulgaires que leur mère, ont la folie des grandeurs ; elles veulent toujours être habillées à la dernière mode et rêvent de se faire anoblir. Deux étudiants qui logent à l'auberge sont chassés par Schlampampe parce qu'ils ont offensé une de ses filles. Ils décident alors de se venger en introduisant chez elles deux jeunes vendeurs de bretzels qu'ils ont déguisés en gentilhommes (l'intrigue, ici, est inspirée des *Précieuses ridicules* de Molière). Dans cette scène, le fanfaron Schelmuffsky, fils prodigue de Schlampampe, qui revient d'un de ses nombreux voyages, raconte à sa famille ses aventures imaginaires. Tandis que sa mère, ses sœurs et la cuisinière Ursille boivent ses paroles, son jeune frère Däfftle tente de démystifier le récit. À la fin de la scène arrivent les deux faux gentilshommes qui vont chercher en vain à rivaliser de bonnes manières avec les deux filles jusqu'à ce que les étudiants décident de mettre fin à cette farce et de tourner les deux pécores en ridicule.

SCHLAMPAMPE

Aussi vrai que je suis une honnête femme, je n'ai ces derniers temps rien mangé d'aussi bon que ces carpes.

CHARLOTTE

Est-ce qu'il y a aussi beaucoup de poissons en Hollande ?

SCHELMUFFSKY

Le diable m'emporte, il y a des poissons gros comme des veaux ; ils ont sur le dos une épaisseur de graisse de plusieurs aunes.

URSILLE

Mon Dieu, ce doit être de ces poissons !

SCHELMUFFSKY

Il y a un an en Angleterre, j'ai vu faire cuire une carpe qui était grosse comme un petit enfant et qui avait plus de douze pintes de graisse.

CHARLOTTE

Les gens doivent manger beaucoup de poisson là-bas !

SCHELMUFFSKY

Quand nous avons pris le bateau, nous avons emporté plus de vingt quintaux de langues de brochet ; le diable m'emporte, c'est un mets très délicat. [...]

URSILLE

Mais que font-ils avec toutes ces langues ?

SCHELMUFFSKY

Lorsque nous avons été prisonniers, les corsaires français nous les ont toutes prises.

CLARILLE

Mais quelle sorte de gens sont ces corsaires ?

SCHELMUFFSKY

Ce sont des pirates. Dès qu'ils peuvent quelque part s'emparer d'un bateau, ils passent à l'abordage.

URSILLE

Est-ce que ce sont des gens comme ça qui vous ont fait prisonniers ?

SCHELMUFFSKY

Moi, comme les autres.

URSILLE

Ah, mon Dieu ! Est-ce que vous n'avez pas eu peur ?

SCHELMUFFSKY

Moi ! Le diable m'emporte, si tout le monde s'était défendu comme je l'ai fait, nous aurions remporté la victoire.

CLARILLE

Ils ne se sont pas défendus eux aussi ?

SCHELMUFFSKY

Certes, il a bien fallu nous défendre. Quand le bateau des corsaires arriva, je m'écriai : Messieurs, le diable m'emporte, voici l'ennemi ! Je descendis précipitamment à l'intérieur du bateau et pris toutes les dispositions pour que les canons soient prêts, mais l'ennemi nous tomba rapidement sur le dos si bien que nous fûmes forcés de nous rendre après un bref combat ; mais je peux dire sans me vanter que j'ai blessé à moi seul une trentaine de Français.

DÄFFTLE

Oui, je sais que tu as dû te défendre bravement ; seulement voilà, on connaît bien ton courage !

SCHELMUFFSKY

Petit, je te le dis, ferme ta gueule, ou je te flanque, le diable m'emporte, cette assiette à la tête.

DÄFFTLE

J'ai bien aussi le droit de placer un mot ?

SCHLAMPAMPE

Ah, tais-toi Däfftle ! Tu entends bien qu'il a accompli de grands exploits ?

CLARILLE

Est-ce que les bateaux qui traversent la mer sont si grands que ça ?

SCHELMUFFSKY

Le diable m'emporte, en Hollande, il y a des bateaux qui sont aussi grands que la moitié de Plissine.

URSILLE

Ah, mon Dieu ! Si grands ?

CHARLOTTE

Est-ce que de tels bateaux coulent aussi parfois ?

SCHELMUFFSKY

J'étais une fois sur un bateau aussi grand que ceux-là ; nous voulions aller en Inde orientale, mais une tempête survint qui projeta sur notre navire des vagues hautes comme des maisons ; il finit par heurter un écueil et se brisa en mille morceaux.

URSILLE

Tout le monde a dû se noyer ?

SCHELMUFFSKY

Il y avait 40.000 âmes sur le bateau, deux d'entre nous seulement s'en sont tirés.

CLARILLE

Mais comment vous en êtes-vous tirés ?

SCHELMUFFSKY

Nous avions une planche sur laquelle nous avons dû nager sur plus de cent milles avant d'atteindre la terre.

DÄFFTLE (secrètement à sa mère)

Ma mère, il ne raconte que des mensonges ; je crois qu'il n'a jamais vu un navire.

(On frappe à la porte)

SCHLAMPAMPE

Ursille, il me semble que quelqu'un frappe à la porte, va voir qui c'est.

(Ursille s'en va)

CHARLOTTE

Ainsi, c'est bien d'avoir une planche sur un bateau.

SCHELMUFFSKY

Un jour, une seule planche a sauvé la vie à cinquante d'entre nous.

DÄFFTLE

Je pense que ce sont des mensonges !

SCHELMUFFSKY

Tu parles de nouveau petit ? Tu veux certainement recevoir une gifle.

(Ursille revient)

SCHLAMPAMPE

Qui était-ce, cuisinière ?

URSILLE

Figurez-vous, Madame Schlampampe, il y a deux freluquets dehors qui demandent si on peut les loger.

CHARLOTTE

Ont-il l'air galant ?

URSILLE

Extrêmement galant, l'un a un habit tout chamarré et l'autre un grand panache à son chapeau.

SCHLAMPAMPE

Je pense que ce doit donc être des prétendants !

CLARILLE

Ma mère, laissez-les donc entrer !

SCHLAMPAMPE

Dis-leur que s'ils veulent se contenter d'un logis modeste, il est à leur disposition.

CHARLOTTE

Ma mère, c'est heureux que nous soyons encore en grande toilette.

CLARILLE

Qui peuvent-ils bien être ?

CHARLOTTE

Les voici qui arrivent !

Traduction inédite. — *Christian Reuters Werke in einem Band* / [Reuter] ; hrsg. von Günter Jäckel. – Berlin ; Weimar : Aufbau-Verlag, 1965. – (*Bibliothek deutscher Klassiker*). – [*L'Honnête Femme oder die Ehrliche Frau zu Plissine*, pp. 41-43].

CONSTANTIN CANTACUZÈNE

ROUMAIN

Avant 1640 - 1714

Intelligence critique aiguë et avide de science, esprit politique pénétrant et efficace, conscient de sa valeur personnelle et de sa haute lignée — les Cantacuzène, liés à l'histoire de Byzance, et les Bassarabe, princes de Valachie —, le *Stolnic* (Grand Écuyer) Constantin Cantacuzène sut mettre à profit jusqu'aux errances que lui valut la haine que les boyars Băleni et sa famille se vouaient : à chacun de ses voyages, il étudia les érudits byzantins et occidentaux, recopia leurs œuvres ou en acheta des imprimés.

À Braşov ou à Iaşi, à Andrinople ou à Constantinople, mais surtout durant les 16 mois qu'il passe à Padoue, ce neveu du voïévode Radu Şerban, cet arrière-petit-fils du voïévode Radu de la Afumaţi s'appliqua à accumuler les connaissances : la médecine, le droit, l'astronomie de Galilée, mais aussi l'astrologie, la philosophie, la littérature. En Valachie, dans la bibliothèque de Mărgineni, il rangera plus tard l'*Odyssée* et l'*Iliade*, les écrits de Tite-Live, Virgile, Horace et Ovide, à côté d'autres écrivains antiques et modernes. Ses préoccupations iront aussi aux disputes théologiques et philosophiques, et aux discussions de géographie et d'histoire au sujet du territoire des Roumains.

L'humanisme de Constantin Cantacuzène, comme celui d'autres érudits roumains, est « civique ». Ses écrits n'ont pas pour propos principal de déployer sa culture, mais d'établir des certitudes concernant l'histoire et les droits de son pays. Ainsi écrit-il dans son *Histoire du Pays Roumain* : « certains de ceux qui s'emploient à écrire à son sujet, étrangers et malveillants, n'écrivent pas la vérité, mais amoindrissent les choses, et dénigrent les habitants en leur jetant l'opprobre ». S'ils osent se conduire de cette manière, c'est parce que « la situation du pays est misérable et déplorable, chacun peut dire ou écrire ce que bon lui semble, car il n'y a personne qui, de la plume ou du poing, s'y oppose ou leur réponde ».

Frère aîné du voïévode Şerban Cantacuzène, Constantin s'est décidé à prendre la plume afin de contrer les calomnies et de recueillir des données utiles à la politique étrangère de son cadet puis, surtout, de son neveu le voïévode Constantin Brâncoveanu dont il fut le conseiller pendant plus de quinze ans.

Mettant à profit un corpus dont personne n'a bénéficié avant lui, il tente de répondre aux questions suivantes : quel est exactement l'espace géographique (le nord, ou le sud du Danube ?) où le peuple roumain s'est formé ? quels sont les éléments ethniques à l'origine de ce peuple ? qu'est devenue la majorité de la population de Dacie après la retraite, au sud du Danube, des armées romaines (271) ? quelles furent, jusqu'aux Huns, ses relations avec les peuples migrateurs.

L'évident caractère polémique de l'*Histoire du Pays Roumain* ne débouche cependant pas sur un plaidoyer passionné ; au contraire, il repose sur une recherche critique des sources et un effort constant de discernement.

Un grande erudito romeno a Padova : lo « Stolnic » Constantin Cantacusino / R. Ortiz ; N. Cartojan. – Bucureşti, 1943. – 91 p.

Virgil Cândea, "Le stolnic Constantin Cantacusène. L'homme politique – l'humaniste". – In : *Revue Roumaine d'Histoire*, V, n°4 (1966), pp. 587-629.

Humanisme, Baroque, Lumières : l'exemple roumain / Alexandru Duţu. – Bucureşti : Ed. Ştiintificá şi Enciclopedicá, 1984. – 146 p.

C. Velculescu, "Kosmographien und Historiographie". – In : *Cahiers Roumains d'Histoire Littéraire*, n°2 (1985), pp. 40-51.

C. Velculescu, "Les lettrés roumains et les cosmographies occidentales". – In : *Synthesis*, XVII (1990), pp. 61-66.

HISTOIRE DU PAYS ROUMAIN 407

Histoire, critique et subjectivité. — Soucieux d'esprit critique, l'auteur entend bien distinguer connaissance dogmatique et connaissance scientifique.

Sur l'origine des Valaques, c'est-à-dire des Roumains, et d'où ils viennent, et comment ils furent, les historiens écrivirent et dirent des tas de choses. Ils diffèrent beaucoup les uns des autres dans ce qu'ils ont raconté, et il m'est impossible de nommer tous ceux qui écrivirent au sujet de ce que fut la Dacie et de ce que sont, de nos jours, les Valaques.

Il me faudra beaucoup de temps pour rendre compte de tous ces écrits, et les historiens incriminés se fâcheront, tout comme les connaisseurs seront troublés de ne pouvoir choisir qui a raison. Celui qui sera le plus soucieux et désireux de parfaire ses connaissances à ce sujet, qu'il lise les écrits des historiens, au moins de ceux que j'ai mentionnés et que je continuerai à mentionner comme ayant écrit à propos de ce pays ; et à ce qu'ils apprendront des uns et des autres, ils ajouteront leurs propres avis, en considérant qu'il y en a qui ont parlé plus correctement, et en faisant confiance à ceux-ci, et en considérant les autres comme des diseurs de contes, ce que nous devons faire, nous aussi.

Leur faire confiance ou non n'est pas un péché capital : il ne s'agit pas des dogmes de l'Église ou de ceux qu'ont énoncés, illuminés par le Saint-Esprit, les saints Pères au service de la sagesse. Ils ne racontent que des histoires politiques, s'inspirant les unes des autres, ajoutant aux anciennes, de tradition écrite ou orale, les histoires élaborées de leur vivant. Mais il faut reconnaître que même celles-ci ne sont pas entièrement véridiques : si l'un écrit d'une manière, celui qui le déteste écrit d'une autre ; quand il s'agit d'un étranger, il écrit d'une certaine manière ; celui qui est furieux manie la plume d'une façon, et celui qui ne l'est pas l'apprivoise d'une autre ; et beaucoup d'autres circonstances analogues expliquent pourquoi ils n'écrivent pas tous la vérité. Il est bien rare de trouver quelqu'un qui soit assez juste et bon pour avouer et pour écrire avec justesse, après avoir examiné attentivement les faits, afin de léguer à l'humanité des choses écrites en toute rigueur scientifique et parfaite probité.

Traduction inédite. — *Cronicari munteni*/ Constantin Cantacuzène ; édité par Mihail Gregorian ; étude introductive par Eugen Stănescu. – Bucureşti : Ed. pentru Literatură, 1961. – [*Istoria Tării Rumânesti*, pp. 34-35].

HISTOIRE DU PAYS ROUMAIN 408

Les Roumains, peuple roman. — L'appartenance des Roumains aux peuples romans ne fait pas de doute ; le *Stolnic* l'affirme avec vigueur car, plus encore qu'une vérité historique, cette affirmation constitue une option constante pour cette communauté culturelle et spirituelle.

Et nous, à côté de tous ceux qui sont des Roumains, nous sommes enclins à croire, nous appuyant sur les historiens les plus distingués, les plus anciens comme les contemporains, que les « Valaques », nommés ainsi par les étrangers, ou « Roumains »[1], nom par lequel nous nous désignons nous-mêmes, sont de vrais Romains et, de plus, des Romains de marque (par notre croyance et notre bravoure), installés ici par l'empereur Trajan après avoir conquis et anéanti Décébale. Ensuite, tous les autres empereurs les ont laissés vivre ici, et c'est de leur souche que sont issus les Roumains.

Mais j'entends par « Roumains » non seulement ceux qui vivent ici, en Valachie, mais aussi ceux de Transylvanie, qui sont encore plus authentiques, ainsi que les Moldaves, et tous ceux qui parlent la même langue, bien qu'ils vivent ailleurs, et même s'il est possible de trouver dans leur langue d'autres mots à cause du mélange des langues [...], tous sont des Roumains. Ainsi que je le disais, ce sont aussi des Romains car ils proviennent et découlent de la même souche.

Traduction inédite. — *Cronicari munteni*/ Constantin Cantacuzène ; édité par Mihail Gregorian ; étude introductive par Eugen Stănescu. – Bucureşti : Ed. pentru Literatură, 1961. – [*Istoria Tării Rumânesti*, p. 52].

---

1 *Rumâni*. (N.d.t.)

ÉLIE MENIATIS

GREC **1669-1714**

Il naît à Lixouri, dans l'île de Céphalonie, dépendant à l'époque de la République de Venise, alors que la Grèce se trouve sous le joug turc. Fils de l'archiprêtre orthodoxe Frangiskos Meniatis, second dans la hiérarchie après l'évêque de l'île, il entre, âgé d'à peine 10 ans, au Séminaire orthodoxe de Venise où il étudie avec succès durant huit ans. Nommé instituteur et prédicateur laïc à Saint-Georges, la « très belle église des Hellènes orthodoxes » de Venise, il est, à 20 ans, diacre et secrétaire du Métropolite de Philadelphie.

Instituteur, connaissant six langues (grec, hébreu, latin, allemand, français, italien), c'est sa fonction de prédicateur qui marque sa vie. Son éloquence le fait connaître dans toute la Grèce et lui permet d'occuper des postes en vue à Céphalonie, à Zante, à Corfou, à Venise, à Nauplie et à Constantinople, où il est nommé « prédicateur de la Grande Église du Christ » et où l'ambassadeur de Venise l'invite. C'est là qu'il rencontre le prince de Moldavie Dimitrie Cantemir qui lui confie une mission diplomatique à Vienne auprès de l'empereur Léopold. Sa réputation d'orateur conduit enfin le gouverneur vénitien du Péloponnèse à lui proposer le trône épiscopal de Christianoupolis, en Messinie, qu'il refuse. Il accepte finalement le diocèse de Kernika et Kalavryta et, après quatre ans d'épiscopat, meurt à Patras, laissant son œuvre inachevée.

Grande figure de l'Église et, par là, à l'époque de l'occupation turque, de la nation grecque, Elias Meniatis, par sa personnalité et par sa prédication, fortifia la foi des chrétiens asservis, les guida dans la vie et contribua à sauvegarder leur conscience nationale.

De ses œuvres, on ne conserve qu'un ouvrage de controverse, *Pierre d'achoppement,* relatif au schisme, et un volume d'*Instructions et discours,* publié par son père après sa mort. Dans ses sermons, en théologien, il met en garde contre la philosophie, qui pourrait supplanter jusqu'à un certain point la théologie parmi les gens cultivés ; contre le protestantisme qui, par sa doctrine de la prédestination, risque de dispenser des œuvres dans l'accomplissement du salut et d'évacuer l'objectivité de la présence divine dans l'Église par son piétisme ; contre la foi populaire, qui troque la pureté de l'Orthodoxie contre la superstition ; contre la foi « aveugle », qui ignore son propre contenu ; enfin contre la foi « morte », qui n'agit pas « par la charité ». Aujourd'hui encore, après 23 réimpressions augmentées, ces sermons continuent de se lire, et d'émouvoir.

Orthodoxe intègre, mais influencé par la théologie scolastique, il n'opposa l'Orthodoxie au Catholicisme romain que sur certains points. À ses yeux, la caractéristique principale de l'Orthodoxie est la synthèse de la foi et des bonnes œuvres. Son effort de présenter la morale orthodoxe comme partie intégrante de la nature humaine appartient aux prémices des Lumières.

Orateur de grand talent, sa prédication fut nourrie du baroque italien et des grands Français, notamment Bossuet et Bourdaloue († 1706).

Spirituels néo-grecs XVe-XXe siècle / Astérios Argyriou. – Namur : Éditions du Soleil Levant, 1967. – [Pp. 23-26].

E.Th. Coulombis, “Le grand prélat et prédicateur Elias Meniatis comme diplomate”. – In : *Theologia* 40 (1969), pp. 430-436.

Griechische Theologie in der Zeit der Turkenherrschaft 1453-1821 : die Orthodoxie im Spannungsfeld der nachreformatorischen Konfessionen des Westens / G. Podskalsky. – München : Beck, 1988. – [Pp. 319-323]. – [Avec bibliographie exhaustive internationale].

INSTRUCTIONS ET DISCOURS 409

M. Stavrou — 1996

Le saint et grand Vendredi, pour la Passion salutaire. — Les thèmes de la prédication de Miniatis sont puisés dans la péricope évangélique qui se rapporte à la personne ou à l'événement liturgique du jour. Choix des thèmes et manière de les traiter présentent une dimension pastorale, c'est-à-dire en rapport avec le salut. Ce souci apparaît dans l'introduction au prêche du Vendredi saint, où l'on remarquera la mise en valeur rhétorique des oppositions.

Comment Dieu a *formé* l'homme, et comment l'homme a *transformé* Dieu ! Dieu, dans le paradis des délices, a pris de la terre du sol, l'a modelée de ses mains, animée de son souffle, honorée de son image, et a fait l'homme. L'homme a établi Dieu au sommet du Golgotha, sans forme, sans souffle, tout sanglant et couvert de plaies, pendu à un bois.

Là, je vois Adam tel que Dieu l'a créé, image vivante de Dieu, couronné de gloire et d'honneur, souverain libre régnant sur toutes les créatures en-deçà de la lune, jouissant de toute la félicité terrestre. Ici, je vois Jésus-Christ, tel que l'homme l'a établi, sans beauté, sans forme humaine, couronné d'épines, condamné, humilié, placé entre deux larrons, et dans l'angoisse de la mort la plus douloureuse. Je compare les deux images l'une à l'autre, celle d'Adam au Paradis, à celle du Christ sur la Croix, et je me dis : Quelle belle créature les mains généreuses de Dieu ont-elles fait de l'homme, et quel spectacle pitoyable les mains iniques des hommes ont-elles fait de Dieu !

Instructions et discours pour le Saint et Grand Carême ainsi que d'autres dimanches de l'année et fêtes solennelles, assortis de quelques sermons de circonstance / Elias Meniatis ; édition d'Anthime Mazarakis. – Venise, 1849. – [P. 247].

INSTRUCTIONS ET DISCOURS 410

M. Stavrou — 1996

Chrétiens, en quel Dieu croyez-vous ? — L'une des caractéristiques de l'Orthodoxie est, pour Miniatis, le lien entre la foi et les œuvres. Mais la foi des chrétiens d'alors lui pose problème. C'est une foi « aveugle », une foi plongée dans l'ignorance. La raison, au temps de l'occupation ottomane, en est l'absence de prédication. Les dangers d'une foi « aveugle » sont analogues à ceux que recèlent les hérésies, en particulier à cette époque où fleurissent les écrits théologiques réfutatoires.

Mais si les chrétiens ne connaissent pas ce en quoi ils croient, en quoi croient-ils donc, alors ? Je dois le dire et je devrais le dire avec larmes. Je vois deux inscriptions concernant la divinité adorée par les hommes sur cette terre : l'une en Judée parmi les juifs, l'autre à Athènes parmi les Grecs. La première dit : « Dieu connu en Judée », la seconde : « Au dieu inconnu ». Cela veut dire qu'en Judée Dieu est connu, et qu'à Athènes Dieu est inconnu ; les juifs savent et les Athéniens ne savent pas quel Dieu ils adorent.

À présent, laquelle de ces deux inscriptions devrions-nous installer dans les églises des chrétiens ? Moi, je dis : « Au Dieu inconnu », car en vérité les chrétiens adorent un Dieu qu'ils ne connaissent pas ; les chrétiens croient en un Dieu, mais ils ne savent pas qu'Il est Dieu au ciel, où Il a une nature et trois hypostases, et Dieu-homme sur terre, où Il a deux natures et une hypostase.

« Au Dieu inconnu » : Les chrétiens croient en un Seigneur Jésus-Christ, mais ils ne connaissent ni les merveilles de sa vie, ni la vérité de son enseignement, ni la dignité de sa sainte Passion, ni l'immensité de sa gloire. « Au Dieu inconnu » : Les chrétiens possèdent l'Évangile mais ils ne connaissent de l'Évangile ni les commandements ni les enseignements ; ils gardent les fêtes de l'Église mais ne connaissent pas la finalité de l'Église. Ah ! Vu la manière dont se déroulent aujourd'hui les fêtes des chrétiens, rien ne les distingue des festivités des païens ! Ils observent des jeûnes, mais ils ne savent pas à quoi engage le jeûne : Jeûne et tempérance sont suivis envers les aliments mais non pas envers les passions, et, ensemble, la débauche et l'ivresse célèbrent la fête avec le jeûne et la tempérance. Ils reçoivent les sacrements mais ils ignorent la grâce des sacrements. Ils ont la foi mais ils n'ont pas la connaissance de la foi : Ils croient mais ils ne savent pas en qui : « Au Dieu inconnu ». Ils n'ont pas connu, ils n'ont pas compris, ils marchent dans les ténèbres.

Instructions et discours pour le Saint et Grand Carême ainsi que d'autres dimanches de l'année et fêtes solennelles, assortis de quelques sermons de circonstance / Elias Meniatis ; édition d'Anthime Mazarakis. – Venise, 1849. – [Pp. 152-153].

INSTRUCTIONS ET DISCOURS 411

M. Stavrou — 1996

Je cherche un chrétien... — La foi des chrétiens de l'époque n'est pas seulement ignorante, elle est aussi « morte », une foi sans œuvres. On notera ici la référence exemplaire à la vie de Diogène.

Il était midi lorsqu'un jour Diogène alluma sa lampe et parcourut l'agora d'Athènes, tout en semblant chercher quelque chose. Ceux qui l'apercevaient riaient et lui demandaient : — Diogène, que cherches-tu ? — Je cherche un homme, répondait-il. — Mais quoi, tu ne vois donc pas tous ces hommes ? Tu ne fais pas face à tous ces hommes ? L'agora est remplie d'hommes et toi au beau milieu des hommes tu cherches un homme ? — Oui, je cherche un homme, je cherche un homme.

Mais quel genre d'homme cherche donc Diogène ? Il y a deux genres d'hommes : Tout d'abord les hommes qui ont seulement un aspect et une apparence d'homme ; ce sont des hommes par l'aspect extérieur, selon l'apparence : semblables sont les dépouilles mortelles, les statues et les représentations des hommes, mais à l'intérieur elles ne servent à rien. Bien plus, ces hommes sont comme des animaux sans intelligence, livrés aux passions ou à la grossièreté ; et de ceux-là Diogène en voyait beaucoup, mais de ceux-là il n'en cherchait point.

Il y a aussi des hommes qui, en dehors de l'aspect et de l'apparence humaines, possèdent aussi une sagesse et une vertu humaines, et aussi bien à l'intérieur qu'à l'extérieur sont tout à fait raisonnables, sages et vertueux, de véritables hommes : c'est l'un de ceux-là que cherchait Diogène dans la ville très peuplée d'Athènes et il ne le trouvait pas. Je cherche un homme, je cherche un homme...

Il me déplaît de faire la comparaison mais je dois dire la vérité. En un temps où l'Orthodoxie brille comme le soleil à midi, j'allume à mon tour la lampe de la parole évangélique, je pénètre dans une église pleine de chrétiens et je cherche un chrétien, je cherche un chrétien. Mais quoi ? Ceux que je vois ici et ailleurs dans les villes, les forteresses, dans les provinces, les royaumes, et dans la plus grande partie du monde, ne sont-ils pas des chrétiens ? Ce sont seulement ceux qui portent le nom de chrétiens. Ils ont une foi chrétienne mais ils n'ont pas de vie chrétienne ; bien plus, ils ont une vie qui va contre la foi, « gardant les formes de la piété mais en ayant renié la force »[1]. Ce n'est pas un de ceux-là que je cherche. Il y a des chrétiens qui, en dehors du nom, possèdent aussi les œuvres, qui ont en même

1 Référence à 2Timothée, 3,5. (N.d.t.)

temps et la foi et la vie, et qui à l'intérieur comme à l'extérieur sont tout à fait orthodoxes, de véritables chrétiens. C'est un de ceux-là que je cherche partout où se trouvent des chrétiens, et je n'en trouve pas. Je cherche un chrétien.

Je me rends de lieu en lieu pour en trouver un. Je le cherche sur les places publiques parmi les notables, mais ici je trouve un orgueil arrogant et je ne le trouve pas. Je le cherche dans les marchés parmi les marchands, mais ici je trouve une avarice insatiable et je ne le trouve pas. Je le cherche sur les routes parmi la jeunesse, mais ici je vois un grand dérèglement et je ne le trouve pas. Je sors du pays et je le cherche parmi les gens des contrées traversées, mais ici je vois tous les mensonges du monde et je ne le trouve pas. Je longe les côtes maritimes, je le cherche parmi les marins, mais ici je vois les blasphèmes les plus terribles et je ne le trouve pas. Je passe au milieu des troupes militaires, je le cherche parmi les soldats, mais ici je vois la perdition complète et je ne le trouve pas.

J'entre dans les maisons, je le cherche parmi les femmes, mais ici que vois-je ? Je vois des femmes mariées séparées de leurs maris se réjouir avec des hommes adultères ; je vois des non-mariées vivre du salaire de la prostitution. Je vois des femmes honorées qui ne songent qu'à leur toilette et autre vanité, et je ne trouve pas une chrétienne. J'aimerais monter dans les palais des grands et des puissants, pour voir là-bas aussi s'il y a quelque chrétien ; mais je n'ose pas, j'ai peur ; c'est la flatterie qui garde les lieux et ne laisse pas la vérité entrer.

C'est pourquoi, je viens à l'église, et vais jusqu'à l'autel ; j'espère trouver ici le chrétien que je cherche, parmi tant d'évêques, de prêtres, tant de moines, tant d'hommes consacrés, qui sont la nation sainte, le sacerdoce royal[1], les successeurs des Apôtres, les icônes vivantes du Christ. J'espère trouver un chrétien, et, bien plus, un saint, un ascète, un thaumaturge, un docteur, un Jean Chrysostome, ou un grand flambeau de l'Église : Je cherche, j'examine, je réfléchis, mais hélas que vois-je ?

Ici je vois des Lucifers pour l'arrogance, des juifs pour l'avarice[2], des Épicuriens pour les attraits de la chair, des animaux pour l'ignorance, des démons pour l'esprit calculateur. Je ne trouve ni saint, ni ascète, ni thaumaturge, ni docteur ; je ne trouve pas le chrétien que je cherche. Mais, Pères saints ! frères bien-aimés ! Cet habit angélique que nous portons,

---

1 Allusion à 1 Pierre, 2,9 (N.d.t.)

2 L'auteur reprend ici un préjugé hostile aux communautés de la diaspora juive, préjugé courant dans les chrétientés traditionnelles — en Orient comme en Occident (N.d.t.)

ces vêtements longs qui nous enveloppent, que sont-ils ? Seraient-ce des habits de pharisiens destinés à tromper les hommes par hypocrisie ? Cette empreinte divine du sacerdoce que nous portons, qu'est-elle ? Est-elle en fait destinée à nous faire gagner de l'argent ? Mais ces mystères immaculés que nous célébrons, que sont-ils ? Ou nous ne les connaissons pas, ou nous n'y croyons pas. Oh ! Grande honte de la foi ! Oh ! Immense condamnation des chrétiens !

Ne vous disais-je pas que nous en sommes arrivés à l'ultime catastrophe ? Tous, clercs et laïcs, notables et pauvres, hommes et femmes, enfants, jeunes et vieux ont dévié de la foi, se sont aliénés par leur vie ; il n'en est pas même un seul qui vive comme il croit. Chrétiens, comment pouvez-vous entendre cela et ne pas pleurer ? Et si vous ne voulez pas verser des larmes de componction, versez au moins des larmes de honte !

Quant à moi, je comprends, et la douleur de mon cœur ne laisse pas ma langue parler davantage. Je fais silence et je termine seulement par ceci : Chrétien, [...] Il faut que tu vives comme tu crois, et alors tu rendras grâce à Dieu pour trois choses : premièrement, du fait que tu es chrétien et non pas infidèle ; deuxièmement, du fait que tu es chrétien orthodoxe et non pas hérétique ; et troisièmement, du fait que tu es chrétien orthodoxe aussi bien par ta foi que par ta vie, et pas seulement par ta foi. Alors, alors seulement espère être sauvé et jouir du Royaume des Cieux.

Instructions et discours pour le Saint et Grand Carême ainsi que d'autres dimanches de l'année et fêtes solennelles, assortis de quelques sermons de circonstance / Elias Meniatis ; édition d'Anthime Mazarakis. – Venise, 1849. – [Pp. 15-17].

INSTRUCTIONS ET DISCOURS 412

M. Stavrou — 1996

Aimez vos ennemis. — En reconnaissant à l'amour pour les ennemis un caractère inné en l'homme, Miniatis élude le problème des discordances entre la religion naturelle et les normes spirituelles du christianisme orthodoxe. Le ton, cependant, est ironique.

Si tu le permettais, mon Jésus, je voudrais te demander, quant à moi, que l'on ne parle plus désormais aux hommes de ce nouveau commandement qui vient de toi. Par malheur, beaucoup a été dit jusqu'à présent sur ce commandement, sans autre effet que d'en arriver soit au prétexte fallacieux qui soutient que l'accomplissement de ce commandement n'est pas possible car contraire à ce que dicte la nature, soit à la déclaration impertinente que l'on ne veut pas accomplir ce commandement car il va contre les sentiments de l'honneur.

Plus donc on parle à des individus qui se déclarent incapables de la loi, ou indociles, plus cela revient à exposer à un danger manifeste le respect de la loi aussi bien que la dignité du législateur. Maintenant règnent dans le monde des droits qui vont contre les tiens : rien n'est admis plus couramment que la revendication, laquelle s'appelle « la maladie des grands esprits » ; rien n'est plus méprisé généralement que le pardon accordé aux ennemis, lequel est considéré comme une « nullité des esprits faibles ». Le simple fait d'empêcher une personne troublée de se satisfaire — chose désastreuse — en déchargeant sa colère est considéré ou comme un grand désordre, ou comme une extrême naïveté.

« Aimez vos ennemis, et faites du bien à ceux qui vous haïssent ». Seigneur, si tu désires tant que les hommes s'aiment les uns les autres, que la loi soit au moins corrigée et qu'avant tout l'on enseigne à ces gens une forme d'amour beaucoup plus modeste ! Qu'ils apprennent d'abord à aimer celui qui les aime, pour qu'ils sachent ensuite aimer celui qui les hait. Qu'ils apprennent d'abord à être bienveillants envers leur bienfaiteur, pour qu'ils sachent ensuite être des bienfaiteurs envers celui qui leur fait du tort. Mais comment prêcher l'amour des ennemis à ceux qui n'aiment même pas leurs amis et qui aiment à peine leurs propres frères ? Comment prêcher de remplacer les tourments par des bienfaits, là où les bienfaits sont payés par des tourments ? Ah ! Que les hommes deviennent d'abord des hommes pour être ensuite rétablis comme chrétiens ! Qu'ils connaissent tout d'abord les élans de la nature, pour apprendre ensuite les règles de la foi ! N'est-ce pas d'une certaine façon dans un siècle comme celui-ci, mes chers auditeurs, que l'amour s'est ou refroidi ou éteint totalement dans les cœurs des hommes ?

Malgré tout cela, Jésus-Christ veut que soit dit, proclamé et répété aux oreilles de ses chrétiens : « Aimez vos ennemis, faites du bien à ceux qui vous haïssent », pour que l'on sache combien il aime l'accomplissement d'une loi qui est totalement sienne. Et que l'on convienne que l'on n'a pas même entendu dans le monde un enseignement aussi haut ni plus généreux. Un enseignement digne du chef qui le donne et digne de celui qui le reçoit docilement : le premier étant Dieu et homme se doit d'enseigner l'amour parfait, le second étant homme et chrétien est tenu de mettre en pratique l'amour parfait. Et, en me fondant là-dessus, je me présente pour vous montrer que, pour que cet enseignement de l'amour des ennemis soit reçu, la nature et la loi sont concourantes. La nature le veut, la loi l'ordonne. Celui qui veut être homme doit s'en acquitter conformément à la nature ; celui qui veut être chrétien est tenu de l'accomplir conformément à la Loi ; les deux parties de mon discours sont donc distinctes.

Instructions et discours pour le Saint et Grand Carême ainsi que d'autres dimanches de l'année et fêtes solennelles, assortis de quelques sermons de circonstance / Elias Meniatis ; édition d'Anthime Mazarakis. – Venise, 1849. – [Pp. 454-455].

INSTRUCTIONS ET DISCOURS 413

M. Stavrou — 1996

Superstitions. — Miniatis situe l'orthodoxie également face à la foi populaire, c'est-à-dire la crainte superstitieuse, la magie et la divination. Les limites de la religion face à la magie sont fluctuantes, c'est pourquoi existe le danger que les chrétiens frustes aient recours aux puissances démoniaques et à leur rituel magique — à une nouvelle idolâtrie comme il dit — pour arracher des solutions qui leur soient favorables. Dans la religion Dieu se rend favorable par des dons et des prières, tandis que dans la magie prévalent des relations de type transactionnel : « Je te fais ci et tu me fais ça » (*do et des*).

Ah ! Si Dieu me donnait à cette heure le zèle et le courage d'Élie le Thesbite, pour que je réfute la grande et extrême superstition, que je la nomme idolâtrie païenne de nombreux chrétiens (surtout de femmes) qui gardent encore des anciens Grecs les hommages aux forces démoniaques ; et dans les maladies qui leur surviennent, au lieu de recourir à Dieu avec une foi chrétienne, ils recourent au diable par les pratiques divinatoires. Oh ! Chrétiens ! Si vous êtes dignes d'avoir la foi du Christ, égarés, aveugles, si votre fils tombe malade, si votre mari est souffrant, n'y a-t-il pas Dieu aussitôt dans l'Église ? Dieu qui, étant tout puissant, guérit les malades et ressuscite les morts ? N'y a-t-il pas la Toute-sainte, la Théotokos, la Mère de Dieu ? N'y a-t-il pas des prêtres, préposés au service de Dieu ? N'y a-t-il pas des médecins, eux aussi serviteurs de Dieu, auxquels vous puissiez recourir par la voie que Dieu vous a montrée ? Mais à qui faites-vous recours ? à une pseudo-guérisseuse qui chemine en égarant les gens et en étant égarée, pour qu'elle fasse opérer son charme ? à une vieille affabulatrice, pour qu'elle rende la santé ? à une sorcière effrontée, pour qu'elle pratique la divination ? à toutes les œuvres qu'a inventées le diable ? Vous ne vous adressez pas aux églises pour qu'aient lieu des prières et des supplications, mais vous vous adressez çà et là en cherchant des plantes, des remèdes, des chuchotements démoniaques ? Ce n'est là rien d'autre qu'une idolâtrie manifeste devant la Face de Dieu. Ce n'est pas autre chose que d'apostasier devant Dieu et se livrer au diable. Ce n'est pas autre chose que de croire dans son cœur que le diable peut davantage que Dieu.

Instructions et discours pour le Saint et Grand Carême ainsi que d'autres dimanches de l'année et fêtes solennelles, assortis de quelques sermons de circonstance / Elias Meniatis ; édition d'Anthime Mazarakis. – Venise, 1849. – [P. 58].

INSTRUCTIONS ET DISCOURS 414

M. Stavrou — 1996

Philosophie relative. — Face à la vérité de la foi orthodoxe, les vérités philosophiques demeurent la proie de l'opinion et de toutes les fluctuations de la conscience individuelle.

Qu'est-ce que l'âme ? Si j'interroge sur ce point les philosophes, eux qui se sont efforcés de creuser les profondeurs de la nature me donnent des réponses fort diverses, mais peu compétentes. Pythagore, le chef des philosophes, dit que l'âme est un nombre qui se met lui-même en mouvement et il prend l'esprit pour un nombre. Platon dit pareillement qu'elle est une essence intelligible, mobile par elle-même, mue selon un nombre harmonieux. Galien dit presque la même chose : c'est un nombre harmonieux. Pour Épicure, c'est une mixtion composée de quatre qualités : l'igné, l'aérien, le spirituel et une quatrième qualité qui ne peut être nommée[1]. Pour Dikéarque, c'est un mélange de quatre éléments. Pour Asclépiade, c'est l'exercice des sens. Pour Anaxagore, c'est une partie lumineuse d'étoiles. Pour Zénon, c'est un accord d'instruments. Pour Diogène, c'est une empreinte de la grâce divine. Pour Thalès, c'est un liquide d'où s'écoule la vie. Pour Dioscoride, c'est une chaleur innée. Pour Callisthène, c'est une fleur du corps. Pour Empédocle, c'est une composante du sang. Pour Démocrite, c'est une sphère faite de corps atomiques. Pour Héraclite, c'est un feu très pur. Pour Aristote, c'est la continuité d'un corps naturel, organique, possédant la vie en puissance.

C'est pourquoi, renonçant au discours vain des philosophes, voyons avec la théologie des Docteurs dans le miroir immaculé de la vérité, c'est-à-dire la divine Écriture, quelle chose est cette âme : si noble, si honorable, que rien d'autre ne saurait remplacer.

---

1 L'auteur vise ici le « charnel », sans vouloir le désigner explicitement, sans doute par souci rhétorique (N.d.t.)

Instructions et discours pour le Saint et Grand Carême ainsi que d'autres dimanches de l'année et fêtes solennelles, assortis de quelques sermons de circonstance / Elias Meniatis ; édition d'Anthime Mazarakis. – Venise, 1849. – [Pp. 31.

SERMONS 415

R.-P. Debaisieux — 1989

Là où la paix ne règne pas, il ne peut y avoir rien de bon.

Chrétiens qui m'écoutez : avec la paix, avec la bonne entente, avec la concorde, on arrive à bout de toutes les entreprises, les petites grandissent, les grandes se consolident ; le bonheur des familles, des cités, des royaumes devient plus intense. « L'idéal, c'est la concorde et l'union de tous », dit Grégoire le Théologien. Mais lorsque surviennent la confusion des langues, la mésentente, c'est là que s'abat la colère divine, colère pire que la foudre ou un tremblement de terre ; la colère la plus grave, envoyée par Dieu pour punir les hommes de leurs péchés ; la colère par laquelle il anéantit les familles, les cités, les royaumes. Vous pouvez le constater, non pas dans l'histoire des pays étrangers, mais dans notre propre histoire : pensez à l'empire, le plus glorieux et le plus puissant de la terre, c'est-à-dire à celui des Romains, placé comme au centre de l'univers, sur le trône magnifique de Constantinople, un bras gouvernant l'Occident, l'autre l'Orient et tenant en sa domination toutes les nations ; il est tombé, il est tombé et gît à terre, asservi, ce lignage royal. Qui l'a renversé ? Qui l'a vaincu ? Ce ne sont pas, dans des temps anciens, les chars des Perses, ni par la suite la fougue des Bulgares, ni récemment les armées des Turcs. Ce qui l'a terrassé, c'est la colère divine qui en a ôté la paix, concédée auparavant, tandis que les religieux avec leurs hérésies brisaient en mille scandales l'Église du Christ, que les chefs avec leurs discordes divisaient les armées, que les rois avec leur mésentente se donnaient la chasse l'un l'autre. Le père aveuglait son fils et le frère se souillait les mains du sang de son frère. L'empire s'est écroulé parce qu'a été retirée la paix, soutien des empires. Vous pouvez mieux le voir dans la malheureuse île que nous habitons : et vous ne le verrez pas les yeux secs, parce que la chose est digne de beaucoup de larmes. J'ignore quel est le grave péché commis par nos ancêtres et que Dieu a voulu punir, et pourquoi, au lieu de nous noyer sous le déluge comme au temps de Noé pour nous submerger, au lieu de nous infliger les plaies du Pharaon, de nous appliquer la trique de fer des Turcs pour maîtriser notre folie effrénée, il nous a envoyé la confusion des langues de la tour de Babel ; suivant les régions, il nous a séparés en divers partis et selon les passions, il nous a divisés en différentes factions. Les uns sont les Juifs et les autres les Samaritains. Nos Églises aussi sont divisées et la haine qui est en nous introduit la discorde même entre les Saints. Notre séparation nourrit notre haine qui se transmet de génération en génération, si bien que chez nous les petits-enfants connaissent leur ennemi avant leur père. Elle se transmet aussi, à mon avis, aux animaux privés de raison ; j'oserais dire qu'il en est de même aussi pour les pierres, privées de connaissance, qui éprouvent peut-être le sentiment de division qui existe entre deux partis adverses. Quelle abomination ! Quelle haine ! Quels conseils trompeurs ! Quelles critiques affichées d'un camp contre l'autre ! Et qu'en sort-il ? Tant de meurtres que le sang des victimes tuées en est venu à laver ou plutôt à submerger l'île entière, tant de désastres qu'ils ont anéanti les patrimoines, en partie saisis par la Justice et en partie dilapidés par des amis et des compagnons malfaisants ; c'est une misère telle qu'elle nous ronge comme la rouille ronge le fer. Des gens riches ont été réduits à la pauvreté et à la faim, de glorieuses demeures seigneuriales ont été désertées, de nombreuses familles ont été rayées de la surface de la terre ; et nous, les survivants qui n'avons d'autre ouvrage que l'oisiveté, d'autre étude que la curiosité, d'autre but que la ruine du prochain, pauvres et orgueilleux, qui nous réjouissons du malheur d'autrui et nous attristons de son bonheur, haïssons et sommes haïs, nous représentons cependant un misérable exemple qui enseigne aux hommes que là où la paix ne règne pas, il ne peut y avoir rien de bon.

Paix, douce paix ! Bienheureuse la terre où tu habites, bienheureux le pays qui te possède, bienheureux les hommes qui jouissent de toi, bienheureux les artisans de paix ! Bienheureux, parce que dans les choses de ce monde ce sont vraiment des hommes heureux et dans les choses de l'esprit ce sont vraiment de parfaits chrétiens.

Histoire de la littérature grecque moderne / Mario Vitti ; traduction française de Renée-Paule Debaisieux. – Athènes : Éd. Hatier, 1989. – [Pp. 74-76].

FÉNELON

FRANÇAIS 1651-1715

La date de naissance de François de Salignac de La Mothe-Fénelon, au château de Sainte-Mondane, dans une grande famille du Périgord, est incertaine, et sa jeunesse, comme celle de la plupart des hommes du XVIIe siècle, garde de nombreuses zones d'ombre. En 1674, le jeune Fénelon habitait Paris et son ordination eut lieu sans doute au début de 1677. Ecclésiastique de grand avenir, il prêche en divers endroits de la capitale, s'acquitte avec succès de missions en Saintonge pour convertir les protestants, et rédige des *Dialogues sur l'éloquence* ainsi qu'un traité *De l'éducation des filles* (1687). Remarqué par les grands, puis par Madame de Maintenon et par le clan qui représentait à la Cour le parti de la dévotion, il obtient le 16 août 1689 la charge de précepteur du petit-fils de Louis XIV. Commence alors la période la plus brillante de la vie de Fénelon, marquée par l'élection à l'Académie française (1693) et par la nomination à l'archevêché de Cambrai (1695). La grande carrière à laquelle il semble promis sera cependant brisée par la rencontre de Madame Guyon, dont il subira, malgré lui, l'ascendant. Personnalité mystérieuse, au tempérament déséquilibré, Madame Guyon avait élaboré une doctrine religieuse, le « pur amour », qui se définissait comme « quiétiste » et se caractérisait par une spiritualité oisive, négligeant les vertus : le « pur amour » entraînait l'âme à se perdre en l'infini divin, dans une transparence totale qui progressivement tuait toute affirmation, tout désir, toute consistance. Le quiétisme provoqua non seulement des querelles théologiques (d'aucuns y voyaient la négation du péché originel), mais aussi des intrigues de cour, menées notamment par Madame de Maintenon, qui était devenue l'ennemie de Fénelon, et par Bossuet, à qui avaient été soumis les écrits de la mystique. Celle-ci fut emprisonnée à Vincennes de décembre 1695 jusqu'en 1703. Sacrifiant ses intérêts personnels, Fénelon refusa d'approuver une telle mesure et de renier Madame Guyon. Il se mit alors à rédiger des écrits justificatifs dont le plus important est, en 1697, l'*Explication des maximes des saints sur la vie intérieure*. Suit une guerre de pamphlets avec Bossuet qui se termine le 12 mars 1699 par la condamnation romaine de l'*Explication*, arrachée par Louis XIV et Bossuet au pape Innocent XII. La disgrâce de Fénelon est alors consommée d'autant que quelques semaines plus tard sont publiées *Les Aventures de Télémaque*, ouvrage que ses adversaires dénonceront comme un roman à clefs, qui ne ménagerait même pas la personne royale. Destitué de sa charge de précepteur, retiré dans son diocèse de Cambrai, Fénelon ne revint même pas à la Cour en 1711, à la mort du Grand Dauphin, quand son élève devint l'héritier présomptif du trône.

La plus grande partie des œuvres proprement littéraires de Fénelon est constituée par des ouvrages pédagogiques, issus de son travail de précepteur du duc de Bourgogne : il a rédigé des *Dialogues des morts* (composés entre 1692 et 1695 ; première publication complète en 1718), des « Fables et opuscules pédagogiques » et surtout *Les Aventures de Télémaque*. L'ouvrage s'attache à atteindre un idéal d'art simple, grave, austère, dont l'auteur fera encore l'éloge en 1714, dans sa *Lettre sur les occupations de l'Académie* et qui apparaît un peu à l'image du mode de spiritualité qu'il prônait. *Les Aventures de Télémaque* résument les enseignements magistraux reçus par le duc de Bourgogne ; on les retrouve dans les discours de Mentor, ami d'Ulysse et compagnon de Télémaque, figure chez Fénélon de Minerve / Athéna, déesse de la sagesse.

Durant le XVIIIe siècle, et au prix d'oublis nombreux, va régner une image de Fénelon « philosophe », pratiquant la bienfaisance et combattant les conversions forcées. Quant au XIXe siècle, il verra dans le *Télémaque* un récit préromantique.

Apologie pour Fénelon / Henri Bremond. – Paris : Perrin, 1910. – 486 p.

L'Itinéraire de Fénelon : Humanisme et spiritualité / Jeanne-Lydie Goré. – Paris : Presses Universitaires de France, 1957. – 756 p.

Fénelon et la Bible : Les origines du mysticisme fénelonien / Bernard Dupriez. – Paris : Bloud et Gay, 1961. – 232 p.

Une pensée sociale catholique : Fleury, La Bruyère, Fénelon / François-Xavier Cuche. – Paris : Cerf, 1991. – 612 p.

LES AVENTURES DE TÉLÉMAQUE 416

Sur le métier de roi. (Livre X). — Ces aventures prennent pour point de départ le Livre IV de l'*Odyssée* d'Homère et sont censées se poursuivre parallèlement aux péripéties qui précèdent, dans l'épopée grecque, le retour d'Ulysse à Ithaque. Télémaque intervient en effet dans les quatre premiers chants de l'*Odyssée* — Athéna l'a supplié de partir à la recherche de son père —, puis il disparaît dans les dix chants qui suivent (on le retrouve au chant XV sur une grève, entre Ulysse et le fidèle Eumée). Cet effacement a toujours intrigué les érudits : Fénelon le comble en imaginant les aventures du jeune héros. Par cet ouvrage, Fénelon entend non seulement initier le duc de Bourgogne aux textes de l'Antiquité, mais aussi lui apprendre son métier de souverain. Il dessine donc avec précision les formes diverses que peut prendre l'autorité royale, à travers les figures de Sésostris, d'Adraste, de Pygmalion et d'Idoménée. Il dénonce notamment les effets nuisibles de l'ambition, maladie morale qui atteint de nombreux rois. Ainsi Idoménée, lequel s'est engagé à la légère, au début du Livre X, dans une nouvelle guerre. Mentor lui fait part de sa désapprobation : la grandeur d'un royaume ne tient pas aux conquêtes mais au labeur et à la discipline du peuple. Sans pouvoir être qualifiée de moderne, la réflexion politique de Fénelon est plus nuancée, néanmoins, que celle d'un Bossuet.

Cependant toute l'armée des alliés dressoit ses tentes, et la campagne étoit déjà couverte de riches pavillons de toutes sortes de couleurs, où les Hespériens fatigués attendoient le sommeil. Quand les rois, avec leur suite, furent entrés dans la ville, ils parurent étonnés qu'en si peu de temps on eût pu faire tant de bâtiments magnifiques et que l'embarras d'une si grande guerre n'eût point empêché cette ville naissante de croître et de s'embellir tout à coup. On admira la sagesse et la vigilance d'Idoménée, qui avoit fondé un si beau royaume, et chacun concluoit que, la paix étant faite avec lui, les alliés seroient bien puissants s'il entroit dans leur ligue contre les Dauniens. On proposa à Idoménée d'y entrer ; il ne put rejeter une si juste proposition, et il promit des troupes. Mais, comme

Mentor n'ignoroit rien de tout ce qui est nécessaire pour rendre un État florissant, il comprit que les forces d'Idoménée ne pouvoient pas être aussi grandes qu'elles le paroissoient. Il le prit en particulier et lui parla ainsi :

— Vous voyez que nos soins ne vous ont pas été inutiles. Salente est garantie des malheurs qui la menaçoient. Il ne tient plus qu'à vous d'en élever jusqu'au ciel la gloire et d'égaler la sagesse de Minos, votre aïeul, dans le gouvernement de vos peuples. Je continue à vous parler librement, supposant que vous le voulez et que vous détestez toute flatterie. Pendant que ces rois ont loué votre magnificence, je pensois en moi-même à la témérité de votre conduite.

À ce mot de « témérité », Idoménée changea de visage, ses yeux se troublèrent, il rougit, et peu s'en fallut qu'il n'interrompît Mentor pour lui témoigner son ressentiment.

Mentor lui dit d'un ton modeste et respectueux, mais libre et hardi :

— Ce mot de « témérité » vous choque, je le vois bien : tout autre que moi auroit eu tort de s'en servir ; car il faut respecter les rois et ménager leur délicatesse, même en les reprenant. La vérité par elle-même les blesse assez, sans y ajouter des termes forts. Mais j'ai cru que vous pourriez souffrir que je vous parlasse sans adoucissement pour vous découvrir votre faute. Mon dessein a été de vous accoutumer à entendre nommer les choses par leur nom et à comprendre que, quand les autres vous donneront des conseils sur votre conduite, ils n'oseront jamais vous dire tout ce qu'ils penseront. Il faudra, si vous voulez n'y être point trompé, que vous compreniez toujours plus qu'ils ne vous diront sur les choses qui vous seront désavantageuses. Pour moi, je veux bien adoucir mes paroles selon votre besoin ; mais il vous est utile qu'un homme sans intérêt et sans conséquence vous parle en secret un langage dur. Nul autre n'osera jamais vous le parler : vous ne verrez la vérité qu'à demi et sous de belles enveloppes.

À ces mots, Idoménée, déjà revenu de sa première promptitude, parut honteux de sa délicatesse.

— Vous voyez — dit-il à Mentor — ce que fait l'habitude d'être flatté. Je vous dois le salut de mon nouveau royaume ; il n'y a aucune vérité que je ne me croie heureux d'entendre de votre bouche : mais ayez pitié d'un roi que la flatterie avoit empoisonné et qui n'a pu, même dans ses malheurs, trouver des hommes assez généreux pour lui dire la vérité. Non, je n'ai jamais trouvé personne qui m'ait assez aimé pour vouloir me déplaire en me disant la vérité toute entière.

En disant ces paroles, les larmes lui vinrent aux yeux, et il embrassoit tendrement Mentor.

Alors ce sage vieillard lui dit :

— C'est avec douleur que je me vois contraint de vous dire des choses dures mais puis-je vous trahir en vous cachant la vérité ? Mettez-vous en ma place. Si vous avez été trompé jusqu'ici, c'est que vous avez bien voulu l'être ; c'est que vous avez craint des conseillers trop sincères. Avez-vous cherché les gens les plus désintéressés et les plus propres à vous contredire ? Avez-vous pris soin de faire parler les hommes les moins empressés à vous plaire, les plus désintéressés dans leur conduite, les plus capables de condamner vos passions et vos sentiments injustes ? Quand vous avez trouvé des flatteurs, les avez-vous écartés ? Vous en êtes-vous défié ? Non, non, vous n'avez point fait ce que font ceux qui aiment la vérité et qui méritent de la connoître. Voyons si vous aurez maintenant le courage de vous laisser humilier par la vérité qui vous condamne.

Je disois donc que ce qui vous attire tant de louanges ne mérite que d'être blâmé. Pendant que vous aviez au dehors tant d'ennemis qui menaçoient votre royaume encore mal établi, vous ne songiez au dedans de votre nouvelle ville qu'à y faire des ouvrages magnifiques. C'est ce qui vous a coûté tant de mauvaises nuits, comme vous me l'avez avoué vous-même. Vous avez épuisé vos richesses ; vous n'avez songé ni à augmenter votre peuple, ni à cultiver les terres fertiles de cette côte. Ne falloit-il pas regarder ces deux choses comme les deux fondements essentiels de votre puissance : *avoir beaucoup de bons hommes, et des terres bien cultivées pour les nourrir ?* Il falloit une longue paix dans ces commencements, pour favoriser la multiplication de votre peuple. Vous ne deviez songer qu'à l'agriculture et à l'établissement des plus sages lois. Une vaine ambition vous a poussé jusques au bord du précipice. À force de vouloir paroître grand, vous avez pensé ruiner votre véritable grandeur. Hâtez-vous de réparer ces fautes ; suspendez tous vos grands ouvrages ; renoncez à ce faste, qui ruineroit votre nouvelle ville ; laissez en paix respirer vos peuples ; appliquez-vous à les mettre dans l'abondance, pour faciliter les mariages. Sachez que vous n'êtes roi qu'autant que vous avez des peuples à gouverner et que votre puissance doit se mesurer, non par l'étendue des terres que vous occuperez, mais par le nombre des hommes qui habiteront ces terres et qui seront attachés à vous obéir. Possédez une bonne terre, quoique médiocre en étendue ; couvrez-la de peuples innombrables, laborieux et disciplinés ; faites que ces peuples vous aiment : vous êtes plus puissant, plus heureux, plus rempli de gloire que tous les conquérants qui ravagent tant de royaumes.

Les Aventures de Télémaque / Fénelon ; édition par Jeanne-Lydie Goré. – Paris : Garnier, 1987. – [Pp. 321-325].

CORRESPONDANCE 417

Lettre à Bossuet sur la querelle quiétiste. — Bossuet avait été chargé de l'examen de la doctrine de Madame Guyon. Deux juges lui avaient été adjoints : Noailles, évêque de Châlons, et Tronson, supérieur de Saint-Sulpice. Entre le 10 juillet 1694 et le 10 mars 1695, on s'était réuni plusieurs fois à Issy, et la condamnation de Madame Guyon fut prononcée. Les décisions d'Issy — sous forme de 34 propositions — n'étaient cependant pas claires et Fénelon entreprit de se justifier dans un ouvrage intitulé *Explication des maximes des saints sur la vie intérieure*, qui parut en février 1697. Au moment de la publication du livre, le 9 février, il écrivit à Bossuet — qui préparait lui-même son *Instruction sur les états d'oraison* — la lettre suivante, publiée pour la première fois par Yves de Querbeuf dans les *Œuvres de Fénelon*, Paris, 1787, t. I, p. 317 et suiv.

Souffrez, s'il vous plaît, Monseigneur, que je vous rende compte en détail de tout ce qui a eu rapport à la publication de mon livre.

Quand vous entrâtes dans cette affaire, nous m'avouâtes ingénument que vous n'aviez jamais lu ni saint François de Sales ni le bienheureux Jean de la Croix. Il me parut que les autres livres du même genre vous étaient aussi nouveaux. Il n'est pas étonnant qu'un homme d'une si profonde érudition en tout autre genre, n'eût pas eu le loisir de lire ces livres si peu recherchés par les savants. Cela ne m'empêcha point, Monseigneur, de vous souhaiter, par préférence à tout autre, pour cet examen, parce que votre génie et votre grande lecture de la tradition vous mettaient plus que personne en état de défricher promptement la matière, et de concilier l'expérience de tant de saints avec la rigueur du dogme.

Vous désirâtes que je vous expliquasse mes vues, et que je vous donnasse des mémoires. Je vous ouvris mon cœur sans ménagement, comme le fils le plus rempli de confiance au père le plus affectionné. Je vous donnai des mémoires informes, écrits à la hâte et sans précaution sur les termes, sans ordre, sans rature, et même sans les relire. C'étaient plutôt des matériaux confus pour chercher et pour travailler, que des choses digérées. Je ne les donnais que pour vous, et par cette raison, je ne songeais point à mesurer rigoureusement les expressions. Rien n'eût été moins équitable, que de vouloir que de tels mémoires fussent exacts et corrects.

Cependant voici le fait décisif. Je garde encore mes originaux, que vous me rendîtes, et j'offre de démontrer, papier sur table, en présence de M. l'archevêque de Paris et de M. Tronson, que c'est précisément le même principe simple, les mêmes conséquences immédiates, le même système indivisible, répétés en cent endroits. Toute personne qui lit maintenant mon livre, et qui lira mes autres récits sans prévention, verra une entière conformité qui saute aux yeux. Ce qui vous était alors entièrement nouveau vous surprit, Monseigneur, et cette nouveauté vous fit croire que j'étais un esprit hardi, qui ne craignait pas assez de blesser la tradition. Il fallut que je le devinasse ; car vous me laissiez parler et écrire sans me dire un seul mot. Ma confiance et votre réserve étaient égales : vous disiez seulement que vous vous réserviez de juger de tout à la fin. Quand M. l'archevêque de Paris me disait quelque mot avec plus d'ouverture, j'en profitais d'abord pour aller au-devant des difficultés. Je tâchais d'éclaircir tout ce que j'entrevoyais qui pouvait faire naître des équivoques dans une matière si délicate, et où l'on était devenu tout à coup si ombrageux. Dès qu'on me paraissait craindre certains termes, très ordinaires dans les livres de saint François de Sales et des autres saints, j'en cherchais d'autres encore plus propres à rassurer les esprits alarmés, et à montrer que je ne voulais que la substance des choses, sans affecter aucune expression particulière.

Mais de tels éclaircissements n'aboutissent jamais à rien, quand on ne travaille point ensemble, de suite et avec ouverture. Vous prîtes, Monseigneur, pour de vaines subtilités les délicatesses du pur Amour, quoiqu'elles soient attestées par les anciens Pères autant que par les saints des derniers siècles. Vous vouliez entraîner les autres dans une opinion particulière dont vous étiez prévenu, contre le plus commun sentiment des écoles. D'ailleurs vous regardâtes comme mes propres opinions tous mes extraits de saint Clément, de Cassien et des autres auteurs. Vous pouviez néanmoins remarquer qu'en rapportant leurs expressions, je disais que, si on les prenait dans la rigueur de la lettre, elles étaient hérétiques. J'ajoutais encore qu'on voyait par là que les Pères n'avaient pas moins exagéré que les mystiques ; qu'on en rabattît tout ce qu'on voudrait (c'étaient mes propres termes), et qu'il en resterait encore assez pour autoriser les véritables maximes des saints. J'offre de vérifier que mes notes sur Cassien et sur saint Clément, qui vous ont scandalisé, ne contiennent que le système précis de mon livre, et qu'elles condamnent formellement toutes les erreurs que vous avez voulu condamner.

Pour mes mémoires, vous crûtes y trouver toutes sortes d'erreurs folles et monstrueuses. Je voulais, selon votre pensée, que le contemplatif quittât tout culte de Jésus-Christ, toute foi explicite, toute vertu distincte, tout désir commandé par la loi de Dieu. Je disais que sa contemplation n'était jamais interrompue, même en dormant ; je soutenais un acte permanent qui n'a plus besoin d'être réitéré ; je voulais une tradition secrète de dogmes inconnus à l'Église, et réservés aux contemplatifs. J'avoue, Monseigneur, qu'il est bien humiliant pour moi, qu'un prélat aussi éclairé que vous ait eu une si grande facilité à me croire capable de ces extravagances. Pour moi, je ne me serais jamais avisé de leur faire l'honneur de les traiter sérieusement. Un mot de conversation tranquille aurait dissipé ces ombrages ; mais enfin il n'y a aucune de ces erreurs folles et ridicules dont je n'offre de montrer la condamnation claire et la réfutation, par les vrais principes, dans trente endroits de mes manuscrits.

Il n'y avait qu'une seule difficulté entre nous, et elle faisait naître toutes les équivoques qui vous alarmaient tant. Vous vouliez une passiveté qui fût une contemplation extatique, et seulement par intervalles. Pour moi, je voulais beaucoup moins ; car je ne voulais point d'autre passiveté, qu'un état habituel de pure foi et de pur amour, où la contemplation n'est jamais perpétuelle, et dont les intervalles sont remplis de tous les actes distincts des vertus, et où l'amour paisible et désintéressé exclut seulement les actes inquiets qu'on nomme activité. Comme vous ne voulûtes jamais définir la passiveté, vous n'aviez garde de m'entendre ; et, supposant une passiveté extatique, vous tiriez une très bonne conséquence d'un principe fort contraire au mien : car vous m'imputiez de croire les âmes passives dans une extase perpétuelle, qui détruisait la liberté essentielle au pèlerinage de cette vie, et qui introduisait une inspiration fanatique. Tout cela eût été vrai, si votre supposition eût été bien fondée ; mais votre supposition était contraire non seulement à mes termes précis, mais encore aux principes évidents et essentiels de tout mon système.

De là vient, Monseigneur, que, quand il fut question de signer les XXXIV Propositions, je n'hésitai que sur cet article. Je demandais qu'en disant qu'on ne peut nier l'oraison passive sans une insigne témérité, on s'expliquât si clairement sur cette oraison, qu'on lui donnât un sens précis, et qu'on définît exactement cette passiveté qu'on autorisait, de peur que ce ne fût un vain nom, qui fît encore le scandale des uns et l'illusion des autres.

C'est ainsi que j'allais toujours de bonne foi droit au-devant des difficultés essentielles, pour ne laisser rien derrière nous sans l'avoir expliqué. Vous ne voulûtes jamais, Monseigneur, définir la passiveté ; vous fîtes seulement sept propositions détachées sur cette matière, mais vous ne les jugeâtes pas vous-même en état d'être arrêtées avec les autres. En effet, vous n'y donniez aucune idée claire de la passiveté, et vous vous serviez de termes dont les faux mystiques auraient pu abuser. Tout était donc aplani, Monseigneur, excepté la difficulté de l'état passif, qui roulait sur une pure équivoque, facile à lever en dix minutes de conversation. Vous conveniez du pur amour, et vous le poussiez aussi loin que moi dans les épreuves, avec des termes que j'aurais voulu adoucir.

Depuis ce temps, vous demeurâtes fermé à mon égard ; vous écriviez, et vous le disiez à tout le monde, excepté moi seul.

Correspondance de Fénelon / texte établi par Jean Orcibal. – Paris : Klincksieck, 1976. – [T. IV, pp. 127-134].

ANTOINE GALLAND

FRANÇAIS

1646-1715

Antoine Galland avait largement dépassé la cinquantaine quand il mit en chantier l'ouvrage qui fait aujourd'hui sa gloire et auquel il allait consacrer, pendant la quinzaine d'années qui lui restaient à vivre, ce qu'il appelait ses « heures perdues ». Singulière destinée de l'auteur comme de son œuvre.

Savant érudit, appelé à siéger à l'Académie des Inscriptions et à occuper la chaire d'arabe au Collège Royal, Galland était loin d'accorder à sa version des *Mille et Une Nuits* l'importance qu'avaient à ses yeux ses multiples travaux académiques aujourd'hui tombés dans l'oubli : dictionnaires, discours, mémoires, remarques et observations diverses. Et pourtant, c'est à cette version que les récits de Schéhérazade doivent leur célébrité universelle. En effet, le texte français dû à sa plume, véritable vulgate, n'allait pas tarder à être traduit dans les principales langues européennes, et devait demeurer pendant près d'un siècle et demi la seule et unique version accessible des *Mille et Une Nuits*. Mieux encore, les petits in-12 de l'édition originale constituent la toute première édition imprimée dans n'importe quelle langue des contes, exclusivement consignés jusque-là dans la mémoire des conteurs arabes anonymes et dans les manuscrits, également anonymes, en langue arabe. C'est ainsi que la version de Galland devança d'un siècle la première édition imprimée des *Mille et Une Nuits* dans leur langue d'origine, celle parue en 1814-1818, à Calcutta. Au reste, cet incomparable recueil de contes ne connut jamais dans sa culture d'origine l'admiration, le succès, le retentissement dont il jouit en Occident depuis près de trois siècles. En 1986 encore, les autorités égyptiennes censurèrent une édition en langue arabe accusée d'immoralité et de mauvais goût.

Un autre rare mérite de la prose de Galland est qu'elle n'a rien perdu de sa lisibilité. Les traductions françaises qui ont suivi la sienne ont sans doute l'avantage d'une plus grande fidélité à l'original arabe. Conformément aux usages de son temps en matière de traduction, Galland n'hésite pas à abréger, à adapter, à édulcorer. Reste cependant que l'élégance et la pureté de son style, jointes à son exceptionnel talent de narrateur conservent pour ses lecteurs d'aujourd'hui le charme qu'elles avaient aux yeux du public d'élite pour qui écrivait Galland. C'est donc parce que ses successeurs se sont parfois montrés d'une sévérité excessive, que sont citées ici, à côté de Galland, des versions ultérieures, l'une de deux siècles, l'autre de trois.

L'édition princeps du texte de Galland parut à Paris entre 1704 et 1717 : 12 volumes dont les deux derniers posthumes. Natif de Picardie, Galland était d'humble origine et dut entièrement à ses dons intellectuels, au jugement avisé de ses maîtres et à son ardeur à la tâche la carrière distinguée qui fut la sienne. Ayant appris non seulement le latin, le grec et l'hébreu, mais, ce qui était bien plus exceptionnel, l'arabe, le turc et le persan, il attira tour à tour l'attention de deux ambassadeurs de Louis XIV auprès du Grand Seigneur, lesquels engagèrent ses services et lui permirent ainsi de faire les longs séjours au Proche-Orient qui devaient décider de sa carrière. Au cours des multiples périples qu'il y accomplit, de la Grèce à l'Égypte en passant par la Turquie et la Terre Sainte, il s'y découvrit, en effet, une vocation d'archéologue et de numismate, et amassa une riche collection de manuscrits, médailles, pierres gravées et autres antiquités, qu'il rapporta par la suite en France, pour les étudier et finalement les léguer au Roi.

Demeuré célibataire et n'ayant, semble-t-il, aucune attache familiale suivie, Galland donne l'impression de n'avoir connu pour ainsi dire aucune vie privée. Travailleur assidu et infatigable, menant de front plusieurs entreprises savantes, se reposant de l'une en se tournant vers l'autre, ascétique de tempérament et modeste de nature, il se résume tout entier dans son œuvre. Cette œuvre, quant à elle, se résume pour nous tout entière dans les *Mille et Une Nuits.*

Parmi les trésors rapportés d'Orient figurait un manuscrit ancien contenant « sept contes arabes ». En 1700, une douzaine d'années après son dernier voyage au Proche-Orient, Galland en entreprit la traduction afin de l'offrir à la marquise d'O, fille de Guilleragues, ancien ambassadeur de Louis XIV auprès de la Sublime Porte, l'homme qui avait été l'occasion du troisième séjour de Galland au Levant. Il s'agissait du récit des sept voyages constituant l'« Histoire de Sindbad le marin ». Comme il devait l'expliquer en 1704 dans l'épître-préface du premier volume des *Mille et Une Nuits*, dédiant l'ensemble du recueil à Madame d'O, Galland s'apprêtait à faire imprimer son texte lorsqu'il apprit que ces contes faisaient partie d'un ensemble plus vaste, « un recueil prodigieux de contes semblables, en plusieurs volumes ». Grâce aux contacts qu'il avait gardés de ses séjours au Proche-Orient, Galland réussit à se procurer une riche et précieuse collection de manuscrits anciens, conservés aujourd'hui à la Bibliothèque Nationale, dont il allait tirer en une douzaine d'années de quoi remplir les neuf premiers volumes de l'édition originale des *Mille et Une Nuits.*

La source des trois derniers est tout autre et beaucoup plus inusitée. Selon le témoignage de Galland lui-même, il ne prit connaissance des histoires qui y figurent que par les récits que lui en fit oralement un maronite d'Alep nommé Hanna, alors de passage à Paris. Plusieurs des histoires les plus célèbres du recueil sont au nombre de celles-ci, notamment celles d'Aladdin et d'Ali-Baba. À noter que le texte de ces histoires, tel qu'il figure dans les manuscrits anciens retrouvés depuis, est très proche de celui communiqué verbalement à Galland par ce personnage, visiblement doué d'une mémoire peu ordinaire. En revanche, dans le cas de plusieurs autres histoires racontées par Hanna, aucun manuscrit ne nous est parvenu. Sans la rédaction de Galland celles-ci auraient donc été irrémédiablement perdues.

Si la qualité d'une œuvre littéraire se mesure à son retentissement dans son contexte culturel, la version de Galland est un chef-d'œuvre à mettre au tout premier rang. L'orientalisme dont est marqué le XVIIIe siècle français sort tout droit et pour ainsi dire tout de suite des *Mille et Une Nuits*, depuis les *Lettres persanes*, qui paraissent en 1721, trois ans seulement après les deux derniers volumes de Galland, jusqu'aux romans dits philosophiques de Voltaire, tels *Zadig* en 1748 ou *La Princesse de Babylone* en 1768, sans oublier les polissonneries de Crébillon fils (*Le Sopha*, 1740) et de ses innombrables imitateurs, dans la masse desquels se distingue le Diderot des *Bijoux indiscrets* (1748). Bien plus qu'une « simple traduction », ce fruit tardif et monumental des veilles d'un savant consciencieux, modeste et solitaire est en réalité un des plus authentiques chefs-d'œuvre de la fin du règne de Louis XIV.

The Art of Story-Telling : A Literary Study of the "Thousand and One Nights" / Mia I. Gerhardt. – Leyde : Brill, 1963. – X-500 p.

Antoine Galland : sa vie et son œuvre/ Mohamed Abdel-Halim. – Paris : Nizet, 1964. – 549 p.

L'Auteur des "Mille et Une Nuits" : Vie d'Antoine Galland / Raymond Schwab. – Paris : Mercure de France, 1964. – 253 p.

Les Mille et Une Nuits d'Antoine Galland, ou Le Chef-d'œuvre invisible / Georges May. – Paris : Presses Universitaires de France, 1986. – 247 p. – (*Écrivains*).

Les Mille et Une Nuits, ou La Parole prisonnière / Jamel Eddine Bencheikh. – Paris : Gallimard, 1988. – 233 p. – (*Bibliothèque des idées*).

Mille et Un Contes de la nuit / André Miquel, Jamel Eddine Bencheikh, et Claude Bremond. – Paris : Gallimard, 1991. – 366 p. – (*Bibliothèque des idées*).

Les Traductions françaises des Mille et Une Nuits : étude des versions de Galland, Trebutien et Mardrus / Sylvette Larzul. – Paris : L'Harmattan, 1996. – 233 p. – [Précédé de *Traditions, traductions, trahisons* / par Claude Bremond].

LES MILLE ET UNE NUITS 418

A. Galland — 1704

Histoire de trois calenders, fils de roi, et de cinq dames de Bagdad (XXVIIIe-XXIXe nuit). — Ouverture d'un ensemble narratif tout à fait caractéristique du recueil, cette *Histoire…* occupe les dernières pages du tome I et tout le tome II de l'édition originale, parus tous deux en 1704. Typique de la structure fondamentale des *Mille et Une Nuits*, l'*Histoire…* est faite d'un récit primaire, dont l'extrait cité est l'incipit, encadrant cinq récits secondaires, dont l'un sert de cadre lui-même à un récit tertiaire. Elle met en scène des personnages appartenant à des classes très différentes, depuis le misérable « porteur » qui apparaît dans les premières lignes, jusqu'au Commandeur des Croyants, le légendaire calife Haroun al-Raschid, qui, dans les pages qui suivent l'extrait cité, vient se présenter incognito à la porte de la demeure des « dames de Bagdad ». Mêlant le réalisme au fantastique, cet ensemble de récits offre un échantillonnage savoureux et pittoresque de thèmes et de procédés narratifs propres à l'art du conte.

[Sous] le règne du calife Haroun-al-Raschid, il y avait à Bagdad, où il faisait sa résidence, un porteur qui, malgré sa profession basse et pénible, ne laissait pas d'être homme d'esprit et de bonne humeur. Un matin qu'il était, à son ordinaire, avec un grand panier à jour près de lui, dans une place où il attendait que quelqu'un eût besoin de son ministère, une jeune dame de belle taille, couverte d'un grand voile de mousseline, l'aborda, et lui dit d'un air gracieux : « Écoutez, porteur, prenez votre panier, et suivez-moi. » Le porteur, enchanté de ce peu de paroles prononcées si agréablement, prit aussitôt son panier, le mit sur sa tête, et suivit la dame en disant : *O jour heureux ! ô jour de bonne rencontre !*

D'abord la dame s'arrêta devant une porte fermée et frappa. Un chrétien vénérable par une longue barbe blanche ouvrit, et elle lui mit de l'argent dans la main sans lui dire un seul mot. Mais le chrétien, qui savait ce qu'elle demandait, rentra, et peu de temps après apporta une grosse cruche d'un vin excellent. « Prenez cette cruche, dit la dame au porteur, et la mettez dans votre panier. » Cela étant fait, elle lui commanda de la suivre ; puis elle continua de marcher, et le porteur continua de dire : *O jour de félicité ! ô jour d'agréable surprise et de joie !*

La dame s'arrêta à la boutique d'un vendeur de fruits et de fleurs, où elle choisit de plusieurs sortes de pommes, des abricots, des pêches, des coings, des limons, des citrons, des oranges, du myrte, du basilic, des lis, du jasmin, et de quelques autres sortes de fleurs et de plantes de bonne odeur. Elle dit au porteur de mettre tout cela dans son panier et de la suivre. En passant devant l'étalage d'un boucher, elle se fit peser vingt-cinq livres de la plus belle viande qu'il eût ; ce que le porteur mit encore dans son panier par son ordre. À une autre boutique, elle prit des câpres, de l'estragon, de petits concombres, de la percepierre et autres herbes, le tout confit dans le vinaigre ; à une autre, des pistaches, des noix, des noisettes, des pignons, des amandes et d'autres fruits semblables ; à une autre encore, elle acheta toutes sortes de pâtes d'amande. Le porteur, en mettant toutes ces choses dans son panier, remarquant qu'il se remplissait, dit à la dame : « Ma bonne dame, il fallait m'avertir que vous feriez tant de provisions, j'aurais pris un cheval, ou plutôt un chameau pour les porter. J'en aurai beaucoup plus que ma charge, pour peu que vous en achetiez d'autres. » La dame rit de cette plaisanterie, et ordonna de nouveau au porteur de la suivre.

Elle entra chez un droguiste, où elle se fournit de toutes sortes d'eaux de senteur, de clous de girofle, de muscade, de poivre gingembre, d'un gros morceau d'ambre gris et de plusieurs autres épiceries des Indes ; ce qui acheva de remplir le panier du porteur auquel elle dit encore de la suivre. Alors ils marchèrent tous deux jusqu'à ce qu'ils arrivèrent à un hôtel magnifique, dont la façade était ornée de belles colonnes, et qui avait une porte d'ivoire. Ils s'y arrêtèrent, et la dame frappa un petit coup...

[...]

Pendant que la jeune dame et le porteur attendaient que l'on ouvrît la porte de l'hôtel, le porteur faisait mille réflexions. Il était étonné qu'une dame faite comme celle qu'il voyait fît l'office de pourvoyeur : car enfin il jugeait bien que ce n'était pas une esclave ; il lui trouvait l'air trop noble pour penser qu'elle ne fût pas libre, et même une personne de distinction. Il lui aurait volontiers fait des questions pour s'éclaircir de sa qualité ; mais, dans le temps qu'il se préparait à lui parler, une autre dame qui vint ouvrir la porte lui parut si belle qu'il en demeura tout surpris, ou plutôt il fut si vivement frappé de l'éclat de ses charmes qu'il en pensa laisser tomber son panier avec tout ce qui était dedans, tant cet objet le mit hors de lui-même. Il n'avait jamais vu de beauté qui approchât de celle qu'il avait devant les yeux.

Les Mille et Une Nuits, contes arabes / Traduction d'Antoine Galland ; introduction par Jean Gaulmier. – Paris : Flammarion, 1965. – (*GF*). – [T. I, pp. 113-115]. – [Graphies modernisées].

LES MILLE ET UNE NUITS 418 bis

J.-Ch. Mardrus — 1903

Histoire du portefaix avec les jeunes filles (XXVIIIe-XXIXe nuit). — Les seize volumes de la traduction du Dr Mardrus, parue de 1899 à 1903, furent souvent réimprimés. C'est la première traduction française postérieure à celle de Galland.

Il y avait, dans la ville de Baghdad, un homme qui était célibataire et aussi portefaix.

Un jour d'entre les jours, pendant qu'il était dans le souk, nonchalamment appuyé sur sa hotte, voici que devant lui s'arrêta une femme enveloppée de son ample voile en étoffe de Mossoul, en soie parsemée de paillettes d'or et doublée de brocart. Elle souleva un peu son petit voile de visage, et, d'en dessous, alors, apparurent des yeux noirs avec de longs cils et quelles paupières ! Et elle était svelte et fine d'extrémités, parfaite de qualités. Puis elle dit avec la douceur de sa prononciation : « O portefaix, prends ta hotte et suis-moi ! » Et le portefaix, tout saisi, ne pouvait croire aux paroles entendues ; pourtant il prit sa hotte et suivit la jeune femme, qui enfin s'arrêta devant la porte d'une maison. Elle frappa à la porte, et tout de suite un homme nousrani[1] descendit et lui donna, pour un dinar, une mesure d'olives qu'elle mit dans sa hotte, en disant au portefaix : « Porte cela et suis-moi ! » Et le portefaix s'écria : « Par Allah ! quel jour béni ! » Et il porta la hotte et suivit la jeune femme. Elle s'arrêta devant la boutique d'un fruitier et acheta des pommes de Syrie, des coings osmani, des pêches d'Oman, des jasmins d'Alep, des nénuphars de Damas, des concombres du Nil, des limons d'Égypte, des cédrats sultani, des baies de myrte, des fleurs de henné, des anémones rouge-sang, des violettes, des fleurs de grenadier et des narcisses. Et elle mit le tout dans la hotte du portefaix et lui dit : « Porte ! » et il porta et la suivit jusqu'à ce qu'elle fût arrivée devant un boucher auquel elle dit : « Coupe dix artal[2] de viande. » Il coupa les dix artal ; et elle les enveloppa avec des feuilles de bananier, les mit dans la hotte, et dit : « Porte, ô portefaix ! » Il porta et la suivit pour s'arrêter devant le vendeur d'amandes, chez qui elle prit de toutes les espèces d'amandes, et dit : « Porte et suis-moi ! » Et il porta la hotte et la

1 *Nousrani*, c'est-à-dire *nazaréen*. C'est le nom que les musulmans donnent aux chrétiens. (N.d.t.)

2 *Artal*, pluriel de *ratl*, poids variant, selon les contrées, entre deux et douze onces. (N.d.t.)

suivit jusque devant la boutique du marchand de douceurs ; là elle acheta un plateau et le couvrit de tout ce qu'il y avait chez le marchand : des entrelacs de sucre au beurre, des pâtes veloutées parfumées au musc et farcies délicieusement, des biscuits appelés *saboun*, des petits pâtés, des tourtes au limon, des confitures savoureuses, des sucreries appelées *mouchabac*, des petites bouchées soufflées appelées *loucmet-el-kadi*, et d'autres appelées *assabih-zeinab*, faites au beurre, au miel et au lait. Puis elle mit toutes ces variétés de friandises sur le plateau et mit le plateau sur la hotte. Alors le portefaix dit : « Si tu m'avais averti, je serais venu avec un mulet pour charger toutes ces choses ! » Et elle sourit à ces paroles. Puis elle s'arrêta chez le distillateur, et lui acheta dix sortes d'eaux : de l'eau de roses, de l'eau de fleurs d'oranger, et bien d'autres aussi ; elle prit aussi une mesure de boissons enivrantes ; elle acheta également un aspersoir d'eau de roses musquée, des grains d'encens mâle, du bois d'aloès, de l'ambre gris et du musc ; elle prit enfin des chandelles en cire d'Alexandrie. Elle mit le tout dans la hotte et dit : « Porte la hotte et suis-moi ! » Et il porta la hotte et suivit tout en portant la hotte, jusqu'à ce que la jeune dame fût arrivée à un palais magnifique ayant sur le jardin de derrière une cour spacieuse ; il était très élevé, de forme carrée, et imposant ; le portail avait deux battants en ébène, lamés de lames d'or rouge.

Alors l'adolescente s'arrêta à la porte et sonna d'une façon de sonner gentille ; et la porte s'ouvrit avec ses deux battants. Le portefaix regarda alors celle qui lui avait ouvert la porte, et il trouva que c'était une jeune fille de taille élégante et gracieuse, un vrai modèle pour les seins arrondis et saillants, pour sa joliesse, son élégance, sa beauté, et toutes les perfections de sa taille et de son maintien ; son front était blanc comme la première lueur de la nouvelle lune, ses yeux comme les yeux des gazelles, ses sourcils comme le croissant du mois de Ramadan, ses joues comme l'anémone, sa bouche comme le sceau de Soleïman, son visage comme la pleine lune à son lever, ses deux seins comme deux grenades jumelles ; quant à son jeune ventre élastique et pliant, il se cachait sous les vêtements comme une lettre précieuse sous le rouleau qui l'enveloppe.

Aussi, à sa vue, le portefaix sentit sa raison s'envoler et la hotte tomber de dessus sa tête, et il se dit : « Par Allah ! de ma vie je n'ai eu un jour plus béni que ce jour-ci ! »

Le Livre des mille et une nuits / traduction littérale et complète du texte arabe par le Dr. Joseph-Charles Mardrus. – Paris : Charpentier et Fasquelle, 1903. – [Volume I, pp. 93-96].

LES MILLE ET UNE NUITS 419

A. Galland — 1704

La force de l'amour. — Dans ce début du récit intitulé par Galland *Histoire de Ganem, fils d'Abou Aibou, l'esclave d'amour* (tome VIII de l'édition de 1709), Ganem, jeune et riche marchand de Damas, au cours d'un séjour d'affaire à Bagdad, perd son chemin et se trouve égaré de nuit dans l'enceinte d'un cimetière. Du haut d'un palmier où il s'est réfugié de crainte d'être attaqué, il est témoin de l'arrivée de trois esclaves porteurs d'un coffre, qu'ils enterrent. C'est le point de départ d'une des plus émouvantes histoires d'amour du recueil.

Ganem, qui du haut du palmier avait entendu les paroles que les esclaves avaient prononcées, ne savait que penser de cette aventure. Il jugea qu'il fallait que ce coffre renfermât quelque chose de précieux, et que la personne à qui il appartenait avait ses raisons pour le faire cacher dans ce cimetière. Il résolut de s'en éclaircir sur-le-champ. Il descendit du palmier. Le départ des esclaves lui avait ôté sa frayeur. Il se mit à travailler sur la fosse, et il y employa si bien les pieds et les mains qu'en peu de temps il vit le coffre à découvert ; mais il le trouva fermé d'un gros cadenas. Il fut très mortifié de ce nouvel obstacle qui l'empêchait de satisfaire sa curiosité. Cependant il ne perdit point courage ; et le jour, venant à paraître sur ces entrefaites, lui fit découvrir dans le cimetière plusieurs gros cailloux. Il en choisit un avec quoi il n'eut pas beaucoup de peine à forcer le cadenas. Alors, plein d'impatience, il ouvrit le coffre. Au lieu d'y trouver de l'argent, comme il se l'était imaginé, Ganem fut dans une surprise que l'on ne peut exprimer d'y voir une jeune dame d'une beauté sans pareille. À son teint frais et vermeil, et encore plus à une respiration douce et réglée, il connut qu'elle était pleine de vie ; mais il ne pouvait comprendre pourquoi, si elle n'était qu'endormie, elle ne s'était pas réveillée au bruit qu'il avait fait en forçant le cadenas. Elle avait un habillement si magnifique, des bracelets et des pendants d'oreilles de diamants, avec un collier de perles fines si grosses, qu'il ne douta pas un moment que ce ne fût une dame des premières de la Cour. À la vue d'un si bel objet, non seulement la pitié et l'inclination naturelle à secourir les personnes qui sont en danger, mais même quelque chose de plus fort que Ganem alors ne pouvait pas bien démêler, le portèrent à donner à cette jeune beauté tout le secours qui dépendait de lui.

Avant toute chose, il alla fermer la porte du cimetière que les esclaves avaient laissée ouverte ; il revint ensuite prendre la dame entre ses bras. Il la tira hors du coffre et la coucha sur la terre qu'il avait ôtée. La dame fut à peine dans cette situation et exposée au grand air qu'elle éternua, et qu'avec un petit effort qu'elle fit en tournant la tête elle rendit par la bouche une liqueur dont il parut qu'elle avait l'estomac chargé ; puis, entrouvrant et se frottant les yeux, elle s'écria d'une voix dont Ganem, qu'elle ne voyait pas, fut enchanté : « Fleur du jardin, Branche du corail, Canne de sucre, Lumière du jour, Étoile du matin, Délices du temps, parlez donc, où êtes-vous ? » C'étaient autant de noms de femmes esclaves qui avaient coutume de la servir. Elle les appelait, et elle était fort étonnée de ce que personne ne répondait. Elle ouvrit enfin les yeux, et, se voyant dans un cimetière, elle fut saisie de crainte. « Quoi donc ! s'écria-t-elle plus fort qu'auparavant, les morts ressuscitent-ils ? Sommes-nous au jour du jugement ? Quel étrange changement du soir au matin ! »

Ganem ne voulut pas laisser la dame plus longtemps dans cette inquiétude. Il se présenta devant elle aussitôt avec tout le respect possible et de la manière la plus honnête du monde. « Madame, lui dit-il, je ne puis vous exprimer que faiblement la joie que j'ai de m'être trouvé ici pour vous rendre le service que je vous ai rendu, et de pouvoir vous offrir tous les secours dont vous avez besoin dans l'état où vous êtes. »

Pour engager la dame à prendre toute confiance en lui, il lui dit premièrement qui il était, et par quel hasard il se trouvait dans ce cimetière. Il lui raconta ensuite l'arrivée des trois esclaves, et de quelle manière ils avaient enterré le coffre. La dame, qui s'était couvert le visage de son voile dès que Ganem s'était présenté, fut vivement touchée de l'obligation qu'elle lui avait. « Je rends grâces à Dieu, lui dit-elle, de m'avoir envoyé un honnête homme comme vous pour me délivrer de la mort. Mais, puisque vous avez commencé une œuvre si charitable, je vous conjure de ne la pas laisser imparfaite. Allez, de grâce, dans la ville chercher un muletier qui vienne avec un mulet me prendre et me transporter chez vous dans ce même coffre : car, si j'allais avec vous à pied, mon habillement étant différent de celui des dames de la ville, quelqu'un y pourrait faire attention et me suivre ; ce qu'il m'est de la dernière importance de prévenir. Quand je serai dans votre maison, vous apprendrez qui je suis par le récit que je vous ferai de mon histoire ; et cependant soyez persuadé que vous n'avez pas obligé une ingrate. »

Les Mille et Une Nuits, contes arabes / Traduction d'Antoine Galland ; introduction par Jean Gaulmier. – Paris : Flammarion, 1965. – (*GF*). – [T. II, pp. 381-383]. – [Graphies modernisées].

LES MILLE ET UNE NUITS 419 bis

R. Khawam — 1965

La force de l'amour. — Parue d'abord en 1965-1967, la traduction de René R. Khawam connut, en 1987, une rédaction revue et corrigée.

La lumière déclina et, à un moment donné, disparut complètement aux yeux de Ghânim, qui avait attendu jusque-là pour descendre de son observatoire. Notre homme se persuada alors d'une chose :

— Je dois absolument voir ce que contient cette caisse ; je soupçonne qu'elle est pleine d'argent. Et qui sait ? Ces hommes n'auront pas commis d'effraction ailleurs que dans ma propre maison, ils m'auront volé... Oui, c'est ma fortune qui est dans cette caisse !

Dès cet instant, il se précipita sur le sol, afin de le gratter et de mettre à découvert la fameuse caisse ; il déploya tant d'efforts qu'il parvint à la dégager de son logement souterrain. En l'examinant de plus près, il s'aperçut qu'une solide serrure de fer la maintenait fermée ; non sans s'y être repris à plusieurs fois, et à force de la brutaliser en tous sens, il parvint à la briser.

Mais la caisse une fois ouverte livra son contenu : ce n'était ni de l'argent ni des objets de valeur, mais... le corps d'une jeune fille. Gloire à Dieu qui l'avait créée aussi belle ! Elle eût pu faire rougir de confusion le soleil à son lever. Quel émerveillement pour Ghânim ! Mais un examen attentif le remplit de stupéfaction : elle n'était pas morte, non, simplement endormie. Son vêtement signalait de quelle extraction elle était : sans aucun doute, elle appartenait au milieu le plus huppé de l'élite de la capitale. La robe qu'elle portait, par exemple : que de pierres précieuses et de perles serties dans son étoffe !

[...] il se disait : « Voilà qui est étonnant ! J'ai frappé comme un sourd sur cette serrure pour la briser, sans parvenir à éveiller cette jeune fille. Mais laissons cela, ce n'est pas le plus urgent. »

La première précaution qu'il prit fut d'aller fermer à clef la porte du cimetière, après quoi il revint vers la jeune fille, qu'il tira de sa caisse et étendit sur le sol. Il alla ensuite ramasser quelques fleurs qui ornaient les alentours des tombes et, les pressant ensemble, il en fit sentir à la jeune fille l'odeur qui s'exhalait. Comme cela ne suffisait pas, il malaxa une motte de terre avec de l'eau et, de la boulette obtenue, lui fit une compresse sur le nez. La belle éternua, mais ne se réveilla point pour autant ; Ghânim lui ouvrit la bouche, y versant une gorgée d'eau dans laquelle il avait dilué un peu de rouge argile, et quand elle eut avalé cette mixture, elle vomit aussitôt, ce qui lui rendit ses sens. Elle inspira profondément et put enfin parler. Parler, ou plus exactement crier, car elle appelait ses servantes à tue-tête en leur donnant leurs noms : « Étoile-du-Matin ! Soleil-du-Jour, malheur à toi ! Canne-à-Sucre ! », et autres sobriquets coutumiers pour des servantes.

Lorsque Ghânim entendit cette voix et ces mots, son cœur faillit s'envoler de joie. Elle était vivante ! Mais la jeune fille se rendait compte que ses appels restaient vains : pas la moindre servante auprès d'elle. Elle n'avait d'autre ressource que d'ouvrir les yeux, et alors, elle se vit dans un cimetière. Elle en fut fort perplexe... :

— Où suis-je ? Et que se passe-t-il ? Que m'est-il arrivé ? Comment s'explique un tel changement ? Passer d'un lieu à l'autre en si peu de temps ! Dire que cette nuit je me trouvais dans le palais du khalife, prenant dans mes appartements mon repas du soir ! Gloire à Celui qui fait changer toute chose en étant Lui-même immuable !

Toute à ces réflexions, elle regardait à droite et à gauche, quand ses yeux lui montrèrent un quidam debout devant elle. C'était Ghânim, qui tenta de la rassurer :

— Ô dame mienne, n'éprouve aucune crainte. C'est à croire que le Dieu Très-Haut — que Sa puissance soit glorifiée ! — m'a fait venir exprès de Damas à Baghdad, qu'Il a permis au destin de me pousser cette nuit en ces lieux, qui ne montrent aux regards que des morts, mais en m'investissant d'une mission bien précise : te conserver la vie, te délivrer du danger dans lequel tu étais tombée, te sauver d'une situation si critique pour toi qu'elle n'avait d'autre issue que le trépas...

Là-dessus, il entreprit de lui raconter toutes les péripéties de cette aventure, du commencement jusqu'à la fin. [...] Nul doute, le destin l'avait amené ici. Il avait vu, ajouta-t-il, toute la scène des hommes à la caisse, et l'ensevelissement de l'objet dans la fosse. Il avait forcé la serrure et il avait tiré la jeune fille hors de la caisse, lui précisa-t-il pour finir.

Ce discours de Ghânim amena la jeune fille à dévoiler légèrement son visage, car elle l'avait dissimulé en s'apercevant qu'elle parlait à un homme, pour le remercier :

— Voilà le très grand bienfait du Créateur, qui a chargé un garçon de ton espèce, sur qui l'on peut compter, et de condition libre, de me délivrer de la mort. Si je vis maintenant, c'est grâce à toi. Mais, par Dieu au-dessus de toi, ô mon frère, mène à son terme le service que tu m'as rendu et la bonté dont tu as fait preuve envers moi : remets-moi de nouveau à l'intérieur de la caisse et referme la serrure sur moi. Va louer les services d'un conducteur de mule et fais-moi mener dans ta maison, toujours enfermée dans ma caisse, car sans cela, avec mes vêtements, tout le monde me reconnaîtrait, et je ne puis affronter le regard des passants pour entrer, habillée comme je le suis, dans la ville. Tu imagines le scandale ! Mais dès que tu m'auras conduite chez toi, je te parlerai de moi : qui je suis, quel est mon état. Je demande seulement à Dieu de me rendre capable de rétribuer un jour dignement le service dont tu t'es fait un mérite envers moi.

Les Mille et Une Nuits : La Saveur des jours / Texte établi sur les manuscrits originaux par René R. Khawam. – N^elle^ édition entièrement refondue. — Paris : Phébus, 1987. – [Tome IV, pp. 288-290].

LES MILLE ET UNE NUITS 420

A. Galland — 1712-1717

Les aventures du Calife Haroun Alraschid. — Le texte qui suit, situé à la fin du tome X (1712) et au début du tome XI (1717) de l'édition originale, sert d'ouverture et de cadre à un groupe de trois récits communiqués oralement à Galland par Hanna en 1709, et connus donc exclusivement par la version française des contes. Le calife Haroun-al-Raschid et son grand vizir y rencontrent au cours de leur promenade deux autres personnages dont le comportement, aussi insolite que celui du mendiant aveugle, pique également leur curiosité. Convoqués par la suite au palais du calife, les trois personnages racontent chacun l'aventure qui les a menés à se conduire de la sorte.

Quelquefois, comme votre majesté ne l'ignore pas, & comme elle peut l'avoir expérimenté par elle-même, nous sommes dans des transports de joie si extraordinaires, que nous communiquons d'abord cette passion à ceux qui nous approchent, ou que nous participons aisément à la leur. Quelquefois aussi nous sommes dans une mélancolie si profonde, que nous sommes insupportables à nous-mêmes, & que bien loin d'en pouvoir dire la cause, si on nous la demandoit, nous ne pourrions la trouver nous-mêmes si nous la cherchions.

Le calife étoit un jour dans cette situation d'esprit, quand Giafar, son grand-visir, fidèle & aimé, vint se présenter devant lui. Ce ministre le trouva seul, ce qui lui arrivoit rarement ; & comme il s'apperçut en s'avançant qu'il étoit enseveli dans une humeur sombre, & même qu'il ne levoit pas les yeux pour le regarder, il s'arrêta en attendant qu'il daignât les jetter sur lui.

Le calife leva enfin les yeux, & regarda Giafar ; mais il les détourna aussitôt, en demeurant dans la même posture, aussi immobile qu'auparavant.

Comme le grand-visir ne remarqua rien de fâcheux dans les yeux du calife qui le regardât personnellement, il prit la parole. Commandeur des croyans, dit-il, votre majesté me permet-elle de lui demander d'où peut venir la mélancolie qu'elle fait paroître, & dont il m'a toujours paru qu'elle étoit si peu susceptible ?

Il est vrai, visir, répondit le calife en changeant de situation, que j'en suis peu susceptible, & sans toi, je ne me serois pas apperçu de celle où tu me trouves, & dans laquelle je ne veux pas demeurer davantage. S'il n'y a rien de nouveau qui t'ait obligé de venir, tu me feras plaisir d'inventer quelque chose pour me la faire dissiper.

Commandeur des croyans, reprit le grand-visir Giafar, mon devoir seul m'a obligé de me rendre ici, & je prens la liberté de faire souvenir à votre majesté, qu'elle s'est imposé elle-même le devoir de s'éclairicir en personne de la bonne police qu'elle veut être observée dans sa capitale & aux environs. C'est aujourd'hui le jour qu'elle a bien voulu se prescrire pour s'en donner la peine ; & c'est l'occasion la plus propre qui s'offre d'elle même pour dissiper les nuages qui offusquent la gaîté ordinaire.

Je l'avois oublié, répliqua le calife, & tu m'en fais souvenir fort à propos : vas donc changer d'habit, pendant que je ferai la même chose de mon côté.

Ils prirent chacun un habit de marchand étranger ; & sous ce déguisement, ils sortirent seuls par une porte secrète du jardin du palais, qui donnoit sur la campagne. Ils firent une partie du circuit de la ville, par les dehors, jusqu'aux bords de l'Euphrate, à une distance assez éloignée de la porte de la ville, qui étoit de ce côté-là, sans avoir rien observé qui fût contre le bon ordre. Ils traversèrent ce fleuve sur le premier bateau qui se présenta ; & après avoir achevé le tour de l'autre partie de la ville, opposée à celle qu'ils venoient de quitter, ils reprirent le chemin du pont qui en faisoit la communication.

Ils passèrent ce pont, au bout duquel ils rencontrèrent un aveugle assez âgé qui demandoit l'aumône. Le calife se détourna et lui mit une pièce de monnaie d'or dans la main.

L'aveugle à l'instant lui prit la main & l'arrêta. Charitable personne, dit-il, qui que vous soyez, que dieu a inspiré de me faire l'aumône, ne me refusez pas la grâce que je vous demande, de me donner un soufflet : je l'ai mérité, & même un plus grand châtiment. En achevant ces paroles, il quitta la main du calife pour lui laisser la liberté de lui donner le soufflet ; mais de crainte qu'il ne passât outre sans le faire, il le prit par son habit.

Le calife fut surpris de la demande & de l'action de l'aveugle : Bonhomme, dit-il, je ne puis t'accorder ce que tu me demandes ; je me garderai bien d'effacer le mérite de mon aumône par le mauvais traitement que tu prétens que je te fasse ; & en achevant ces paroles, il fit un effort pour faire quitter prise à l'aveugle.

L'aveugle qui s'étoit douté de la répugnance de son bienfaiteur, par l'expérience qu'il en avoit depuis long-temps, fit un plus grand effort pour le retenir. Seigneur, reprit-il, pardonnez-moi ma hardiesse & mon importunité ; donnez-moi, je vous prie, un soufflet, ou reprenez votre aumône ; je ne puis la recevoir qu'à cette condition, sans contrevenir à un serment solemnel que j'en ai fait devant dieu ; & si vous en saviez la raison, vous tomberiez d'accord avec moi que la peine en est très-légère.

Le calife, qui ne vouloit pas être retardé plus long-temps, céda à l'importunité de l'aveugle, & lui donna un soufflet, assez léger. L'aveugle quitta prise, aussitôt en le remerciant & en le bénissant. Le calife continua son chemin avec le grand-visir ; mais à quelques pas delà, il dit au visir : Il faut que le sujet, qui a porté cet aveugle à se conduire ainsi avec tous ceux qui lui font l'aumône, soit un sujet grave. Je serois bien-aise d'en être informé ; ainsi retourne & dis-lui qui je suis, qu'il ne manque pas de se trouver demain au palais, au temps de la prière de l'après-dînée, & que je veux lui parler.

Le grand-visir retourna sur ses pas, fit son aumône à l'aveugle, & après lui avoir donné un soufflet, il lui donna l'ordre, & il revint rejoindre le calife.

Cabinet des fées, ou Collection choisie des contes de fées et autres contes merveilleux. – A Genève : chez Barde, Manget et Cie ; à Paris : chez Cuchet, 1786. – [T. XI, pp. 5-9].

BETHLEN

HONGROIS **1642-1716**

Si, en Hongrie, les origines de la littérature autobiographique remontent au XVIe siècle, le développement réel du genre ne s'est produit qu'au siècle du baroque. Ses représentants sont, la plupart du temps, des hommes politiques d'origine noble ou des secrétaires chargés de quelque fonction administrative. Dans l'évolution du genre, la part de la subjectivité est allée grandissant, les mémorialistes, quelquefois en dépit de l'ordre chronologique, ayant fini par imposer leur point de vue dans la présentation des événements et des hommes. En cherchant à justifier leurs auteurs devant la postérité, usant, de plus en plus souvent, pour captiver leurs lecteurs, de procédés littéraires, ces mémoires, manuscrits, circulèrent et exercèrent une influence réelle dans les milieux nobiliaires. L'*Autobiographie* de János Kemény (1607-1662), homme politique et chef de guerre très populaire en Transylvanie, en fournit un excellent exemple : s'il peint encore, tout d'abord, son époque, il donne aussi déjà à ses opinions et aux événements de sa vie privée une place significative et séduit ses lecteurs par ses dons de portraitiste et de conteur. Et si la *Chronique douloureuse* (1660) de János Szalárdi, ce tableau de la Transylvanie ravagée par les armées turques, marque encore la transition entre l'historiographie et les mémoires, l'autobiographie de l'imprimeur Miklós Tótfalusi Kis (1650-1702), qui eut tant de déboires, une fois rentré des Pays-Bas où il connut la célébrité, se présente sous un titre programmatique : *Apologie de sa personne, de sa vie et de ses actes particuliers* (rédigée à Kolozsvár, en 1698).

C'est dans ce contexte que se place l'œuvre du plus grand mémorialiste du baroque hongrois, le chancelier Miklós Bethlen. Descendant d'une grande famille aristocratique de Transylvanie, il fit ses études d'abord à Kolozsvár (Cluj, Roumanie), puis à Heidelberg, Leiden et Utrecht. Il séjourna ensuite en Angleterre et en France où, sur le point de rentrer, en avril 1664, dans son pays, il fut chargé par Louis XIV d'une mission diplomatique. À l'automne de cette même année, il prit part à la chasse à courre qui vit le comte Zrinyi tué par un sanglier.

Miklós Bethlen devint l'homme politique le plus marquant de la Transylvanie. Chancelier entre 1691 et 1702, prenant une part active aux discussions sur le statut constitutionnel de la principauté, il entra en conflit avec la maison de Habsbourg, ce qui lui valut non seulement l'arrestation, mais une condamnation à la peine capitale. La sentence, certes, ne fut pas exécutée, mais on l'emmena à Vienne où il fut retenu pour le reste de ses jours. C'est là, en prison, qu'il rédigea, de 1708 à 1710, son autobiographie où il entendit rendre compte non seulement de la mission qu'il s'était assignée dans la vie et du combat qu'il avait mené pour l'indépendance de la Transylvanie, mais aussi de son évolution morale et psychologique, dans un souci de véracité et d'authenticité dont les modèles lui étaient fournis par saint Augustin, Pétrarque et Jacques-Auguste de Thou (1553-1617), magistrat et historien français, auteur d'une *Histoire de mon temps*, rédigée en latin. Bethlen, en lettré, est parfaitement maître des techniques et conscient des finalités du mémorialiste, qu'il s'agisse de la disposition chronologique, fort souple, de son récit ou de son intention de pénétrer les motivations profondes et, par là, la véritable nature des hommes et le sens moral de leurs actes.

À travers la peinture de sa carrière et à la lumière de son expérience vécue, cet homme haut en couleur entend à la fois s'expliquer et défendre ses principes politiques et moraux, d'où le caractère apologétique en même temps que la cohérence interne de son œuvre qui se veut digne de foi tant pour les faits qu'elle rapporte que pour les jugements qu'elle porte sur autrui ou sur la société de son temps. De propension introspective, son tempérament l'induit souvent à l'analyse de soi et apparente son œuvre aux *Confessions* de saint Augustin.

La vision du monde de Bethlen est profondément marquée par la religion réformée, d'une part, par un rationalisme d'esprit cartésien, d'autre part, ce qui ne l'empêche pas d'adopter les modèles de style en vogue à l'âge baroque. Il a le goût de la période à structure hiérarchisée, comme celui de l'image, de la comparaison et de la description pittoresque. Son exemple illustre le fait que le style baroque n'était pas aussi étranger qu'on pourrait le croire aux écrivains protestants d'Europe centrale et orientale.

Si l'autobiographie de Bethlen n'a été publiée que tardivement, au XIXe siècle, la destinée tragique du Chancelier ne fut pas ignorée de ses contemporains, comme en témoignent les *Mémoires historiques du comte BetlemNiklos [sic], contenant en particulier les troubles de Transylvanie,* de l'abbé Dominique Révérend (1648-1734), ouvrage en deux volumes, édité à Amsterdam (en fait à Rouen), en 1736, avec une préface de Pierre-François Le Coq de Villeray. Bethlen y est présenté comme un grand homme d'État, représentant du parti anti-habsbourgeois. Cette fiction fut jugée assez intéressante en Hongrie pour être intégralement traduite et publiée, en 1864, par I. Toldy, et, plus étonnant, rééditée récemment par B. Köpeczi (*Bethlen Miklós emlékiratai* [*Les Mémoires de M.B.*] / D. Révérend. – Budapest : Helikon, 1984. – 240 p.)

G. Tolnai, "Miklós Bethlen : un classique des anciens mémoires *hongrois*". – In : *Acta Litteraria Academiæ Scientiarum Hungaricæ* / Magyar Tudomànyos Akadèmia (ed.). – Budapest : Akadèmiai Kiadó, 1970. – [Vol. XII, pp. 251-272].

I. Nemeskürty, "Les mémoires." – In : *Histoire de la littérature hongroise des origines à nos jours* / sous la dir. de T. Klaniczay. – Budapest : Corvina Kiadó, 1980. – [Pp. 96-102].

AUTOBIOGRAPHIE 421

E. Kenéz, A.-M. de Backer — 1981

À la recherche de la vérité autobiographique (1re partie, avant-propos). — Dans la pensée de l'auteur, ses mémoires devaient être à la fois une explication de ses actes à l'usage de sa famille et une sorte de testament politique. L'ouvrage est divisé en deux Livres. Le premier est centré sur la vie et les souvenirs personnels de l'auteur, depuis l'enfance jusqu'à son retour définitif en Transylvanie, en 1667. Le second relate ses luttes contre l'anarchie, la corruption et les ambitions hégémoniques de l'Autriche.

Que cet ouvrage soit écrit au nom, à la gloire et grâce à l'aide du Père, du Fils et du Saint-Esprit, en vérité un seul Dieu éternel (dans la foi de qui je reçus le baptême). Que Dieu, devant lequel tout est nu et découvert (Hébreux 4 : 13) et qui sonde les cœurs et les reins (Jérémie 17 : 10), me soit témoin que 1° : J'écris tout de ma vie avec entière véracité pour autant que mes médiocres facultés et ma faiblesse me le permettent, encore qu'à mon avis, certains de ses événements ne soient guère croyables pour le lecteur ; mais vous savez, vous, mon Dieu, qu'ici, je ne mens point. 2° : Que je n'agis point ainsi par démangeaison et convoitise d'une vaine renommée. Car de ceux qui vivent aujourd'hui et de ceux qui vivront demain, qui aura besoin de connaître la vie d'un homme de mon rang ? Mais que me servira, surtout après ma mort, que quelqu'un connaisse ma vie, même s'il en dit quelque bien ; d'autre part, en quoi peut-il me nuire s'il l'ignore ou s'il en dit du mal ? La condition qui me sera octroyée par Dieu à l'heure ultime de ma vie, ne pourra être changée ni en bien ni en mal par la connaissance ou l'ignorance, par le jugement favorable ou la prévention, par les louanges ou les injures non seulement de quelques hommes, mais encore du monde entier... De même que l'état d'Abraham, d'Isaac, de Jacob, de Moïse, de David, d'Isaïe, de Daniel, de saint Paul, de saint Pierre, etc., et celui de tous les saints ne peut être changé, ni relevé ni rabaissé par la renommée, par la *fama sive bona sive mala* —, de même moi, *vilissimus homuncio*, pourquoi chercherais-je la célébrité, le prestige, la gloire pour ma personne ? Que Dieu m'en garde ; cependant, je suis contraint d'écrire cette autobiographie par l'état de ma descendance et de ma maison, à qui je la lègue comme apologie ou comme testament et instruction. Car, comme les persécutions du monde sur ma personne furent extraordinaires dès ma jeunesse et que, surtout, j'ai dû subir, à deux reprises, une cruelle captivité : la postérité ou le monde, ignorant les faits, pourraient penser que j'étais peut-être l'homme le plus infâme de Transylvanie pour avoir tant souffert. Et bien que celui qui jugerait et parlerait de cette manière, s'abuserait lui-même abusant aussi les autres après ma mort, je n'en serais guère affecté : mais cela pourrait attrister ceux qui survivront des miens, ou même leur porter préjudice, et leur causer des tourments, pour se venger de moi. Que cet écrit leur soit donc arme et bouclier pour se défendre eux-mêmes, et non moi, et afin de faire taire les gens ; ou s'ils ne peuvent en user à cette fin, qu'ils puissent du moins en tirer consolation pour pouvoir se moquer des mensonges du monde. Aussi ne désiré je point qu'ils offrent cet écrit au public ; cela ne me servirait point du tout, mais peut-être leur ferait tort. Il vaudrait même mieux qu'ils ne le communiquent pas à beaucoup de personnes, *nisi ob gravissimas causas*, sinon à des hommes savants et pieux de notre religion ; et seulement si ces derniers jugent que sa publication et sa diffusion peuvent servir la gloire de Dieu et l'édification de notre église évangélique réformée ; ou encore si sa publication n'entraîne ni dangers ni ennuis pour eux-mêmes, ni opprobre à mon nom, ce qui serait cause d'affliction pour eux ; qu'ils y regardent donc de près pour choisir le moment, les circonstances et les hommes. Dans ces conditions, si quelque érudit honorable le traduit en latin et le publie, c'est leur affaire, c'est à eux de voir ; car ils n'ont pas à intervenir en ma faveur, puisque j'ai écrit non pas tant pour moi-même que pour eux et pour la postérité. J'ai d'ailleurs des modèles et des guides, tels saints Job, Néhémie et Augustin, les grands docteurs Franciscus Petrarca et Jacobus Augustus Thuanus[1], qui ont écrit, eux-mêmes, leur vie. Je n'ai pas utilisé le latin, bien qu'à la vérité, il m'eût été plus opportun de rédiger en cette langue ; je n'entends pas dire par là que je sache mieux le latin que le hongrois, certes, je ne puis m'en flatter et je ne m'en flatte point ; cependant la langue latine, par sa richesse et par suite du fait qu'elle a été polie par beaucoup de grands esprits pendant tant de siècles, est plus propre, que la langue hongroise, à l'évocation des choses. Rédigé en latin, cet ouvrage n'aurait pu être compris par ma femme, alors que c'est plutôt pour elle et sur sa demande que je relate l'histoire de mes innombrables souffrances ; mais à vrai dire elle n'en pleurera que davantage. Toutefois, je crois qu'elle, de même que tant d'autres, surtout en Transylvanie et en Hongrie, pourront beaucoup apprendre en le lisant la crainte de Dieu, l'humilité et l'amour chrétiens dans le cœur. Qu'il soit donc publié, si tant est qu'on le publie, non seulement en latin, mais aussi en hongrois. Et afin que chacun puisse plus facilement admettre que je ne cherche ni célébrité ni renommée, encore que je ne les méprise pas tout à fait : je renonce à ces biens la conscience nue devant Dieu (Hébreux 4 : 12, 13) conformément à ma conception que j'eus toujours et que j'ai maintenant concernant les vanités du monde. Que ceci serve donc de préface et d'avant-propos à l'histoire de ma vie.

Pages choisies de la littérature hongroise des origines au milieu du XVIIIe siècle / préface et choix des textes par Tibor Klaniczay. – Budapest : Corvina Kiadó, 1981. – [Pp. 213-215].

1 Jacques-Auguste de Thou. (N.d.t.)

AUTOBIOGRAPHIE 422

E. Kenéz, A.-M. de Backer — 1981

Une partie de chasse mortelle (Livre I, chapitre XVII). — Bethlen raconte la mort du comte Zrínyi à Csáktornya, sa résidence principale, le 13 novembre 1664. Son témoignage contredit formellement les rumeurs qui ont couru à l'époque d'un assassinat politique perpétré par des agents de Vienne.

J'allai à Csáktornya, chez Miklós Zrínyi. J'y arrivai le 13 novembre, à ma grande malchance, car ainsi, il ne me fut accordé que cinq jours pour faire sa connaissance ; ensuite, en effet, il perdit la vie.

Ce grand homme m'estimait au-delà de mon mérite, et, autant que j'en pouvais juger par l'expérience de ces quelques jours, il m'avait pris en amitié. Il me fit donner une chambre fort convenable, tapissée, dans une tourelle d'angle du château ; mes domestiques reçurent une chambre extérieure à part et au même endroit ; mes chevaux, une étable et mes palefreniers, un bon logement en ville ainsi qu'une pension correcte, car, selon les usages de la maison, le comte prenait ses repas dans son petit palais intérieur, en compagnie de sa femme, de deux ou trois jeunes nobles ou de ses principaux serviteurs favoris et de son aumônier, soit *circiter* huit personnes ; une autre grande table étant réservée dans le grand palais pour les seigneurs de la cour. À cette époque, cet usage, considéré comme d'origine allemande, n'était pas très apprécié par les Hongrois, et, en fait, Zrínyi ne l'avait adopté qu'après la mort de sa femme hongroise, ayant en seconde noce épousé une Allemande[1] ; il ne prenait ses repas au palais principal que lorsqu'il avait pour hôtes quantité de grands seigneurs ou de nobles guerriers. Il me reçut donc, moi, à sa table du petit palais ; ces jours-là, nous étions en comité restreint : lui-même, son épouse, une jeune femme, le jeune Pál Zichy, Maître Vitnyédi qui venait d'arriver, Miklós Guzics, son « capitaine de cour », l'abbé et moi. Bien que garnie de peu de mets, selon l'usage allemand, cette table intime n'en était pas moins belle et seigneuriale ; la longue table du grand palais était, elle, très abondante, généreuse et selon le goût hongrois, puisque le comte tenait grande cour.

Écrire de lui, je n'en ai ni la force ni le temps ; tout ce que je puis dire, c'est qu'il était homme très savant, vaillant, de bon conseil, dévoué à sa nation, point superstitieux dans sa religion, ni hypocrite ni intolérant, honorant chacun ; noble et charitable, il menait une vie sobre, il appréciait toutes ces qualités, goûtant fort aussi la véracité chez autrui ; il haïssait l'ivrognerie, le mensonge et la lâcheté ; grand et bien fait, il avait l'âme et

---

1 Elle s'appelait Marie-Sophie Löbl.

la figure belles ; *in summa* : il n'y avait, à cette époque, aucun Hongrois qui pût lui être comparé quant à la vertu et à la célébrité et même, selon mon faible jugement, nul n'en a existé de semblables depuis Gábor Bethlen jusqu'à nos jours, même s'il n'a, lui, possédé ni un pays ni une bonne chance pareils à ceux de l'autre ; je dirai plus, il n'en existera peut-être même plus à l'avenir, encore que les mystères et la puissance de Dieu soient insondables.

C'est pendant mon séjour qu'il reçut, *tamquam intimus consiliarius,* non seulement l'habituel *mandatum* en latin scellé d'un gros cachet, mais l'estafette lui remit aussi une lettre de l'Empereur en allemand — du genre de celles qu'on a coutume d'appeler *Handbrief* — revêtue de son petit cachet secret. Il me parut que la deuxième petite lettre et le courrier lui semblaient suspects : Vitnyédi tenta de le dissuader de partir ; en effet, Sa Majesté le mandait d'urgence à Vienne pour délibérer en conseil sur les affaires de Hongrie, sur la paix que l'on se proposait de conclure alors avec les Turcs et sur l'ambassade de la Porte. Le roi de France lui avait envoyé un don de dix mille écus pour le dédommager des dégâts et du tort que ses biens et sa renommée avaient subis ; quoiqu'il ait accepté ce présent au su de l'Empereur et qu'il l'ait dépensé à Vienne, il ne s'en était pas moins rendu suspect aux yeux de l'Empereur. Aux paroles de dissuasion de Vitnyédi, je l'entendis répondre : *conscia mens recti famæ mendacia ridet,* je ne me suis rendu coupable de rien et si je dois périr, je finirai innocent et honnête, pour la vérité et pour ma nation, pour n'avoir pas voulu approuver un traité de paix honteux avec les Turcs, ce que, d'ailleurs, je n'étais pas le seul à faire, etc. Il décida donc d'y aller, mais seulement en poste, en voiture, ne se faisant accompagner que par Zichy, moi, un valet, un scribe et un cuisinier, car, à Vienne, il trouverait bien assez de domestiques.

Comme ces jours-là, il faisait un beau temps d'automne, nous allions presque quotidiennement à la chasse ; il avait mis à ma disposition un beau cheval. Le 18 novembre, après déjeuner, nous allâmes chasser le sanglier en carrosse, mais nos chevaux suivaient aussi. Vitnyédi était assis sur le siège avant, moi sur le siège arrière, à gauche, lui à droite, nous n'étions que trois. Chemin faisant, Zrínyi nous conta une fable que je juge digne d'être rapportée ici ; comme il ne savait pas qu'il allait mourir trois heures plus tard, cette anecdote lui tenait lieu peut-être de *cygnæa cantio.* La voici donc : Une fois, un homme était emporté par les diables ; il rencontra un de ses amis qui venait de face. Celui-ci lui demande : Où vas-tu, compagnon ? — Je ne vais pas, je suis porté. — Par qui et vers où ? — Lui de répondre : Par les diables et vers l'enfer. — Sur quoi, l'autre s'exclama : Oh ! Pauvre homme ! Tes affaires vont bien mal, tu ne pourrais te trouver en situation plus déplorable ! — Notre homme lui répondit : En effet, tout va mal, mais je pourrais quand même être dans une situation plus pénible encore. — Sur quoi, l'ami de s'étonner : Comment serait-ce possible, puisque l'enfer est pire que tout ? — Il répondit : Tu dis vrai, cependant, les diables me portent quand même ; vers l'enfer, certes, mais sur leur propre dos, de sorte que, d'ici là, je puis me reposer à loisir. Mais s'il leur prenait fantaisie de me seller, de me brider et de se faire porter par moi, j'irais au même enfer de façon bien moins confortable. Et Zrínyi d'appliquer cette fable à la Hongrie et à la Transylvanie, aux Turcs et aux Allemands.

Nous allâmes donc à la chasse. Ayant ôté les grandes bottes larges qu'il pouvait chausser par-dessus ses *bocskor*[1], il entre dans la forêt avec son fusil et, selon sa coutume s'y mettant à l'affût tout seul, il abattit une grosse laie ; les autres chasseurs, à pieds, en tuèrent également une près de la maison forestière et la chasse fut finie. On se rassembla autour du carrosse, le comte arriva aussi, et nous nous préparâmes à rentrer. On était au déclin du jour. Cependant, la fatalité amena un des chasseurs, appelé Póka, qui lui dit en croate : Je viens de blesser un sanglier, j'ai suivi les traces sanglantes, si nous le trouvions, nous pourrions le tuer. Voyant que nous désirions l'accompagner, Zrínyi nous dit aussitôt, à Zichy et à moi : Restez ici, Messieurs, je vous en prie ; à Vitnyédi et au capitaine Guzics : Restez ici à entretenir ces Messieurs, je vais vérifier ce que dit ce butor (à savoir Póka) et je reviens tout de suite. Il sauta à cheval en *bocskor*, l'escopette à la main et partit au galop à la suite de Póka ; un jeune cavalier savoyard nommé Majlani, le frère cadet de Guzics, son valet, un autre de ses valets, un Italien nommé Angelo et son palefrenier galopèrent derrière lui ; nous autres, nous causions près du carrosse. Tout à coup, nous voyons arriver Guzics au galop qui crie à son frère : Vite, le carrosse, c'en est fait du seigneur ! Nous y allâmes aussi vite que le carrosse pouvait avancer, puis je continuai à pied dans les broussailles, et je le trouvai là couché ; à son poignet gauche, semblait-il, le pouls battait encore faiblement, mais ses yeux étaient clos ; il ne dit rien et mourut. Majlani nous fit le récit de ce qui s'était passé : Zrínyi pénétra, derrière Póka, dans la forêt sur les traces du sanglier ; pendant que lui et ses compagnons étaient oc-

1 Sandales légères rustiques, portées par les paysans. (N.d.t.)

cupés à attacher les chevaux, ils entendirent tout à coup un cri : c'était la voix de Póka. Majlani les rejoignit le premier ; il vit Póka juché sur un arbre au tronc recourbé, le seigneur Zrínyi couché face contre terre, avec le sanglier sur le dos ; il tira, le sanglier s'enfuit : arrivèrent alors Guzics et Angelo. Zrínyi se redressa et dit : le sanglier m'a joué un mauvais tour, mais voici un morceau de bois (il le portait toujours sur lui aussi dans les batailles), vite, arrêtez le sang, car il est très propre à cet usage ! C'est ce qu'ils s'appliquèrent à faire, mais en vain ; le comte qui perdait tout son sang, dut d'abord s'asseoir puis s'étendre sur le dos, et enfin mourir, ayant trois plaies à la tête : une à gauche, au-dessus de l'oreille — la défense du sanglier aura glissé sur l'os du crâne déchirant horriblement la peau de la tête en direction du front ; la deuxième était une plaie atroce sous l'oreille gauche, la joue étant déchirée vers l'œil : mais ces deux-là n'étaient rien en comparaison de la troisième : la défense était entrée du côté droit sous l'oreille près de la vertèbre du cou, vers la gorge, sectionnant tous les tendons ; c'est cette troisième blessure qui l'a tué en causant l'hémorragie. Il portait aussi, sur la main, une petite égratignure, mais superficielle. Ce furent alors dans la forêt de terribles lamentations ; les plus humbles manants et les enfants eux-mêmes pleuraient sa mort. On voulait que je porte la nouvelle à son épouse, mais moi, nouveau venu et inconnu, je déclinai cet office, priant Pál Zichy de s'en charger. Soulevant le corps, nous l'étendîmes dans le carrosse — qui nous avait amenés à la chasse — après avoir enlevé les sièges ; je m'assis près de la fenêtre, lui soutenant la tête et le buste pendant le trajet jusqu'à la maison. Arrivés au palais, on le revêtit d'abord d'un dolman de velours blanc, puis on fit entrer sa femme près de lui ; elle faillit perdre la raison tant sa détresse était grande. Ainsi Miklós Zrínyi termina-t-il ses jours ; il est surprenant qu'un homme aussi vaillant que lui n'ait pas tiré sur le sanglier ni ne l'ait attaqué au fer, alors qu'il avait en main une escopette et une épée.

Pages choisies de la littérature hongroise des origines au milieu du XVIIIe siècle / préface et choix des textes par Tibor Klaniczay. – Budapest : Corvina Kiadó, 1981. – [Pp. 222-225].

LEIBNIZ

ALLEMAND • FRANÇAIS • LATIN **1646 -1716**

Poussé par une curiosité rare, Gottfried Wilhelm Leibniz a commencé dès son enfance à lire pêle-mêle l'ensemble des livres de la bibliothèque laissée par son père, très tôt disparu. Poussé par la même boulimie, il rassemble ensuite, pour les éditer, un très grand nombre de documents historiques relatifs, de près ou de loin, à la maison de Brunschwig, ses commanditaires. Il les publiera dans plusieurs volumes de *varia*. Il explore ainsi l'histoire et, pour ce faire, va glaner des informations dans tous les pays d'Europe, où il rencontre nombre de personnages importants.

La même curiosité, attachée cette fois aux hommes, le poussera à s'intéresser aux travaux de très nombreux érudits européens et à y intervenir. Sa très importante correspondance montre le considérable réseau épistolaire qui fut le sien. Toujours dans le même souci de rencontre et de large information, cet enfant de Leipzig fonde, en 1700, l'Académie de Berlin.

Sa fécondité touche encore bien d'autres domaines du savoir : la théologie, la logique, le droit, la philosophie, les mathématiques, la physique, la métaphysique, la chimie, la botanique et la médecine. Fontenelle rapporte que le Roi d'Angleterre l'appelait son « dictionnaire vivant ».

Travaillant tout simultanément, Leibniz avait un objectif tout autre que la diversité : il entendait échafauder une doctrine unifiée de la connaissance, un but qu'il n'atteignit pas mais qui l'amena à énoncer nombre de principes fondamentaux et à ouvrir de multiples portes.

Parmi les plus importants acquis de cette quête d'universalité, il y a sa tentative de trouver une langue universelle, effort qui aboutit aux débuts de la logique formelle. Parallèlement, il établit le fameux calcul leibnizien, ou calcul différentiel, qui permit de formaliser la mécanique et la physique.

En outre, Leibniz a énoncé un très grand nombre de principes généraux comme le principe de perfection, celui de simplicité, le principe de contradiction, le principe d'identité des indiscernables, le principe de continuité, le principe de raison suffisante. Les principes de contradiction et d'identité des indiscernables se sont avérés particulièrement productifs en logique ; quant au principe de continuité, il lui permit de révoquer le principe de conservation de la quantité de mouvement et les lois du choc tels que Descartes les avait énoncés. Tout en concédant que l'idée de la loi de la conservation est fertile, il soutient que la quantité conservée n'est pas, comme l'estimait Descartes, la quantité de mouvement, mais la force vive, c'est-à-dire ce que nous appelons l'énergie. C'est Huygens qui comprendra que, pour écrire les lois du choc, il faut tenir compte à la fois de la conservation de la quantité de mouvement, définie comme une grandeur vectorielle, et de la conservation de l'énergie (scalaire). Le principe de simplicité deviendra principe d'économie qui, associé au calcul différentiel et à la notion d'action, ouvrira la porte au principe de moindre action, énoncé par Maupertuis et élaboré par Euler au siècle suivant.

Frederick Kreling, Jurgen Mittelstrasse, Eric Aiton and Joseph E. Hofmarm, “Leibniz, Gottfried Wilhelm”. – In : *Dictionary of Scientific Biography*. – New York : Ch.C. Gillispie, Charles Scribner's sons. – [Tome VIII, pp. 149-168].

C. S. Roero, P. Dupont, Leibniz 84, “Il decollo enigmatico del calcolo differenziale”, Mediterranean Press, Rende (Italie), 1991.

ESSAI DE THÉODICÉE 423

Discours de la conformité de la foi avec la raison (1-2). — Ce texte éclaire les liens établis par Leibniz entre les différentes branches du savoir : théologie, philosophie, physique mécanique et mathématiques.

Je commence par la question préliminaire *de la conformité de la foi avec la raison*, et de l'usage de la philosophie dans la théologie, parce qu'elle a beaucoup d'influence sur la matière principale que nous allons traiter, et parce que M. Bayle[1] l'y fait entrer partout. Je suppose que deux vérités ne sauraient se contredire ; que l'objet de la foi est la vérité que Dieu a révélée d'une manière extraordinaire, et que la raison est l'enchaînement des vérités, mais particulièrement (lorsqu'elle est comparée avec la foi) de celles où l'esprit humain peut atteindre naturellement, sans être aidé des lumières de la foi. Cette définition de la raison, c'est-à-dire de la *droite et véritable raison*, a surpris quelques personnes accoutumées à déclamer contre la raison prise dans un sens vague. Ils m'ont répondu qu'ils n'avaient jamais entendu qu'on lui eût donné cette signification ; c'est qu'ils n'avaient jamais conféré avec des gens qui s'expliquaient distinctement sur ces matières. Ils m'ont avoué cependant qu'on ne pouvait point blâmer la raison, prise dans le sens que je lui donnais. C'est dans le même sens qu'on oppose quelquefois la raison à l'expérience. La raison, consistant dans l'enchaînement des vérités, a droit de lier encore celles que l'expérience lui a fournies, pour en tirer des conclusions mixtes ; mais la raison pure et nue, distinguée de l'expérience, n'a affaire qu'à des vérités indépendantes des sens. Et l'on peut comparer la foi avec l'expérience, puisque la foi (quant aux motifs qui la vivifient) dépend de l'expérience de ceux qui ont vu les miracles sur lesquels la révélation est fondée, et de la tradition digne de croyance qui les a fait passer jusqu'à nous, soit par les Écritures, soit par le rapport de ceux qui les ont conservées, à peu près

1 Pierre Bayle (1647-1706) avait fait paraître, en deux tomes (1703 et 1705), sa *Réponse aux questions d'un provincial*, mélanges de théologie, d'histoire et de polémique où cette question était constamment sous-jacente. L'*Essai de Théodicée* de Leibniz est de 1710.

comme nous nous fondons sur l'expérience de ceux qui ont vu la Chine et sur la crédibilité de leur rapport, lorsque nous ajoutons foi aux merveilles qu'on nous raconte de ce pays éloigné. Sauf à parler ailleurs du mouvement intérieur du Saint-Esprit, qui s'empare des âmes, et les persuade et les porte au bien, c'est-à-dire à la foi et la charité, sans avoir toujours besoin de motifs.

Or, les vérités de la raison sont de deux sortes : les unes sont ce qu'on appelle les *vérités éternelles*, qui sont absolument nécessaires, en sorte que l'opposé implique contradiction ; et telles sont les vérités dont la nécessité est logique, métaphysique ou géométrique, qu'on ne saurait nier sans pouvoir être mené à des absurdités. Il y en a d'autres qu'on peut appeler *positives*, parce qu'elles sont les lois qu'il a plu à Dieu de donner à la nature, ou parce qu'elles en dépendent. Nous les apprenons, ou par expérience, c'est-à-dire *a posteriori*, ou par la raison et *a priori*, c'est-à-dire par des considérations de la convenance qui les ont fait choisir. Cette convenance a aussi ses règles et ses raisons ; mais c'est le choix libre de Dieu, et non pas une nécessité géométrique, qui fait préférer le convenable et le porte à l'existence. Ainsi, on peut dire que la *nécessité physique* est fondée sur la *nécessité morale*, c'est-à-dire sur le choix du sage digne de sa sagesse ; et que l'une aussi bien que l'autre doit être distinguée de la *nécessité géométrique*. Cette nécessité physique est ce qui fait l'ordre de la nature, et consiste dans les règles du mouvement et dans quelques autres lois générales qu'il a plu à Dieu de donner aux choses en leur donnant l'être. Il est donc vrai que ce n'est pas sans raison que Dieu les a données ; car il ne choisit rien par caprice et comme au sort ou par une indifférence toute pure ; mais les raisons générales du bien et de l'ordre qui l'y ont porté peuvent être vaincues dans quelques cas par des raisons plus grandes d'un ordre supérieur.

Essais de Théodicée sur la bonté de Dieu, la liberté de l'homme et l'origine du mal / Gottfried Wilhelm Leibniz ; chronologie et introduction par J. Brunschwig. – Prais : Garnier-Flammarion, 1969. – [Pp. 50-51].

DISCOURS DE MÉTAPHYSIQUE 424

Utilité des causes finales dans la physique (XIX). — La clé qui permet de comprendre les liens entre les divers domaines du savoir est Dieu, qui crée le meilleur des mondes possibles : « Dieu a choisi celui [le monde] qui est le plus parfait, c'est-à-dire celui qui est en même temps le plus simple en hypothèse et le plus riche en phénomènes ». Ce Dieu sage construit un monde qui tend vers un but. Ainsi naît dans l'esprit de Leibniz la conception de principes téléologiques comme celui des causes finales.

Comme je n'aime pas de juger des gens en mauvaise part, je n'accuse pas nos nouveaux philosophes qui prétendent de bannir les causes finales de la physique, mais je suis néanmoins obligé d'avouer que les suites de ce sentiment me paraissent dangereuses, surtout quand je le joins à celui que j'ai réfuté au commencement de ce discours, qui semble aller à les ôter tout à fait, comme si Dieu ne se proposait aucune fin ni bien, en agissant, ou comme si le bien n'était pas l'objet de sa volonté. Et pour moi je tiens au contraire que c'est là où il faut chercher le principe de toutes les existences et des lois de la nature, parce que Dieu se propose toujours le meilleur et le plus parfait.

Discours de métaphysique. Sur la liberté, le destin, la grâce de Dieu. Correspondance avec Arnauld / Leibniz ; introduction et notes par Jean-Baptiste Rauzy. – Paris : Pocket, 1993. – [P. 47]. – (*Agora. Les Classiques* ; 124).

DISCOURS DE MÉTAPHYSIQUE 425

Si les règles mécaniques dépendaient de la seule géométrie sans la métaphysique, les phénomènes seraient tout autres (XXI). — Le même fil conducteur mène Leibniz au principe d'économie qui, lorsque son calcul différentiel aura été élaboré par les Bernoulli et Euler pour donner naissance au calcul variationnel, débouchera sur le principe de moindre action.

Or, puisqu'on a toujours reconnu la sagesse de Dieu dans le détail de la structure mécanique de quelques corps particuliers, il faut bien qu'elle se soit montrée aussi dans l'économie générale du monde et dans la constitution des lois de la nature. Ce qui est si vrai qu'on remarque les conseils de cette sagesse dans les lois du mouvement en général. Car s'il n'y avait dans les corps qu'une masse étendue, et s'il n'y avait dans le mouvement que le changement de place, et si tout se devait et pouvait déduire de ces définitions toutes seules par une nécessité géométrique, il s'ensuivrait, comme j'ai montré ailleurs, que le moindre corps donnerait au plus grand qui serait en repos et qu'il rencontrerait, la même vitesse qu'il a, sans perdre quoi que ce soit de la sienne, et il faudrait admettre quantité d'autres telles règles tout à fait contraires à la formation d'un système. Mais le décret de la sagesse divine de conserver toujours la même force et la même direction en somme y a pourvu.

Je trouve même que plusieurs effets de la nature se peuvent démontrer doublement, savoir par la considération de la cause efficiente et encore à part, par la considération de la cause finale ; en se servant par exemple du décret de Dieu de produire toujours son effet par les voies les plus aisées et les plus déterminées, comme j'ai fait voir ailleurs en rendant raison des règles de la catoptrique et de la dioptrique, et en dirai davantage tantôt.

Discours de métaphysique. Sur la liberté, le destin, la grâce de Dieu. Correspondance avec Arnauld / Leibniz ; introduction et notes par Jean-Baptiste Rauzy. – Paris : Pocket, 1993. – [P. 51]. – (*Agora. Les Classiques* ; 124).

LETTRE À JACOB BERNOULLI 426

R. Violette, J. Dhombres — 1996

2e *Post scriptum* (Berlin, avril 1709). — Leibniz y raconte comment et à la suite de quelles lectures il a découvert le calcul différentiel. Ce calcul, dont il a à peine ébauché les grandes lignes dans son fameux article *Nova methodus pro maximis et minimis, itemque tangentibus, quæ nec fractas, nec irrationales quantitates moratur, & singulare pro illis calculi genus* a été développé par Jacob Bernoulli et son jeune frère Johann. Au cours d'une querelle retentissante entre les deux frères, à laquelle Leibniz fait allusion dans ce texte, ils ont tour à tour posé des défis à la communauté scientifique. Ces défis consistaient à soumettre certains problèmes qui ne pouvaient se résoudre qu'au moyen du nouveau calcul. Ils se sont ainsi habitués, en même temps que d'autres scientifiques, à utiliser le nouvel outil qui permettait de mathématiser bon nombre de problèmes physiques restés jusque-là inabordables (par exemple la caténaire et l'elastica), ou encore une nouvelle manière de montrer l'isochronisme de la cycloïde (appelée pour l'occasion brachistochrone), dejà découverte par Huygens.

Est-ce que vous me jugez avoir un esprit assez étroit pour que je me mette en colère contre vous, Monsieur votre frère ou quelqu'un d'autre, si vous aviez remarqué chez Barrow[1] des méthodes qu'à moi, contemporain de [ces] inventions, il n'a pas été nécessaire de lui emprunter. Lorsque j'avais débarqué à Paris l'an de grâce 1672, j'étais quant à moi un géomètre autodidacte, mais peu discipliné : je n'avais pas la patience de parcourir de longues chaînes de démonstrations. J'avais consulté, étant enfant, l'Algèbre élémentaire d'un certain Lanzius[2], puis de Clavius[3]. Celle de Descartes m'avait semblé trop compliquée. Je me semblais pourtant, par je ne sais quelle téméraire confiance en mon génie, capable d'être aussi leur égal si je voulais. Et j'osais parcourir des ouvrages assez relevés comme la

1 Isaac Barrow ou Barrovius (1630-1677), théologien et mathématicien anglais, professeur à Londres puis à Cambridge, membre de la *Royal Society*. (N.d.t.)

2 Johann Lantz ou Lanzius († 1638), jésuite allemand, professeur de mathématiques à Ingolstadt, auteur de livres de mathématiques élémentaires. (N.d.t.)

3 Christophe Clavius (1537-1612), jésuite allemand, professeur de mathématiques et d'astronomie au Collège romain. (N.d.t.)

Géométrie de Cavalieri[1] et les Éléments assez aimables de Léotaud[2] sur les curvilignes que j'avais trouvés par hasard à Noriberg et quelques livres semblables, m'apprêtant à y barboter absolument sans liège. Car je les lisais à peu près comme l'Histoire Romaine. De temps en temps, je m'imaginais quelque calcul géométrique, à l'aide de petits carrés et de petits cubes que j'étais obligé d'exprimer par des nombres incertains — ignorant que Viète[3] et Descartes avaient fait tout cela bien mieux ! Dans cette ignorance absolument superbe, dirais-je, des mathématiques, j'embrassais du regard l'histoire et le droit, parce que je m'étais destiné à ces études. D'entre les mathématiques je goûtais ce qu'il y a de plus amusant, aimant avant tout connaître et trouver les machines ; et, de fait, j'ai mis au jour, encore à cette époque ma « machine arithmétique ». Quand, par hasard, Huygens, qui, je crois, cherchait en moi plus qu'il n'y avait, m'apporta un exemplaire récemment édité de son livre *De pendulis* avec sa bonne grâce habituelle, cela me fut le début ou l'occasion [de l'exercice] d'une géométrie plus exacte. Tandis que nous sacrifiions à la conversation, il remarqua que je n'avais pas une notion assez juste du centre de gravité, c'est pourquoi il me l'indiqua brièvement. En même temps, il ajouta que Dettonville, c'est-à-dire Pascal, s'était occupé à la perfection de tels problèmes. Pour moi, qui ai toujours eu pour idéal d'être le plus docile des mortels, et qui souvent ai effacé d'innombrables méditations miennes, pas encore mûries, par la lumière que je tirais, avec constance, de peu de mots d'un seul grand homme, je saisis au vol les conseils du grand mathématicien (car je me rendais bien compte de la valeur qu'avait Huygens). S'y ajoutait l'aiguillon d'une certaine honte de paraître ignorer pareille chose. C'est pourquoi j'emprunte Dettonville à Buotius[4], Grégoire de Saint-Vincent[5] à la Bibliothèque Royale, décidé dès lors à faire sérieusement de la géométrie. Sans retard, je regardai avec joie les fameux « ductus » de Saint-Vincent, les fameux onglets introduits par Saint-Vincent, perfectionnés par Pascal, puis ces fameuses sommes et sommes de sommes, et les solides diverse-

---

1 Bonaventure Cavalieri ou Cavallierus (1598-1647), jésuite italien, élève de Galilée, professeur de mathématiques à Bologne. Introduisit la méthode dite des indivisibles pour évaluer des aires (effectuer une intégration). (N.d.t.)

2 Vincent Léotaud (1595-1672), jésuite français, professeur de mathématiques à Dôle et à Lyon. (N.d.t.)

3 François Viète (1540-1603), juriste et mathématicien français attaché à la cour d'Henry IV. (N.d.t.)

4 Jacques Buot ou Buotius († 1675), Ingénieur royal et professeur de mathématiques à Paris, membre de l'Académie des sciences. (N.d.t.)

5 Grégoire de Saint-Vincent (1584-1667), jésuite belge, professeur de mathématiques à Rome et à Prague. (N.d.t.)

ment obtenus et résolus : ils m'apportaient plus de plaisir que de travail ! J'en étais là, lorsque je tombai par hasard sur une démonstration de Dettonville, apparemment sans grande importance, par laquelle il prouve la mesure archimédienne de la surface de la sphère et, à partir de la similitude des triangles EDC et CBK, montre que l'on aura CK.DE = BC.EC et, par conséquent, qu'en prenant BF = CK, on aura le rectangle AF égal au moment de la courbe AEC par rapport à l'axe AB.

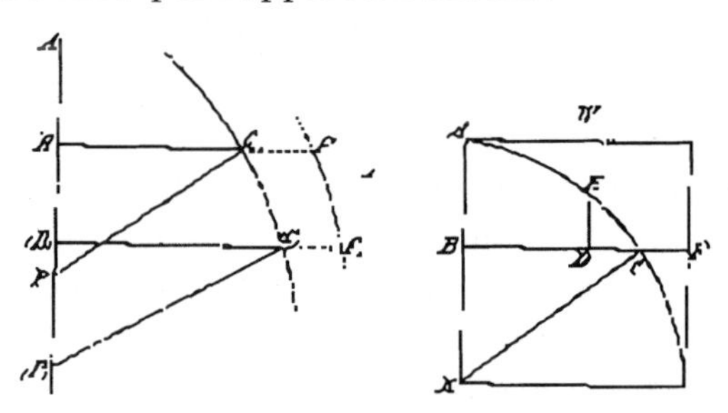

Cette nouveauté du calcul me frappa et, en effet, je ne l'avais pas trouvé chez les Cavaliériens[1]. Mais ce qui me stupéfia le plus, c'est que Pascal, par une sorte de malchance, semblait avoir eu un bandeau sur les yeux. Car je voyais immédiatement que ce théorème était absolument universel pour n'importe quelle courbe, même si les perpendiculaires ne concouraient pas en un point unique, si seulement on transportait la perpendiculaire de la courbe à l'axe de façon qu'elle devînt une ordonnée [à ce même axe] comme PC ou P'C' en BF ou B'F', et qu'il était manifeste que la zone FBB'F'F était égale au moment de la courbe CC' par rapport à l'axe. Pour moi, je vais sur le champ chez Huygens que je n'avais pas encore revu ; je lui dis que, parce que j'ai obéi à ses conseils, je suis capable maintenant de quelque chose que Pascal n'avait pas obtenu. Et j'expose le théorème général sur les moments des courbes. Huygens, plein d'admiration, me dit : « Eh bien ! C'est tout justement le théorème sur lequel s'appuient mes constructions pour expliquer les surfaces des conoïdes paraboliques, elliptiques et hyperboliques, et Roberval et Bulliaud[2] ne purent jamais savoir comment je les avais trouvées ». C'est pourquoi, applaudissant lui-même à mes progrès, il me demanda si je pouvais maintenant trouver la nature des courbes comme FF. Comme je disais que je n'étais pas habitué à ce genre de recherches, il me conseilla de lire attentivement Descartes et

1 Disciples de Cavalieri. (N.d.t.)

2 Ismaël Boulliau ou Bullialdus (1605-1694), voyageur et savant français, membre de la *Royal Society*. (N.d.t.)

de Sluze[1], qui apprenaient à élaborer des équations locales. C'était, me disait-il, tout à fait commode. À partir de ce moment, je me mis à étudier la Géométrie de Descartes, j'y ajoutai de Sluze, entrant ainsi dans la géométrie par la porte de derrière. Mais comme le succès me souriait et que des trouvailles innombrables naissaient sous mes mains, j'emplis cette même année quelques centaines de feuilles que je répartissais en deux genres : les assignables et les inassignables. Je comptais parmi les assignables tout ce que j'obtenais par les méthodes d'autrefois dont Cavalieri, Guldin[2], Torricelli, Grégoire de Saint-Vincent, Pascal s'étaient servis : somme, somme de somme, transpositions, « ductus », cylindres coupés par des plans et enfin par la méthode du centre de gravité. Je mettais sur le compte des inassignables ce que j'obtenais en me servant de ce fameux triangle que j'appelais déjà « caractéristique » et autres procédés semblables, dont Huygens et Wallis[3] me semblaient avoir donné les commencements. Un peu après tomba entre mes mains la Géométrie Universelle de l'Écossais Jac. Gregory[4] : je voyais que le même secret lui avait été révélé (quoiqu'obscurci par des démonstrations à la mode des Anciens), de la même manière qu'à Barrow aussi, puisqu'enfin ses *Leçons* étaient éditées, *Leçons* où je vis enseigner la plus grande partie de mes théorèmes. Cela, toutefois, ne m'émouvait guère — ils me paraissaient sauter aux yeux d'un débutant dès qu'il serait mis au courant de cette méthode —, mais je remarquais qu'il restait des [théorèmes] bien plus élevés, mais qui manquaient d'un nouveau mode de calcul. C'est pourquoi, bien que ma Quadrature Arithmétique et autres découvertes de ce genre fussent accueillies à grand fracas par les Français et les Anglais, je ne les trouvais pas non plus dignes d'être éditées, écœuré que j'étais de m'engluer dans des broutilles, pendant qu'un Océan s'ouvrait par ailleurs. Comment le reste s'est passé, vous le savez, et mes lettres le confirment, que les Anglais eux-mêmes ont livrées aux presses.

Traduction inédite. — *Der Briefwechsel* / von Jacob Bernoulli. – Basel : Birkhäuser, 1993. – [Pp. 109-112].

---

1 René-François de Sluse (1622-1685), savant et mathématicien belge, chanoine à Liège, membre de la *Royal Society*. (N.d.t.)

2 Paul Guldin (1577-1643), jésuite suisse, professeur de mathématiques à Vienne et à Graz. (N.d.t.)

3 John Wallis (1616-1703), mathématicien anglais, membre de la *Royal Society*. (N.d.t.)

4 James Gregory (1638-1675), mathématicien écossais, professeur à St. Andrews et Édimbourg. (N.d.t.)

ADDISON

ANGLAIS • LATIN

1672-1719

Joseph Addison, né à Milston (Wiltshire) et mort à Londres, ne fut ni le plus grand prosateur d'une époque illustrée par Swift, ni, tant s'en faut, le plus grand poète d'un âge dominé par Pope. Il ne fut pas non plus un grand auteur dramatique dans ce long intervalle qui sépare le théâtre de la Restauration finissante avec Congreve et la naissance du drame bourgeois avec Lillo. Il ne fut ni philosophe au sens où l'a été John Locke, son maître comme celui de tout le siècle, ni moraliste comme Shaftesbury, ni esthéticien comme Hutcheson. Et pourtant, c'est dans tous ces domaines que ses contemporains se sont plu à reconnaître et à célébrer son excellence, au point que dès la génération suivante la postérité a fait de son nom l'éponyme de son époque : le temps de la reine Anne, ou plus généralement les deux décennies centrales de l'âge néoclassique en Angleterre, c'est « l'âge d'Addison ». Si Addison résume et emblématise ainsi son époque, c'est que celle-ci s'est volontiers reconnue en lui. Elle a salué dans ses mérites de bon aloi une image valorisée d'elle-même, l'expression achevée de ses propres efforts pour fonder une littérature de l'équilibre et de la sociabilité, purgée des excès partisans du siècle précédent, mais du même coup privée des écarts visionnaires du génie. Nul auteur n'a sans doute comme Addison saisi, et rendu, l'esprit de son temps, avec un tel talent à rendre ses lecteurs intelligents. Autant dire qu'il a été un prodigieux pédagogue, en totale harmonie avec les aspirations confuses, qu'il a su mieux que tout autre rendre claires et à portée de main, de son époque.

C'est que de cette époque Addison a été le produit, ou le reflet, autant qu'il a contribué magistralement à formaliser et à orienter ses potentialités. Issu d'une famille d'hommes d'Église, universitaire promis à une belle carrière, c'est sa notoriété comme poète en langue latine aussi bien qu'anglaise qui, associée à quelques appuis perspicaces, lui valent d'être distingué par les chefs du parti whig à une époque où la totale libéralisation de la presse depuis 1695 rend le talent littéraire utile à la politique. Dès lors sa carrière sera toute tracée, bel exemple de méritocratie politique, dans une fidélité au whiggisme qui survivra à toutes les crises. Favorisée par une assiduité dans le travail, un don du compromis, une élégance dans l'expression, et peut-être surtout une réputation de modestie soigneusement entretenue qui est une des constantes de son caractère, la carrière d'Addison est plus qu'honorable. Il occupe plusieurs postes importants dans la haute administration et exerce notamment, pendant les semaines cruciales de l'interrègne de l'été 1714, après la mort de la reine Anne et avant l'arrivée du roi Georges de Hanovre, les fonctions délicates de Secrétaire du Conseil de Régence. Cette carrière culminera avec le poste de Secrétaire d'État (ministre des Affaires Étrangères) d'août 1717 à mars 1718. L'importance du rôle politique d'Addison reste certainement sous-évaluée, et par la faute de la discrétion naturelle d'Addison lui-même.

Il conduit en parallèle une carrière littéraire qui fait de lui, au moins pendant les années 1712-1716, le chef incontesté de la république des lettres, non seulement au sein de l'intelligentsia whig, mais auprès de ses adversaires politiques eux-mêmes. Swift n'a cessé de témoigner de son respect pour Addison, et de déplorer la « rage partisane » qui l'éloigne de lui, même si Pope a fini par trouver que sa position dominante était l'effet d'une stratégie de pouvoir un peu trop calculée, et suspecte d'hypocrisie : c'est le portrait sans complaisance qu'il en fait dans son poème *Atticus* (1715). À plusieurs reprises, et dans les genres les plus divers, les œuvres d'Addison ont connu les plus grands succès du temps. D'un long périple sur le continent financé par ses patrons whigs (1699-1704), il rapporte un guide de voyage culturel en Italie, *Remarques sur l'Italie* (1705) qui restera un modèle du genre au XVIIIe siècle. Son poème célébrant la victoire de Marlborough à Blenheim, *La Campagne* (1704) a un tel retentissement que d'aucuns, préjugeant audacieusement du verdict de la postérité, n'hésitent pas à mettre l'éloge poétique sur le même plan que la bataille qui l'a inspiré. En 1713 sa tragédie *Caton*, froide construction néo-classique, est l'occasion du plus grand triomphe théâtral de l'époque, favorisé par l'émulation des deux partis, les Tories ne voulant pas être en reste avec les Whigs dans l'acclamation de la liberté et de la vertu civiques.

Mais c'est comme essayiste, utilisant toutes les ressources encore incertaines de la presse périodique, qu'Addison a pu donner la pleine mesure de son talent de vulgarisateur et de précepteur, au bénéfice d'un public aussi large que possible. Dans cette entreprise, son association avec Richard Steele, qu'il connaissait depuis les années de collège, a été déterminante. C'est Steele, en effet, qui en lançant en 1709 *The Tatler* (*Le Babillard*) a créé la formule qui, reprise et adaptée par Addison, toujours en compagnie de Steele, dans *The Spectator* en 1711, lui a donné l'occasion de remplir un programme aussi ambitieux que novateur. Comme l'annonce dans son dixième numéro le Spectateur anonyme, auteur supposé du journal, il s'agit d'aller chercher la philosophie dans les cabinets et dans les bibliothèques où elle est confinée pour en faire la compagne quotidienne de la table du petit-déjeuner, et la faire participer aux conversations des cafés. C'est un véritable programme d'éducation populaire qui est esquissé là, à l'intention du public féminin autant que masculin, dans un propos qui se flatte « d'agrémenter la moralité par l'esprit, et de tempérer l'esprit par la moralité ». Le succès est d'emblée considérable, à la mesure du pari tenté : le *Spectateur* est en effet, non seulement en Angleterre mais en Europe, le premier quotidien qui se dispense totalement de l'aide jusqu'alors jugée commercialement indispensable des nouvelles, politiques ou militaires, pour n'offrir à ses lecteurs qu'un seul et unique essai sur les sujets les plus divers, complété, selon l'espace restant disponible sur le demi-folio, par des annonces. Des 555 numéros parus de mars 1711 à décembre 1712, Addison et Steele écrivent chacun environ 250, le reste étant réparti entre quelques autres auteurs dont Pope. Pourtant, l'unité de ton est assez bien maintenue, les tendances et les goûts des deux auteurs principaux se complétant sans se contrarier de manière visible. Les sujets abordés sont d'une remarquable variété : thèmes d'actualité, de ceux qui alimentent les conversations habituelles des lectrices et des lecteurs dans les salons et les cafés, études de mœurs, dissertations morales ; deux spécialités prennent avec Addison une grande importance : les sujets religieux (qui deviennent le thème habituel du samedi), la critique et l'esthétique littéraires, tandis que Steele se fait plutôt, mais sans exclusivité, le spécialiste des questions théâtrales et de la mode féminine. Les formes littéraires proposées sont aussi variées que les sujets : caractères, allégories, historiettes, essais familiers, lettres. Encore que toute référence politique soit exclue, l'inspiration whig du journal se fait jour à plusieurs reprises.

Quoique la part respective d'Addison et de Steele dans la rédaction du journal soit apparemment équivalente, celle d'Addison est prépondérante, ne serait-ce qu'en raison du fait que Steele a souvent recours à des lettres de lecteurs mises bout à bout et substituées à un essai. Mais c'est dans la fermeté avec laquelle est maintenu le projet initial que l'influence d'Addison est déterminante, et les contemporains ne s'y sont pas trompés. Le Spectateur est un masque, une *persona* aussi spécifiquement addisonienne, aussi proche d'Addison dont il partage la taciturnité, que le Babillard, Isaac Bickerstaff, fantasque et brouillon, était proche de Steele. L'ambition de beaucoup des essais d'Addison dans le *Spectateur*, si l'on considère la dimension et la disparité culturelle et sociale de son public, est remarquable. Ce journal a effectivement contribué de manière décisive, sinon vraiment à mettre la moralité à la mode, du moins à former l'esprit critique de ses lectrices et de ses lecteurs et à exercer leur curiosité intellectuelle, à une époque où la littérature est en train de constituer son public, au-delà des cercles restreints et aristocratiques des « hommes de goût ».

Le *Spectateur* a aussi été un laboratoire de formes littéraires et une source d'inspiration pour tout le siècle. Les auteurs y ont trouvé, sous forme d'une anecdote ou d'une nouvelle, l'embryon de plus d'un roman, et c'est dans le *Spectateur* qu'ont d'abord été popularisées des formes aussi caractéristiques du siècle des Lumières que le conte moral, philosophique, ou oriental. Le journal d'Addison est resté le modèle qui n'a cessé d'inspirer la tradition de l'essai périodique dans l'Angleterre du XVIIIe siècle, illustrée après lui notamment par Fielding, Goldsmith et Johnson. L'essai périodique addisonien n'a pas peu contribué à répandre en Europe les thèmes constants de l'anglomanie de l'époque, par ses références à Locke ou Newton, ses allusions aux bienfaits de la « constitution » anglaise, ou sa célébration de l'influence civilisatrice du commerce. Très rapidement traduit dans les principales langues européennes, les essais du *Spectateur* ont inspiré un nombre considérable d'imitations ; en France, les plus remarquables furent celles de Marivaux dans *Le Spectateur français* (1721-1724), *L'Indigent philosophe* (1727) et, à un moindre degré, *Le Cabinet du philosophe* (1734).

Si tout le siècle a accordé à Addison, qui fut son mentor, un respect voisin de la vénération, la postérité a été beaucoup plus critique, à mesure que l'œuvre de Steele et sa personnalité attachante étaient mieux connues. Les qualités qui avaient fait la gloire d'Addison ont causé son discrédit : les cancres doués attirent plus la sympathie que les premiers de classe. Addison était trop parfaitement en phase avec son temps pour ne pas finir par pâtir de son excellence même.

The Spectator / Edited by Donald F. Bond. – Oxford : Clarendon Press, 1965. – 5 vol. – [Avec une longue introduction].

The Life of Joseph Addison / Peter Smithers. – 2nd edition. – Oxford : Clarendon Press, 1968. – X-499 p.

Joseph Addison et la création littéraire / Alain Bony. – Lille : Atelier national de reproduction des thèses, 1979. – 2 vols.

LE SPECTATEUR 427

P. Mortier l'aîné ? — 1718

Dissection du cœur d'une coquette (N° 281, 22 janvier 1711). — Dans un essai paru quelques jours auparavant (N° 275, 15 janvier 1711), le Spectateur, toujours curieux de débusquer la vérité des êtres sous leurs apparences, avait assisté à la dissection du crâne d'un petit-maître, l'un des personnages favoris de la comédie sociale de l'époque. Le scalpel de l'anatomiste n'a pu faire apparaître que les témoignages dérisoires d'une existence vouée aux occupations les plus vaines. L'essai ci-dessous en constitue le pendant du côté féminin.

Après avoir donné la Dissection de la Tête d'un petit Maître, je raporterai ici l'Anatomie du Cœur d'une Coquette, suivant ma promesse & je ferai part au Public de ce que nous y observâmes de plus curieux.

Peut-être me serois-je dispensé d'en venir à ce détail, si plusieurs de mes Correspondants ne m'avoient sommé de tenir ma parole à cet égard, & sollicité puissamment à faire un exemple de la Coquette, aussi-bien que du petit Maître. C'est donc pour leur obéir que j'ai cherché la Minute de mon premier Rêve, & que je vais entrer en matiere, sans un plus long détour.

Avant que notre Anatomiste en vint à cette Dissection, il nous dit qu'il n'y avoit rien de plus difficile dans son Art que d'ouvrir le Cœur d'une Coquette, & d'en exposer bien toutes les parties aux yeux des Spectateurs, à cause d'une infinité de labyrinthes & de replis qu'on y trouve, & qui ne paroissent pas dans le Cœur d'aucun autre Animal.

Ensuite il nous pria d'observer le Pericarde, ou l'Envelope exterieure du Cœur, & nous y vîmes, à la faveur de nos Microscopes, des millions de petites Cicatrices, qui sembloient avoir été causées par les pointes d'une infinité de Dards & de Fléches qu'on avoit lancé contre cette Membrane ; quoi qu'il n'y eût pas le moindre petit orifice, à travers lequel aucun de ces traits eut percé jusqu'à la substance du Cœur.

Tous ceux qui ont quelque teinture de l'Anatomie savent, que le Péricarde contient une espece de liqueur rougeâtre & déliée, qu'on croît se former des exhalaisons qui s'évaporent du Cœur, & qui s'y condensent de cette maniere. Lorsqu'on vint à l'examiner, il se trouva qu'elle avoit toutes les qualitez de l'Esprit de vin, dont on remplit les Thermomètres, qui servent à marquer les differens degréz de chaud ou de froid qui arrivent dans l'Air.

Je ne dois pas oublier ici une Experience, qu'un des Membres de la Compagnie nous dit avoir faite avec cette liqueur, dont il avoit trouvé bonne provision autour du Cœur d'une Coquette, qu'il avait anatomisé autrefois. Il nous assura donc qu'il en avoit rempli un Tuyau de verre, à peu près comme celui d'un Thermomêtre ; mais qu'au lieu de marquer les variations de l'Air, il désignoit les qualitez des Personnes qui entroient dans la Chambre où il l'avoit suspendu. Il ajouta que cette liqueur montoit à l'aproche d'un Plumet, d'un Justaucorps en broderie, ou d'une paire de Gans à frange ; et qu'elle baissoit, d'abord qu'une vilaine Perruque mal bâtie, qu'une Paire de Souliers lourds, ou un Habit à l'antique paraissoient dans sa Maison. Ce n'est pas tout, il nous certifia que s'il venoit à éclater de rire auprès de cette liqueur, elle montoit d'une maniere sensible, & qu'elle descendoit au plus vite, aussi-tôt qu'il prenoit un air sérieux. En un mot, il voulut nous persuader que, par le moyen de cette Machine, il pouvoit connoître s'il y avoit un homme de bon Sens, ou un Fat, dans sa chambre.

Après avoir bien épluché le Péricarde, & considéré la Liqueur qu'il renfermoit, nous en vînmes au Cœur même. La surface extérieure en étoit si polie, & la pointe si froide, que, lors qu'on vouloit l'empoigner, il s'échapoit à travers les doigts comme un morceau de glace ou une Anguille.

Les fibres en étoient plus entrelacées que celles des autres Cœurs ; jusques-là que tout le Cœur sembloit former un véritable Nœud *Gordien*, & ne peut avoir eu que des mouvemens fort inégaux & irréguliers pendant qu'il exerçoit ses fonctions vitales.

Lorsque nous examinâmes tous les Vaisseaux qui en sortoient ou y aboutissoient, nous ne pûmes jamais découvrir qu'il eut la moindre communication avec la Langue ; ce qui nous parut une chose très-digne de remarque.

On nous fit observer en même tems que plusieurs de ces petits Nerfs, qui contribuent à faire sentir l'Amour, la Haine, & les autres passions, n'y descendoient pas du Cerveau, mais des muscles situez autour des yeux.

Je pris ce Cœur dans la main pour juger du poids, & il me parut si léger, que je conclus d'abord qu'il y avoit beaucoup de vuide. En effet, l'intérieur étoit plein de cavitez et de Cellules, qui passoient les unes dans les autres, & qui ressembloient à ces Apartemens que nos Historiens attribuent au Berceau de *Rosemond*[1]. Plusieurs de ces petits trous étoient farcis de mille bagatelles, qu'il me seroit impossible de nommer en détail ;

1 *Rosamund's bower*, le berceau de verdure, la charmille où le roi Henri II rendait secrètement visite à sa maîtresse Rosamund Clifford.

mais je remarquerai seulement que la première chose que nous y découvrîmes, par le moyen de nos Microscopes, étoit une Coeffe couleur du feu[1].

Du reste, on nous dit que la Dame Proprietaire de ce Cœur, lorsqu'elle étoit en vie, souffroit les poursuites de tous ceux qui lui faisoient l'amour, les entretenoit tous dans l'esperance, et insinuoit à chacun d'eux en particulier qu'il étoit distingué des autres. C'est pour cela que nous nous attendions à voir l'empreinte d'un nombre infini de visages sur les differentes enveloppes de ce Cœur ; mais nous fûmes bien surpris de n'y en trouver aucune, jusqu'à ce qu'on fût arrivé au Centre. Alors, nous y aperçûmes, avec nos Microscopes, un petit Homme, vêtu d'un habit fort bizarre. Plus je le regardois, & plus il me sembloit que je l'avois vû quelque part, sans pouvoir me rapeller ni le tems ni l'endroit ; jusqu'à ce qu'enfin un de la Compagnie, qui l'avoit examiné de plus près que les autres, nous fit voir clairement, par le tour du Visage & plusieurs de ses traits, que la petite Idole, ainsi placée au milieu de ce Cœur, étoit le feu petit Maître, dont nous avions depuis peu disséqué le Cerveau.

D'abord que notre Anatomiste eut achevé sa Dissection, incapables de nous déterminer sur la nature de ce Cœur, si différent de celui des autres Femmes, nous résolûmes d'en venir à quelque épreuve, pour en découvrir la substance. Ainsi, on le mit sur des charbons ardens ; mais bien loin de se consumer, il n'en reçut pas la moindre atteinte ; d'où nous conclûmes qu'il étoit du naturel de la Salamandre, & qu'il auroit pu vivre au milieu du feu & des flammes.

Lorsque nous admirions un si étrange Phénomène, & que nous formions un Cercle autour de ce Cœur, il laissa échaper un terrible soupir, ou plûtôt un éclat, & se réduisit tout d'un coup en fumée. Cet éclat imaginaire, qui me parut plus fort que celui d'un Canon, m'ébranla si bien le Cerveau, qu'il dissipa toutes les douces vapeurs du sommeil, & qu'il n'y eût plus moyen de me rendormir.

Le Spectateur, ou le Socrate moderne. Où l'on voit un Portrait naïf des Mœurs de ce Siècle / Traduit de l'anglois. – A Amsterdam : chez David Mortier, 1718. – [Tome troisième, pp. 257-262].

[1] Dans un numéro précédent (N° 265) Addison avait disserté sur la signification secrète de la couleur des coiffes des coquettes dans leur stratégie de séduction.

LE SPECTATEUR 428

P. Mortier l'aîné ? — 1720

Célébration de la bonne humeur (N° 381, 17 mai 1712). — La bonne humeur ou gaieté, *good humour*, *cheerfulness*, fait partie avec la bienveillance, *benevolence*, de ces vertus cardinales de sociabilité et d'indulgence envers autrui dans lesquelles le XVIIIe siècle anglais a constamment cherché à affirmer sa spécificité morale. Addison a largement contribué à populariser cette philosophie de la modération et de l'équilibre, sorte de théologie laïcisée inspirée du « latitudinarisme » anglican, à égale distance des dogmatismes du catholicisme et du puritanisme. On peut y voir aussi une tentative de définition de l'identité anglaise, que l'époque oppose volontiers aux pesanteurs germaniques comme à la frivolité française. C'est ce genre d'essai proche du sermon, toujours publié le samedi pour inspirer la méditation dominicale, qui a parfois valu à Addison dès son vivant la réputation de « pasteur en perruque ».

J'ai toûjours préferé la bonne Humeur à la Joie. Je regarde celle-ci comme un Acte, & l'autre comme une Habitude de l'Esprit. La Joie est courte & passagere, au lieu que la bonne Humeur est fixe & durable. Les Personnes sujettes à la plus profonde Mélancolie tombent souvent dans les plus grands transports de Joie ; mais si la bonne Humeur ne donne guère à l'Esprit une Joie éclatante, elle empêche qu'il ne s'abate sous le poids du Chagrin. La Joie ressemble au feu d'un Eclair, qui s'échape au travers de Nuages sombres, & qui brille pour un moment ; la bonne Humeur entretient dans l'Esprit une espèce de lumiere, qui aproche de la clarté du jour, & qui lui donne une serenité ferme & constante.

Ceux qui ont des principes d'une Morale austere pensent que la Joie est trop folâtre & dereglée pour un état d'épreuve, & qu'elle marque une certaine présomption du cœur, qui est incompatible avec une Vie exposée à tout moment aux plus grands dangers. Les Ecrivains de cette trempe ont observé qu'on ne vit jamais rire nôtre Sauveur, qui étoit le grand modèle de Perfection.

La bonne Humeur n'est point sujette a de pareils reproches ; elle est d'un naturel calme & serieux ; elle ne met pas l'Esprit dans une situation peu conforme à l'état de la Vie Humaine, & elle est surtout remarquable dans les Caractères des plus grands Philosophes du Paganisme, aussi bien qu'entre ceux des Chrétiens qui ont passé à juste titre pour de saints Personnages.

Si nous envisageons la bonne Humeur sous trois diférentes vûes, par raport à nous-mêmes, à ceux avec qui nous conversons, & à l'Auteur de notre Existence, elle ne peut que se faire estimer à tous ces égards. Celui qui possède cette excellente disposition de l'Esprit n'est pas seulement tranquille en lui-même, il est aussi le Maître absolu de toutes les puissances & de toutes les facultez de son Ame : son Imagination n'est jamais troublée, ni son Jugement prévenu : Il est toûjours égal & uniforme, soit qu'il se trouve en compagnie ou tout seul. Il reçoit de bon cœur tous les Biens que la Nature lui presente ; il goûte tous les Plaisirs qui l'environnent, & il ne sent pas tout le poids des Maux qui lui arrivent par accident.

Si nous considerons cet Homme par rapport à ceux qu'il fréquente, sa bonne Humeur lui attire leur Amitié & leur Bienveillance. Afable & obligeant qu'il est envers tout le monde, il excite les mêmes dispositions dans tous ceux qui l'aprochent. Il en est de sa presence comme de celle du soleil, qui vient à briller tout d'un coup ; elle inspire un secret plaisir à tous ceux qui en jouïssent, sans même qu'ils y prennent garde, ou qu'ils en devinent la cause. Le Cœur s'épanouit alors de son propre mouvement, & ne peut qu'avoir de l'estime & de l'amitié pour celui dont il reçoit de si bénignes influences.

Lorsque je reflechis sur cet heureux état de l'Esprit au troisième égard, je ne puis l'envisager que comme une Reconnaissance habituelle envers l'Auteur suprême de la Nature. C'est chanter ses louanges d'une maniere implicite, & lui rendre de très-humbles actions de grace pour tous les effets de sa Providence. C'est une sorte d'aquiescement à l'état où il nous a mis, & une secrete approbation de sa volonté dans la conduite qu'il observe à l'égard du Genre Humain.

Il n'y a, selon moi, que deux choses qui nous puissent priver de cette bonne humeur. L'une est le sentiment du Crime, ou les remors de la Conscience. Un Homme qui mene une vie dereglée et impenitente ne sauroit jamais obtenir ce calme & cette égalité d'Ame, qui en est, pour ainsi dire, l'embonpoint, & l'effet naturel de la Vertu et de l'Innocence. La bonne Humeur dans un tel Homme mérite un nom plus rude qu'aucun de ceux que notre Langue puisse fournir, & surpasse de beaucoup ce qu'on appelle d'ordinaire Sotise ou Folie.

L'Athéisme, qui nie l'existence d'un Etre suprème, & par consequent une Vie à venir, sous quelques Noms qu'il se cache, peut aussi fort bien dépouiller un Homme de cette gaieté de l'Esprit. Il y a quelque chose de si afreux & de si opposé à la Nature Humaine dans l'esperance de l'Anéantissement, que je m'étonne, avec une infinité d'illustres Ecrivains, qu'il y ait un seul Homme capable de survivre à une pareille atente. Pour moi, je trouve qu'il est si facile de se convaincre de l'existence d'un Dieu, que c'est presque la seule Verité qu'on ne puisse pas revoquer en doute ; puisqu'elle s'offre dans tous les Objets qui nous environnent, dans tous les évenements, & dans toutes nos pensées. Si nous examinons les Caractères de cette Engeance d'Incrédules, nous les voïons formés d'Orgueil, de Rage &

de Chicane : Il ne faut pas non plus s'étonner que des Hommes, toûjours inquiets en eux-mêmes soient disposez à inquieter les autres ; et comment ne seroient-ils pas dans un trouble continuel, lorsqu'ils sont à toute heure en danger de perdre leur existence & de tomber dans le Néant ?

Ainsi le Vicieux & l'Athée n'ont aucun droit à la bonne humeur, & leur conduite seroit fort déraisonnable, s'ils y prétendoient. Il est impossible qu'un homme soit de bonne humeur, & qu'il goûte le plaisir de son existence, s'il craint les Tourmens ou l'Anéantissement, d'être miserable ou de n'être point du tout.

Après avoir dit que ces deux Principes détruisent la gaieté par eux-mêmes, & qu'il n'est rien d'ailleurs de plus conforme à la Raison, je n'en vois aucun autre qui puisse bannir cet heureux temperament de l'Esprit d'un honnête Homme. La Douleur & les Maladies, la Honte & les Injures, la Pauvreté & la Vieillesse, qui plus est, la Mort même, ne méritent pas le nom de Maux, eu égard à leur courte durée, à l'avantage que nous en pouvons recueillir. Un cœur bon & honnête peut les soûtenir avec courage, avec indolence, & même avec gaieté. Il ne s'alarme pas à la vûë d'une Tempête, qui le doit conduire sûrement à un heureux Port.

Un Homme, qui emploie tous ses éforts pour vivre suivant les lumieres de la droite Raison & les principes de la Vertu, a deux sources continuelles de Gaieté, lors qu'il fait atention à sa propre Nature, & à celle de l'Etre infini duquel il dépend. S'il rentre en lui-même, il ne peut que se réjouïr à la vûe de cette Existence, qu'il vient de recevoir, & qui sera toûjours nouvelle, au bout de Millions & de Milliars de Siécles. Combien de félicitations intimes ne s'adresse pas un Esprit, qui vient à reflechir sur son entrée dans l'Eternité, lors qu'il examine les facultez qu'il a reçues, avec le progrès considerable qu'elles ont fait en peu d'années, même depuis le moment de son existence, qui se perfectionneront à l'infini, & qui, par conséquent, augmenteront son Bonheur ? Le sentiment d'une pareille Existence répand une joie continuelle dans l'Ame d'un honnête Homme, & fait qu'il se trouve à tout moment plus heureux qu'il ne peut se l'imaginer.

La seconde source de la Gaieté vient de ce que l'Esprit contemple cet Etre infini, dans la dépendance duquel nous sommes, et en qui nous voïons tout ce qu'il y a de grand, de glorieux, ou d'aimable, quoique ce ne soit encore qu'une foible lueur de ses Perfections infinies. Nous nous trouvons sans cesse soutenus par sa Bonté, environnez de son Amour et de sa Misericorde. En un mot, nous relevons d'un Etre, dont le Pouvoir le met en état de nous rendre heureux par une infinité de moïens, dont la Bonté et la Fidelité l'engagent à nous accorder cette grace, si nous la demandons avec zéle, et dont l'Immutabilité nous est un sûr garant que nous jouïrons de ce Bonheur dans toute l'Eternité.

Ces considérations, ou d'autres pareilles, que chacun devroit nourrir dans son sein, banniront de nos Esprits cette langueur secrete, cet ennui accablant, où tombent la plûpart des Hommes qui vivent sans reflechir, quoi qu'ils n'aient aucun sujet légitime de se plaindre, elles dissiperont tous ces Chagrins que nous pouvons sentir à l'arrivée de quelque mal imprévu ; elles écarteront tous ces petits accès de joie & de folie, où l'on se plonge d'ordinaire, quoi qu'ils soient plus propres à ruïner qu'à soutenir la Vertu ; en un mot, elles produiront en nous cette Humeur douce & enjouée, qui peut seule nous rendre agréables à nous-mêmes, à ceux avec qui nous conversons, & à l'Auteur de notre existence, qui nous a créez pour lui plaire & obéir à sa volonté.

Le Spectateur, ou le Socrate moderne. Où l'on voit un Portrait naïf des Mœurs de ce Siècle / Traduit de l'anglois. – A Amsterdam : chez les Freres Wetstein, 1720. – [Tome quatrième, pp. 127-133]

CATON 429

L.-N. Guillemard — 1767

Une harangue indignée (Acte II, scène V). — La tragédie *Cato*, jouée en avril 1713, fut accueillie triomphalement par l'intelligentsia littéraire londonienne, depuis longtemps en quête du dramaturge capable de hisser la scène anglaise au niveau d'excellence et de pureté que Racine, en France, semblait avoir atteint d'emblée. La démesure et l'irrégularité de Shakespeare disqualifiaient le dramaturge élisabéthain dans la recherche de cette dignité littéraire moderne et indigène, capable de rivaliser avec les Anciens, qui était le souci constant des littératures nationales européennes de l'âge néoclassique. En fait, le triomphe de *Cato,* tragédie romaine exaltant le patriotisme et la vertu politique, était surtout l'effet de circonstances particulières, celles de l'échauffement de l'esprit public au moment du traité d'Utrecht mettant fin à la Guerre de Succession d'Espagne et provoquant la surenchère des partis. Dans sa digne parure de « belle infidèle », la traduction de Guillemard, dans laquelle Fréron retrouvait les accents de Corneille, ne donne pas une mauvaise idée de la froideur et de la raideur d'une tragédie que le souci des règles fait tomber dans l'académisme. Dans cette harangue,« Caton se présente hardiment, & les révoltés restent interdits, au grand étonnement de Sempronius. Caton leur adresse la parole : »

CATON.

Est-ce vous qui lassés du titre de Romains,
Dans le sang de Caton venez tremper vos mains ?
Voulez-vous, démentant vos actions passées,
Les voir en un seul jour par le crime effacées ?
De quoi vous plaignez-vous ? d'être loin de ces lieux
Jadis plus fortunés sous nos sages ayeux .
Repondez : n'est-ce pas l'horreur de l'infamie

Qui vous a fait quitter la fertile Italie,
Pour vous soustraire au moins, dans ces climats brûlans,
Aux fers injurieux forgés par nos tirans.
Prétendiez-vous alors à l'espérance vile
D'amasser les tresors d'un pillage facile ?
Si vous êtiez guidés par ce motif honteux,
Dans le camp de César allez combler vos vœux
Partez : c'est près de lui que l'on voit la fortune
Etaler ses faux biens & sa pompe importune.
Hélas ! pourquoi faut-il qu'au milieu des déserts,
Caton ait pu survivre aux maux qu'il a soufferts ;
Il eut cédé du moins au destin qui l'opprime,
Sans que ses yeux mourans eussent vu votre crime.
Ingrats, voilà mon sein découvert à vos coups :
Faites sortir des rangs celui qui d'entre vous
A mieux souffert que moi la faim & la fatigue
Qu'il remplisse le vœu d'une coupable ligue ;
Qu'il frappe le premier... vous restez interdits !
Eh bien de Rome encor montrez-vous les amis :
Rentrez dans le chemin que la vertu vous trace ;
Abandonnez vos chefs ; le Sénat vous fait grace.
Quant à ces Chefs ; Licteurs, menez-les à la mort.
Je plains, je l'avouerai, la rigueur de leur sort ;
Mais ce siecle pervers a besoin de justice :
Il faut l'intimider par l'aspect du supplice :
C'est le frein des méchans, c'est le soutien des loix.
Quand le crime expirant en a senti le poids,
Les Dieux alors vengés déposent le tonnerre
Dont leur juste courroux s'armoit contre la terre.
Allons, Peres Conscrits, aux pieds de leurs autels,
Offrir de nouveaux vœux à ces Dieux immortels.
Tâchons, par l'appareil d'un pompeux sacrifice,
De rendre à notre sort leur puissance propice.
Et toi, jusqu'à ce jour, qui nous as tant coûté,
Passion des grands cœurs, auguste liberté,
Soyons heureux par toi, sois notre récompense ;
Ou mourons pleins de gloire en prenant ta défense.

Caton d'Utique / tragédie de M. Addison ; Traduite de l'Anglois par M. Guillemard. – A Brest : Chez R. Malassis, et se vend à Paris : Chez Duran, 1767. – [Pp. 36-38]

RÉPERTOIRE DES TRADUCTEURS

INDEX

RÉPERTOIRE DES TRADUCTEURS

Liste des abréviations

Bordas	*Dictionnaire des littératures de langue française* / sous la direction de Jean-Pierre de Beaumarchais, Daniel Couty et Alain Rey. – Paris : Bordas, 1994. – 4 volumes.
Catalogue B. N.	*Catalogue général des livres imprimés de la Bibliothèque nationale.* – Paris : Paul Catin : puis Imprimerie Nationale, 1924-1981. – 239 volumes.
Catholicisme	*Catholicisme : hier, aujourd'hui, demain : encyclopédie* / publiée sous le patronage de l'Institut Catholique de Lille. – Paris : Letouzey et Ané, 1948- . – [11 tomes parus].
Chavy	*Traducteurs d'autrefois : Moyen Âge et Renaissance : dictionnaire des traducteurs et de la littérature traduite en ancien et moyen français (842-1600)* / Paul Chavy. – Paris : Champion ; Genève : Slatkine, 1988. – 2 volumes.
DBF	*Dictionnaire de biographie française* / sous la direction de J. Balteau ; puis de M. Prévost, J. Roman d'Amat et R. Limouzin-Lamothe (puis H. Tribout de Morembert). – Paris : Letouzey et Ané, 1929- . – [17 volumes parus].
DHGE	*Dictionnaire d'histoire et de géographie ecclésiastiques* / publié sous la direction de Mgr A. Baudrillart, A. Vogt et U. Rouziès ; puis sous celle de R. Aubert. – Paris : Letouzey et Ané, 1912- . – [22 volumes parus].
DTC	*Dictionnaire de théologie catholique* / commencé sous la direction de A. Vacant et E. Mangenot ; continué sous celle de Mgr É. Amann. – Paris : Letouzey et Ané, 1930-1972. – 33 volumes. – [3 volumes de *Tables générales*].
DUL	*Dictionnaire universel des littératures* / publié sous la direction de Béatrice Didier. – Paris : Presses Universitaires de France, 1994. – 3 volumes.
EScR	*Encyclopédie des sciences religieuses* / publiée sous la direction de F. Lichtenberger. – Paris : Sandoz et Fischbacher, puis Fischbacher, 1877-1882. – 13 volumes.
GDEL	*Grand Dictionnaire encyclopédique Larousse.* – Paris : Larousse, 1982-1985. – 10 volumes.
GDU	*Grand Dictionnaire universel du XIXe siècle français, historique, géographique, mythologique, bibliographique, littéraire, artistique, scientifique, etc., etc.* / sous la direction de Pierre Larousse. – Paris : Administration du Grand Dictionnaire universel, 1866-1878. – 17 volumes. – [2 vol. de suppléments].
Grande Encyclopédie	*La Grande Encyclopédie : inventaire raisonné des sciences, des lettres et des arts* / par une société de savants et de gens de lettres. – Paris : H. Lemirault ; puis Société anonyme de la Grande Encyclopédie, [1885-1902]. – 31 volumes.
Grente	*Dictionnaire des lettres françaises* / sous la direction du cardinal Georges Grente. – Paris : Arthème Fayard, 1951-1972. – 7 volumes. – [*Le Moyen Âge* / sous la direction de Geneviève Hasenohr et Michel Zink. - Édition entièrement revue et mise à jour - Paris : Fayard, [1992]. - LXI-1506 p. - (*Le Livre de poche. Encyclopédies d'aujourd'hui*)]. [*Le XVIIIe Siècle* / édition revue et mise à jour sous la direction de François Moreau.- Paris : Fayard, [1995].- LXVI-1369 p. - (*Le Livre de poche. Encyclopédies d'aujourd'hui*)]. [*Le XVIIe Siècle* / édition entièrement révisée, amendée et mise à jour sous la direction de Patrick Dandrey.- Paris : Fayard, [1996].- LXIV-1278 p.- (*Le Livre de poche. Encyclopédies d'aujourd'hui*)]

Hœfer	*Nouvelle Biographie générale depuis les temps les plus reculés jusqu'à nos jours, avec les renseignements bibliographiques et l'indication des sources à consulter* / publié sous la direction du D^r^ Hœfer. – Paris : Firmin-Didot, 1852-1866. – 46 volumes.
Judaïca	*Encyclopædia Judaïca*. – Jérusalem : The Macmillan Company, 1971-1972. – 16 volumes.
Larousse	*Dictionnaire des littératures française et étrangères* / sous la direction de Jacques Demougin. – Deuxième édition [première édition : 1985]. – Paris : Larousse, 1994. – X-1861 pages.
Lorenz	*Catalogue général de la librairie française, 1840-1925* / commencé par Otto Lorenz ; continué par Daniel Jordell ; puis par Henri Stein. – Paris : O. Lorenz : puis P. Lamm : puis D. Jordell : puis Éd. Champion, 1867- 1945. – 33 volumes.
Michaud	*Biographie universelle ancienne et moderne ou Histoire, par ordre alphabétique, de la vie publique ou privée de tous les hommes qui se sont fait remarquer par leurs écrits, leurs actions, leurs talents, leurs vertus ou leurs crimes* / sous la direction de Louis-Gabriel Michaud. – Deuxième édition revue, corrigée et augmentée. – Paris : Delagrave, [1870-1873]. – 52 volumes.
Quérard	*La France littéraire, ou Dictionnaire bibliographique des savants, historiens et gens de lettres de la France, ainsi que des littérateurs étrangers qui ont écrit en français, plus particulièrement pendant les XVIIIe et XIXe siècles* / Joseph-Marie Quérard. – Paris : Firmin Didot, 1827-1839. – 10 volumes. – [Ouvrage suivi par : La Littérature française contemporaine / Quérard, Louandre, Bourquelot et Maury. – Paris : Daguin, 1842-1857. – 6 volumes].
Vapereau	*Dictionnaire universel des contemporains contenant toutes les personnes notables de la France et des pays étrangers* / Gustave Vapereau. – Sixième édition [première édition : 1858]. – Paris : Hachette, 1893-1895. – 3 volumes.

Amsler (Jean) 1914-

Né à Beaune (Côte d'Or), Jean Amsler a enseigné l'allemand à Troyes ainsi que dans plusieurs lycées parisiens. Il est principalement connu pour ses traductions du romancier allemand Günter Grass, dont il a notamment donné en français *Le Tambour* (1961 ; Prix du Meilleur Livre étranger, 1962), *Le Chat et la souris* (1962), *Le Vicaire* (1964) et *Les Années de chien* (1965). Jean Amsler a aussi traduit *Les Aventures de Simplicissimus* de Grimmelshausen (1990), *La Chanson des Nibelungs* (1992), le *Faust* de Goethe (1995) et les *Contes* de Grimm (1996). Enfin, il a publié en 1960 un essai biographique consacré à Adolf Hitler.

Arnoux (Alexandre) 1884-1973

Né à Digne, Alexandre Arnoux est l'auteur de romans (*Didier Flabocke*, 1912 ; *Algorithme*, 1948 ; *Les Crimes innocents*, 1952 ; *Double chance*, 1959), de recueils poétiques (*Cent sept quatrains*, 1943 ; *Petits poèmes*, 1953), de recueils de nouvelles, d'essais (*Charles Dullin, portrait brisé*, 1951), d'ouvrages autobiographiques (*Journal d'exil*, 1944 ; *Contacts allemands. Journal d'un demi-siècle*, 1950) et de traductions (*Le Romancero mauresque*, 1921 ; le *Faust* de Goethe, 1947 ; *Trois comédies* de Pedro Calderón de la Barca). Alexandre Arnoux s'est surtout attaché à faire revivre le passé, avec une érudition souvent teintée d'humour. Dans *Le Seigneur de l'heure* (1955), il évoque la fin de Jérôme Cardan ; dans *Une Aventure de don Juan* (1956), il peint la guerre des Flandres ; dans *Roi d'un jour* (1956), la révolution de 1830. Cette recherche le conduit même à ranimer des mythes : *Carnet de route du juif errant* (1931), *Visite à Mathusalem* (1961). La même inspiration préside à ses œuvres théâtrales : *Huon de Bordeaux*, « féerie » (1923), *Flamenca*, « chantefable » (1964). — Alexandre Arnoux fut élu à l'Académie Goncourt en 1947.
Réf. : *DBF*.

Aury (Dominique) 1907-

Née à Rochefort-sur-Mer, journaliste, critique littéraire et traductrice, Dominique Aury s'est principalement appliquée à servir les œuvres littéraires d'autrui. Dès l'année 1942, elle fait paraître un recueil de *Poètes précieux et baroques du XVIIe siècle*, puis une *Anthologie de la poésie religieuse française*. Après la Libération, elle publia en collaboration avec Jean Paulhan un choix de textes parus sous l'Occupation, *La Patrie se fait tous les jours*. Son recueil d'essais, *Lectures pour tous*, reçut en 1958 le grand prix de la Critique. Secrétaire générale de la *Nouvelle Revue française*, Dominique Aury est membre de plusieurs jurys littéraires (prix Femina, prix des Critiques, prix Schweitzer, etc.).

Réf. : A. Bourin et J. Rousselot, *Dictionnaire de la poésie française contemporaine*, 1966.

Backer (Anne-Marie de) 1910-

Née dans le Loir-et-Cher, Anne-Marie de Backer a fait ses études au lycée d'Orléans et à la Sorbonne, où elle a obtenu une licence en lettres et un diplôme de professeur de français. Son premier recueil de poésies, *Le Vent des rues*, paru en 1952, lui vaut l'année suivante le prix Antonin Artaud. Plusieurs autres recueils en vers suivront, jusqu'en 1981 (*Les Étoiles de novembre*, 1956 ; *L'Herbe et le feu*, 1958 ; *L'Étoile Lucifer*, 1967). Anne-Marie de Backer, qui a vécu plusieurs années à Budapest et a été liée aux éditions Corvina par un contrat d'adaptatrice-styliste, a également publié des traductions françaises de nombreux auteurs hongrois : ainsi *Le Cimetière de rouille* de Endre Fejes (1965) ou le roman *Les Seize Verrous* de Miklos Domahidy (1966). Plusieurs traductions d'AnneMarie de Backer ont été retenues en 1981 par Tibor Klaniczay pour le recueil *Pages choisies de la littérature hongroise des origines au XVIIIe siècle*.

Barbeyrac (Jean de) 1674-1744

Né à Béziers, fils du protestant français Antoine de Barbeyrac, Jean de Barbeyrac fit ses études au collège calviniste de Montagnac, puis rejoignit sa famille réfugiée à Lausanne. Après avoir étudié la théologie à Genève, il se rend à Francfort et à Berlin, où il s'occupe de droit tout en donnant des leçons de littérature et d'histoire au collège français. Associé à l'Académie des sciences de Berlin (1713), recteur de celle de Lausanne (à partir de 1714), il refusa en 1717 de signer la *formula consensus*, sorte de profession de foi imposée en Suisse à tous les fonctionnaires publics, et se démit de ses charges. Après s'être fait recevoir docteur en droit par la Société des jurisconsultes de Bâle, il visita Paris, puis se rendit à Groningen, où on lui offrait une chaire de droit. Il professa dans cette ville jusqu'à sa mort, en 1744. Jean de Barbeyrac a laissé des ouvrages de droit et de philosophie du droit qui ont fondé sa réputation. Ce sont pour la plupart des traductions fort libres, presque des remaniements : citons notamment *Le Droit de la nature et des gens* de Samuel von Putendorf (1706 ; une grande partie de la préface est consacrée au dénigrement de la morale catholique et le Père Cellier répondit à cette attaque en 1718), *Les Devoirs de l'homme et du citoyen* du même von Putendorf (1707), *Du pouvoir des souverains et de la liberté de conscience* de Guérardt Noodt (1707 ; réquisitoire contre l'intolérance religieuse et le despotisme politique), *Le Droit de la guerre et de la paix* d'Hugo Grotius (1724) et le *Traité philosophique des loix naturelles* de Richard Cumberland, évêque de Peterborough, réfutateur de Hobbes (1744).

Réf. : *DBF*.

Baret (Eugène) 1816-1887

Né à Bergerac, élève de l'École Normale Supérieure, agrégé des lettres en 1837, Eugène Baret fut professeur dans divers lycées, avant de présenter en 1853 une thèse de doctorat ès lettres sur « La Rédaction espagnole de l'*Amadis de Gaule* de Garcia Ordoñez de Montalvo » et d'obtenir la chaire de littérature étrangère à la Faculté des Lettres de Clermont-Ferrand. Sa parfaite connaissance de la langue espagnole le désigna en 1866 pour remplir les fonctions de ministre de l'Instruction publique de l'Empire du Mexique. Il accepta de s'expatrier mais, après un an d'attente, la situation politique de l'empire de Maximilien fit ajourner *sine die* son départ. Eugène Baret revint occuper sa chaire à Clermont-Ferrand et fut ensuite successivement doyen de sa faculté, inspecteur de l'Académie de Paris, recteur de l'Académie de Chambéry et enfin inspecteur général de l'Instruction primaire. On doit à Eugène Baret des études sur la littérature française dans ses rapports avec l'Espagne (*Nouvelles observations sur Roland et la chanson de Roncevaux*, 1854 ; *Du poème du Cid dans ses analogies avec la « Chanson de Roland »*, 1858 ; *Mémoire sur l'originalité du « Gil Blas » de Lesage*, 1864), une *Vie de Ménage* (1859), une *Histoire de la littérature espagnole* (1863 ; complétée en 1884 par une *Anthologie espagnole*), ainsi que des traductions de Lope de Vega (1869-1870) et de Sidoine Apollinaire (1878-1887). Eugène Baret est aussi l'auteur de *Espagne et Provence* (1857 ; réédité en 1866 sous le titre *Les Troubadours du midi de l'Europe*), ouvrage qui traite de l'unité, aux XIe-XIIIe siècles, du monde médi-

terranéen, (Provence, Languedoc et Catalogne), — unité que brisa la guerre des Albigeois.
Réf. : *DBF*.

Battail (Jean-François) 1939-
Ancien professeur de littérature française à l'Université d'Uppsala (1978-83), membre de deux académies suédoises, Jean-François Battail est, depuis 1983, professeur de langues et littératures scandinaves à l'Université de Paris-Sorbonne. Ses travaux ont essentiellement porté sur l'histoire de la philosophie, notamment du cartésianisme, ainsi que sur la civilisation scandinave moderne. Il est l'auteur de *L'Avocat philosophe Géraud de Cordemoy (1626-1684)* (1973), *Le Mouvement des idées en Suède à l'âge du bergsonisme* (1979), *Essai sur le cartésianisme suédois* (1982) et *La Suède intellectuelle et savante* (1987). Enfin, Jean-François Battail a dirigé la section fenno-scandinave du *Dictionnaire universel des littératures* paru aux Presses Universitaires de France en 1994.

Baumgarten (Jean) 1950-
Directeur de recherche au CNRS, Jean Baumgarten est membre du comité de rédaction de la revue *Pardès* et directeur de la collection « Toledot Judaïsmes » (Éditions du Cerf). Il a publié *Le Yiddish. Langue, littérature, culture* (1991 ; coll. « Que sais-je ? »), une *Introduction à la culture yiddish ancienne* (1993) ainsi qu'une traduction annotée du *Commentaire sur la Torah* de Jacob ben Isaac Ashkenazi de Janow (1987 ; 2e édition revue, 1993).

Bélet (Pierre) XIXe siècle
Pierre Bélet a été prêtre dans le diocèse de Bâle, camérier de Pie IX, et il a fait partie de l'académie romaine des Arcades. Il a sans doute séjourné un certain temps à Rome, pour dépouiller les archives de la Compagnie de Jésus, à la recherche de documents concernant Jérémias Drexel. Pierre Bélet a fait preuve, de 1855 à 1904, d'une intense activité de traducteur : on lui doit des versions françaises de Drexel (*Considérations sur l'éternité*, 1869 ; *Les Défauts de la langue*, 1870 ; *Le Ciel, cité des bienheureux*, 1904) ainsi que de nombreux textes catéchétiques et théologiques allemands (W.-I. von Keffeler, J.-E. Schmid, etc.). Ultramontain convaincu, Bélet a aussi écrit un *Gallicanisme réfuté par Bossuet à l'aide de textes puisés dans ses œuvres* (1869) et des ouvrages d'édification (*Le Mois de mai. Six entretiens sur les vertus de la sainte Vierge*, 1863 ; *Les Modèles de la jeunesse. Traits édifiants empruntés à la vie des saints*, 1871). Enfin, il a édité, à Besançon, une revue intitulée *Archives de la théologie catholique*.
Réf. : Lorenz. [Avec la collaboration d'A.-É. Spica.]

Bérault (Jean) ? - 1647
Né à Paris, Jean Bérault y fit des études de médecine et devint doyen de la Faculté de médecine. S'ornant du titre de « Sorbonicus Paranymphus », il a composé, en français et en latin, divers recueils poétiques de circonstance qui lui ont valu une réputation d'éloquence et lui ont surtout permis d'obtenir en 1628 une charge de professeur et de lecteur du roi. On doit à Jean Bérault la troisième traduction — la plus fidèle et la plus élégante — de *La Satyre d'Euphormion* de Jean Barclay (1640). En 1642, il a également traduit, sous le titre *Le Socrate*, le traité *Socrates sive de moribus et vita Socratis oratio* que le philologue néerlandais Daniel Heinsius avait publié à Leyde en 1612.

Boex (*Joseph* Henri Honoré) 1856-1940
Né à Bruxelles, naturalisé français, Joseph Boex composa, avec son frère Séraphin (voir ci-après) et sous le pseudonyme « J.H. Rosny », des romans de tendance naturaliste (*Nell Horn*, 1886), puis, les deux frères ayant pris leurs distances à l'égard de Zola dans le « Manifeste des cinq » (1887), des romans d'anticipation dans une tonalité volontiers fantastique (*Les Xipehuz*, 1887 ; *Le Bilatéral*, 1887 ; *Vamireh*, 1892). Après 1909, Joseph et Séraphin Boex cessèrent leur collaboration, à laquelle on doit aussi une traduction française de *Don Pablo de Ségovie* de Quevedo (1902). L'aîné donna encore *La Guerre du feu* (1911), *Les Navigateurs de l'infini* (1925), ainsi que des ouvrages à vocation plus ouvertement scientifiques (*Le Pluraliste. Essai sur la discontinuité et l'hétérogénéité des phénomènes*, 1919 ; *Les Instincts*, 1939). Son importante production romanesque valut à Joseph Boex d'être nommé membre, puis président, de l'Académie Goncourt. Jean-Jacques Annaud tira une adaptation cinématographique de *La Guerre du feu* en 1982.
Réf. : Larousse ; *Le Nouveau Dictionnaire des Belges*, Le Cri, 1992.

Boex (*Séraphin* Justin François) 1859-1948
Né à Bruxelles, naturalisé français comme Joseph (voir ci-dessus), Séraphin Boex écrivit seul, après la séparation des deux frères, des romans qui revenaient à la veine réaliste des débuts (*Sépulcres blanchis*, 1913 ; *La Métisse amoureuse*, 1931 ; *Le Destin de Marie Lafaille*, 1946). Il compta lui aussi parmi les premiers membres de l'Académie Goncourt.

Réf. : Larousse ; *Le Nouveau Dictionnaire des Belges*, Le Cri, 1992.

Boillet (Danielle) 1942-
Spécialiste de la littérature italienne de la Renaissance, Danielle Boillet est professeur à l'université de Poitiers. Docteur d'État avec une thèse intitulée « Réalités courtisanes et fictions bucoliques dans la littérature italienne de la Renaissance » (1986), Danielle Boillet traduit actuellement l'*Arcadie* de Sannazaro et est l'auteur d'articles sur le *Novellino* de Masuccio Salernitano, l'*Aminta* du Tasse, le *Pastor fido* de Guarini et le *Roland furieux* de l'Arioste.

Borot (Luc) 1959-
Né à Paris, Luc Borot est actuellement professeur de civilisation britannique à l'Université Paul-Valéry Montpellier III et membre du Centre d'Études et de Recherches sur la Renaissance anglaise. Spécialiste de l'histoire des idées et des mentalités politiques et religieuses en Angleterre au XVIIe siècle, Luc Borot accomplit des recherches sur les philosophes Thomas Hobbes (dont il a édité et traduit en 1990 *Behemoth, ou le Long Parlement*) et James Harrington, et sur la première révolution anglaise.

Bouatchidzé (Gaston) 1935-
Né à Tiflis (Tbilissi), de mère française et de père géorgien, Gaston Bouatchidzé a consacré sa thèse de doctorat, rédigée en russe et soutenue en 1990, à « Guillaume Apollinaire et les voies de l'évolution de la poésie française » ; il est professeur de littérature française et comparée à l'université de Tbilissi et, depuis peu, professeur associé à l'université de Nantes. Ses publications sont nombreuses, en russe (*Pirosmani ou la Promenade du cerf*, *La vie de Marie Brosset*, ainsi qu'une étude sur « Restif de la Bretonne en Russie »), en géorgien (*De Montmartre à Mtatsminda*) et en français (un essai portant sur les couleurs dans l'œuvre de Rimbaud, publié à Nantes en 1991). Gaston Bouatchidzé a donné aussi des versions françaises de contes populaires géorgiens, ainsi que d'ouvrages de Chota Roustavéli, de Vaja Pchavéla et de Mossé Khonéli.

Brachin (Pierre) 1914-
Né à Montereau (Seine-et-Marne), ancien élève de l'École Normale Supérieure, agrégé d'allemand et docteur ès lettres, Pierre Brachin fut professeur dans différents lycées, chargé de cours à l'université de Rennes (1945-1948), maître de conférences à l'université de Bordeaux (1948-1952), enfin professeur de néerlandais à la Sorbonne (1952-1979). Il a publié de nombreux ouvrages, parmi lesquels *Le Cercle de Münster (1779-1806) et la pensée religieuse de F.L. Stolberg* (1952), *Études de littérature néerlandaise* (1955), *La Littérature néerlandaise* (1962) et une *Anthologie de la prose néerlandaise*, bilingue et en quatre volumes (1966-1972).

Brejnik (Claire et Antoine) XXe siècle
Traducteurs du *Voyage en Égypte* de Christophe Harant (1972).

Brunel (Jean) 1746-1820
Né à Arles, Jean Brunel collabora avec Urbain Domergue au *Journal de la langue française* (1784-1785) puis s'établit à Lyon comme professeur de lettres. Il est l'auteur du *Parnasse latin moderne* (1808, 2 volumes), d'un *Phèdre français, ou Choix de fables françaises* (1812) et d'un *Cours de mythologie orné de morceaux de poésie* (1823, posthume). À signaler que le catalogue des Imprimés de la B. N. range ces œuvres sous le nom de « Joseph » Brunel.
Réf. : *DBF*.

Brunschwig (Jacques) XXe siècle
Professeur émérite de l'Université de Paris I, Jacques Brunschwig est l'auteur d'un recueil d'*Études sur les philosophies hellénistiques. Épicurisme, stoïcisme, scepticisme* (1995). En outre, il a édité les *Nouveaux essais sur l'entendement humain* (1966) et les *Essais de théodicée* (1969) de Leibniz, a donné une édition bilingue des quatre premiers livres des *Topiques* d'Aristote et a publié la traduction française de plusieurs ouvrages de G. E. R. Lloyd (*La Science grecque après Aristote*, 1990 ; *Une histoire de la science grecque*, 1990 ; etc.).

Buysse (Maddy) XXe siècle
Femme de lettres et traductrice belge d'expression française, Maddy Buysse a publié de très nombreuses traductions d'œuvres italiennes et néerlandaises, entre autres *L'Homme aux mains vides* de Hugo Claus (1957), *Nuit maudite* de Johan Fabricius (1959), *La Peur de vivre* de Laura di Falco (1962), *À l'ombre de la Scala* de Rodolfo Celetti (1963), *L'Homme au crâne rasé* de Johan Daisne (1964) et *Les Dix Jours* d'Ottiero Ottieri (1967).
Réf. : H. Van Hoof, *Dictionnaire universel des traducteurs*, 1993.

Camp (Jean) 1891 - ?
Professeur agrégé d'espagnol en 1929, Jean Camp a publié des livrets d'ouvrages lyriques,

des recueils de poèmes, des traités de pédagogie, de grammaire espagnole et d'histoire de la littérature hispanique, des ouvrages sur l'Espagne et sur le Mexique, des traductions françaises du dramaturge Alejandro Casona, ainsi qu'une anthologie, *La Guirlande espagnole, les cent plus belles fleurs du sonnet espagnol translatées en terre française*, qui parut à Mexico en 1947 puis à Paris en 1958.

Camus (Albert) 1913-1960
Né à Mondovi, en Algérie, Albert Camus passe son enfance et son adolescence dans un quartier populaire d'Alger. Après des études de philosophie interrompues par la tuberculose, il quitte l'Algérie, participe activement à la résistance en France et publie ce qui, selon ses propres dires, constitue le « cycle de l'absurde » et fait de lui, en quelques années, l'un des écrivains majeurs de sa génération : *L'Étranger* (1942), *Le Mythe de Sisyphe* (1942), *Le Malentendu* (1944) et la version définitive de la pièce *Caligula* (1945), dont une première ébauche était terminée depuis 1941. À la Libération, il dirige, avec Pascal Pia, le journal *Combat*, où il publie nombre d'éditoriaux qui affirment la nécessité de préserver les valeurs morales au sein de la politique. En 1947, *La Peste* ouvre le cycle de la révolte et de la solidarité, développé avec *L'État de siège* (1948), *Les Justes* (1949) et *L'Homme révolté* (1951). Viennent ensuite *La Chute* (1956) et les nouvelles de *L'Exil et le Royaume* (1957), qui marquent le renouvellement de la création romanesque. Couronné en 1958 par le prix Nobel, Albert Camus meurt le 4 janvier 1960 dans un accident de voiture. — À travers la diversité des genres — essais, romans, théâtre (plusieurs pièces de Camus sont des adaptations : *La Dévotion à la croix*, 1953 [Calderón de la Barca] ; *Requiem pour une nonne*, 1956 [Faulkner] ; *Les Possédés*, 1959 [Dostoïevski]) — et au moyen d'un langage apparemment classique, l'œuvre de Camus continue de proposer ses interrogations sur le mal, sur la grandeur et la misère de l'homme contemporain, pris dans les fureurs de l'histoire, aspirant, sans illusions, à la beauté, à la paix, à l'innocence, à la justice.
Réf. : Laffont-Bompiani, *Le Nouveau Dictionnaire des auteurs*, 1994 ; O. Todd, *Albert Camus. Une vie*, 1996.

Castay (Marie-Thérèse) 1945-
Maître de conférences à l'UFR d'anglais de l'Université de Toulouse-le-Mirail, Marie-Thérèse Castay fait porter ses recherches sur le domaine anglo-gallois et sur les rapports entre la tradition médiévale galloise et la production anglo-galloise du XXe siècle.

Cavaillé (Jean-Pierre) 1959-
Né à Albi, docteur de l'École des Hautes Études en Sciences sociales et de l'Institut Universitaire de Florence, Jean-Pierre Cavaillé poursuit des recherches sur la pensée et la culture européennes de l'âge baroque. Il a publié *Descartes, la fable du monde*, ainsi qu'une édition bilingue des *Madrigaux* du Cavalier Marin (1992).

Cazamian (*Louis* François) 1877-1965
Né à Saint-Denis (Réunion), docteur ès lettres, Louis Cazamian fut professeur à la Faculté des Lettres de Paris. On lui doit de très nombreux ouvrages, en français ou en anglais, sur la littérature anglaise (*L'Humour de Shakespeare*, 1945 ; *Symbolisme et poésie. L'exemple anglais*, 1947 ; *A History of English Literature* [avec Émile Legouis], éd. revue, 1954 ; *Le Roman social en Angleterre, 1830-1850*, 1967), ainsi que des traductions de Wordsworth, de Blake et une *Anthologie de la poésie anglaise* (1947). Louis Cazamian a aussi laissé un traité d'histoire de la littérature française à l'usage des Anglais (*A History of French Literature*, 1955).
Réf. : Lorenz.

Cazin (Paul) 1881 - ?
Auteur de romans (*L'Homme qui avait vu des choses*, 1959), ainsi que de livres et de conférences sur la Pologne, Paul Cazin a également publié plusieurs traductions françaises d'ouvrages polonais : ainsi *Les Mémoires de Jean-Chrysostome Pasek*, ou encore l'épopée *Pan Tadeusz* du poète Adam Mickiewicz (1947 ; cette version lui valut le Prix de Traduction du PEN Club polonais).

Chabert (Jacques) 1940-
Né à Barbizon (Seine-et-Marne), diplômé d'études anglaises de la Sorbonne, Jacques Chabert a publié une vingtaine de traductions, principalement d'écrivains-voyageurs anglais et américains (Bruce Chatwin, Peter Matthiessen, Jonathan Raban, Robert Louis Stevenson, Walter Raleigh, Paul Theroux, etc.). Jacques Chabert a lui-même accompli un grand nombre de voyages et d'expériences diverses : ainsi il parcourut en 1965-1966 la Bolivie amazonienne ; en 1968, il participa à une expérience de confinement souterrain en caverne (146 jours dans l'aven Olivier, Alpes-Maritimes) ; en 1970, il prit part à la « Croisière verte », première liaison fluviale Orénoque-Amazone-Rio de la Plata ; enfin, en 1971-1972, il passa seize mois

dans les régions semi-désertiques de l'Edwards Plateau (Texas).

Chasles (Philarète) 1798-1873
Né à Mainvilliers, près de Chartres, fils du conventionnel Michel Chasles qui avait voté la mort du roi, Philarète Chasles dut, à la Restauration, passer en Angleterre où il demeura sept ans. Il acquit là une solide connaissance de la langue et de la littérature anglaises et il s'intéressa aussi à la littérature de l'Allemagne où il séjourna avant de rentrer en France. D'abord secrétaire de Jouy et du baron d'Echstein, Philarète Chasles se montra très ouvert aux doctrines littéraires nouvelles et se consacra bientôt à une active collaboration aux revues : la *Revue britannique* (à laquelle il donna plus de 250 articles, de 1826 à 1840), le *Journal des Débats* et la *Revue des Deux Mondes*. Devenu conservateur de la Bibliothèque Mazarine et titulaire d'une chaire de littérature étrangère que Villemain créa pour lui au Collège de France en 1841, Chasles s'attacha à définir la place de la littérature dans la civilisation et le caractère particulier qu'elle présente dans chaque nation (*Le Dix-Huitième Siècle en Angleterre*, 1846 ; *Études sur l'Espagne et sur les influences de la littérature espagnole en France et en Italie*, 1847). On peut le considérer comme le véritable fondateur de la littérature comparée. Chasles se montra en outre bon juge de ses jeunes contemporains, dans les pittoresques *Mémoires* qu'il a laissés.
Réf. : *DUL* ; Larousse ; Cl. Pichois, *Philarète Chasles et la vie littéraire au temps du romantisme*, 1965, 2 vol.

Chassé (Charles) 1883-1965
Né à Quimper, Charles Chassé est l'auteur d'études de critique littéraire et artistique (*Physionomie de la littérature anglaise*, 1945 ; *D'Ubu-Roi au douanier Rousseau*, 1947 ; *Le Mouvement symboliste dans l'art du XXe siècle*, 1947 ; *Les Clés de Mallarmé*, 1954 ; *Gauguin et son temps*, 1955), ainsi que d'ouvrages consacrés à la Bretagne.
Réf. : Larousse.

Chateaubriand (François René, vicomte de) 1768-1848
Né à Saint-Malo, destiné à la carrière militaire, François René de Chateaubriand voit ses projets contrariés par la Révolution. Il voyage en Amérique (1791), revient se mettre au service de la monarchie, puis émigre en Angleterre. À son retour en France, il se consacre aux lettres, compose *Atala* (1801) puis *René* (1802), textes qui annoncent *Le Génie du christianisme* (1802), vaste apologie de la religion correspondant aux desseins de Bonaparte, et l'épopée chrétienne des *Martyrs* (1809). En 1811 paraît aussi l'*Itinéraire de Paris à Jérusalem*. Bientôt hostile à l'Empereur, Chateaubriand joua un rôle politique important durant la Restauration ; c'est à cette époque que sont publiés, parallèlement à de nombreux écrits politiques, *Les Aventures du dernier Abencérage*, *Les Natchez* (1826) et la relation du *Voyage en Amérique* (1827). En 1830, hostile à l'orléanisme, il quitte les allées du pouvoir et consacre une grande partie de son temps à la préparation de ses *Mémoires* qui ne devaient paraître qu'après sa mort. Il publie encore des *Études historiques* (1831), une traduction du *Paradis perdu* de Milton (1836 ; accompagnée d'un « Essai sur la littérature anglaise ») ainsi qu'une *Vie de Rancé* (1844). Écrivain au style admirable, Chateaubriand a su exprimer les aspirations de son siècle et son œuvre, qui évoque — avant Nerval — la magie du souvenir et — avant Baudelaire — les correspondances secrètes entre l'homme et la nature, joue un rôle majeur dans la fondation du romantisme français.
Réf. : Ghislain de Diesbach, *Chateaubriand*, 1995.

Cohen (Anne *Jean* Philippe Louis) 1781-1848
Né à Amersfoort (Pays-Bas), Jean Cohen passa sa jeunesse sous le régime français, collabora à des périodiques de langue française et, en 1809, vint à Paris où deux ans plus tard il fut nommé censeur pour les publications en langue étrangère ; en 1824, il devint bibliothécaire à Sainte-Geneviève. Jean Cohen a publié de très nombreuses traductions, principalement de l'anglais (Bulwer Lytton, B. Franklin, W. Irving, Mathurin, W. Scott, Walpole, etc.), mais aussi de l'allemand (Pückler-Muskau, etc.), du néerlandais (Pieter Cornelisz Hooft, dans la fameuse série des « Chefs-d'œuvre du théâtre étranger » publiée par Ladvocat), de l'espagnol et du suédois. Jean Cohen a laissé aussi des poèmes (*Voyage à Ermenonville*, 1814), des romans (*Jacqueline de Bavière, dauphine de France*, 1821 ; *Herminie de Civray ou l'Ermite de la forêt*, 1823 ; *Isidoro ou le Page mystérieux*, 1828), ainsi que des ouvrages historiques ou de philosophie de l'histoire (*Précis historique sur Pie VII*, 1823 ; *Réflexions historiques et philosophiques sur les révolutions*, 1846). Jean Cohen était légitimiste en politique et il a publié quelques écrits de controverse contre Guizot et Kératry (ainsi *Du système des doctrinaires*, en 1820). Enfin, il a participé à l'entreprise d'édition de la *Collection des meilleures dissertations, notices et traités*

particuliers relatifs à l'histoire de France (1826-1838, 20 volumes).
Réf. : *DBF.*

Colleville (Maurice) Env. 1897 - 1989
Ancien élève de l'École Normale Supérieure (promotion de 1919), Maurice Colleville fut professeur à Lyon, à Rennes (il fut aussi recteur de ces deux universités), puis à la Sorbonne. Cofondateur, avec Fernand Mossé, de la revue *Études germaniques*, Maurice Colleville a publié des traduction françaises des *Aventures de Simplicius Simplicissimus* de Grimmelshausen (1925) et de *La Chanson des Nibelungen* (1944, avec Ernest Tonnelat), une *Étude sur l'œuvre et la pensée de Novalis* (1956), ainsi qu'un manuel *Allemand. Temps et mode du verbe* (1956).

Collin de Plancy (Jacques Albin Simon Collin, dit) 1794-1881
Né à Plancy (Aube), Jacques Collin s'est présenté comme le neveu de Danton, mais cette parenté est douteuse. Un curé du voisinage lui fit commencer des études achevées au collège de Troyes. Il débarque en 1812 à Paris, où ses débuts sont obscurs. À partir de 1818, les ouvrages signés de son nom ou d'un de ses pseudonymes se multiplient. Rédigés tous dans le ton des écrivains libéraux de la Restauration, ils sont antiféodaux, antireligieux, anticléricaux et antimonastiques. Collin de Plancy procède surtout par anecdotes, et il en avait une provision inépuisable, qu'il offre sous forme de dictionnaires : *Dictionnaire infernal* (1818), *Dictionnaire féodal, ou Recherches et anecdotes sur les droits féodaux* (1819), *Dictionnaire des reliques* (1821-1822). Libraire et spéculateur malheureux, il doit se réfugier en Belgique en 1830. Sept ans plus tard, il rentre en France, converti au catholicisme le plus strict. À Plancy, où il s'efforce d'appliquer quelques idées phalanstériennes qui avaient intéressé sa jeunesse, il fonde la Société de Saint-Victor et publie des ouvrages de piété. Disposant toujours d'une armée de faits, il la met en marche dans une autre direction. Il refait son *Dictionnaire infernal* — qui sera recueilli par l'abbé Migne dans son *Encyclopédie théologique* —, publie des ouvrages de dévotion ainsi que des recueils de légendes religieuses. Sans doute se faisait-il aider, comme l'abbé Migne à Montrouge. Avec l'abbé Darras, Collin compile une *Grande vie des saints* en 24 volumes, à laquelle durent travailler aussi d'autres mains. La liste des ouvrages de Collin de Plancy remplit 20 colonnes du Catalogue des Imprimés de la B. N. On observe dans cette liste la présence d'une version française, parue à Bruxelles et La Haye, de *Ghysbrecht d'Amstel, ou les Origines d'Amsterdam*, tragédie de Vondel (1842).
Réf. : *DBF.*

Compayré (Jules *Gabriel*) 1843-1913
Né à Albi, ancien élève de l'École Normale Supérieure, docteur en philosophie (avec une thèse sur « La Philosophie de David Hume »), Gabriel Compayré fut nommé en 1876 professeur adjoint à la Faculté des Lettres de Toulouse, pour enseigner la psychologie de l'enfant et l'histoire de l'éducation. Son *Mémoire sur l'histoire des doctrines de l'éducation en France depuis le XVIe siècle* (2 vol.), traduit en plusieurs langues, fut couronné en 1877 par l'Académie des sciences morales et politiques et en 1879 par l'Académie française. En 1881, il se lance dans la politique et est élu député du Tarn. De retour à l'Université en 1890, il est recteur de l'Académie de Poitiers, puis de Lyon, conduit une mission à l'exposition universelle de Chicago (1893), réorganise l'Académie de médecine, devient inspecteur général de l'enseignement secondaire et meurt peu de temps après sa mise à la retraite. On doit à Gabriel Compayré de très nombreux ouvrages de philosophie et de pédagogie, ainsi que des éditions ou traductions de traités sur l'éducation (par exemple les *Quelques pensées sur l'éducation* de John Locke, en 1889).
Réf. : *DBF.*

Coste (Pierre) 1668-1747
Né à Uzès, fils d'un marchand drapier, Pierre Coste commença ses études au collège d'Anduze puis se fit inscrire à l'université de Genève le 5 mai 1684. Protestant, la révocation de l'Édit de Nantes le força à demeurer à l'étranger, et il fréquenta les universités de Lausanne, Zurich, Leyde, avant de se faire recevoir proposant par le synode de l'église wallonne d'Amsterdam en 1690. Ne trouvant pas de poste de pasteur à son gré, il entra comme correcteur dans une imprimerie, puis accepta des charges de précepteur dans de grandes familles. Voyageant en Europe avec ses élèves, il se tient au courant des mouvements littéraires, se lie avec Locke et Shaftesbury en 1697 et place chez les éditeurs, lorsqu'il en trouve l'occasion, des ouvrages de critique ou d'érudition (*Histoire de Louis de Bourbon, prince de Condé*, 1693 ; *Défense de M. de La Bruyère et de ses Caractères*, 1702), des commentaires sur Horace, des éditions de Montaigne (1724) et de La Bruyère (1733), ainsi que des traductions (*Hiéron, ou portrait de la condition des rois* de Xénophon, 1711 ; *Les Captifs* de

Plaute, 1716 ; l'*Essai philosophique concernant l'entendement humain* de John Locke, 1742 ; etc.). Coste mourut au cours d'un voyage à Paris, le 24 janvier 1747 ; il avait épousé Marie de Laussac.
Réf. : *DBF.*

Coupé (Jean-Marie-Louis) 1732-1818
Né à Péronne, J.-M.-L. Coupé reçut la tonsure en 1757, fut nommé en 1765 professeur de rhétorique au Collège de Navarre, avant de devenir le précepteur du prince de Vaudémont, fils de la comtesse de Brionne. Il accompagna le jeune prince dans des voyages en Suisse, en Allemagne, en Italie, et fut admis dans les salons et les cercles littéraires. Coupé publia alors quelques ouvrages : *Manuel de morale* (1772), *Dictionnaire des mœurs* (1773), *Histoire universelle des théâtres* (1779-1781, en coll.), et un périodique qui eut un grand succès, *Variétés littéraires* (1786-1787, 8 volumes). Nommé par Louis XVI, en 1778, censeur royal, garde des dossiers généalogiques et des titres de la Bibliothèque du roi, il réussit à préserver ces documents que les mandataires de la Constitution voulaient livrer aux flammes. En 1792, il accompagna jusqu'en Suisse la comtesse de Brionne puis rentra à Paris. L'année suivante, il dut quitter secrètement la ville et se réfugier en forêt de Fontainebleau. Il n'émigra pas, cependant, et vécut après Thermidor en faisant des traductions pour les libraires (Daniel Heinsius, Hésiode, Homère, Sénèque et Théognis). Il tenta aussi de reprendre sa formule des *Variétés littéraires* avec les *Soirées littéraires* (1795-1799, 18 tomes en 10 volumes) puis avec le *Spicilège de littérature ancienne et moderne* (1801-1802, 2 volumes). Après la Restauration, Coupé reprit son titre de censeur royal.
Réf. : *DBF.*

Courcelles (Étienne de) 1586-1658
Né à Genève de parents protestants, Étienne de Courcelles était pasteur à Amiens quand le synode d'Alais (1620) imposa aux ministres de France les décisions du synode de Dordrecht et déchaîna en France les querelles au sujet de la prédestination. Courcelles fut parmi les théologiens qui protestèrent au synode provincial de Charenton (1622) contre cette mesure. Peu après, il quitta la France et se réfugia en Hollande, où les adversaires du synode de Dordrecht étaient tolérés. En 1643, il succéda à Episcopius comme professeur de théologie au collège arminien fondé en 1637 à Amsterdam. La plupart de ses ouvrages sont des écrits polémiques. On retiendra néanmoins une édition du Nouveau Testament grec avec un grand choix de variantes (Amsterdam, 1658, 2 vol.), réimprimé trois fois jusqu'en 1699. Sa traduction du *Traité de la vérité de la religion chrestienne* d'Hugo Grotius a paru en 1636.
Réf. : Grande Encyclopédie.

Crahay (Roland) 1915-1992
Né à Theux, en Belgique, licencié et docteur en philologie classique, candidat en histoire et littérature orientales, Roland Crahay fut professeur d'Histoire de l'enseignement à l'université de Mons (1965-1983) et professeur d'Histoire de l'Église à l'Université Libre de Bruxelles (1966-1985). Il est notamment l'auteur d'une édition commentée de *Douze lettres d'Érasme* (1938 ; avec Marie Delcourt), de *La Littérature oraculaire chez Hérodote* (1956 ; il s'agit de sa thèse de doctorat, défendue en 1949), d'un livre de synthèse sur *La Religion des Grecs* (1966), d'une *Bibliographie critique des éditions anciennes de Jean Bodin* (1992) et d'une édition bilingue de *La Cité du soleil* de Tommaso Campanella (1993, posthume). D'autre part, prisonnier de guerre de 1940 à 1945, Roland Crahay a rassemblé ses souvenirs de captivité dans *Les Chétifs* (1946) ; il a aussi publié un recueil de nouvelles (*Les Bonnes Intentions*, 1955) et un roman (*La Pierre de tonnerre*, 1962). Il a été élu correspondant de l'Académie royale de Belgique le 3 mai 1982.

Damas-Hinard (Jean-Joseph) 1805-1891
Né à Madrid, Jean-Joseph Damas-Hinard vint faire ses études de droit à Paris. Reçu avocat, il se consacra surtout à la littérature et publia dès 1824 un recueil de *Chants sur Lord Byron*. En 1829 et en 1830, il fit paraître avec des collaborateurs six volumes de *Mémoires* apocryphes de la comtesse du Barry et quatre volumes de *Mémoires d'une femme de qualité sous Louis XVIII*. Vinrent ensuite deux tomes intitulés *Napoléon, ses opinions et jugements sur les hommes et les choses* (1838), ouvrage réédité en 1854 sous le titre *Dictionnaire Napoléon*. En 1847, le comte de Salvandy, ministre de l'Instruction publique, fit appel à Damas-Hinard pour remplacer au Collège de France Edgar Quinet, dont le cours venait d'être suspendu. Confronté à une assistance houleuse, l'orateur dut se retirer et fut nommé, le 30 décembre 1848, bibliothécaire au Louvre. Il réussit à se maintenir en place après le coup d'État du 2 décembre 1851 et sa situation se trouva même raffermie grâce à d'anciens rapports avec la famille de Montijo. Nommé en 1853 secrétaire des commandements de l'impératrice Eugénie, Damas-Hinard fit pour elle des

traductions de l'espagnol : le *Poème du Cid* (1858) et les *Chefs-d'œuvre de Lope de Vega* (1861, 2 vol.). À noter que ses traductions des *Chefs-d'œuvre de Calderón de la Barca*, du *Romancero général, ou Recueil des chants populaires de l'Espagne* et du *Don Quichotte* de Cervantès avaient alors déjà paru, respectivement en 1841-1844, en 1844 et en 1847. Damas-Hinard est aussi l'auteur d'un ouvrage consacré à *La Fontaine et Buffon* (1864).
Réf. : *DBF*.

Darmangeat (Pierre) 1909-
Auteur d'une anthologie de *La Poésie espagnole* (1963), traducteur de Luis de Góngora y Argote (1982) et d'Antonio Machado (1966), Pierre Darmangeat a également publié *Góngora : un tableau synoptique de la vie et des œuvres de Góngora* (1964).

Debaisieux (Renée-Paule) 1953-
Agrégée de lettres classiques, Renée-Paule Debaisieux a orienté ses recherches vers le domaine néo-hellénique. Docteur en grec moderne depuis 1989, elle enseigne la langue et la littérature grecques à l'Université de Bordeaux III. Renée-Paule Debaisieux a traduit l'*Histoire de la littérature grecque moderne* de Mario Vitti et a publié deux ouvrages de critique littéraire, *Le Soupçon et l'amertume dans le roman grec moderne, 1880-1922* (1992) et *Les Alchimies du réel. Le Décadentisme dans les œuvres grecques en prose, 1894-1912* (1995).

Decroisette (Françoise) 1946-
Née à Sallanches (Haute-Savoie), agrégée de l'université, docteur d'État, Françoise Decroisette est actuellement professeur au département d'Études italiennes de l'Université Paris VIII (Saint-Denis). Spécialiste des arts du spectacle en Italie (particulièrement aux XVIe, XVIIe et XVIIIe siècles), elle a assuré la publication de plusieurs volumes collectifs (*La France et l'Italie. Traductions et échanges culturels*, 1992 ; *Les Fêtes populaires italiennes*, 1994 ; *Musiques goldoniennes*, 1995) et a fait paraître de nombreuses traductions d'œuvres italiennes ou napolitaines (Leone de Sommi, Badoaro, Goldoni, Flaminio Scala et G. B. Basile, notamment).

Defauconpret (Auguste Jean Baptiste) 1767-1843
Né à Lille, Auguste Defauconpret vint à Paris faire ses études, au collège Mazarin. Après s'être essayé à la littérature, il acquit une étude de notaire qu'il conserva jusqu'en 1814 ou 1815, époque où il se trouve ruiné. Réfugié à Londres, probablement pour fuir ses créanciers, il commence par publier quelques œuvres originales, parmi lesquelles *Quinze jours à Londres à la fin de 1815* (1816), *Londres et ses habitants* (1817), *Voyage vers le pôle arctique* (1819 ; d'après le voyage de Ross et Parry) et *Une année à Londres* (1819). Peu après, avec la collaboration de son fils Charles-Auguste (1797-1865), il entreprit un immense travail de traduction de romans anglais : tout Walter Scott et tout Fenimore Cooper, qu'il fit connaître l'un et l'autre en France, mais aussi des ouvrages de Frances Burney, de Bulwer-Lytton, de Frederick Marryat, de Charles Dickens et de bien d'autres encore. L'ensemble représente environ 500 volumes. Auguste Defauconpret mourut en France, à Fontainebleau.
Réf. : *DBF*.

De Gandt (François) XXe siècle
Auteur de traductions françaises de la dissertation de Hegel sur *Les Orbites des planètes* (1979) ainsi que des traités *De la gravitation* et *Du mouvement des corps* de Newton (1995), François De Gandt a appporté son concours à la version française du *Dialogue sur les deux grands systèmes du monde* de Galilée, parue en 1992.

Delille (Jacques) 1738-1813
Enfant naturel, Jacques Delille est né à Aigueperse, en Auvergne. Il fait de brillantes études à Paris, entre dans la carrière universitaire et, sans quitter l'état laïc, prend le titre d'« abbé », qui restera toujours accolé à son nom. En 1757, il commence une traduction en vers des *Géorgiques* de Virgile. Louis Racine, consulté, l'encourage et le fait connaître. Delille donne ensuite une série d'épîtres, qui recueillent les éloges de Catherine II et de Voltaire, et annexent l'auteur au clan philosophique. En 1770, paraissent enfin les *Géorgiques* : l'accueil est triomphal. Au reproche d'infidélité répond par avance un « Discours préliminaire » : le texte de Delille et celui de Virgile ne doivent pas être comparés vers à vers ; « c'est sur l'effet total de chaque morceau qu'il faut juger de son mérite ». (D'aucuns prétendent ce « Discours préliminaire » écrit par Jean-Baptiste Dureau de La Malle, ami de Delille.) En 1773, Delille obtient la chaire de poésie latine au Collège de France ; l'année suivante, il entre à l'Académie. Il se tourne alors vers la poésie descriptive et chante la nature (*Les Jardins*, 1782), puis vers le poème philosophique (*L'Imagination*, 1806 ; *Les Trois Règnes de la nature*, 1808). Sous l'Empire,

Delille fait figure de chef d'école, et se trouve célébré à la fois par le néo-classicisme officiel et par les premiers romantiques. Il donne alors, de Virgile, des versions de l'*Énéïde* (1804) et des *Bucoliques* (1806), et, de Milton, une édition bilingue du *Paradis perdu* (1805). — La poésie de l'abbé Delille, très rhétorique, n'est plus lue aujourd'hui : elle constitue pourtant une sorte de contrepoint lyrique à l'esprit philosophique.
Réf. : Bordas.

Dhombres (Jean) 1942-
Né à Paris, diplômé de l'École Nationale des Langues Orientales vivantes et de l'École polytechnique, docteur d'État de mathématiques, Jean Dhombres est actuellement professeur à l'université de Nantes et membre de l'Académie internationale d'histoire des sciences. Traducteur des *Méthodes directes en théorie des équations elliptiques* de Jindrich Necas (1967), éditeur des *Leçons mathématiques* de Laplace, Lagrange et Monge (1992), Jean Dhombres est également l'auteur de nombreux ouvrages, parmi lesquels on peut citer *Sur les opérateurs multiplicativement liés* (1971), *Nombre, mesure et continu. Épistémologie et histoire* (1978), *Mathématiques des sciences de la vie* (1982), *Sciences et savants en France. Naissance d'un pouvoir, 1793-1825* (1989, en coll.) et *La Bretagne des savants et des ingénieurs, 1750-1825* (1992).
Réf. : *Who's Who in France ?, 1994-1995.*

Dupont (Pierre) XXe siècle
Auteur de *La Langue du siècle d'or* (1986) et traducteur de Lope de Vega (1994).

Dupré de Saint-Maur (Nicolas-François) 1695-1774
Né à Paris, issu d'une famille briarde de juristes et de financiers, Nicolas-François Dupré de Saint-Maur fit des études très complètes, acquit la charge de trésorier de France au bureau de la généralité de Paris et obtint le titre honorifique de conseiller du roi. En 1729, il fit imprimer une traduction du *Paradis perdu* de Milton, — traduction qui, selon certains, était en réalité l'œuvre de Claude-Joseph Chiron de Boisromand (env. 1680 - 1740), connu pour son *Histoire amoureuse et tragique des princesses de Bourgogne* (1720). Quoi qu'il en soit, la version de Milton plut et Dupré de Saint-Maur entra à l'Académie française en 1733. Il publia ensuite des *Recherches sur la valeur des monnoies et sur le prix des grains avant et après le traité de Francfort (794)* (1762), puis un *Essai sur les monnoies, ou réflexions sur le rapport entre l'argent et les denrées*, où il croyait pouvoir prouver que le prix des denrées alimentaires avait augmenté douze fois depuis le début de l'ère chrétienne. Dupré de Saint-Maur a dressé en outre des *Tables de mortalité* qui ont été insérées dans l'*Histoire naturelle de l'homme* de Buffon.
Réf. : *DBF.*

Ellrodt (Robert) 1922-
Né à Bagnères-de-Luchon (Haute-Garonne), ancien étudiant des Facultés des Lettres d'Aix-en-Provence et de Toulouse, agrégé de l'université, docteur ès lettres, Robert Ellrodt fut professeur aux universités de Poitiers, d'Alger, de Toulouse et de Nice, et est actuellement professeur émérite de l'université de Paris III. Membre correspondant de la British Academy, il est l'auteur d'un ouvrage en trois volumes consacré aux *Poètes métaphysiques anglais* (1960), ainsi que de *Neoplatonism in the Poetry of Spenser* (1960) et de *Genèse de la conscience moderne* (1983). On doit également à Robert Ellrodt une traduction des *Poésies* de John Donne (1983).
Réf. : *Who's Who in France ?, 1994-1995.*

Esteban (Claude) 1935-
Écrivain français, Claude Esteban a animé la revue *Argile* et publie depuis 1968 des poèmes « qui partent de l'apparente constatation pour aller vers l'insolite et la dépossession, du mot simple pour éclater en brèves propositions qui le minent » (*DUL*, t. I, p. 1136). Les recueils de Claude Esteban ont pour titre *Terres* (1967-1978), *Terres parallèles* (1980), *Conjoncture du corps et du jardin* (1983), *Le Nom et la demeure* (1985), *Élégie de la mort violente* (1989) et *Soleil dans une pièce vide* (1991). On doit aussi à Claude Esteban un essai (*Critique de la raison poétique*, 1987), une édition des *Poésies de Henri Heine* traduites par Nerval (1994) et des traductions françaises d'écrivains de langue espagnole.
Réf. : *DUL.*

Estienne (Robert) 1723-1794
Né à Paris, appartenant à une branche cadette de la famille des grands érudits parisiens et genevois, Robert Estienne fut reçu libraire en 1746, devint juge-conseil en 1760 et syndic de la chambre des libraires en 1762. On lui doit des traductions de John Bunyan (*Le Pèlerinage d'un nommé Chrétien, écrit sous l'allégorie d'un songe*, 1772 ; 16 éditions jusqu'en 1854) et de James Fordyce (*Sermons pour les jeunes dames*, 1778). Robert Estienne a également édité et annoté les *Opuscules* de Rollin (1771).
Réf. : *DBF.*

Évrard (Louis) 1926-1994
Né à Nice, diplômé de lettres classiques, de philosophie et d'histoire des religions, Louis Évrard fut directeur littéraire aux Éditions du Rocher, puis collaborateur des Éditions Gallimard pour les sciences humaines et l'histoire. Louis Évrard eut une activité de traducteur très féconde, principalement de l'anglais vers le français (ainsi il est l'auteur d'une version partielle de l'*Anatomie de la mélancolie* de Robert Burnton, en 1984 [2e éd., 1992]).
Réf. : H. Van Hoof, *Dictionnaire universel des traducteurs*, 1993.

Eydoux (Éric) 1940-
Après avoir été professeur d'allemand à Paris et lecteur de français en Norvège (1963-1969), Éric Eydoux est actuellement maître de conférences aux départements nordiques des universités de Strasbourg et de Caen, directeur de l'Office franco-norvégien et directeur-fondateur de la collection nordique des Presses universitaires de Caen. On doit à Éric Eydoux de nombreux articles et collaborations à des répertoires collectifs, des traductions et éditions critiques (Faldbakken, Ibsen, Borgne, Stangerup, Leonore-Christine, etc.), ainsi que des ouvrages sur *Les Grandes Heures du Danemark* (1975) et les *Écrivains de Norvège* (1991).

Feutry (Amé, ou Aimé, Ambroise Joseph) 1720-1789
Né à Lille, Aimé Feutry fit des études de droit et fut reçu avocat au parlement de Douai. En 1745, il devint secrétaire particulier de Louis-François-Armand, duc de Richelieu, qu'il accompagna dans quelques-uns de ses voyages, notamment à Gênes en 1748. En 1751, il commença à publier des poèmes : *L'Épître d'Héloïse à Abélard*, traduite librement de Pope ; suit deux ans plus tard *Le Temple de la mort*, inspiré de Young. À pareille époque, Aimé Feutry vivait à Lille, où il s'occupait aussi de balistique et inventait des machines de guerre, qui furent expérimentées sans succès. Il perdit dans ses recherches le peu de fortune qu'il possédait et tenta de trouver quelques ressources dans des travaux de librairie : il donna une anthologie de récits tirés de Bandello et de Belleforest (1753), fit des traductions de Thomas Blackwell (*Mémoires de la cour d'Auguste*, 1754-1759, 2 vol.), de Swift, de Daniel Defoe (*Robinson Crusoé*, 1775), et il composa des pièces de circonstance (ainsi *Les Jeux d'enfants*, traduits de Jacob Cats, en 1764). La fin de sa vie fut malheureuse : ayant perdu ses trois enfants, il sombra dans la neurasthénie et se pendit à Lille le 28 mars 1789.
Réf. : *DBF*.

Frenay-Cid (Herman) 1891 - ?
A laissé un volume intitulé *Nouveau folklore. Le passé, le présent, le futur* (1949 ; 2e éd. en 1968), ainsi qu'une traduction française du *Théâtre de Ruiz de Alarcón* (1944).

Fréreux (René) XXe siècle
Auteur d'une version française, parue en 1992, du *Dialogue sur les deux grands systèmes du monde* de Galilée.

Fuzier (Jean) 1926-1995
Ancien élève et ancien agrégé-répétiteur de l'École Normale Supérieure, Jean Fuzier fut professeur à l'Université Paul-Valéry de Montpellier, où il compta parmi les fondateurs du Centre d'Études et de Recherches Élisabéthaines (1970 ; rebaptisé plus tard Centre d'Études et de Recherches sur la Renaissance Anglaise) et de la revue *Cahiers Élisabéthains* (1972). Jean Fuzier procura la traduction française des « Œuvres poétiques » de Shakespeare (dans l'édition de la « Bibliothèque de la Pléiade » dirigée par Henri Fluchère, 1959) puis celle des *Poèmes* de John Donne (1962). Il a également publié une édition critique des *Sonnets* de Shakespeare (1970) ainsi que de très nombreux articles savants dans les domaines de l'histoire du théâtre et de l'analyse formelle du texte poétique (rhétorique, prosodie). Président, puis président honoraire de la Société Française Shakespeare, Jean Fuzier a aussi accompli deux mandats de vice-président du Conseil Scientifique de l'Université Paul-Valéry.
Réf. : [d'après une notice de Jean-Marie Maguin].

Gacon (Gérard) XXe siècle
Angliciste de formation, attaché à l'université Jean Monnet de Saint-Étienne, Gérard Gacon est l'auteur de traductions françaises de Robert Herrick, Andrew Marvell, Philip Sidney, Kate Chopin et Samuel T. Coleridge. À noter aussi que Gérard Gacon pratique la poésie à titre personnel et poursuit des recherches herméneutiques consacrées au romantisme anglais.

Gallut-Frizeau (Anne) XXe siècle
Professeur à l'Université de Toulouse-le-Mirail, Anne Gallut-Frizeau a défendu en 1965, dans la même université, une thèse de 3e Cycle consacrée à « Le Morgado de Mateus, éditeur des *Lusíadas* ». Ce travail fut publié en 1970, sous le patronage de l'Institut Français au Portugal.

Gardette (Raymond) 1931-
Maître de conférences hors classe à la Sorbonne, Raymond Gardette a consacré de nombreux travaux au théâtre élizabéthain, aux pièces de Shakespeare ainsi qu'à des thèmes (le « monstrueux », la tyrannie, le songe, le voyage) en relation avec ce théâtre. Il prépare actuellement un ouvrage sur le voyage dans l'œuvre shakespearienne.

Giono (Jean) 1895-1970
Né à Manosque, fils d'un Piémontais, Jean Giono passe son enfance sur les bords de la Durance, séjourne régulièrement auprès des bergers de la montagne, découvre avec enthousiasme Virgile et les lyriques américains (Melville, Whitman). Pour venir en aide à ses parents, il doit abandonner ses études à seize ans et devenir employé de banque. Sa culture, immense, fut donc celle d'un autodidacte à la curiosité universelle. Le succès de *Colline* et de *Un de Baumugnes*, en 1929, puis de *Regain*, en 1930, — ces trois récits composent la *Trilogie de Pan* — l'engage à se risquer à vivre de sa plume. Il dénonce la guerre (*Le Grand Troupeau*, 1931), le machinisme et la ville (*Les Vraies Richesses*, 1936), magnifiant en revanche la communion avec la terre (*Le Chant du monde*, 1934 ; *Que ma joie demeure*, 1935). Pacifiste convaincu, il est emprisonné en 1939, puis à nouveau en 1944. Après la guerre, le style de Giono adopte une facture plus classique, presque stendhalienne, et ses romans, à l'exemple du *Hussard sur le toit* (1951), présentent des héros aristocratiques, en marge de la société et des lois, qui cultivent l'art de ne pas être dupes et se sentent « au comble du bonheur » dans l'exercice de leur liberté. La critique a longtemps méconnu la véritable portée de l'œuvre de Giono, qui a passé pour écrivain « régionaliste ». On mesure mieux à présent la richesse de cette œuvre abondante : poèmes, contes et nouvelles, essais, théâtre (huit pièces ; *Domitien*, en 1959, est l'adaptation d'une traduction littérale de Vondel), traductions (*Moby Dick* de Melville, 1941), préfaces et articles de journaux, cinéma, et surtout vingt-cinq romans qui témoignent de la meilleure part de son génie.
Réf. : *Encyclopædia universalis*, 1990 ; P. Citron, *Jean Giono*, 1990.

Girard (Albert) ? - 1633
Géomètre hollandais, Albert Girard fut un des précurseurs de Descartes. Il a publié en 1626 des *Tables des sinus, tangentes et sécantes* et en 1629 un traité intitulé *Invention nouvelle en algèbre*, qui étudie notamment la question des racines négatives. On trouve également dans ce traité des idées ingénieuses sur les équations cubiques et la mesure des angles. Albert Girard donna aussi des annotations et des traductions pour l'édition des *Œuvres mathématiques* de Simon Stevin, dont les six tomes parurent en 1634, à Leyde. Bien que ces annotations laissassent espérer des travaux ultérieurs, Albert Girard était mort, dans un état voisin de l'indigence, l'année précédente.
Réf. : Michaud.

Gorceix (Bernard) 1937-1984
Né à Poitiers, élève de l'École Normale Supérieure (1957), agrégé d'allemand, Bernard Gorceix fut lecteur à l'université de Goettingue (1958-1959), professeur à l'École militaire d'Autun et au lycée de Troyes, professeur associé à l'université de Mayence-Germersheim (1964-1973), professeur à Lille III (1973-1976). Au moment de sa mort prématurée, en 1984, il était professeur de littérature et civilisation allemandes à l'université de Paris-Nanterre. Élève d'Eugène Susini, Bernard Gorceix consacra principalement ses recherches à la théosophie et à la mystique allemandes du XVIIe siècle. Après avoir traduit et commenté les trois grands écrits rosicruciens de Johann Valentin Andreae (*La Bible des Rose-Croix*, 1970), il étudia, dans sa thèse d'État soutenue en 1971, *La Mystique de Valentin Weigel (1533-1588) et les origines de la théosophie allemande* (publication à Lille en 1972). Il est aussi l'auteur de *Johann Georg Gichtel, théosophe d'Amsterdam* (1975), de *Flambée et agonie : mystiques du XVIIe siècle allemand* (1977) et de *Amis de Dieu en Allemagne au siècle de Maître Eckhart* (1984). Enfin, on doit également à Bernard Gorceix des traductions des *Œuvres médicales* de Paracelse (1968), des *Épîtres théosophiques* de Jacob Böhme (1980) et du *Livre des œuvres divines (Visions)* de Hildegarde de Bingen (1982).
Réf. : *Recherches germaniques* (Strasbourg), n°16, 1986, p. 3-6.

Gorilovics (Tivadar) 1933-
Né à Ruttka (Vrútky, Slovaquie), diplômé de hongrois et de français de l'université de Budapest, Tivadar Gorilovics enseigne depuis 1958 la littérature française à l'université de Debrecen (il a dirigé le département de français de 1970 à 1991, fut vice-recteur de l'université de 1983 à 1986 et doyen de la Faculté des Lettres de 1986 à 1989). Spécialiste de la littérature française et de l'histoire des rapports franco-hongrois, en particulier entre 1850 et 1950, il a surtout étudié Renan, Zola, Roger Martin du

Gard et Jean-Richard Bloch. Tivadar Gorilovics a publié *A korai francia felvilágosodás* [*La Frühaufklärung en France*] (choix de textes avec traduction, introduction et notes, Budapest, 1961), *Recherches sur les origines et les sources de la pensée de Roger Martin du Gard* (Budapest, 1962), *A modern polgári családregény* [*Chroniques familiales modernes*] (sur Thomas Mann, Martin du Gard et Gorki ; Budapest, 1974), *La Légende de Victor Hugo de Paul Lafargue* (Debrecen, 1979) et *Correspondance de Jean-Richard Bloch et André Monglond (1913-1939)* (Debrecen, 1984-1989). — Enfin, lecteur de hongrois à la Sorbonne de 1962 à 1964, Tivadar Gorilovics a collaboré, jusqu'en 1968, à l'entreprise de traduction française de nombreux poètes hongrois par Eugène Guillevic (*Mes poètes hongrois*, Budapest, 1967 ; 2e éd. augmentée en 1977).

Gouchet (Olivier) 1949-
Agrégé d'allemand et titulaire d'un doctorat de troisième cycle (avec une thèse portant sur Hagen, personnage du *Nibelungenlied*), Olivier Gouchet est professeur de chaire supérieure dans les classes préparatoires aux grandes écoles littéraires et commerciales. Il prépare actuellement une thèse d'État consacrée à la figure de Sigurd Fáfnisbani. Il a publié des articles sur la littérature et la religion scandinaves anciennes et modernes, et traduit du norvégien plusieurs romans, une biographie de Sigrid Undset ainsi qu'un choix de poèmes de Rolf Jacobsen.

Grecescu (Cireasa) 1927-
On doit à Cireasa Grecescu de nombreuses traductions françaises d'articles d'érudition (surtout dans les domaines de l'histoire et de la linguistique) publiés dans des périodiques roumains paraissant en français. Cireasa Grecescu a aussi traduit *La Romanité des Roumains. Histoire d'une idée* d'Adolf Armbruster (1977) et *La Romanité dans le Sud-Est de l'Europe* de H. Mihaescu (1993).

Grosjean (Jean) 1912-
Né à Paris, Jean Grosjean fait des études théologiques et est ordonné prêtre en 1939. Mobilisé, il connaît la débâcle et la captivité, et fait la rencontre d'André Malraux. À son retour en France, Jean Grosjean est nommé vicaire dans diverses localités de la banlieue parisienne, participe à l'expérience des prêtres ouvriers, puis quitte l'Église en 1950. Auteur de recueils poétiques (*Hypostases*, 1950 ; *Le Livre du juste*, 1952 ; *Fils de l'homme*, 1953 ; *Majestés et passants*, 1956 ; *Apocalypses*, 1962 ; *Élégies*, 1967 ; *Herbier*, 1967 ; *La Nuit de Saül*, 1970), Jean Grosjean établit dans son œuvre un dialogue avec le Dieu de la Bible, en prenant successivement la voix de tous les prophètes et patriarches. Ce travail poétique a amené l'auteur à donner en version française une anthologie des *Prophètes* de la Bible (1955). Les traductions sont essentielles dans l'œuvre de Grosjean : après *Les Prophètes* viennent *Le Marchand de Venise* de Shakespeare (1956), un recueil de *Tragiques grecs* (1967), le *Nouveau Testament* (1971), *La Genèse* (1987) et une deuxième version de *L'Évangile selon Jean* (1988). — De 1967 à 1986, J. Grosjean a participé à la direction de *La Nouvelle Revue française* ; il est demeuré ensuite conseiller littéraire auprès des éditions Gallimard.
Réf. A. Bourin et J. Rousselot, *Dictionnaire de la poésie française contemporaine*, p. 117 ; Laffont-Bompiani, *Le Nouveau Dictionnaire des auteurs*, 1994.

Guenoun (Pierre) XXe siècle
Auteur d'un *Cervantès par lui-même* (1971), Pierre Guenoun a édité et traduit de nombreuses œuvres de la littérature espagnole.

Guillemard (Louis-Nicolas)
1729 - début du XIXe siècle
Né à Rouen, Louis-Nicolas Guillemard était, selon Quérard, secrétaire de l'intendance de la marine en Bretagne. Il a publié à Brest, en 1767, une traduction du *Caton d'Utique* d'Addison. La réédition du *Dictionnaire des lettres françaises. XVIIIe siècle* (1995) indique que Guillemard aurait également publié des ouvrages intitulés *L'Odyssée ultramontaine* (1791), *Le Dervis et le Loup* (1795) et *Épître d'un père à son fils prisonnier en Angleterre* (1802).
Réf. : Quérard ; Grente.

Guillevic (Eugène) 1907-
Né à Carnac (Morbihan), le poète Eugène Guillevic a publié une œuvre « matérialiste », tout entière consacrée aux hommes, aux choses et à la terre. Il se signale dès 1942 en publiant le recueil *Terraqué*. Paraissent ensuite *Exécutoire* (1947), qui rassemble les poèmes de l'occupation, *Gagner* (1949), *Trente et Un Sonnets* (1954) et *L'Âge mûr* (1955) : ces deux derniers recueils proposent des textes civiques, de facture classique, qui témoignent de la période communiste militante de Guillevic. Celui-ci perd alors la fraîcheur d'inspiration et l'originalité formelle qui avaient présidé à ses pre-

miers recueils. Le poète retrouvera son langage propre (un style gnomique fait de concision, presque de sécheresse) avec *Carnac* (1961), qui évoque un monde sans dieux et sans miracles, *Avec* (1966), *Euclidiennes* (1967), *Villes* (1969), *Du domaine* (1977), *Étier* (1979) et *Trouées* (1982).
Réf. : Bordas ; J. Tortel, *Guillevic*, 1971.

Gutmans (Théodore) 1905-
Né à Lodz, alors en Pologne russe, de parents originaires de Courlande (Lettonie depuis 1920), Théodore Gutmans accomplit ses études secondaires en allemand puis va suivre, en 1923, à Wilno (Vilnius), des cours de linguistique slave et romane. Il travaille le yidich au *Yidisher Visnshaftlekher Institut*, puis étudie la philologie germanique à l'université de Cracovie. Licencié en sciences commerciales de l'université de Liège (1928), docteur en philosophie et lettres de l'Université Libre de Bruxelles (1932), il fait son service militaire en Lettonie, revient à Bruxelles pour travailler dans le commerce et l'industrie et voit sa carrière interrompue par la guerre. En 1946 il s'embarque pour New York et entame une carrière d'interprète à la Conférence des télécommunications puis à l'Assemblée générale de l'O.N.U., où il reste jusqu'en 1959. De 1959 à 1966, il travaille à l'Agence internationale de l'énergie atomique, à Vienne. Marié depuis octobre 1961 avec Éva Nathan, il revient ensuite à Bruxelles, où il continue ses activités de traduction, en particulier pour l'Organisation météorologique mondiale. Théodore Gutmans a publié de nombreux articles, notamment dans *Vie et langage* (Paris), *La Monda lingvo-problemo* (La Haye), *The Quaterly Journal of Speech* (Columbus, Ohio) et *Yidishe Shprakh* (New York).

Haupt (Jean) XXe siècle
On doit à Jean Haupt un essai sur *Le Procès de la démocratie* (1971), ainsi que plusieurs traductions française d'ouvrages portugais : *Le Patronage portugais de l'Occident* de Antonio da Silva Rego (1957), *La Forêt de ciment* (1958) et *La Biche captive* (1963) de Joaquim Paço d'Arcos, *L'État portugais et le problème missionnaire* de Eduardo dos Santos (1964) et le *Sermon de saint Antoine aux poissons* du Père Antonio Vieira (1971).

Heger (Henrik) 1940-
Docteur en philosophie de l'université de Bonn (1965), Henrik Heger fut de 1966 à 1970 lecteur d'ancien français à Bochum. Il devient ensuite assistant, maître-assistant, enfin maître de conférences (depuis 1985) à l'université de Paris-Sorbonne, où il mène de front un enseignement de littérature française médiévale et la direction du programme interdisciplinaire d'études croates dont il a établi en 1981 les bases méthodologiques et institutionnelles. Henrik Heger est l'auteur de *Die Melancholie bei den französischen Lyrikern des Spätmittelalters* (Bonn, 1967), de *Les Croates et la civilisation du livre* (1986, en coll.), ainsi que de nombreux autres travaux relatifs à son double champ de recherches. Il est, depuis 1992, membre correspondant de l'Académie croate des sciences et des arts.

Himy (Armand) 1933-
Né à Marrakech (Maroc), agrégé d'anglais, docteur d'État avec une thèse sur John Milton, Armand Himy est actuellement professeur à l'Université de Paris X-Nanterre, après avoir enseigné à l'Université de Lille III. Fondateur et directeur du Centre de recherches sur les origines de la modernité et les pays anglophones, membre du comité de rédaction des *Cahiers Élisabéthains*, il a codirigé la revue *Confluences* publiée à Paris X-Nanterre, organise des colloques internationaux ou nationaux sur la littérature anglaise du XVIIe siècle et fait de fréquents séjours à l'étranger, pour des conférences ou des cycles d'enseignement. Armand Himy est l'auteur de *John Milton. Pensée, mythe et structure dans « Le Paradis perdu »* (1975), de *Le Puritanisme* (1987) et de traductions françaises de *L'Homme pétrifié* d'Eudora Welty (1986, en coll.) et de *Chocs naturels* de Richard Stern (1990).

Holbach (Paul Henri Dietrich Thiry, baron d') 1723-1789
Né à Heidelsheim (Palatinat), étudiant à Leyde, installé à Paris en 1749, Paul Thiry devient rentier à vingt-sept ans, par la grâce d'un héritage, et se fait le mécène des philosophes, qu'il reçoit chez lui deux fois par semaine. La rencontre de Diderot fut décisive pour le baron. Aussitôt engagé dans l'entreprise de l'*Encyclopédie* à cause de ses connaissances en sciences et en langue allemande, il rédige 376 articles (minéralogie, métallurgie, chimie). En 1766, d'Holbach attribue à un auteur décédé son premier grand ouvrage polémique personnel, *Le Christianisme dévoilé.* C'est le premier d'une série de brûlots lancés de 1766 à 1770 contre les religions. L'auteur reprend ses idées dans le *Système de la Nature* (1770 ; l'ouvrage est à nouveau attribué à un auteur mort, Mirabaud ; le dernier chapitre a été écrit par Diderot) puis

dans *Le Bon Sens* (1772), contraction en 250 pages des deux lourds volumes du *Système de la nature*, et enfin dans le *Système social* (1773), utopie d'une société naturellement vertueuse. Les réfutations viennent de partout, des catholiques, des protestants, de Voltaire lui-même, ravi de cette aide dans son combat contre les églises mais effrayé par l'athéisme. Le baron d'Holbach est aussi l'auteur de quelques traductions, parmi lesquelles le traité *De la nature humaine, ou exposition des facultés, des actions et des passions de l'âme et de leurs causes* de Thomas Hobbes (1772).

Réf. : Bordas ; J. Vercruysse, *Bibliographie descriptive des écrits du baron d'Holbach*, 1970.

Jaccottet (Philippe) 1925-

Né à Moudon, en Suisse, Philippe Jaccottet fait des études littéraires à l'université de Lausanne, puis séjourne en France et s'installe définitivement à Grignan, dans la Drôme, en 1953. Il mène dès lors une vie retirée consacrée à son œuvre. Traducteur de Rilke (*Correspondance*, 1976), d'Ungaretti (*Innocence et mémoire*, 1969 ; *Vie d'un homme*, 1973), de Musil (*L'Homme sans qualités*, 1957 ; *Trois femmes*, 1962), de Thomas Mann (*Mort à Venise*, 1947), de Platon (*Le Banquet*, 1951), d'Homère (l'*Odyssée*, 1982), de Góngora (*Solitudes*, 1984) et de Leopardi, essayiste (*Rilke par lui-même*, 1970), Philippe Jaccottet est aussi l'un des grands poètes en langue française du XXe siècle. En 1971, ses recueils essentiels parus entre 1946 et 1967 (*Requiem*, 1947 ; *L'Effraie*, 1953 ; *La Promenade sous les arbres*, 1957 ; *L'Ignorant*, 1958 ; *Airs*, 1967) ont été réunis dans un volume de la collection *Poésie* (Gallimard), avec une préface de Jean Starobinski. Jaccottet a également donné de nombreux articles de critique à la *Gazette de Lausanne* et à la *Nouvelle Revue française* ; ses chroniques de poésie ont fait l'objet de volumes séparés, en 1968 (*L'Entretien des muses*) et en 1987 (*Une transaction secrète*).

Réf. : Bordas ; Laffont-Bompiani, *Le Nouveau Dictionnaire des auteurs*, 1994 ; Alain Clerval, *Philippe Jaccottet*, Seghers, 1976.

Jammes (Robert) XXe siècle

Professeur émérite de l'Université de Toulouse II, auteur d'une *Histoire de la littérature espagnole d'expression castillane* (1994, en coll.) et de manuels d'apprentissage de l'espagnol, Robert Jammes a édité, traduit et commenté l'œuvre de Góngora (*Letrillas*, 1963 ; *Études sur l'œuvre poétique de don Luis de Gónogora y Argote*, 1967 ; *Soledades*, 1994).

Jehova (Hana) XXe siècle

Auteur, avec Marie-Françoise Vieuille, d'une *Anthologie de la poésie baroque tchèque*, parue en 1981. Hana Jehova a également publié une traduction française du *Labyrinthe du monde et le paradis du cœur* de Comenius (1991, en coll.).

Jordens (Camille) 1937-

Professeur honoraire de la Katholieke Universiteit Leuven, Camille Jordens a enseigné l'histoire de la littérature française et la poésie française contemporaine. Spécialiste et exécuteur testamentaire de Pierre Emmanuel, il a consacré à celui-ci un ouvrage, *Pierre Emmanuel, poète cosmogonique* (1981). Camille Jordens a également publié des traductions françaises du *Pèlerin chérubinique* d'Angelus Silesius (Cerf, 1994 ; un choix d'extraits a paru, la même année, avec une introduction, chez Albin Michel) et de l'ouvrage du Père Mommaers consacré à la mystique flamande Hadewijch d'Anvers (1994).

Kenéz (Ernö) 1912-1984

Né à Györ, Ernö Kenéz a fait ses études à l'université de Budapest et a obtenu un diplôme de français en 1935. Sa thèse a été publiée en français : *Le Problème du style dans la critique romantique. 1815-1830* (1939). Professeur du secondaire à ses débuts, il a été ensuite employé à la Bibliothèque de l'Académie des Sciences de Hongrie, de 1950 jusqu'à sa retraite qu'il a prise en qualité de conseiller pour les nouvelles acquisitions. Ernö Kenéz a laissé quelques traductions hongroises d'ouvrages historiques français et a collaboré à l'anthologie *Pages choisies de la littérature hongroise* de Tibor Klaniczay (Budapest, 1981).

Khawam (René) 1917-

Né à Alep, en Syrie, René Khawam passe en 1935 le baccalauréat français, ainsi qu'une licence et maîtrise d'histoire en Sorbonne. Il est professeur de lettres à Alep, d'octobre 1935 à juin 1947, introduit l'histoire des Arabes dans le programme français et monte de nombreuses pièces en arabe. Établi en France depuis 1947, il enseigne dans le secondaire à Paris (jusqu'en 1982), tout en écrivant des livres qui s'attachent à réhabiliter la littérature arabe et à donner la traduction exacte d'œuvres inédites ou mal connues (*Contes et légendes du Liban*, 1952 ; *La Poésie arabe, anthologie des origines à nos jours*, 1960 ; *Propos d'amour des mystiques musulmans*, 1960 ; *Situation de la littérature maghrébine d'expression française*, 1967 ; *Le*

Qoran, 1990). René Khawam a aussi publié des traductions françaises des hymnes au *Christ rédempteur* de Romanos le Mélode (1956), des *Mille et Une Nuits* (1965-1967, 4 volumes) et d'œuvres d'Abdallah Ibn Al-Mouqaffa' et d'Ahmad Al-Qalyoûbî, notamment.

Koszul (André) 1878-1956
Né à Roubaix, agrégé de l'université, docteur ès lettres, André Koszul enseigna pendant trente ans à l'université de Strasbourg. Il avait consacré sa thèse à *La Jeunesse de Shelley* (1910), auteur dont il publia en français un choix de poèmes (1929). Koszul dirigea les collections « Shakespeare » (Dent, puis Les Belles Lettres) — où il proposa lui-même des versions françaises de comédies de Shakespeare — et « Théâtre anglais de la Renaissance » (Les Belles Lettres). Grand traducteur, André Koszul visait à procurer une fidélité d'impression plutôt qu'une équivalence littérale, et s'attachait à garder le rythme de l'original. La traduction était pour lui « la dixième Muse ». Son *Anthologie de la littérature anglaise* (2 volumes) parut en 1912 et 1916.
Réf. : Lorenz.

La Beaumelle (Victor Laurent Suzanne Moïse Angliviel de) 1772-1831
Né à la Nogarède, près de Mazères (Ariège), Victor de La Beaumelle était le fils de Laurent de La Beaumelle, qui fut un adversaire de Voltaire. Victor fit carrière dans l'armée française avant de devenir général au service du Brésil. Il a publié de brefs écrits politiques, un traité *De l'Empire du Brésil, considéré sous ses rapports politiques et commerciaux* (1823), une édition de *L'Esprit*, ouvrage posthume de son père (1802) et la traduction française d'un recueil de *Chefs-d'œuvre du théâtre espagnol*, en 6 volumes (1823 ; 2e éd., 1827).
Réf. : Quérard.

La Geneste (?) ? - avant 1646
La Geneste, dont les répertoires ignorent le prénom, est l'auteur de traductions françaises de Quevedo (*L'Aventurier Buscon*, 1633 ; *Le Chevalier de l'espargne*, 1633 ; *Le Coureur de nuict*, s. d. [faussement attribué à Quevedo] ; *Les Visions*, 1635 ; *Œuvres*, 1646, 3 vol.). La Geneste est sans doute mort avant 1646 car l'édition à Rouen, cette année-là, des *Œuvres* de Quevedo par lui traduites, est publiée par un « sieur Alazert ».
Réf. : Catalogue des imprimés de la B. N.

Lambert (Jean-Clarence) 1930-
Poète, essayiste, critique d'art, Jean-Clarence Lambert a également une œuvre importante de traducteur de la littérature suédoise. Au cours des années 1950-1960, il donne des versions françaises des poètes Lagerkvist, Ekelöf, Lindegren et Lundkvist. En 1971, il publie, dans la collection UNESCO des « Œuvres représentatives » , une *Anthologie de la poésie suédoise, des origines à nos jours*, puis décrit ses « explorations et découvertes » du Nord dans l'essai *La Paix dorée*. En 1988, il organise à Paris, avec le Svenska Institutet, des rencontres internationales dédiées à Gunnar Ekelöf. Deux ans plus tard, Jean-Clarence Lambert est lauréat de l'Académie Suédoise. Enfin, *Langue étrangère*, anthologie multilingue de ses « transcriptions poétiques », publiée en 1991, fait une place aux poètes suédois Kjell Epsmark, Lars Forsell et Lasse Söderberg.

Lanoux (Armand) 1913-1983
Né à Paris, Armand Lanoux pratique dans sa jeunesse des métiers aussi divers que ceux d'employé de banque, de décorateur, de représentant, d'artiste peintre, d'instituteur et de journaliste. Il entre seulement dans la carrière des lettres en 1943 et commence à composer des romans policiers, souvent proches de Mac Orlan ou de Simenon. Élargissant son domaine littéraire, il connaît ses deux premiers succès avec *La Nef des fous* (1948) et *La Classe du matin* (1949). Il obtient divers prix littéraires (dont le prix Goncourt en 1963 pour *Quand la mer se retire*), s'occupe d'émissions radiophoniques et d'adaptations télévisuelles d'œuvres littéraires, exerce de nombreuses responsabilités : directeur de la revue *À la page* (1964-1970), membre du Conseil supérieur des Lettres et du Haut Comité de la langue française, président du Conseil permanent des écrivains, membre puis secrétaire de l'académie Goncourt. Il multiplie les interventions pour défendre les droits et le statut des auteurs, et soutient notamment la lutte des écrivains soviétiques pour la liberté d'expression. Les romans d'Armand Lanoux appartiennent à la tradition naturaliste et réaliste, — attachement que confirment aussi ses essais littéraires : *Bonjour, monsieur Zola* (1954) et *Maupassant le Bel-Ami* (1967). — Armand Lanoux a donné la traduction française d'une « Idylle » de Szymon Szymonowicz, qui a été reprise en 1965 dans l'*Anthologie de la poésie polonaise* de Constantin Jelenski (1965).
Réf. : Bordas.

Laprevotte (Guy) 1938-
Ancien étudiant de la Sorbonne et de l'École Normale Supérieure de Paris, agrégé d'anglais en 1961, docteur d'État en 1977 (avec une thèse sur « Science et poésie de Dryden à Pope », publiée en 1981), Guy Laprevotte a partagé sa carrière universitaire entre la France et les États-Unis. Actuellement professeur à l'U. F. R. d'anglais de l'université de Paris X-Nanterre, il a publié de nombreux articles consacrés à la littérature anglaise des XVIIe et XVIIIe siècles.

Laran (Michel) 1920-1975
Agrégé d'histoire, Michel Laran fut professeur à l'Institut National des Langues et Civilisations orientales, puis à l'université de Paris VIII. Il a publié en 1973 *Russie-URSS, 1870-1970* (une deuxième édition de cet ouvrage a été procurée en 1986 par Jean-Louis Van Regemorter, professeur à Paris IV) et en 1975 *La Russie ancienne IXe-XVIIe siècles* ; dans ce dernier recueil, il a rédigé les introductions historiques et revu les traductions fournies par Jean Saussay. Michel Laran n'a pu terminer une thèse d'État sur la noblesse russe au XIXe siècle.

Lasalle (Antoine de) 1754-1829
Né à Paris, Antoine de Lasalle passait pour le fils naturel du comte de Montmorency-Pologne et fut élevé par le prince de Montmorency-Tingry, légataire universel du comte. Revenu à Paris après avoir accompli des voyages commerciaux lointains, il fut l'un des premiers à s'intéresser aux analogies existant entre le christianisme et le bouddhisme. L'essentiel de sa pensée se trouve consigné dans trois ouvrages : *Le Désordre régulier* (1786), *La Balance naturelle* (1788) et *La Mécanique morale* (1789) : Antoine de Lasalle croyait avoir découvert le « phénomène unique que présente l'univers », et qui se ramènerait au choc de deux forces antagonistes, l'expansion et la contraction. Sa doctrine, qui avait laissé ses contemporains indifférents, trouva néanmoins un propagandiste, après la Révolution, en la personne de Gence. Mais Antoine de Lasalle est plus connu aujourd'hui pour sa traduction française des écrits de Bacon, qui parut en quinze volumes à Dijon (1799-1802).
Réf. : Michaud ; Grente.

Lasne (René) XXe siècle
René Lasne a publié en 1951 une *Anthologie de la poésie allemande des origines à nos jours*, en collaboration avec Georg Rabuse.

Lassithiotakis (Michel) 1955-
Ancien élève de l'École Normale Supérieure, agrégé de lettres classiques, ancien pensionnaire de l'Institut Hellénique d'Études byzantines et post-byzantines de Venise, Michel Lassithiotakis est depuis 1988 maître de conférences de langue et littérature grecques modernes à l'Université de Paris IV-Sorbonne. Auteur d'une thèse de doctorat, défendue en 1985, sur François Scouphos, prosateur du XVIIe siècle, Michel Lassithiotakis a publié diverses traductions de poètes grecs contemporains (dans les revues *Polyphonies* et *Levant*), ainsi que de nombreux articles, consacrés notamment à *Apocopos* de Bergadis — œuvre dont il prépare une édition critique —, à *Érotocritos* de Cornaros et au théâtre crétois de la Renaissance.

Lazzarini-Dossin (Muriel) 1971-
Bachelière en philosophie des Facultés universitaires Saint-Louis (Bruxelles) et diplômée de l'Université Catholique de Louvain en philologie romane et en études hispaniques, Muriel Lazzarini-Dossin prépare actuellement une thèse de doctorat en littérature comparée couvrant les domaines français, espagnol et italien.

Le Courayer (Pierre-François) 1681-1776
Né à Rouen, ordonné prêtre, Pierre-François Le Courayer devint chanoine régulier de Sainte-Geneviève, où il fut bibliothécaire et enseigna la philosophie et la théologie. Il compta au nombre des « appelants » de la bulle *Unigenitus* et publia un *Recueil des lettres spirituelles de Quesnel* (1721-1723, 3 vol.). En 1723, il fit aussi paraître, anonymement, une *Dissertation sur la validité des ordinations des Anglais et sur la succession des évêques de l'Église anglicane* (2 vol.), traduite ensuite en anglais ; l'auteur y soutenait la validité de ces ordinations, qui, disait-il, remontaient toutes à un évêque authentique, Parker. L'ouvrage fut aussitôt combattu par le jésuite Hardouin, Dom Gervaise, le dominicain Le Quien et le doyen irlandais Fennell. Vingt-deux évêques censurèrent Le Courayer et son abbé l'excommunia. Passé en Angleterre, il devint docteur d'Oxford (1732). C'est à cette époque qu'il traduisit, et dédia à la reine, l'*Histoire du concile de Trente* de Paolo Sarpi (1736) ; dans la préface, il accusait les Pères tridentins d'avoir inventé de nouveaux dogmes. Aux attaques qui venaient de France, il répondit en 1742 par une *Défense de la nouvelle traduction de l'Histoire du concile de Trente*. Le Père Le Courayer a également traduit en français l'*Histoire de la Réformation* de

Jean Sleidan (1767-1769, 3 volumes). Après sa mort, survenue à Londres le 16 octobre 1776, G. Belle publia de lui une *Déclaration de mes sentiments sur différents points de doctrine* (1787).
Réf. : *Catholicisme.*

Le Dœuff (Michèle) XXe siècle
Auteur de *Recherches sur l'imaginaire philosophique* (1980) ainsi que de traductions françaises de *La Nouvelle Atlantide* (1983 ; en coll. avec Margaret Llasera), du *Valérius Terminus (De l'interprétation de la nature)* (1986 ; en coll. avec François Vert) et du traité *Du progrès et de la promotion des savoirs* (1991) de Bacon.

Lefebvre (Jean-Pierre) 1943-
Né à Boulogne-sur-Mer (Pas-de-Calais), Jean-Pierre Lefebvre accomplit des études d'allemand, de scandinave, de latin et de philosophie à Lille et à Paris (École Normale Supérieure). De 1965 à 1967, il est lecteur à l'université de Heidelberg, de 1969 à 1971, il est assistant à l'Université de Paris-Sorbonne, et depuis 1971, il est maître de conférences à l'École Normale Supérieure. Il a publié *Hegel, la société* (1984 ; en coll. avec Pierre Macherey), *Der gute Trommler* (1986), un roman, *La Nuit du passeur* (1989), *Hölderlin, journal de Bordeaux* (1990), ainsi qu'une *Anthologie de la poésie allemande* (1993). Jean-Pierre Lefebvre est également l'auteur de traductions françaises de Heine, de Marx, de Büchner, de Hölderlin et de Hegel.

Legouis (Émile) 1861-1937
Né à Honfleur, dans le Calvados, Émile Legouis fut en littérature anglaise, à la Sorbonne, un maître fort apprécié pour la sensibilité érudite de ses commentaires et l'art de ses traductions. Il fit paraître des monographies (*Edmund Spenser*, 1923) et des anthologies (*William Wordsworth*, 1928, avec des traductions en vers), dirigea la publication de l'intégrale des *Contes de Canterbury* en français (Alcan, 1908) et écrivit la première partie de l'*Histoire de la littérature anglaise* (1924 ; la seconde partie est l'œuvre de Louis Cazamian), qui fut longtemps l'ouvrage de référence des anglicistes de langue française. Plusieurs des ouvrages d'Émile Legouis eurent l'honneur d'une traduction anglaise.

Lessay (Franck) 1951-
Agrégé d'anglais, ancien élève de l'École Normale Supérieure, Franck Lessay fut lecteur de français à l'université d'Oxford et est actuellement professeur de littérature et de civilisation britanniques à l'Université de la Sorbonne Nouvelle-Paris III. Auteur d'une soixantaine d'articles consacrés principalement à l'histoire des idées dans l'Angleterre des XVIIe et XVIIIe siècles, Franck Lessay a également publié *Souveraineté et légitimité chez Hobbes* (1988), *Histoire des idées dans les îles Britanniques* (1996, en coll.), ainsi que des éditions bilingues de *Liberté et nécessité* et de *Hérésie et histoire* de Thomas Hobbes (1993 ; travail couronné par la Société d'Étude du XVIIe siècle).

Leyris (Pierre) XXe siècle
Directeur du domaine anglais aux éditions du Mercure de France, membre d'honneur de l'Association des Traducteurs littéraires français, Pierre Leyris a obtenu en 1972 le Grand Prix de la Traduction pour l'ensemble de son œuvre. On lui doit des versions françaises de Hopkins, Beckett, Yeats, Melville, Dickens et T. S. Eliot notamment.
Réf. : H. Van Hoof, *Dictionnaire universel des traducteurs*, 1993.

L'Héritier de Nouvelon (Nicolas) Env. 1613 - 1680
Né à Paris, Nicolas L'Héritier de Nouvelon fut mousquetaire, avocat, puis historiographe du roi. Il a composé une tragédie, *Hercule furieux* (1639), des *Odes* adressées au roi et à divers ministres, un *Tableau historique représentant l'estat tant ancien que moderne de la France, de l'Allemagne et de l'Espagne et les plus remarquables démêlés que ces trois nations ont eus ensemble* (1669) et une traduction française des *Annales et histoires des troubles des Pays-Bas* (1662). Nicolas L'Héritier est le père de Marie-Jeanne L'Héritier de Villandon (env. 1664 - 1734), romancière et poète, auteur de *La Tour ténébreuse et les jours lumineux, contes anglois* (1705) et des *Mémoires de la duchesse de Longueville* (1709).
Réf. : Grente.

Lhoest (Françoise) 1947-
Née à Namur, Françoise Lhoest a étudié le russe à l'Université de Paris X, le vieux-slave et la paléographie à l'École pratique des Hautes Études, le tchèque puis le polonais à l'École Nationale des Langues Orientales vivantes de Paris. Depuis 1972, Françoise Lhoest enseigne le russe à Bruxelles et se consacre aussi à la traduction. Elle a traduit, entre autres, les sémioticiens russes Iouri Lotman et Boris Ouspensky, des théologiens orthodoxes contemporains (en particulier les pères Jean Meyendorff et Alexandre Schmemann), ainsi que certains

Écrits sur l'art du père Paul Florensky ; de ce dernier auteur, Françoise Lhoest prépare actuellement la traduction des *Souvenirs d'enfance* et des *Lettres de Solovki.*

Llasera (Margaret) XXe siècle
Auteur d'une traduction de *La Nouvelle Atlantide* de Bacon (1983 ; en coll. avec Michèle Le Dœuff).

Lutaud (Olivier) 1919-
Licencié de lettres classiques, d'anglais et de théologie protestante, agrégé de l'université, docteur d'État, Olivier Lutaud est professeur honoraire de Langue, Littérature et Civilisation de l'Angleterre du XVIIe siècle à l'Université de Paris-Sorbonne et directeur honoraire du Centre d'Histoire des Idées dans les Îles Britanniques. On doit à Olivier Lutaud de nombreux ouvrages sur l'Angleterre (*Des Révolutions d'Angleterre à la Révolution française*, 1973 ; *Winstanley. Socialisme et christianisme sous Cromwell*, 1976 ; *Les Deux Révolutions d'Angleterre*, 1978), ainsi qu'une traduction de l'*Areopagitica* de J. Milton (1956 ; 2e éd., 1969).

Luynes (Louis-Charles d'Albert, duc de) 1620-1690
Né à Paris, fils unique du connétable de France et premier ministre de Louis XIII, le duc de Luynes reçut une éducation chrétienne et se distingua de bonne heure par sa piété. Il préférait l'étude et la retraite à tous les avantages que lui promettait sa naissance. Il se distingua cependant en 1640 à la défense du camp français devant Arras, attaqué par les Espagnols. Nommé grand fauconnier de France en 1643, il devint chevalier des ordres du roi en 1661. Le duc de Luynes contracta successivement trois mariages, et eut de ses deux premières femmes un très grand nombre d'enfants, dont quelques-uns seulement lui survécurent. Il lia une étroite amitié avec les solitaires de Port-Royal, qu'il consultait dans toutes les occasions importantes. C'est à lui que furent adressées, en 1655, les deux lettres d'Arnauld à un grand seigneur, sur le refus des sacrements fait à M. de Liancourt par le curé de Saint-Sulpice. Mais cette amitié se refroidit à l'occasion du deuxième mariage du duc de Luynes, que les docteurs de Port-Royal n'avaient pas approuvé. Le duc a laissé des ouvrages ascétiques, ainsi que des traductions des Pères de l'Église (*Sermon de saint Cyprien sur l'oraison de Notre-Seigneur*, 1663 ; *Les Quarante Homélies ou Sermons de saint Grégoire le Grand, sur les évangiles de l'année*, 1665 ; etc.). Certaines de ces versions ont paru sous le pseudonyme du « sieur de Laval ». Enfin, c'est au duc de Luynes qu'on doit aussi, en 1647, la traduction française des *Méditations métaphysiques de R. Descartes touchant la première philosophie.*
Réf. : Michaud.

Ly (Nadine) 1942-
Née à Montpellier, auteur d'une thèse de doctorat d'État consacrée à *La Poétique de l'interlocution dans le théâtre de Lope de Vega*, Nadine Ly est actuellement professeur à l'Université Michel de Montaigne Bordeaux III et dirige une équipe de recherche associée au CNRS, l'Institut d'Études ibériques et ibéroaméricaines. Spécialiste de linguistique et de poétique, elle a publié de nombreux articles sur la littérature espagnole du Moyen Âge et des XVIe et XVIIe siècles (l'Archiprêtre de Hita, Garcilaso de la Vega, saint Jean de la Croix, Cervantès, Góngora, Lope de Vega, Tirso de Molina), ainsi que sur la poésie espagnole et américaine du XXe siècle. Collaboratrice de l'*Histoire de la littérature espagnole* dirigée par Jean Canavaggio (1993) et du *Dictionnaire des littératures* (1994), Nadine Ly a aussi coordonné et dirigé la publication de l'*Anthologie bilingue de la poésie espagnole* (« Bibliothèque de la Pléiade », 1995).

Malherbe (Michel) 1941-
Ancien élève de l'École Normale Supérieure, professeur au département de philosophie de l'université de Nantes, Michel Malherbe a édité avec Jean-Marie Pousseur les actes du colloque *Francis Bacon : science et méthode* (1985) ; il est aussi l'auteur d'ouvrages nombreux, parmi lesquels *La Philosophie empiriste de David Hume* (2e éd., 1984), *Thomas Hobbes : de la métaphysique à la politique* (1989) et *Qu'est-ce que la causalité ? Hume et Kant* (1994).

Marcassus (Pierre de) 1584-1664
Né à Gimont, en Gascogne, Pierre de Marcassus vint à Paris de bonne heure, enseigna les humanités aux collèges de Boncourt et de la Marche, et fut aussi le précepteur d'un des neveux de Richelieu, le marquis François de Pont de Courlay. Il fréquente des auteurs en vue et on le trouve dans l'entourage de Colletet en 1620. L'œuvre de Pierre de Marcassus est abondante et lui valut en son temps une certaine notoriété : il donna des *Lettres* imitées des Anciens (1629 et 1639), des romans baroques (*Clorymène*, 1626 ; *Amadis*, 1629), une pastorale (*Éromène*, 1633), des poésies de circonstance, une grande *Histoire grecque* (1647) ainsi que des traductions : *Les Bucoliques* (1621),

Daphnis et Chloé (1626), *L'Argenis* de Barclay (1626), *Les Trois Livres de l'âme* d'Aristote (1641) et un recueil d'odes et d'épodes d'Horace (1664). Dans ses ouvrages, dans ses préfaces, dans son enseignement, Marcassus défend des vues imprégnées de néo-platonisme qui font de lui un continuateur des siècles précédents ; à preuve notamment sa théorie de l'écriture : alors que se forment et s'imposent les modèles de la prose classique, Marcassus continue à affirmer que la prose est le langage commun de l'homme et donc le cède en dignité à la poésie, langage des dieux et apanage exclusif du *vates*, le poète inspiré.
Réf. : Bordas.

Marcel (Luc-André) XXe siècle
Poète, auteur d'un recueil intitulé *Hélène ou le jeu troyen*, Luc-André Marcel a publié en 1953 aux *Cahiers du Sud* une anthologie en langue française consacrée à « Grégoire de Narek et l'ancienne poésie arménienne ». Pour entreprendre cet ouvrage, Luc-André Marcel a pris soin de s'entourer de garanties critiques rigoureuses et s'est notamment assuré le concours de l'érudit Haïk Berbérian. Plusieurs des textes choisis n'étaient connus que de rares spécialistes et se trouvaient en 1953 traduits pour la première fois dans une langue moderne.

Mardrus (Joseph-Charles) 1868-1949
Né au Caire, médecin et orientaliste français, Jacques-Charles Mardrus a traduit *Les Mille et Une Nuits* (1898-1904) ainsi que *Le Coran* (1925) et il a laissé des récits inspirés par l'Orient et le monde arabe (*La Reine de Saba*, 1918 ; *Histoire charmante de l'adolescente Sucre-d'amour*, 1927 ; *L'Oiseau des hauteurs*, 1933).
Réf. : Larousse.

Marrast (Robert) XXe siècle
Auteur de nombreux ouvrages sur la littérature, l'art et la civilisation hispaniques (*José de Espronceda et son temps. Littérature, société, politique au temps du romanstisme*, 1974 ; etc.), éditeur de textes littéraires espagnols, Robert Marrast a également une importante activité de traducteur d'écrivains espagnols et hispano-américains (Juan Goytisolo, 1964 ; Carlos Fuentes, 1966 ; Luis Cernuda, 1969 ; José de Espronceda, 1969 ; Tirso de Molina, 1969 ; etc.). En outre, il a dirigé la publication des deux volumes de *Théâtre espagnol du XVIIe siècle* parus dans la « Bibliothèque de la Pléiade ».
Réf. : H. van Hoof, *Dictionnaire universel des traducteurs*, 1993.

Marteau (Robert) 1925-
Né à Virollet, dans le Poitou, Robert Marteau publie ses premiers textes dans les *Cahiers du Sud* et dans la revue *Esprit* ; il effectue de nombreux séjours en Espagne, au cours desquels il traduit Góngora. Il voyage ensuite en Yougoslavie (où il traduit Miodrag Pavlovic) et au Canada, où il réside de 1972 à 1984. Robert Marteau a une œuvre de poète (*Royaumes*, 1962 ; *Travaux sur la terre*, 1966 ; *Vigie*, 1987) et de romancier (*Des chevaux parmi les arbres*, 1968). Il a aussi traduit, en 1989, les *Poésies* de Villamediana.

Mazel (David) XVIIe siècle
David Mazel a laissé des traductions françaises de John Locke (le traité *Du gouvernement civil, où l'on traite de l'origine, des fondemens [etc.] des sociétés politiques*, Amsterdam, 1691) et de William Sherlock (*De la mort. Du Jugement dernier*, 1696). Le bibliographe J.-M. Quérard attribue aussi à David Mazel la version française, parue à La Haye en 1695, d'un *Discours sur la vie de la feue reine de la Grande-Bretagne (Marie Stuart, princesse d'Orange)* .
Réf. : Catalogue B. N. ; Quérard.

Mersenne (Marin) 1588-1648
Né à Oizé, près de La Flèche, Marin Mersenne fut élève au collège des jésuites de cette ville, puis il entra en 1611 chez les minimes du couvent de Nigeon, près de Paris. Ordonné prêtre en 1613, il enseigna pendant cinq ans la philosophie et la théologie à Nevers, avant de revenir définitivement à Paris au couvent de la Place Royale, dont il fit un centre de vie intellectuelle. Ami de Descartes dont il fut le condisciple à La Flèche mais adversaire de la métaphysique cartésienne, le Père Mersenne se trouvait en relation avec de nombreuses personnalités (le père de Pascal, Pascal lui-même, Gassendi, Fermat, Hobbes, Huyghens, etc.). Il a laissé des études de mathématique, de physique et de musique théorique (*De l'harmonie universelle*, en 1636, traite de toutes les questions intéressant les instruments et la voix), ainsi que des éditions bilingues des *Mécaniques de Galilée* (1634) et des *Nouvelles Pensées de Galilée* (1639). L'œuvre exégétique du Père Mersenne n'est pas moins importante. Il dénonça en effet le péril rationaliste et athée qui menaçait la société du XVIIe siècle et publia des ouvrages où les théories antichrétiennes étaient exposées et réfutées avec beaucoup de force (*L'Impiété des déistes, athées et libertins de ce temps*, 1624 ; *La Vérité des sciences contre les sceptiques et les pyrrhoniens*, 1625).

Réf. : *DTC* ; *Encyclopædia Universalis. Thesaurus-Index.*

Messiaen (Pierre) 1883 - avant 1970
Auteur de *Gérard de Nerval* (1945) et d'un essai sur *Sentiment chrétien et poésie française. Baudelaire, Verlaine, Rimbaud* (1947), Pierre Messiaen a traduit de l'anglais les *Chansons d'innocence* de William Blake (1934), des recueils de *Poèmes choisis* d'Emily Dickinson (1947) et de *Théâtre anglais. Moyen Âge et XVIe siècle* (1948), les *Tragédies* de Shakespeare (1949) puis les *Œuvres complètes* du même auteur (1960-1962).

Methel (Antoine de, sieur d'Ouville [ou Antoine Le Métel, ou Antoine de Métel]) env. 1590 - avant 1657
Né à Caen, géographe et ingénieur, Antoine de Methel était le frère aîné du poète Boisrobert. Antoine vécut sept ans en Espagne et fut anobli en 1636 après avoir passé quinze ans au service du roi. Son frère lui obtint une place d'ingénieur de l'État auprès de Foucault de Dognon, gouverneur de Brouage. Auteur dramatique, Antoine de Methel a laissé une dizaine de pièces, dans les genres de la comédie, de la tragi-comédie et de l'héroï-comédie. Son séjour en Espagne et sa connaissance de l'espagnol le conduisirent à puiser de nombreux sujets dans la littérature de ce pays ; Molière s'est servi de certaines de ses œuvres, notamment lorsqu'il écrivit *Tartuffe*. Antoine de Methel a aussi publié des traductions françaises de dona Maria de Zayas y Sotomayor (*Nouvelles amoureuses et exemplaires*, 1656-1657) et d'Alonso Castillo de Solorzano (*La Fouine de Séville* et *Histoire de Dona Rufina de Séville*, qui parurent posthume). Enfin, on doit au sieur d'Ouville des contes, qui, bien qu'en prose, ont été parfois comparés à ceux de La Fontaine, et firent l'objet de plusieurs éditions collectives. Antoine de Methel a dû mourir avant 1657 puisque, dans la *Suite des Mémoires de Michel de Marolles* imprimées cette année-là, on l'appelle le « feu sieur d'Ouville ».
Réf. : Michaud ; Grente.

Mézières (Alfred) 1826-1915
Né à Rehon (Moselle), fils de Louis Mézières (1793-1872) qui fut recteur de l'académie de Metz, Alfred Mézières étudia à l'École Normale Supérieure, devint docteur ès lettres avec une thèse sur Shakespeare et enseigna la littérature étrangère à Nancy puis, à partir de 1861, à la Sorbonne. Alfred Mézières a publié des ouvrages consacrés à *Shakespeare* (1861), ainsi qu'aux *Prédécesseurs et contemporains* (1863) et aux *Contemporains et successeurs* (1864) de celui-ci, à *Dante* (1865), à *Pétrarque* (1867), à *Goethe* (1872-1873, 2 vol.) et à la *Vie de Mirabeau* (1891). Membre de l'Académie française à partir de 1874, Alfred Mézières s'est signalé aussi par ses services patriotiques et par son activité politique : il est élu député de Briey en 1881 (réélu en 1885, 1889 et 1893), puis sénateur. À la fin de sa vie, il publia divers récits à caractère autobiographique.
Réf. : *Grande Encyclopédie* ; Vapereau.

Michaud (Yves) 1944-
Né à Lyon, ancien élève de l'École Normale Supérieure et de la Sorbonne, agrégé de philosophie, docteur ès lettres, Yves Michaud fut professeur de philosophie à l'université de Rouen (1981-1985) puis à l'Université de Paris I-Panthéon Sorbonne (1985-1989), et est actuellement directeur de l'École nationale supérieure des beaux-arts. Il est l'auteur de *Violence et politique* (1978), *Hume et la fin de la philosophie* (1983), *John Locke* (1986), *La Violence* (1986), *L'Artiste et les commissaires* (1989), *Sam Francis* (1992) et *Enseigner l'art ?* (1993).
Réf. : *Who's Who in France ?, 1994-1995.*

Michel (Paul-Henri) XXe siècle
Auteur de romans, d'ouvrages d'histoire de l'art (*La Fresque romane*, 1966), d'histoire des sciences (*De Pythagore à Euclide. Contribution à l'histoire des mathématiques préeuclidiennes*, 1950) et d'histoire militaire, Paul-Henri Michel s'est spécialement intéressé à l'Italie et a dirigé une grande entreprise de repérage et de catalogage des ouvrages italiens du XVIIe siècle conservés dans les bibliothèques françaises. Il a aussi publié *Un idéal humain au XVe siècle. La pensée de L.-B. Alberti* (1930), *La Cosmologie de Giordano Bruno* (1962), et des traductions françaises de G. Papini (*Histoire du Christ*, 1922), de G. Bruno (*Des fureurs héroïques*, 1954) et d'Italo Svevo (*La Conscience de Zéno*, 1984).

Millet (Yves) 1920-
Né au Lion d'Angers (Maine-et-Loire), licencié et agrégé d'allemand, Yves Millet est diplômé de tchèque de l'École Nationale des Langues Orientales vivantes et docteur d'État, avec une thèse sur « Les Postverbaux en tchèque » et l'édition des lettres de Pisemski à Turgenev (1855-1879). Yves Millet a été professeur de tchèque à l'École Nationale des Langues orientales vivantes, président de l'Institut d'Études slaves et directeur de la *Revue des Études slaves*.

Miomandre (François Durand, dit Francis de) 1880-1959
Né à Tours, Francis de Miomandre a laissé une œuvre de poète, de romancier, de critique et de traducteur. C'est dans ses romans surtout qu'il donne libre cours à son don de fantaisie poétique, d'hésitation incessante entre le rêve et la réalité, ainsi qu'à ses préoccupations métaphysiques et ésotériques (*Écrit sur de l'eau*, 1908 [prix Goncourt] ; *L'Aventure de Thérèse Beauchamp*, 1914 ; *Voyages d'un sédentaire*, 1918 ; *Zombie*, 1935 ; *Direction Étoile*, 1937 ; *Le Greluchon sentimental*, 1938). Sa poésie témoigne quant à elle d'une philosophie de la contemplation et d'une sagesse mystique d'inspiration orientale. Francis de Miomandre est également l'auteur d'une abondante œuvre critique qui manifeste sa grande culture et la sûreté de son jugement (*Le Pavillon du mandarin*, 1921). Enfin, par ses traductions de Góngora (1921) et d'écrivains hispano-américains, il a contribué à la diffusion de la littérature espagnole en France.
Réf. : Larousse, *DUL*.

Mirabeau (Honoré Gabriel Riqueti, comte de) 1749-1791
Peu aimé par son père (l'économiste Victor de Mirabeau, auteur de *L'Ami des hommes ou Traité sur la population*), Gabriel Riqueti eut une jeunesse orageuse, et fut plusieurs fois emprisonné, notamment à Vincennes de 1777 à 1780. En 1789, député du Tiers État aux États Généraux, il se révèle un brillant orateur et écrivain politique. Parmi ses ouvrages et discours, on trouve notamment un traité de 66 pages *Sur la liberté de la presse, imité de l'anglois de Milton* (1788 ; le texte de Milton est intitulé *Areopagitica, a speech for the liberty of unlicens'd printing*). Partisan d'une monarchie constitutionnelle, Mirabeau joue un double jeu entre l'Assemblée et le roi, et est accusé de trahison avant de mourir brusquement. Sa liaison avec Marie-Thérèse Richard de Ruffey, qu'il nomme Sophie, est restée célèbre. Au cours des trois années de son incarcération à Vincennes, il lui adressa une correspondance qui fut conservée et publiée en 1791. Mirabeau se consolait de la prison en se livrant à des travaux littéraires. Parmi ceux-ci, on compte une traduction des *Contes* de Boccace, publiée en 1802, ainsi qu'une traduction de Tibulle, parue à Tours en 1795 sous le titre *Élégies de Tibulle avec des notes et recherches de mythologie, d'histoire et de philosophie, suivies des Baisers de Jean Second. Traduction nouvelle adressée du donjon de Vincennes, par Mirabeau l'aîné à Sophie Ruffey*. Mais, l'année suivante, la *Décade philosophique* contenait une note de Poisson de La Chabeaussière revendiquant cette traduction, dont Poisson disait avoir confié un manuscrit à Mirabeau vers 1776.
Réf. : P. Dominique, *Mirabeau*, 1947.

Montanier (Yves) 1936-
Professeur de langue et littérature allemandes à l'université d'Amiens, Yves Montanier est l'auteur d'une thèse de doctorat d'État consacrée à Christian Reuter. Il a aussi dirigé la publication d'ouvrages collectifs sur *L'Évolution du personnage picaresque en Allemagne au XVIIe siècle* (1975) et *Le Roman antique de l'époque baroque en Allemagne* (1992).

Moret (André) 1900 - env. 1973
Docteur ès lettres, André Moret fut chargé de conférences, puis professeur à l'université de Lille. Spécialiste de la langue et de la littérature allemandes, il a publié de nombreux ouvrages : *Un artiste méconnu : Conrad de Wurzbourg* (1932), *Le Lyrisme baroque en Allemagne. Ses origines, ses idées, ses moyens d'expression* (1936), *Poèmes et fableaux du Moyen Âge allemand présentés et traduits pour la première fois en français* (1939), *Anthologie du Minnesang* (1949), *Phonétique historique de l'allemand* (1953).

Mortier (Pierre) XVIIe-XVIIIe siècle
Libraire à Amsterdam, Pierre Mortier a fait paraître avec son frère David une traduction française du *Spectateur* d'Addison (1714-1754, 8 volumes), qui fut plusieurs fois reproduite, avec des corruptions, au cours du XVIIIe siècle. Le traducteur des six premiers volumes (1714-1726) est resté inconnu ; il pourrait s'agir de Pierre Mortier lui-même. Quant aux deux derniers volumes, ils furent traduits, selon Quérard, par Élie de Joncourt (env. 1700 - 1770), ministre protestant et professeur de philosophie à Bois-le-Duc.
Réf. : Quérard ; Grente.

Mouchon (Jean-Pierre) XXe siècle
Auteur de manuels d'apprentissage de l'anglais et de l'italien, Jean-Pierre Mouchon a publié en 1979 un ouvrage sur *Les Éléments naturels dans la poésie lyrique de Marvell*, contenant des passages traduits de cet écrivain.

Mund-Dopchie (Monique) 1943-
Docteur en philologie classique, professeur à l'Université Catholique de Louvain, Monique Mund-Dopchie enseigne notamment la littérature grecque et l'histoire de l'humanisme. Ses

travaux portent sur la tradition des auteurs grecs à la Renaissance. Après avoir retracé la survie d'Eschyle (*La Survie d'Eschyle à la Renaissance. Éditions, traductions, commentaires et imitations*, 1984), elle consacre actuellement ses recherches aux terres merveilleuses, à la littérature des voyages, à la représentation des confins et aux images de l'Inde et du Nouveau Monde répandues en Europe (*La Fortune du « Périple d'Hannon » à la Renaissance et au XVIIe siècle*, 1995). Monique Mund-Dopchie prépare un livre sur la fortune de l'« ultima Thule » de l'Antiquité à nos jours.

Munier (Roger) 1923-
Disciple de Heidegger, dont il fut l'un des premiers à publier des versions françaises, Roger Munier a une importante activité de traducteur : O. Paz, Porchia, Juarroz, Angelus Silesius (*L'Errant chérubinique*, 1993) et Heinrich von Kleist (*Sur le théâtre de marionnettes*, 1993). Directeur d'une collection de textes mystiques chez Fayard (« L'Espace intérieur »), Roger Munier est aussi l'auteur de recueils de vers, à mi-chemin entre philosophie et poésie, et d'essais littéraires (*Génie de Rimbaud*, 1988 ; *L'Ardente Patience d'Arthur Rimbaud*, 1993 ; *L'Être et son poème. Essai sur la poétique d'André Frénaud*, 1993).
Réf. : *DUL*.

Naërt (Pierre) XXe siècle
Docteur en philologie scandinave de l'université de Lund (Suède), Pierre Naërt est l'auteur de plusieurs ouvrages de linguistique et de traductions françaises d'ouvrages danois.

Nicole (Claude) 1611-1685
Il convient de ne pas confondre Claude Nicole et son cousin Pierre Nicole, lequel fut un ami d'Arnauld et collabora avec Pascal à la conception et à la diffusion des *Provinciales*. Né à Chartres, « président de l'élection » dans cette ville, Claude Nicole est l'auteur d'une pièce de théâtre imitée de Plaute (*Le Phantosme*, 1656), d'une plaquette de *Poésies chrétiennes* (1675) et de traductions nombreuses, qui s'éloignent parfois considérablement du texte original. Ainsi, traduisant le Quatrième Livre de l'*Énéide* (1668), il utilise 1500 vers pour en rendre 705 et ajoute au texte de Virgile des entretiens entre Énée et Didon. Il a donné aussi, en version française, les *Satyres de Perse* (1656), les *Satyres d'Horace et de Juvénal, avec quelques épigrammes choisies de Martial* (1669), ainsi qu'*Adonis, poème héroïque du cavalier Marin* (1662).
Réf. : Grente.

Ó Doibhlin (Breandán) 1931-
Diplômé de langues celtiques et de français de l'Université Nationale d'Irlande (Maynooth), docteur en histoire médiévale, le Père Breandán Ó Doibhlin a étudié la théologie à Rome et a suivi à la Sorbonne les cours de l'Institut de Perfectionnement des professeurs de français à l'étranger. Il est actuellement titulaire de la chaire de langues modernes à Maynooth College, université dont il fut de 1978 à 1981 le vice-recteur. Breandán Ó Doibhlin a publié un roman, une pièce de théâtre, un essai de critique littéraire, des traductions gaéliques de l'hébreu et des *Pensées* de Pascal (1994), ainsi qu'une anthologie de poésies françaises en vers gaéliques (*Ó Fhraincis*, 1994).

Oseki-Dépré (Inès) XXe siècle
Auteur de traductions françaises du romancier brésilien João Guimarães Rosa (*Premières histoires*, 1982) et du jésuite portugais Vieira (1989).

Ouville (le sieur d') *(Voir Methel.)*

Pascal (Pierre) 1890-1983
Dès ses études secondaires, au lycée Janson de Sailly, Pierre Pascal bénéficie de l'enseignement de la langue russe. En 1911, normalien, il fait un premier voyage à Moscou. La révolution d'octobre 1917 fascine ce catholique fervent aux idées sociales avancées. Il fait partie du premier groupe de « bolchevistes » français mais saisit très vite la nature totalitaire du nouveau régime. Il vit cependant à Moscou pendant plusieurs années, rentre en France en 1933 et défend en 1938 une thèse de grande qualité, « Avvakkum et les débuts du Raskol : la crise religieuse du XVIIe siècle en Russie ». Professeur à Lille puis à Paris (aux Langues Orientales et à la Sorbonne), il traduit et présente de nombreux auteurs russes (Gogol, Tolstoï, Dostoïevski), étudie *Les Grands Courants de la pensée russe contemporaine* (1971) et l'Orthodoxie (*La Religion du peuple russe*, 1973), publie de 1975 à 1982 quatre tomes d'un *Journal de Russie*, précieux témoignage sur les débuts de la révolution bolchevique. Pierre Pascal a révélé à nombre de ses élèves la qualité spirituelle du monde de l'Orthodoxie et contribué ainsi au mouvement œcuménique.
Réf. : *Catholicisme*.

Pelegrín (Benito) 1940-
Né à Barcelone, agrégé de l'université, docteur ès lettres, professeur à l'Université de Provence I, Benito Pelegrín est l'auteur d'une œuvre

abondante, où il s'est tour à tour révélé poète (*Estampes libertines*, 1968), essayiste (*Le Fil perdu du « Criticon » de B. Gracián*, 1984 ; *Éthique et esthétique du baroque*, 1985), traducteur (versions françaises de poètes baroques espagnols et italiens), auteur dramatique (*Hermès et Aphrodite*, comédie, 1966 ; *L'Âge de la particule*, comédie, 1986 ; *L'Ombre de Don Juan*, drame, 1990), adaptateur (*Don Juan* de Tirso de Molina, 1994 ; *Les Mille et Une Nuits*, 1996), compositeur, musicien, critique littéraire et musical (dans plusieurs périodiques français), et metteur en scène. Spécialiste du baroque et du néobaroque, il a consacré en 1982 sa thèse de doctorat d'État à Baltasar Gracián.

Pelorson (Jean-Marie) XXe siècle
Auteur, avec Joseph Pérez, d'un *Guide de la version espagnole* (1971), où l'on trouve une traduction française de Dom Francisco Manuel de Melo.

Pérez (Joseph) 1931-
Agrégé d'espagnol, docteur ès lettres, ancien élève de l'École Normale Supérieure, titulaire de nombreuses distinctions académiques, Joseph Pérez est actuellement professeur à l'Université de Bordeaux III, université dont il fut président de 1978 à 1983. Joseph Pérez est notamment l'auteur de *La Révolution des « Comunidades » de Castille (1520-1521)* (1970 ; prix Saintour de l'Académie des inscriptions et belles-lettres), *L'Espagne des Rois Catholiques* (1971), *L'Espagne du XVIe siècle* (1971), *Los Movimientos precusores de la emancipación en Hispanoamérica* (1977), *Isabelle et Ferdinand, Rois Catholiques d'Espagne* (1988 ; ouvrage couronné par l'Académie française), *Charles-Quint, empereur des deux mondes* (1994) et *El Humanismo de fray Luis de León* (1994).

Petit (Marc) 1947-
Agrégé d'allemand, ancien élève de l'École Normale Supérieure, Marc Petit est actuellement maître de conférences à l'université de Tours. Poète, conteur et romancier, il est notamment l'auteur d'*Ourobouros* (1989), du *Nain géant* (1993) et du *Troisième Faust* (1994). En outre, il a traduit et présenté, pour le public français, Georg Trakl (*Œuvres complètes* et *Crépuscule et déclin* suivi de *Sébastien en rêve* ; 1972 et 1991 ; en coll. avec J.-C. Schneider), *Les Poètes baroques allemands* (1977), Erich Arendt (*Nuit des Cyclades*, 1991), Catharina Regina von Greiffenberg (*Par le destin le plus contraire*, 1993) ainsi que les derniers poèmes de Rilke (à paraître). Enfin, on doit aussi à Marc Petit un essai sur l'art primitif de l'Himalaya, paru sous le titre *À masque découvert* (1995).

Picot (Claude) XVIIe siècle
L'abbé Claude Picot a procuré en 1647 une traduction, revue par Descartes, des *Principes de la philosophie* de cet auteur. Il ne semble pas autrement connu des répertoires.

Pietquin (Paul) 1965-
Né à Namur, licencié en philologie classique de l'Université Catholique de Louvain, Paul Pietquin est depuis 1990 assistant au département de philologie classique des Facultés Universitaires de Namur.

Piette (Isabelle) 1963-
Licenciée en philologie romane de l'Université Catholique de Louvain, Isabelle Piette occupe actuellement un poste de chercheur aux Facultés Universitaires de Namur. Auteur d'un ouvrage de littérature comparée consacré aux études musico-littéraires (*Littérature et musique. Contribution à une orientation thématique ; 1970-1985*, 1987), elle s'intéresse également aux questions de traduction littéraire et à la réception en France des littératures européennes.

Piquet (François) 1940-
Agrégé d'anglais, docteur d'État, François Piquet est professeur de littérature anglaise à l'Université Jean Moulin Lyon III, où il est également chargé de mission à la Recherche et où il dirige un Centre de Recherches sur les Identités Culturelles de l'Europe. Traducteur du *Journal* de Samuel Pepys (1994, en coll.), membre de l'équipe qui prépare pour la « Bibliothèque de la Pléiade » la traduction des *Nouvelles* d'Henry James, François Piquet est également l'auteur d'ouvrages consacrés à *Blake et le Sacré* et au *Romantisme anglais. Émergence d'une poétique* (1996).

Pödör (Lázló, ou Ladislas) 1911-1984
Né à Csorna, en Hongrie, Lázló Pödör obtient en 1934 un diplôme de professeur de hongrois et de français et une bourse pour suivre les cours de l'École Normale Supérieure, à Paris, durant l'année académique 1934-1935. Revenu en Hongrie, où il exerce le métier d'enseignant, il participe en 1944 à la résistance armée, entre au Parti Communiste hongrois et devient député de l'Assemblée nationale provisoire, en décembre 1944, à Debrecen. Chef de cabinet au ministère des Affaires étrangères (1945-1947), puis conseiller d'ambassade à Rome (1948), il est arrêté en mai 1950, et interné sans avoir été

jugé. Libéré à l'été de 1953, il est « réhabilité » deux ans plus tard et occupe alors, jusqu'à son décès, un poste de responsabilité aux éditions Corvina, à Budapest, pour le domaine français. Lázló Pödör est l'auteur de nombreuses traductions, du hongrois vers le français, et du français, de l'italien et de l'allemand vers le hongrois.
Réf. : *Études finno-ougriennes*, t. XX, p. 269.

Poiret (Alfred) XIXe siècle
Prêtre du diocèse d'Amiens, l'abbé Alfred Poiret a publié en 1869 une traduction française des *Sermons* du jésuite portugais Antonio Vieira.

Polin (Raymond) 1910-
Né à Briançon (Hautes-Alpes), ancien élève de la Faculté des Lettres de Paris et de l'École Normale Supérieure, agrégé de philosophie, docteur ès lettres, Raymond Polin fut professeur à l'université de Lille (1945-1961), puis à la Sorbonne. Président de l'université de Paris-Sorbonne (de 1976 à 1981), directeur de la Fondation Thiers (depuis 1981), Visiting Professor aux universités de Columbia, Harvard et Yale, il a été élu le 15 décembre 1980 membre de l'Académie des sciences morales et politiques. Raymond Polin est l'auteur d'ouvrages nombreux, consacrés à l'esthétique, à la philosophie politique ainsi qu'à la pensée de Hobbes, Rousseau et Locke (auteur dont il a traduit en 1965 la *Lettre sur la tolérance*).
Réf. : *Who's Who in France ?, 1994-1995.*

Pousseur (Jean-Marie) 1934-
Agrégé de philosophie, spécialiste de Bacon, Jean-Marie Pousseur est l'éditeur des actes du colloque *Francis Bacon : science et méthode* (1985 ; avec Michel Malherbe), le traducteur du *Novum Organum* (1986) et l'auteur de *Bacon : inventer la science. 1561-1626* (1988). Jean-Marie Pousseur est actuellement maître de conférences à l'université de Nantes et adjoint au maire de cette ville, chargé de l'éducation.

Pradal (Sophie et Carlos) XXe siècle
Coauteurs d'une traduction de dix sonnets de Quevedo, parue en 1988 à Pin-Balma.

Prévost d'Exiles (Antoine *François*) 1697-1763
Né à Hesdin, entré en 1721 dans l'ordre des bénédictins, François Prévost d'Exiles mena jusqu'à la cinquantaine une vie tumultueuse, marquée notamment par une liaison ruineuse avec une aventurière, des fuites en Angleterre et en Hollande et des retours au bercail, où des protections lui permettent de reprendre l'état ecclésiastique. Durant ses séjours à l'étranger, Prévost subsistait en écrivant. Le premier de ses romans, *Mémoires et Aventures d'un homme de qualité*, parut en 7 tomes de 1727 à 1731 : il vaut surtout par le t. VII, qui contient l'*Histoire du chevalier Des Grieux et de Manon Lescaut*, récit d'une passion fatale. Prévost publie ensuite *Le Philosophe anglais. Histoire de M. Cleveland, fils naturel de Cromwell, écrite par lui-même* (1731-1739, 7 tomes), dont la narration prolixe décrit aussi l'univers des grandes passions et évoque la difficulté de porter des jugements moraux. Prévost a également fait paraître, de 1733 à 1740, un périodique, le *Pour et Contre*, dont il assumait la plus grande partie de la rédaction. Le titre du journal traduit la volonté de juger avec liberté et de refuser toute attitude dogmatique : la méthode du rédacteur consiste à multiplier et à confronter les faits, les textes et les témoignages. L'influence du *Spectator* anglais est très grande sur le *Pour et Contre* et l'Angleterre s'y trouve d'ailleurs massivement représentée, Prévost approfondissant ainsi le sillon que creusaient les *Lettres philosophiques* de Voltaire (1734). Enfin, l'abbé a laissé de nombreuses traductions du latin (Cicéron) et de l'anglais (David Hume, Samuel Richardson, Middleton, etc.).
Réf. : J. Sgard, *Prévost romancier*, 1968.

Racine (Louis) 1692-1763
Né à Paris, septième et dernier enfant de Jean Racine, Louis Racine fit ses études au collège de Beauvais, sous la direction de Rollin, et fut le condisciple de Voltaire à Louis-le-Grand. À peine devenu avocat, il décida soudain de fuir le monde et fit retraite pendant trois ans chez les Pères de l'Oratoire de Notre-Dame-des-Vertus. C'est alors qu'il compose un poème sur *La Grâce* dont la vente resta interdite jusqu'en 1720 en raison des tensions religieuses, mais qui permit au jeune écrivain d'entrer à l'Académie des inscriptions et belles-lettres. Après une carrière d'inspecteur général des fermes en province et de directeur des gabelles à Soissons, il revint à Paris pour se consacrer exclusivement aux lettres. Traducteur du *Paradis perdu* de Milton (1755, 3 volumes), auteur de *Mémoires contenant quelques particularités sur la vie et les ouvrages de Jean Racine* (publiés en 1747 avec une *Correspondance entre Racine et Boileau*) ainsi que de plusieurs essais critiques recueillis dans ses *Réflexions sur la poésie* (1747), Louis Racine a laissé des vers fermes et éloquents, rénovateurs d'un genre voué jusque-là à la description, et marqués d'un ton personnel et d'un sentiment intense du tragique de la

condition humaine. Son grand poème sur *La Religion* (1742) connut un succès durable. Frappé par la mort de son fils lors du tremblement de terre de Lisbonne, il se retira de la société et alla habiter une petite maison de Saint-Denis.
Réf. : Bordas ; Laffont-Bompiani, *Le Nouveau Dictionnaire des auteurs*, 1994.

Radelet-de Grave (Patricia) 1948-
Professeur d'histoire des sciences à l'Université Catholique de Louvain, responsable dans cette université du Centre interfacultaire détudes en histoire des sciences, Patricia Radelet-de Grave est l'auteur d'un ouvrage consacré aux *Lignes magnétiques du XIIIe siècle au milieu du XVIIIe siècle* (1982).

Raffy (Jean-Louis) XXe siècle
Auteur d'une édition bilingue du *Légiste magnanime* d'Andreas Gryphius (1993), Jean-Louis Raffy a aussi consacré à ce même ouvrage une étude, sous le titre *Le « Papinianus » d'Andreas Gryphius (1616-1684). Drame de martyr et sécularisation du théâtre en Allemagne au XVIIe siècle* (1992).

Reichen (Charles-Albert) XXe siècle
Traducteur du *Voyage du pèlerin* de John Bunyan en 1947, Charles-Albert Reichen est aussi l'auteur de *La Fin du monde est pour demain* (1949), d'une *Histoire de l'astronomie* (1964), d'une *Histoire de la chimie* (1965) et d'une *Histoire de la physique* (1965).

Roberti (Jean-Claude) 1936-
Ancien élève de la Sorbonne et de l'École Nationale des Langues Orientales (pour l'arabe, l'ukrainien et le russe), agrégé de russe, professeur à l'Université de Rennes II, Jean-Claude Roberti est docteur d'État depuis 1980 avec une thèse sur « Le Spectacle en Russie ancienne (1645-1676) ». Jean-Claude Roberti a publié plusieurs ouvrages, ainsi qu'une cinquantaine d'articles, sur le théâtre, la civilisation, l'Église et la culture russe. Il est notamment l'auteur de *Vivre en Russie au temps d'Ivan le Terrible* (1986), *Histoire de l'Église russe* (1989 ; en coll.), *Une infinie brutalité. L'image de la Russie dans la France des XVIe et XVIIe siècles* (1991 ; en coll.), *Les Uniates* (1992), et le traducteur des *Voies de la théologie russe* de G. Florovsky (1991).

Robin (Armand) 1912-1961
Né à Plouguernevel (Côtes d'Armor), fils de cultivateurs bretons, Armand Robin fit des études à Saint-Brieuc, à Paris et à Lyon. Il mena ensuite une vie d'errance, voyageant à travers de nombreux pays (Russie, Allemagne, Scandinavie, Espagne), apprenant les langues et s'initiant aux littératures étrangères. Dès 1940, un premier titre dit déjà le choix de l'exil : *Ma vie sans moi* offre un ensemble de poèmes de l'auteur, en même temps que des traductions d'Essenine, de Maïakovski, de Rilke, de Tchekhov et d'Edgar Poe notamment. Deux ans plus tard, il termine *Le Temps qu'il fait*, sorte de version moderne de la « quête du Graal », qui relate les drames dont l'auteur fut l'acteur ou le témoin au cours de ses jeunes années. Le recueil des *Poèmes indésirables* (1945) est fait de vers imprécatoires contre les pouvoirs totalitaires. Paraissent aussi à la même époque des traductions de Goethe (1943) et de *Quatre poètes russes* (1949 [Maïakovski, Pasternak, Blok, Essenine]). *La Fausse Parole* (1953) est un vigoureux pamphlet contre le mensonge envahissant des mass media. En 1953 et en 1958 sortent deux volumes de *Poésie non traduite* ; à partir d'auteurs chinois, russes, arabes, suédois, néerlandais, etc., ces « non-traductions » tentent de transposer en français, aussi musicalement que possible, l'inspiration des modèles. L'un de ceux-ci, Ungaretti, déclarera avoir été par Armand Robin, « saisi aux racines ». Robin meurt dans des conditions obscures, à Paris, à l'âge de quarante-neuf ans. Plusieurs ouvrages parurent posthumes : ainsi en 1986, sa traduction du *Savva Groudzine* d'Alexeï Remizof.
Réf. : Laffont-Bompiani, *Le Nouveau Dictionnaire des auteurs*, 1994 ; A. Bourdon, *Armand Robin*, 1981.

Roland (Hubert) 1967-
Né à Schaerbeek, Hubert Roland est actuellement assistant à l'unité de langue et littérature allemandes de l'Université Catholique de Louvain, et il achève la rédaction d'une thèse de doctorat consacrée à la « colonie » littéraire allemande en Belgique pendant la Première Guerre mondiale. Il a déjà publié plusieurs articles relatifs à certains auteurs de cette « colonie » (Gottfried Benn, Carl Sternheim, Carl Einstein, Friedrich-Markus Huebner) et à leurs relations avec les écrivains belges de l'époque (Pansaers, Eekhoud). Hubert Roland a également dirigé, avec Ernst Leonardy, un ouvrage collectif intitulé *Descriptions et créations d'espaces dans la littérature* (1995).

Rosny (J. H.) *(voir Boex.)*

Roszczynowa (Wladimira) XXe siècle
Auteur de traductions inédites de Nikolaj Rej, de Copernic, de Kochowski et de Szymonowicz.

Rothmund (Elisabeth) 1965-
Agrégée d'allemand, maître de conférences à l'Université de Paris XII-Créteil Val-de-Marne, Elisabeth Rothmund a défendu en 1994 une thèse de doctorat intitulée « Conscience identitaire allemande et patriotisme culturel entre musique et littérature : Henrich Schütz (1585-1672) ». En outre, Elisabeth Rothmund a participé à l'entreprise de traduction française de la correspondance d'Albert Einstein.

Rothmund-Dhuicq (Jane) 1930-
Professeur honoraire de l'enseignement secondaire, co-auteur de plusieurs manuels d'allemand langue étrangère, Jane Rothmund-Dhuicq a participé en 1990, dans le cadre du Collège International de Philosophie, à la traduction française de textes inédits de Lou Andreas Salomé.

Rothschild (Philippe de) XXe siècle
Auteur d'un recueil de poèmes (*Le Pressoir perdu*, 1978), Philippe de Rothschild a traduit plusieurs ouvrages anglais et a donné en 1963 une anthologie de *Poèmes élizabéthains*.

Rousselot (Jean) 1913-
Né à Poitiers, Jean Rousselot est poète, essayiste, romancier et traducteur. On lui doit, parmi ses nombreux ouvrages, les recueils *Le Sang du ciel* (1944), *Il n'y a pas d'exil* (1954), *À qui parle de vie* (1972), les romans *Une fleur de sang* (1955), *Un train en cache un autre* (1964), des essais sur la poésie française, sur Poe, Milosz, Blake, Hugo, Max Jacob et Petöfi, enfin des traductions des *Sonnets* de Shakespeare (1969), des *Poèmes* de Petöfi (1971) et de Janus Pannonius (1973). Jean Rousselot a tenu longtemps la chronique de la poésie dans le périodique *Les Nouvelles littéraires*. Il a en outre présidé la Société des Gens de Lettres de France, et s'est vu décerner le Grand Prix de l'Académie française pour l'ensemble de son œuvre, et le Grand Prix littéraire de la Ville de Paris pour son œuvre poétique.
Réf. : A. Marissel, *Jean Rousselot*, 1973.

Rousset (Jean) 1910-
Né à Genève, Jean Rousset fit dans cette ville des études de droit et de lettres puis enseigna la littérature française à l'Université, jusqu'en 1976. Il est l'auteur d'ouvrages nombreux, parmi lesquels on citera *La Littérature de l'âge baroque en France* (1953) et une *Anthologie de la poésie baroque française* (1961), *Forme et signification. Essais sur les structures littéraires de Corneille à Claudel* (1962), *L'Intérieur et l'Extérieur. Essai sur la poésie et le théâtre au XVIIe siècle* (1968 ; avec des traductions de la poésie italienne), *Narcisse romancier. Étude sur la première personne dans le roman* (1972), *Leurs yeux se rencontrèrent. La scène de première vue dans le roman* (1981), *Le Lecteur intime. De Balzac au Journal* (1986) et *Le Mythe de Don Juan* (4e éd., 1987).

Roux (Louis) 1939-
Né à Saint-Étienne, agrégé de l'université, titulaire de plusieurs doctorats (histoire de la philosophie, lettres et sciences humaines), Louis Roux est actuellement professeur à l'Université Jean-Monnet de Saint-Étienne et responsable de la série des *Travaux* publiés par le Centre Interdisciplinaire d'Études et de Recherches sur l'Expression contemporaine. À ce dernier titre, il a dirigé la publication de plusieurs ouvrages collectifs (*Dénominateurs communs aux arts et aux sciences*, 1986 ; *Les Liens et le vide. Recherche sur la création contemporaine*, 1994 ; etc.). Louis Roux est aussi l'auteur d'une édition du *Corps politique* de Thomas Hobbes (1973) et d'essais sur *Le Vocabulaire, la phrase et la paraphrase du « Léviathan » de Thomas Hobbes* (1980, en coll.) et sur *Thomas Hobbes, penseur entre deux mondes* (1982).

Royer (Alphonse) 1803-1875
Né à Paris, Alphonse Royer fut homme de théâtre, romancier (*Les Mauvais Garçons*, 1830 ; *Venezia la Belle*, 1834), traducteur (*Théâtre de Cervantès*, 1862 ; *Théâtre de Juan Ruiz de Alarcón*, 1864) et historiographe de la scène (*L'Opéra*, 1875). Dès son entrée dans la carrière littéraire, il prend ouvertement parti pour l'école romantique. À partir de 1830, il présente sur diverses scènes parisiennes drames, comédies et vaudevilles ; il composa aussi, en collaboration avec Gustave Vaëz, la version française de quelques livrets d'opéra : ainsi pour *Lucie de Lammermoor* (1839) et *La Favorite* (1840) de Donizetti. Alphonse Royer dirigea l'Odéon (1853-1856) et administra avec Gustave Vaëz le Grand Opéra (1856-1862). En 1862, il fut nommé inspecteur général des Beaux-Arts.
Réf. : Grente.

Saint-Martin (Louis Claude de) 1743-1803
Né à Amboise, Louis Claude de Saint-Martin devient, après des études de droit, officier au

régiment de Foix. En 1768, à Bordeaux, il est initié à l'ordre maçonnique des Élus Coëns, que dirigeait Martinès de Pasqually. En 1774, il travaille à Lyon à des expériences théurgiques et magnétiques. Le premier ouvrage de Saint-Martin, *Des erreurs et de la vérité, ou les Hommes « rappelés » au principe universel de la science* (1775), se donne comme une réfutation du matérialisme et obtient un succès assez étendu malgré sa forme sybilline. Saint-Martin devient dès lors le mystique en vogue chez les gens du monde, il voyage à Versailles, à Londres, à Rome et à la cour de Montbéliard, faisant des prosélytes parmi les seigneurs et les nobles dames. En 1782 paraît son deuxième ouvrage, le *Tableau naturel des rapports qui existent entre la nature, l'homme et Dieu* ; Saint-Martin s'écarte des pratiques occultistes, par crainte du diable. À Strasbourg, chez son amie Mme de Böcklin, il découvre la pensée de Jacob Böhme, dont il traduira en français les ouvrages et se proclamera désormais le disciple (*L'Homme de désir*, 1790 ; *Le Nouvel Homme*, 1792). Malgré son titre nobiliaire, il traverse indemne la tourmente révolutionnaire et donne de la Révolution une interprétation providentialiste qui aura une influence décisive sur la pensée de Joseph de Maistre. Il réfute la théorie de la volonté générale, prône la théocratie et oppose aux raisonneurs comme aux occultistes la supériorité de la méditation intime. Témoin le plus marquant du mouvement de réaction mystique des dernières années de l'Ancien Régime, Saint-Martin eut à travers tout le romantisme une influence importante, que l'on discerne en particulier chez Sainte-Beuve et Balzac.
Réf. : Grente ; Laffont-Bompiani, *Le Nouveau Dictionnaire des auteurs*, 1994 ; M. Sekrecka, *L. Cl. de Saint-Martin, le philosophe inconnu*, Wroclaw, 1968.

Saussay (Jean) 1938-1977
Agrégé de russe, Jean Saussay fut assistant à l'Institut National des Langues et Civilisations orientales, puis à l'Université de Paris VIII. Jean Saussay a traduit les textes qui figurent dans le recueil *La Russie ancienne. IXe-XVIIe siècles*, qui parut en 1975. Il a aussi publié de nombreux articles dans les *Cahiers du monde russe et soviétique*, mais n'a pu terminer sa thèse de doctorat, qui portait sur l'enseignement primaire en Russie. Deux fragments inédits de cette thèse ont été publiés en 1986 par Jean-Louis Van Regemorter dans la *Revue des Études slaves*.

Segonds (Alain) XXe siècle
Auteur d'une version française du *Secret du monde* de Jean Kepler (1993), Alain Segonds est aussi éditeur et traducteur de Copernic.

Sempoux (André) 1935-
Professeur à l'Université Catholique de Louvain, où il enseigne la littérature italienne, André Sempoux est l'auteur d'ouvrages d'érudition (*La Nouvelle*, 1974), ainsi que de romans (*Le Congressiste*, 1988 ; *Le Dévoreur*, 1995) et de nouvelles (*Silence ! Nouvelles*, 1996).

Sorbière (Samuel) 1615-1670
Né à Saint-Ambroix, dans le diocèse d'Uzès, issu d'une famille protestante et destiné au ministère pastoral, Samuel Sorbière abandonna les études théologiques, vint à Paris étudier la médecine puis alla exercer celle-ci en Hollande. Rentré en France, il est appelé à la direction du collège d'Orange en 1650, puis se convertit au catholicisme en 1653. À la mort de sa femme, il prit l'habit ecclésiastique et voyagea en Italie, puis en Angleterre (*Relation d'un voyage en Angleterre, où sont touchées plusieurs choses qui regardent l'estat des sciences et de la religion et autres matières curieuses*, 1664). Les recommandations de son oncle, Samuel Petit, l'avaient mis en rapport avec les hommes les plus distingués de son temps. Plusieurs lui dédièrent des ouvrages. Admis dans la société des physiciens qui s'assemblaient chez Montmor, Sorbière publia dans des *Lettres et Discours sur diverses matières curieuses* les dissertations qu'il avait composées pour cette académie. Grand admirateur de la philosophie de Gassendi, il a placé un essai biographique sur cet auteur en tête de l'édition en six volumes de ses *Œuvres* (Lyon, 1658). Samuel Sorbière a aussi traduit l'*Utopie* de Thomas More (1643) et deux ouvrages de Thomas Hobbes (*Élémens philosophiques du citoyen, traicté politique où les fondemens de la société civile sont découverts*, 1649 ; *Le Corps politique, ou les élémens de la loy morale et civile*, 1652). On a conservé un certain nombre de ses bons mots et de ses traits satiriques dans le recueil des *Sorberiana*, publié en 1691 par François Graverol.
Réf. : Michaud.

Souchay (Jean-Baptiste) 1688-1746
Né à Saint-Amand (Vendômois), philologue et humaniste, l'abbé Jean-Baptiste Souchay fut précepteur des fils du comte de La Vauguyon puis des neveux du président de Noinville, professeur d'éloquence au Collège royal et membre de l'Académie des Inscriptions. On lui doit une

traduction de l'*Essai sur les erreurs populaires* de Thomas Browne (1733), plusieurs dissertations insérées dans le recueil des *Mémoires de l'Académie des Inscriptions* ainsi qu'un *Traité d'éloquence* inachevé. Mais c'est surtout comme éditeur que Jean-Baptiste Souchay s'est fait un nom en littérature : il a consacré ses soins à la publication d'ouvrages de Le Vayer de Boutigny, d'Honoré d'Urfé, de Pellisson, de Boileau et d'Arnauld d'Andilly.
Réf. : Quérard ; Grente.

Spica (Anne-Élisabeth) 1966-
Ancienne élève de l'École Normale Supérieure, agrégée de lettres classiques, Anne-Élisabeth Spica est docteur en littérature française de la Sorbonne (1994), avec une thèse portant sur les théories de l'image symbolique et sur la constitution d'un imaginaire de la langue, à travers les recueils d'emblèmes et de devises du XVIIe siècle. Maître de conférences à l'université de Metz, elle poursuit actuellement des recherches sur la statut général de la représentation au XVIIe siècle et s'intéresse aussi à la littérature néo-latine de cette période.

Stavrou (Michel) 1960-
Né à Paris d'un père grec et d'une mère française, ingénieur en informatique de gestion, Michel Stavrou a fait ses études à l'Institut Saint-Serge de Paris (il est licencié en théologie) et à l'École Centrale de Lyon ; Michel Stavrou a en outre passé un DEUG de littérature grecque à l'Université Lyon III. Il a traduit en français *La Foi vivante de l'Église* du théologien grec Christos Yannaras (1990), ainsi que plusieurs articles de Jean Zizioulas. En outre, Michel Stavrou est membre du Comité de traduction des textes liturgiques byzantins de la Fraternité orthodoxe en Europe occidentale.

Susini (Eugène) XXe siècle
Auteur d'une traduction en deux volumes du *Pèlerin chérubinique* d'Angelus Silesius (1964), Eugène Susini a publié également un recueil de *Lettres inédites de Franz von Baader* (1967) ainsi qu'un ouvrage intitulé *En marge du romantisme. Portrait et correspondance d'Auguste Sougey-Avisard (1818-1889)* (1975).

Szilágyi (Éva) 1927-
Née à Budapest, diplômée de français et d'allemand des universités de Budapest et de Lausanne, Éva Szilágyi a fait une carrière de professeur de lycée. Elle a publié de nombreuses traductions du français vers le hongrois (*La Méditerranée* de F. Baudrel par exemple) et du hongrois vers le français (*Napoléon et la Hongrie* de Domokos Kosáry). Elle a également collaboré à l'anthologie *Pages choisies de la littérature hongroise* de Tibor Klaniczay (Budapest, 1981).

Tchobanian (Arshak Ch'opanian, dit Archag) 1872-1954
Arménien né à Constantinople, Archag Tchobanian vécut à Paris où il s'employa, par des publications et des conférences, à faire connaître la nation arménienne. Il a édité et traduit de nombreux textes littéraires arméniens (*Poèmes arméniens anciens et modernes*, 1902 ; *Chants populaires arméniens*, 1903 ; *Les Trouvères arméniens*, 1906 ; *La Roseraie d'Arménie*, 1918-1929, 3 tomes) et a rédigé un ouvrage, *Le Peuple arménien. Son passé, sa culture, son avenir*, qui parut en 1913 avec une introduction d'Anatole France. Archag Tchobanian est aussi l'auteur de recueils poétiques et de *Victor Hugo, Chateaubriand et Lamartine dans la littérature arménienne. Poèmes, articles, discours réunis et traduits par A. T.* (1935).
Réf. : Lorenz.

Tenora (Bohus) XXe siècle
Auteur de traductions françaises de Comenius insérées en 1957 dans le recueil de *Pages choisies* publié par Jean Piaget.

Thomas (Lucien-Paul) 1880-1948
Docteur en philologie romane, Lucien-Paul Thomas fut lecteur de français, puis professeur de littératures romanes, à Giessen, avant d'être nommé professeur à l'Université Libre de Bruxelles. Hispanisant, collaborateur de revues nombreuses (*Journal des poètes, Le Thyrse, La Renaissance d'Occident, Le Flambeau*, etc.), il publia des études sur la préciosité en Espagne et le gongorisme (*Góngora et le gongorisme considérés dans leurs rapports avec le marinisme*, 1910 ; *La Genèse du symbolisme de Calderón*, 1910 ; *Précieuses de France et Précieuses d'Espagne*, 1920 ; *Poèmes de Góngora* [traduction], 1931). On doit aussi à Lucien-Paul Thomas des études sur *Le Mouvement symboliste en France* (1912), *Le Théâtre lyrique contemporain. Belgique et France* (1926) et *L'Inquiétude du poète moderne* (1933-1934).
Réf. : *Le Nouveau Dictionnaire des Belges*, 1992.

Tricaud (François) 1922-
Né à Paris, agrégé de philosophie et docteur ès lettres de la Sorbonne, François Tricaud est professeur émérite de l'Université Jean-Moulin de Lyon. Ses principaux travaux portent sur la

philosophie anglaise des XVIIe et XVIIIe siècles (traduction commentée du *Léviathan* de Thomas Hobbes, 1971) ainsi que sur l'histoire et la théorie de la justice pénale (*L'Accusation. Recherche sur les figures de l'agression éthique*, 1977).

Tripet (Arnaud) 1931-
Né à Genève, licencié et docteur ès lettres de l'université de Genève, Arnaud Tripet enseigna à Northwestern (Evanston, Illinois) et à Chicago, et est depuis 1981 professeur de littérature française à l'université de Lausanne. Éditeur de Théodore de Bèze et de Musset, auteur de *Pétrarque ou la connaissance de soi* (1967), de *L'Inquiétude et la Forme. Essai sur U. Foscolo* (1973), de *La Rêverie littéraire. Essai sur Rousseau* (1979) et de *Montaigne et l'art du prologue au XVIe siècle* (1992), Arnaud Tripet a également publié des traductions françaises de *L'Europe des capitales* d'Argan (1964) et de *La Cité du soleil* de Campanella (1972).

Tuzet (Hélène) Env. 1900 - avant 1988
Hélène Tuzet était, en 1965, professeur de littérature comparée à l'université de Poitiers. De 1944 à 1946, elle avait rédigé des articles de critique musicale dans *France*, journal paraissant à Londres en langue française et destiné aux Français qui demeurèrent encore en Angleterre quelque temps après la Libération. Elle collabora aussi, pour la critique littéraire, à la revue *Combat*, de Maurice Nadeau. Auteur de nombreux articles savants, Hélène Tuzet a publié en 1945 sa thèse de doctorat ès lettres (soutenue en Sorbonne) sur les *Voyageurs français en Sicile au temps du romantisme (1802-1848)*. On lui doit également *Le Cosmos et l'imagination* (1965) et *Mort et résurrection d'Adonis. Étude de l'évolution d'un mythe* (1987).

Vanel (Jean, ou Claude) XVIIe siècle
Les répertoires ne s'accordent pas sur le prénom de ce personnage, à moins que, comme certains critiques en formulent l'hypothèse, il y eut deux Vanel au XVIIe siècle. Vanel est en tout cas le nom d'un conseiller à la Chambre des Comptes de Montpellier qui fit paraître à Paris, en 1685, une *Histoire du temps, ou Journal galant* (2 vol.). L'auteur s'est consacré aussi à des traductions (*Nouvelles de doña Maria de Zayas*, 1680 [version attribuée à Vanel par la 3e édition du *Dictionnaire des ouvrages anonymes* d'Antoine-Alexandre Barbier, 1875] ; *Histoire des conclaves depuis Clément V* de Gregorio Leti, 1689 [seconde édition augmentée de trois conclaves en 1691]) et à des compilations et abréviations d'histoires étrangères (Angleterre, Espagne, Turquie, Hongrie). Amateur d'anecdotes clandestines et parfois scabreuses, Vanel publia encore en 1694, à Bruxelles, *Les Galanteries des rois de France, depuis le commencement de la monarchie jusqu'à présent*. Ce dernier ouvrage fit l'objet de plusieurs réimpressions.
Réf. : Michaud ; Grente.

Vauthier (Étienne) XXe siècle
Auteur de traductions françaises de Tirso de Molina, de Juan Ruiz de Alarcón (1932) et de Calderón de la Barca (1938).

Vauzelles (Jean-Baptiste de) 1792-1859
Né à Brioude, juriste, Jean-Baptiste de Vauzelles fut procureur du roi à Tours, puis conseiller et enfin premier président à la cour royale d'Orléans. Il a publié l'*Essai d'un traité sur la justice universelle, ou les sources du droit* (1824 ; suivi de la traduction de quelques opuscules de Bacon), *Des Jésuites et de la cour de Rome par le chancelier Bacon* (1826 ; traduction de tout ce qui, dans les œuvres de Bacon, se rapporte à la Compagnie de Jésus) et une *Histoire de la vie et des ouvrages de François Bacon de Verulam, suivie de quelques-uns de ses écrits, traduits pour la première fois en français* (1833, 2 vol.).
Réf. : Michaud ; Grente.

Vieuille (Marie-Françoise) XXe siècle
Auteur, avec Hana Jehova, d'une *Anthologie de la poésie baroque tchèque* (1981).

Vignaux (Anne-Laure) 1963-
Née à Namur, licenciée en histoire de l'art et archéologie de l'Université Catholique de Louvain, Anne-Laure Vignaux a suivi un cycle de formation pour l'allemand au Centre Européen de Traduction littéraire (Bruxelles).

Villegardelle (François) 1810 - ?
Né à Miramont (Lot-et-Garonne), publiciste, disciple de Fourier, François Villegardelle est l'auteur d'une *Histoire des idées sociales avant la Révolution française, ou les Socialistes modernes* (1845). L'année précédente, il avait déjà publié une brochure intitulée *Accord des intérêts dans l'association, et besoins des communes, avec une notice sur Charles Fourier*, qui critiquait certains points de la doctrine fouriériste et connaîtra une deuxième édition en 1848. On doit aussi à François Villegardelle une traduction de *La Cité du soleil* de Thomas Campanella

(1841), ainsi que des éditions du *Code de la nature* (1840) et de *La Basiliade* (1841) de Morelly.
Réf. : Quérard ; Lorenz.

Villoteau (Renée) 1898-
On doit notamment à Renée Villoteau des traductions françaises du *Journal* de Samuel Pepys (1940 ; rééd. en 1948 et en 1987), de *Madame Milton* de Robert Graves (1946), de *La Civilisation à l'épreuve* de Arnold J. Toynbee (8e éd., 1951), de *La Montagne est jeune* de Han Suyin (1959) et de *Éros et Thanatos* de Norman O. Brown (1972).

Violette (René) XXe siècle
Auteur de traductions inédites de Leibniz ainsi que d'un essai paru à Toulouse et consacré à *La Spiritualité de Bergson* (1968).

Weinstock (Nathan) 1939-
Né à Anvers, diplômé de droit et de criminologie de l'Université Libre de Bruxelles, collaborateur scientifique de l'Institut d'Études du Judaïsme (Bruxelles), Nathan Weinstock a publié une histoire du mouvement ouvrier juif en Europe (*Le Pain de misère*, 1984-1986, 3 volumes). En outre, pour la revue *Le Monde juif*, publiée par le Centre de Documentation Juive contemporaine (Paris), Nathan Weinstock a traduit, commenté et annoté de nombreuses chroniques et journaux rédigés au cours de la période de la « Shoah ».

Zarini (Vincent) 1962-
Ancien élève de l'École Normale Supérieure, agrégé de lettres classiques, docteur en langue et littérature latines de la Sorbonne (1992), Vincent Zarini est maître de conférences à l'Université de Nancy II. Auteur de travaux sur Claudien, Corippe, Boèce et Symmaque, il poursuit des recherches dans le domaine de la poésie latine tardive et de la littérature néolatine.

Zévaès (Alexandre Bourson, dit Alexandre) 1873 - ?
Né à Moulins-sur-Allier, avocat et député, Alexandre Zévaès a laissé de très nombreux ouvrages d'histoire littéraire et d'histoire politique. Citons, parmi sa très abondante bibliographie, *Les Procès littéraires au XIXe siècle* (1924), *Histoire de la IIIe République, 1870-1945* (1926), *Aristide Bruant* (1943), *Zola* (1946), *Henri Rochefort le pamphlétaire* (1946), *De l'introduction du marxisme en France* (1947), *Histoire du socialisme et du communisme en France, de 1870 à 1947* (1947), *Le Cinquantenaire de « J'accuse »* (1948), *Clemenceau* (1949) et *Jean Jaurès* (1951). C'est en 1950 que parut sa traduction française de *La Cité du soleil* de Thomas Campanella.
Réf. : Lorenz.

Zins (Céline) 1937-
Née à Paris, auteur de recueils poétiques, Céline Zins a également une importante activité de traductrice, de l'anglais (Philip Roth, Oskar Lewis, Douglas Woolf, William Faulkner, Alan Burns, Ernest Hemingway, Truman Capote, Joyce Carol Oates, etc.) et de l'espagnol (Carlos Fuentes, Calderón de la Barca [*La Vie est un songe*, 1982]). Céline Zins a reçu en 1963 le Prix du Meilleur Livre étranger pour sa version française des *Enfants de Sánchez* d'Oskar Lewis ; en 1990, l'ensemble de son œuvre de traductrice a été couronnée par le Prix Halpérine-Kaminski.
Réf. : H. van Hoof, *Dictionnaire universel des traducteurs*, 1993.

INDEX DES AUTEURS

Cet index renvoie aux extraits de textes, désignés par leur numéro d'ordre

A

B

C

D

F

G

INDEX DES ŒUVRES

Cet index renvoie aux extraits de textes, désignés par leur numéro d'ordre

A

B

C

D

E

F

G

H

I

J

K

L

M

N

O

P

Q

R

S

T

U

V

Z

INDEX DES TRADUCTEURS

Cet index renvoie aux extraits de textes, désignés par leur numéro d'ordre
Les titres ou les noms entre crochets possèdent une entrée propre

D

E

F

G

H

J

K

L

M

S

T

V

W

Z